제5판

# 위상수학 상

TOPOLOGY

박대희 · 안승호 지음

경문사

## | 머리말 |

위상수학(位相數學, topology)은 위치(位置)와 형상(形相)의 학문이라는 뜻이다. 위상수학의 유래에 관해서는 여러 가지 설이 있다. 푸앵카레(H. Poincaré)의 위치해석(analysis situs)에서 비롯되었다고 하는 것이나, 칸토어(G. Cantor)의 집합론(set theory) 내지는 새로이 출현한 여러 가지 추상공간이 그랬다는 주장, 또는 위상수학에 관한 영역불변성의 정리를 발견하고 또 칸토어의 방법과 위치해석적 방법을 통합시킨 브라우어(L. E. Brouwer)를 위상수학의 창시자로 보는 등이 그것이다. 일부 개념은 오일러(L. Euler)와 가우스(C. F. Gauss)까지 거슬러 올라가기도 하지만, 실질적으로 위상수학은 19세기 후반 푸앵카레 및 다른 수학자들의 연구와 함께 비로소 발전하기 시작하였으며 하우스도르프(F. Hausdorff)에 의해 완성되었다. 위상수학은, 온갖 지식에 대한 철학의 관계가 그런 것처럼, 수학 전체를 통합하는 학문으로서 20세기에 그 위치를 굳혔다. 위상수학은 근방(열린집합), 극한, 연속의 직관적인 개념에 대한 추상적인 수학적 체계를 세우는 학문으로서 기하학적 대상이나 수학적으로 좀더 추상적인 대상을 연속적으로 바꾸었을 때 변하지 않는 성질들을 다룬다. 이 근원성(根源性) 때문에 위상수학은 수학의 많은 분야의 기초가 되었으며, 미처 예기치 못한 타 분야와의 결합을 매개하는 역할을 하고 있다. 위상수학 또는 적어도 그것의 일부는 현대 수학의 대부분의 분야에 퍼져 있으며, 말할 필요도 없이 현대 물리학과 깊은 관계를 맺고 있다. 또한 최근에는 데이터 분석, 네트워크 과학 등과 같은 다양한 응용분야에 활용되고 있다.

지은이는 학부과정의 수학 과목들을 다년간 강의해 오면서 학생들이 다른 어떤 과목보다도 위상수학을 어려워한다는 것을 느꼈다. 사실 위상수학을 배우기 위해서는 기초적인 집합론의 지식만 있으면 충분하다. 그런데 왜 학생들은 어려워할까? 지은이의 생각으로는 그 이유 중 하나는 학생들이 지금까지 계산 문제만을 위주로 공부하여 논리적인 사고와 증명을 힘들어 한다는 점이다(수학의 가치가 복잡한 계산에 있지 않고, 원리의 이해와 논리적 사고력을 키우는 데 있음에도 불구하고). 그리고 다른 하나는 지금까지 접하지 못한 공리를 바탕으로 한 추상적인 개념들과 공간들이 나오기 때문인 것 같다. 예를 들어 함수의 연속이란 개념은 미적분학이나 해석학 과목에서는 극한의 개념이나 $\epsilon$-$\delta$ 논법을 사용하여 한 점에서 정의하였는데, 갑자기 위상수학 과목에서는 (열린)집합이란 개념을 가지고 정의하고, 눈으로 보기에는 연속이 아닌 함수가 어떤 위상을 주느냐에 따라 연속이 될 수도 있고 안 될 수도 있기 때문에 쉽게 받아들이지 못하는 것 같다. 그리고 위상수학에서의 연속이란 개념은 미적분학 또는 해석학에서의 연속의 정의를 보다 일반화한 개념임을 알지 못하고 서로 다른 개념으로 이해한다. 이러한 이유로 처음에 지은이는 보다 직관적인 공간인 거리공간만을 다루려 하였다. 그러나 위상수학에서 흥미롭게 생각하는 많은 공간들은 거리공간이 아니다. 그리고 대학원 진학 문제 또는 중등교사 임용고시 문제에서 거리공간이 아닌 공간을 많이 다루고 있다. 이러한 이유로 이 책을 거리공간만으로 한정할 수가 없었다. 이 책은 앞에서 언급한 학생들의 어려움을 덜어주는데 목적을 두었다. 따라서 이 책의 집필 방향은 다음과 같다.

## 집필 방향

(1) 위상수학에서의 개념들은 미적분학이나 해석학에서의 개념을 일반화한 것임을 설명하려 노력하였다.
(2) 다양한 보기와 문제를 통해 추상적인 개념과 성질들을 익힐 수 있도록 하였다.
(3) 새로운 개념을 정의할 때마다 이에 적합한 보기와 적합하지 않는 보기(반례)를 넣어 새로운 개념을 쉽게 이해하도록 하였다.
(4) 새로운 정리를 이해하는데 도움이 되는 보기와 이를 활용할 수 있는 보기를 넣어 새로운 정리를 잘 이해하도록 하였다.
(5) 새로운 정리에 부적합한 보기를 들어 정리의 조건들이 꼭 필요함을 느끼게 하여 주어진 정리를 정확히 이해하도록 하였다.
(6) 다음 장의 내용으로 나오더라도 배우는 장의 내용을 가지고 해결할 수 있으면 연습문제로 넣어서 선수학습을 할 수 있도록 하였다.
(7) 가급적 다른 교재를 참고하지 않아도 이해할 수 있게 하였다. 이를 위해 수학의 기본부터 시작하여 완전한 증명을 보여주려고 노력하였다.
(8) 230여 개의 그림을 넣어 개념과 정리의 내용을 보다 쉽게 이해하도록 하였다.

이 책은 집합론, 미적분학, 약간의 해석학, 기본적인 군론을 배운 학부 학생들을 대상으로 집필하였다. 그러나 이러한 지식을 모두 완벽하게 갖출 필요는 없다. 단지 기본적인 지식을 알고 사용할 수 있으면 충분하다. 그러므로 수학적 근거에 익숙할 것과 특정한 추상화의 능력 이외의 어떤 특별한 수학 지식을 필요로 하지 않는다. 따라서 이 책은 학부 2학년 2학기 또는 3학년 1학기에 시작하는 두 학기 정도의 강의 교재에 알맞도록 집필하였다.

## 읽지 않는 법

가급적 배우는 학생들은 모든 내용을 읽었으면 한다. 그러나 여러 가지 이유로 그럴 수 없는 학생은 †로 표시한 부분은 읽지 않아도 된다. 나중에 †에 들어 있는 내용이 필요할 때 읽어보면 된다. 그리고 가끔 반례를 설명하기 위하여 복잡한 풀이 과정이 들어 있는 보기가 있는데 이 경우 풀이 과정을 읽지 않아도 된다. 다만 이러한 반례가 있음을 알아두면 된다.

## 학생을 위하여

모든 연습문제를 꼭 풀어보기 바란다. 수학의 모든 과목을 공부하는데 있어서 문제를 스스로 풀어보는 것만큼 좋은 공부 방법은 없다. 연습문제를 직접 풀어보는 과정에서 본문에 나오는 개념과 정리들을 보다 정확히 이해할 수 있기 때문이다. 그리고 이 책을 읽기 전에 부록에 무엇들이 있는지 먼저 살펴보기 바란다. 부록 A의 “주요 위상공간들의 상호관계”를 나타내는 표는 따로 복사하여 현재 배우고 있는 페이지에 두고 지금 배우는 대상과 앞서 배운 대상들 사이의 관계를 살펴보기 바란다. 그리고 부록 C와 D의 성질들이 이 책의 어디에서 다루었는지 표시해가며 공부하기를 바란다.

## 강의하시는 분을 위하여

수학 용어는 한 단어로 취급하여 가급적 붙여쓰기를 하였다. 예를 들어 "열린 집합"을 "열린집합"으로 썼다. 그리고 지은이의 부족함으로 인해 적절한 수학 용어를 선택하는데 많은 어려움을 느꼈다. 다소 문법에 맞지 않거나 어색한 용어를 선택한 점에 대해 읽는 여러분들의 양해와 이해를 바란다. 이는 모두 지은이의 책임임을 밝혀둔다.

수학의 아름다움은 명료함에 있음에도 불구하고 이 책이 그렇지 못한 것 같아 안타깝고 송구스럽다. 그럼에도 이 책이 위상수학을 공부하는 여러분에게 조금이나마 도움이 될 수 있기를 소망한다.

끝으로 이 책에 대해 각별한 관심을 가지고 초판에서 지금의 모습으로 출판되기까지 많은 애를 써주신 편집부 직원들을 비롯하여 경문사 여러분들께 진심으로 감사드린다.

빛고을 용봉동에서

지은이

## 각 장들의 상호 관계

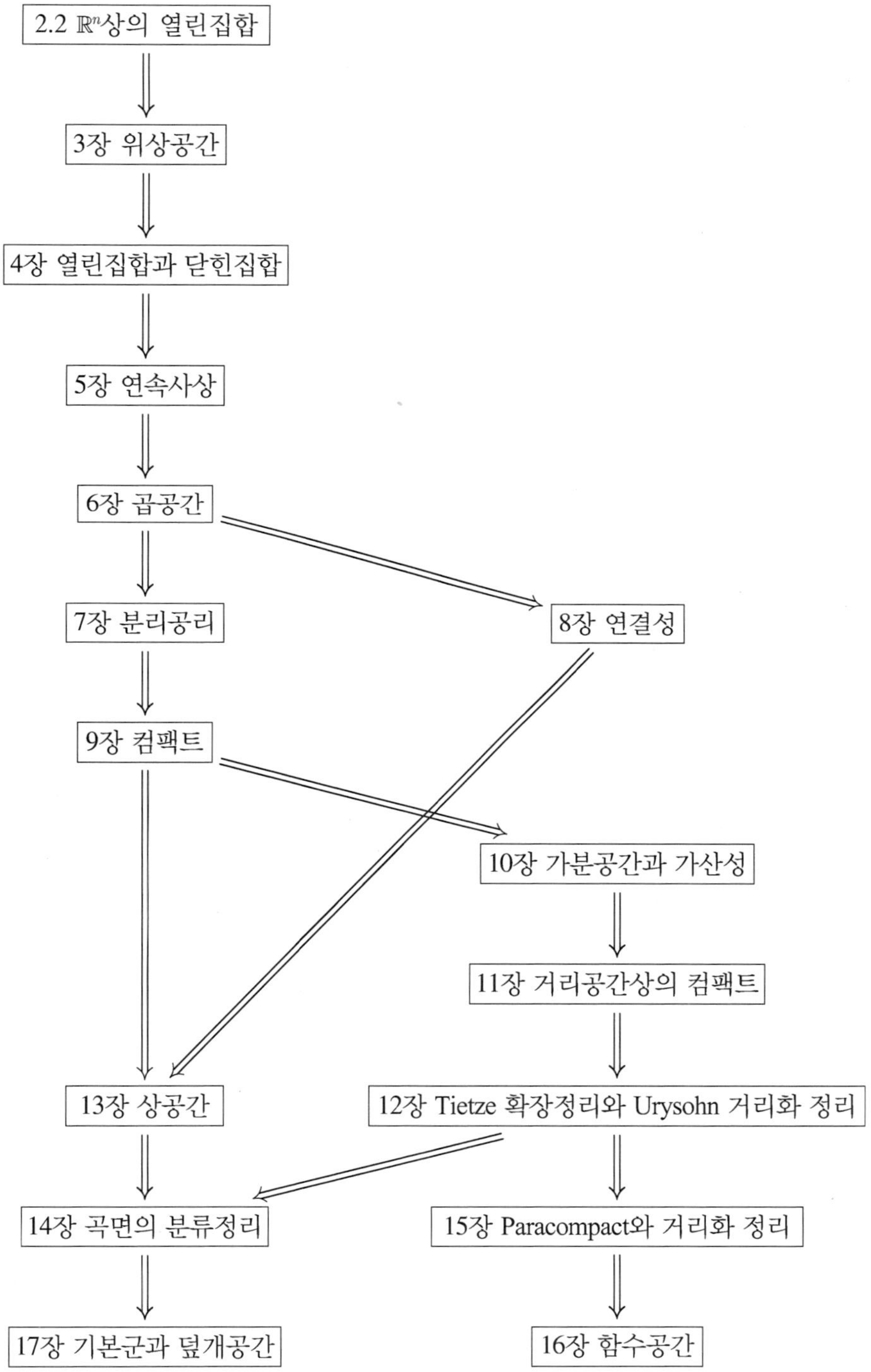
2.2 $\mathbb{R}^n$상의 열린집합
3장 위상공간
4장 열린집합과 닫힌집합
5장 연속사상
6장 곱공간
7장 분리공리
8장 연결성
9장 컴팩트
10장 가분공간과 가산성
11장 거리공간상의 컴팩트
13장 상공간
12장 Tietze 확장정리와 Urysohn 거리화 정리
14장 곡면의 분류정리
15장 Paracompact와 거리화 정리
17장 기본군과 덮개공간
16장 함수공간

| 차례 |

## 제4장 열린집합과 닫힌집합



## 제5장 연속사상



## 제6장 곱공간



## 제7장 분리공리



## 제8장 연결성

## 제9장 컴팩트



## 제10장 가분공간과 가산성

## 하권

### 제11장 거리공간상의 컴팩트



### 제12장 Tietze 확장정리와 Urysohn 거리화정리



### 제13장 상공간



### 제14장 곡면의 분류정리

## 제15장 Paracompact와 거리화 정리



## 제16장 함수공간



## 제17장 기본군과 덮개공간

## 부록

# 1장

# 집합론†

CONTENTS

대체로 집합론은 1895년에 독일 수학자인 Georg Cantor(1845-1918)가 창조한 것으로 알려져 있다. Cantor가 집합론을 발표함으로써 집합과 함수를 정의하여 개수의 개념을 무한한 대상으로까지 확장하는 데 성공하였다. 집합론이 나오게 되자 수학적 문제들이 집합론적으로 추상화 또는 일반화됨으로써 현대 수학은 획기적으로 발전하게 되었다.

집합론을 공리계의 테두리 안에서 엄밀하게 다루려면 너무나 많은 지면을 사용하여야 한다. 우리는 독자들이 이미 집합론이란 과목을 대학 1, 2학년 때 배웠다고 가정하여 이 책을 쓰고자 한다. 따라서 여기서는 앞으로 위상수학을 배우는데 필요한 집합론의 내용들을 직관적으로 간단히 기술하였다. 더욱더 엄밀히 집합론을 공부하고 싶다면 [22], [23], [30]을 참고하기 바란다.

## 1.1 기초논리

여기서는 이 책을 공부하는 데 꼭 알아두어야 할 논리의 기본을 소개하고자 한다.

논리 공부란 타당하지 않은 논증으로부터 (타당한) 논증을 구별하는 데 쓰이고 있다. **명제**는 참(T), 거짓(F) 중 어느 한 경우이고 동시에 양쪽이 아닌 서술문(주장)을 뜻한다.

**정의 1.1.1** **(부정)** 하나의 명제 $p$에 대하여 $p$가 아니다 또는 $p$의 **부정**으로 불리는 $\sim p$는 명제 $p$가 참일 때마다 거짓이고, $p$가 거짓일 때마다 참인 명제이다. 따라서 이들의 진리표는 다음과 같다.

| $p$ | $\sim p$ |
|---|---|
| T | F |
| F | T |

예를 들어 참인 명제 "3은 홀수이다"를 $p$라 할 때 그의 부정 $\sim p$는 "3은 홀수가 아니다"이므로 $\sim p$는 거짓이다.

**정의 1.1.2** **(논리곱)** 주어진 두 명제 $p$와 $q$에 대해 "$p$이고 $q$이다"라 불리는 **논리곱** $p \wedge q$의 진리표는 다음과 같다.

| $p$ | $q$ | $p \wedge q$ |
|---|---|---|
| T | T | T |
| T | F | F |
| F | T | F |
| F | F | F |

예를 들어 “3은 유리수이다”와 “$\sqrt{2}$는 무리수이다”를 각각 명제 $p$와 $q$라 하면 명제 $p \wedge q$는 “3은 유리수이고 $\sqrt{2}$는 무리수이다”가 된다.

**정의 1.1.3** **(논리합)** 주어진 두 명제 $p$와 $q$에 대해 “$p$ 또는(이거나) $q$이다”라 불리는 **논리합** $p \vee q$의 진리표는 다음과 같다.

| $p$ | $q$ | $p \vee q$ |
|---|---|---|
| T | T | T |
| T | F | T |
| F | T | T |
| F | F | F |

예를 들어 “3이 유리수이다”와 “$\sqrt{2}$가 유리수이다”를 각각 명제 $p$와 $q$라 하면 명제 $p \vee q$는 “3이 유리수이거나 $\sqrt{2}$가 유리수이다”가 된다.

**정의 1.1.4** **(조건부)** 주어진 두 명제 $p$와 $q$에 대해 “$p$이면 $q$이다”라 불리는 **조건문** $p \rightarrow q$의 진리표는 다음과 같다.

| $p$ | $q$ | $p \rightarrow q$ |
|---|---|---|
| T | T | T |
| T | F | F |
| F | T | T |
| F | F | T |

여기서 주의할 점은 명제 $p$의 진리 값이 거짓(F)이면 $q$의 진리 값에 관계없이 $p \rightarrow q$의 진리 값이 항상 참(T)이 된다는 것이다. 예를 들어 “비가 오고 있다”와 “나는 도서관에 있다”를 각각 명제 $p$와 $q$라 하면 명제 $p \rightarrow q$는 “비가 오면 나는 도서관에 있다”가 된다. 이러한 조건문에 대하여 진리 값이 거짓인 것은 어느 경우일까? 분명히 비가 오고 있으나 내가 도서관에 없을 때에만 거짓이다. 왜냐하면 비가 오지 않는 경우에 대해서는 아무런 언급을 안 했기 때문이다.

**정의 1.1.5** **(쌍조건부)** 주어진 두 명제 $p$와 $q$에 대해 "$p$이면 그리고 그때에만 $q$이다"라 불리는 **쌍조건문** $p \leftrightarrow q$의 진리표는 다음과 같다.

| $p$ | $q$ | $p \leftrightarrow q$ |
|---|---|---|
| T | T | T |
| T | F | F |
| F | T | F |
| F | F | T |

위의 진리표를 보면 쌍조건문 $p \leftrightarrow q$의 진리 값은 두 명제 $p$, $q$가 모두 참이거나 모두 거짓인 경우에만 참이다.

모든 논리적 가능성에 대하여 조건문 $p \rightarrow q$와 $p \leftrightarrow q$가 항상 참이면 각각 $p \Rightarrow q$와 $p \Leftrightarrow q$로 나타낸다. 그리고 $p \Leftrightarrow q$인 경우 우리는 $p$와 $q$가 **동치(equivalent)**라 한다.[1] 예를 들어 다음 진리표에서 알 수 있듯이 명제 $p \leftrightarrow q$는 명제 $(p \rightarrow q) \wedge (q \rightarrow p)$와 동치이다.

| $p$ | $q$ | $p \rightarrow q$ | $q \rightarrow p$ | $(p \rightarrow q) \wedge (q \rightarrow p)$ |
|---|---|---|---|---|
| T | T | T | T | T |
| T | F | F | T | F |
| F | T | T | F | F |
| F | F | T | T | T |

따라서 $p \leftrightarrow q$가 참일 필요충분조건은 $p \rightarrow q$, $q \rightarrow p$ 모두 참인 것이므로 명제 $p \Leftrightarrow q$는 명제 $(p \Rightarrow q) \wedge (q \Rightarrow p)$와 동치이다.

수학에서의 **정리** 또는 **성질**은 참인 명제를 이야기한다.

**성질 1.1.6** 임의의 두 명제 $p$, $q$에 대하여 다음이 성립한다.

(1) (합의법칙) $p \Rightarrow p \vee q$.

(2) (단순화법칙) $p \wedge q \Rightarrow p$.

증명 다음 진리표에 의하여 성립한다. 진리표의 맨 아래 숫자는 진리표의 완성 순서를 나타낸다.

1) 이 경우 $p$는 $q$이기 위한 **필요충분조건** 또는 $q$는 $p$이기 위한 **필요충분조건**이라 한다.

| $p$ | $q$ | $p \vee q$ | $p \wedge q$ | $p \to p \vee q$ | $p \wedge q \to p$ |
|---|---|---|---|---|---|
| T | T | T | T | T | T |
| T | F | T | F | T | T |
| F | T | T | F | T | T |
| F | F | F | F | T | T |
| | | 1 | 1 | 2 | 2 |

□

**성질 1.1.7** 세 명제 $p$, $q$, $r$에 대하여 다음이 성립한다.

$$(p \to q) \wedge (q \to r) \Rightarrow (p \to r)$$

증명 다음 진리표에 의하여 성립한다.

| $p$ | $q$ | $r$ | $p \to q$ | $\wedge$ | $q \to r$ | $\to$ | $p \to r$ |
|---|---|---|---|---|---|---|---|
| T | T | T | T | T | T | **T** | T |
| T | T | F | T | F | F | **T** | F |
| T | F | T | F | F | T | **T** | T |
| T | F | F | F | F | T | **T** | F |
| F | T | T | T | T | T | **T** | T |
| F | T | F | T | F | F | **T** | T |
| F | F | T | T | T | T | **T** | T |
| F | F | F | T | T | T | **T** | T |
| | | | 1 | 2 | 1 | 3 | 1 |

□

위의 사실로부터 우리는 다음 정리를 얻을 수 있다.

**정리 1.1.8 (추이법칙)** $p$, $q$, $r$을 명제라 하자. 만약 $p \Rightarrow q$이고 $q \Rightarrow r$이면 $p \Rightarrow r$이다.

증명 만약 $p \Rightarrow q$이고 $q \Rightarrow r$이면 $p \to q$와 $q \to r$이 모두 참이라는 뜻이다. 따라서 합성명제 $(p \to q) \wedge (q \to r)$도 참이다. 한편 성질 1.1.7에 의하여

$$(p \to q) \wedge (q \to r) \Rightarrow (p \to r)$$

이므로 명제

$$(p \to q) \wedge (q \to r) \to (p \to r)$$

이 참이다. 따라서 $p \to r$도 참이 되어야 하므로 $p \Rightarrow r$이 된다. □

**성질 1.1.9** 명제 $p$, $q$, $r$에 대하여 다음이 성립한다.

(1) $p \vee p \Leftrightarrow p$.

(2) $p \wedge p \Leftrightarrow p$.

(3) $p \vee q \Leftrightarrow q \vee p$.

(4) $p \wedge q \Leftrightarrow q \wedge p$.

(5) $p \vee (q \vee r) \Leftrightarrow (p \vee q) \vee r$.

(6) $p \wedge (q \wedge r) \Leftrightarrow (p \wedge q) \wedge r$.

(7) $p \wedge (q \vee r) \Leftrightarrow (p \wedge q) \vee (p \wedge r)$.

(8) $p \vee (q \wedge r) \Leftrightarrow (p \vee q) \wedge (p \vee r)$.

(9) $\sim (p \vee q) \Leftrightarrow (\sim p \wedge \sim q)$.

(10) $\sim (p \wedge q) \Leftrightarrow (\sim p \vee \sim q)$.

(11) $(p \Rightarrow q) \Rightarrow (p \vee r \Rightarrow q \vee r)$.

(12) $(p \Rightarrow q) \Rightarrow (p \wedge r \Rightarrow q \wedge r)$.

증명 증명은 연습문제로 남긴다. □

## 대우와 모순

주어진 명제 $p \to q$의 **대우**(contrapositive)란 명제 $\sim q \to \sim p$를 뜻한다. 다음 진리표에서 알 수 있듯이 $p \to q$와 $\sim q \to \sim p$는 서로 동치이다.

| $p$ | $q$ | $p \to q$ | $\leftrightarrow$ | $\sim q$ | $\to$ | $\sim p$ |
|---|---|---|---|---|---|---|
| T | T | T | **T** | F | T | F |
| T | F | F | **T** | T | F | F |
| F | T | T | **T** | F | T | T |
| F | F | T | **T** | T | T | T |
| | | 1 | 3 | 1 | 2 | 1 |

그러므로 $p \to q$가 참일 필요충분조건은 $\sim q \to \sim p$가 참인 것이다. 따라서 우리는 다음 성질을 얻는다.

**성질 1.1.10 (대우법칙)** $(p \Rightarrow q) \Leftrightarrow (\sim q \Rightarrow \sim p)$

모든 논리적 가능성의 각 경우마다 진리 값이 거짓인 명제를 **모순(contradiction)**이라 하고 $c$로 표시한다. 예를 들어 명제 $p \wedge \sim p$는 모순이다.

| $p$ | $\sim p$ | $p \wedge \sim p$ |
|---|---|---|
| T | F | F |
| F | T | F |
| | 1 | 2 |

**성질 1.1.11 (귀류법)** $(p \rightarrow q) \Leftrightarrow (p \wedge \sim q \rightarrow c)$

증명 다음 진리표에 의하여 성립한다.

| $p$ | $q$ | $\sim q$ | $p \rightarrow q$ | $\leftrightarrow$ | $p \wedge \sim q$ | $\rightarrow$ | $c$ |
|---|---|---|---|---|---|---|---|
| T | T | F | T | **T** | F | T | F |
| T | F | T | F | **T** | T | F | F |
| F | T | F | T | **T** | F | T | F |
| F | F | T | T | **T** | F | T | F |
| | | 1 | 3 | 4 | 2 | 3 | |

□

따라서 주어진 명제 $p \rightarrow q$가 참임을 보이는 방법에는 다음과 같이 크게 세 가지가 있다.

(a) $p$가 참임을 가정하여 $q$도 참임을 보이는 방법.

(b) 대우법칙을 사용하여 $\sim q$가 참임을 가정하여 $\sim p$가 참임을 보이는 방법.

(c) 귀류법을 사용하여 $p$, $\sim q$가 참임을 가정하여 모순을 이끌어내는 방법.

## 수학적 귀납법

논증의 또 다른 증명 방법으로서 자연수 $n$에 관한 수학적 명제(즉, 명제함수) $p(n)$의 타당성을 증명하는 데 매우 유용하게 쓰이는 수학적 귀납법의 원리가 있다.

**수학적 귀납법의 원리.** 자연수 $n$에 관한 명제 $p(n)$에 대하여

(i) $n=1$일 때 $p(1)$이 참이다;

(ii) 임의의 자연수 $k$에 대하여 $p(k) \Rightarrow p(k+1)$이다. 즉, $p(k)$가 참이면 $p(k+1)$도 참이다;

를 만족하면 모든 자연수 $n$에 대하여 $p(n)$은 참이다.

**보기 1.1.12** 모든 자연수 $n$에 대하여 등식

$$1+2+3+\cdots+n=\frac{n(n+1)}{2}$$

이 성립한다.

**풀이** 우리는 수학적 귀납법을 사용하여 주어진 등식이 성립함을 보이자. 먼저 자연수 $n$에 관한 명제 $p(n)$을

$$1+2+3+\cdots+n=\frac{n(n+1)}{2}$$

로 놓자.

(i) $n=1$일 때, $p(1)$의 좌변은 1, 우변은 $\frac{1(1+1)}{2}$이고

$$1=\frac{1(1+1)}{2}$$

이 성립하므로 $p(1)$은 참이다.

(ii) $n=k$일 때 $p(k)$가 참이라 가정하자. 즉,

$$1+2+3+\cdots+k=\frac{k(k+1)}{2}$$

이 성립한다고 가정하자. 이제 양변에 $k+1$을 더하면

$$\begin{aligned}1+2+3+\cdots+k+(k+1)&=\frac{k(k+1)}{2}+(k+1)\\&=\frac{k(k+1)}{2}+\frac{2(k+1)}{2}\\&=\frac{(k+1)(k+2)}{2}\\&=\frac{(k+1)\{(k+1)+1\}}{2}\end{aligned}$$

이 성립하므로 $p(k+1)$이 참이 된다.

따라서 수학적 귀납법에 의하여 모든 자연수 $n$에 대하여 $p(n)$은 참이다. 즉, 주어진 등식이 모든 자연수에 대하여 성립한다. □

## 연습문제

**문제 1.1.1** 성질 1.1.9를 증명하시오.

**문제 1.1.2** 실수에 관한 다음과 같이 주어진 명제의 대우를 쓰고 이의 참과 거짓을 판별하시오.

"만약 $x > 0$이면 $x^2 - x > 0$이다"

**문제 1.1.3** 모든 자연수 $n$에 대하여 다음 등식이 성립함을 보이시오.

$$1^2 + 2^2 + 3^2 + \cdots + n^2 = \frac{n(n+1)(2n+1)}{6}$$

**문제 1.1.4** 모든 자연수 $n$에 대하여 다음 등식이 성립함을 보이시오.

$$1(1!) + 2(2!) + 3(3!) + \cdots + n(n!) = (n+1)! - 1$$

## 1.2 집합과 연산

통상적으로 **집합**(set)이란 서로 뚜렷이 구분되는 대상(원소)들의 모임을 뜻한다.[2)] 그리고 어떤 대상 $a$가 집합 $A$에 들어 있을 때 우리는 $a$를 집합 $A$의 **원소**(element, object)라 한다.

보통 집합을 나타내는 기호는 영어 대문자 $A, B, X, Y, \ldots$ 등으로 나타내고, 원소는 소문자 $a, b, x, y, \ldots$ 등으로 나타낸다. $x$가 집합 $A$의 원소인 것을

$$x \in A \text{ 또는 } A \ni x$$

로 표기한다. 한편 $x$가 집합 $A$의 원소가 아닌 경우는

$$x \notin A$$

로 표기한다. 즉,

$$x \notin A \Leftrightarrow \sim(x \in A)$$

이다.

두 집합 $A$, $B$에 대하여 $A$의 원소와 $B$의 원소가 같을 때 $A$와 $B$는 **같다**라 하고 $A = B$로 나타낸다. 즉,

$$A = B \Leftrightarrow (x \in A \Leftrightarrow x \in B)$$

이다. 한편 $A$와 $B$가 같지 않을 때 이것을 $A \neq B$로 나타낸다.

두 집합 $A$, $B$에 대하여 $A$의 모든 원소가 $B$의 원소일 때, $A$는 $B$의 **부분집합**(subset)이라 하고 $A \subset B$로 나타낸다. 즉,

$$A \subset B \Leftrightarrow (x \in A \Rightarrow x \in B)$$

이다. 이 경우 우리는 "집합 $A$가 집합 $B$에 포함된다" 또는 "집합 $B$가 집합 $A$를 포함한다"고 읽는다. 경우에 따라 $A \subset B$를 $A \subseteq B$ 또는 $A \subseteqq B$로 나타내기도 한다. 정의에 의해

$$A = B \Leftrightarrow (A \subset B) \wedge (B \subset A)$$

---

2) 사실 이 정의는 엄밀하지 않다. 집합을 엄밀히 정의하려면 공리계를 사용하여야 한다. 보다 구체적인 내용은 [22] 참조.

이 성립한다.

그리고 두 집합 $A$, $B$가 $A \subset B$이고 $A \neq B$일 때, $A$를 $B$의 **진부분집합**(proper subset)이라 하고 $A \subsetneq B$로 나타낸다.

원소가 하나도 존재하지 않는 집합을 **공집합**(empty set)이라 하고, $\varnothing$ 또는 $\{\}$로 나타낸다. 특별히 $\{\varnothing\}$은 $\varnothing$을 원소로 가지므로 공집합이 아니다.

**기초정리 1.2.1** 공집합 $\varnothing$은 모든 집합의 부분집합이다.

증명 임의의 집합 $A$에 대하여 우리는 $x \in \varnothing \to x \in A$가 참임을 보이면 된다. 공집합 $\varnothing$에 속하는 원소가 없으므로 $x \in \varnothing$은 거짓(F)이다. 그리고 $x \in A$는 참(T)이거나 거짓(F)이다. 그 어느 경우에도 $x \in \varnothing \to x \in A$는 참이다(정의 1.1.4 참조). 따라서 $x \in \varnothing \Rightarrow x \in A$이므로 $\varnothing \subset A$이다. □

위의 기초정리에 의하여 만약 집합 $A$가 $A \subset \varnothing$이면 $A = \varnothing$이다.

**기초정리 1.2.2** 임의의 집합 $A$, $B$, $C$에 대하여 $A \subset B$이고 $B \subset C$이면 $A \subset C$이다.

증명 $A \subset B$이므로 $x \in A \Rightarrow x \in B$이다. 마찬가지로 $B \subset C$이므로 $x \in B \Rightarrow x \in C$이다. 그러므로 추이법칙(정리 1.1.8)에 의하여 $x \in A \Rightarrow x \in C$이다. 따라서 $A \subset C$이다. □

임의의 두 집합 $A$, $B$에 대하여 $A$에 속하거나 $B$에 속하는 원소로 이루어진 집합을 $A$와 $B$의 **합집합**(union)이라 하고 $A \cup B$로 나타낸다. 즉,

$$A \cup B = \{x \mid x \in A \text{ 또는 } x \in B\} = \{x \mid x \in A \vee x \in B\}$$

이다.

그리고 두 집합 $A$, $B$에 대하여 $A$에 속하고 $B$에도 속하는 원소로 이루어진 집합을 $A$와 $B$의 **교집합**(intersection)이라 하고 $A \cap B$로 나타낸다. 즉,

$$A \cap B = \{x \mid x \in A \text{이고 } x \in B\} = \{x \mid x \in A \wedge x \in B\}$$

이다. 특별히 $A \cap B = \varnothing$일 때 우리는 $A$와 $B$는 **서로소**(disjoint)라 한다. 경우에 따라서

는 "$A$와 $B$가 만나지 않는다"라고 한다.

**성질 1.2.3** 임의의 두 집합 $A$, $B$에 대하여 다음이 성립한다.
(1) $A \cap B \subset A$.
(2) $A \subset A \cup B$.

증명 (1) 먼저 단순화법칙(성질 1.1.6(2))에 의하여

$$x \in A \cap B \Rightarrow x \in A \wedge x \in B \Rightarrow x \in A$$

이다. 그리고 추이법칙(정리 1.1.8)에 의하여

$$x \in A \cap B \Rightarrow x \in A$$

이다. 따라서 $A \cap B \subset A$이다.

(2) 한편 합의법칙(성질 1.1.6(1))에 의하여

$$x \in A \Rightarrow x \in A \vee x \in B \Rightarrow x \in A \cup B$$

이다. 그리고 추이법칙(정리 1.1.8)에 의하여

$$x \in A \Rightarrow x \in A \cup B$$

이다. 따라서 $A \subset A \cup B$이다. □

**성질 1.2.4** 임의의 두 집합 $A$, $B$에 대하여 다음이 성립한다.
(1) $A \subset B \Leftrightarrow A \cup B = B$.
(2) $A \subset B \Leftrightarrow A \cap B = A$.
(3) $A \cup \varnothing = A$, $A \cap \varnothing = \varnothing$.

증명 (1) ($\Rightarrow$) 먼저 성질 1.2.3에 의하여 $B \subset A \cup B$이다. 역으로 $A \subset B$이므로 $x \in A \Rightarrow x \in B$이다. 그리고 성질 1.1.6과 성질 1.1.9에 의해

$$x \in A \cup B \Rightarrow x \in A \vee x \in B \Rightarrow x \in B \vee x \in B \Rightarrow x \in B$$

이므로 $A \cup B \subset B$이다. 따라서 $A \cup B = B$이다.

($\Leftarrow$) 성질 1.2.3에 의하여 $A \subset A \cup B$이다. 그리고 가정에 의해 $A \cup B = B$이므로 $A \subset B$이다.

(2) ($\Rightarrow$) 먼저 성질 1.2.3에 의하여 $A \cap B \subset A$이다. 역으로 $A \subset B$이므로 $x \in A \Rightarrow x \in B$이다. 그리고 성질 1.1.9에 의해

$$x \in A \Rightarrow x \in A \wedge x \in A \Rightarrow x \in A \wedge x \in B \Rightarrow x \in A \cap B$$

이므로 $A \subset A \cap B$이다. 따라서 $A \cap B = A$이다.
($\Leftarrow$) 성질 1.2.3에 의하여 $A \cap B \subset B$이다. 그리고 가정에 의해 $A \cap B = A$이므로 $A \subset B$이다.

(3) $\varnothing \subset A$이므로 (1)과 (2)에 의해 성립한다. □

**정리 1.2.5** 집합 $X$의 부분집합 $A$, $B$, $C$에 대하여 다음이 성립한다.
(1) (멱등법칙) $A \cup A = A$, $A \cap A = A$.
(2) (교환법칙) $A \cup B = B \cup A$, $A \cap B = B \cap A$.
(3) (결합법칙) $(A \cup B) \cup C = A \cup (B \cup C)$, $(A \cap B) \cap C = A \cap (B \cap C)$.
(4) (분배법칙) $A \cap (B \cup C) = (A \cap B) \cup (A \cap C)$,
$A \cup (B \cap C) = (A \cup B) \cap (A \cup C)$.

증명 성질 1.1.9에 의해 성립한다. 구체적인 증명은 연습문제로 남긴다. □

두 집합 $A$, $B$에 대하여 $A$에 속하지만 $B$에 속하지 않는 원소들의 집합을 $A$에 대한 $B$의 **차집합**(relative complement, difference)이라 하고 $A - B$로 나타낸다. 즉,

$$A - B = \{x | x \in A \wedge x \notin B\} = \{x | x \in A \text{이고 } x \notin B\}$$

이다. 정의에 의하여 집합 $B$가 집합 $A$의 부분집합이 아니어도 무방하다.

특별히 $U$가 **전체집합**이고 $A$가 $U$의 부분집합이면 $U$에 대한 $A$의 차집합을 $A$의 **여집합**(complement)이라 하고 $A^c$로 나타낸다. 즉,

$$A^c = U - A = \{x | x \in U \wedge x \notin A\} = \{x \in U | x \notin A\}$$

이다.[3] 이제부터 $U$는 전체집합을 나타낸다.

3) 러셀의 역리(역설)에 의해 절대적인 뜻에서의 전체집합 즉, 모든 집합들의 집합은 존재하지 않으나, 이 책에서 언급되는 각 집합은 일시적으로 고정된 하나의 집합 $U$의 부분집합인 것으로 나타난다. 이러한 경우 집합 $U$를 일시적으로 제한된 뜻에서의 **전체집합**으로 생각한다.

**성질 1.2.6** 임의의 집합 $A, B \subset U$에 대하여 다음이 성립한다:

$$A - B = A \cap B^c$$

증명 성질 1.1.9에 의해 다음이 성립한다:

$$\begin{aligned} x \in A \cap B^c &\Leftrightarrow x \in A \wedge x \in B^c \\ &\Leftrightarrow x \in A \wedge x \in U - B \\ &\Leftrightarrow x \in A \wedge (x \in U \wedge x \not\in B) \\ &\Leftrightarrow (x \in A \wedge x \in U) \wedge x \not\in B \\ &\Leftrightarrow x \in A \cap U \wedge x \not\in B \\ &\Leftrightarrow x \in A \wedge x \not\in B \\ &\Leftrightarrow x \in A - B \end{aligned}$$

따라서 $A \cap B^c = A - B$이다. □

**정리 1.2.7** 임의의 집합 $A, B \subset U$에 대하여 다음이 성립한다.

(1) $(A^c)^c = A$.

(2) $\varnothing^c = U$, $U^c = \varnothing$.

(3) $A \cap A^c = \varnothing$, $A \cup A^c = U$.

(4) $A \subset B \Leftrightarrow B^c \subset A^c$.

증명 (1), (2), (3)은 연습문제로 남긴다.

(4) 대우법칙(성질 1.1.10)에 의하여

$$\begin{aligned} A \subset B &\Leftrightarrow (x \in A \Rightarrow x \in B) \\ &\Leftrightarrow (x \not\in B \Rightarrow x \not\in A) \\ &\Leftrightarrow (x \in B^c \Rightarrow x \in A^c) \\ &\Leftrightarrow B^c \subset A^c \end{aligned}$$

이다. 따라서 추이법칙(정리 1.1.8)에 의하여 $A \subset B \Leftrightarrow B^c \subset A^c$ 이다. □

**정리 1.2.8 (드모르간 법칙)** 임의의 집합 $A, B \subset U$에 대하여 다음이 성립한다.

(1) $(A \cup B)^c = A^c \cap B^c$.

(2) $(A \cap B)^c = A^c \cup B^c$.

증명 (1) 성질 1.1.9에 의하여 다음이 성립한다:

$$\begin{aligned} x \in (A \cup B)^c &\Leftrightarrow x \notin A \cup B \\ &\Leftrightarrow \sim (x \in A \cup B) \\ &\Leftrightarrow \sim (x \in A \vee x \in B) \\ &\Leftrightarrow \sim (x \in A) \wedge \sim (x \in B) \\ &\Leftrightarrow x \notin A \wedge x \notin B \\ &\Leftrightarrow x \in A^c \wedge x \in B^c \\ &\Leftrightarrow x \in A^c \cap B^c \end{aligned}$$

따라서 $(A \cup B)^c = A^c \cap B^c$이다.

(2) (1)과 정리 1.2.7(1)에 의하여

$$A^c \cup B^c = ((A^c \cup B^c)^c)^c = ((A^c)^c \cap (B^c)^c)^c = (A \cap B)^c$$

이다. □

**성질 1.2.9** 임의의 집합 $A, B \subset U$에 대하여 다음이 성립한다.

(1) $A - B = A - (A \cap B)$.

(2) $A \cap B = \varnothing \Leftrightarrow A \subset B^c$.

증명 (1) 성질 1.2.6과 정리 1.2.8에 의하여

$$\begin{aligned} A - (A \cap B) &= A \cap (A \cap B)^c = A \cap (A^c \cup B^c) = (A \cap A^c) \cup (A \cap B^c) \\ &= \varnothing \cup (A \cap B^c) = A \cap B^c = A - B \end{aligned}$$

이다.

(2) ($\Rightarrow$) 먼저 $A \cap B = \varnothing$이라 하자. 그러면

$$A \cap B^c = A - B = A - (A \cap B) = A - \varnothing = A \cap \varnothing^c = A \cap U = A$$

이므로 성질 1.2.4에 의하여 $A \subset B^c$이다.

($\Leftarrow$) 역으로 $A \subset B^c$이라 하자. 그러면 $A \cap B \subset B^c \cap B = \varnothing$이므로 $A \cap B = \varnothing$이다. □

## 집합족

주어진 집합 $X$의 모든 부분집합들을 원소로 갖는 집합을 $X$의 **멱집합**(power set)이라 하고 $\mathscr{P}(X)$로 나타낸다. 즉,

$$\mathscr{P}(X)=\{A \mid A\subset X\}$$

이다. 예를 들어 공집합 $\varnothing$의 멱집합은

$$\mathscr{P}(\varnothing)=\{A \mid A\subset \varnothing\}=\{\varnothing\}$$

이다. 그리고 한 점 집합 $X=\{a\}$의 멱집합은

$$\mathscr{P}(X)=\{A \mid A\subset \{a\}\}=\{\varnothing, \{a\}\}$$

이다. 또한 두 점 집합 $X=\{a,b\}$의 멱집합은

$$\mathscr{P}(X)=\{A \mid A\subset \{a,b\}\}=\{\varnothing, \{a\}, \{b\}, \{a,b\}\}$$

이다. 일반적으로 원소의 개수가 $n$개인 집합 $X$의 멱집합 $\mathscr{P}(X)$의 원소의 개수는 $2^n$이다.

이와 같이 집합을 원소로 갖는 집합을 **집합족**(family of sets)이라 한다.

특별히, 주어진 집합 $\Lambda$의 각 원소 $\alpha\in\Lambda$에 대하여 집합 $A_\alpha$가 하나씩 대응할 때 모든 $A_\alpha$들의 모임을 $\Lambda$에 따라 **첨자된 집합족**(indexed family of sets)이라 하고

$$\{A_\alpha \mid \alpha\in\Lambda\} \text{ 또는 } \{A_\alpha\}_{\alpha\in\Lambda}$$

와 같이 나타낸다. 이 경우 $\Lambda$를 **첨자집합**이라 한다.

앞에서 정의한 합집합과 교집합의 개념을 다음과 같이 집합족으로 확장할 수 있다.

집합족 $\mathscr{F}$에 속하는 집합들의 **합집합**은

$$\begin{aligned}\bigcup_{A\in\mathscr{F}} A &= \bigcup\{A \mid A\in\mathscr{F}\}\\ &=\{x \mid \text{적당한 } A\in\mathscr{F}\text{에 대하여 } x\in A\text{이다}\}\\ &=\{x \mid x\in A\text{인 } A\in\mathscr{F}\text{가 존재한다}\}\\ &=\{x \mid \exists A\in\mathscr{F} \text{ s.t. } x\in A\}\end{aligned}$$

를 뜻한다.[4] 그리고 집합족 $\mathscr{F}$에 속하는 집합들의 **교집합**은

4) 여기서 전칭기호 $\forall$은 **모든**(for all, for every) 또는 **각각의**(임의의, for each)를 의미한다. 그리고 특칭기호(존재기호) $\exists$는 **존재함**을 의미한다. 또한 s.t.는 **만족함**(such that, 경우에 따라 so that)을 의미한다.

$$\bigcap_{A\in\mathscr{F}} A = \bigcap\{A \mid A\in\mathscr{F}\}$$
$$= \{x \mid \text{모든 } A\in\mathscr{F}\text{에 대하여 } x\in A\text{이다}\}$$
$$= \{x \mid \forall A\in\mathscr{F},\ x\in A\}$$

를 뜻한다. 특별히, 첨자된 집합족 $\mathscr{F}=\{A_\alpha \mid \alpha\in\Lambda\}$에 대해서는

$$\bigcup_{A\in\mathscr{F}} A = \bigcup_{\alpha\in\Lambda} A_\alpha$$
$$= \bigcup\{A_\alpha \mid \alpha\in\Lambda\}$$
$$= \{x \mid \text{적당한 } \alpha\in\Lambda\text{에 대하여 } x\in A_\alpha\text{이다}\}$$
$$= \{x \mid x\in A_\alpha\text{인 } \alpha\in\Lambda\text{가 존재한다}\}$$
$$= \{x \mid \exists\,\alpha\in\Lambda \text{ s.t. } x\in A_\alpha\},$$

$$\bigcap_{A\in\mathscr{F}} A = \bigcap_{\alpha\in\Lambda} A_\alpha$$
$$= \bigcap\{A_\alpha \mid \alpha\in\Lambda\}$$
$$= \{x \mid \text{모든 } \alpha\in\Lambda\text{에 대하여 } x\in A_\alpha\text{이다}\}$$
$$= \{x \mid \forall\,\alpha\in\Lambda,\ x\in A_\alpha\}$$

이 된다.

예를 들어 자연수 $n\in\mathbb{N}$에 대하여 열린구간 $A_n=(-\frac{1}{n},\frac{1}{n})$들로 이루어진 첨자된 집합족 $\mathscr{F}=\{A_n \mid n\in\mathbb{N}\}$의 교집합은

$$\bigcap_{n\in\mathbb{N}} A_n = \bigcap_{n=1}^{\infty} A_n = (-1,1)\cap(-\frac{1}{2},\frac{1}{2})\cap(-\frac{1}{3},\frac{1}{3})\cap\cdots=\{0\}$$

이다.

이제부터 $U$를 전체집합이라 하자. 즉, 모든 $\alpha\in\Lambda$에 대해 $A_\alpha\subset U$이다.

다음 성질은 조금 놀라운 결과지만 종종 사용되므로 알아두기 바란다.

**성질 1.2.10** 첨자집합 $\Lambda$가 $\varnothing$이면 다음이 성립한다.

(1) $\bigcup_{\alpha\in\varnothing} A_\alpha=\varnothing$.

(2) $\bigcap_{\alpha\in\varnothing} A_\alpha=U$.

증명 (1) 모든 $x \in U$에 대하여 $x \notin \cup_{\alpha \in \varnothing} A_\alpha$임을 보이면 된다. 임의로 주어진 $x \in U$에 대하여

$$\begin{aligned} x \notin \cup_{\alpha \in \varnothing} A_\alpha &\Leftrightarrow \sim (x \in \cup_{\alpha \in \varnothing} A_\alpha) \\ &\Leftrightarrow \sim (\exists\, \alpha \in \varnothing \text{ s.t. } x \in A_\alpha) \\ &\Leftrightarrow \forall\, \alpha \in \varnothing,\ x \notin A_\alpha \\ &\Leftrightarrow \alpha \in \varnothing \Rightarrow x \notin A_\alpha \end{aligned}$$

이다. 따라서 우리는 $\alpha \in \varnothing \Rightarrow x \notin A_\alpha$임을 보이면 된다. 그런데 $\alpha \in \varnothing$이 항상 거짓(F)이므로 $\alpha \in \varnothing \rightarrow x \notin A_\alpha$는 항상 참(T)이 된다. 따라서 $\alpha \in \varnothing \Rightarrow x \notin A_\alpha$이 되어 $x \notin \cup_{\alpha \in \varnothing} A_\alpha$이 성립한다.

(2) 모든 $x \in U$에 대하여 $x \in \cap_{\alpha \in \varnothing} A_\alpha$임을 보이면 된다. 임의로 주어진 $x \in U$에 대하여

$$\begin{aligned} x \in \cap_{\alpha \in \varnothing} A_\alpha &\Leftrightarrow \forall\, \alpha \in \varnothing,\ x \in A_\alpha \\ &\Leftrightarrow \alpha \in \varnothing \Rightarrow x \in A_\alpha \end{aligned}$$

이다. 따라서 우리는 $\alpha \in \varnothing \Rightarrow x \in A_\alpha$임을 보이면 된다. 그런데 $\alpha \in \varnothing$이 항상 거짓(F)이므로 $\alpha \in \varnothing \rightarrow x \in A_\alpha$는 항상 참(T)이 된다. 따라서 $\alpha \in \varnothing \Rightarrow x \in A_\alpha$이 되어 $x \in \cap_{\alpha \in \varnothing} A_\alpha$이 성립한다. □

**정리 1.2.11 (일반 드모르간 법칙)** 임의의 첨자된 집합족 $\{A_\alpha \mid \alpha \in \Lambda\}$에 대하여 다음이 성립한다.

(1) $(\bigcup_{\alpha \in \Lambda} A_\alpha)^c = \bigcap_{\alpha \in \Lambda} A_\alpha^c$.

(2) $(\bigcap_{\alpha \in \Lambda} A_\alpha)^c = \bigcup_{\alpha \in \Lambda} A_\alpha^c$.

증명 (1)

$$\begin{aligned} x \in (\cup_{\alpha \in \Lambda} A_\alpha)^c &\Leftrightarrow \sim(x \in \cup_{\alpha \in \Lambda} A_\alpha) \\ &\Leftrightarrow \sim(\exists\, \alpha \in \Lambda \text{ s.t. } x \in A_\alpha) \\ &\Leftrightarrow \forall\, \alpha \in \Lambda,\ x \notin A_\alpha \\ &\Leftrightarrow \forall\, \alpha \in \Lambda,\ x \in A_\alpha^c \\ &\Leftrightarrow x \in \cap_{\alpha \in \Lambda} A_\alpha^c \end{aligned}$$

이므로 (1)이 성립한다.

(2) (1)과 정리 1.2.7에 의하여

$$\cup_{\alpha\in\Lambda}A_\alpha^c = ((\cup_{\alpha\in\Lambda}A_\alpha^c)^c)^c = (\cap_{\alpha\in\Lambda}(A_\alpha^c)^c)^c = (\cap_{\alpha\in\Lambda}A_\alpha)^c$$

이다. □

**성질 1.2.12** 집합 $A$와 첨자된 집합족 $\{B_\alpha \mid \alpha\in\Lambda\}$에 대하여 다음이 성립한다.

(1) $A\cap(\bigcup_{\alpha\in\Lambda}B_\alpha) = \bigcup_{\alpha\in\Lambda}(A\cap B_\alpha)$.

(2) $A\cup(\bigcap_{\alpha\in\Lambda}B_\alpha) = \bigcap_{\alpha\in\Lambda}(A\cup B_\alpha)$.

증명 증명은 연습문제로 남긴다. □

## 곱집합

임의의 두 대상 $a, b$에 대하여 $a, b$의 **순서쌍**이라고 부르는 새로운 대상 $(a, b)$를 만들 수 있다. 두 순서쌍 $(a, b)$와 $(c, d)$가 같다란 $a = c$이고 $b = d$임을 뜻하고 $(a, b) = (c, d)$로 나타낸다. 즉,

$$(a, b) = (c, d) \Leftrightarrow a = c,\ b = d$$

이다.

임의의 두 집합 $A$와 $B$의 **곱집합**(Cartesian product)은

$$A\times B = \{(x, y) \mid x\in A\text{이고 } y\in B\}$$

을 뜻한다.

예를 들어 집합 $A = \{a, b, c\}$와 $B = \{1, 2\}$에 대하여

$$A\times B = \{(a, 1), (a, 2), (b, 1), (b, 2), (c, 1), (c, 2)\}$$
$$B\times A = \{(1, a), (1, b), (1, c), (2, a), (2, b), (2, c)\}$$

이다. 그리고 $(a, 1)\neq(1, a)$이므로 $A\times B\neq B\times A$이다.

**성질 1.2.13** 임의의 집합 $A$에 대하여 $A\times\varnothing = \varnothing$, $\varnothing\times A = \varnothing$이다.

**정리 1.2.14** 임의의 집합 $A$와 집합족 $\{B_\alpha \mid \alpha \in \Lambda\}$에 대해 다음이 성립한다.

(1) $A \times (\bigcup_{\alpha \in \Lambda} B_\alpha) = \bigcup_{\alpha \in \Lambda} (A \times B_\alpha)$.

(2) $A \times (\bigcap_{\alpha \in \Lambda} B_\alpha) = \bigcap_{\alpha \in \Lambda} (A \times B_\alpha)$.

증명 증명은 연습문제로 남긴다. □

**성질 1.2.15** 임의의 집합 $A, B, C, D$에 대하여 다음이 성립한다:

$$(A \times B) \cap (C \times D) = (A \cap C) \times (B \cap D)$$

증명 성질 1.1.9에 의하여

$$\begin{aligned}
(x, y) \in (A \times B) \cap (C \times D) &\Leftrightarrow (x, y) \in A \times B \wedge (x, y) \in C \times D \\
&\Leftrightarrow (x \in A \wedge y \in B) \wedge (x \in C \wedge y \in D) \\
&\Leftrightarrow (x \in A \wedge x \in C) \wedge (y \in B \wedge y \in D) \\
&\Leftrightarrow x \in A \cap C \wedge y \in B \cap D \\
&\Leftrightarrow (x, y) \in (A \cap C) \times (B \cap D)
\end{aligned}$$

이므로 등호가 성립한다. □

그러나 일반적으로 $(A \times B) \cup (C \times D) \neq (A \cup C) \times (B \cup D)$이다. 예를 들어 $X = \{1, 2, 3\}$과 $Y = \{a, b, c\}$에 대해 $A = \{1\}$, $C = \{2\} \subset X$, $B = \{a\}$, $D = \{b\} \subset Y$라 하자. 그러면

$$(A \times B) \cup (C \times D) = \{(1, a)\} \cup \{(2, b)\} = \{(1, a), (2, b)\}$$

이지만

$$(A \cup C) \times (B \cup D) = \{1, 2\} \times \{a, b\} = \{(1, a), (1, b), (2, a), (2, b)\}$$

이다.

그리고 $(X - A) \times (Y - B) \neq (X \times Y) - (A \times B)$임도 알 수 있다.

**성질 1.2.16** 임의의 집합 $A, B, C$에 대하여 다음이 성립한다:

$$A\times(B-C)=(A\times B)-(A\times C)$$

증명 성질 1.1.9에 의하여

$$\begin{aligned}(a, x)\in A\times(B-C) &\Leftrightarrow a\in A\wedge x\in B-C\\ &\Leftrightarrow a\in A\wedge(x\in B\wedge x\notin C)\\ &\Leftrightarrow (a\in A\wedge x\in B)\wedge(a\in A\wedge x\notin C)\\ &\Leftrightarrow (a, x)\in A\times B\wedge(a, x)\notin A\times C\\ &\Leftrightarrow (a, x)\in(A\times B)-(A\times C)\end{aligned}$$

이므로 등호가 성립한다. □

**성질 1.2.17** 임의의 집합 $A, B, X, Y$에 대하여 다음이 성립한다:

$$(X\times Y)-(A\times B)=[(X-A)\times Y]\cup[X\times(Y-B)]$$

증명 증명은 연습문제로 남긴다. □

이 책에서 자주 쓰이게 되는 집합들을 다음과 같은 기호로 표시하기로 하자.

$\mathbb{N}$ : 모든 자연수들의 집합,

$\mathbb{Z}$ : 모든 정수들의 집합,

$\mathbb{Q}$ : 모든 유리수들의 집합,

$\mathbb{Q}^c$ : 모든 무리수들의 집합,

$\mathbb{R}$ : 모든 실수들의 집합,

$\mathbb{C}$ : 모든 복소수들의 집합.

## 연습문제

**문제 1.2.10** 주어진 집합 $A, B, C$와 기호 $\cup, \cap, -$를 사용하여 다음 집합들을 나타내시오.

(1) $X=\{x \mid x\in A$이고 $(x\in B$ 또는 $x\in C)\}=\{x \mid x\in A\wedge(x\in B\vee x\in C)\}$.

(2) $Y=\{x \mid (x\in A$이고 $x\in B)$ 또는 $x\in C\}=\{x \mid (x\in A\wedge x\in B)\vee x\in C\}$.

(3) $Z=\{x \mid (x\in A$이고 $x\notin B)$ 또는 $x\in C\}=\{x \mid (x\in A\wedge x\notin B)\vee x\in C\}$.

**문제 1.2.2** 정리 1.2.5를 증명하시오.

**문제 1.2.3** 정리 1.2.7을 완성하시오.

**문제 1.2.4** 성질 1.2.12를 증명하시오.

**문제 1.2.5** 임의의 집합 $A, B, C$에 대하여 다음이 성립함을 보이시오.

(1) $(A-B)\cup(B-A)=(A\cup B)-(A\cap B)$.

(2) $(A-C)\cup(B-C)=(A\cup B)-C$.

(3) $(A-C)\cap(B-C)=(A\cap B)-C$.

**문제 1.2.6** 다음과 같이 구간들로 이루어진 집합족의 합집합과 교집합을 구하여라.

(1) $\bigcap_{n\in\mathbb{N}}(0, \frac{1}{n})$.

(2) $\bigcup_{n\in\mathbb{N}}[0, n)$.

(3) $\bigcup_{n\in\mathbb{N}}[2+\frac{1}{n}, 4-\frac{1}{n}]$.

(4) $\bigcap_{n\in\mathbb{N}}(2-\frac{1}{n}, 4+\frac{1}{n})$.

**문제 1.2.7** 성질 1.2.13을 증명하시오.

**문제 1.2.8** 정리 1.2.14를 증명하시오.

**문제 1.2.9** 성질 1.2.17을 증명하시오.

**문제 1.2.10** 임의의 집합 $A, B$에 대하여 다음이 성립함을 보이시오.

$$A\times B=\varnothing \Leftrightarrow A=\varnothing \text{ 또는 } B=\varnothing$$

**문제 1.2.11** 원소의 개수가 $n$개인 집합 $X$의 멱집합 $\mathscr{P}(X)$의 원소의 개수는 $2^n$임을 보이시오.

**문제 1.2.12** $\mathbb{R}$을 실수 집합이라 하자. 다음과 같이 주어진 $\mathbb{R}\times\mathbb{R}$의 부분집합들이 $\mathbb{R}$의 두 부분집합들의 곱집합으로 표현되는지 알아보시오.

(1) $\{(x,y)\in\mathbb{R}\times\mathbb{R} \mid x\text{는 정수}\}$.

(2) $\{(x,y)\in\mathbb{R}\times\mathbb{R} \mid 0<y\le 1\}$.

(3) $\{(x,y)\in\mathbb{R}\times\mathbb{R} \mid x\text{는 정수이고 } y\text{는 정수가 아니다}\}$.

(4) $\{(x,y)\in\mathbb{R}\times\mathbb{R} \mid x^2+y^2<1\}$.

## 1.3 동치관계와 분할

**정의 1.3.1** 두 집합 $X$와 $Y$에 대하여 $X$에서 $Y$로의 **관계**(relation) $\mathscr{R}$이란 곱집합 $X \times Y$의 부분집합을 뜻한다. 즉, $\mathscr{R} \subset X \times Y$ 를 의미한다. 그리고 $(x, y) \in \mathscr{R}$를 "$x$는 $\mathscr{R}$에 따라 $y$와 관계된다"라고 읽는다.

**정의 1.3.2** 집합 $X$상의 **동치관계**(equivalence relation)란 다음 세 가지 성질을 만족하는 집합 $X$상의 관계 $\mathscr{E} \subset X \times X$를 의미한다.

(반사율) 모든 $x \in X$에 대하여 $(x, x) \in \mathscr{E}$이다.
(대칭률) 만약 $(x, y) \in \mathscr{E}$이면 $(y, x) \in \mathscr{E}$이다.
(추이율) 만약 $(x, y) \in \mathscr{E}$이고 $(y, z) \in \mathscr{E}$이면 $(x, z) \in \mathscr{E}$이다.

관례상 집합 $X$상의 동치관계 $\mathscr{E}$를 $\sim$로 나타내고 $(x, y) \in \mathscr{E}$는 $x \sim y$로 나타낸다. 그리고 $x \sim y$를 "$x$와 $y$는 동치관계에 있다"라고 읽는다. 따라서 위의 세 가지 성질은 다음과 같이 표현된다.

(반사율) $\forall x \in X,\ x \sim x.$
(대칭률) $x \sim y \Rightarrow y \sim x.$
(추이율) $x \sim y,\ y \sim z \Rightarrow x \sim z.$

$\sim$를 집합 $X$상의 동치관계라 하자. 각각의 $x \in X$에 대하여

$$[x] = \{y \in X \mid y \sim x\} \subset X$$

를 $x$의 **동치류**(equivalence class)라 한다. 또한 이와 같은 $X$상의 모든 동치류들의 모임을 $X/_\sim$ 로 나타낸다. 즉

$$X/_\sim = \{[x] \mid x \in X\}$$

이다.

**성질 1.3.3** 집합 $X$상의 동치관계 $\sim$에 대하여 다음이 성립한다.
(1) 모든 $x \in X$에 대하여 $[x] \neq \varnothing$이다.
(2) $X = \cup \{[x] \mid x \in X\}$.
(3) $x \sim y \Leftrightarrow [x] = [y] \Leftrightarrow [x] \cap [y] \neq \varnothing$.
(4) $x \nsim y \Leftrightarrow [x] \cap [y] = \varnothing$.
(5) 임의의 $x, y \in X$에 대하여 $[x] = [y]$이거나 $[x] \cap [y] = \varnothing$이다.

증명 (1) 주어진 $x \in X$에 대해 $x \sim x$이므로 $x \in [x]$이다. 따라서 $[x] \neq \varnothing$이다.

(2) 먼저 모든 $x \in X$에 대해 $[x] \subset X$이므로 $\cup \{[x] \mid x \in X\} \subset X$이다. 역으로 임의의 $x \in X$에 대하여 $x \in [x]$이므로 $x \in \cup \{[x] \mid x \in X\}$이다. 따라서 $X \subset \cup \{[x] \mid x \in X\}$이다. 그러므로 $X = \cup \{[x] \mid x \in X\}$이다.

(3) 먼저 $x \sim y \Rightarrow [x] = [y]$임을 보이자: 이를 위해 $x \sim y$라 가정하자. 만약 $z \in [x]$이면 $z \sim x$이다. 그리고 추이율에 의하여 $z \sim y$이므로 $z \in [y]$이다. 따라서 $[x] \subset [y]$이다. 대칭률을 사용하면 같은 방법으로 $[y] \subset [x]$임을 보일 수 있다. 따라서 $[x] = [y]$이다.

이제 $[x] = [y] \Rightarrow [x] \cap [y] \neq \varnothing$ 임을 보이자: 만약 $[x] = [y]$이면 $[x] \cap [y] = [x]$이다. 그런데 (1)에 의하여 $[x] \neq \varnothing$이므로 $[x] \cap [y] \neq \varnothing$이다.

끝으로 $[x] \cap [y] \neq \varnothing \Rightarrow x \sim y$임을 보이자: 만약 $[x] \cap [y] \neq \varnothing$이면 $z \in [x] \cap [y]$가 존재하여 $z \sim x$, $z \sim y$이다. 그리고 대칭률과 추이율에 의하여 $x \sim y$이다.

(4) (3)의 대우이다.

(5) (3)과 (4)에 의해 성립한다. □

**정의 1.3.4** 집합 $X$의 **분할**(partition) $\mathscr{P}$란 공집합이 아닌 $X$의 부분집합들의 모임

$$\mathscr{P} = \{A_\alpha \subset X \mid \alpha \in \Lambda\}$$

로서 다음 두 조건을 만족하는 것이다:
(i) 만약 $\alpha \neq \beta \in \Lambda$이면 $A_\alpha \cap A_\beta = \varnothing$이고,
(ii) $\bigcup_{\alpha \in \Lambda} A_\alpha = X$.

이 경우 임의의 $x \in X$에 대하여 $x$를 포함하는 유일한 $A_\alpha \in \mathscr{P}$가 존재한다.

분할의 정의와 성질 1.3.3에 의하여 다음이 성립한다.

**성질 1.3.5** 만약 $\sim$가 집합 $X$상의 동치관계이면 동치류들의 모임 $X/_\sim$은 집합 $X$의 분할이다.

역으로 집합 $X$의 분할 $\mathscr{P}=\{A_\alpha \subset X \mid \alpha \in \Lambda\}$가 주어지면 우리는 다음과 같이 집합 $X$상의 동치관계 $\sim$를 정의할 수 있다:

$$x \sim y \underset{\text{정의}}{\Leftrightarrow} x, y \in A_\alpha \text{를 만족하는 } \alpha \in \Lambda \text{가 존재}$$

그리고 이 경우 $x \in A_\alpha$인 $x$의 동치류는 $[x]=A_\alpha$이다.

따라서 우리는 집합 $X$상의 동치관계들의 모임과 집합 $X$의 분할들의 모임은 일대일 대응임을 알 수 있다.

$$\{X\text{상의 동치관계}\} \underset{1:1}{\longleftrightarrow} \{X\text{의 분할}\}$$

**보기 1.3.6** 정수 집합 $\mathbb{Z}$상의 동치관계

$$\begin{aligned} m \sim n &\Leftrightarrow (m-n)/3 \in \mathbb{Z} \\ &\Leftrightarrow \exists\, k \in \mathbb{Z} \text{ s.t. } m-n=3k \\ &\Leftrightarrow m \equiv n \pmod 3 \end{aligned}$$

에 의한 동치류는

$$\begin{aligned} [0] &= \{\ldots, -9, -6, -3, 0, 3, 6, 9, \ldots\} = [3] = [-3] = \cdots \\ [1] &= \{\ldots, -8, -5, -2, 1, 4, 7, 10, \ldots\} = [-2] = [4] = \cdots \\ [2] &= \{\ldots, -7, -4, -1, 2, 5, 8, 11, \ldots\} = [-1] = [5] = \cdots \end{aligned}$$

이다. 따라서 $X/_\sim = \{[0], [1], [2]\}$이다.

## 연습문제

**문제 1.3.1** 다음과 같이 정의된 실수 집합 $\mathbb{R}$상의 동치관계에 대한 동치류와 $\mathbb{R}/_\sim$을 구하시오.

$$x \sim y \Leftrightarrow x-y \in \mathbb{Z}$$

**문제 1.3.2** 다음과 같이 정의된 $\mathbb{R}^2$상의 동치관계에 대한 동치류와 $\mathbb{R}^2/_\sim$을 구하시오.

(1) $(x,y) \sim (x',y') \Leftrightarrow x+3y = x'+3y'$.

(2) $(x,y) \sim (x',y') \Leftrightarrow x^2+y^2 = (x')^2+(y')^2$.

(3) $(x,y) \sim (x',y') \Leftrightarrow y-x^2 = y'-(x')^2$.

## 1.4 함수와 곱집합

두 집합 $X$와 $Y$에 대하여 $X$에서 $Y$로의 **함수**란 $X$의 각 원소 $x$에 대하여 $Y$의 (오직) 한 원소 $y$가 정해지는 대응을 말한다. 그러나 이 정의는 어딘가 애매하다. 여기서 언급된 '대응'의 뜻은 정확히 무엇인가? 수학자들은 이러한 애매한 점을 피하려고 앞 절에서 다룬 '관계'라는 용어를 사용하여 함수의 정의를 정확히 하려고 노력해왔다.

**정의 1.4.1** 두 집합 $X$와 $Y$에 대하여 $X$에서 $Y$로의 **함수**(function)란 다음 조건을 만족하는 $X$에서 $Y$로의 관계 $f \subset X \times Y$를 뜻한다.

(i) 각각의 $x \in X$에 대하여 $(x, y) \in f$인 $y \in Y$가 존재한다.

(ii) 만약 $(x, y) \in f$, $(x, z) \in f$이면 $y = z$이다.

만약 $f \subset X \times Y$가 $X$에서 $Y$로의 함수이면 우리는 $f : X \rightarrow Y$로 나타내고 $(x, y) \in f$를 $f(x) = y$로 나타낸다. 이렇게 바꿔 쓸 수 있는 이유는 조건 (i), (ii)에 의해 각 원소 $x \in X$는 관계 $f$에 따라 유일한 $y$와 관계되기 때문이다.[5)] 이 경우 $X$를 **정의역**, $Y$를 **공역**이라 한다. 그리고

$$f(X) = \{ f(x) \in Y \mid x \in X \}$$

를 $f$의 **치역**이라 한다.

두 함수 $f, g : X \rightarrow Y$에 대하여

$$f = g \Leftrightarrow \forall x \in X,\ f(x) = g(x)$$

이다.

함수 $f : X \rightarrow Y$가 **전사**(surjective) 또는 **위로**(onto)란 임의의 $y \in Y$에 대하여 $f(x) = y$인 $x \in X$가 존재함을 뜻한다. 즉 $f(X) = Y$인 경우를 의미한다.

한편 함수 $f : X \rightarrow Y$가 **단사**(injective) 또는 **일대일**(one-to-one)이란 $x_1 \neq x_2$이면 $f(x_1) \neq f(x_2)$를 만족함을 뜻한다. 즉 $f(x_1) = f(x_2) \Rightarrow x_1 = x_2$를 만족하는 경우이다.

그리고 함수 $f : X \rightarrow Y$가 전사이고 단사일 때, 이 함수를 **전단사**(bijective) 또는 **일대일 대응**이라 한다.

---

5) 따라서 이 책에서의 함수는 고등학교에서 배운 함수와 같은 것이다. 다만 보다 엄밀하게 정의하였을 뿐이다.

**정의 1.4.2** 함수 $f: X \to Y$와 부분집합 $A \subset X$, $B \subset Y$에 대하여

$$f(A) = \{f(x) \in Y \mid x \in A\}$$

를 $f$에 의한 $A$의 **상(image)**이라 한다. 따라서

$$y \in f(A) \Leftrightarrow \exists\, a \in A \text{ s.t. } f(a) = y$$

이다. 그리고

$$f^{-1}(B) = \{x \in X \mid f(x) \in B\}$$

를 $f$에 의한 $B$의 **역상(inverse image, preimage)**이라 한다. 따라서

$$x \in f^{-1}(B) \Leftrightarrow f(x) \in B$$

이다. 당연히 $f^{-1}(Y) = X$이다. 특별히 점 $y \in Y$에 대한 한 점 집합 $\{y\}$의 역상 $f^{-1}(\{y\})$을 간단히 $f^{-1}(y)$로 표기한다.

**기초정리 1.4.3** 함수 $f: X \to Y$에 대하여 다음이 성립한다.

(1) $f(\varnothing) = \varnothing$.

(2) $f^{-1}(\varnothing) = \varnothing$.

(3) 만약 $A \subset B \subset X$이면 $f(A) \subset f(B)$이다.

(4) 만약 $C \subset D \subset Y$이면 $f^{-1}(C) \subset f^{-1}(D)$이다.

증명 (1), (2), (3)은 연습문제로 남긴다.

(4) 이제 $C \subset B \subset Y$이라 하자. 그러면

$$\begin{aligned} x \in f^{-1}(C) &\Rightarrow f(x) \in C \\ &\underset{(*)}{\Rightarrow} f(x) \in D \\ &\Rightarrow x \in f^{-1}(D) \end{aligned}$$

이 성립한다. 따라서 $f^{-1}(C) \subset f^{-1}(D)$이다. 우리는 (*)에서 $C \subset D$라는 조건을 사용하였다. □

**성질 1.4.4** 함수 $f: X \to Y$와 부분집합 $A \subset X$, $B \subset Y$에 대하여 다음이 성립한다.

(1) $A \subset f^{-1}(f(A))$.

(2) 만약 $f$가 단사이면 $A = f^{-1}(f(A))$이다.

(3) $f(f^{-1}(B)) \subset B$.

(4) 만약 $f$가 전사이면 $f(f^{-1}(B)) = B$이다.

증명 (1) $A \subset f^{-1}(f(A))$이 성립함을 다음과 같이 보일 수 있다.

$$\begin{aligned} x \in A &\Rightarrow y = f(x) \in f(A) \\ &\Rightarrow x \in f^{-1}(y) \subset f^{-1}(f(A)) \\ &\Rightarrow x \in f^{-1}(f(A)). \end{aligned}$$

(2) 함수 $f$가 단사라 하자. 그러면

$$\begin{aligned} x \in f^{-1}(f(A)) &\Rightarrow f(x) \in f(A) \\ &\Rightarrow \exists\, a \in A \text{ s.t. } f(a) = f(x) \\ &\underset{(*)}{\Rightarrow} x = a \\ &\Rightarrow x \in A \end{aligned}$$

이 성립하므로 $f^{-1}(f(A)) \subset A$이다. 우리는 (*)에서 $f$가 단사라는 조건을 사용하였다. 따라서 (1)에 의하여 $A = f^{-1}(f(A))$이다.

(3) 만약 $y \in f(f^{-1}(B))$이면 $f(x) = y$를 만족하는 $x \in f^{-1}(B)$가 존재한다. 한편 $x \in f^{-1}(B)$이므로 $f(x) \in B$이다. 그러므로 $y = f(x) \in B$이다. 따라서 $f(f^{-1}(B)) \subset B$이다.

(4) 함수 $f$가 전사라 하자. 그러면

$$\begin{aligned} y \in B &\underset{(*)}{\Rightarrow} \exists\, x \in X \text{ s.t. } f(x) = y \\ &\Rightarrow x \in f^{-1}(B) \\ &\Rightarrow y = f(x) \in f(f^{-1}(B)) \end{aligned}$$

이므로 $B \subset f(f^{-1}(B))$이다. 우리는 (*)에서 $f$가 전사라는 조건을 사용하였다. 따라서 (3)에 의하여 $f(f^{-1}(B)) = B$이다. □

**성질 1.4.5** 함수 $f: X \to Y$와 $A, B \subset X$, $C, D \subset Y$에 대해 다음이 성립한다.

(1) $f(A \cup B) = f(A) \cup f(B)$.

(2) $f(A \cap B) \subset f(A) \cap f(B)$.

(3) 만약 $f$가 단사이면 $f(A \cap B) = f(A) \cap f(B)$이다.

(4) $f^{-1}(C \cup D) = f^{-1}(C) \cup f^{-1}(D)$.

(5) $f^{-1}(C \cap D) = f^{-1}(C) \cap f^{-1}(D)$.

증명 증명은 연습문제로 남긴다. □

여기서 성질 1.4.5(2)의 등호가 성립하지 않는 보기를 살펴보자. $X = \{a, b\}$, $Y = \{1, 2\}$, $A = \{a\}$, $B = \{b\}$라 하고 함수 $f: X \to Y$를 $f(a) = 1$, $f(b) = 1$이라 하자. 그러면

$$f(A \cap B) = f(\varnothing) = \varnothing,$$
$$f(A) \cap f(B) = \{1\} \cap \{1\} = \{1\}$$

이므로 $f(A \cap B) \neq f(A) \cap f(B)$이다.

**성질 1.4.6** 함수 $f: X \to Y$와 $A, B \subset X$, $C, D \subset Y$에 대해 다음이 성립한다.

(1) $f(A - B) \supset f(A) - f(B)$.

(2) $f^{-1}(C - D) = f^{-1}(C) - f^{-1}(D)$.

(3) 특별히 $f^{-1}(C^c) = \{f^{-1}(C)\}^c$이다.

증명 (1) 만약 $y \in f(A) - f(B)$이면 $y \in f(A)$이고 $y \notin f(B)$이다. $y \in f(A)$이므로 $f(x) = y$를 만족하는 $x \in A$가 존재한다. 그런데 $y \notin f(B)$이므로 $x \notin B$이다. 그러므로 $f(x) = y$인 $x \in A - B$가 존재하므로 $y \in f(A - B)$이다. 따라서 $f(A) - f(B) \subset f(A - B)$이 성립한다.

(2) 다음과 같이 보일 수 있다:

$$\begin{aligned} x \in f^{-1}(C - D) &\Leftrightarrow f(x) \in C - D \\ &\Leftrightarrow f(x) \in C \wedge f(x) \notin D \\ &\Leftrightarrow x \in f^{-1}(C) \wedge x \notin f^{-1}(D) \\ &\Leftrightarrow x \in f^{-1}(C) - f^{-1}(D) \end{aligned}$$

(3) (2)에 의하여

$$f^{-1}(C^c)=f^{-1}(Y-C)=f^{-1}(Y)-f^{-1}(C)=X-f^{-1}(C)=\{f^{-1}(C)\}^c$$

이 성립한다. □

**성질 1.4.7** 함수 $f:X\to Y$와 $X$의 부분집합족 $\{A_\alpha\subset X\mid \alpha\in\Lambda\}$, $Y$의 부분집합족 $\{B_\beta\subset Y\mid \beta\in\Gamma\}$에 대하여 다음이 성립한다.

(1) $f(\bigcup_{\alpha\in\Lambda}A_\alpha)=\bigcup_{\alpha\in\Lambda}f(A_\alpha)$.

(2) $f(\bigcap_{\alpha\in\Lambda}A_\alpha)\subset\bigcap_{\alpha\in\Lambda}f(A_\alpha)$.

(3) $f^{-1}(\bigcup_{\beta\in\Gamma}B_\beta)=\bigcup_{\beta\in\Gamma}f^{-1}(B_\beta)$.

(4) $f^{-1}(\bigcap_{\beta\in\Gamma}B_\beta)=\bigcap_{\beta\in\Gamma}f^{-1}(B_\beta)$.

증명 (1) 정의를 반복하여 사용함으로써 다음을 보일 수 있다:

$$\begin{aligned} y\in f(\bigcup_{\alpha\in\Lambda}A_\alpha) &\Leftrightarrow \exists x\in\bigcup_{\alpha\in\Lambda}A_\alpha \text{ s.t. } f(x)=y\\ &\Leftrightarrow \exists\alpha\in\Lambda \text{ s.t. } x\in A_\alpha\wedge f(x)=y\\ &\Leftrightarrow \exists\alpha\in\Lambda \text{ s.t. } y\in f(A_\alpha)\\ &\Leftrightarrow y\in\bigcup_{\alpha\in\Lambda}f(A_\alpha)\end{aligned}$$

따라서 $f(\bigcup_{\alpha\in\Lambda}A_\alpha)=\bigcup_{\alpha\in\Lambda}f(A_\alpha)$이다.

(2) 모든 $\alpha\in\Lambda$에 대하여 $\bigcap_{\alpha\in\Lambda}A_\alpha\subset A_\alpha$이므로 기초정리 1.4.3에 의하여 $f(\bigcap_{\alpha\in\Lambda}A_\alpha)\subset f(A_\alpha)$이다. 따라서 $f(\bigcap_{\alpha\in\Lambda}A_\alpha)\subset\bigcap_{\alpha\in\Lambda}f(A_\alpha)$이 성립한다.

(3)

$$\begin{aligned} x\in f^{-1}(\bigcup_{\beta\in\Gamma}B_\beta) &\Leftrightarrow f(x)\in\bigcup_{\beta\in\Gamma}B_\beta\\ &\Leftrightarrow \exists\beta\in\Gamma \text{ s.t. } f(x)\in B_\beta\\ &\Leftrightarrow \exists\beta\in\Gamma \text{ s.t. } x\in f^{-1}(B_\beta)\\ &\Leftrightarrow x\in\bigcup_{\beta\in\Gamma}f^{-1}(B_\beta)\end{aligned}$$

(4)

$$\begin{aligned} x\in f^{-1}(\bigcap_{\beta\in\Gamma}B_\beta) &\Leftrightarrow f(x)\in\bigcap_{\beta\in\Gamma}B_\beta\\ &\Leftrightarrow \forall\beta\in\Gamma,\ f(x)\in B_\beta\end{aligned}$$

$$\Leftrightarrow \ \forall \beta \in \Gamma,\ x \in f^{-1}(B_\beta)$$

$$\Leftrightarrow \ x \in \bigcap_{\beta \in \Gamma} f^{-1}(B_\beta) \qquad \square$$

주어진 두 함수 $f: X \to Y$와 $g: Y \to Z$에 대하여

$$g \circ f: X \to Z,\ (g \circ f)(x) = g(f(x))$$

를 $f$와 $g$의 **합성함수**라 한다. 이 경우 주어진 $A \subset X$, $B \subset Z$에 대하여

$$(g \circ f)(A) = g(f(A)),\ (g \circ f)^{-1}(B) = f^{-1}(g^{-1}(B))$$

이다.

**성질 1.4.8** 함수 $f: X \to Y$와 $g: Y \to Z$에 대하여 다음이 성립한다.
(1) 만약 $g \circ f$가 단사이면 $f$도 단사이다.
(2) 만약 $g \circ f$가 전사이면 $g$도 전사이다.

증명 (1) 만약 $f(x_1) = f(x_2)$이면 $g \circ f(x_1) = g(f(x_1)) = g(f(x_2)) = g \circ f(x_2)$이다. 그리고 $g \circ f$가 단사이므로 $x_1 = x_2$가 된다. 따라서 정의에 의하여 $f$는 단사이다.
(2) 임의로 주어진 $z \in Z$에 대하여 $g \circ f$가 전사이므로 $g \circ f(x) = z$를 만족하는 $x \in X$가 존재한다. 그러면 $y = f(x) \in Y$가 $g(y) = g(f(x)) = z$를 만족하므로 $g$는 전사이다. $\square$

집합 $X$에서의 **항등함수**(identity function)란

$$\mathrm{id}_X : X \to X,\ \mathrm{id}_X(x) = x$$

로 정의된 함수를 뜻한다.

**정의 1.4.9** 주어진 함수 $f: X \to Y$에 대해 함수 $g: Y \to X$가

$$g \circ f = \mathrm{id}_X,\ f \circ g = \mathrm{id}_Y$$

를 만족하면 $g$를 $f$의 **역함수**(inverse function)라 한다. 이 경우 $g$를 $f^{-1}$로 나타낸다. 물론 $g$가 $f$의 역함수이면 $f$도 $g$의 역함수이다.

**정리 1.4.10** 함수 $f: X \to Y$에 대하여 다음은 서로 동치이다.
(a) $f$의 역함수 $g: Y \to X$가 존재한다.
(b) $f$는 전단사이다.

증명 먼저 $f$의 역함수 $g$가 존재한다고 가정하자. 그러면 $g \circ f = \mathrm{id}_X$이고 $\mathrm{id}_X$가 단사이므로 성질 1.4.8(1)에 의하여 $f$는 단사이다. 한편 $f \circ g = \mathrm{id}_Y$이고 $\mathrm{id}_Y$가 전사이므로 성질 1.4.8(2)에 의하여 $f$는 전사이다. 따라서 $f$는 전단사이다.

역으로 함수 $f$가 전단사라 가정하자. 먼저 $f$가 전사이므로 임의로 주어진 $y \in Y$에 대하여 $f(x) = y$를 만족하는 $x \in X$가 존재한다. 그리고 $f$가 단사이므로 이러한 $x$는 유일하다. 따라서 $y$를 이러한 $x$로 대응시키는 규칙은 잘 정의된다. 즉 $g(y) = x \Leftrightarrow f(x) = y$로 정의하면 $g: Y \to X$는 $f$의 역함수가 된다. □

**성질 1.4.11** 두 함수 $f: X \to Y$와 $g: Y \to Z$가 모두 전단사이면 다음이 성립한다:

$$(g \circ f)^{-1} = f^{-1} \circ g^{-1}$$

증명 증명은 연습문제로 남긴다. □

## 곱집합 $X \times Y$

우리는 이미 1.2절에서 주어진 두 집합 $X$와 $Y$의 **곱집합**(Cartesian product)

$$X \times Y = \{(x, y) \mid x \in X \text{이고 } y \in Y\}$$

를 정의하였다. 여기서는 이러한 곱집합의 정의를 모든 집합족으로 확장하고자 한다.

먼저 주어진 점 $(x, y) \in X \times Y$에 대하여 우리는 다음과 같이 정의된 함수

$$f: \{1, 2\} \to X \cup Y,\ f(1) = x,\ f(2) = y$$

를 대응시킬 수 있다. 역으로 $f(1) \in X$, $f(2) \in Y$를 만족하는 주어진 함수 $f: \{1, 2\} \to X \cup Y$에 대하여 점 $(f(1), f(2)) \in X \times Y$를 대응시킬 수 있다.

## 곱집합 $\Pi_{i=1}^{n} X_i$

유한개의 집합 $X_1, X_2, \ldots, X_n$ 들의 곱집합은

$$\begin{aligned}\Pi_{i=1}^{n} X_i &= X_1 \times X_2 \times \cdots \times X_n \\ &= \{(x_1, x_2, \ldots, x_n) \mid x_i \in X_i \ \ \forall i = 1, 2, \ldots, n\}\end{aligned}$$

으로 정의한다. 앞에서와 마찬가지로 다음과 같은 일대일 대응(전단사 함수)이 존재한다:

$$\Pi_{i=1}^{n} X_i \underset{1:1}{\longleftrightarrow} \{\mathbf{x} \mid \text{함수 } \mathbf{x}: \{1, \ldots, n\} \to \cup_{i=1}^{n} X_i \ \ \text{s.t.} \ \ \mathbf{x}(i) \in X_i \ \ \forall i\}$$

$$(x_1, \ldots, x_n) \longmapsto \mathbf{x}(i) = x_i$$

$$(\mathbf{x}(1), \ldots, \mathbf{x}(n)) \longleftarrow\!\shortmid \ \mathbf{x}$$

따라서 우리는 함수 $\mathbf{x}$를 순서쌍 $(x_1, \ldots, x_n)$과 같은 것으로 볼 수 있다. 즉 $\mathbf{x} = (x_1, \ldots, x_n)$이라 할 수 있다.

특별히 $X_1 = X_2 = \cdots = X_n = X$ 인 경우 $\Pi_{i=1}^{n} X_i$를 $X^n$으로 나타낸다.

## 곱집합 $\Pi_{n=1}^{\infty} X_n$

자연수 $n \in \mathbb{N}$에 대하여 $X_n$을 집합이라 하자. 다음과 같은 함수

$$\mathbf{x} : \mathbb{N} \to \cup_{n \in \mathbb{N}} X_n \ \ \text{s.t.} \ \ \mathbf{x}(n) \in X_n \ \ \forall n \in \mathbb{N}$$

들의 모임을 집합 $X_n (n \in \mathbb{N})$들의 **곱집합** 또는 **카테시안곱**이라 하고 $\Pi_{n \in \mathbb{N}} X_n$ 또는 $\Pi_{n=1}^{\infty} X_n$으로 표시한다. 그리고 이러한 함수 $\mathbf{x}$에 대하여 $\mathbf{x}(n) = x_n \in X_n$이면 $\mathbf{x}$를 $(x_n) = (x_1, x_2, x_3, \ldots)$로 표기하자. 따라서 $X_n (n \in \mathbb{N})$들의 곱집합은

$$\begin{aligned}\Pi_{n=1}^{\infty} X_n &= \{\mathbf{x} \mid \text{함수 } \mathbf{x} : \mathbb{N} \to \cup_{n=1}^{\infty} X_n \ \ \text{s.t.} \ \ \mathbf{x}(n) \in X_n \ \ \forall n \in \mathbb{N}\} \\ &= \{\mathbf{x} = (x_n) = (x_1, x_2, \ldots) \mid x_n \in X_n \ \ \forall n \in \mathbb{N}\}\end{aligned}$$

이다. 특별히 $X_n = X (\forall n \in \mathbb{N})$인 경우 $\Pi_{n=1}^{\infty} X_n$을 $X^{\omega}$로 나타낸다.

## 곱집합 $\Pi_{\alpha \in \Lambda} X_\alpha$

이제 임의의 집합족에 관한 곱집합을 정의하여 보자. $\Lambda$를 첨자집합이라 하고 $X_\alpha$ $(\alpha \in \Lambda)$를 집합이라 하자. 다음과 같은 함수

$$\mathbf{x} : \Lambda \to \cup_{\alpha \in \Lambda} X_\alpha \ \text{ s.t. } \ \mathbf{x}(\alpha) \in X_\alpha \ \ \forall \alpha \in \Lambda$$

들의 모임을 집합 $X_\alpha (\alpha \in \Lambda)$들의 **곱집합** 또는 **카테시안곱**이라 하고 $\Pi_{\alpha \in \Lambda} X_\alpha$로 표시한다. 그리고 이러한 함수 $\mathbf{x}$에 대하여 $\mathbf{x}(\alpha) = x_\alpha \in X_\alpha$이면 $\mathbf{x}$를 $(x_\alpha)_{\alpha \in \Lambda}$로 표기하자. 따라서 $X_\alpha (\alpha \in \Lambda)$들의 곱집합은

$$\begin{aligned} \Pi_{\alpha \in \Lambda} X_\alpha &= \{\mathbf{x} \mid \text{함수 } \mathbf{x} : \Lambda \to \cup_{\alpha \in \Lambda} X_\alpha \ \text{ s.t. } \ \mathbf{x}(\alpha) \in X_\alpha \ \ \forall \alpha \in \Lambda\} \\ &= \{\mathbf{x} = (x_\alpha)_{\alpha \in \Lambda} \mid x_\alpha \in X_\alpha \ \ \forall \alpha \in \Lambda\} \end{aligned}$$

이다.

## 연습문제

**문제 1.4.1** 기초정리 1.4.3의 증명을 완성하시오.

**문제 1.4.2** 성질 1.4.5를 증명하시오.

**문제 1.4.3** $A, B, A_\alpha \subset X$이라 하자. 만약 $f : X \to Y$가 단사함수이면 다음이 성립함을 보이시오.

(1) $f(A - B) = f(A) - f(B)$.

(2) $f(\bigcap_{\alpha \in \Lambda} A_\alpha) = \bigcap_{\alpha \in \Lambda} f(A_\alpha)$.

**문제 1.4.4** 성질 1.4.11을 증명하시오.

**문제 1.4.5** $f : X \to Y$를 전사함수라 하자. 그리고 집합 $X$상의 관계를 다음과 같이 정의하자.

$$x \sim x' \Leftrightarrow f(x) = f(x')$$

(1) 관계 $\sim$는 집합 $X$상의 동치관계임을 보이시오.

(2) $f$가 유도하는 함수 $\tilde{f} : X/_\sim \to Y$, $\tilde{f}([x]) = f(x)$는 전단사임을 보이시오.

**문제 1.4.6** 함수 $f: X \to Y$와 $g: Y \to Z$에 대하여 다음을 보이시오.

(1) 만약 $f$와 $g$가 모두 단사이면 합성함수 $g \circ f: X \to Z$도 단사이다.

(2) 만약 $f$와 $g$가 모두 전사이면 합성함수 $g \circ f$도 전사이다.

**문제 1.4.7** 함수 $f: X \to Y$와 $g, h: Y \to X$에 대하여 다음을 보이시오.

(1) 만약 $g$와 $h$가 모두 $f$의 역함수이면 $g = h$이다.

(2) 만약 $g \circ f = \mathrm{id}_X$이고 $f \circ h = \mathrm{id}_Y$이면 $g = h$이다.

**문제 1.4.8** 집합 $A, B, C$에 대하여 다음을 보이시오.

(1) 전단사함수 $f: A \times B \to B \times A$를 찾으시오.

(2) 전단사함수 $g: (A \times B) \times C \to A \times (B \times C)$를 찾으시오.

**문제 1.4.9** 공집합이 아닌 집합 $X$와 자연수 $n, m$에 대하여 다음을 답하시오.

(1) 만약 $n \leq m$이면 단사함수 $f: X^n \to X^m$가 존재함을 보이시오.

(2) 전단사함수 $g: X^{n+m} \to X^n \times X^m$를 찾으시오.

(3) 단사함수 $h: X^n \to X^\omega$를 찾으시오.

(4) 전단사함수 $k: X^n \times X^\omega \to X^\omega$를 찾으시오.

(5) 전단사함수 $l: X^\omega \times X^\omega \to X^\omega$을 찾으시오.

(6) 만약 $A \subset B$이면 단사함수 $\varphi: X^A \to X^B$가 존재함을 보이시오. 여기서 $X^A$는 $A$에서 $X$로의 함수 전체의 집합을 나타낸다. 즉 $X^A = \{f \mid f: A \to X\text{는 함수}\}$이고 $X^B = \{f \mid f: B \to X\text{는 함수}\}$이다.

**문제 1.4.10** 다음과 같이 주어진 $\mathbb{R}^\omega$의 부분집합을 $\mathbb{R}$의 부분집합들의 곱집합으로 표현되는지 알아보시오.

(1) $\{(x_n) \mid \text{모든 } x_n\text{는 정수}\}$.

(2) $\{(x_n) \mid x_n \geq n \ \forall n\}$.

(3) $\{(x_n) \mid x_n \in \mathbb{Z} \ \forall n \geq 10\}$.

(4) $\{(x_n) \mid x_2 = x_4\}$.

**문제 1.4.11** 집합족 $\{X_\alpha \mid \alpha \in \Lambda\}$와 $\{Y_\alpha \mid \alpha \in \Lambda\}$에 대해 다음이 성립함을 보이시오.

(1) $(\Pi_{\alpha \in \Lambda} X_\alpha) \cap (\Pi_{\alpha \in \Lambda} Y_\alpha) = \Pi_{\alpha \in \Lambda}(X_\alpha \cap Y_\alpha)$.

(2) $(\Pi_{\alpha \in \Lambda} X_\alpha) \cup (\Pi_{\alpha \in \Lambda} Y_\alpha) \subset \Pi_{\alpha \in \Lambda}(X_\alpha \cup Y_\alpha)$.

## 1.5 선택공리와 순서집합

Ernst Zermelo는 1904년에 다음과 같은 선택공리를 주장하였다.

**공리 1.5.1 (선택공리)** 공집합이 아닌 집합 $S_a(a\in\Lambda)$들의 모임 $\mathcal{S}=\{S_a \mid a\in\Lambda\}$에 대하여 함수

$$f:\mathcal{S}\to\bigcup_{a\in\Lambda}S_a \quad \text{s.t. } f(S_a)\in S_a \quad \forall a\in\Lambda$$

가 존재한다. 이러한 함수 $f$를 **선택함수(choice function)**라 한다.

이러한 선택공리는 다음에 다룰 Hausdorff 극대원리, Zorn의 보조정리, 정렬원리 등과 서로 동치이다.

**성질 1.5.2** 공집합이 아닌 서로소인 집합 $S_a(a\in\Lambda)$들의 모임 $\mathcal{S}=\{S_a \mid a\in\Lambda\}$에 대하여 다음을 만족하는 집합 $C$가 존재한다:

$$S_a\cap C=\{x_a\} \quad \forall a\in\Lambda$$

증명 $f$를 공리 1.5.1의 선택함수라 하면 $C=f(\mathcal{S})$이고 $x_a=f(S_a)$이다. □

**따름정리 1.5.3** 공집합이 아닌 집합 $A$에 대하여 $A$의 한 원소 $a\in A$를 택할 수 있다.

**정의 1.5.4** 집합 $X$상의 관계 $O\subset X\times X$가 다음 세 조건을 만족하면 $O$를 집합 $X$상의 **부분순서(partial order)** 또는 **반순서**라 한다.

(i) 모든 $x\in X$에 대하여 $(x,x)\in O$이다.

(ii) 만약 $(x,y)\in O$이고 $(y,z)\in O$이면 $(x,z)\in O$이다.

(iii) 만약 $(x,y)\in O$이고 $(y,x)\in O$이면 $x=y$이다.

관례상 $O$ 대신 $\leq$로 표시하고, $(x,y)\in O$ 대신 $x\leq y$로 나타낸다. 따라서 위의 세 조

건은 다음과 같이 바뀐다.

(i) 모든 $x \in X$에 대하여 $x \le x$이다.

(ii) 만약 $x \le y$이고 $y \le z$이면 $x \le z$이다.

(iii) 만약 $x \le y$이고 $y \le x$이면 $x = y$이다.

집합 $X$와 부분순서 $\le$의 쌍 $(X, \le)$을 **부분순서집합**(partially ordered set)이라 한다.

**보기 1.5.5** 집합 $X$의 멱집합 $\mathscr{P}(X)$상의 포함관계 $\subseteq$에 대해 $(\mathscr{P}(X), \subseteq)$는 부분순서집합이다.

**정의 1.5.6** 집합 $X$상의 부분순서 $\le$가 조건

(iv) 모든 $x, y \in X$에 대하여 $x \le y$ 또는 $y \le x$이다.

를 만족할 때 $\le$를 집합 $X$상의 **전순서**(total order) 또는 **선형순서**(linear order)라 한다. 이 경우 집합 $X$와 전순서 $\le$의 쌍 $(X, \le)$을 **전순서집합**(totally ordered set) 또는 **선형순서집합**(linearly ordered set)이라 한다.[6] 편의상 $(X, \le)$을 간단히 $(X, <)$로 표기하기도 한다.

전순서집합 $(X, \le)$의 두 원소 $x$와 $y$에 대하여 $x < y$는 $x \le y$이고 $x \ne y$임을 뜻한다. 따라서

$$x \le y \iff x < y \text{ 또는 } x = y$$

이다.

**보기 1.5.7** $\le$를 우리가 잘 알고 있는 실수 집합 $\mathbb{R}$상의 보통순서라 하자. 그러면

$$O = \{(x, y) \in \mathbb{R} \times \mathbb{R} \mid x \le y\}$$

는 집합 $\mathbb{R}$상의 전순서이다. 따라서 $(\mathbb{R}, \le)$은 전순서집합이다.

같은 방법으로 $(\mathbb{N}, \le)$, $(\mathbb{Z}, \le)$도 전순서집합이다.

---

6) 경우에 따라서 전순서집합을 **완전순서집합** 또는 잘 순서된 **집합**이라 하기도 한다.

**보기 1.5.8** $(X, \leq_X)$, $(Y, \leq_Y)$를 전순서집합이라 하자. 이제 임의의 $(x_1, y_1)$, $(x_2, y_2)$ $\in X \times Y$에 대하여

$$(x_1, y_1) \leq_d (x_2, y_2) \iff \begin{cases} x_1 <_X x_2 \text{ 또는} \\ x_1 = x_2,\ y_1 \leq_Y y_2 \end{cases}$$

와 같이 곱집합 $X \times Y$ 상의 전순서 $\leq_d$를 줄 수 있다. 우리는 이러한 순서 $\leq_d$를 집합 $X \times Y$ 상의 **사전식 순서**(dictionary order)라 한다.

**참고 1.5.9** 전순서집합 $(X, \leq)$의 부분집합 $A$에 $X$의 순서관계 $\leq$를 그대로 준 $(A, \leq)$도 전순서집합이다.

**정의 1.5.10** $A$를 부분순서집합 $(X, \leq)$의 부분집합이라 하자.

(1) 모든 $a \in A$에 대하여 $a \leq u$인 $u \in X$를 $A$의 **상계**(upper bound)라 한다. 그리고 $A$의 상계가 존재할 때 집합 $A$를 **위로유계**(bounded above)라 한다.

(2) $A$의 **최소상계**(least upper bound) 또는 **상한**(supremum)이란 $A$의 상계 중에서 가장 작은 원소를 의미한다. 기호로 $\sup A$ 또는 $\text{lub}\, A$로 표기한다. 즉 $u_0 \in X$이 $A$의 최소상계란 다음 두 조건을 만족함을 의미한다:

(i) $u_0$은 $A$의 상계이고,

(ii) 만약 $u \in X$가 $A$의 상계이면 $u_0 \leq u$이다.

(3) $m \in A$이 $A$의 **극대원소**란 다음 조건을 만족함을 의미한다.

$$a \in A,\ a \geq m \Rightarrow a = m$$

(4) 모든 $a \in A$에 대하여 $l \leq a$인 $l \in X$을 $A$의 **하계**(lower bound)라 한다. 그리고 $A$의 하계가 존재할 때 집합 $A$를 **아래로유계**(bounded below)라 한다.

(5) $A$의 **최대하계**(greatest lower bound) 또는 **하한**(infimum)이란 $A$의 하계 중에서 가장 큰 원소를 의미한다. 기호로 $\inf A$ 또는 $\text{glb}\, A$로 표기한다. 즉 $l_0 \in X$이 $A$의 최대하계란 다음 두 조건을 만족함을 의미한다:

(i) $l_0$은 $A$의 하계이고,

(ii) 만약 $l \in X$이 $A$의 하계이면 $l \leq l_0$이다.

(6) $n \in A$이 $A$의 **극소원소**란 다음 조건을 만족함을 의미한다:

$$a \in A,\ a \leq n \Rightarrow a = n$$

**보기 1.5.11** 집합 $X$에 대한 부분순서집합 $(\mathscr{P}(X), \subseteq)$과 부분집합 $\mathscr{B} \subset \mathscr{P}(X)$에 대해 $\cup_{B \in \mathscr{B}} B$는 $\mathscr{B}$의 최소상계이고 $\cap_{B \in \mathscr{B}} B$는 $\mathscr{B}$의 최대하계이다.

**참고 1.5.12** (1) 부분순서집합 $(X, \leq)$의 부분집합 $A$의 극대원소(극소원소)는 여러 개 존재할 수 있다.

(2) 하지만 전순서집합 $(X, \leq)$의 부분집합 $A$의 극대원소(극소원소)가 존재하면 유일하다. 이러한 이유로 전순서집합 $(X, \leq)$의 부분집합 $A$의 극대원소(극소원소)를 **최대원**(**최소원**)이라 부르기도 한다.

즉, 전순서집합 $(X, \leq)$의 부분집합 $A$에 대하여 다음이 성립한다:

$$\begin{aligned} m\text{이 } A\text{의 최대원} &\Leftrightarrow m \in A \text{ s.t. } m \geq a \ \forall a \in A \\ &\Leftrightarrow m\text{이 } A\text{의 극대원소} \\ n\text{이 } A\text{의 최소원} &\Leftrightarrow n \in A \text{ s.t. } n \leq a \ \forall a \in A \\ &\Leftrightarrow n\text{이 } A\text{의 극소원소} \end{aligned}$$

$(X, \leq)$는 부분순서집합이고 $A \subset X$라 하자. 만약 $A$에 $X$의 순서관계 $\leq$를 그대로 준 $(A, \leq)$가 전순서집합이 되면 우리는 $A$를 $(X, \leq)$의 **전순서 부분집합**이라 부른다.

**기초정리 1.5.13** 공집합이 아닌 부분순서집합 $(X, \leq)$의 모든 전순서 부분집합이 최소상계를 갖는다고 하자. 만약 함수 $f: X \to X$가 모든 $x \in X$에 대해 $f(x) \geq x$를 만족하면 $f(p) = p$인 점 $p \in X$가 존재한다.

증명 함수 $f: X \to X$가 모든 $x \in X$에 대해 $f(x) \geq x$를 만족한다고 하자. 그리고 한 점 $q \in X$를 증명이 끝날 때까지 고정하자.

먼저 $\mathscr{B} \subset \mathscr{P}(X)$를 다음 세 조건을 만족하는 $X$의 부분집합 $B$들의 모임이라 하자:

(a) $q \in B$,

(b) $f(B) \subset B$,

(c) 모든 전순서 부분집합 $A \subset B$에 대해 $\text{lub}(A) \in B$이다.

이제 우리는 다음과 같은 단계들을 거쳐서 증명을 완성할 것이다.

(1) 가정에 의하여 $X \in \mathscr{B}$이므로 $\mathscr{B} \neq \varnothing$이다.

(2) $B_0 = \cap_{B \in \mathscr{B}} B \in \mathscr{B}$이다:

(a) 모든 $B \in \mathscr{B}$에 대해 $q \in B$이므로 $q \in B_0$이다.

(b) 모든 $B \in \mathscr{B}$에 대해 $f(B) \subset B$이므로

$$f(B_0) = f(\bigcap_{B \in \mathscr{B}} B) \subset \bigcap_{B \in \mathscr{B}} f(B) \subset \bigcap_{B \in \mathscr{B}} B = B_0$$

이다.

(c) $A$를 $B_0$의 전순서 부분집합이라 하자. 그러면 모든 $B \in \mathscr{B}$에 대해 $A$는 $B$의 전순서 부분집합이므로 $\text{lub}(A) \in B$이다. 따라서 $\text{lub}(A) \in \cap_{B \in \mathscr{B}} B = B_0$ 이다.

그러므로 $B_0 \in \mathscr{B}$이다.

(3) $K = \{x \in X \mid x \geq q\} \in \mathscr{B}$이다:

(a) $q \geq q$이므로 $q \in K$이다.

(b) 임의의 $x \in K$에 대해 $x \geq q$이다. 그리고 $f$의 성질에 의해 $f(x) \geq x \geq q$ 이므로 $f(x) \in K$이다. 따라서 $f(K) \subset K$이다.

(c) $A$를 $K$의 전순서 부분집합이라 하면 $A$는 $X$의 전순서 부분집합이므로 $\text{lub}(A) \in X$가 존재한다. 그리고 임의의 $a \in A$를 택하면 $A \subset K$이므로 $\text{lub}(A) \geq a \geq q$이다. 따라서 $\text{lub}(A) \in K$이다.

그러므로 $K \in \mathscr{B}$이다.

(4) (3)에 의하여 $B_0 \subset K$이다. 따라서 모든 $x \in B_0$에 대해 $x \geq q$이다.

이제

$$C := \{x \in B_0 \mid y \in B_0\text{이고 } y < x \Rightarrow f(y) \leq x\}$$

라 하자.

(5) 만약 $x \in C$이면

$$D_x = \{z \in B_0 \mid z \leq x\text{이거나 } z \geq f(x)\} \in \mathscr{B}$$

이다:

임의의 $x \in C$를 고정하자.

(a) $x \in C \subset B_0$이므로 (4)에 의해 $x \geq q$이어서 $q \in D_x$이다.

(b) 임의의 $z \in D_x$에 대해 $z \leq x$이거나 $z \geq f(x)$이다.

(i) $z \geq f(x)$인 경우: $f(z) \geq z \geq f(x)$이므로 $f(z) \in D_x$이다.

(ii) $z \leq x$인 경우: 먼저 $z = x$이면 $f(z) = f(x)$이므로 $f(z) \in D_x$이다. 그리고 $z < x$이면 $z \in B_0$, $x \in C$이므로 $f(z) \leq x$이다. 따라서 $f(z) \in D_x$이다.

그러므로 $f(D_x) \subset D_x$이다.

(c) $A$를 $D_x$의 전순서 부분집합이라 하자. 그러면 $A \subset D_x \subset B_0 \in \mathscr{B}$이므로

$u=\text{lub}(A)\in B_0$이다. 한편 만약 $y\in A\subset D_x$이면 $y\le x$이거나 $y\ge f(x)$이다.

(i) $\forall y\in A,\ y\le x$인 경우: $x$는 $X$의 상계이므로 $u\le x$가 되어 $u\in D_x$이다.

(ii) $\exists y\in A$ s.t. $y\ge f(x)$인 경우: $u\ge y\ge f(x)$이므로 $u\in D_x$이다. 따라서 $\text{lub}(A)=u\in D_x$이다.

그러므로 $D_x\in\mathscr{B}$이다.

(6) 만약 $x\in C$이고 $z\in B_0$이면 $z\le x$이거나 $z\ge f(x)$이다:

$x\in C$이므로 (5)에 의해 $D_x\in\mathscr{B}$이다. 따라서 $B_0\subset D_x\subset B_0$이 되어 $B_0=D_x$이다. 한편 $z\in B_0$이므로 $z\in D_x$이다. 따라서 $z\le x$이거나 $z\ge f(x)$이다.

(7) $C\in\mathscr{B}$이다:

(a) (4)에 의해 모든 $y\in B_0$에 대해 $y\ge q$이므로 $y<q$인 $y\in B_0$는 존재하지 않는다. 따라서 다음 명제의 가정이 거짓이므로

$$y\in B_0\wedge y<q\ \Rightarrow\ f(y)\le q$$

이 성립한다. 따라서 $q\in C$이다.

(b) 임의의 점 $x\in C$가 주어졌다 하자. 우리는 $f(x)\in C$임을 보여야 한다. 이를 위해 $y\in B_0$이고 $y<f(x)$이라 하자. 이제 $f(y)\le f(x)$임을 보이면 된다. $x\in C$이고 $y\in B_0$이므로 (6)에 의하여 $y\le x$이거나 $y\ge f(x)$이다. 그런데 $y<f(x)$이므로 $y\le x$이 되어야 한다.

(i) 먼저 $y=x$인 경우: $f(y)=f(x)\le f(x)$이다.

(ii) $y<x$인 경우: $C$의 정의에 의해 $x\in C$이고 $y\in B_0$이므로 $f(y)\le x$이다. 그러므로 $f$의 조건에 의하여 $f(y)\le x\le f(x)$이다.

따라서 $f(y)\le f(x)$이므로 $f(x)\in C$이다. 그래서 $f(C)\subset C$이 성립한다.

(c) $A$를 $C$의 전순서 부분집합이라 하자. 그러면 $A\subset C\subset B_0\in\mathscr{B}$이므로 $w=\text{lub}(A)\in B_0$이다. 이제 $w\in C$임을 보이자. 이를 위해 $y\in B_0$이고 $y<w$라 하자. 우리는 $f(y)\le w$임을 보이면 된다. 임의의 점 $x\in A\subset C$에 대하여 (6)에 의해 $y\le x$이거나 $y\ge f(x)$이다. 그런데 만약 모든 $x\in A$에 대하여 $y\ge f(x)$라 가정하면 $y\ge f(x)\ge x\ (\forall x\in A)$이 되어 $y$는 $A$의 상계이다. 이것은 $y<w$라는 사실에 모순이다. 그러므로 $y\le x_0$를 만족하는 $x_0\in A$이 존재한다.

(i) $y<x_0$인 경우: $C$의 정의에 의해 $x_0\in C$이므로 $f(y)\le x_0\le w$이다.

(ii) $y=x_0$인 경우: $x_0=y<w$이고 $w$가 $A$의 최소상계이므로 $y=x_0<z\le w$를 만족하는 $z\in A$가 존재한다. 그리고 $z\in C$이므로 $f(y)\le z\le w$이다.

따라서 $f(y) \le w$이므로 $w = \mathrm{lub}(A) \in C$이다.

그러므로 $C \in \mathscr{B}$이다.

(8) (7)에 의해 $C \in \mathscr{B}$이므로 $B_0 \subset C \subset B_0$이 되어 $C = B_0$이다. 그리고 $B_0$은 전순서집합이다. (왜냐하면 $x, y \in B_0 = C$이면 (6)에 의해 $x \le y$이거나 $x \ge f(y)$이다. 그리고 $f$의 정의에 의해 $f(y) \ge y$이므로 $x \le y$이거나 $x \ge y$이다.)

따라서 $B_0$은 $B_0 \in \mathscr{B}$의 전순서 부분집합이므로 $p = \mathrm{lub}(B_0) \in B_0$이다. 그리고 $f(p) \in B_0$이므로 $p \le f(p) \le p$이다. 그러므로 $f(p) = p$를 만족하는 $p \in B_0 \subset X$가 존재한다. □

**보기 1.5.14** $\le$를 실수 집합 $\mathbb{R}$상의 보통순서라 하자. 그러면 $(\mathbb{R}, \le)$는 전순서집합이다. 그리고 함수 $f : \mathbb{R} \to \mathbb{R},\ f(x) = x + 1$에 대해 $f(x) \ge x\ (\forall x \in \mathbb{R})$이다. 그러나 $f(p) = p$를 만족하는 점 $p \in \mathbb{R}$는 존재하지 않는다. 여기서 주의할 점은 $A = (0, \infty)$는 $\mathbb{R}$의 전순서 부분집합이지만 $\mathrm{lub}\, A$는 존재하지 않는다. 따라서 $(\mathbb{R}, \le)$은 기초정리 1.5.13의 가정을 만족하지 않는다.

**정리 1.5.15 (하우스도르프 극대원리[7])** $\mathscr{T}$를 부분순서집합 $(X, \le)$의 전순서 부분집합들의 모임이라 하면 부분순서집합 $(\mathscr{T}, \subseteq)$은 극대원소를 갖는다.

증명 (귀류법) $(\mathscr{T}, \subseteq)$가 극대원소를 갖지 않는다고 가정하자. 그리고 임의의 $T \in \mathscr{T}$에 대해 $T^* = \{ T' \in \mathscr{T} \mid T' \supsetneq T \}$이라 하자. 그러면 $T^* \ne \varnothing$이다. (왜냐하면 만약 $T^* = \varnothing$이라 가정하면 $T' \supseteq T$인 $T' \in \mathscr{T}$에 대해 $T' = T$이므로 $T$가 $\mathscr{T}$의 극대원소가 되어 가정에 모순이다.) 한편 선택공리(공리 1.5.1)에 의해 함수

$$g : \{ T^* \mid T \in \mathscr{T} \} \to \bigcup_{T \in \mathscr{T}} T^* \ \ \text{s.t.}\ \ g(T^*) \in T^* \ \ \forall T \in \mathscr{T}$$

가 존재한다. 참고로 $g(T^*) \in T^*$이므로 $g(T^*) \supsetneq T^*$이다. 그래서 함수

$$f : \mathscr{T} \to \mathscr{T},\ f(T) = g(T^*)$$

에 대해 $f(T) \supsetneq T\ (\forall T \in \mathscr{T})$이다.

한편 보기 1.5.11에 의해 $\mathscr{T}$의 임의의 전순서 부분집합 $\mathscr{A}$에 대해 $\mathrm{lub}(\mathscr{A}) = \cup_{S \in \mathscr{A}} S$이다. 그리고 $\cup_{S \in \mathscr{A}} S$은 $X$의 전순서 부분집합이다. (왜냐하면 임의의

7) Hausdorff Maximality Principle

$x, y \in \cup_{S \in \mathscr{A}} S$에 대해 $x \in S$, $y \in S'$인 $S, S' \in \mathscr{A}$이 존재한다. 그런데 $\mathscr{A}$가 $\mathscr{T}$의 전순서 부분집합이므로 $S \subseteq S'$이거나 $S \supseteq S'$이다. 우리는 일반성을 잃지 않고 $S \subseteq S'$이라 할 수 있다. 따라서 $x, y \in S'$이다. 그런데 $S' \in \mathscr{T}$이므로 $S'$은 $X$의 전순서 부분집합이다. 따라서 $x \le y$이거나 $x \ge y$이다. 그러므로 $\cup_{S \in \mathscr{A}} S$은 $X$의 전순서 부분집합이다.) 따라서 $\text{lub}(\mathscr{A}) = \cup_{S \in \mathscr{A}} S \in \mathscr{T}$이 성립한다. 그러므로 기초정리 1.5.13에 의해 $f(T) = T$를 만족하는 $T \in \mathscr{T}$가 존재한다. 이는 $f(T) \supsetneq T$라는 사실에 모순이다. □

선택공리와 동치인 것 중 가장 널리 이용되는 것으로는 1914년에 비로소 나타난 다음과 같은 존의 보조정리이다.

**정리 1.5.16 (Zorn 보조정리[8])** $(X, \le)$를 부분순서집합이라 하자. 만약 $X$의 모든 전순서 부분집합이 상계를 가지면 $X$는 극대원소를 갖는다.

증명 $\mathscr{T}$를 $X$의 전순서 부분집합들의 모임이라 하자. 그러면 하우스도르프 극대원리(정리 1.5.15)에 의해 $(\mathscr{T}, \subseteq)$는 극대원소 $B \in \mathscr{T}$를 갖는다. 가정에 의해 $B$의 상계 $u \in X$가 존재하여 $u \ge b\ (\forall b \in B)$를 만족한다. 이제 $u$가 $X$의 극대원소임을 보이자. 만약 $x \in X$가 $x \ge u$를 만족하면 $B \cup \{x\}$도 $X$의 전순서 부분집합이다. 따라서 $B \subseteq B \cup \{x\} \in \mathscr{T}$이고 $B$가 $\mathscr{T}$의 극대원소이므로 $B = B \cup \{x\}$이 되어야 한다. 그래서 $x \in B$이므로 $x \le u$이다. 결국 $x = u$이므로 $u$는 $(X, \le)$의 극대원소이다. □

**정의 1.5.17** 전순서집합 $(X, \le)$의 공집합이 아닌 모든 부분집합이 최소원(극소원소)을 가질 때 $(X, \le)$를 **정렬집합**(well-ordered set)이라 한다.[9] 이 경우 $\le$를 **정렬순서**라 한다.

다음은 자연수 집합 $\mathbb{N}$상의 유명한 정렬공리(well-ordering axiom)이다.

**공리 1.5.18 ($\mathbb{N}$의 정렬공리)** $(\mathbb{N}, \le)$의 공집합이 아닌 부분집합 $S$는 최소원 $l \in S$을 갖는다.

---

8) Zorn's Lemma.

9) 정렬집합을 정렬순서집합이라 부르기도 한다.

다음은 정수 집합 $\mathbb{Z}$의 정렬성이다.

**성질 1.5.19 ($\mathbb{Z}$의 정렬원리)** $(\mathbb{Z}, \leq)$의 공집합이 아닌 부분집합 $S$가 아래로유계이면 $S$는 최소원 $l \in S$을 갖는다.

증명 집합 $S$가 아래로유계이므로 $S$의 하계 $l_0 \in \mathbb{Z}$이 존재한다. 그러면 집합 $A = \{n - l_0 + 1 \mid n \in S\}$는 $\mathbb{N}$의 공집합이 아닌 부분집합이므로 자연수 집합의 정렬공리(공리 1.5.18)에 의하여 $A$의 최소원 $m_0 \in A$이 존재한다. 그러면 정수 $l = m_0 + l_0 - 1$은 $l \in S$이고 모든 $n \in S$에 대하여 $l \leq n$이다. 따라서 $l$은 $S$의 최소원이다. □

**성질 1.5.20** $\mathbb{Z}$의 공집합이 아닌 부분집합 $S$가 위로유계이면 $S$는 최대원 $u \in S$를 갖는다.

증명 집합 $S$가 위로유계이므로 집합 $T = \{-n \in \mathbb{Z} \mid n \in S\}$는 아래로유계이다. 성질 1.5.19에 의하여, $T$의 최소원 $l \in T$이 존재한다. 그리고 $u = -l$이라 하면 우리는 $u \in S$가 $S$의 최대원임을 쉽게 보일 수 있다. □

**보기 1.5.21** 여기서 $\leq$는 실수 집합상의 보통순서이다.

(1) $(\mathbb{N}, \leq)$은 정렬집합이다.

(2) 만약 $X$가 아래로유계인 $\mathbb{Z}$의 부분집합이면 $(X, \leq)$는 정렬집합이다.

(3) $(\mathbb{Z}, \leq)$는 정렬집합이 아니다: 예를 들어 공집합이 아닌 부분집합 $\{n \in \mathbb{Z} \mid n \leq 0\}$의 최소원이 존재하지 않는다.

(4) $(\mathbb{R}, \leq)$은 정렬집합이 아니다: 예를 들어 공집합이 아닌 부분집합 $A = (1, 3) \subset \mathbb{R}$에 대해 $1 \not\in A$이다.

(5) $([0, 1], \leq)$은 정렬집합이 아니다: 예를 들어 공집합이 아닌 부분집합 $A = (\frac{1}{3}, \frac{2}{3}) \subset [0, 1]$에 대해 $\frac{1}{3} \not\in A$이다.

(6) $(\mathbb{Q}, \leq)$은 정렬집합이 아니다: 예를 들어 공집합이 아닌 부분집합 $A = \{x \in \mathbb{Q} \mid 0 < x < 1\}$에 대해 $0 \not\in A$이다.

**보기 1.5.22** 유한집합 $X$ 상에 정의된 전순서관계 $\leq$에 대하여 $(X, \leq)$는 정렬집합이다.

**성질 1.5.23** (1) 정렬집합 $(X, \leq)$의 부분집합 $(A, \leq)$는 정렬집합이다.
(2) $(X, \leq_X)$와 $(Y, \leq_Y)$가 모두 정렬집합이면 사전식 순서집합 $(X \times Y, \leq_d)$도 정렬이다.

증명 (1) 만약 $B$가 $A$의 공집합이 아닌 부분집합이면 $B$는 $X$의 공집합이 아닌 부분집합이다. 그런데 $(X, \leq)$가 정렬집합이므로 $B$의 최소원 $m \in B$이 존재한다. 이러한 $m$은 전순서집합 $(A, \leq)$상에서의 부분집합 $B$의 최소원이 된다.

(2) $A$를 $X \times Y$의 공집합이 아닌 부분집합이라 하자. 그러면

$$B = \{x \in X \mid \exists y \in Y \text{ s.t. } (x, y) \in A\}$$

는 $X$의 공집합이 아닌 부분집합이다. 그런데 $(X, \leq_X)$가 정렬집합이므로 $B$의 최소원 $m \in B$이 존재한다. 한편

$$C = \{y \in Y \mid (m, y) \in A\}$$

도 $Y$의 공집합이 아닌 부분집합이고 $(Y, \leq_Y)$가 정렬집합이므로 $C$의 최소원 $n \in C$이 존재한다. 그리고 자명하게 $(m, n) \in A$은 집합 $A$의 최소원이다. 따라서 $(X \times Y, \leq_d)$는 정렬집합이다. □

**보기 1.5.24** 집합 $\{1, 2\}$와 $\mathbb{N}$에 보통순서 $\leq$를 주자. 그러면 $(\{1, 2\}, \leq)$와 $(\mathbb{N}, \leq)$이 모두 정렬집합이므로 사전식 순서를 준 $(\{1, 2\} \times \mathbb{N}, \leq_d)$도 정렬집합이다.

1904년에 Zermelo는 집합론에서 놀랄 만한 성질인 다음의 정렬원리를 증명하였다. 우리는 집합 $X$상에 정렬순서를 줄 수 있으면 $X$를 **정렬가능하다고** 말한다.

**정리 1.5.25 (정렬원리[10])** 모든 집합은 정렬가능하다.

증명 임의로 주어진 집합 $X$에 대하여

$$\mathscr{A}^* = \{(B, \leq_B) \mid B \subseteq X,\ (B, \leq_B)\text{는 정렬집합}\}$$

이라 하자. 그리고 임의의 $(B_0, \leq_0)$, $(B_1, \leq_1) \in \mathscr{A}^*$에 대하여

10) well-ordering principle

$$(B_0, \preceq_0) \preceq^* (B_1, \preceq_1) \overset{\text{정의}}{\iff} \begin{array}{l} \text{(i)}\ B_0 \subseteq B_1, \\ \text{(ii)}\ x, y \in B_0,\ x \preceq_0 y \Rightarrow x \preceq_1 y, \\ \text{(iii)}\ y \in B_1 - B_0 \Rightarrow x \preceq_1 y\ \ \forall x \in B_0 \end{array}$$

로 정의하면 $(\mathscr{A}^*, \preceq^*)$는 부분순서집합이 된다.

(1) 이제 $(\mathscr{A}^*, \preceq^*)$의 임의의 전순서 부분집합 $\mathscr{B}$가 상계를 가짐을 보이자:

먼저 $B' = \cup_{B \in \mathscr{B}} B \subseteq X$이라 하자.

(1-i) 임의의 $x, y \in B'$에 대하여 $x, y \in B$를 만족하는 $B \in \mathscr{B}$가 존재한다: 임의의 $x, y \in B'$에 대하여 $x \in B_1$, $y \in B_2$인 $B_1, B_2 \in \mathscr{B}$를 택하자. 그런데 $\mathscr{B}$가 전순서집합이므로 $(B_1, \preceq_1) \preceq^* (B_2, \preceq_2)$이거나 $(B_2, \preceq_2) \preceq^* (B_1, \preceq_1)$이다. 우리는 $(B_1, \preceq_1) \preceq^* (B_2, \preceq_2)$이라 하자. 그러면 $x, y \in B_2 \in \mathscr{B}$이다.

(1-ii) 임의의 $x, y \in B'$에 대해

$$x \preceq' y \Leftrightarrow \exists (B, \preceq_B) \in \mathscr{B} \text{ s.t. } x \preceq_B y$$

로 정의하면 $(B', \preceq')$은 전순서집합이 된다.

(1-iii) 더구나 $(B', \preceq')$은 정렬집합이다: 임의의 공집합이 아닌 부분집합 $S \subset B'$에 대해 $S \neq \varnothing$이므로 $S \cap B_0 \neq \varnothing$인 $B_0 \in \mathscr{B}$이 존재한다. 그리고 $(B_0, \preceq_0)$이 정렬집합이므로 $S \cap B_0$의 최소원(극소원소) $x_0 \in S \cap B_0$이 존재하여

$$x_0 \preceq_0 y \ \ \forall y \in S \cap B_0$$

를 만족한다.

이제 $x_0$이 $S$의 최소원임을 보이자. 이를 위해 임의로 주어진 $z \in S$에 대해 $x_0 \preceq' z$임을 보여야 한다. 먼저 $z \in B_0$이면 $z \in S \cap B_0$이고 $x_0$이 최소원이므로 $x_0 \preceq_0 z$이 된다. 따라서 $\preceq'$의 정의에 의해 $x_0 \preceq' z$이다. 그리고 만약 $z \notin B_0$이면 (1-i)에 의해 $x_0, z \in B_1 \in \mathscr{B}$가 존재한다. 한편 $\mathscr{B}$가 $(\mathscr{A}^*, \preceq^*)$의 전순서 부분집합이므로

$$(B_0, \preceq_0) \preceq^* (B_1, \preceq_1) \text{ 또는 } (B_1, \preceq_1) \preceq^* (B_0, \preceq_0)$$

이다. 그런데 $z \in B_1 - B_0$이므로 $B_0 \subset B_1$이 되어 $(B_0, \preceq_0) \preceq^* (B_1, \preceq_1)$이 되어야 한다. 그러므로 $x_0 \preceq_1 z$인 $(B_1, \preceq_1) \in \mathscr{B}$이 존재하여 $x_0 \preceq' z$이다.

따라서 $(B', \preceq') \in (\mathscr{A}^*, \preceq^*)$이고, $(B', \preceq')$은 $\mathscr{B}$의 상계이다.

(2) Zorn 보조정리(정리 1.5.16)에 의해 $(\mathscr{A}^*, \leq^*)$는 극대원소 $(B_1, \leq_1)$을 갖는다. 우리는 $B_1 = X$임을 보이면 충분하다. 왜냐하면 만약 $X = B_1$이면 $(X, \leq_1) = (B_1, \leq_1) \in \mathscr{A}^*$이므로 $(X, \leq_1)$은 정렬집합이 된다. 따라서 집합 $X$상에 정렬순서 $\leq_1$를 줄 수 있다.

이제 $B_1 = X$임을 귀류법을 사용하여 보이자. 만약 $B_1 \neq X$이라 가정하면 $z \in X - B_1$이 존재한다. 그리고 집합 $B_2 = B_1 \cup \{z\}$상의 순서 $\leq_2$를 모든 $x \in B_1$에 대해 $x \leq_2 z$로 정의된 $\leq_1$의 확장이라 하자. 그러면 $(B_2, \leq_2)$는 정렬집합이고 $(B_1, \leq_1) <^* (B_2, \leq_2)$를 만족한다. 이는 $(B_1, \leq_1)$이 $\mathscr{A}^*$의 극대원소라는 사실에 모순이다. □

정렬원리에 의해 집합 $\mathbb{R}$, $\mathbb{C}$상의 정렬순서가 존재한다.

**성질 1.5.26** 정렬원리 $\Rightarrow$ 선택공리.

증명 $\mathcal{S} = \{S_a \mid a \in \Lambda\}$를 공집합이 아닌 집합들의 모임이라 하자. 정렬원리(정리 1.5.25)에 의해 집합 $X = \cup_{a \in \Lambda} S_a$상의 정렬순서 $\leq$가 존재한다. 그런데 각각의 $a \in \Lambda$에 대해 $S_a$가 $X$의 공집합이 아닌 부분집합이므로 $S_a$의 최소원 $x_a \in S_a$가 존재한다. 이제 함수 $f : \mathcal{S} \to X = \cup_{a \in \Lambda} S_a$를 $f(S_a) = x_a$로 정의하면 된다. □

지금까지 우리는 선택공리, Hausdorff 극대원리, Zorn 보조정리, 정렬원리가 모두 동치임을 보였다.

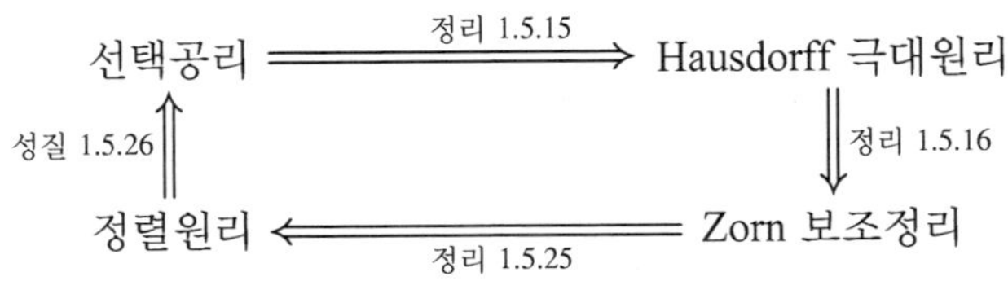

## 연습문제

**문제 1.5.1** $(X, \leq_X)$, $(Y, \leq_Y)$를 전순서집합이라 하자. 그러면 곱집합 $X \times Y$ 상의 사전식 순서 $\leq_d$가 전순서임을 보이시오.

**문제 1.5.2** 집합 $\mathscr{F} = \{f \mid f : \mathbb{R} \to \mathbb{R}$는 함수$\}$에 대하여

$$O = \{(f, g) \in \mathscr{F} \times \mathscr{F} \mid f(x) \leq g(x) \;\; \forall x \in \mathbb{R}\}$$

는 부분순서가 됨을 보이시오.

**문제 1.5.3** 집합 $X = \{a, b, c, d, e\}$에 대한 부분순서집합 $(\mathscr{P}(X), \subseteq)$의 부분집합 $A = \{\{a, b\}, \{a, c\}\}$의 모든 상계, 하계, 최소상계, 최대하계를 구하시오.

**문제 1.5.4** 전순서집합이 극대원소를 가지면 유일함을 보이시오.

**문제 1.5.5** 부분순서집합 $(X, \leq)$의 모든 전순서 부분집합이 상계를 갖는다고 하자. 이제 각각의 $a \in X$에 대해 $a \leq u$인 극대원소 $u \in X$가 존재함을 보이시오.

**문제 1.5.6** 원소가 두 개 이상인 집합 $X$에 대하여 $f(x) \neq x \; (\forall x \in X)$를 만족하는 전단사함수 $f : X \to X$가 존재함을 보이시오.

## 1.6 가산집합

두 집합 $X$와 $Y$에 대하여 전단사함수 $f: X \to Y$가 존재하면 $X$와 $Y$는 대등(equipotent)이라 하고 $X \sim Y$로 나타낸다.

**기초정리 1.6.1** 주어진 집합족 $\mathscr{F}$상의 대등관계 $\sim$는 동치관계이다.

증명 (반사율) 임의의 집합 $A \in \mathscr{F}$에 대하여 항등함수 $\mathrm{id}_X : X \to X$가 전단사이므로 $X \sim X$이다.

(대칭률) 만약 $X \sim Y$이면 전단사함수 $f: X \to Y$가 존재한다. 그리고 정리 1.4.10에 의하여 역함수 $g: Y \to X$가 존재하고, 전단사이므로 $Y \sim X$이다.

(추이율) 만약 $X \sim Y$이고 $Y \sim Z$이면 전단사함수 $f: X \to Y$와 $g: Y \to Z$가 존재한다. 그러면 합성함수 $g \circ f: X \to Z$가 전단사이므로 $X \sim Z$이다. □

**보기 1.6.2** 구간 $(0,1), (-1,1) \subset \mathbb{R}$에 대하여 다음이 성립한다.

(1) $(0,1) \sim (-1,1)$.

(2) $(-1,1) \sim \mathbb{R}$.

(3) $(0,1) \sim \mathbb{R}$.

풀이 (1) 함수 $f: (0,1) \to (-1,1)$, $f(x) = 2x - 1$는 전단사이다.

(2) 함수 $g: (-1,1) \to \mathbb{R}$, $g(x) = \tan(\frac{x\pi}{2})$는 전단사이다.

(3) (1), (2)와 추이율에 의해 성립한다. □

**정의 1.6.3** 주어진 집합 $X$에 대하여 $A \sim X$를 만족하는 $X$의 진부분집합 $A$가 존재할 때 $X$를 **무한집합**(infinite set)이라 한다. 그리고 무한집합이 아닌 집합을 **유한집합**(finite set)이라 한다. 참고로

$$X\text{는 유한집합} \quad \Leftrightarrow \quad X = \varnothing \text{ 또는 } X \sim \{1, 2, \dots, n\}$$

이다.

예를 들어 $\{x, y, z\} \sim \{1, 2, 3\}$이므로 $\{x, y, z\}$는 유한집합이다.

**보기 1.6.4** 자연수 집합 $\mathbb{N}$은 무한집합이다.

**풀이** $\mathbb{N}$의 진부분집합 $A=\{2,4,6,8,\dots\}$에 대하여 함수 $f:\mathbb{N}\to A$, $f(n)=2n$이 전단사이므로 $A\sim\mathbb{N}$이다. 따라서 $\mathbb{N}$은 무한집합이다. □

**기초정리 1.6.5** $A\subset X$일 때 다음이 성립한다.
(1) 만약 $A$가 무한집합이면 $X$도 무한집합이다.
(2) 만약 $X$가 유한집합이면 $A$도 유한집합이다.

**증명** (1) $A$가 무한집합이므로 $A\sim B$인 $A$의 진부분집합 $B$가 존재한다. 그리고 $f:B\to A$를 전단사 함수라 하자. 그러면 $B\cup(X-A)$는 $X$의 진부분집합이고 함수

$$g:B\cup(X-A)\to X,\ g(x)=\begin{cases}f(x), & x\in B\\ x, & x\in X-A\end{cases}$$

가 전단사이므로 $X$는 무한집합이다.
(2)는 (1)의 대우이다. □

**정의 1.6.6** 집합 $X$가 $X\sim\mathbb{N}$이면 $X$를 **가부번집합**(denumerable set)이라 한다. 그리고 $X$가 **가산집합**(countable set)이란 유한집합이거나 가부번집합임을 의미한다. 가산이 아닌 집합을 **비가산집합**(uncountable set)이라 한다.[11)]

**참고 1.6.7** (1) 정의에 의하여 다음이 성립한다:

$$\begin{aligned} X\text{가 가산집합} &\Leftrightarrow \text{단사함수 } g:X\to\mathbb{N}\text{가 존재}\\ &\Leftrightarrow \text{전사함수 } h:\mathbb{N}\to X\text{가 존재}\end{aligned}$$

(2) $X$가 가부번집합일 필요충분조건은 전단사함수 $f:X\to\mathbb{N}$가 존재하는 것이다. 그리고 $f$의 역함수 $h=f^{-1}:\mathbb{N}\to X$도 전단사이다. 따라서 자연수 $n\in\mathbb{N}$에 대하여 $x_n=h(n)$으로 놓으면 집합 $X$를

$$X=\{x_1,x_2,x_3,\dots\}=\{x_n\mid n\in\mathbb{N}\}$$

과 같이 표시할 수 있다.

---

11) 가산집합을 **셀 수 있는 집합**이라 하고, 비가산집합을 **셀 수 없는 집합**이라 부르기도 한다.

역으로

$$X=\{x_1, x_2, x_3, \dots\}=\{x_n \mid n \in \mathbb{N}\}$$

과 같이 표시되는 집합 $X$에 대하여 전단사함수 $h:\mathbb{N}\to X$, $h(n)=x_n$이 존재하므로 $\mathbb{N}\sim X$이고 $X$는 가부번집합이다.

**성질 1.6.8** 두 집합 $X$와 $Y$가 $X\sim Y$이면 다음이 성립한다.

(1) $X$는 유한집합 $\Leftrightarrow$ $Y$는 유한집합.

(2) $X$는 무한집합 $\Leftrightarrow$ $Y$는 무한집합.

(3) $X$는 가산집합 $\Leftrightarrow$ $Y$는 가산집합.

(4) $X$는 비가산집합 $\Leftrightarrow$ $Y$는 비가산집합.

(5) $X$는 가부번집합 $\Leftrightarrow$ $Y$는 가부번집합.

증명 기초정리 1.6.1과 정의에 의해 자명하다. □

**기초정리 1.6.9** $X$의 부분집합 $A$에 대하여 단사함수 $f:X\to A$가 존재하면 전단사함수 $h:X\to A$가 존재하고 $X\sim A$이다.

증명 (경우 1) $A=X$인 경우에는 $f$에 상관없이 $h$를 항등함수 $\mathrm{id}_X$로 택하면 된다.

(경우 2) $A\subsetneq X$인 경우에는 먼저 주어진 $f$를 $X$에서 $X$로의 함수

$$f:X\to A\hookrightarrow X,\ x\mapsto f(x)$$

로 볼 수 있다. 그리고 다음과 같이 정의된 단사함수

$$\begin{aligned}
&f^0=\mathrm{id}_X:X\to X,\ x\mapsto x,\\
&f:X\to A\hookrightarrow X,\ x\mapsto f(x),\\
&f^2=f\circ f:X\to X,\ x\mapsto f(f(x)),\\
&\ \vdots\\
&f^n=\underbrace{f\circ\cdots\circ f}_{n\text{개}}:X\to X,\ x\mapsto f(f(\cdots f(f(x))\cdots)),\\
&\ \vdots
\end{aligned}$$

들을 생각하자. 그러면 자연수 $k$에 대하여 $f^k(x)=f(f^{k-1}(x))$이고 $f^k(X)\subset A$가

된다.

이제 $X$의 부분집합

$$Y = \bigcup_{n=0}^{\infty} f^n(X-A)$$

를 택하자. 그러면 $X-A \neq \varnothing$이므로 $Y \neq \varnothing$이다.

(i) $X-A \subset Y$: 왜냐하면 $X-A = f^0(X-A)$이므로 $X-A \subset Y$이다.

(ii) $f(Y) \subset Y$: 만약 $y \in Y$이면 적당한 $n$에 대하여 $y \in f^n(X-A)$이다. 그래서 $f(y) \in f(f^n(X-A)) = f^{n+1}(X-A) \subset Y$이므로 $f(y) \in Y$이다. 따라서 $f(Y) \subset Y$이다.

(iii) 만약 $m \neq n$이면 $f^m(X-A) \cap f^n(X-A) = \varnothing$이다: $m \neq n$이라 하고 편의상 $m < n$이라 하자. 만약 $f^m(X-A) \cap f^n(X-A) \neq \varnothing$라 가정하면 $f^m(x) = f^n(y)$인 $x, y \in X-A$가 존재하여 $f^m(x) = f^m(f^{n-m}(y))$이 된다. 그런데 $f^m$이 단사이므로 $x = f^{n-m}(y)$이 되어야 한다. 한편 $n - m \geq 1$이므로

$$x = f^{n-m}(y) \in f^{n-m}(X-A) \subset A$$

이 된다. 그런데 이는 $x \in X-A$라는 사실에 모순이다. 따라서 $f^m(X-A) \cap f^n(X-A) = \varnothing$이다.

이제 다음과 같이 정의된 함수 $h : X \to A$가 전단사임을 보이면 충분하다.

$$h(x) = \begin{cases} f(x), & x \in Y \\ x, & x \in X-Y \end{cases}$$

먼저 $f(Y) \subset f(X) \subset A$이고 $X-Y \subset A$이므로 $h(X) = f(Y) \cup (X-Y) \subset A$이므로 $h$는 $X$에서 $A$로의 함수이다.

(iv) $h$는 단사이다: $f$가 단사이고 $f(Y) \subset Y$이므로 $h$는 단사이다.

(v) $h$가 전사임을 다음과 같이 보일 수 있다:

$$\begin{aligned} h(X) &= h((X-Y) \cup Y) \\ &= (X-Y) \cup f(Y) \\ &= [X - \bigcup_{n=0}^{\infty} f^n(X-A)] \bigcup f(\bigcup_{n=0}^{\infty} f^n(X-A)) \\ &= [X - \bigcup_{n=0}^{\infty} f^n(X-A)] \bigcup (\bigcup_{n=1}^{\infty} f^n(X-A)) \end{aligned}$$

$$
\begin{aligned}
&= X - f^0(X - A) \quad (\because \ \text{(iii)}) \\
&= X - (X - A) \\
&= A
\end{aligned}
$$

따라서 $h$가 전단사이므로 $X \sim A$이다. □

**기초정리 1.6.10** (1) 가부번집합의 무한 부분집합은 가부번이다.
(2) 가산집합의 부분집합은 가산이다.
(3) $A \subset X$이고 $A$가 비가산집합이면 $X$도 비가산집합이다.

증명 (1) $A$를 가부번집합 $X$의 무한 부분집합이라 하자. 먼저 $X$가 가부번이므로 $X = \{x_1, x_2, x_3, \ldots\}$로 나타낼 수 있다. $A$가 무한집합이므로 $A$는 공집합이 아니다. 그러므로

$$B_1 := \{n \in \mathbb{N} \mid x_n \in A\}$$

은 자연수 집합 $\mathbb{N}$의 공집합이 아닌 부분집합이다. 따라서 자연수의 정렬공리(공리 1.5.18)에 의하여 $B_1$의 최소원

$$n_1 := \min\{n \in \mathbb{N} \mid x_n \in A\} \in B_1$$

이 존재한다. 여기서 $x_{n_1} \in A$임을 주의하자. 그리고 $A$가 무한집합이므로 $A - \{x_{n_1}\}$도 공집합이 아니다. 그러므로

$$B_2 := \{n \in \mathbb{N} \mid x_n \in A - \{x_{n_1}\}\}$$

는 자연수 집합 $\mathbb{N}$의 공집합이 아닌 부분집합이다. 따라서 자연수의 정렬공리(공리 1.5.18)에 의하여 $B_2$의 최소원

$$n_2 := \min\{n \in \mathbb{N} \mid x_n \in A - \{x_{n_1}\}\} \in B_2$$

가 존재한다. 그리고 $x_{n_2} \in A$이다. 이와 같은 방법을 계속하면 모든 자연수 $k \in \mathbb{N}$에 대하여

$$n_k := \min\{n \in \mathbb{N} \mid x_n \in A - \{x_{n_1}, \ldots, x_{n_{k-1}}\}\}$$

가 존재하여 $x_{n_k} \in A$이고

$$n_1 < n_2 < n_3 < \cdots < n_{k-1} < n_k < \cdots$$

이다. 따라서 $A = \{x_{n_k} \mid k \in \mathbb{N}\}$ 이고 단사함수

$$f: \mathbb{N} \to A,\ f(k) = x_{n_k}$$

가 존재한다. 한편 $X$가 가부번이므로 전단사함수 $g: X \to \mathbb{N}$가 존재한다. 따라서 단사함수 $f \circ g: X \to A$가 존재하므로 기초정리 1.6.9에 의해 $A \sim X$이다. 더구나 $X \sim \mathbb{N}$이므로 $A \sim \mathbb{N}$이다. 그러므로 $A$는 가부번집합이다.

(2) 이제 $A$를 가산집합 $X$의 부분집합이라 하자. 먼저 $A$가 유한집합이면 당연히 $A$는 가산집합이다. 그리고 만약 $A$가 무한집합이면 기초정리 1.6.5에 의하여 $X$도 무한집합이다. 따라서 $X$는 가부번집합이고, (1)에 의해 $A$도 가부번집합이다. 그러므로 $A$는 가산이다.

(3)은 (2)의 대우이다. □

**보기 1.6.11** 곱집합 $\mathbb{N} \times \mathbb{N}$은 가부번이다: 다음과 같이 정의된 함수

$$f: \mathbb{N} \times \mathbb{N} \to \mathbb{N},\ f(j, k) = 2^j 3^k$$

를 생각하자. 한편 $(2, 3) = 1$이므로 $f$는 단사이다. 그러면

$$\mathbb{N} \times \mathbb{N} \sim f(\mathbb{N} \times \mathbb{N}) \subset \mathbb{N}$$

이고 $f(\mathbb{N} \times \mathbb{N})$이 가부번집합 $\mathbb{N}$의 무한 부분집합이므로 기초정리 1.6.10에 의해 $f(\mathbb{N} \times \mathbb{N})$은 가부번집합이다. 따라서 $\mathbb{N} \times \mathbb{N}$도 가부번집합이다. 즉 $\mathbb{N} \times \mathbb{N} \sim \mathbb{N}$이다.

**정리 1.6.12** (1) $X$와 $Y$가 모두 가산집합이면 $X \times Y$도 가산집합이다.
(2) $X$와 $Y$가 모두 가산집합이면 $X \cup Y$도 가산집합이다.
(3) 가산개의 가산집합들의 합집합도 가산이다.

증명 (1) $X$와 $Y$가 모두 가산집합이므로 단사함수

$$f: X \to \mathbb{N},\ g: Y \to \mathbb{N}$$

가 존재한다. 그러면 함수

$$h: X \times Y \to \mathbb{N} \times \mathbb{N},\ h(x, y) = (f(x), g(y))$$

는 단사이다. 한편 $\mathbb{N}\times\mathbb{N}\sim\mathbb{N}$이므로 전단사함수 $k:\mathbb{N}\times\mathbb{N}\to\mathbb{N}$가 존재한다. 따라서 단사함수 $k\circ h:X\times Y\to\mathbb{N}$가 존재하므로 $X\times Y$는 가산집합이다.

(2) 모든 유한집합은 가산이므로 (2)는 (3)의 특수한 경우이다. 따라서 우리는 (3)만 보이면 충분하다.

(3) 자연수 $k\in\mathbb{N}$에 대하여 $A_k$를 가산집합이라 하자.

(i) 먼저 $A_i\cap A_j=\varnothing\,(i\neq j)$인 경우를 생각하자. 각각의 자연수 $k\in\mathbb{N}$에 대하여 함수

$$g_k:\mathbb{N}\to\mathbb{N}\times\{k\},\ \ g_k(j)=(j,k)$$

는 전단사이다. 한편 $A_k$가 가산이므로 단사함수 $f_k:A_k\to\mathbb{N}$가 존재한다. 따라서 단사함수 $h_k=g_k\circ f_k:A_k\to\mathbb{N}\times\{k\}$가 존재한다. 그러면 다음과 같이 정의된 함수

$$h:\cup_{k\in\mathbb{N}}A_k\to\mathbb{N}\times\mathbb{N},\ \ h(x)=h_k(x)\ \ (x\in A_k)$$

는 단사이다. 한편 전단사함수 $\varphi:\mathbb{N}\times\mathbb{N}\to\mathbb{N}$가 존재하므로 단사함수

$$\varphi\circ h:\cup_{k\in\mathbb{N}}A_k\to\mathbb{N}$$

가 존재한다. 따라서 $\cup_{k\in\mathbb{N}}A_k$는 가산집합이다.

(ii) 이제 일반적인 경우를 생각하자. 각각의 자연수 $k$에 대하여

$$\begin{aligned}B_1&=A_1,\\ B_2&=A_2-A_1,\\ B_k&=A_k-(A_1\cup\cdots\cup A_{k-1})\end{aligned}$$

이라 하면 기초정리 1.6.10에 의하여 $B_k$는 서로소인 가산집합들이다. 따라서 (i)에 의해

$$\cup_{k\in\mathbb{N}}A_k=\cup_{k\in\mathbb{N}}B_k$$

는 가산집합이다.

(iii) 마지막으로 유한개의 가산집합 $A_1,A_2,\ldots,A_n$에 대하여

$$A_{n+1} = A_{n+2} = \cdots = \varnothing$$

이라 놓으면 (ii)에 의하여

$$\cup_{i=1}^{n} A_i = \cup_{k \in \mathbb{N}} A_k$$

는 가산집합이다. □

**보기 1.6.13** $\mathbb{Z}$와 $\mathbb{Q}$는 가산집합이다.

**풀이** (i) 먼저 집합 $\mathbb{Z}_- = \{-n \mid n \in \mathbb{N}\}$에 대하여 전단사함수

$$f : \mathbb{N} \to \mathbb{Z}_-,\ f(n) = -n$$

이 존재하므로 $\mathbb{Z}_-$는 가산집합이다. 따라서 정리 1.6.12에 의하여

$$\mathbb{Z} = \mathbb{Z}_- \cup \{0\} \cup \mathbb{N}$$

은 가산집합이다. 더구나 $\mathbb{Z}$가 무한집합이므로 $\mathbb{Z}$는 가부번집합이고 $\mathbb{Z} \sim \mathbb{N}$이다.

(ii) 먼저

$$\mathbb{Q}_+ = \{r \in \mathbb{Q} \mid r > 0\}, \quad \mathbb{Q}_- = \{r \in \mathbb{Q} \mid r < 0\}$$

이라 하자. 그리고 우리는 양의 유리수 $r \in \mathbb{Q}_+$을 서로소인 두 자연수 $m, n \in \mathbb{N}$을 사용하여 $r = \dfrac{m}{n}$로 표현할 수 있다. 그러면 단사함수 $f : \mathbb{Q}_+ \to \mathbb{N} \times \mathbb{N},\ f(\frac{m}{n}) = (m, n)$이 존재하고 $\mathbb{N} \times \mathbb{N}$이 가부번집합이므로

$$\mathbb{Q}_+ \sim f(\mathbb{Q}_+) \subset \mathbb{N} \times \mathbb{N} \sim \mathbb{N}$$

이다. 따라서 기초정리 1.6.10에 의해 $\mathbb{Q}_+$는 가산집합이다.

한편 함수 $g : \mathbb{Q}_+ \to \mathbb{Q}_-,\ g(r) = -r$이 전단사이므로 $\mathbb{Q}_+ \sim \mathbb{Q}_-$이다. 그래서 $\mathbb{Q}_-$도 가산집합이고 정리 1.6.12에 의하여 $\mathbb{Q} = \mathbb{Q}_+ \cup \{0\} \cup \mathbb{Q}_-$도 가산집합이다. 더구나 $\mathbb{Q}$가 무한집합이므로 $\mathbb{Q}$는 가부번집합이고 $\mathbb{Q} \sim \mathbb{N}$이다. □

**성질 1.6.14** 모든 무한집합은 가부번 부분집합을 포함한다.

증명 $X$를 무한집합이라 하자. 그러면 $X$가 공집합이 아니므로 선택공리에 의하여 한 원소 $x_1 \in X$을 택할 수 있다. 그리고 $X$가 무한집합이므로 $X-\{x_1\}$도 공집합이 아니므로 선택공리에 의하여 $x_2 \in X-\{x_1\}$를 택할 수 있다. 이와 같은 방법을 계속하면 우리는 모든 자연수 $n \in \mathbb{N}$에 대하여 $x_n \in X-\{x_1, \dots, x_{n-1}\}$을 택할 수 있다. 그러면 $\{x_1, x_2, \dots\} = \{x_n \mid n \in \mathbb{N}\}$이 우리가 원하는 $X$의 가부번 부분집합이다. □

**보기 1.6.15** $\mathbb{R}$은 비가산집합이다.

풀이 보기 1.6.2에 의하여 $\mathbb{R} \sim (0,1)$이므로 열린구간 $(0,1)$이 비가산임을 보이면 충분하다. 임의의 $x \in (0,1)$는 다음과 같이 무한 소수로 표현할 수 있다:

$$x = 0.x_1x_2x_3 \cdots$$

여기서 $x_n \in \{0, 1, 2, \dots, 9\}$이다. 예를 들어

$$\frac{1}{4} = 0.25 = 0.249999 \cdots$$

로 나타낸다. 이러한 약속하에 두 수 $x, y \in (0,1)$가

$$x = 0.x_1x_2x_3 \cdots, \quad y = 0.y_1y_2y_3 \cdots$$

으로 표현되면

$$x = y \Leftrightarrow x_n = y_n \ \forall n \in \mathbb{N},$$
$$x \neq y \Leftrightarrow \exists n \in \mathbb{N} \text{ s.t. } x_n \neq y_n$$

이 성립한다.

한편 $(0,1)$이 무한집합이므로 $(0,1)$이 가부번이 아님을 보이면 충분하다.

이제 $(0,1)$이 가부번집합이라 가정하면 전단사함수 $f : \mathbb{N} \to (0,1)$가 존재한다. 따라서 $(0,1)$의 모든 원소를 다음과 같이 나열할 수 있다.

$$\begin{aligned} f(1) &= 0.a_{11}a_{12}a_{13}a_{14} \cdots \\ f(2) &= 0.a_{21}a_{22}a_{23}a_{24} \cdots \\ &\vdots \\ f(n) &= 0.a_{n1}a_{n2}a_{n3}a_{n4} \cdots \\ &\vdots \end{aligned}$$

물론 여기서 $a_{ij} \in \{0, 1, 2, \ldots, 9\}$이다. 이제 각각의 $n \in \mathbb{N}$에 대하여

$$b_n = \begin{cases} 5, & a_{nn} \neq 5 \\ 1, & a_{nn} = 5 \end{cases}$$

로 잡으면 $b = 0.b_1 b_2 b_3 \cdots$는 $b \in (0, 1)$이고 $b \notin f(\mathbb{N})$이므로 $f$가 전사라는 가정에 모순이다. 따라서 집합 $(0, 1)$은 가부번이 아니다. □

**보기 1.6.16** $\mathbb{R} \sim \mathbb{R} \times \mathbb{R} \sim \mathbb{C}$이므로 $\mathbb{C}$는 비가산집합이다.

**풀이** 먼저 $(0, 1) \sim (0, 1) \times \{\frac{1}{2}\} \subset (0, 1) \times (0, 1)$이므로 우리는 $(0, 1)$을 $(0, 1) \times (0, 1)$의 부분집합으로 볼 수 있다. 이제 보기 1.6.15와 같이 모든 $x \in (0, 1)$를 무한소수로 나타내자. 그러면 함수

$$f : (0, 1) \times (0, 1) \to (0, 1),$$
$$f(0.x_1 x_2 x_3 \cdots, 0.y_1 y_2 y_3 \cdots) = 0.x_1 y_1 x_2 y_2 x_3 y_3 \cdots$$

는 단사이므로 기초정리 1.6.9에 의하여 $(0, 1) \times (0, 1) \sim (0, 1)$이다. 따라서

$$\mathbb{R} \times \mathbb{R} \sim (0, 1) \times (0, 1) \sim (0, 1) \sim \mathbb{R}$$

이다.

한편 함수 $g : \mathbb{R} \times \mathbb{R} \to \mathbb{C}$, $g(a, b) = a + bi$가 전단사이므로 $\mathbb{C} \sim \mathbb{R} \times \mathbb{R} \sim \mathbb{R}$이다. □

**참고 1.6.17** 일반적으로 가산개의 가산집합들의 곱집합은 가산이 아니다: 예를 들어 유한집합 $A = \{0, 1\}$에 대하여 곱집합

$$X = A^{\omega} = A \times A \times A \times \cdots$$

를 생각하자. 이제 열린구간 $(0, 1)$의 임의의 원소 $x$를 보기 1.6.15와 비슷하게 2진법 무한소수

$$x = 0.x_1 x_2 x_3 \cdots_{(2)}$$

로 나타낼 수 있다. 여기서 $x_i \in \{0, 1\}$이다. 예를 들어

$$\frac{1}{2} = 0.1_{(2)} = 0.01111 \cdots_{(2)}$$

로 나타낸다. 그러면 함수

$$f:(0,1)\to X,\quad 0.x_1x_2x_3\cdots_{(2)}\mapsto(x_1,x_2,x_3,\ldots)$$

는 단사이다. 그래서 $f((0,1))\sim(0,1)\sim\mathbb{R}$이므로 $f((0,1))$은 비가산이다. 그리고 $f((0,1))\subset X$이므로 기초정리 1.6.10에 의하여 $X$는 비가산집합이다.

주어진 집합족에 대하여 대등 $\sim$이 동치관계임을 상기하자. 그러므로 우리는 주어진 집합족을 동치류들의 모임으로 분할할 수 있으며 같은 동치류에 속하는 집합들은 같은 **기수** 또는 **농도(cardinal number, cardinality)**를 갖는다고 말한다. 그리고 집합 $X$의 기수를 $\text{card}(X)$로 나타낸다. 따라서

$$\text{card}(X)=[X]=\{Y\mid Y\sim X\}$$

이고

$$X\sim Y\Leftrightarrow \text{card}(X)=\text{card}(Y)$$

이다. 특별히 유한집합의 기수를 **유한기수**, 무한집합의 기수를 **초한기수**라 한다. 그리고 다음과 같은 잘 알려진 집합들의 기수를

$$\begin{aligned}&\text{card}(\varnothing)=0,\\&\text{card}(\{1,2,\ldots,n\})=n,\\&\text{card}(\mathbb{N})=\aleph_0,\\&\text{card}(\mathbb{R})=\mathfrak{c}\end{aligned}$$

로 나타낸다.[12] 따라서 $\text{card}(\mathbb{Z})=\text{card}(\mathbb{Q})=\aleph_0$이고 $\text{card}(\mathbb{C})=\mathfrak{c}$이다.

한편 우리는 기수들 사이의 순서관계 $\le$를 다음과 같이 줄 수 있다:

$$\begin{aligned}\text{card}(X)\le\text{card}(Y)\quad&\Leftrightarrow\quad \text{단사함수 } f:X\to Y\text{가 존재}\\&\Leftrightarrow\quad \text{전사함수 } g:Y\to X\text{가 존재}\end{aligned}$$

그리고 $\text{card}(X)<\text{card}(Y)$는 $\text{card}(X)\le\text{card}(Y)$이고 $\text{card}(X)\ne\text{card}(Y)$임을 뜻한다.

**성질 1.6.18** 임의의 유한기수 $n$과 초한기수 $\mathfrak{a}$에 대하여 $n<\aleph_0\le\mathfrak{a}$이다.

12) $\aleph_0$은 aleph-null로 읽는다. 참고로 $\aleph$는 히브리어 첫 문자 aleph이고 null은 독일어로 0을 뜻한다.

증명 (i) 유한기수 $n$은 집합 $\mathbb{N}_n = \{1, 2, ..., n\}$의 기수임을 상기하자. 그리고 단사함수 $f : \mathbb{N}_n \to \mathbb{N}$, $f(k) = k$가 존재하므로 $n = \mathrm{card}(\mathbb{N}_n) \le \mathrm{card}(\mathbb{N}) = \aleph_0$이다. 한편 $\mathbb{N}_n \not\approx \mathbb{N}$이므로 $\mathrm{card}(\mathbb{N}_n) \ne \mathrm{card}(\mathbb{N})$이다. 따라서 $n < \aleph_0$이다.

(ii) $\mathfrak{a}$가 초한기수이므로 $\mathrm{card}(X) = \mathfrak{a}$인 무한집합 $X$가 존재한다. 그리고 성질 1.6.14에 의해 $X$의 가부번 부분집합 $A$가 존재한다. 그래서 전단사함수 $f : \mathbb{N} \to A$가 존재하여 $g : \mathbb{N} \to X$, $g(n) = f(n)$는 단사함수이다. 따라서 $\aleph_0 = \mathrm{card}(\mathbb{N}) \le \mathrm{card}(X) = \mathfrak{a}$이다. □

성질 1.6.18에 의해 $\aleph_0$은 초한기수 중 가장 작은 기수이다.

**정리 1.6.19 (Cantor 정리)** 임의의 집합 $X$에 대하여 $\mathrm{card}(X) < \mathrm{card}(\mathscr{P}(X))$이다.

증명 먼저 $X = \varnothing$인 경우에는 $\mathrm{card}(\varnothing) = 0$이고 $\mathrm{card}(\mathscr{P}(\varnothing)) = 1$이므로 $\mathrm{card}(\varnothing) < \mathrm{card}(\mathscr{P}(\varnothing))$이다.

이제 $X \ne \varnothing$이라 하자. 그러면 함수 $f : X \to \mathscr{P}(X)$, $f(x) = \{x\}$가 단사이므로 $\mathrm{card}(X) \le \mathrm{card}(\mathscr{P}(X))$이다. 따라서 우리는 $\mathrm{card}(X) \ne \mathrm{card}(\mathscr{P}(X))$임을 보이면 된다. 즉 $X$와 $\mathscr{P}(X)$가 대등이 아님을 보이면 된다. 이를 위해 대등이라 가정하고 모순을 유도하자.

$X$와 $\mathscr{P}(X)$가 대등이라 가정하자. 그러면 전단사함수 $g : X \to \mathscr{P}(X)$가 존재한다. 그리고 $X$의 부분집합 $S = \{x \in X \mid x \notin g(x)\}$를 생각하면 $S \in \mathscr{P}(X)$이다. 한편 $g$가 전사이므로 $g(y) = S$인 $y \in X$가 존재하고 $y \in S$이거나 $y \notin S$이다.

먼저 $y \in S$인 경우에는 $S$의 정의에 의해 $y \notin g(y)$이다. 그런데 $g(y) = S$이므로 $y \notin S$이 되어 모순이다.

그리고 $y \notin S$인 경우에는 $S$의 정의에 의해 $y \in g(y)$이다. 그런데 $g(y) = S$이므로 $y \in S$이 되어 모순이다. □

정리 1.6.19에 의해 우리는 가장 큰 기수는 존재하지 않음을 알 수 있다.

1880년경 Cantor는 다음과 같은 연속체 가설로 알려진 중요한 의문을 제기하였다.

**가설 1.6.20 (연속체 가설)** 두 기수 $\aleph_0$, $\mathfrak{c}$에 대하여 $\aleph_0 < x < \mathfrak{c}$를 만족하는 기수 $x$는 존재하지 않는다.[13)]

---

13) Continuum Hypothesis. 여기서 $\mathfrak{c} = 2^{\aleph_0}$임을 유의하자.

**참고 1.6.21** 만약 연속체 가설이 성립한다고 가정하면 다음이 성립한다.

(1) 만약 기수 $x$가 $\aleph_0 < x \le \mathfrak{c}$를 만족하면 $x = \mathfrak{c}$이다.

(2) 만약 집합 $X$가 $\mathrm{card}(\mathbb{N}) < \mathrm{card}(X) \le \mathrm{card}(\mathbb{R})$를 만족하면 $X \sim \mathbb{R}$이다.

(3) 특별히, 만약 $X$가 $\mathbb{R}$의 비가산 부분집합이면 $X \sim \mathbb{R}$이다.

1900년 D. Hilbert는 파리 국제 수학자 대회에서 23개의 중요한 미해결 문제의 목록을 제기하였다. 그중 첫 번째 문제가 다음과 같은 일반 연속체 가설이다.

**가설 1.6.22 (일반 연속체 가설)** 임의의 초한기수 $\mathfrak{a}$에 대하여 $\mathfrak{a} < x < 2^{\mathfrak{a}}$ 를 만족하는 기수 $x$는 존재하지 않는다.[14)]

이러한 연속체 가설을 해결하기 위해 1880년경부터 Cantor를 비롯한 많은 수학자들이 노력을 기울였으나 모두 허사로 끝나고 말았다. 그러나 1938년에 K. Gödel은 일반 연속체 가설은 집합론의 공리들과 상대적으로 모순되지 않음을 보였다. 그리고 1963년에 P. Cohen에 의하여 현행 집합론 공리계의 기초위에서는 일반 연속체 가설의 증명이 불가능함을 보였다. 즉, 일반 연속체 가설이 참인지 거짓인지 보일 수 없다는 것이다.[15)] 그러므로 일반 연속체 가설을 우리가 받아들이거나 부정해도 이론상 아무런 모순이 일어나지 않는다는 것이다.

## 연습문제

**문제 1.6.1** 무리수 집합 $\mathbb{Q}^c$이 비가산임을 보이시오.

**문제 1.6.2** 보기 1.6.16의 증명 과정에서 함수 $f$는 전사인가? (힌트: $0.10101010\cdots$의 역상을 생각해 보자.)

**문제 1.6.3** 집합 $A = \{1, 2, \ldots, n\}$와 $X = \{0, 1\}$에 대하여 $\mathscr{P}(A) \sim X^n$임을 보이시오.

---

14) Generalized Continuum Hypothesis.

15) 집합론에서의 일반 연속체 가설은 기하학에서의 평행선 공리와 유사하다.

**문제 1.6.4** 임의로 주어진 집합 $A$와 $X=\{0,1\}$에 대하여 $\mathscr{P}(A) \sim X^A$임을 보이시오. 여기서 $X^A=\{f \mid f: A \to X\text{는 함수}\}$이다.

**문제 1.6.5** 다음을 보이시오.

(1) $\{A \subset \mathbb{N} \mid A\text{는 유한집합}\}$은 가부번집합이다.

(2) $\{A \subset \mathbb{N} \mid A\text{는 무한집합}\}$은 비가산집합이다.

(3) $\mathscr{P}(\mathbb{N}) \sim \mathbb{R}$.

(4) $\{f \mid f: \mathbb{N} \to \mathbb{N}\text{는 함수}\} \sim \mathbb{R}$.

# 2장

# 유클리드공간

CONTENTS

위상은 $\mathbb{R}^n$상의 열린집합의 성질을 일반적인 집합으로 추상화 또는 일반화시킨 개념이다. 따라서 우리는 $\mathbb{R}^n$상의 열린집합의 성질을 먼저 알아볼 필요가 있다.

## 2.1 실수 집합 $\mathbb{R}$의 성질 †

우리는 $\mathbb{R}^n$상의 열린집합들의 성질을 알기 위해서 먼저 실수 집합 $\mathbb{R}$의 기본적인 성질들을 알아야 한다.

**정의 2.1.1** $A$를 $\mathbb{R}$의 부분집합이라 하자.

(1) 모든 $a \in A$에 대하여 $a \le u$인 실수 $u \in \mathbb{R}$를 $A$의 **상계**(upper bound)라 한다.

(2) 그리고 $A$의 상계가 존재할 때 $A$를 **위로유계**(bounded above)라 한다.

(3) $A$의 **최소상계**(least upper bound) 또는 **상한**(supremum)이란 $A$의 상계 중에서 가장 작은 수를 의미한다. 기호로 $\sup A$ 또는 $\operatorname{lub} A$로 표기한다.

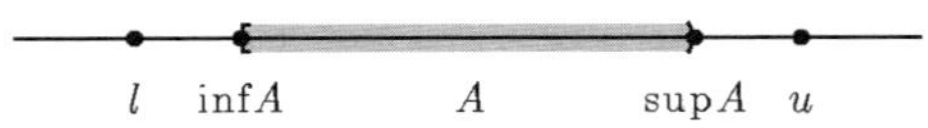


그림 2.1 • 최소상계와 최대하계

**성질 2.1.2** $\mathbb{R}$의 부분집합 $A$에 대하여 다음은 서로 동치이다.

(a) $\alpha = \sup A$.

(b) (i) 모든 $a \in A$에 대하여 $a \le \alpha$이다.

(ii) 만약 $r < \alpha$이면 $r < a$인 $A$의 원소 $a$가 존재한다.

위에서 조건 (i)는 $\alpha$가 집합 $A$의 상계임을 의미하고, (ii)는 $\alpha$보다 작은 실수 $r$은 $A$의 상계가 아님을 의미한다. 즉 $\alpha$가 $A$의 상계 중 최소임을 의미한다.

다음 성질은 실수 집합 $\mathbb{R}$이 최소상계 성질을 가짐을 의미한다.

**성질 2.1.3 (최소상계 성질[1])** 만약 $A(\subset \mathbb{R})$가 공집합이 아닌 위로유계인 집합이면 $\sup A$가 존재한다.

**성질 2.1.4** 만약 $A(\subset \mathbb{R})$의 최소상계가 존재하면 유일하다.

증명 $\alpha, \beta \in \mathbb{R}$를 $A$의 최소상계라 하자. 그러면 $\alpha$는 $A$의 상계이고 $\beta$는 $A$의 최소상계이므로 $\beta \leq \alpha$이다. 역으로 $\beta$는 $A$의 상계이고 $\alpha$는 $A$의 최소상계이므로 $\alpha \leq \beta$이다. 따라서 $\alpha = \beta$이다. □

이제부터 상계와 대칭되는 개념인 하계에 대해 알아보자.

**정의 2.1.5** $B$를 $\mathbb{R}$의 부분집합이라 하자.

(1) 모든 $b \in B$에 대하여 $l \leq b$인 실수 $l \in \mathbb{R}$을 $B$의 **하계(lower bound)**라 한다.

(2) 그리고 $B$의 하계가 존재할 때 $B$를 **아래로유계(bounded below)**라 한다.

(3) $B$의 **최대하계(greatest lower bound)** 또는 **하한(infimum)**이란 $B$의 하계 중에서 가장 큰 수를 의미한다. 기호로 $\inf B$ 또는 $\text{glb}\, B$로 표기한다.

(4) $B$가 위로유계인 동시에 아래로유계일 때 우리는 $B$를 **유계(bounded)**라 한다.

**성질 2.1.6** $\mathbb{R}$의 부분집합 $B$에 대하여 다음은 서로 동치이다.

(a) $\beta = \inf B$.

(b) (i) 모든 $b \in B$에 대하여 $\beta \leq b$이다.

(ii) 만약 $\beta < r$이면 $b < r$인 $B$의 원소 $b$가 존재한다.

위에서 조건 (i)는 $\beta$가 집합 $B$의 하계임을 의미하고, (ii)는 $\beta$보다 큰 실수 $r$은 $B$의 하계가 아님을 의미한다. 즉 $\beta$가 $B$의 하계 중 최대임을 의미한다.

---

1) least upper bound property. 실수의 최소상계 성질은 많은 책에서는 공리로 받아들이지만, 어떤 책에서는 유리수 $\mathbb{Q}$로부터 실수를 만들어가는 과정에서 직접 정리로서 증명하기도 한다. 이에 대해서는 W. Rudin의 책 [33]의 Chapter 1의 Appendix를 참조하기 바란다. 아울러 공리는 증명을 할 수는 없지만 모두가 그렇게 생각하는 데 동의하기 때문에 맞는 성질로 받아들이기로 약속하는 것이다. 마치 우리가 $1+1=2$라고 약속하는 것과 같다.

**성질 2.1.7 (최대하계 성질)** 만약 $B(\subset \mathbb{R})$가 공집합이 아닌 아래로유계인 집합이면 $\inf B$가 유일하게 존재한다.

증명 집합 $B$가 아래로유계이므로 $B$의 하계 $l \in \mathbb{R}$이 존재하여 모든 $b \in B$에 대하여 $l \le b$를 만족한다. 따라서 모든 $b \in B$에 대하여 $-l \ge -b$이므로 $u = -l$는 집합 $A := \{-b \mid b \in B\}$의 상계가 된다. 따라서 $A$는 위로유계인 집합이므로 성질 2.1.3에 의하여 $\alpha = \sup A$가 존재한다. 그리고 성질 2.1.2와 성질 2.1.6에 의하여 $\beta := -\alpha$가 우리가 원하는 $B$의 최대하계임을 알 수 있다. 즉 $\beta = \inf B$이다.

유일성은 성질 2.1.4의 증명과 같은 방법으로 보일 수 있다. □

**보기 2.1.8** $\mathbb{R}$의 부분집합들에 대하여 최소상계와 최대하계를 알아보자.

(1) 자연수 집합 $\mathbb{N} = \{1, 2, 3, \dots\} \subset \mathbb{R}$에 대하여 $0, \frac{1}{2}, -1$은 모두 $\mathbb{N}$의 하계이므로, $\mathbb{N}$은 아래로유계이고 $\inf \mathbb{N} = 1$이다. 그러나 $\mathbb{N}$은 위로유계가 아니므로 $\sup \mathbb{N}$은 존재하지 않는다.

(2) 집합 $A = [1, 3) \subset \mathbb{R}$에 대하여, 4는 $A$의 상계이고, $-1$은 $A$의 하계이다. 따라서 $A$는 위로유계인 동시에 아래로유계인 집합이다. 즉, 집합 $A$는 유계이다. 그리고 $\sup A = 3 \notin A$, $\inf A = 1 \in A$이다.

(3) 집합 $B = (-\infty, 0) \subset \mathbb{R}$에 대하여, 1은 $B$의 상계이므로 위로유계이고 $\sup B = 0$이다. 그리고 $B$는 아래로유계인 집합이 아니므로 $\inf B$는 존재하지 않는다.

(4) 집합 $C = \{\frac{1}{n} \mid n \in \mathbb{N}\} \subset \mathbb{R}$는 위로유계인 동시에 아래로유계인 집합이고 $\sup C = 1$, $\inf C = 0$이다.

(5) 집합 $D = \{\frac{n-1}{n} \mid n \in \mathbb{N}\} \subset \mathbb{R}$는 위로유계인 동시에 아래로유계이고 $\sup D = 1$, $\inf D = 0$이다.

**실수열** 또는 **수열**이란 함수 $f : \mathbb{N} \to \mathbb{R}$를 의미한다. 이 경우, 각각의 자연수 $n$에 대한 $f$의 함수값 $f(n)$을 $x_n$으로 표기한다. 즉 $x_n = f(n) \in \mathbb{R}$이다. 일반적으로 수열 $f$를 $\{x_n\}$으로 표기하고, $x_n$을 수열 $\{x_n\}$의 제$n$항이라 한다. 참고로 $f$의 상 $f(\mathbb{N})$은 $\{x_n \mid n \in \mathbb{N}\}$으로 표시된다.

수열 $\{x_n\}$이 실수 $x$로 **수렴한다**란 임의로 주어진 양의 실수 $\varepsilon > 0$에 대하여 $n > n_0$인 모든 자연수 $n$에 대해 $|x_n - x| < \varepsilon$을 만족하는 자연수 $n_0$이 존재함을 의미한다. 즉, 임의로 주어진 양의 실수 $\varepsilon > 0$에 대하여

$$n > n_0 \Rightarrow |x_n - x| < \varepsilon$$

을 만족하는 자연수 $n_0$이 존재함을 의미한다.[2] 이 경우 우리는 $x_n \to x$ 또는 $\lim_{n\to\infty} x_n = x$로 나타내고, $x$를 수열 $\{x_n\}$의 **극한**이라 한다.

수열 $\{x_n\}$이 **위로유계**란 집합 $\{x_n \mid n \in \mathbb{N}\}$이 위로유계임을 의미한다. 즉, 모든 자연수 $n$에 대해 $x_n \le u$를 만족하는 실수 $u$가 존재함을 뜻한다. 그리고 수열 $\{x_n\}$이 **아래로유계**란 집합 $\{x_n \mid n \in \mathbb{N}\}$이 아래로유계임을 의미한다. 즉, 모든 자연수 $n$에 대해 $x_n \ge l$을 만족하는 실수 $l$이 존재함을 뜻한다. 또한 수열 $\{x_n\}$이 위로유계인 동시에 아래로유계일 때 우리는 $\{x_n\}$을 **유계(bounded)**라 한다.

그리고 모든 자연수 $n$에 대하여 $x_n \le x_{n+1}$을 만족하면 $\{x_n\}$을 **증가수열**이라 하고, 모든 자연수 $n$에 대하여 $x_n \ge x_{n+1}$를 만족하면 $\{x_n\}$을 **감소수열**이라 한다.

**따름정리 2.1.9** 위로유계인 증가수열은 수렴한다.

증명 수열 $\{a_n\}$이 위로유계인 증가수열이라 하자. 그러면 $A = \{a_n \mid n \in \mathbb{N}\}$이 위로유계인 집합이므로 $A$의 상한 $\alpha = \sup A$가 존재한다. 이제 수열 $a_n$이 $\alpha$로 수렴함을 보이자. 임의로 주어진 $\varepsilon > 0$에 대하여 $\alpha - \varepsilon < \alpha$이고 $\alpha$가 집합 $A$의 최소상계이므로 $\alpha - \varepsilon < a_k \le \alpha$를 만족하는 $a_k \in A$가 존재한다. 이러한 $k$에 대하여

$$n > k \Rightarrow \alpha - \varepsilon < a_k \le a_n \le \alpha \Rightarrow |a_n - \alpha| < \varepsilon$$

이 성립하므로 $\lim_{n\to\infty} a_n = \alpha$이다. □

**성질 2.1.10** $\mathbb{R}$상의 닫힌구간 $[a_n, b_n]\,(n \in \mathbb{N})$이

$$[a_1, b_1] \supset [a_2, b_2] \supset \cdots \supset [a_n, b_n] \supset [a_{n+1}, b_{n+1}] \supset \cdots$$

을 만족하면 $\cap_{n=1}^{\infty} [a_n, b_n] \ne \varnothing$이다.

증명 모든 $n \in \mathbb{N}$에 대해 $[a_n, b_n] \supset [a_{n+1}, b_{n+1}]$이므로

$$a_1 \le a_2 \le \cdots \le a_n \le a_{n+1} \le \cdots \le b_{n+1} \le b_n \le \cdots \le b_2 \le b_1$$

2) 여기서 $n_0$은 주어진 $\varepsilon$에 따라 변할 수 있음을 주의하자.

이 되어 모든 $b_n$은 집합 $D = \{a_n \mid n \in \mathbb{N}\}$의 상계이다. 따라서 성질 2.1.3에 의해 $\alpha = \sup(D)$가 존재한다. 그리고 모든 $n \in \mathbb{N}$에 대해 $a_n \le \alpha \le b_n$이므로 $\alpha \in [a_n, b_n]$이다. 따라서 $\alpha \in \cap_{n=1}^{\infty}[a_n, b_n]$이므로 $\cap_{n=1}^{\infty}[a_n, b_n] \ne \varnothing$이다. □

**정리 2.1.11 (아르키메데스 원리)** 실수 $x, y \in \mathbb{R}$에 대하여 다음이 성립한다.

(1) 임의의 양의 실수 $x > 0$와 실수 $y$에 대하여 $nx > y$를 만족하는 자연수 $n \in \mathbb{N}$이 존재한다.

(2) 임의의 양의 실수 $x > 0$에 대하여 $0 < \dfrac{1}{n} < x$를 만족하는 자연수 $n \in \mathbb{N}$이 존재한다.

(3) 모든 자연수 $n \in \mathbb{N}$에 대하여 $0 \le x < \dfrac{1}{n}$을 만족하는 실수 $x$는 0이다.

증명 (1) (귀류법) $nx > y$를 만족하는 자연수 $n$이 존재하지 않는다고 가정하자. 그러면 모든 자연수 $n$에 대하여 $nx \le y$가 되어, $y$는 집합 $A = \{nx \mid n \in \mathbb{N}\}$의 상계이다. 그리고 최소상계 성질(성질 2.1.3)에 의하여 $\alpha = \sup A$가 존재한다. 그런데 $x > 0$이므로 $\alpha - x < \alpha$이다. 따라서 $\alpha - x$는 $A$의 상계가 아니므로 $\alpha - x < mx \in A$인 자연수 $m \in \mathbb{N}$이 존재한다. 그런데 $\alpha < (m+1)x \in A$이므로 $\alpha$가 $A$의 상계라는 사실에 모순이다. 따라서 $nx > y$를 만족하는 자연수 $n$이 존재해야 한다.

(2) (1)에 의하여($y = 1$인 경우), $nx > 1$인 자연수 $n \in \mathbb{N}$이 존재하고, 양변을 $n$으로 나누면 $x > \dfrac{1}{n} > 0$을 만족한다.

(3) (귀류법) 실수 $x$가 모든 자연수 $n \in \mathbb{N}$에 대하여 $0 \le x < \dfrac{1}{n}$을 만족한다고 하자. 이제 $x \ne 0$라고 가정하면, $x > 0$이므로 (2)에 의하여, $\dfrac{1}{n} < x$인 자연수 $n$이 존재하므로 모순이다. 따라서 $x = 0$이다. □

**정리 2.1.12 ($\mathbb{Q}$의 $\mathbb{R}$에서의 조밀성[3])** 임의의 서로 다른 두 실수 사이에는 유리수가 존재한다.

증명 임의로 주어진 서로 다른 두 실수 $x, y \in \mathbb{R}$에 대하여 우리는 일반성을 잃지 않고 $x < y$라 할 수 있다. 그러면 $y - x > 0$이므로 정리 2.1.11(1)에 의하여 $n(y-x)$

3) density

$>1$인 자연수 $n$이 존재한다. 다시 정리 2.1.11(1)에 의해 $k_1 > nx$, $k_2 > -nx$인 자연수 $k_1$, $k_2$가 존재하여 $-k_2 < nx < k_1$이다. 이제 정수 집합 $\mathbb{Z}$의 부분집합 $S = \{l \in \mathbb{Z} \mid nx < l\}$를 생각하자. 그러면 $k_1 \in S$이므로 $S$는 공집합이 아니고, $-k_2$가 $S$의 하계이므로 $S$는 아래로유계이다. 따라서 정수의 정렬원리(성질 1.5.19)에 의하여 정수 $m = \min(S) \in S$이 존재한다. 그러면 $m-1 \le nx < m$이므로 $nx < m \le 1 + nx < ny$이다. 그리고 $n$이 자연수$(n>0)$이므로 $x < \frac{m}{n} < y$이다. □

**보기 2.1.13** $\mathbb{R}$의 부분집합 $A = \{x \in \mathbb{Q} \mid 0 < x < \sqrt{2}\}$에 대하여 $\inf A = 0$, $\sup A = \sqrt{2}$이다.

**따름정리 2.1.14 (무리수의 조밀성)** 임의의 서로 다른 두 실수 사이에는 무리수가 존재한다.

증명 임의로 주어진 서로 다른 두 실수 $x, y \in \mathbb{R}$에 대하여 우리는 일반성을 잃지 않고 $x < y$라 할 수 있다. 한편 정리 2.1.12에 의하여 $x < p < y$를 만족하는 유리수 $p \in \mathbb{Q}$가 존재한다. 그리고 정리 2.1.11에 의해

$$0 < \frac{1}{n} < \frac{y-p}{\sqrt{2}}$$

를 만족하는 자연수 $n \in \mathbb{N}$이 존재한다. 그러면 무리수 $r = p + \frac{\sqrt{2}}{n} \in \mathbb{Q}^c$이

$$x < p < r = p + \frac{\sqrt{2}}{n} < y$$

를 만족한다. □

## 연습문제

**문제 2.1.1** $a < b$, $c < d$라 하자. 두 구간 $[a, b]$, $[c, d]$ 사이의 전단사함수를 찾으시오.

**문제 2.1.2** 다음과 같은 $\mathbb{R}$의 부분집합들의 최소상계와 최대하계를 구하시오.

(1) $\mathbb{Z}$.

(2) $\{x \in \mathbb{Q} \mid \pi < x\}$.

(3) $(-2,3] \cup (4,7)$.

**문제 2.1.3** $\mathbb{R}$의 위로유계인 부분집합은 무수히 많은 상계를 가짐을 보이시오.

## 2.2 $\mathbb{R}^n$상의 열린집합

먼저 우리는 집합 $\mathbb{R}^n$상의 보통거리에 대하여 알아보자. $\mathbb{R}^n$이란 집합적으로

$$\mathbb{R}^n = \{(x_1, x_2, \dots, x_n) \mid x_i \in \mathbb{R} \ \ \forall i = 1, 2, \dots, n\}$$

이다. 임의의 두 점 $x = (x_1, x_2, \dots, x_n)$, $y = (y_1, y_2, \dots, y_n) \in \mathbb{R}^n$에 대하여

$$d(x, y) = \|x - y\| = \sqrt{(x_1 - y_1)^2 + (x_2 - y_2)^2 + \cdots + (x_n - y_n)^2} \in \mathbb{R}$$

와 같이 정의된 $d$를 $\mathbb{R}^n$상의 **보통거리**(usual metric) 또는 **유클리드거리**(Euclidean metric)라 하며 이러한 거리 $d$를 갖는 $\mathbb{R}^n$을 **보통거리공간**(usual metric space), **보통공간**(usual space) 또는 **유클리드공간**(Euclidean space)이라 한다.

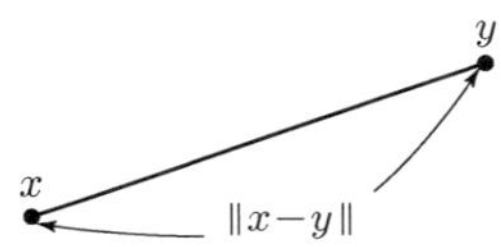


그림 2.2 • 보통거리

특별히 $n = 1$인 경우, 임의의 $x, y \in \mathbb{R}$에 대하여 $d(x, y) = \|x - y\| = \sqrt{(x - y)^2} = |x - y|$이다.

이제부터 아무런 언급이 없으면 $\mathbb{R}^n$은 유클리드공간을 의미한다.

**성질 2.2.1** 임의의 $x, y, z \in \mathbb{R}^n$에 대하여 다음이 성립한다.

(1) $\|x - y\| \geq 0$.

(2) $\|x - y\| = 0 \Leftrightarrow x = y$.

(3) $\|x - y\| = \|y - x\|$.

(4) $\|x - z\| \leq \|x - y\| + \|y - z\|$ (삼각 부등식).

증명 (1), (2), (3)은 자명하므로 (4)만 보이자.

먼저 $u \in \mathbb{R}^n$에 대해 $\|u\|^2 = u \cdot u$임을 상기하자. 여기서 $\cdot$은 내적이다. 그리고 $u, v \in \mathbb{R}^n$의 내적은 $u \cdot v = \|u\|\|v\|\cos\theta$이고 $-1 \leq \cos\theta \leq 1$이므로 $u \cdot v \leq$

$\|u\|\|v\|$이 성립한다. 단, 여기서 $\theta$는 $u$와 $v$가 이루는 각이다.

이제 임의로 주어진 $x, y, z \in \mathbb{R}^n$에 대하여

$$\begin{aligned}(\|x-y\|+\|y-z\|)^2 &= \|x-y\|^2+2\|x-y\|\|y-z\|+\|y-z\|^2 \\ &\geq (x-y)\cdot(x-y)+2(x-y)\cdot(y-z) \\ &\quad +(y-z)\cdot(y-z) \\ &= (x\cdot x-2x\cdot y+y\cdot y) \\ &\quad +2(x\cdot y-x\cdot z-y\cdot y+y\cdot z) \\ &\quad +(y\cdot y-2y\cdot z+z\cdot z) \\ &= x\cdot x-2x\cdot z+z\cdot z \\ &= (x-z)\cdot(x-z) \\ &= \|x-z\|^2\end{aligned}$$

이므로 $\|x-y\|+\|y-z\| \geq \|x-z\|$이 성립한다. □

임의의 점 $p \in \mathbb{R}^n$와 양의 실수 $r$에 대하여

$$B(p, r) = \{x \in \mathbb{R}^n \mid \|x-p\| < r\}$$

을 중심이 $p$이고 반경이 $r$인 $\mathbb{R}^n$상의 **열린구**(open ball)라 한다. 즉 $p$로부터 거리가 $r$ 미만인 $\mathbb{R}^n$의 점들의 집합이다.

(i) $\mathbb{R}$상의 열린구는 (열린)구간이다. 즉, 주어진 $p \in \mathbb{R}$와 $0 < r \in \mathbb{R}$에 대해

$$B(p, r) = \{x \in \mathbb{R} \mid |x-p| < r\} = (p-r, p+r)$$

이다(그림 2.3 참조).

(ii) $\mathbb{R}^2$상의 열린구는 (열린)원판이다. 즉, 주어진 $p=(a, b) \in \mathbb{R}^2$와 $0 < r \in \mathbb{R}$에 대해

$$\begin{aligned}B(p, r) &= \{x \in \mathbb{R}^2 \mid \|x-p\| < r\} \\ &= \{(x_1, x_2) \in \mathbb{R}^2 \mid \sqrt{(x_1-a)^2+(x_2-b)^2} < r\} \\ &= \{(x_1, x_2) \in \mathbb{R}^2 \mid (x_1-a)^2+(x_2-b)^2 < r^2\}\end{aligned}$$

이다.

(iii) $\mathbb{R}^3$상의 열린구는 (열린)구이다. 즉, 주어진 $p=(a, b, c) \in \mathbb{R}^3$와 $0 < r \in \mathbb{R}$에 대해

$$B(p, r) = \{x \in \mathbb{R}^3 \mid \|x-p\| < r\}$$

$$= \{(x_1, x_2, x_3) \in \mathbb{R}^3 \mid \sqrt{(x_1-a)^2+(x_2-b)^2+(x_3-c)^2} < r\}$$
$$= \{(x_1, x_2, x_3) \in \mathbb{R}^3 \mid (x_1-a)^2+(x_2-b)^2+(x_3-c)^2 < r^2\}$$

이다.

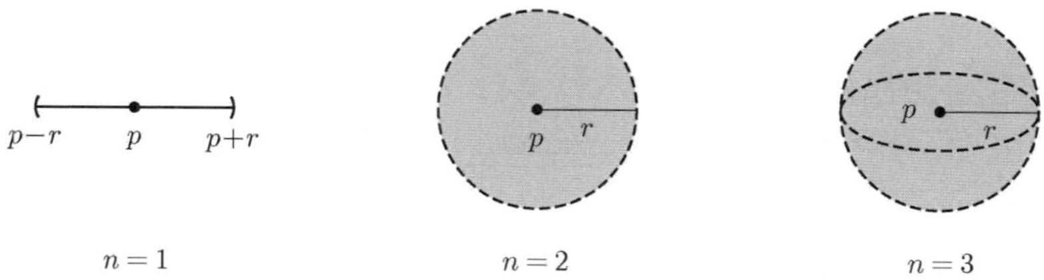


그림 2.3 • 열린구 $B(p, r)$

**주의** 열린구 $B(p, r)$은 전체공간을 무엇으로($\mathbb{R}, \mathbb{R}^2$ 또는 $\mathbb{R}^3$으로) 보느냐에 따라 달라진다. 따라서 열린구를 다룰 때는 전체공간이 무엇인지 주의하여야 한다.

**성질 2.2.2** $B(x, r_1)$과 $B(y, r_2)$를 $\mathbb{R}^n$상의 열린구라 하자. 임의로 주어진 점 $z \in B(x, r_1) \cap B(y, r_2)$에 대하여 $z \in B(z, r_3) \subset B(x, r_1) \cap B(y, r_2)$를 만족하는 실수 $r_3$이 존재한다.

**증명** 임의의 점 $z \in B(x, r_1) \cap B(y, r_2)$에 대하여

$$s_1 = r_1 - \|x - z\|, \quad s_2 = r_2 - \|y - z\|$$

라 하면 $s_1, s_2 > 0$이다. 이제 $r_3 = \min\{s_1, s_2\}$로 놓으면

$$z \in B(z, r_3) \subset B(x, r_1) \cap B(y, r_2)$$

이다. 왜냐하면 만약 $w \in B(z, r_3)$이면 $\|z - w\| < r_3$이므로

$$\|x-w\| \le \|x-z\| + \|z-w\| < \|x-z\| + r_3 \le \|x-z\| + s_1 = r_1$$
$$\|y-w\| \le \|y-z\| + \|z-w\| < \|y-z\| + r_3 \le \|y-z\| + s_2 = r_2$$

이 되어 $w \in B(x, r_1) \cap B(y, r_2)$이다. 따라서 $B(z, r_3) \subset B(x, r_1) \cap B(y, r_2)$이다.

□

## 열린집합과 닫힌집합

**정의 2.2.3** (1) $U \subset \mathbb{R}^n$가 $\mathbb{R}^n$의 **열린집합**(open set) 또는 **열린 부분집합**(open subset)이란 임의의 점 $x \in U$에 대하여 $x \in B(x, r) \subset U$를 만족하는 양의 실수 $r$이 존재함을 뜻한다.

(2) $C \subset \mathbb{R}^n$가 $\mathbb{R}^n$의 **닫힌집합**(closed set) 또는 **닫힌 부분집합**(closed subset)이란 $C^c = \mathbb{R}^n - C$이 $\mathbb{R}^n$의 열린집합이 되는 경우를 의미한다.

**보기 2.2.4** 그림 2.4와 같은 $\mathbb{R}^2$의 부분집합 $X$는 $\mathbb{R}^2$의 열린집합이다. 하지만 $\mathbb{R}^2$의 부분집합 $Y$는 점 $q$, $r$에서 $Y$에 포함되는 열린구를 잡을 수 없으므로 $Y$는 $\mathbb{R}^2$의 열린집합이 아니다.

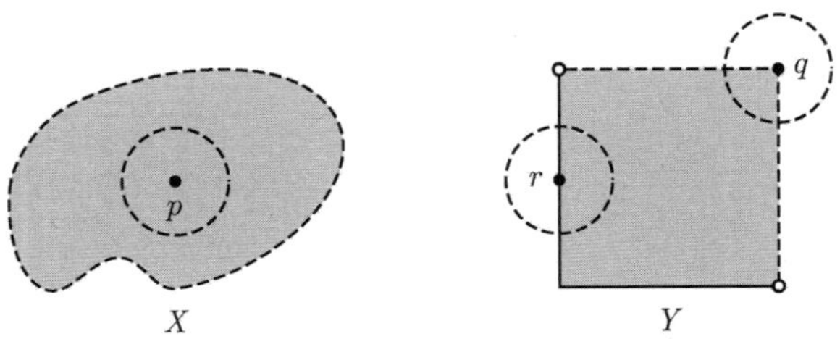


그림 2.4 • $X$는 $\mathbb{R}^2$의 열린집합이지만 $Y$는 열린집합이 아니다.

**기초정리 2.2.5** 유클리드공간 $\mathbb{R}^n$상의 모든 열린구 $B(p, r)$은 열린집합이다.

증명 임의로 주어진 $x \in B(p, r)$에 대하여 $t := \|x - p\|$이라 하자. 이제 $\varepsilon := r - t$로 놓으면 $B(x, \varepsilon) \subset B(p, r)$이다(그림 2.5 참조): 왜냐하면 만약 $w \in B(x, \varepsilon)$이면 $\|w - x\| < \varepsilon$이므로

$$\|w - p\| \leq \|w - x\| + \|x - p\| < \varepsilon + t = r$$

이 되어 $w \in B(p, r)$이다. 그러므로 $x \in B(x, \varepsilon) \subset B(p, r)$이다. 따라서 $B(p, r)$은 $\mathbb{R}^n$의 열린집합이다. □

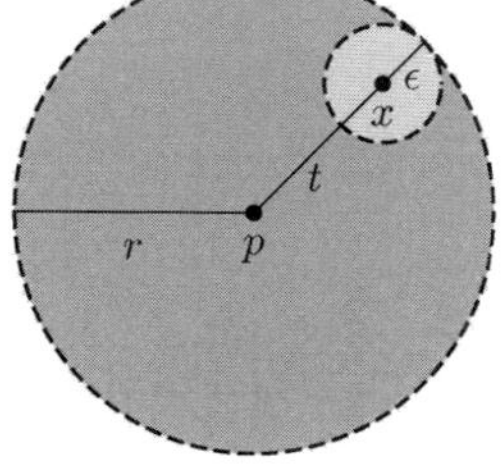


그림 2.5 • $B(p,r)$은 열린집합이다.

열린집합의 정의로부터 다음 성질을 쉽게 보일 수 있다.

**정리 2.2.6** 유클리드공간 $\mathbb{R}^n$의 부분집합들에 대하여 다음이 성립한다.[4)]
(1) $\varnothing$과 $\mathbb{R}^n$은 $\mathbb{R}^n$의 열린집합이다.
(2) 만약 $U_\alpha(\alpha \in \Lambda)$가 $\mathbb{R}^n$의 열린집합이면 $\cup_{\alpha\in\Lambda} U_\alpha$도 $\mathbb{R}^n$의 열린집합이다.
(3) $\mathbb{R}^n$의 유한개의 열린집합 $U_1, \dots, U_k$에 대하여 $\cap_{i=1}^k U_i$도 $\mathbb{R}^n$의 열린집합이다.

증명 (1) (i) 공집합은 어떠한 점도 갖지 않으므로 집합론의 조건부 논리에 의하여 $\varnothing$은 $\mathbb{R}^n$의 열린집합이다.[5)]

(ii) 임의의 점 $x \in \mathbb{R}^n$에 대하여 $x \in B(x,1) \subset \mathbb{R}^n$이므로 $\mathbb{R}^n$은 $\mathbb{R}^n$의 열린집합이다.

(2) 임의의 점 $x \in \cup_{\alpha\in\Lambda} U_\alpha$에 대하여 $x \in U_{\alpha_0}$인 $\alpha_0 \in \Lambda$이 존재한다. 그런데 $U_{\alpha_0}$이 $\mathbb{R}^n$의 열린집합이므로 $B(x,r) \subset U_{\alpha_0}$인 양의 실수 $r$이 존재하여

$$x \in B(x,r) \subset U_{\alpha_0} \subset \bigcup_{\alpha\in\Lambda} U_\alpha$$

를 만족한다. 그러므로 $\cup_{\alpha\in\Lambda} U_\alpha$는 $\mathbb{R}^n$의 열린집합이다.

(3) 이제 $x \in \cap_{i=1}^k U_i$라 하자. 그러면 각각의 $i=1,2,\dots,k$에 대해 $x \in U_i$이고 $U_i$가 열린집합이므로 $B(x,r_i) \subset U_i$인 양의 실수 $r_i$가 존재한다. 이제 $r = \min\{r_1, r_2, \dots, r_k\}$이라 하면 $r$은 양의 실수이고, 모든 $i=1,2,\dots,k$에 대하여

4) 정의 3.1.1을 살펴보면 $\mathbb{R}^n$상의 모든 열린집합들의 모임은 $\mathbb{R}^n$상의 위상이 됨을 알 수 있다.
5) 명제 $p$가 거짓이면 명제 $q$의 참 거짓에 상관없이 명제 "$p$이면 $q$이다"는 항상 참이다. 정의 1.1.4 참조.

$B(x,r) \subset B(x,r_i) \subset U_i$이므로 $x \in B(x,r) \subset \cap_{i=1}^{k} U_i$이다. 따라서 $\cap_{i=1}^{k} U_i$는 $\mathbb{R}^n$의 열린집합이다. □

**보기 2.2.7** 유클리드공간 $\mathbb{R}$의 두 점 $a, b \in \mathbb{R}$에 대하여 다음이 성립한다.

(1) $(a,b)$, $(a,\infty)$, $(-\infty,b)$는 모두 $\mathbb{R}$의 열린집합이다.

(2) $[a,b]$, $[a,\infty)$, $(-\infty,b]$는 모두 $\mathbb{R}$의 닫힌집합이다.

(3) 구간 $[a,b)$는 $\mathbb{R}$의 열린집합도 아니고 닫힌집합도 아니다.

(4) $\mathbb{Z}$는 $\mathbb{R}$의 닫힌집합이다.

(5) $\mathbb{Q}$, $\mathbb{Q}^c$은 모두 $\mathbb{R}$의 열린집합도 아니고 닫힌집합도 아니다.

**풀이** (1) (i) (방법 1) 임의의 $x \in (a,b)$에 대하여 $r_x = \min\{b-x, x-a\}$이라 하면 $x \in B(x,r_x) \subset (a,b)$이므로 $(a,b)$는 열린집합이다.

(방법 2) 유클리드공간 $\mathbb{R}$은 보통거리 $d(x,y) = |x-y|$를 갖는 공간이다. 주어진 $(a,b)$에 대하여 $c = \frac{a+b}{2}$, $r = \frac{|b-a|}{2}$라 하면 $(a,b) = B(c,r)$이므로 $(a,b)$는 열린집합이다(기초정리 2.2.5 참조).

(ii) (i)에 의하여 모든 자연수 $n \in \mathbb{N}$에 대하여 $(a, a+n)$이 열린집합이므로 정리 2.2.6에 의해

$$(a,\infty) = \bigcup_{n \in \mathbb{N}} (a, a+n)$$

도 열린집합이다.

(iii) (i)에 의하여 모든 자연수 $n \in \mathbb{N}$에 대하여 $(b-n, b)$가 열린집합이므로 정리 2.2.6에 의해

$$(-\infty, b) = \bigcup_{n \in \mathbb{N}} (b-n, b)$$

도 열린집합이다.

(2) (i) $[a,b]$의 여집합 $(-\infty,a) \cup (b,\infty)$가 열린집합이므로 $[a,b]$는 닫힌집합이다.

(ii) $[a,\infty)$의 여집합 $(-\infty,a)$가 열린집합이므로 $[a,\infty)$는 닫힌집합이다.

(iii) $(-\infty,b]$의 여집합 $(b,\infty)$가 열린집합이므로 $(-\infty,b]$는 닫힌집합이다.

(3) 점 $a$를 포함하는 어떠한 열린구(열린구간)도 $[a,b)$에 포함되지 않으므로 $[a,b)$는 $\mathbb{R}$의 열린집합이 아니다. 그리고 여집합 $[a,b)^c = (-\infty,a) \cup [b,\infty)$의 점 $b$를 포함하는 어떠한 열린구(열린구간)도 $[a,b)^c$에 포함되지 않으므로

$[a,b)^c$은 $\mathbb{R}$의 열린집합이 아니다. 따라서 $[a,b)$는 $\mathbb{R}$의 닫힌집합이 아니다.

(4) $\mathbb{Z}^c = \cup_{n\in\mathbb{Z}}(n, n+1)$이 열린집합이므로 $\mathbb{Z}$는 닫힌집합이다.

(5) 따름정리 2.1.14에 의해 점 $1\in\mathbb{Q}$에 대하여

$$1\in B(1,r) = (1-r, 1+r) \subset \mathbb{Q}$$

를 만족하는 양의 실수 $r$이 존재하지 않으므로 $\mathbb{Q}$는 $\mathbb{R}$의 열린집합이 아니다. 그리고 정리 2.1.12에 의해 점 $\sqrt{2}\in\mathbb{Q}^c$에 대하여

$$\sqrt{2}\in B(\sqrt{2}, s) = (\sqrt{2}-s, \sqrt{2}+s) \subset \mathbb{Q}^c$$

를 만족하는 양의 실수 $s$가 존재하지 않으므로 $\mathbb{Q}^c$은 $\mathbb{R}$의 열린집합이 아니다.

한편 $\mathbb{Q}$가 열린집합이 아니므로 $\mathbb{Q}^c$은 닫힌집합이 아니다. 그리고 $\mathbb{Q}^c$이 열린집합이 아니므로 $\mathbb{Q}$는 닫힌집합이 아니다. □

**보기 2.2.8** 일반적으로 무한개의 열린집합의 교집합은 열린집합이 아니다. 예를 들어 모든 자연수 $n\in\mathbb{N}$에 대하여 $U_n = (-\frac{1}{n}, \frac{1}{n})$은 $\mathbb{R}$의 열린집합이지만 $\cap_{n=1}^{\infty} U_n = \{0\}$은 $\mathbb{R}$의 열린집합이 아니다.

**보기 2.2.9** (1) $A = (-1, 1)$은 $\mathbb{R}$의 열린집합이다(그림 2.6(a) 참조).

(2) $B = (-1,1)\times\{0\} = \{(x,0)\in\mathbb{R}^2 \mid -1 < x < 1\}$은 $\mathbb{R}^2$의 열린집합이 아니다(그림 2.6(b) 참조).

그림 2.6 • 열린집합은 전체공간에 의존한다.

**주의** 사실상 $A$와 $B$는 같은 집합으로 볼 수 있지만, 전체공간을 무엇으로($\mathbb{R}$ 또는 $\mathbb{R}^2$로) 보느냐에 따라 열린집합이 될 수도 안 될 수도 있다. 따라서 어떤 집합이 열린집합인지 알기 위해서는 전체집합이 무엇인지 주의하여야 한다.

**성질 2.2.10** $U \subset \mathbb{R}^n$에 대하여 다음은 동치이다.

(a) $U$는 $\mathbb{R}^n$의 열린집합이다.

(b) $U$는 적당한 열린구들의 합집합이다. 즉 $U = \cup_{\alpha \in \Lambda} B(x_\alpha, r_\alpha)$이다.

증명 (a)⇒(b) $U$가 $\mathbb{R}^n$의 열린집합이라 하자. 그러면 각각의 점 $x \in U$에 대하여 $x \in B(x, r_x) \subset U$인 $0 < r_x \in \mathbb{R}$가 존재한다. 따라서 $U = \cup_{x \in U} B(x, r_x)$이다.

(b)⇒(a) 역으로 $U = \cup_{\alpha \in \Lambda} B(x_\alpha, r_\alpha)$이라 하자. 기초정리 2.2.5에 의하여 모든 $B(x_\alpha, r_\alpha)$가 $\mathbb{R}^n$의 열린집합이므로, 정리 2.2.6에 의해, $U$는 $\mathbb{R}^n$의 열린집합이다.

□

특별히 $n = 1$인 경우, 즉 $\mathbb{R}$상에서는 열린구 $B(x, r)$이 열린구간 $(x - r, x + r)$이므로 $\mathbb{R}$의 열린집합은 열린구간들의 합집합으로 표현된다.

이제 $\mathbb{R}^n$상의 닫힌집합의 성질에 대해 알아보자.

**보기 2.2.11** $\mathbb{R}^n$의 모든 유한 부분집합은 닫힌집합이다: $A = \{a_1, \dots, a_k\} \subset \mathbb{R}^n$이라 하자. 우리는 $A^c = \mathbb{R}^n - A$이 열린집합임을 보이면 된다. 임의로 주어진 점 $p \in A^c$에 대해 $r = \min\{\|p - a_1\|, \dots, \|p - a_k\|\}$이라 하면 $B(p, r) \cap A = \varnothing$이므로 $p \in B(p, r) \subset A^c$이다. 따라서 정의에 의하여 $A^c$은 $\mathbb{R}^n$의 열린집합이므로 $A$는 $\mathbb{R}^n$의 닫힌집합이다.

**정리 2.2.12** 유클리드공간 $\mathbb{R}^n$의 부분집합들에 대하여 다음이 성립한다.

(1) $\varnothing$과 $\mathbb{R}^n$은 $\mathbb{R}^n$의 닫힌집합이다.

(2) 만약 $C_\alpha (\alpha \in \Lambda)$가 $\mathbb{R}^n$의 닫힌집합이면 $\cap_{\alpha \in \Lambda} C_\alpha$도 $\mathbb{R}^n$의 닫힌집합이다.

(3) $\mathbb{R}^n$의 유한개의 닫힌집합 $C_1, \dots, C_k$에 대하여 $\cup_{i=1}^k C_i$도 $\mathbb{R}^n$의 닫힌집합이다.

증명 정리 2.2.6과 닫힌집합의 정의를 사용하여 증명할 것이다.

(1) (i) 정리 2.2.6에 의하여 $\mathbb{R}^n$이 $\mathbb{R}^n$의 열린집합이므로 닫힌집합의 정의에 의하여 $\varnothing = (\mathbb{R}^n)^c$은 $\mathbb{R}^n$의 닫힌집합이다.

(ii) 정리 2.2.6에 의하여 $\varnothing$이 $\mathbb{R}^n$의 열린집합이므로 $\mathbb{R}^n = \varnothing^c$은 $\mathbb{R}^n$의 닫힌집합이다.

(2) 임의의 $\alpha \in \Lambda$에 대하여 $C_\alpha$가 $\mathbb{R}^n$의 닫힌집합이므로 $C_\alpha^c$은 $\mathbb{R}^n$의 열린집합이

다. 그리고 정리 2.2.6에 의하여 $\cup_{\alpha\in\Lambda}C_\alpha^c$은 $\mathbb{R}^n$의 열린집합이다. 한편

$$(\bigcap_{\alpha\in\Lambda} C_\alpha)^c = \bigcup_{\alpha\in\Lambda} C_\alpha^c$$

이므로 $\cap_{\alpha\in\Lambda}C_\alpha$는 $\mathbb{R}^n$의 닫힌집합이다.

(3) 임의의 $i=1,2,\ldots,k$에 대하여 $C_i$가 $\mathbb{R}^n$의 닫힌집합이므로 $C_i^c$은 $\mathbb{R}^n$의 열린집합이다. 그리고 정리 2.2.6에 의하여 $\cap_{i=1}^k C_i^c$은 $\mathbb{R}^n$의 열린집합이다. 한편

$$(\bigcup_{i=1}^k C_i)^c = \bigcap_{i=1}^k C_i^c$$

이므로 $\cup_{i=1}^k C_i$는 $\mathbb{R}^n$의 닫힌집합이다. □

**보기 2.2.13** 모든 자연수 $n\in\mathbb{N}$에 대하여 $C_n=[1+\frac{1}{n}, 3-\frac{1}{n}]$은 $\mathbb{R}$의 닫힌집합이지만, $\cup_{n=1}^\infty C_n=(1,3)$은 $\mathbb{R}$의 닫힌집합이 아니다.

**참고 2.2.14** 다음 예들에서 알 수 있듯이 $X\subset\mathbb{R}^n$가 열린집합이 아니라는 것과 $X$가 닫힌집합이라는 것은 서로 아무런 관계가 없다. 마찬가지로 $X\subset\mathbb{R}^n$가 열린집합이라는 것과 $X$가 닫힌집합이 아니라는 것도 서로 아무런 관계가 없다.

(1) $\varnothing$, $\mathbb{R}$은 모두 $\mathbb{R}$의 열린집합인 동시에 닫힌집합이다.

(2) $(1,2]$는 $\mathbb{R}$의 열린집합도 아니고 닫힌집합도 아니다.

(3) $\mathbb{Q}$는 $\mathbb{R}$의 열린집합도 아니고 닫힌집합도 아니다.

**성질 2.2.15** $\mathbb{R}$의 열린집합인 동시에 닫힌집합은 $\varnothing$과 $\mathbb{R}$뿐이다.

증명 (귀류법) $\varnothing\subsetneq A\subsetneq\mathbb{R}$을 만족하는 열린집합인 동시에 닫힌집합 $A$가 존재한다고 가정하자. 그러면 $A^c$도 $\mathbb{R}$의 열린집합인 동시에 닫힌집합이고 $\varnothing\subsetneq A^c\subsetneq\mathbb{R}$이다. 이제 $a\in A$와 $b\in A^c$를 택하고 $a<b$라 하자. 그러면 $A$가 열린집합이므로

$$a\in[a,a+\delta)\subset(a-\delta,a+\delta)\subset A$$

를 만족하는 양수 $\delta$가 존재한다. 따라서 집합

$$C=\{x\in\mathbb{R}\mid[a,x)\subset A\}$$

는 공집합이 아니고 $b$를 상계로 갖는다. 그러므로 성질 2.1.3에 의해 $\beta = \sup C$가 존재한다. 그러면 $\beta \in A$이거나 $\beta \in A^c$이 되어야 한다.

(i) 먼저 $\beta \in A$인 경우를 생각하자. $A$가 열린집합이므로 $(\beta-\varepsilon, \beta+\varepsilon) \subset A$를 만족하는 양수 $\varepsilon$이 존재한다. 그리고 $\beta-\varepsilon < \beta = \sup C$이므로 $\beta-\varepsilon < x$인 $x \in C$가 존재하여 $[a, x) \subset A$를 만족한다. 따라서

$$[a, \beta+\varepsilon) \subset [a, x) \cup (\beta-\varepsilon, \beta+\varepsilon) \subset A$$

이므로 $\beta+\varepsilon \in C$이다. 이는 $\beta = \sup C$라는 사실에 모순이다.

(ii) 이제 $\beta \in A^c$인 경우를 생각하자. $A^c$이 열린집합이므로 $(\beta-\varepsilon, \beta+\varepsilon) \subset A^c$(이고 $a < \beta-\varepsilon$)인 충분히 작은 양수 $\varepsilon$이 존재한다. 그러면 모든 $x \in C$에 대하여 $x \le \beta-\varepsilon$이다. (구체적으로 만약 $\beta-\varepsilon < x$인 $x \in C$가 존재한다고 가정하면 $x \le \beta$이므로 $(\beta-\varepsilon, x) \subset (\beta-\varepsilon, \beta+\varepsilon) \subset A^c$이다. 따라서 $[a, x) \not\subset A$이다. 이는 $x \in C$라는 가정에 모순이다.) 따라서 $\beta-\varepsilon$은 $C$의 상계이다. 이는 $\beta = \sup C$라는 사실에 모순이다. □

## 함수의 연속성

**정의 2.2.16** 함수 $f : \mathbb{R}^m \to \mathbb{R}^n$가 점 $p \in \mathbb{R}^m$에서 **연속**(continuous at $p$)이란 임의로 주어진 양의 실수 $\varepsilon > 0$에 대하여

$$\|x-p\| < \delta \Rightarrow \|f(x)-f(p)\| < \varepsilon$$

을 만족하는 양의 실수 $\delta > 0$가 존재함을 의미한다.

그리고 함수 $f : \mathbb{R}^m \to \mathbb{R}^n$가 모든 점 $p \in \mathbb{R}^m$에서 연속이면 우리는 $f$를 **연속**(continuous)이라 한다.

**참고 2.2.17** 함수 $f : \mathbb{R}^m \to \mathbb{R}^n$와 양의 실수 $\varepsilon, \delta$에 대하여 다음은 서로 동치이다.

(a) $\|x-p\| < \delta \Rightarrow \|f(x)-f(p)\| < \varepsilon$.

(b) $f(B(p, \delta)) \subset B(f(p), \varepsilon)$.

(c) $B(p, \delta) \subset f^{-1}(B(f(p), \varepsilon))$.

**풀이** (a)⇔(b) 다음과 같이 보일 수 있다:

$$\begin{aligned} &\|x-p\| < \delta \Rightarrow \|f(x)-f(p)\| < \varepsilon \\ \Leftrightarrow\ & x \in B(p,\delta) \Rightarrow f(x) \in B(f(p),\varepsilon) \\ \Leftrightarrow\ & f(B(p,\delta)) \subset B(f(p),\varepsilon) \end{aligned}$$

(b)⇒(c) 만약 $f(B(p,\delta)) \subset B(f(p),\varepsilon)$이면 성질 1.4.4(1)에 의해

$$B(p,\delta) \subset f^{-1}(f(B(p,\delta))) \subset f^{-1}(B(f(p),\varepsilon))$$

이 성립한다.

(c)⇒(b) 만약 $B(p,\delta) \subset f^{-1}(B(f(p),\varepsilon))$이면 성질 1.4.4(3)에 의해

$$f(B(p,\delta)) \subset f(f^{-1}(B(f(p),\varepsilon))) \subset B(f(p),\varepsilon)$$

이 성립한다. □

**성질 2.2.18** 함수 $f:\mathbb{R}^m \to \mathbb{R}^n$에 대하여 다음은 서로 동치이다.

(a) $f$는 점 $p \in \mathbb{R}^m$에서 연속이다.

(b) $f(p)$를 포함하는 열린집합 $V \subset \mathbb{R}^n$에 대하여 $p \in U \subset f^{-1}(V)$를 만족하는 열린집합 $U \subset \mathbb{R}^m$가 존재한다.

증명 (a)⇒(b) $\mathbb{R}^n$의 열린집합 $V$가 $f(p)$를 포함한다고 하자. $V$가 열린집합이므로 정의 2.2.3에 의해

$$f(p) \in B(f(p),\varepsilon) \subset V$$

를 만족하는 양의 실수 $\varepsilon$이 존재한다. 그리고 $f$가 점 $p$에서 연속이므로

$$\|x-p\| < \delta \Rightarrow \|f(x)-f(p)\| < \varepsilon$$

을 만족하는 양의 실수 $\delta$가 존재한다. 따라서 참고 2.2.17에 의해

$$p \in B(p,\delta) \subset f^{-1}(B(f(p),\varepsilon)) \subset f^{-1}(V)$$

이 성립하므로 $B(p,\delta)(=U)$가 우리가 원하는 $\mathbb{R}^m$의 열린집합이다.

(b)⇒(a) 임의로 주어진 양의 실수 $\varepsilon$에 대하여 $B(f(p),\varepsilon)(=V)$이 $f(p)$를 포함하는 $\mathbb{R}^n$의 열린집합이므로 (b)에 의해

$$p \in U \subset f^{-1}(B(f(p),\varepsilon))$$

을 만족하는 $\mathbb{R}^m$의 열린집합 $U$가 존재한다. 그리고 열린집합의 정의에 의해

$p \in B(p, \delta) \subset U$를 만족하는 양의 실수 $\delta$가 존재하여

$$p \in B(p, \delta) \subset U \subset f^{-1}(B(f(p), \varepsilon))$$

이다. 따라서 참고 2.2.17에 의해

$$\|x - p\| < \delta \Rightarrow \|f(x) - f(p)\| < \varepsilon$$

이 성립하므로 $f$는 점 $p$에서 연속이다. □

**성질 2.2.19** 함수 $f : \mathbb{R}^m \to \mathbb{R}^n$에 대하여 다음은 서로 동치이다.
(a) $f$는 연속이다.
(b) $\mathbb{R}^n$의 임의의 열린집합 $V$에 대하여 $f^{-1}(V)$는 $\mathbb{R}^m$의 열린집합이다.

증명 (a)⇒(b) $f$를 연속이라 하자. 그리고 $V$를 $\mathbb{R}^n$의 열린집합이라 하자. 임의의 점 $x \in f^{-1}(V)$에 대해 $f(x) \in V$이고 $f$가 $x$에서 연속이므로 성질 2.2.18에 의해

$$x \in U_x \subset f^{-1}(V)$$

를 만족하는 $\mathbb{R}^m$의 열린집합 $U_x$가 존재한다. 그러면

$$f^{-1}(V) = \bigcup_{x \in f^{-1}(V)} U_x$$

이므로 정리 2.2.6에 의해 $f^{-1}(V)$는 $\mathbb{R}^m$의 열린집합이다.
(b)⇒(a) 임의의 한 점 $x \in \mathbb{R}^m$를 고정하자. 우리는 $f$가 점 $x$에서 연속임을 보이면 된다. 이제 $V$를 $f(x)$를 포함하는 $\mathbb{R}^n$의 열린집합이라 하자. 그러면 (b)에 의하여 $f^{-1}(V)$는 $\mathbb{R}^m$의 열린집합이다. 이제 $U = f^{-1}(V)$라 하면

$$x \in U = f^{-1}(V) \subset f^{-1}(V)$$

이 되므로 성질 2.2.18에 의하여 $f$는 $x$에서 연속이다. □

여기서 연속이 아닌 함수의 보기를 들어보자.

**보기 2.2.20** 함수

$$h : \mathbb{R} \to \mathbb{R}, \quad h(x) = \begin{cases} 2x - 1, & x \geq 0 \\ x - 2, & x < 0 \end{cases}$$

는 연속이 아니다: 왜냐하면 열린구간 $(-\frac{3}{2}, 0)$은 $\mathbb{R}$의 열린집합이지만 $h^{-1}((-\frac{3}{2}, 0))$ $= [0, \frac{1}{2})$은 $\mathbb{R}$의 열린집합이 아니다(그림 2.7 참조). 따라서 성질 2.2.19에 의해 $f$는 연속이 아니다.

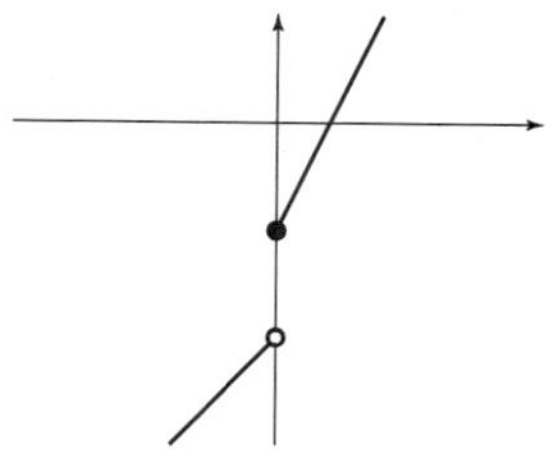

그림 2.7 • $h$의 그래프

## 더 알아보기†

**성질 2.2.21** 유클리드공간 $\mathbb{R}$의 열린집합은 가산개의 서로소인 열린구간들의 합집합이다.

증명 $U$를 $\mathbb{R}$의 열린집합이라 하자. 각각의 점 $x \in U$에 대하여 $x \in (a, b) \subset U$를 만족하는 열린구간 $(a, b)$가 존재한다. 이제

$$A_x = \{r \in \mathbb{R} \mid (r, x] \subset U\}, \quad B_x = \{s \in \mathbb{R} \mid [x, s) \subset U\}$$

라 하면 $a \in A_x$, $b \in B_x$이므로 $A_x$와 $B_x$는 공집합이 아니다. 그리고 $A_x$가 아래로유계이면 $\alpha_x = \inf A_x$라 하고, $A_x$가 아래로유계가 아니면 $\alpha_x = -\infty$라 하자. 비슷하게 $B_x$가 위로유계이면 $\beta_x = \sup B_x$라 하고, $B_x$가 위로유계가 아니면 $\beta_x = \infty$라 하자. 그리고 $I_x = (\alpha_x, \beta_x)$라 하자.

(i) $I_x \subset U$이다: 만약 $z \in I_x = (\alpha_x, \beta_x)$이면 $\alpha_x < z \le x$이거나 $x \le z < \beta_x$이다. 먼저 $\alpha_x < z \le x$인 경우에는 $\alpha_x$의 정의에 의해 $\alpha_x < r < z$인 $r \in A_x$이 존재하여 $z \in (r, x] \subset U$이다. 따라서 $z \in U$이다. 그리고 $x \le z < \beta_x$인 경우에는 $\beta_x$의 정의에 의해 $z < s < \beta_x$인 $s \in B_x$가 존재하여 $z \in [x, s) \subset U$이다. 따라서 $z \in U$이다.

(ii) $\alpha_x$, $\beta_x \not\in U$이다: 만약 $\alpha_x \in U$라 가정하면 $U$가 열린집합이므로 $\alpha_x \in (\alpha_x - \varepsilon, \alpha_x + \varepsilon) \subset U$를 만족하는 양의 실수 $\varepsilon > 0$이 존재한다. 그래서

$$(\alpha_x - \varepsilon, x] \subset (\alpha_x - \varepsilon, \alpha_x + \varepsilon) \cup (\alpha_x, \beta_x) \subset U$$

이 성립하여 $\alpha_x - \varepsilon \in A_x$이다. 이는 $\alpha_x = \inf A_x$라는 사실에 모순이다. 따라서 $\alpha_x \notin U$이어야 한다. 같은 방법으로 $\beta_x \notin U$이다.

(iii) $U = \cup \{I_x \mid x \in U\}$이다: 만약 $x \in U$이면 $x \in I_x$이므로 $x \in \cup \{I_x \mid x \in U\}$이다. 따라서 $U \subset \cup \{I_x \mid x \in U\}$이다. 그리고 모든 $x \in U$에 대하여 $I_x \subset U$이므로 $\cup \{I_x \mid x \in U\} \subset U$이다.

(iv) 임의의 두 점 $x, y \in U$에 대하여 $I_x \cap I_y = \varnothing$이거나 $I_x = I_y$이다: 만약 $I_x \cap I_y \neq \varnothing$이면 $\alpha_y < \beta_x$이고 $\alpha_x < \beta_y$이어야 한다. 그리고 $\alpha_y \notin U$이므로 $\alpha_y \notin (\alpha_x, \beta_x)$이 되어 $\alpha_y \leq \alpha_x$이다. 또한 $\alpha_x \notin U$이므로 $\alpha_x \notin (\alpha_y, \beta_y)$이 되어 $\alpha_x \leq \alpha_y$이다. 따라서 $\alpha_x = \alpha_y$이다. 같은 방법으로 $\beta_x = \beta_y$도 성립하므로 $I_x = (\alpha_x, \beta_x) = (\alpha_y, \beta_y) = I_y$이다.

(v) 따라서 $U = \cup \{I_x \mid x \in U\}$는 서로소인 열린구간들의 합집합이다. 이제 우리는 $\{I_x \mid x \in U\}$이 가산집합임을 보이면 된다. 모든 열린구간 $I_x$는 적어도 하나의 유리수 $p_x$를 포함한다. 그리고 함수

$$f : \{I_x \mid x \in U\} \to \mathbb{Q}, \ \ I_x \mapsto p_x$$

는 단사이다. 구체적으로 만약 $I_x \neq I_y$이면 (iv)에 의해 $I_x \cap I_y = \varnothing$이다. 그런데 $p_x \in I_x$, $p_y \in I_y$이므로 $p_x \neq p_y$이다. 따라서 $f$는 단사이다. 그리고 $\mathbb{Q}$가 가산집합이므로 $\{I_x \mid x \in U\}$도 가산집합이다. □

**성질 2.2.22 (Lindelöf)** 만약 $\mathscr{A}$가 $\mathbb{R}^n$의 열린집합들의 모임이면 다음을 만족하는 $\mathscr{A}$의 가산 부분집합 $\mathscr{A}^*$가 존재한다:

$$\bigcup_{U \in \mathscr{A}} U = \bigcup_{U^* \in \mathscr{A}^*} U^*$$

증명 편의상 $W = \cup_{U \in \mathscr{A}} U$라 하자. 그러면 임의의 점 $x \in W$에 대하여 $x \in U_x \in \mathscr{A}$가 존재한다. 그리고 $U_x$가 열린집합이므로 $x \in B(x, r_x) \subset U_x$인 열린구 $B(x, r_x)$가 존재한다. 정리 2.1.12에 의해 $x \in B(p_x, q_x) \subset B(x, r_x) \subset U_x$를 만족하는 유리수 격자점 $p_x \in \mathbb{Q}^n$와 양의 유리수 $q_x \in \mathbb{Q}$가 존재한다. 그리고 $W = \cup \{B(p_x, q_x) \mid x \in W\}$이다. 한편 $\mathbb{Q}^n \times \mathbb{Q}$가 가산집합이므로 $\mathscr{B} = \{B(p_x, q_x) \mid x \in W\}$는 가산

집합이다. 따라서 우리는 $\mathscr{B}=\{B(p_n, q_n) \mid n \in \Lambda\}$라 할 수 있다. 단, 여기서 $\Lambda=\{1, 2, \ldots, k\}$ 또는 $\mathbb{N}$이다. 이제 각각의 $n \in \Lambda$에 대하여 $B(p_n, q_n) \subset U_n^*$를 만족하는 $U_n^* \in \mathscr{A}$를 하나씩 택하자. 그러면 $\mathscr{A}^*=\{U_n^* \mid n \in \Lambda\}$는 $\mathscr{A}$의 가산 부분집합이고 $\cup_{U^* \in \mathscr{A}^*} U^* = \cup_{n \in \Lambda} U_n^*$이다. 우리는

$$W=\bigcup_{n \in \Lambda} U_n^*$$

임을 보이면 된다. 구체적으로 모든 $n \in \Lambda$에 대해 $U_n^* \in \mathscr{A}$이므로 $U_n^* \subset W$이다. 따라서 $\cup_{n \in \Lambda} U_n^* \subset W$이다. 역으로 임의의 점 $x \in W$에 대해 $x \in B(p_n, q_n) \in \mathscr{B}$이 존재하므로 $x \in U_n^*$이 되어 $x \in \cup_{n \in \Lambda} U_n^*$이다. 따라서 $W \subset \cup_{n \in \Lambda} U_n^*$이다.

□

**따름정리 2.2.23** 만약 $\mathscr{A}$가 유클리드공간 $\mathbb{R}^n$의 쌍마다 서로소인 열린집합들의 모임이면 $\mathscr{A}$는 가산집합이다.

증명 (방법 1) $\mathscr{A}$를 비가산집합이라고 가정하자. 그리고 $\mathscr{A}^*$를 $\mathscr{A}$의 임의의 가산 부분집합이라 하자. 그러면 $\mathscr{A}-(\mathscr{A}^* \cup \{\varnothing\})$이 비가산이므로 $U_0 \in \mathscr{A}-(\mathscr{A}^* \cup \{\varnothing\})$이 존재한다. 그리고 $x \in U_0$이라 하자. 그러면 $x \in \cup_{U \in \mathscr{A}} U$이다. 그리고 $\mathscr{A}$의 원소들이 쌍마다 서로소이므로 $x \notin \cup_{U^* \in \mathscr{A}^*} U^*$이다. 따라서 $\cup_{U \in \mathscr{A}} U \neq \cup_{U^* \in \mathscr{A}^*} U^*$이다. 이는 성질 2.2.22에 모순이다.

(방법 2) 우리는 $\mathscr{A}^*=\mathscr{A}-\{\varnothing\}$가 가산임을 보이면 된다. 편의상 $\mathscr{A}^*=\{U_\alpha \mid \alpha \in \Lambda\}$라 하자. 각각의 $\alpha \in \Lambda$에 대해 $x_\alpha \in U_\alpha$를 만족하는 유리수 격자점 $x_\alpha \in \mathbb{Q}^n$를 하나씩 선택하자. 그리고 함수 $f: \Lambda \to \mathbb{Q}^n$, $f(\alpha)=x_\alpha$를 생각하자. 그러면 $\{U_\alpha \mid \alpha \in \Lambda\}$이 쌍마다 서로소이므로 $f$는 단사이다. 그리고 $\mathbb{Q}^n$이 가산이므로 $\Lambda$도 가산집합이다. 따라서 $\mathscr{A}^*$가 가산이므로 $\mathscr{A}$도 가산이다. □

## 연습문제

**문제 2.2.1** $\mathbb{N}$은 $\mathbb{R}$의 닫힌집합임을 보이시오.

**문제 2.2.2** $A=\{\frac{1}{n} \mid n\in\mathbb{N}\}$는 $\mathbb{R}$의 열린집합도 닫힌집합도 아님을 보이시오.

**문제 2.2.3** $B=\{\frac{1}{n} \mid n\in\mathbb{N}\}\cup\{0\}$는 $\mathbb{R}$의 닫힌집합이지만 열린집합은 아님을 보이시오.

**문제 2.2.4** 함수 $f:\mathbb{R}^m\to\mathbb{R}^n$에 대하여 다음이 서로 동치임을 보이시오.

(a) $f$는 연속이다.

(b) $\mathbb{R}^n$의 임의의 닫힌집합 $C$에 대하여 $f^{-1}(C)$는 $\mathbb{R}^m$의 닫힌집합이다.

**문제 2.2.5** 집합 $X=\{(x,y)\in\mathbb{R}^2 \mid y>0\}$는 $\mathbb{R}^2$의 열린집합임을 보이시오.

**문제 2.2.6** 집합 $Y=\{(x,y)\in\mathbb{R}^2 \mid y\geq 0\}$는 $\mathbb{R}^2$의 닫힌집합이지만 열린집합은 아님을 보이시오.

**문제 2.2.7** 집합 $Y=\{(x,y)\in\mathbb{R}^2 \mid xy=1\}$는 $\mathbb{R}^2$의 닫힌집합임을 보이시오.

**문제 2.2.8** 집합 $Y=\{(x,y)\in\mathbb{R}^2 \mid xy>1\}$는 $\mathbb{R}^2$의 열린집합임을 보이시오.

**문제 2.2.9** 집합 $Z=\{x\in\mathbb{R} \mid -1<x<1\}\cup\{2\}$는 $\mathbb{R}$의 열린집합도 닫힌집합도 아님을 보이시오.

**문제 2.2.10** 유클리드공간 $\mathbb{R}$의 다음 부분집합들이 닫힌집합이 되는가? 또한 열린집합이 되는가?

(1) $A=\{x\in\mathbb{R} \mid 1<|x|\leq 2\}$,

(2) $B=\{x\in\mathbb{R} \mid 2<|x|<3\}$,

(3) $C=\{x\in\mathbb{R} \mid \frac{1}{x}\notin\mathbb{Z}\}\cup\{0\}$.

**문제 2.2.11** 유클리드공간 $\mathbb{R}^n$의 부분집합 $\mathbb{R}^k\times\mathbf{0}\,(k\leq n)$들은 $\mathbb{R}^n$의 닫힌집합임을 보이시오.

**문제 2.2.12** 함수 $f:\mathbb{R}\to\mathbb{R}$, $f(x)=2x+1$은 연속임을 보이시오.

**문제 2.2.13** 다음과 같이 정의된 함수 $g:\mathbb{R}\to\mathbb{R}$에 대하여 다음을 보이시오.

$$g(x)=\begin{cases} x+1, & x \geq 0 \\ x, & x<0 \end{cases}$$

(1) $g$는 점 $x=0$에서 연속이 아니다.

(2) $g$는 $x=0$을 제외한 모든 점에서 연속이다.

**문제 2.2.14** $A$를 유클리드공간 $\mathbb{R}^2$의 부분집합이라 하고, 각각의 점 $x \in \mathbb{R}^2$에 대해 $d(x, A)=\inf\{\|x-y\| \in \mathbb{R} \mid y \in A\}$이라 하자.

(1) 만약 $A$가 $\mathbb{R}^2$의 닫힌집합이면 $x \in A \Leftrightarrow d(x, A)=0$이 성립함을 보이시오.

(2) 함수 $f: \mathbb{R}^2 \rightarrow \mathbb{R},\ f(x)=d(x, A)$가 연속임을 보이시오. 단, 여기서 $\mathbb{R}$은 유클리드 공간이다.

**문제 2.2.15** $A$를 유클리드공간 $\mathbb{R}$의 부분집합이라 하자. 점 $x \in A$가 $A$의 **고립점**(isolated point)이란 $A \cap U=\{x\}$를 만족하는 $\mathbb{R}$의 열린집합 $U$가 존재함을 의미한다. 이제 다음을 보이시오.

(1) $x$가 $A$의 고립점일 필요충분조건은 $A \cap(x-r, x+r)=\{x\}$를 만족하는 양의 실수 $r$이 존재하는 것이다.

(2) 모든 $A \subset \mathbb{R}$에 대하여 $A$의 고립점은 가산개이다. (힌트: 성질 2.2.22 사용)

**문제 2.2.16** $A$를 유클리드공간 $\mathbb{R}$의 부분집합이라 하자. 만약 각각의 점 $x \in A$에 대하여 $A \cap (x-r, x+r)$이 가산집합이 되는 양의 실수 $r$이 존재하면 $A$도 가산집합임을 보이시오. (힌트: 성질 2.2.22 사용)

# 3장

# 위상공간

CONTENTS

이 장에서는 2장에서 배운 유클리드공간 $\mathbb{R}^n$상의 열린집합의 성질들을 추상화하여 일반적인 집합상의 위상을 정의하고, 이러한 위상을 만드는 여러 가지 방법들을 소개한다. 구체적으로 기저와 거리를 사용하여 위상을 만드는 방법, 전체 집합상의 위상을 가지고 부분집합상의 위상을 만드는 방법과 순서를 사용하여 위상을 만드는 방법을 소개한다. 그리고 이들이 갖는 기본 성질들에 대해 알아본다.

## 3.1 위상공간(topological space)

이 절에서는 일반적인 집합상의 위상을 정의하고 위상공간상의 기본적인 성질들을 다룬다. 일반적인 집합상의 위상은 유클리드공간 $\mathbb{R}^n$상의 열린집합들의 성질(정리 2.2.6)을 추상화한 것이다.

**정의 3.1.1** (1) 집합 $X$상의 **위상**(topology)이란 다음 세 가지 성질을 만족하는 $X$의 부분집합들의 모임 $\mathscr{T}$를 의미한다:

(t1) $\varnothing, X \in \mathscr{T}$;

(t2) 임의의 개수의 $U_\alpha \in \mathscr{T}\,(\alpha \in \Lambda)$에 대하여 $\cup_{\alpha\in\Lambda} U_\alpha \in \mathscr{T}$이다;

(t3) 임의의 유한개의 $U_i \in \mathscr{T}\,(i = 1, 2, \ldots, n)$에 대하여 $\cap_{i=1}^n U_i \in \mathscr{T}$이다.

집합 $X$에 위상 $\mathscr{T}$가 주어지면 이를 **위상공간**(topological space)이라 하고 $(X, \mathscr{T})$로 표기한다. 그러나 주어진 위상 $\mathscr{T}$가 명백히 무엇인지 알아서 혼동할 우려가 없을 때에는 간단히 $X$로 표기한다.

(2) $A(\subset X)$가 위상공간 $X = (X, \mathscr{T})$의 **열린집합**(open set)이란 $A \in \mathscr{T}$를 의미한다. 즉

$$A\text{는 } (X, \mathscr{T})\text{의 열린집합} \quad \Leftrightarrow \quad A \in \mathscr{T}$$

이다. 따라서 주어진 집합의 위상을 안다는 것은 그 집합에서 열린집합을 안다는 것과 같다.[1)]

(3) $A(\subset X)$가 위상공간 $X = (X, \mathscr{T})$의 **닫힌집합**(closed set)이란 $A^c = X - A \in \mathscr{T}$임을 의미한다. 즉

1) 유클리드공간 $\mathbb{R}^n$상의 열린집합에 관한 정리 2.2.6을 보면 집합 $\mathbb{R}^n$상의 위상의 정의와 같음을 알 수 있다.

$$A\text{가 } (X,\mathscr{T})\text{의 닫힌집합} \iff A^c\text{이 } (X,\mathscr{T})\text{의 열린집합} \iff A^c \in \mathscr{T}$$

이다.[2)]

**보기 3.1.2** (1) 예를 들어 두 점 집합 $X=\{a,b\}$에는 다음과 같이 4개의 위상을 줄 수 있다.

$$\mathscr{T}_0 = \{\varnothing, X\}$$
$$\mathscr{T}_1 = \{\varnothing, \{a\}, X\}$$
$$\mathscr{T}_2 = \{\varnothing, \{b\}, X\}$$
$$\mathscr{T}_3 = \{\varnothing, \{a\}, \{b\}, X\}$$

따라서 위상공간 $(X,\mathscr{T}_1)$의 열린집합들은 $\varnothing, \{a\}, X$이고 $(X,\mathscr{T}_1)$의 닫힌집합들은 $X=X-\varnothing$, $\{b\}=X-\{a\}$, $\varnothing=X-X$이다. 그리고 두 위상 $\mathscr{T}_1$, $\mathscr{T}_2$가 다르므로 $(X,\mathscr{T}_1)$과 $(X,\mathscr{T}_2)$는 위상공간으로서 서로 다른 것이다.[3)]

(2) 세 점 집합 $X=\{a,b,c\}$에는 다음과 같이 29개의 위상을 줄 수 있다.

(i) 다음 형태들은 모두 $X$상의 위상이다.

| | |
|---|---|
| $\mathscr{T}_0 = \{\varnothing, X\}$ | (1개) |
| $\mathscr{T}_1 = \{\varnothing, \{a\}, X\}$ | (형태 3개) |
| $\mathscr{T}_2 = \{\varnothing, \{a,b\}, X\}$ | (형태 3개) |
| $\mathscr{T}_3 = \{\varnothing, \{a\}, \{a,b\}, X\}$ | (형태 6개) |
| $\mathscr{T}_4 = \{\varnothing, \{a\}, \{b,c\}, X\}$ | (형태 3개) |
| $\mathscr{T}_5 = \{\varnothing, \{a\}, \{b\}, \{a,b\}, X\}$ | (형태 3개) |
| $\mathscr{T}_6 = \{\varnothing, \{b\}, \{a,b\}, \{b,c\}, X\}$ | (형태 3개) |
| $\mathscr{T}_7 = \{\varnothing, \{b\}, \{c\}, \{a,b\}, \{b,c\}, X\}$ | (형태 6개) |
| $\mathscr{T}_8 = \{A \mid A \subset X\} = \mathscr{P}(X)$ | (1개) |

2) 위상공간 $X$의 열린집합과 닫힌집합을 각각 $X$의 **열린 부분집합**(open subset)과 **닫힌 부분집합**(closed subset)이라 부르기도 한다.

3) 우리는 대부분의 경우 주어진 집합 $X$상에 고정된 위상 $\mathscr{T}$가 주어진 위상공간만을 다룰 것이다.

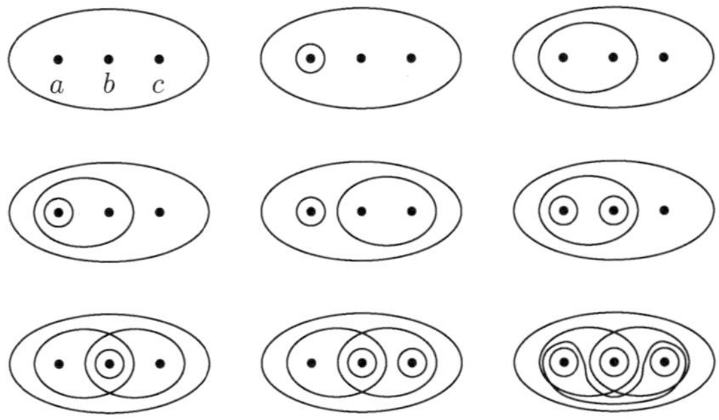


그림 3.1 • 세 점 집합상의 위상들

(ii) 하지만 다음은 집합 $X$상의 위상이 아니다.

$$\mathscr{A} = \{\varnothing, \{a\}, \{b\}, X\}, \quad \mathscr{B} = \{\varnothing, \{a,b\}, \{b,c\}, X\}$$

$\mathscr{A}$의 경우 $\{a\}, \{b\} \in \mathscr{A}$이지만 $\{a\} \cup \{b\} = \{a,b\} \notin \mathscr{A}$이므로 $\mathscr{A}$는 $X$상의 위상이 아니다. $\mathscr{B}$의 경우에는 $\{a,b\}, \{b,c\} \in \mathscr{B}$이지만 $\{a,b\} \cap \{b,c\} = \{b\} \notin \mathscr{B}$이므로 $\mathscr{B}$는 $X$상의 위상이 아니다.

(3) 다섯 점 집합 $X = \{a, b, c, d, e\}$에는 6942개의 위상을 줄 수 있다.

**보기 3.1.3** (1) **자명한위상(비이산위상)** : 임의의 집합 $X$에 대하여 $\mathscr{T}_0 = \{\varnothing, X\}$는 $X$상의 위상이 된다. 이러한 위상 $\mathscr{T}_0$을 **자명한위상**(trivial topology) 또는 **비이산위상**(indiscrete topology)이라 하고 위상공간 $(X, \mathscr{T}_0)$을 **자명한공간**(trivial space) 또는 **비이산공간**(indiscrete space)이라 한다.

(2) **이산위상** : 임의의 집합 $X$에 대하여 멱집합 $\mathscr{D} = \mathscr{P}(X) = \{A \mid A \subset X\}$는 $X$상의 위상이 된다. 이러한 위상 $\mathscr{D}$를 **이산위상**(discrete topology)이라 하고 위상공간 $(X, \mathscr{D})$를 **이산공간**(discrete space)이라 한다. 따라서 이산공간 $(X, \mathscr{D})$상의 모든 부분집합은 열린집합인 동시에 닫힌집합이다.[4)]

(3) **여유한위상** : 임의의 집합 $X$에 대하여

$$\begin{aligned}\mathscr{T}_f &= \{U \subset X \mid U^c\text{이 유한집합이거나 } X \text{ 전체}\} \\ &= \{U \subset X \mid U^c\text{이 유한집합}\} \cup \{\varnothing\}\end{aligned}$$

는 $X$상의 위상이 된다. 이러한 위상 $\mathscr{T}_f$를 $X$상의 **여유한위상**(또는 유한여집합위상,

---

4) 보기 3.1.2(1)의 $\mathscr{T}_1$은 이산위상이 아니지만 비이산위상도 아님을 주의하자. 따라서 이 책에서는 비이산위상보다 자명한위상을 쓰기로 하자.

finite complement topology)이라 한다. 그리고 위상공간 $(X, \mathscr{T}_f)$를 **여유한공간**(또는 유한여집합공간, finite complement space)이라 한다. 이 경우 다음이 성립한다.

- $A$가 $(X, \mathscr{T}_f)$의 열린집합 $\Leftrightarrow$ $A^c$이 유한집합이거나 $A = \varnothing$.
- $A$가 $(X, \mathscr{T}_f)$의 닫힌집합 $\Leftrightarrow$ $A$가 유한집합이거나 $A = X$.

실제로 $\mathscr{T}_f$가 집합 $X$상의 위상이 됨을 다음과 같이 보일 수 있다:

(t1) 정의에 의하여 $\varnothing \in \mathscr{T}_f$이고, $X^c = \varnothing$이 유한집합이므로 $X \in \mathscr{T}_f$이다.

(t2) 만약 $U_\alpha \in \mathscr{T}_f (\alpha \in \Lambda)$이면 모든 $\alpha \in \Lambda$에 대하여 $U_\alpha^c$은 유한집합이거나 $X$ 전체이다. 먼저 모든 $\alpha \in \Lambda$에 대하여 $U_\alpha^c = X$인 경우 $U_\alpha = \varnothing (\forall \alpha \in \Lambda)$이므로 $\bigcup_{\alpha \in \Lambda} U_\alpha = \varnothing \in \mathscr{T}_f$이다. 한편 만약 $U_{\alpha_0}^c \neq X$인 $\alpha_0 \in \Lambda$이 존재하는 경우 $U_{\alpha_0}^c$은 유한집합이고, $(\bigcup_{\alpha \in \Lambda} U_\alpha)^c \subset U_{\alpha_0}^c$이므로 $(\bigcup_{\alpha \in \Lambda} U_\alpha)^c$도 유한집합이 된다. 따라서 $\bigcup_{\alpha \in \Lambda} U_\alpha \in \mathscr{T}_f$이다.

(t3) 이제 $U_1, \ldots, U_n \in \mathscr{T}_f$이라 하자. 먼저 $U_k^c = X$인 $k$가 존재하는 경우에는 $U_k = \varnothing$이므로 $\bigcap_{i=1}^n U_i = \varnothing \in \mathscr{T}_f$이다. 한편 모든 $i$에 대하여 $U_i^c \neq X$인 경우에는 모든 $U_i^c$이 유한집합이므로 $\bigcup_{i=1}^n U_i^c$도 유한집합이다. 그런데 $(\bigcap_{i=1}^n U_i)^c = \bigcup_{i=1}^n U_i^c$이므로 $\bigcap_{i=1}^n U_i \in \mathscr{T}_f$이다. 따라서 $\mathscr{T}_f$는 집합 $X$상의 위상이다.

(4) **여가산위상**: 임의의 집합 $X$에 대하여

$$\begin{aligned}\mathscr{T}_c &= \{ U \subset X \mid U^c\text{이 가산집합이거나 } X \text{ 전체} \} \\ &= \{ U \subset X \mid U^c\text{이 가산집합} \} \cup \{ \varnothing \}\end{aligned}$$

는 $X$상의 위상이 된다. 그리고 이러한 위상 $\mathscr{T}_c$를 $X$상의 **여가산위상**(또는 가산여집합위상, countable complement topology)이라 한다. 그리고 위상공간 $(X, \mathscr{T}_c)$를 **여가산공간**(또는 가산여집합공간, countable complement space)이라 한다. 이 경우 다음이 성립한다.

- $A$가 $(X, \mathscr{T}_c)$의 열린집합 $\Leftrightarrow$ $A^c$이 가산집합이거나 $A = \varnothing$.
- $A$가 $(X, \mathscr{T}_c)$의 닫힌집합 $\Leftrightarrow$ $A$가 가산집합이거나 $A = X$.

**보기 3.1.4** **(유클리드공간 $\mathbb{R}^n$)** 집합 $\mathbb{R}^n$에 대하여

$$\mathscr{U} = \{ U \subset \mathbb{R}^n \mid \forall x \in U, \ \exists r > 0 \text{ s.t. } B(x, r) \subset U \}$$

는 정리 2.2.6에 의하여 집합 $\mathbb{R}^n$상의 위상이 된다. 우리는 이러한 위상 $\mathscr{U}$를 집합 $\mathbb{R}^n$

상의 **보통위상**(usual topology), **보통거리위상**(usual metric topology) 또는 **유클리드위상**(Euclidean topology)이라 하고, 위상공간 $\mathbb{R}^n = (\mathbb{R}^n, \mathscr{U})$를 **보통공간**(보통위상공간) 또는 **유클리드공간**(Euclidean space)이라 한다. 이 책에서는 가급적 유클리드공간이라 할 것이다. 앞으로 집합 $\mathbb{R}^n$상의 위상에 대해 아무런 언급이 없으면 $\mathbb{R}^n$은 유클리드공간을 의미한다.

**기초정리 3.1.5** 만약 집합 $X$의 부분집합들의 적당한 모임 $\mathscr{T}$가 다음을 만족하면 $\mathscr{T}$는 $X$상의 위상이다.
(t1) $\varnothing, X \in \mathscr{T}$.
(t2) 임의의 개수의 $U_\alpha \in \mathscr{T}\,(\alpha \in \Lambda)$에 대하여 $\cup_{\alpha \in \Lambda} U_\alpha \in \mathscr{T}$이다.
(t3′) 만약 $U, V \in \mathscr{T}$이면 $U \cap V \in \mathscr{T}$이다.

증명 우리는 정의 3.1.1의 조건 (t3)만 보이면 된다. 만약 $U_1, U_2, \dots, U_n \in \mathscr{T}$이면 (t3′)에 의하여 $U_1 \cap U_2 \in \mathscr{T}$이다. 또한 (t3′)에 의하여

$$U_1 \cap U_2 \cap U_3 = (U_1 \cap U_2) \cap U_3 \in \mathscr{T}$$

이다. 또 다시 (t3′)에 의하여

$$U_1 \cap U_2 \cap U_3 \cap U_4 = (U_1 \cap U_2 \cap U_3) \cap U_4 \in \mathscr{T}$$

이다. 이와 같은 방법을 계속하면 $U_1 \cap U_2 \cap \cdots \cap U_n \in \mathscr{T}$이다. □

**정리 3.1.6** 만약 $\mathscr{T}_\beta\,(\beta \in J)$가 집합 $X$상의 위상이면 $\mathscr{T} = \cap_{\beta \in J} \mathscr{T}_\beta$도 $X$상의 위상이다.

증명 (t1) $\varnothing, X \in \mathscr{T}_\beta\,(\forall \beta \in J)$이므로 $\varnothing, X \in \mathscr{T}$이다.
(t2) 만약 $U_\alpha \in \mathscr{T}\,(\forall \alpha \in \Lambda)$이면 모든 $\alpha \in \Lambda$에 대하여 $U_\alpha \in \mathscr{T}_\beta\,(\forall \beta \in J)$이므로 $\cup_{\alpha \in \Lambda} U_\alpha \in \mathscr{T}_\beta\,(\forall \beta \in J)$이다. 따라서 $\cup_{\alpha \in \Lambda} U_\alpha \in \mathscr{T}$이다.
(t3′) 만약 $U, V \in \mathscr{T}$이면 모든 $\beta \in J$에 대하여 $U, V \in \mathscr{T}_\beta$이므로 $U \cap V \in \mathscr{T}_\beta$이다. 따라서 $U \cap V \in \mathscr{T}$이다. □

**보기 3.1.7** 하지만 $\mathscr{T}_1$, $\mathscr{T}_2$가 집합 $X$상의 위상이라 하여도, 일반적으로 $\mathscr{T}_1 \cup \mathscr{T}_2$가 $X$상의 위상이 되는 것은 아니다. 예를 들어, 집합 $X = \{a, b, c\}$에 대하여 $\mathscr{T}_1 = \{\varnothing, \{a\}, X\}$과 $\mathscr{T}_2 = \{\varnothing, \{b\}, X\}$는 $X$상의 위상이지만 $\mathscr{T}_1 \cup \mathscr{T}_2 = \{\varnothing, \{a\}, \{b\}, X\}$는 $X$상의 위상이 아니다.

**참고 3.1.8** 주어진 집합 $X$와 $X$의 적당한 부분집합들의 모임 $\mathscr{A} \subset \mathscr{P}(X)$에 대하여 $\mathscr{A}$를 포함하는 가장 작은 위상 $\mathscr{T}_*$가 존재한다: 구체적으로 먼저 이산위상 $\mathscr{D} = \mathscr{P}(X)$는 $\mathscr{A}$를 포함하는 집합 $X$상의 위상이다. 그러므로

$$\{\mathscr{T} \mid \mathscr{T}\text{는 } \mathscr{A}\text{를 포함하는 집합 } X\text{상의 위상}\}$$

은 공집합이 아니다. 따라서 정리 3.1.6에 의하여

$$\mathscr{T}_* = \cap\{\mathscr{T} \mid \mathscr{T}\text{는 } \mathscr{A}\text{를 포함하는 집합 } X\text{상의 위상}\}$$

이 우리가 원하는 $\mathscr{A}$를 포함하는 집합 $X$상의 가장 작은 위상이다.

## 열린집합과 닫힌집합

앞에서 정의한 위상공간의 열린집합과 닫힌집합의 정의를 다시 상기하자.

**정의 3.1.9** $X = (X, \mathscr{T})$는 위상공간이고 $A \subset X$이라 하자.

(1) $A$가 위상공간 $X$의 **열린집합**(open set) 또는 **열린 부분집합**(open subset)이란 $A \in \mathscr{T}$임을 의미한다. 즉 $A$가 $X$의 열린집합 $\Leftrightarrow$ $A \in \mathscr{T}$이다.

(2) $A$가 위상공간 $X$의 **닫힌집합**(closed set) 또는 **닫힌 부분집합**(closed subset)이란 $A^c = X - A \in \mathscr{T}$임을 의미한다. 즉 $A$가 $X$의 닫힌집합일 필요충분조건은 $A^c$이 $X$의 열린집합이다.

앞으로 대부분의 경우 주어진 집합 $X$상에 고정된 위상 $\mathscr{T}$가 주어진 위상공간 $X = (X, \mathscr{T})$를 다룰 것이다. 따라서 우리는 전체공간 $X$가 분명하면 '$X$의 열린집합'을 간단히 '열린집합'이라 하고, '$X$의 닫힌집합'을 간단히 '닫힌집합'이라 한다.

열린집합의 정의에 의하여 다음 성질은 당연하다.

**성질 3.1.10** 위상공간 $X$에 대하여 다음이 성립한다.
(1) $\varnothing$과 $X$는 열린집합이다.
(2) 만약 $U_\alpha (\alpha \in \Lambda)$가 열린집합이면 $\cup_{\alpha \in \Lambda} U_\alpha$도 열린집합이다.
(3) 유한개의 열린집합 $U_1, \ldots, U_k$에 대하여 $\cap_{i=1}^k U_i$도 열린집합이다.

보기 2.2.8에서 보았듯이 일반적으로 무한개의 열린집합의 교집합은 열린집합이 아니다.

**따름정리 3.1.11** 위상공간 $X$에 대하여 다음이 성립한다.
(1) $\varnothing$과 $X$는 닫힌집합이다.
(2) 만약 $C_\alpha (\alpha \in \Lambda)$가 닫힌집합이면 $\cap_{\alpha \in \Lambda} C_\alpha$도 닫힌집합이다.
(3) 유한개의 닫힌집합 $C_1, \ldots, C_k$에 대하여 $\cup_{i=1}^k C_i$도 닫힌집합이다.

증명 정의 3.1.9와 성질 3.1.10을 사용하여 증명할 것이다.

(1) (i) 성질 3.1.10에 의하여 $X$가 열린집합이므로 정의 3.1.9에 의하여 $\varnothing = X^c$은 닫힌집합이다.

(ii) 성질 3.1.10에 의하여 $\varnothing$이 열린집합이므로 정의 3.1.9에 의하여 $X = \varnothing^c$는 닫힌집합이다.

(2) 정의 3.1.9에 의하여, 임의의 $\alpha \in \Lambda$에 대하여 $C_\alpha$가 닫힌집합이므로 $C_\alpha^c$은 열린집합이다. 그리고 성질 3.1.10에 의하여 $\cup_{\alpha \in \Lambda} C_\alpha^c$은 열린집합이다. 그런데

$$(\bigcap_{\alpha \in \Lambda} C_\alpha)^c = \bigcup_{\alpha \in \Lambda} C_\alpha^c$$

이므로 정의 3.1.9에 의하여 $\cap_{\alpha \in \Lambda} C_\alpha$는 닫힌집합이다.

(3) 정의 3.1.9에 의하여, 임의의 $i = 1, 2, \ldots, k$에 대하여 $C_i$가 닫힌집합이므로 $C_i^c$은 열린집합이다. 그리고 성질 3.1.10에 의하여 $\cap_{i=1}^k C_i^c$은 열린집합이다. 그런데

$$(\bigcup_{i=1}^{k} C_i)^c = \bigcap_{i=1}^{k} C_i^c$$

이므로 정의 3.1.9에 의하여 $\cup_{i=1}^k C_i$는 닫힌집합이다. □

일반적으로 무한개의 닫힌집합들의 합집합은 닫힌집합이 아니다.

**보기 3.1.12** (1) 예를 들어 모든 자연수 $n \in \mathbb{N}$에 대하여 $C_n = [\frac{1}{n}, \infty)$은 유클리드공간 $\mathbb{R}$의 닫힌집합이지만 $\cup_{n=1}^{\infty} C_n = (0, \infty)$은 $\mathbb{R}$의 닫힌집합이 아니다.

(2) 그리고 $C_n = [-1 + \frac{1}{n}, 1 - \frac{1}{n}]$은 유클리드공간 $\mathbb{R}$의 닫힌집합이다. 그러나 $\cup_{n=1}^{\infty} C_n = (-1, 1)$은 $\mathbb{R}$의 닫힌집합이 아니다.

**참고 3.1.13** 위상공간 $(X, \mathscr{T})$의 부분집합 $A$가 ($X$의) 열린집합이 아니라고 해서 닫힌집합이 되는 것은 아니다. 따라서 우리는 $A$가 닫힌집합임을 보이기 위해서 $A$가 열린집합이 아님을 보이면 안 되고 $A^c$이 열린집합임을 보여야 한다. 예를 들어 집합 $X = \{a, b, c\}$에 자명한(비이산)위상 $\mathscr{T}_0 = \{\varnothing, X\}$을 준 자명한(비이산)공간 $(X, \mathscr{T}_0)$을 생각하자. 그러면 $X$의 부분집합 $\{a\}$는 열린집합도 아니고 닫힌집합도 아니다. 그러나 $X$의 부분집합 $X$는 열린집합인 동시에 닫힌집합이다.

## 연습문제

**문제 3.1.1** 보기 3.1.3의 여가산위상 $\mathscr{T}_c$가 실제로 집합 $X$상의 위상이 됨을 보이시오.

**문제 3.1.2** $X$의 부분집합들의 적당한 모임 $\mathscr{C}$가 다음 세 가지 성질을 만족한다 하자.

(i) $\varnothing, X \in \mathscr{C}$.

(ii) 임의의 개수의 $C_\alpha \in \mathscr{C} (\alpha \in \Lambda)$에 대하여 $\cap_{\alpha \in \Lambda} C_\alpha \in \mathscr{C}$이다.

(iii) 임의의 유한개의 $C_i \in \mathscr{C} (i = 1, 2, \ldots, m)$에 대하여 $\cup_{i=1}^{m} C_i \in \mathscr{C}$이다.

이제 모임

$$\mathscr{T} = \{ C^c \mid C \in \mathscr{C} \}$$

가 집합 $X$상의 위상이 됨을 보이시오.

**문제 3.1.3** 임의의 집합 $X$에 대하여

$$\mathscr{T}_\infty = \{ U \subset X \mid U^c\text{이 무한집합} \} \cup \{\varnothing, X\}$$

는 $X$상의 위상이 되는가?

**문제 3.1.4** $X$를 집합이라 하고 $(Y,\mathscr{T})$를 위상공간이라 하자. 그러면 임의의 함수 $f: X \to Y$에 대해

$$\mathscr{T}' = \{f^{-1}(U) \subset X \mid U \in \mathscr{T}\}$$

이 집합 $X$상의 위상이 됨을 보이시오. 이러한 위상 $\mathscr{T}'$을 함수 $f$에 의해 생성된 위상이라 한다.

**문제 3.1.5** $(X,\mathscr{T})$를 위상공간이라 하고 $Y$를 집합이라 하자. 그러면 임의의 함수 $f: X \to Y$에 대해

$$\mathscr{T}' = \{f(U) \subset Y \mid U \in \mathscr{T}\}, \quad \mathscr{T}'' = \{V \subset Y \mid f^{-1}(V) \in \mathscr{T}\}$$

은 각각 집합 $Y$상의 위상이 되는가?

**문제 3.1.6** $\mathscr{T}_X$와 $\mathscr{T}_Y$가 각각 집합 $X$와 $Y$상의 위상이라 하자. 그러면

$$\mathscr{T} = \{A \times B \mid A \in \mathscr{T}_X, B \in \mathscr{T}_Y\}$$

는 집합 $X \times Y$ 상의 위상이 되는가?

**문제 3.1.7** $X = \{a, b, c\}$이고

$$\mathscr{T}_1 = \{\varnothing, X, \{a\}, \{a,b\}\}, \quad \mathscr{T}_2 = \{\varnothing, X, \{a\}, \{b,c\}\}$$

이라 하자. $\mathscr{T}_1$과 $\mathscr{T}_2$를 포함하는 가장 작은 위상을 찾으시오. 그리고 $\mathscr{T}_1$과 $\mathscr{T}_2$에 포함되는 가장 큰 위상을 찾으시오.

**문제 3.1.8** 유한집합 $X$상의 여유한위상은 이산위상과 같음을 보이시오.

**문제 3.1.9** 집합 $X$상의 위상 $\mathscr{T}$에 대하여 다음이 서로 동치임을 보이시오.

(a) $\mathscr{T}$는 이산위상이다.

(b) 모든 $x \in X$에 대하여 $\{x\} \in \mathscr{T}$이다.

**문제 3.1.10** $\mathscr{T}$를 집합 $X$상의 위상이라 하고 $A \subset X$이라 하자. 만약 모든 $a \in A$에 대하여 $a \in U_a \subset A$를 만족하는 $U_a \in \mathscr{T}$가 존재하면 $A \in \mathscr{T}$임을 보이시오.

**문제 3.1.11** 집합 $X$상의 두 위상 $\mathscr{T}$와 $\mathscr{T}'$에 대하여 다음이 서로 동치임을 보이시오.

(a) $\mathscr{T} \subset \mathscr{T}'$.

(b) 임의의 $U \in \mathscr{T}$와 점 $x \in U$에 대하여 $x \in V_x \subset U$를 만족하는 $V_x \in \mathscr{T}'$가 존재한다.

**문제 3.1.12** 실수 집합 $\mathbb{R}$에 대해 다음을 보이시오.

(1) $\mathscr{T}=\{(a,\infty)\subset\mathbb{R}\mid a\in\mathbb{R}\}\cup\{\varnothing,\mathbb{R}\}$은 집합 $\mathbb{R}$상의 위상이다.

(2) $\mathscr{T}=\{[a,\infty)\subset\mathbb{R}\mid a\in\mathbb{R}\}\cup\{\varnothing,\mathbb{R}\}$은 집합 $\mathbb{R}$상의 위상이 아니다.

(3) $\mathscr{T}=\{(p,\infty)\subset\mathbb{R}\mid p\in\mathbb{Q}\}\cup\{\varnothing,\mathbb{R}\}$은 집합 $\mathbb{R}$상의 위상이 아니다.

**문제 3.1.13** 실수 집합 $\mathbb{R}$의 부분집합 중 성질

$$x\in U,\ y<x\ \Rightarrow\ y\in U$$

을 만족하는 집합 $U$들의 모임 $\mathscr{T}$가 집합 $\mathbb{R}$상의 위상이 됨을 보이시오.

**문제 3.1.14** 자연수 집합 $\mathbb{N}$의 다음과 같은 부분집합들의 모임

$$\mathscr{T}=\{U\subset\mathbb{N}\mid n\in U\text{이면 } n\text{의 모든 약수도 } U\text{의 원소이다}\}$$

는 집합 $\mathbb{N}$상의 위상이 됨을 보이시오. 그리고 이러한 $\mathscr{T}$는 이산위상이 아님을 보이시오.

**문제 3.1.15** 정수 $a, b\in\mathbb{Z}$, $b>0$에 대하여

$$N_{a,b}=\{a+nb\mid n\in\mathbb{Z}\}$$

이라 하자. 이제 집합 $\mathbb{Z}$상에 위상 $\mathscr{T}$를 다음과 같이 주자.

$$\mathscr{T}=\{U\subset\mathbb{Z}\mid\forall a\in U,\ \exists b>0\text{ s.t. } a\in N_{a,b}\subset U\}$$

(1) $\mathscr{T}$가 집합 $\mathbb{Z}$상의 위상이 됨을 보이시오.

(2) 공집합이 아닌 열린집합은 무한집합임을 보이시오.

(3) 모든 $N_{a,b}$는 열린집합인 동시에 닫힌집합임을 보이시오.

(4) 이를 이용하여 소수가 무한히 많음을 보이시오.

**문제 3.1.16** $X$는 집합이고 $p\in X$이라 하자. 이제 다음이 집합 $X$상의 위상이 됨을 보이시오.

(1) $\mathscr{T}_1=\{\varnothing\}\cup\{U\subset X\mid p\in U\}$.

(2) $\mathscr{T}_2=\{X\}\cup\{U\subset X\mid p\notin U\}$.

(3) $\mathscr{T}_3=\{U\subset X\mid p\notin U$ 또는 $U^c$이 유한집합$\}$.

## 3.2 기저(basis)와 부분기저(subbasis)

일반적으로 주어진 집합 $X$의 적당한 부분집합들의 모임이 위상이 되는지 확인하는 것은 쉬운 일이 아니다. 따라서 이 절에서는 일반적인 집합상의 위상을 만드는 보다 효과적인 방법인 기저와 부분기저를 다룬다.

### 기저

먼저 성질 2.2.2, 정의 2.2.3과 보기 3.1.4를 상기하자. 우리는 유클리드공간 $\mathbb{R}^n$에서의 열린구들과 같은 역할을 하는 집합 $X$의 부분집합들을 생각할 수 있다. 이러한 부분집합들의 모임을 기저라 한다.

**정의 3.2.1** (1) 집합 $X$에 대하여 $X$상의 위상의 기저(basis)란 다음 두 조건을 만족하는 $X$의 부분집합들의 모임 $\mathscr{B}$를 뜻한다:[5)]

(b1) 임의의 점 $x \in X$에 대하여 $x \in B$를 만족하는 $B \in \mathscr{B}$가 존재한다. 즉 $\cup_{B \in \mathscr{B}} B = X$이다(그림 3.2 참조).

(b2) 임의의 $B_1, B_2 \in \mathscr{B}$와 점 $x \in B_1 \cap B_2$에 대하여 $x \in B_3 \subset B_1 \cap B_2$를 만족하는 $B_3 \in \mathscr{B}$이 존재한다.

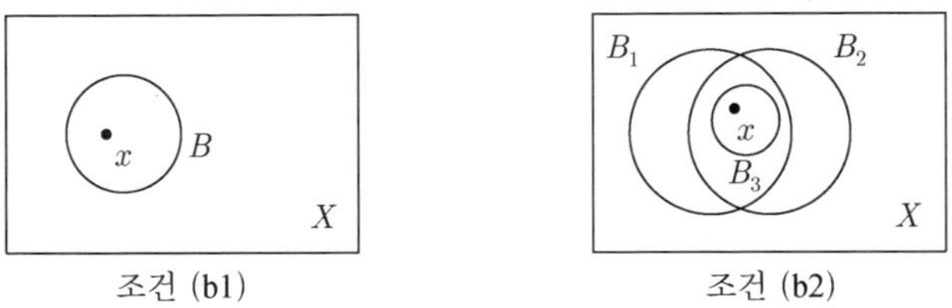


그림 3.2 • 집합 $X$상의 기저의 두 조건

(2) 집합 $X$상의 기저 $\mathscr{B}$가 생성하는 $X$상의 위상 $\mathscr{T}_{\mathscr{B}}$는 다음 성질을 만족하는 $X$의 부분집합 $U$들의 모임이다: 임의의 점 $x \in U$에 대하여 $x \in B \subset U$를 만족하는 $B \in \mathscr{B}$가 존재한다. 즉

---

5) 우리는 벡터공간의 기저와 혼동할 우려가 없으므로 '$X$상의 위상의 기저'를 간단히 '$X$상의 기저'라 부른다.

$$\mathscr{T}_{\mathscr{B}} = \{ U \subset X \mid \forall x \in U,\ \exists B \in \mathscr{B} \text{ s.t. } x \in B \subset U \}$$

이다.

(3) $\mathscr{B}$가 위상공간 $(X, \mathscr{T})$의 기저란 $\mathscr{T}_{\mathscr{B}} = \mathscr{T}$ 임을 뜻한다.

**기초정리 3.2.2** $\mathscr{T}_{\mathscr{B}}$는 실제로 집합 $X$상의 위상이다.

증명 (t1) $x \in \varnothing$을 만족하는 $x$가 존재하지 않으므로 $\varnothing \in \mathscr{T}_{\mathscr{B}}$이다.

이제 $X \in \mathscr{T}_{\mathscr{B}}$임을 보이자. 임의의 점 $x \in X$에 대하여, $\mathscr{B}$가 $X$의 기저이므로 기저의 조건 (b1)에 의하여 $x \in B \subset X$인 $B \in \mathscr{B}$가 존재한다. 따라서 $X \in \mathscr{T}_{\mathscr{B}}$이다.

(t2) 이제 $U_\alpha \in \mathscr{T}_{\mathscr{B}} (\alpha \in \Lambda)$이라 하자. 임의의 점 $x \in \cup_{\alpha \in \Lambda} U_\alpha$에 대하여, $x \in U_{\alpha_0}$인 $\alpha_0 \in \Lambda$이 존재한다. 그런데 $U_{\alpha_0} \in \mathscr{T}_{\mathscr{B}}$이므로 $x \in B \subset U_{\alpha_0}$를 만족하는 기저의 원소 $B \in \mathscr{B}$가 존재한다. 따라서 이러한 $B$에 대하여

$$x \in B \subset U_{\alpha_0} \subset \bigcup_{\alpha \in \Lambda} U_\alpha$$

이므로 $\cup_{\alpha \in \Lambda} U_\alpha \in \mathscr{T}_{\mathscr{B}}$이다.

(t3′) 이제 $U, V \in \mathscr{T}_{\mathscr{B}}$이라 하자. 임의의 점 $x \in U \cap V$에 대하여 $x \in U$이고 $x \in V$이므로

$$x \in B_1 \subset U,\ x \in B_2 \subset V$$

인 기저의 원소 $B_1, B_2 \in \mathscr{B}$가 존재한다. 그리고 기저의 조건 (b2)에 의하여 $x \in B_3 \subset B_1 \cap B_2$인 기저의 원소 $B_3 \in \mathscr{B}$이 존재하여

$$x \in B_3 \subset B_1 \cap B_2 \subset U \cap V$$

을 만족하므로 $U \cap V \in \mathscr{T}_{\mathscr{B}}$이다. □

그런데 정의 3.2.1(2)를 사용하여 주어진 기저 $\mathscr{B}$로부터 위상 $\mathscr{T}_{\mathscr{B}}$를 생성해 내기는 불편할 때가 많다. 다음의 정리는 좀 더 편리한 방법을 제공한다.

**정리 3.2.3** $\mathscr{B}$를 집합 $X$상의 기저라 하자.

(1) $\mathscr{T}_{\mathscr{B}}$는 $\mathscr{B}$의 원소들로 이루어진 합집합들의 모임과 같다. 즉

$$\mathscr{T}_{\mathscr{B}} = \{ \cup_{B \in \mathscr{B}^*} B \mid \mathscr{B}^* \subset \mathscr{B} \} = \{ \mathscr{B}\text{의 원소들의 합집합} \}$$

이다.[6]

(2) 그리고 $\mathscr{T}_{\mathscr{B}}$는 $\mathscr{B}$를 포함하는 집합 $X$상의 가장 작은 위상이다. 즉 $\mathscr{B} \subset \mathscr{T}$인 집합 $X$상의 위상 $\mathscr{T}$에 대하여 $\mathscr{T}_{\mathscr{B}} \subset \mathscr{T}$이다.

증명 (1) 우선 $\mathscr{B}^* \subset \mathscr{B}$에 대해 $U = \cup_{B \in \mathscr{B}^*} B$이라 하자. 임의로 주어진 점 $x \in U$에 대하여 $x \in B_0$인 $B_0 \in \mathscr{B}^*$이 존재하여 $x \in B_0 \subset U$를 만족한다. 따라서 정의 3.2.1(2)에 의하여 $U \in \mathscr{T}_{\mathscr{B}}$이다.

역으로 $U \in \mathscr{T}_{\mathscr{B}}$이라 하자. 그러면 각각의 점 $x \in U$에 대해 적당한 $B_x \in \mathscr{B}$가 존재하여 $x \in B_x \subset U$를 만족한다. 따라서

$$U = \bigcup_{x \in U} B_x$$

이므로 $U$는 $\mathscr{B}$의 원소들의 합집합으로 표현된다. 이 경우 $\mathscr{B}^* = \{ B_x \mid x \in U \}$이다.

(2) 먼저 $\mathscr{B} \subset \mathscr{T}_{\mathscr{B}}$임을 보이자: $B \in \mathscr{B}$라 하자. 그러면 임의의 점 $x \in B$에 대하여 $x \in B \subset B$인 기저의 원소 $B \in \mathscr{B}$가 존재하므로 정의 3.2.1(2)에 의하여 $B \in \mathscr{T}_{\mathscr{B}}$이다.

이제 $\mathscr{T}$가 $\mathscr{B}$를 포함하는 집합 $X$상의 위상이라고 가정하자. 임의의 $\mathscr{B}^* \subset \mathscr{B}$에 대하여 $\mathscr{B}^* \subset \mathscr{T}$이므로 위상 조건 (t2)에 의하여 $\cup_{B \in \mathscr{B}^*} B$도 $\mathscr{T}$의 원소이다. 그러므로 (1)에 의하여 $\mathscr{T}_{\mathscr{B}} \subset \mathscr{T}$이다. 따라서 $\mathscr{T}_{\mathscr{B}}$는 $\mathscr{B}$를 포함하는 $X$상의 가장 작은 위상이다. □

정리 3.2.3(2)에 의하여 $\mathscr{B} \subset \mathscr{T}_{\mathscr{B}}$이므로 모든 기저의 원소 $B \in \mathscr{B}$는 위상공간 $(X, \mathscr{T}_{\mathscr{B}})$의 열린집합이다.

**보기 3.2.4** (1) 세 점 집합 $X = \{a, b, c\}$에 대하여 다음과 같이 주어진 기저가 생성하는 $X$상의 위상을 구해보자.

---

6) 성질 2.2.10 참조.

(i) $\mathscr{B} = \{\{a\}, \{b, c\}\}$는 집합 $X$상의 기저가 된다. 그리고 $\mathscr{B}$가 생성하는 $X$상의 위상 $\mathscr{T}_{\mathscr{B}}$는 $\mathscr{B}$의 원소들의 합집합들이다. 특별히 $\varnothing \subset \mathscr{B}$이고 성질 1.2.10(1)에 의해 $\cup_{B \in \varnothing} B = \varnothing$이므로 $\varnothing \in \mathscr{T}_{\mathscr{B}}$이다. 그리고 $\{a\}, \{b, c\}$는 $\mathscr{B}$의 원소 중 자신 하나만을 합집합한 것이므로 $\{a\}, \{b, c\} \in \mathscr{T}_{\mathscr{B}}$이다. 그리고 $X = \{a\} \cup \{b, c\}$이므로 $X \in \mathscr{T}_{\mathscr{B}}$이다. 따라서 $\mathscr{T}_{\mathscr{B}} = \{\varnothing, \{a\}, \{b, c\}, X\}$이다.

(ii) $\mathscr{B} = \{\{a\}, \{b\}\}$는 집합 $X$상의 기저가 아니다. 왜냐하면 점 $c \in X$에 대하여 $c \in B$인 $\mathscr{B}$의 원소 $B$가 존재하지 않는다. 즉 기저의 조건 (b1)을 만족하지 않는다.

(iii) $\mathscr{B} = \{\{a, b\}, \{b, c\}\}$는 집합 $X$상의 기저가 아니다. 왜냐하면 $b \in \{a, b\} \cap \{b, c\}$에 대하여 $b \in B \subset \{a, b\} \cap \{b, c\} = \{b\}$를 만족하는 $B \in \mathscr{B}$가 존재하지 않는다.

(iv) $\mathscr{B} = \{\{a\}, \{b\}, \{c\}\}$는 집합 $X$상의 기저이다. 그리고 $\mathscr{B}$가 생성하는 $X$상의 위상은 이산위상이다. 즉 $\mathscr{T}_{\mathscr{B}} = \mathscr{P}(X) = \mathscr{D}$이다.

(v) $\mathscr{B} = \{\{a\}, \{b\}, \{c\}, \{b, c\}\}$는 집합 $X$상의 기저이다. 그리고 $\mathscr{B}$가 생성하는 $X$상의 위상은 이산위상이다. 즉 $\mathscr{T}_{\mathscr{B}} = \mathscr{D}$이다.

특별히 (iv)와 (v)를 보면 기저는 서로 다르지만 이들이 생성하는 위상은 같을 수 있음을 유의하자.

(2) 임의의 집합 $X$상의 기저 $\mathscr{B} = \{\{x\} \mid x \in X\}$가 생성하는 위상은 이산위상이다. 즉 $\mathscr{T}_{\mathscr{B}} = \mathscr{D}$이다. 왜냐하면 임의의 부분집합 $A \subset X$에 대하여 $A = \cup_{a \in A} \{a\}$이므로 정리 3.2.3에 의하여 $A \in \mathscr{T}_{\mathscr{B}}$이다.

(3) 집합 $X$상의 모든 위상 $\mathscr{T}$는 집합 $X$상의 기저이고 $\mathscr{T}$가 생성하는 위상 $\mathscr{T}_{\mathscr{T}}$는 $\mathscr{T}$와 같다. 왜냐하면 정리 3.2.3에 의하여 $\mathscr{T}_{\mathscr{T}}$는 $\mathscr{T}$를 포함하는 가장 작은 위상인데 $\mathscr{T}$도 $\mathscr{T}$를 포함하는 위상이므로 $\mathscr{T} \subset \mathscr{T}_{\mathscr{T}} \subset \mathscr{T}$가 되어 $\mathscr{T}_{\mathscr{T}} = \mathscr{T}$이다.

**보기 3.2.5** 점 $x \in \mathbb{R}^n$와 양의 실수 $r$에 대하여

$$B(x, r) = \{y \in \mathbb{R}^n \mid \|x - y\| < r\}$$

을 중심이 $x$이고 반경이 $r$인 $\mathbb{R}^n$상의 열린구라 한다. 그러면 $\mathbb{R}^n$상의 모든 열린구들의 모임

$$\mathscr{B} = \{B(x, r) \subset \mathbb{R}^n \mid x \in \mathbb{R}^n,\ 0 < r \in \mathbb{R}\}$$

는 성질 2.2.2에 의해 $\mathbb{R}^n$상의 기저이다.7) 그리고 $\mathscr{B}$가 생성하는 위상 $\mathscr{T}_{\mathscr{B}}$는 보기 3.1.4에

7) 주어진 점 $x \in \mathbb{R}^n$에 대해 열린구 $B(x, 1) \in \mathscr{B}$이 존재하여 $x \in B(x, 1)$을 만족한다.

서 정의한 $\mathbb{R}^n$상의 보통(유클리드)위상 $\mathscr{U}$가 됨을 알 수 있다.

특별히 $n=1$인 경우, 집합 $\mathbb{R}$상의 열린구 $B(x,r)$은 열린구간 $(x-r, x+r)$로 표현되고, 역으로 열린구간 $(c,d)$는 열린구 $B(\frac{c+d}{2}, \frac{|d-c|}{2})$로 표현된다. 따라서 유클리드공간 $\mathbb{R}$의 기저 $\mathscr{B}$는 다음과 같다.

$$\begin{aligned}\mathscr{B} &= \{B(x,r) \subset \mathbb{R} \mid x \in \mathbb{R},\ 0 < r \in \mathbb{R}\} \\ &= \{(a,b) \subset \mathbb{R} \mid a, b \in \mathbb{R},\ a < b\}\end{aligned}$$

그리고 정리 3.2.3에 의해 유클리드공간 $\mathbb{R}$의 모든 열린집합은 적당한 열린구간들의 합집합으로 표현된다.

## 기저를 이용한 위상의 비교

주어진 집합 $X$상에 주어질 수 있는 위상은 여러 가지가 있고 때에 따라서는 이들을 서로 비교할 필요가 있다.

**정의 3.2.6** 집합 $X$상의 두 위상 $\mathscr{T}$와 $\mathscr{T}'$을 생각하자. 만약 $\mathscr{T} \subset \mathscr{T}'$이면 $\mathscr{T}'$을 $\mathscr{T}$보다 세밀하다(finer) 또는 $\mathscr{T}$는 $\mathscr{T}'$보다 거칠다(coarser)고 한다.

그리고 만약 $\mathscr{T} \subsetneq \mathscr{T}'$이면 $\mathscr{T}'$을 $\mathscr{T}$보다 순-세밀하다(properly finer) 또는 $\mathscr{T}$는 $\mathscr{T}'$보다 순-거칠다(properly coarser)고 한다.

**보기 3.2.7** (1) 주어진 집합 $X$상의 자명한위상 $\mathscr{T}_0 = \{\varnothing, X\}$과 이산위상 $\mathscr{D} = \mathscr{P}(X)$은 $X$상의 임의의 위상 $\mathscr{T}$에 대하여 항상 $\mathscr{T}_0 \subset \mathscr{T} \subset \mathscr{D}$이다. 즉, 자명한위상 $\mathscr{T}_0$은 $X$상의 어떠한 위상보다 거칠고, 이산위상 $\mathscr{D}$는 $X$상의 어떠한 위상보다 세밀하다.

(2) 집합 $X = \{a, b, c\}$상의 두 위상

$$\mathscr{T}_1 = \{\varnothing, \{a\}, \{a,b\}, X\},\quad \mathscr{T}_2 = \{\varnothing, \{a\}, \{b\}, \{a,b\}, \{b,c\}, X\}$$

에 대하여 $\mathscr{T}_1 \subset \mathscr{T}_2$이므로 $\mathscr{T}_1$은 $\mathscr{T}_2$보다 거칠고, $\mathscr{T}_2$는 $\mathscr{T}_1$보다 세밀하다.

(3) 임의의 집합 $X$상의 여유한위상 $\mathscr{T}_f$와 여가산위상 $\mathscr{T}_c$에 대하여 $\mathscr{T}_f \subset \mathscr{T}_c$이므로 $\mathscr{T}_f$는 $\mathscr{T}_c$보다 거칠고, $\mathscr{T}_c$는 $\mathscr{T}_f$보다 세밀하다.

**성질 3.2.8** 집합 $X$상의 두 위상 $\mathscr{T}$와 $\mathscr{T}'$에 대하여 다음은 서로 동치이다.

(a) $\mathscr{T}'$은 $\mathscr{T}$보다 세밀하다. 즉 $\mathscr{T} \subset \mathscr{T}'$이다.

(b) 임의의 $U \in \mathscr{T}$와 $x \in U$에 대하여 $x \in U' \subset U$를 만족하는 $U' \in \mathscr{T}'$이 존재한다.

증명 (a)⇒(b) 임의의 $U \in \mathscr{T}$와 $x \in U$에 대하여 $\mathscr{T} \subset \mathscr{T}'$이므로 $U \in \mathscr{T}'$이다. 따라서 $x \in U \subset U$인 $U \in \mathscr{T}'$가 존재한다.

(b)⇒(a) 이제 $U \in \mathscr{T}$라 하자. (b)에 의해, 임의의 점 $x \in U$에 대하여 $x \in U'_x \subset U$인 $U'_x \in \mathscr{T}'$이 존재한다. 그러므로 $U = \cup_{x \in U} U'_x \in \mathscr{T}'$이 성립한다. 따라서 $\mathscr{T} \subset \mathscr{T}'$이다. □

그러나 위상 자체로서는 두 위상을 비교하기 힘든 경우가 많이 있다. 다음 정리는 기저를 이용하여 이들이 생성하는 위상을 비교하는 방법을 알려준다.

**정리 3.2.9** 집합 $X$상의 두 기저 $\mathscr{B}$와 $\mathscr{B}'$에 대하여 다음은 서로 동치이다.

(a) $\mathscr{T}_{\mathscr{B}'}$은 $\mathscr{T}_{\mathscr{B}}$보다 세밀하다. 즉 $\mathscr{T}_{\mathscr{B}} \subset \mathscr{T}_{\mathscr{B}'}$이다.

(b) 임의의 $B \in \mathscr{B}$와 $x \in B$에 대하여 $x \in B' \subset B$인 $B' \in \mathscr{B}'$이 존재한다.

증명 (a)⇒(b) 먼저 $\mathscr{T}_{\mathscr{B}} \subset \mathscr{T}_{\mathscr{B}'}$이라고 하자. 그러면 임의의 $B \in \mathscr{B}$와 $x \in B$에 대하여 $\mathscr{B} \subset \mathscr{T}_{\mathscr{B}}$이므로 $B \in \mathscr{T}_{\mathscr{B}'}$이다. 따라서 정의 3.2.1(2)에 의하여 $x \in B' \subset B$인 $B' \in \mathscr{B}'$이 존재한다.

(b)⇒(a) 이제 (b)를 가정하자. 그리고 $U \in \mathscr{T}_{\mathscr{B}}$라 하자. 그러면 정의 3.2.1(2)에 의해, 임의의 점 $x \in U$에 대하여 $x \in B \subset U$인 $B \in \mathscr{B}$가 존재한다. 그리고 (b)에 의하여 $x \in B' \subset B$인 $B' \in \mathscr{B}'$이 존재하여 $x \in B' \subset U$이므로 $U \in \mathscr{T}_{\mathscr{B}'}$이다. 따라서 $\mathscr{T}_{\mathscr{B}} \subset \mathscr{T}_{\mathscr{B}'}$이다. □

**참고 3.2.10** 만약 $\mathscr{B}_1$과 $\mathscr{B}_2$가 집합 $X$상의 기저로서 $\mathscr{B}_1 \subset \mathscr{B}_2$이면 자명하게 $\mathscr{T}_{\mathscr{B}_1} \subset \mathscr{T}_{\mathscr{B}_2}$이다.

**보기 3.2.11** (1) $\mathscr{B}'$을 집합 $\mathbb{R}^n$상의 열린 $n$-세포(cell)들의 모임이라 하자. 즉

$$\mathscr{B}' = \{(a_1, b_1) \times \cdots \times (a_n, b_n) \subset \mathbb{R}^n \mid a_i < b_i \in \mathbb{R},\ i = 1, 2, \ldots, n\}$$

이다. 그러면 $\mathscr{B}'$은 집합 $\mathbb{R}^n$상의 기저이다. 그리고 정리 3.2.9에 의하여, $\mathscr{B}'$은 보기 3.2.5에서 정의된 유클리드공간 $\mathbb{R}^n$의 기저 $\mathscr{B}$와 서로 같은 위상을 생성함을 알 수 있다. 즉 $\mathscr{T}_{\mathscr{B}'} = \mathscr{T}_{\mathscr{B}} = \mathscr{U}$이다(그림 3.3 참조).

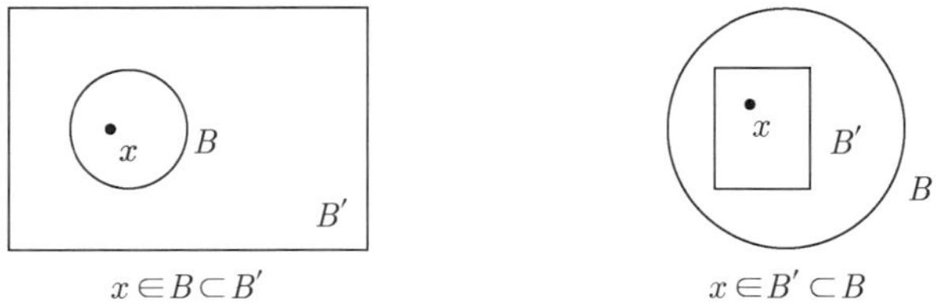


그림 3.3 • $\mathscr{T}_{\mathscr{B}} = \mathscr{T}_{\mathscr{B}'}$

(2) 다음과 같은 집합 $\mathbb{R}^n$의 부분집합들의 모임

$$\mathscr{B}'' = \{B(p, t) \subset \mathbb{R}^n \mid p \in \mathbb{Q}^n,\ 0 < t \in \mathbb{Q}\}$$

도 집합 $\mathbb{R}^n$상의 기저가 된다. 그리고 $\mathscr{T}_{\mathscr{B}''} = \mathscr{T}_{\mathscr{B}} = \mathscr{U}$이다. 그러므로 유클리드공간 $\mathbb{R}^n$은 가산개로 이루어진 기저를 갖는다.[8)]

이제 $\mathscr{T}_{\mathscr{B}''} = \mathscr{T}_{\mathscr{B}}$임을 보이자: 먼저 $\mathscr{B}'' \subset \mathscr{B}$이므로 참고 3.2.10에 의해 $\mathscr{T}_{\mathscr{B}''} \subset \mathscr{T}_{\mathscr{B}}$이다. 역으로 임의의 $B(y, r) \in \mathscr{B}$와 점 $x \in B(y, r)$에 대하여 실수 $s := r - \|x - y\|$와 점 $p \in B(x, \frac{s}{4}) \cap \mathbb{Q}^n$를 택하자. 그리고 $\frac{s}{4} < t < \frac{s}{2}$를 만족하는 유리수 $t \in \mathbb{Q}$를 택하자. 그러면 $B(p, t) \in \mathscr{B}''$가 $x \in B(p, t) \subset B(y, r)$을 만족하므로 정리 3.2.9에 의해 $\mathscr{T}_{\mathscr{B}} \subset \mathscr{T}_{\mathscr{B}''}$이다.

특별히 $n = 1$인 경우

$$\mathscr{B}'' = \{(a, b) \mid a, b \in \mathbb{Q},\ a < b\}$$

이 유클리드공간 $\mathbb{R}$의 기저가 됨을 알 수 있다.

(3) 유클리드(보통위상)공간 $\mathbb{R}^n$상의 열린집합은 $\mathscr{B}''$의 적당한 원소들의 합집합으로 표현된다. 즉, 유클리드공간 $\mathbb{R}^n$상의 열린집합은 많아야 가산개의 열린구들의 합집합으로 표현된다. 그리고 $\mathrm{card}(\mathscr{B}'') = \aleph_0$이므로 $\mathbb{R}^n$상의 보통위상 $\mathscr{U}$에 대하여 $\mathrm{card}(\mathscr{U}) = 2^{\aleph_0} = \mathfrak{c}$이다.

8) 따라서 유클리드공간 $\mathbb{R}^n$은 제2가산이다. 우리는 이러한 가산성에 대해서 10.2절에서 보다 자세히 다룰 것이다.

**보기 3.2.12** **(하극한위상)** 다음과 같은 실수 집합 $\mathbb{R}$의 부분집합들의 모임

$$\mathscr{B}_l = \{[a, b) \subset \mathbb{R} \mid a, b \in \mathbb{R},\ a < b\}$$

은 집합 $\mathbb{R}$상의 기저가 된다. 이러한 $\mathscr{B}_l$이 생성하는 위상 $\mathscr{T}_l = \mathscr{T}_{\mathscr{B}_l}$을 집합 $\mathbb{R}$상의 **하극한위상**(lower limit topology)이라 한다. 그리고 위상공간 $(\mathbb{R}, \mathscr{T}_l)$을 간단히 $\mathbb{R}_l$로 표기하고 **하극한공간**(lower limit space)이라 한다.9)

한편 주어진 두 실수 $a < b$에 대하여 다음이 성립한다.

(1) $[a, b)$는 $\mathbb{R}_l$의 열린집합인 동시에 닫힌집합이다.

(2) $(a, b)$는 $\mathbb{R}_l$의 열린집합이지만 닫힌집합은 아니다.

(3) $(a, b]$는 $\mathbb{R}_l$의 열린집합도 아니고 닫힌집합도 아니다.

(4) $[a, b]$는 $\mathbb{R}_l$의 닫힌집합이지만 열린집합은 아니다.

**풀이** (1) 먼저 $[a, b)$는 기저의 원소이므로 $\mathbb{R}_l$의 열린집합이다. 한편 $[a, b)^c$은

$$[a, b)^c = (-\infty, a) \cup [b, \infty) = \left(\bigcup_{n=1}^{\infty} [a-n, a)\right) \cup \left(\bigcup_{n=1}^{\infty} [b, b+n)\right)$$

와 같이 적당한 기저의 원소들의 합집합으로 표현되므로 정리 3.2.3에 의해 $[a, b)^c$은 $\mathbb{R}_l$의 열린집합이다. 따라서 $[a, b)$는 $\mathbb{R}_l$의 닫힌집합이다.

(2) $(a, b)$는 $(a, b) = \cup_{n=1}^{\infty} [a + \frac{1}{n}, b)$와 같이 적당한 기저의 원소들의 합집합으로 표현되므로 정리 3.2.3에 의해 $(a, b)$는 $\mathbb{R}_l$의 열린집합이다. 하지만 점 $a \in (a, b)^c = (-\infty, a] \cup [b, \infty)$에 대해

$$a \in [c, d) \subset (a, b)^c = (-\infty, a] \cup [b, \infty)$$

를 만족하는 기저의 원소 $[c, d) \in \mathscr{B}_l$가 존재하지 않으므로 $(a, b)^c$은 $\mathbb{R}_l$의 열린집합이 아니다. 따라서 $(a, b)$는 $\mathbb{R}_l$의 닫힌집합이 아니다.

(3) 먼저 점 $b \in (a, b]$에 대해 $b \in [c, d) \subset (a, b]$를 만족하는 기저의 원소 $[c, d) \in \mathscr{B}_l$가 존재하지 않으므로 $(a, b]$는 $\mathbb{R}_l$의 열린집합이 아니다. 또한 점 $a \in (a, b]^c = (-\infty, a] \cup (b, \infty)$에 대해

$$a \in [c, d) \subset (a, b]^c = (-\infty, a] \cup (b, \infty)$$

---

9) 집합 $\mathbb{R}$상의 기저 $\mathscr{B}_u = \{(a, b] \subset \mathbb{R} \mid a < b\}$가 생성하는 위상 $\mathscr{T}_u = \mathscr{T}_{\mathscr{B}_u}$을 집합 $\mathbb{R}$상의 **상극한위상**(upper limit topology)이라 한다. 상극한공간 $\mathbb{R}_u = (\mathbb{R}, \mathscr{T}_u)$에 대한 성질들을 보이는 것은 하극한공간 $\mathbb{R}_l$의 성질들을 보이는 것과 본질적으로 같으므로 이 책에서는 하극한위상에 대해서만 다룰 것이다.

를 만족하는 기저의 원소 $[c,d) \in \mathscr{B}_l$가 존재하지 않으므로 $(a,b]^c$은 $\mathbb{R}_l$의 열린집합이 아니다. 따라서 $(a,b]$는 $\mathbb{R}_l$의 닫힌집합이 아니다.

(4) 먼저 $[a,b]^c$은

$$[a,b]^c = (-\infty, a) \cup (b, \infty) = \left(\bigcup_{n=1}^{\infty} [a-n, a)\right) \cup \left(\bigcup_{n=1}^{\infty} [b+\frac{1}{n}, b+n)\right)$$

와 같이 적당한 기저의 원소들의 합집합으로 표현되므로 정리 3.2.3에 의해 $[a,b]^c$은 $\mathbb{R}_l$의 열린집합이다. 따라서 $[a,b]$는 $\mathbb{R}_l$의 닫힌집합이다. 하지만 점 $b \in [a,b]$에 대해 $b \in [c,d) \subset [a,b]$를 만족하는 기저의 원소 $[c,d) \in \mathscr{B}_l$가 존재하지 않으므로 $[a,b]$는 $\mathbb{R}_l$의 열린집합이 아니다. □

**보기 3.2.13** 집합 $\mathbb{R}$상의 하극한위상 $\mathscr{T}_l$은 보통(유클리드)위상 $\mathscr{U}$보다 순-세밀하다. 즉 $\mathscr{U} \subsetneq \mathscr{T}_l$이다.

**풀이** 보기 3.2.5에서 보았듯이

$$\mathscr{B} = \{(a,b) \subset \mathbb{R} \mid a, b \in \mathbb{R},\ a < b\}$$

는 집합 $\mathbb{R}$상의 보통(유클리드)위상 $\mathscr{U}$의 기저이다. 즉 $\mathscr{U} = \mathscr{T}_{\mathscr{B}}$이다. 이제 임의로 주어진 $(a,b) \in \mathscr{B}$와 $x \in (a,b)$에 대하여, $[x,b) \in \mathscr{B}_l$가 $x \in [x,b) \subset (a,b)$를 만족하므로 정리 3.2.9에 의하여 $\mathscr{U} = \mathscr{T}_{\mathscr{B}} \subset \mathscr{T}_{\mathscr{B}_l} = \mathscr{T}_l$이다. 한편 $[1,3) \in \mathscr{T}_l$이지만 $[1,3) \notin \mathscr{U}$이므로 $\mathscr{U} \subsetneq \mathscr{T}_l$이다. □

## 주어진 위상으로부터 기저 찾기

앞에서는 기저가 주어질 때 어떻게 위상을 생성하는가에 대해 다루었다. 이제 역으로 주어진 위상으로부터 이를 생성하는 기저를 찾아내는 방법을 알아보자.

**성질 3.2.14** 위상공간 $(X, \mathscr{T})$의 열린집합들의 적당한 모임 $\mathscr{B} \subset \mathscr{T}$에 대하여 다음은 서로 동치이다.

(a) $\mathscr{B}$는 $\mathscr{T}$의 기저이다. 즉 $\mathscr{T}_{\mathscr{B}} = \mathscr{T}$이다.

(b) 임의의 열린집합 $U \in \mathscr{T}$와 점 $x \in U$에 대하여 $x \in B \subset U$를 만족하는 $B \in \mathscr{B}$가 존재한다.

증명 (a)⇒(b) 정의 3.2.1(2)에 의해 성립한다.

(b)⇒(a) 먼저 $\mathscr{B}$가 집합 $X$상의 기저가 됨을 보이자.

(b1) 임의의 점 $x \in X$에 대하여 $X$ 자신도 열린집합이므로 (b)에 의하여 $x \in B \subset X$인 $B \in \mathscr{B}$가 존재하므로 기저의 첫 번째 조건을 만족한다.

(b2) 임의의 $B_1, B_2 \in \mathscr{B}$와 $x \in B_1 \cap B_2$에 대하여 $\mathscr{B} \subset \mathscr{T}$이므로 $B_1, B_2 \in \mathscr{T}$이다. 따라서 $B_1 \cap B_2 \in \mathscr{T}$이다. 그리고 (b)에 의하여 $x \in B_3 \subset B_1 \cap B_2$인 $B_3 \in \mathscr{B}$이 존재하므로 기저의 두 번째 조건을 만족한다.

이제 $\mathscr{B}$가 생성하는 위상이 $\mathscr{T}$임을 보이자. 이를 위하여 $\mathscr{T}_{\mathscr{B}}$를 $\mathscr{B}$가 생성하는 위상이라 하자. 우리는 $\mathscr{T}_{\mathscr{B}} = \mathscr{T}$임을 보이면 된다. 먼저 $U \in \mathscr{T}$라 하자. 그러면 (b)에 의해 각각의 점 $x \in U$에 대하여 $x \in B \subset U$를 만족하는 $B \in \mathscr{B}$가 존재하므로 정의 3.2.1(2)에 의해 $U \in \mathscr{T}_{\mathscr{B}}$이다. 따라서 $\mathscr{T} \subset \mathscr{T}_{\mathscr{B}}$이다. 한편 정리 3.2.3(2)에 의하여 $\mathscr{T}_{\mathscr{B}}$는 $\mathscr{B}$를 포함하는 가장 작은 위상이고 $\mathscr{B} \subset \mathscr{T}$이므로 $\mathscr{T}_{\mathscr{B}} \subset \mathscr{T}$이 된다. 그러므로 $\mathscr{T}_{\mathscr{B}} = \mathscr{T}$이다. □

참고로 이러한 성질을 만족하는 기저 $\mathscr{B}$를 만족하는 것 중 하나는 $\mathscr{T}$ 자신이다. 그리고 유클리드공간 $\mathbb{R}^n$상의 기저를 열린구들의 모임으로 잡는 이유를 제시한다.

**보기 3.2.15** $\mathscr{U}$를 $\mathbb{R}$상의 보통(유클리드)위상이라 하고

$$\mathscr{B} = \{(a, b) \mid a < b,\ a, b \in \mathbb{Q}\}$$

이라 하면 $\mathscr{B} \subset \mathscr{U}$이다. 그리고 임의의 $U \in \mathscr{U}$와 점 $x \in U$에 대하여 $x \in (c, d) \subset U$를 만족하는 실수 $c, d \in \mathbb{R}$가 존재한다(보기 3.2.5 참조). 그러면 정리 2.1.12에 의해 $c < a < x < b < d$를 만족하는 유리수 $a, b \in \mathbb{Q}$가 존재하여 $x \in (a, b) \subset U$를 만족한다. 따라서 성질 3.2.14에 의하여 $\mathscr{B}$는 보통위상 $\mathscr{U}$의 기저이다. 즉 $\mathscr{T}_{\mathscr{B}} = \mathscr{U}$이다(보기 3.2.11(2) 참조).

## 부분기저

기저가 있으면 이로부터 위상을 만들 수 있고, 이러한 위상은 주어진 기저를 포함하는 가장 작은 위상이 된다. 그러나 임의의 부분집합들의 모임이 항상 기저가 되는 것은 아니므로 이를 포함하는 가장 작은 위상을 어떻게 만들 수 있는가 하는 의문이 제기 된다. 이를 위하여 부분기저의 정의가 필요하다.

**정의 3.2.16** 집합 $X$상의 위상의 **부분기저**(subbasis) $\mathcal{S}$는 $X$의 부분집합들의 적당한 모임으로서 이들의 합집합이 $X$가 되는 것을 뜻한다. 즉 $\cup_{S\in\mathcal{S}}S = X$인 경우이다. 다르게 표현하면 임의의 점 $x\in X$에 대해 $x\in S$인 $S\in\mathcal{S}$가 존재함을 의미한다.

부분기저 $\mathcal{S}$에 **의해 생성되는 집합** $X$**상의 기저** $\mathscr{B}_{\mathcal{S}}$란 $\mathcal{S}$의 유한개의 원소들의 교집합들의 모임을 뜻한다. 즉

$$\begin{aligned}\mathscr{B}_{\mathcal{S}} &= \{\bigcap_{S\in\mathcal{F}} S \mid \mathcal{F}\text{는 } \mathcal{S}\text{의 유한 부분집합}\}\\ &= \{\mathcal{S}\text{의 유한개의 원소들의 교집합}\}\\ &= \{S_1\cap S_2\cap\cdots\cap S_n \mid S_i\in\mathcal{S}\}\end{aligned}$$

이다.

부분기저 $\mathcal{S}$에 **의해 생성되는 집합** $X$**상의 위상** $\mathscr{T}_{\mathcal{S}}$란 기저 $\mathscr{B}_{\mathcal{S}}$가 생성하는 위상을 의미한다. 즉 $\mathscr{T}_{\mathcal{S}} = \mathscr{T}_{\mathscr{B}_{\mathcal{S}}}$이다. 그러면 자명하게

$$\mathcal{S} \subset \mathscr{B}_{\mathcal{S}} \subset \mathscr{T}_{\mathscr{B}_{\mathcal{S}}} = \mathscr{T}_{\mathcal{S}}$$

이다. 따라서 $\mathscr{T}_{\mathcal{S}}$는 $\mathcal{S}$를 포함하는 $X$상의 가장 작은 위상이다.[10)]

우리는 $\mathscr{T}_{\mathcal{S}}$가 실제로 집합 $X$상의 위상이 됨을 다음 기초정리에 의해 알 수 있다.

**기초정리 3.2.17** $\mathcal{S}$가 집합 $X$상의 부분기저이면 $\mathscr{B}_{\mathcal{S}}$는 $X$상의 기저이다. 따라서 $\mathscr{T}_{\mathcal{S}} = \mathscr{T}_{\mathscr{B}_{\mathcal{S}}}$는 $X$상의 위상이다.

증명 먼저 $\mathscr{B}_{\mathcal{S}}$가 집합 $X$상의 기저임을 보이자.

(b1) 임의의 점 $x\in X$에 대하여, $\cup_{S\in\mathcal{S}}S = X$이므로 $x\in S$인 $S\in\mathcal{S}$가 존재한다. 한편 $\mathcal{S}\subset\mathscr{B}_{\mathcal{S}}$이므로 $S\in\mathscr{B}_{\mathcal{S}}$이고 $x\in S$이다.

(b2) 임의의 $B_1, B_2\in\mathscr{B}_{\mathcal{S}}$에 대하여 $x\in B_1\cap B_2$이라 하자. 그런데 $B_1, B_2\in\mathscr{B}_{\mathcal{S}}$이므로 유한개의 적당한 $S_i, S_j'\in\mathcal{S}$이 존재하여

---

10) 연습문제 3.2.14 참조. 책에 따라 부분기저를 다음과 같이 조금 다르게 정의하기도 한다([14]). $X$의 적당한 부분집합들의 모임 $\mathscr{A}\subset\mathscr{P}(X)$에 대하여 $\mathscr{A}$를 포함하는 (유일한) 가장 작은 위상 $\mathscr{T}_*$가 존재한다(참고 3.1.8). 그리고 이러한 $\mathscr{T}_*$를 $\mathscr{A}$**가 생성하는 위상**, $\mathscr{A}$를 위상 $\mathscr{T}_*$의 **부분기저**로 정의한다. 여기서 주의할 점은 $\mathscr{A}$의 원소들의 합집합이 $X$일 필요는 없다는 점이다. 하지만 $\mathscr{T}_*$가 집합 $X$상의 위상이므로 $\varnothing, X\in\mathscr{T}_*$이어야 한다. 그리고 $\mathcal{S} = \mathscr{A}\cup\{\varnothing, X\}$은 집합 $X$상의 위상의 부분기저가 되고 $\mathscr{T}_{\mathcal{S}} = \mathscr{T}_*$이다. 따라서 두 정의는 엄밀하게는 차이가 있지만, 개념적 의미에서는 같은 것으로 볼 수 있다.

$$B_1 = S_1 \cap S_2 \cap \cdots \cap S_m,\ \ B_2 = S_1' \cap S_2' \cap \cdots \cap S_n'$$

이다. 그러면

$$B_1 \cap B_2 = (S_1 \cap S_2 \cap \cdots \cap S_m) \cap (S_1' \cap S_2' \cap \cdots \cap S_n')$$

도 $\mathcal{S}$의 유한개의 원소들의 교집합이므로 $\mathcal{B}_\mathcal{S}$의 원소이다. 따라서 $B_3 = B_1 \cap B_2$이라 하면 $B_3 \in \mathcal{B}_\mathcal{S}$이고 $x \in B_3 \subset B_1 \cap B_2$이 된다.

따라서 (b1), (b2)에 의하여 $\mathcal{B}_\mathcal{S}$는 $X$상의 기저가 된다.

그리고 정리 3.2.3에 의하여 $\mathcal{T}_\mathcal{S} = \mathcal{T}_{\mathcal{B}_\mathcal{S}}$는 $X$상의 위상이다. □

**보기 3.2.18** 집합 $X = \{a, b, c\}$에 대하여 다음과 같이 주어진 부분기저가 생성하는 $X$상의 위상을 구해보자.

(i) $\mathcal{S} = \{X\}$는 $X$의 부분기저가 된다. 그리고 $\mathcal{S}$가 생성하는 $X$상의 기저 $\mathcal{B}_\mathcal{S}$는 $\mathcal{S}$의 유한개의 원소들의 교집합들이다. $X$는 $\mathcal{S}$의 원소 중 자신 하나만을 교집합한 것이므로 $X \in \mathcal{B}_\mathcal{S}$이다. 따라서

$$\mathcal{B}_\mathcal{S} = \{X\}$$

이다. 한편 $\mathcal{S}$가 생성하는 $X$상의 위상 $\mathcal{T}_\mathcal{S}$는 기저 $\mathcal{B}_\mathcal{S}$가 생성하는 $X$상의 위상 $\mathcal{T}_{\mathcal{B}_\mathcal{S}}$이므로 $\mathcal{B}_\mathcal{S}$의 원소들의 합집합들이다. 그리고 $\varnothing \subset \mathcal{B}_\mathcal{S}$이고 성질 1.2.10(1)에 의해 $\cup_{B \in \varnothing} B = \varnothing$이므로 $\varnothing \in \mathcal{T}_{\mathcal{B}_\mathcal{S}}$이다(정리 3.2.3(1) 참조). 따라서

$$\mathcal{T}_\mathcal{S} = \mathcal{T}_{\mathcal{B}_\mathcal{S}} = \{\varnothing, X\}$$

이다.

(ii) $\mathcal{S} = \{\{a\}, \{b\}\}$는 $X$의 부분기저가 아니다. 왜냐하면 점 $c \in X$에 대하여 $c \in S$인 $\mathcal{S}$의 원소 $S$가 존재하지 않는다.

(iii) $\mathcal{S} = \{\{a\}, \{b\}, \{c\}\}$는 $X$의 부분기저이다. 그리고 성질 1.2.10(2)에 의해 $X \in \mathcal{B}_\mathcal{S}$이다. 따라서 $\mathcal{S}$가 생성하는 $X$상의 기저는

$$\mathcal{B}_\mathcal{S} = \{\varnothing, \{a\}, \{b\}, \{c\}, X\}$$

이다. 그리고 $\mathcal{S}$가 생성하는 $X$상의 위상은 이산위상이다. 즉

$$\mathcal{T}_\mathcal{S} = \mathcal{T}_{\mathcal{B}_\mathcal{S}} = \mathcal{P}(X) = \mathcal{D}$$

이다.

(iv) $\mathcal{S}=\{\{a,b\},\{b,c\}\}$는 $X$의 부분기저이다. 그리고 $\mathcal{S}$가 생성하는 $X$상의 기저는

$$\mathscr{B}_{\mathcal{S}}=\{\{a,b\},\{b,c\},\{b\},X\}$$

이다. 따라서 $\mathcal{S}$가 생성하는 $X$상의 위상은 다음과 같다.

$$\mathscr{T}_{\mathcal{S}}=\mathscr{T}_{\mathscr{B}_{\mathcal{S}}}=\{\varnothing,\{a,b\},\{b,c\},\{b\},X\}.$$

**보기 3.2.19** (1) 임의의 집합 $X$상의 부분기저 $\mathcal{S}=\{\{x\}\mid x\in X\}$가 생성하는 기저는

$$\mathscr{B}_{\mathcal{S}}=\{\{x\}\mid x\in X\}\cup\{\varnothing,X\}$$

이다(단, $X$가 한 점 집합이면 $\mathscr{B}_{\mathcal{S}}=\{X\}$이다). 따라서 부분기저 $\mathcal{S}$가 생성하는 위상은 이산위상이다. 즉 $\mathscr{T}_{\mathcal{S}}=\mathscr{T}_{\mathscr{B}_{\mathcal{S}}}=\mathscr{D}$이다.

(2) 집합 $X$상의 모든 기저 $\mathscr{B}$는 $X$상의 부분기저이다. 그리고 이러한 부분기저 $\mathscr{B}$가 생성하는 위상은 기저 $\mathscr{B}$가 생성하는 위상과 같다. 즉 $\mathscr{T}_{\mathscr{B}_{\mathscr{B}}}=\mathscr{T}_{\mathscr{B}}$이다.[11)]

(3) 집합 $X$상의 모든 위상 $\mathscr{T}$는 $X$상의 부분기저이다. 그리고 이러한 부분기저 $\mathscr{T}$가 생성하는 위상은 $\mathscr{T}$와 같다. 즉 $\mathscr{T}_{\mathscr{B}_{\mathscr{T}}}=\mathscr{T}$이다.

**보기 3.2.20** 임의의 무한집합 $X$에 대하여

$$\mathcal{S}=\{X-\{x\}\mid x\in X\}$$

는 $X$상의 부분기저이고 $\mathcal{S}$가 생성하는 위상은 여유한위상이다.

**풀이** (1) 먼저 $\mathcal{S}$가 부분기저임을 보이자. 임의의 점 $x\in X$에 대하여 $X$가 무한집합이므로 $x\neq y$인 $y\in X$가 존재한다. 따라서 $x\in X-\{y\}\in\mathcal{S}$이므로 $\mathcal{S}$는 $X$상의 부분기저이다.

(2) 이제 부분기저 $\mathcal{S}$가 생성하는 $X$상의 위상을 구해보자. $\mathcal{S}$가 생성하는 $X$상의 기저 $\mathscr{B}_{\mathcal{S}}$의 원소는 $\mathcal{S}$의 유한개의 원소들의 교집합으로 표현되므로 $B\in\mathscr{B}_{\mathcal{S}}$일 필요충분조건은

$$B=(X-\{x_1\})\cap(X-\{x_2\})\cap\cdots\cap(X-\{x_n\})=X-\{x_1,x_2,\dots,x_n\}$$

이다. 그리고 부분기저 $\mathcal{S}$가 생성하는 위상은 $\mathscr{B}_{\mathcal{S}}$가 생성하는 위상이므로

$$\mathscr{T}_{\mathcal{S}}=\mathscr{T}_{\mathscr{B}_{\mathcal{S}}}=\{U\subset X\mid\forall x\in U,\ \exists B\in\mathscr{B}_{\mathcal{S}}\text{ s.t. }x\in B\subset U\}$$

---

11) 일반적으로 $\mathscr{B}_{\mathscr{B}}=\mathscr{B}$는 성립하지 않는다.

이다. 만약 $U \in \mathscr{T}_S$가 공집합이 아니면 점 $x \in U$가 존재한다. 그래서 $x \in B \subset U$인 $B \in \mathscr{B}_S$가 존재한다. 그런데 $B = X - \{x_1, x_2, \dots, x_n\}$이므로 $X - U \subset X - B = \{x_1, x_2, \dots, x_n\}$이 되어 $X - U$는 유한집합이 된다. 그러므로 $U \in \mathscr{T}_f$이다. 역으로 만약 $U \in \mathscr{T}_f$가 공집합이 아니면 $U = X - \{x_1, x_2, \dots, x_n\}$이므로 $U \in \mathscr{B}_S \subset \mathscr{T}_S$이다. 따라서

$$\mathscr{T}_S = \{U \subset X \mid X - U\text{이 유한집합}\} \cup \{\varnothing\} = \mathscr{T}_f$$

이다. □

**참고 3.2.21** 우리는 참고 3.1.8에서 집합 $X$의 적당한 부분집합들의 모임 $\mathscr{A} \subset \mathscr{P}(X)$를 포함하는 집합 $X$상의 가장 작은 위상 $\mathscr{T}_*$가 존재함을 보였다. 그러나 $\mathscr{T}_*$가 무엇인지를 구체적으로 찾는 것은 힘들다. 그런데 $\mathscr{B}$, $\mathcal{S}$가 각각 집합 $X$상의 기저와 부분기저이면 우리는 $\mathscr{B}$, $\mathcal{S}$를 각각 포함하는 집합 $X$상의 가장 작은 위상이 $\mathscr{T}_{\mathscr{B}}$와 $\mathscr{T}_S$임을 보였다.

## 연습문제

**문제 3.2.1** 집합 $X$상에 정의된 두 기저의 교집합은 $X$상의 기저가 되는가? 또 집합 $X$상에 정의된 두 기저의 합집합은 $X$상의 기저가 되는가?

**문제 3.2.2** $\mathscr{T}_X$와 $\mathscr{T}_Y$가 각각 집합 $X$와 $Y$상의 위상이라 하자. 그러면

$$\mathscr{B} = \{A \times B \mid A \in \mathscr{T}_X,\ B \in \mathscr{T}_Y\}$$

는 곱집합 $X \times Y$상의 기저가 됨을 보이시오.

**문제 3.2.3** 집합 $X = \{a, b, c, d\}$상의 기저 $\mathscr{B} = \{\varnothing, \{b\}, \{d\}, \{a, b\}, \{b, c\}, X\}$에 의하여 생성되는 $X$상의 위상을 구하여라.

**문제 3.2.4** 다음과 같은 집합 $\mathbb{R}$의 부분집합들의 모임

$$\mathscr{B} = \{(a, b) \mid a < b,\ a, b \in \mathbb{Q}\},$$
$$\mathscr{B}' = \{[a, b) \mid a < b,\ a, b \in \mathbb{Q}\}$$

이 각각 집합 $\mathbb{R}$상의 기저가 됨을 보이고, 이들이 생성하는 위상과 집합 $\mathbb{R}$상의 보통위상, 하극한위상 사이의 대소 관계를 비교하시오.

**문제 3.2.5** 다음과 같은 집합 $\mathbb{R}^2$의 부분집합들의 모임

$$\mathscr{B} = \{(a,b)\times(c,d) \mid a<b,\ c<d,\ a,b,c,d\in\mathbb{Q}\}$$

가 집합 $\mathbb{R}^2$상의 기저가 됨을 보이고, $\mathscr{B}$가 생성하는 위상과 집합 $\mathbb{R}^2$상의 보통위상을 비교하시오.

**문제 3.2.6** 집합 $\mathbb{R}^2$상의 기저

$$\mathscr{B} = \{[a,b)\times[c,d) \mid a,b,c,d\in\mathbb{R},\ a<b,\ c<d\}$$

에 대해 $\mathbb{R}_l^2 = (\mathbb{R}^2, \mathscr{T}_{\mathscr{B}})$라 하자.

(1) $\mathscr{B}$가 집합 $\mathbb{R}^2$상의 기저가 됨을 보이시오.

(2) 집합 $\mathbb{R}^2$상의 보통위상 $\mathscr{U}$와 $\mathscr{T}_{\mathscr{B}}$의 대소 관계를 알아보시오.

(3) 다음과 같이 주어진 집합들이 $\mathbb{R}_l^2$상의 열린집합과 닫힌집합이 되는지 판별하시오.

$$\begin{aligned} A &= \{(x,y) \mid y > x\}, \\ B &= \{(x,y) \mid y > -x\}, \\ C &= \{(x,y) \mid y \geq x\}, \\ D &= \{(x,y) \mid y \geq -x\}. \end{aligned}$$

**문제 3.2.7** 하극한공간 $\mathbb{R}_l$은 가산개로 이루어진 기저를 갖지 못함을 보이시오. (힌트: 만약 $\mathscr{B}$가 $\mathbb{R}_l$의 기저이면 임의의 점 $x\in\mathbb{R}$에 대해 $x\in B_x \subset [x, x+1)$을 만족하는 $B_x \in \mathscr{B}$가 존재한다.)

**문제 3.2.8** 여유한공간 $(\mathbb{R}, \mathscr{T}_f)$는 가산개로 이루어진 기저를 갖지 못함을 보이시오. (힌트: 만약 $\mathscr{B}'$이 기저이면 $\mathscr{B} = \mathscr{B}' - \{\varnothing\}$도 기저이다. 귀류법 사용)

**문제 3.2.9** 여가산공간 $(\mathbb{R}, \mathscr{T}_c)$는 가산개로 이루어진 기저를 갖지 못함을 보이시오.

**문제 3.2.10** 이산공간 $X$의 기저 중 최소인 것은 무엇인가?

**문제 3.2.11** $\mathscr{B}$를 집합 $X$상의 기저라 하자. 이제 $\mathscr{B}$가 생성하는 위상 $\mathscr{T}_{\mathscr{B}}$는 $\mathscr{B}$를 포함하는 집합 $X$상의 모든 위상들의 교집합과 같음을 보이시오. 즉

$$\mathscr{T}_{\mathscr{B}} = \cap\{\mathscr{T} \mid \mathscr{T}\text{는 } \mathscr{B} \subset \mathscr{T}\text{인 } X\text{상의 위상}\}.$$

**문제 3.2.12** $A = \{\frac{1}{n} \mid n\in\mathbb{N}\} \subset \mathbb{R}$이라 하고

$$\mathscr{B} = \{(a,b) \mid a < b,\ a,b \in \mathbb{R}\} \cup \{(c,d) - A \mid c < d,\ c,d \in \mathbb{R}\}$$

라 하자. 그러면 $\mathscr{B}$가 집합 $\mathbb{R}$상의 기저가 됨을 보이시오. 그리고 $\mathscr{B}$가 생성하는 위상과 보통위상 사이의 대소 관계를 비교하시오.

**문제 3.2.13** $p$를 고정된 소수(prime number)라 하자. 이제 각각의 자연수 $n \in \mathbb{N}$과 정수 $a \in \mathbb{Z}$에 대하여

$$U_n(a) = \{a + kp^n \mid k \in \mathbb{Z}\}$$

라 하자. 그러면 $\{U_n(a) \mid a \in \mathbb{Z},\ n \in \mathbb{N}\}$이 정수 집합 $\mathbb{Z}$상의 기저가 됨을 보이시오.

**문제 3.2.14** $\mathscr{T}$, $\mathcal{S}$를 각각 주어진 집합 $X$상의 위상, 부분기저라 하자. 만약 $\mathcal{S} \subset \mathscr{T}$이면 $\mathscr{T}_{\mathcal{S}} \subset \mathscr{T}$가 됨을 보이시오. 따라서 $\mathscr{T}_{\mathcal{S}}$는 $\mathcal{S}$를 포함하는 집합 $X$상의 가장 작은 위상이다.

**문제 3.2.15** $\{\mathscr{T}_\alpha \mid \alpha \in \Lambda\}$를 집합 $X$상의 위상들의 모임이라 하자. 그리고 부분기저 $\cup_{\alpha \in \Lambda} \mathscr{T}_\alpha$가 생성하는 $X$상의 위상을 $\vee_{\alpha \in \Lambda} \mathscr{T}_\alpha$라 하자. 이제 다음을 보이시오.

(1) $\vee_{\alpha \in \Lambda} \mathscr{T}_\alpha$는 모든 $\mathscr{T}_\alpha (\alpha \in \Lambda)$를 포함하는 $X$상의 가장 작은 위상이다.

(2) $\cap_{\alpha \in \Lambda} \mathscr{T}_\alpha \subset \mathscr{T}_\alpha \subset \vee_{\alpha \in \Lambda} \mathscr{T}_\alpha$.

**문제 3.2.16** $\mathscr{T}_X$와 $\mathscr{T}_Y$가 각각 집합 $X$와 $Y$상의 위상이라 하자. 그리고

$$\mathcal{S} = \{A \times Y \mid A \in \mathscr{T}_X\} \cup \{X \times B \mid B \in \mathscr{T}_Y\}$$

라 하자.

(1) $\mathcal{S}$는 곱집합 $X \times Y$ 상의 기저가 되지 않음을 보이시오.

(2) $\mathcal{S}$는 곱집합 $X \times Y$ 상의 부분기저임을 보이시오.

**문제 3.2.17** 집합 $X$상에 정의된 두 부분기저의 교집합은 $X$상의 부분기저가 되는가? 또 집합 $X$상에 정의된 두 부분기저의 합집합은 $X$상의 부분기저가 되는가?

**문제 3.2.18** 집합 $X = \{a,b,c,d\}$의 부분집합들의 모임 $\mathcal{S} = \{\{a,b\}, \{b,c\}, \{d\}\}$는 $X$상의 부분기저가 됨을 보이고 $\mathcal{S}$가 생성하는 $X$상의 위상을 구하시오.

**문제 3.2.19** 실수 집합 $\mathbb{R}$의 부분집합들의 모임

$$\mathcal{S} = \{(a, \infty) \mid a \in \mathbb{R}\} \cup \{(-\infty, b) \mid b \in \mathbb{R}\}$$

는 집합 $\mathbb{R}$상의 부분기저가 됨을 보이고 $\mathcal{S}$가 생성하는 $\mathbb{R}$상의 위상이 보통위상이 됨을 보이시오.

**문제 3.2.20** 실수 집합 $\mathbb{R}$의 부분집합들의 모임

$$\mathcal{S}=\{(p,\infty)\mid p\in\mathbb{Q}\}\cup\{(-\infty,q)\mid q\in\mathbb{Q}\}$$

는 집합 $\mathbb{R}$상의 부분기저가 됨을 보이고 $\mathcal{S}$가 생성하는 $\mathbb{R}$상의 위상이 보통위상이 됨을 보이시오.

**문제 3.2.21** 주어진 두 실수 $a, b\in\mathbb{R}$에 대하여 $f_{a,b}:\mathbb{R}\to\mathbb{R}$를 $f_{a,b}(x)=ax+b$라 하고, $\mathcal{T}_l$을 실수 집합 $\mathbb{R}$상의 하극한위상이라 하자. 그러면 다음과 같은 부분기저 $\mathcal{S}$가 생성하는 집합 $\mathbb{R}$상의 위상은 이산위상임을 보이시오.

$$\mathcal{S}=\{f_{a,b}^{-1}(U)\mid a, b\in\mathbb{R},\ U\in\mathcal{T}_l\}$$

## 3.3 거리공간(metric space)

우리는 2.2절에서 집합 $\mathbb{R}^n$상의 보통(유클리드)거리에 대해 알아보았다. 이제 이러한 거리 개념을 보다 일반적인 집합으로 확장시켜 보자.

**정의 3.3.1** 집합 $X$상의 거리(metric)란 다음 성질들을 만족하는 함수

$$d : X \times X \rightarrow \mathbb{R}$$

를 뜻한다.

(i) 임의의 $x,\ y \in X$에 대하여 $d(x, y) \geq 0$이다.

(ii) $d(x, y) = 0$일 필요충분조건은 $x = y$이다.

(iii) 임의의 $x,\ y \in X$에 대하여 $d(x, y) = d(y, x)$이다.

(iv) (삼각부등식) 임의의 $x,\ y,\ z \in X$에 대하여

$$d(x, z) \leq d(x, y) + d(y, z)$$

이다.

그리고 $d(x, y)$를 $x$와 $y$ 사이의 거리(distance)라 한다.

**보기 3.3.2** 집합 $\mathbb{R}^n$상의 보통거리: 2.2절에서 보았듯이 $\mathbb{R}^n$상에 다음과 같이 정의되는 함수 $d : \mathbb{R}^n \times \mathbb{R}^n \rightarrow \mathbb{R}$는 거리가 된다(성질 2.2.1 참조).

$$d(x, y) = \| x - y \| = \sqrt{(x_1 - y_1)^2 + (x_2 - y_2)^2 + \cdots + (x_n - y_n)^2}$$

단, 여기서 $x = (x_1, x_2, \dots, x_n), y = (y_1, y_2, \dots, y_n) \in \mathbb{R}^n$이다. 우리는 특별히 이러한 거리 $d$를 $\mathbb{R}^n$상의 보통거리 또는 유클리드거리라 한다.

**보기 3.3.3** 집합 $\mathbb{R}^n$상의 다른 거리들: $\mathbb{R}^n$상의 임의의 두 점 $x$와 $y$를

$$x = (x_1, x_2, \dots, x_n),\ \ y = (y_1, y_2, \dots, y_n)$$

이라 하자.

(1) 함수 $d : \mathbb{R}^n \times \mathbb{R}^n \rightarrow \mathbb{R}$,

$$d(x, y) = \|x - y\|^2 = (x_1 - y_1)^2 + (x_2 - y_2)^2 + \cdots + (x_n - y_n)^2$$

는 $\mathbb{R}^n$상의 거리가 아니다. 예를 들어 $\mathbb{R}^2$상의 세 점 $(0, 1)$, $(1, 1)$, $(2, 2)$에 대한 삼각부등식이 성립하지 않는다.

(2) (택시거리) 함수 $d : \mathbb{R}^n \times \mathbb{R}^n \to \mathbb{R}$,

$$d(x, y) = \sum_{i=1}^{n} |x_i - y_i| = |x_1 - y_1| + |x_2 - y_2| + \cdots + |x_n - y_n|$$

는 $\mathbb{R}^n$상의 거리이다. 이러한 거리 $d$를 **택시거리**라 한다.

(3) (최대거리, 사각거리) 함수 $d : \mathbb{R}^n \times \mathbb{R}^n \to \mathbb{R}$,

$$d(x, y) = \max\{|x_1 - y_1|, |x_2 - y_2|, \ldots, |x_n - y_n|\}$$

는 $\mathbb{R}^n$상의 거리이다. 이러한 거리 $d$를 **최대거리** 또는 **사각거리**라 한다.

**보기 3.3.4** **(이산거리)** 임의의 집합 $X$에 대하여 함수

$$d : X \times X \to \mathbb{R}, \quad d(x, y) = \begin{cases} 0, & x = y \\ 1, & x \neq y \end{cases}$$

는 $X$상의 거리가 된다. 이러한 거리 $d$를 **이산거리(discrete metric)**라 한다.

**보기 3.3.5** 다음과 같이 주어진 $\mathbb{R}^2$상의 거리들에 의한 두 점 $x = (1, 2)$와 $y = (3, 5)$ 사이의 거리를 구해보자.

(1) 보통거리 $d_1$에 대하여 $d_1(x, y) = \sqrt{(1-3)^2 + (2-5)^2} = \sqrt{13}$이다.

(2) 택시거리 $d_2$에 대하여 $d_2(x, y) = |1-3| + |2-5| = 2 + 3 = 5$이다.

(3) 최대거리 $d_3$에 대하여 $d_3(x, y) = \max\{|1-3|, |2-5|\} = 3$이다.

(4) 이산거리 $d_4$에 대하여 $x \neq y$이므로 $d_4(x, y) = 1$이다.

**보기 3.3.6** 만약 $d$가 집합 $X$상의 거리이면 다음과 같이 정의된 함수 $d_1$도 집합 $X$상의 거리가 된다.

$$d_1 : X \times X \to \mathbb{R}, \quad d_1(x, y) = \frac{d(x, y)}{1 + d(x, y)}$$

**풀이** (i) 임의의 $x, y \in X$에 대하여 $d(x, y) \geq 0$이므로 $d_1(x, y) = \frac{d(x, y)}{1+d(x, y)} \geq 0$이다.

(ii) $x = y \Leftrightarrow d(x, y) = 0 \Leftrightarrow d_1(x, y) = \frac{d(x, y)}{1+d(x, y)} = 0$이다.

(iii) 임의의 $x, y \in X$에 대하여 $d(x, y) = d(y, x)$이므로

$$d_1(x, y) = \frac{d(x, y)}{1+d(x, y)} = \frac{d(y, x)}{1+d(y, x)} = d_1(y, x)$$

이 성립한다.

(iv) 먼저 $f : [0, \infty) \to \mathbb{R}$, $f(t) = \frac{t}{1+t} = 1 - \frac{1}{1+t}$가 증가함수이므로 임의의 두 실수 $0 \leq a \leq b$에 대하여 $\frac{a}{1+a} \leq \frac{b}{1+b}$이다. 이제 임의의 $x, y, z \in X$에 대하여 $d(x, z) \leq d(x, y) + d(y, z)$이므로 다음이 성립한다.

$$\begin{aligned} d_1(x, z) &= \frac{d(x, z)}{1+d(x, z)} \\ &\leq \frac{d(x, y)+d(y, z)}{1+d(x, y)+d(y, z)} \\ &= \frac{d(x, y)}{1+d(x, y)+d(y, z)} + \frac{d(y, z)}{1+d(x, y)+d(y, z)} \\ &\leq \frac{d(x, y)}{1+d(x, y)} + \frac{d(y, z)}{1+d(y, z)} = d_1(x, y) + d_1(y, z) \end{aligned}$$

따라서 $d_1$은 집합 $X$상의 거리이다. 특별히 임의의 $x, y \in X$에 대하여 $d_1(x, y) < 1$이 된다. □

위의 보기는 주어진 집합 $X$상에 정의되는 서로 다른 거리를 얼마든지 만들 수 있음을 의미한다.

**정의 3.3.7** $d$를 집합 $X$상의 거리라 하자. 임의의 점 $p \in X$와 양의 실수 $r$에 대하여, **중심이 $p$이고 반경이 $r$인 열린구(open ball)**란

$$B_d(p, r) := \{x \in X \mid d(p, x) < r\}$$

을 의미한다. 그리고 거리 $d$가 분명하면 간단히 $B(p, r)$로 표기한다.

**보기 3.3.8** 집합 $\mathbb{R}^2$상의 다음과 같이 주어진 거리들에 대해 중심이 $p = (a, b) \in \mathbb{R}^2$이고 반경이 $r(> 0)$인 열린구들을 알아보자.

(1) 보통거리 $d_1$에 대하여

$$\begin{aligned} B_{d_1}(p, r) &= \{x \in \mathbb{R}^2 \mid d_1(p, x) < r\} \\ &= \{(x_1, x_2) \in \mathbb{R}^2 \mid \sqrt{(x_1 - a)^2 + (x_2 - b)^2} < r\} \\ &= \{(x_1, x_2) \in \mathbb{R}^2 \mid (x_1 - a)^2 + (x_2 - b)^2 < r^2\} \end{aligned}$$

이다. 따라서 $B_{d_1}(p, r)$는 중심이 $p$이고 반경이 $r$인 경계가 없는 원판이다(그림 3.4 참조).

(2) 택시거리 $d_2$에 대하여

$$\begin{aligned} B_{d_2}(p, r) &= \{x \in \mathbb{R}^2 \mid d_2(p, x) < r\} \\ &= \{(x_1, x_2) \in \mathbb{R}^2 \mid |x_1 - a| + |x_2 - b| < r\} \end{aligned}$$

이다. 따라서 $B_{d_2}(p, r)$는 중심이 $p$인 경계가 없는 마름모이다.

(3) 최대거리 $d_3$에 대하여

$$\begin{aligned} B_{d_3}(p, r) &= \{x \in \mathbb{R}^2 \mid d_3(p, x) < r\} \\ &= \{(x_1, x_2) \in \mathbb{R}^2 \mid \max\{|x_1 - a|, |x_2 - b|\} < r\} \\ &= \{(x_1, x_2) \in \mathbb{R}^2 \mid |x_1 - a| < r,\ |x_2 - b| < r\} \end{aligned}$$

이다. 따라서 $B_{d_3}(p, r)$는 중심이 $p$인 경계가 없는 정사각형이다.

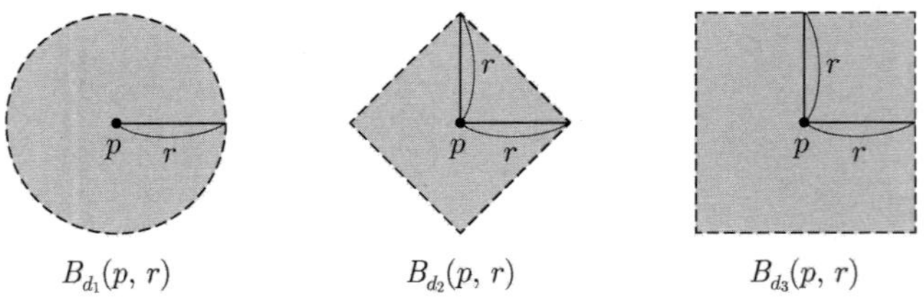


그림 3.4 • 여러 가지 열린구

(4) 이산거리 $d_4$에 대하여 열린구는 다음과 같다.

$$B_{d_4}(p, r) = \begin{cases} \{p\}, & r \le 1 \\ \mathbb{R}^2, & r > 1 \end{cases}$$

**기초정리 3.3.9** 집합 $X$상의 거리 $d$에 대하여 모든 열린구들의 모임

$$\mathscr{B}_d = \{B_d(x, r) \mid x \in X,\ 0 < r \in \mathbb{R}\}$$

는 집합 $X$상의 기저이다.

증명 (b1) 임의의 점 $x \in X$에 대하여 $x \in B_d(x, 1) \in \mathscr{B}_d$이다.

(b2) 임의의 점 $z \in B_d(x, r_1) \cap B_d(y, r_2)$에 대하여

$$r_3 = \min\{r_1 - d(x, z),\ r_2 - d(y, z)\}$$

이라 하면 $z \in B_d(z, r_3) \subset B_d(x, r_1) \cap B_d(y, r_2)$이다: 구체적으로 만약 $w \in B_d(z, r_3)$이면 $d(z, w) < r_3$이므로

$$\begin{aligned} d(x, w) &\le d(x, z) + d(z, w) < d(x, z) + r_3 \\ &\le d(x, z) + (r_1 - d(x, z)) = r_1 \\ d(y, w) &\le d(y, z) + d(z, w) < d(y, z) + r_3 \\ &\le d(y, z) + (r_2 - d(y, z)) = r_2 \end{aligned}$$

이 되어 $w \in B_d(x, r_1) \cap B_d(y, r_2)$이다.

따라서 (b1)과 (b2)에 의하여 $\mathscr{B}_d$는 $X$상의 기저이다. □

**정의 3.3.10** 집합 $X$상의 거리 $d$에 대하여 모든 열린구들의 모임

$$\mathscr{B}_d = \{B_d(x, r) \mid x \in X,\ 0 < r \in \mathbb{R}\}$$

는 기초정리 3.3.9에 의해 집합 $X$상의 기저이다. 이러한 기저 $\mathscr{B}_d$가 생성하는 집합 $X$상의 위상 $\mathscr{T}_{\mathscr{B}_d}$를 거리위상(metric topology) 또는 거리 $d$가 생성하는 위상이라 한다. 우리는 $\mathscr{T}_{\mathscr{B}_d}$를 간단히 $\mathscr{T}_d$로 표기하고, 위상공간 $(X, \mathscr{T}_d)$를 거리공간(metric space)이라 하고 간단히 $(X, d)$로 표기한다. 경우에 따라 거리 $d$가 명확하면 간단히 $X$로 표기하기도 한다. 당연히 $\mathscr{B}_d \subset \mathscr{T}_d$이고 정리 3.2.3에 의하여

$$\begin{aligned} \mathscr{T}_d &= \mathscr{T}_{\mathscr{B}_d} \\ &= \{U \subset X \mid \forall x \in U,\ \exists B \in \mathscr{B}_d \text{ s.t. } x \in B \subset U\} \\ &= \{\ \mathscr{B}_d\text{의 원소들의 합집합}\ \} \\ &= \{\ \text{열린구들의 합집합}\ \} \end{aligned}$$

이다.

**성질 3.3.11** 거리공간 $(X, d)$와 $U \subset X$에 대하여 다음은 서로 동치이다.

(a) $U$는 열린집합이다. 즉 $U \in \mathscr{T}_d$이다.

(b) 임의의 점 $x \in U$에 대하여 $x \in B_d(x, r) \subset U$를 만족하는 양의 실수 $r$이 존재한다.

증명 (a)⇒(b) $U$를 열린집합이라 하자. 그러면 $U \in \mathscr{T}_d$이다. 따라서 임의의 점 $x \in U$에 대하여 $x \in B_d(y, \delta) \subset U$인 기저의 원소 $B_d(y, \delta) \in \mathscr{B}_d$가 존재한다. 이제 $r = \delta - d(x, y)$이라 하면 $x \in B_d(x, r) \subset B_d(y, \delta) \subset U$이 성립한다.

(b)⇒(a) 정의에 의해 자명하다. □

**참고 3.3.12** 성질 3.3.11에 의하여 다음이 성립한다.

$$\mathscr{T}_d = \{ U \subset X \mid \forall x \in U,\ \exists r_x > 0 \text{ s.t. } x \in B_d(x, r_x) \subset U \}$$

**보기 3.3.13** 보기 3.1.4와 보기 3.2.5에 의해 집합 $\mathbb{R}^n$상의 보통(유클리드)거리 $d$가 생성하는 위상 $\mathscr{T}_d$는 보통위상 $\mathscr{U}$와 같다. 따라서 거리공간 $(\mathbb{R}^n, d)$는 **유클리드공간** 또는 **보통공간**(보통거리공간)이다. 앞으로 아무런 언급이 없으면 $\mathbb{R}^n$은 유클리드공간을 뜻한다.

**보기 3.3.14** (이산공간) 임의의 집합 $X$상의 이산거리

$$d : X \times X \to \mathbb{R},\ d(x, y) = \begin{cases} 0, & x = y \\ 1, & x \neq y \end{cases}$$

가 생성하는 위상은 이산위상이다. 즉 $\mathscr{T}_d = \mathscr{D}(=\mathscr{P}(X))$이다. 따라서 이때의 거리공간 $(X, d)$는 이산공간이 된다. 이제 $\mathscr{T}_d = \mathscr{D}$임을 보이자. 임의의 점 $x \in X$에 대하여 $\{x\} = B_d(x, \frac{1}{2}) \in \mathscr{B}_d \subset \mathscr{T}_d$이므로 $\{x\} \in \mathscr{T}_d$이다. 따라서 임의의 $A \subset X$에 대하여 $A = \cup_{a \in A}\{a\} \in \mathscr{T}_d$이다.

**보기 3.3.15** $d_1, d_2, d_3, d_4$를 각각 집합 $\mathbb{R}^n$상의 보통거리, 택시거리, 최대거리, 이산거리라 하면, 정리 3.2.9에 의하여 다음이 성립한다(그림 3.5 참조).

$$\mathscr{T}_{d_1} = \mathscr{T}_{d_2} = \mathscr{T}_{d_3} \subsetneq \mathscr{T}_{d_4} = \mathscr{D}$$

따라서 거리 $d_1, d_2, d_3$은 모두 다르지만 이들이 생성하는 위상은 모두 같다. 한편 한

점 집합 $\{a\}$는 $\{a\} \in \mathscr{T}_{d_4}$이지만 $\{a\} \not\in \mathscr{T}_{d_1}$이므로 $\mathscr{T}_{d_1} \neq \mathscr{T}_{d_4}$이다.

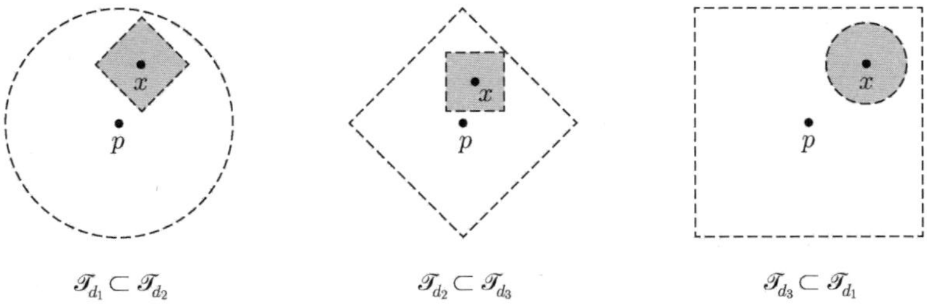


그림 3.5 • $\mathscr{T}_{d_1} = \mathscr{T}_{d_2} = \mathscr{T}_{d_3}$

이제 같은 집합에 주어진 두 거리가 생성하는 위상 사이의 대소 관계에 대해 알아보자.

**성질 3.3.16** 집합 $X$상의 두 거리 $d_1, d_2$에 대하여 다음은 서로 동치이다.

(a) $\mathscr{T}_{d_1} \subset \mathscr{T}_{d_2}$.

(b) 임의로 주어진 점 $x \in X$와 양의 실수 $\varepsilon$에 대하여 $B_{d_2}(x, \delta) \subset B_{d_1}(x, \varepsilon)$을 만족하는 양의 실수 $\delta$가 존재한다.

증명 (a)⇒(b) 먼저 $\mathscr{T}_{d_1} \subset \mathscr{T}_{d_2}$이라 하자. 이제 임의로 주어진 점 $x \in X$와 양의 실수 $\varepsilon$에 대하여 $B_{d_1}(x, \varepsilon) \in \mathscr{T}_{d_1}$이므로 $x \in B_{d_1}(x, \varepsilon) \in \mathscr{T}_{d_2}$이다. 따라서 성질 3.3.11에 의하여 $x \in B_{d_2}(x, \delta) \subset B_{d_1}(x, \varepsilon)$을 만족하는 양의 실수 $\delta$가 존재한다.

(b)⇒(a) 이제 $U \in \mathscr{T}_{d_1}$이라 하자. 그러면 성질 3.3.11에 의해 임의로 주어진 점 $x \in U$에 대하여 $x \in B_{d_1}(x, \varepsilon) \subset U$를 만족하는 양의 실수 $\varepsilon$이 존재한다. 그리고 (b)에 의해 $x \in B_{d_2}(x, \delta) \subset B_{d_1}(x, \varepsilon) \subset U$를 만족하는 양의 실수 $\delta$가 존재한다. 따라서 성질 3.3.11에 의해 $U \in \mathscr{T}_{d_2}$이다. 그러므로 $\mathscr{T}_{d_1} \subset \mathscr{T}_{d_2}$이다. □

**참고 3.3.17** 보기 3.3.15의 내용을 성질 3.3.16을 사용하면 좀더 간단히 확인할 수 있다(그림 3.6 참조).

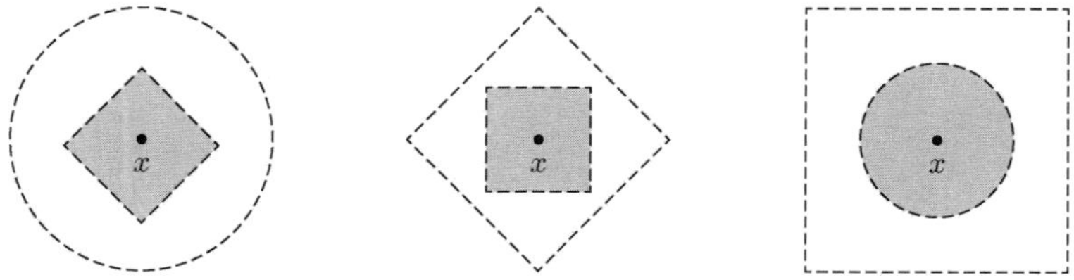

$\mathcal{T}_{d_1} \subset \mathcal{T}_{d_2}$ $\mathcal{T}_{d_2} \subset \mathcal{T}_{d_3}$ $\mathcal{T}_{d_3} \subset \mathcal{T}_{d_1}$

그림 3.6 • $\mathcal{T}_{d_1} = \mathcal{T}_{d_2} = \mathcal{T}_{d_3}$

**보기 3.3.18** 집합 $X$상의 거리 $d$에 대하여

$$\bar{d}: X \times X \to \mathbb{R}, \ \bar{d}(x, y) = \min\{d(x, y), 1\}$$

는 $X$상의 거리이고 $\mathcal{T}_{\bar{d}} = \mathcal{T}_d$이다. 이러한 거리 $\bar{d}$를 $d$가 유도하는 **표준유계거리(standard bounded metric)**라 한다.

**풀이** 우선 $\bar{d}$가 거리가 됨은 자명하다. 예를 들어 삼각부등식이 성립함을 다음과 같이 보일 수 있다: 만약 $d(x, y) \geq 1$이거나 $d(y, z) \geq 1$이면 $\bar{d}(x, y) = 1$ 또는 $\bar{d}(y, z) = 1$이다. 따라서

$$\bar{d}(x, y) + \bar{d}(y, z) \geq 1 \geq \bar{d}(x, z)$$

이 된다. 그리고 만약 $d(x, y) < 1$이고 $d(y, z) < 1$이면 $\bar{d}(x, y) = d(x, y)$이고 $\bar{d}(y, z) = d(y, z)$이 되어

$$\bar{d}(x, y) + \bar{d}(y, z) = d(x, y) + d(y, z) \geq d(x, z) \geq \bar{d}(x, z)$$

이다. 따라서 $\bar{d}$는 삼각부등식을 만족시킨다. 비슷하게 $\bar{d}$가 거리의 나머지 조건들을 만족함을 쉽게 보일 수 있다.

이제 $\mathcal{T}_d = \mathcal{T}_{\bar{d}}$임을 보이자. 임의의 $x \in X$와 $\varepsilon > 0$에 대하여 $B_d(x, \varepsilon) \subset B_{\bar{d}}(x, \varepsilon)$이므로 성질 3.3.16에 의하여 $\mathcal{T}_{\bar{d}} \subset \mathcal{T}_d$이다.

한편 임의의 $x \in X$와 $\varepsilon > 0$에 대하여 $\delta = \min\{\varepsilon, 1\}$이라 하면

$$B_{\bar{d}}(x, \delta) = B_d(x, \delta) \subset B_d(x, \varepsilon)$$

이므로 성질 3.3.16에 의하여 $\mathcal{T}_d \subset \mathcal{T}_{\bar{d}}$이 성립한다. □

**참고 3.3.19** 집합 $X$상의 두 거리 $d_1$과 $d_2$가 **동치(equivalent)**란 $\mathcal{T}_{d_1} = \mathcal{T}_{d_2}$임을 의미한다. 이 경우 우리는 $d_1 \sim d_2$로 표기한다. 자명하게 $\sim$은 집합

$$\{d \mid d\text{는 집합 } X\text{상의 거리}\}$$

상의 동치관계가 된다. 보기 3.3.15의 $d_1$, $d_2$, $d_3$는 $d_1 \sim d_2 \sim d_3$이다. 그리고 보기 3.3.18의 $d$, $\bar{d}$도 $d \sim \bar{d}$이다.

같은 위상공간상에 정의되는 서로 다른 거리들은 많은 차이를 가질 수도 있다. 이를 자세히 알아보기 위하여 다음 정의가 필요하다.

**정의 3.3.20** $A$와 $B$를 거리공간 $(X, d)$의 공집합이 아닌 부분집합이라 하자.

(1) 주어진 점 $x \in X$와 $A$ 사이의 거리(distance)란

$$d(x, A) = \inf\{d(x, a) \mid a \in A\}$$

를 뜻한다.

(2) 주어진 두 집합 $A$와 $B$ 사이의 거리(distance)란

$$d(A, B) = \inf\{d(a, b) \mid a \in A,\ b \in B\} = \inf\{d(a, B) \mid a \in A\}$$

를 뜻한다.

(3) $A$의 직경(diameter)이란

$$\operatorname{diam}(A) = \sup\{d(a, b) \mid a, b \in A\}$$

를 뜻한다. 특별히 $\operatorname{diam}(\varnothing) = 0$으로 정의한다.

(4) $A$가 유계(bounded)란 적당한 양의 실수 $\alpha > 0$가 존재하여 임의의 $a, b \in A$에 대하여 $d(a, b) < \alpha$인 경우를 뜻한다. 동치적으로 $\operatorname{diam}(A) \le \alpha$인 실수 $\alpha$가 존재함을 뜻한다.

**보기 3.3.21** (1) 보기 3.3.18에서 보았듯이 $(X, d)$와 $(X, \bar{d})$는 위상공간으로서 같다. 그러나 $(X, d)$는 유계가 되지 않을 수 있지만 $(X, \bar{d})$는 항상 유계가 된다.

(2) 보기 3.3.8과 보기 3.3.15에서 보았듯이 위상공간으로서 $(\mathbb{R}^2, d_1)$, $(\mathbb{R}^2, d_2)$, $(\mathbb{R}^2, d_3)$는 모두 같지만, $\mathbf{p} = (-1, -1) \in \mathbb{R}^2$와 $A = [0, 2] \times (0, 1) \subset \mathbb{R}^2$에 대하여

(i) $(\mathbb{R}^2, d_1)$에서는 $\operatorname{diam}(A) = \sqrt{5}$, $d_1(\mathbf{p}, A) = \sqrt{2}$이다.

(ii) $(\mathbb{R}^2, d_2)$에서는 $\operatorname{diam}(A) = 3$, $d_2(\mathbf{p}, A) = 2$이다.

(iii) $(\mathbb{R}^2, d_3)$에서는 $\mathrm{diam}(A) = 2,\ d_3(\mathbf{p}, A) = 1$이다.12)

**정의 3.3.22** 위상공간 $(X, \mathscr{T})$가 거리화가능(metrizable)이란 $d$가 유도하는 거리위상 $\mathscr{T}_d$이 $\mathscr{T}$가 되는 집합 $X$상의 거리 $d : X \times X \to \mathbb{R}$가 존재함을 의미한다. 즉 $\mathscr{T} = \mathscr{T}_d$인 $X$ 상의 거리 $d$가 존재함을 의미한다. 따라서 우리는 거리화가능인 위상공간을 거리공간으로 볼 수 있다.

**보기 3.3.23** 모든 위상공간이 거리화가능인 것은 아니다. 예를 들어 세 점 집합 $X = \{a, b, c\}$상에 자명한위상 $\mathscr{T}_0 = \{\varnothing, X\}$을 준 자명한(비이산)공간 $(X, \mathscr{T}_0)$은 거리화가능이 아니다. 왜냐하면 만약 $d$가 집합 $X$상의 거리이면 $r = d(a, b) > 0$에 대해 $a \in B_d(a, r)$, $b \notin B_d(a, r)$이므로 $B_d(a, r) \neq \varnothing, X$이다. 따라서 $B_d(a, r) \in \mathscr{T}_d$이지만 $B_d(a, r) \notin \mathscr{T}_0$이므로 $\mathscr{T}_d \neq \mathscr{T}_0$이다.13)

## 연습문제

**문제 3.3.1** 거리공간의 유한 부분집합은 닫힌집합임을 보이시오.

**문제 3.3.2** $X$를 거리공간이라 하자.

(1) 서로 다른 두 점 $x, y \in X$에 대하여 $x \in U,\ y \in V,\ U \cap V = \varnothing$을 만족하는 $X$의 열린집합 $U, V$가 존재함을 보이시오.

(2) 닫힌집합 $A \subset X$와 점 $x \notin A$에 대하여 $x \in U,\ A \subset V,\ U \cap V = \varnothing$을 만족하는 $X$의 열린집합 $U, V$가 존재함을 보이시오.

**문제 3.3.3** 다음과 같이 정의된 함수 $d$는 집합 $\mathbb{R}^2$상의 거리가 아님을 보이시오.

$$d : \mathbb{R}^2 \times \mathbb{R}^2 \to \mathbb{R},\ d((x_1, y_1), (x_2, y_2)) = |x_1 - x_2|$$

**문제 3.3.4** 임의의 집합 $X$에 대하여 함수 $d : X \times X \to \mathbb{R}$가 다음 두 조건을 만족하면 $d$는 $X$상의 거리가 됨을 보이시오.

(i) $d(x, y) = 0 \Leftrightarrow x = y$.

---

12) $\mathscr{T}_d = \mathscr{T}_{\bar{d}}$, $\mathscr{T}_{d_1} = \mathscr{T}_{d_2} = \mathscr{T}_{d_3}$임을 주의하자. 따라서 거리나 유계는 위상적 성질이 아니다.

13) 우리는 12장과 15장에서 어떤 위상공간이 거리화가능인지 다룰 것이다.

(ii) 모든 $x, y, z \in X$에 대하여 $d(x,y) \le d(z,x) + d(z,y)$이다.

**문제 3.3.5** $A$와 $B$를 거리공간 $X$의 부분집합이라 하자.

(1) $d(A,B) \ne 0$이면 $A \cap B = \varnothing$임을 보이시오.

(2) (1)의 역이 성립하지 않는 보기를 드시오.

(3) $\mathrm{diam}(A \cup B) \ne \mathrm{diam}(A) + \mathrm{diam}(B)$를 만족하는 보기를 드시오.

(4) 만약 $A \subset B$이면 $\mathrm{diam}(A) \le \mathrm{diam}(B)$임을 보이시오.

**문제 3.3.6** 집합 $X$상의 두 거리 $d_1$과 $d_2$에 대하여 다음이 서로 동치임을 보이시오.

(a) $d_1 \sim d_2$.

(b) 임의로 주어진 $x \in X$와 $\varepsilon > 0$에 대하여

$$B_{d_1}(x, \delta) \subset B_{d_2}(x, \varepsilon),\ \ B_{d_2}(x, \delta') \subset B_{d_1}(x, \varepsilon)$$

을 만족하는 $\delta, \delta' > 0$이 존재한다.

**문제 3.3.7** 거리공간 $(X, d)$의 부분집합 $A$에 대하여 다음이 서로 동치임을 보이시오.

(a) $A$는 유계인 부분집합이다.

(b) $A \subset B_d(x, r)$을 만족하는 점 $x \in X$와 양의 실수 $r$이 존재한다.

**문제 3.3.8** $(X, d_1)$과 $(Y, d_2)$를 거리공간이라 하자. 다음과 같이 정의된 함수 $d$는 곱집합 $X \times Y$ 상의 거리임을 보이시오.

$$d : (X \times Y) \times (X \times Y) \to \mathbb{R},\quad d((x_1, y_1), (x_2, y_2)) = \sqrt{\{d_1(x_1, x_2)\}^2 + \{d_2(y_1, y_2)\}^2}$$

**문제 3.3.9** $d_i (i = 1, 2, \ldots, n)$가 집합 $X$상의 거리라 하고 $0 \le a_i \in \mathbb{R}(\forall i)$가 동시에 0이 아닌 실수라 하자. 이제 다음과 같이 정의된 함수 $d$는 $X$상의 거리임을 보이시오.

$$d : X \times X \to \mathbb{R},\ d(x, y) = \sum_{i=1}^{n} a_i d_i(x, y)$$

**문제 3.3.10** $i = 1, 2, \ldots, n$에 대해 $d_i$가 집합 $X_i$상의 거리이면 다음과 같이 정의된 함수 $d : \Pi_{i=1}^{n} X_i \times \Pi_{i=1}^{n} X_i \to \mathbb{R}$는 곱집합 $\Pi_{i=1}^{n} X_i$상의 거리임을 보이시오.

$$d((x_1, \ldots, x_n), (y_1, \ldots, y_n)) = \max\{d_1(x_1, y_1), d_2(x_2, y_2), \ldots, d_n(x_n, y_n)\}$$

**문제 3.3.11** $d_i (i = 1, 2, \ldots, n)$가 집합 $X$상의 거리라 하자.

(1) $d : X \times X \to \mathbb{R},\ d(x, y) = \max\{d_1(x, y), d_2(x, y), \ldots, d_n(x, y)\}$는 $X$상의 거리가 되는가?

(2) $d: X\times X \to \mathbb{R},\ d(x,y) = \min\{d_1(x,y), d_2(x,y), \dots, d_n(x,y)\}$는 $X$상의 거리가 되는가?

**문제 3.3.12** $A$를 실수 집합 $\mathbb{R}$의 부분집합이라 하자. 그리고 함수 $f: A \to \mathbb{R}$가 유계란 $f(A) = \{f(x) \mid x \in A\}$가 $\mathbb{R}$의 유계인 부분집합임을 의미한다. 이제 유계함수들의 집합 $\mathcal{B}(A,\mathbb{R}) = \{f \mid f: A \to \mathbb{R}$는 유계함수$\}$에 대해

$$\rho:\ \mathcal{B}(A,\mathbb{R}) \times \mathcal{B}(A,\mathbb{R}) \to \mathbb{R},\ \rho(f,g) = \sup\{|f(x) - g(x)| \mid x \in A\}$$

가 $\mathcal{B}(A,\mathbb{R})$상의 거리임을 보이시오.

**문제 3.3.13** 각각의 자연수 $p \in \mathbb{N}$에 대하여

$$d_p: \mathbb{R}^n \times \mathbb{R}^n \to \mathbb{R},\ d_p(x,y) = \left(\sum_{i=1}^{n} |x_i - y_i|^p\right)^{\frac{1}{p}}$$

는 집합 $\mathbb{R}^n$상의 거리가 되고, 모든 $d_p$가 $\mathbb{R}^n$상의 보통위상을 생성함을 보이시오.

## 3.4 부분공간(subspace)

이제 주어진 위상공간 $(X, \mathscr{T})$의 부분집합 $A$에 $X$상의 위상 $\mathscr{T}$가 유도하는 자연스러운 위상인 부분공간위상을 살펴보자.

**정의 3.4.1** 위상공간 $(X, \mathscr{T})$와 $A \subset X$에 대하여

$$\mathscr{T}_A = \{A \cap U \mid U \in \mathscr{T}\}$$

는 집합 $A$상의 위상이 된다. 이러한 $\mathscr{T}_A$를 **부분공간위상**(subspace topology) 또는 **상대위상**(relative topology)이라 한다. 그리고 위상공간 $(A, \mathscr{T}_A)$를 $(X, \mathscr{T})$의 **부분공간**(subspace)이라 한다.

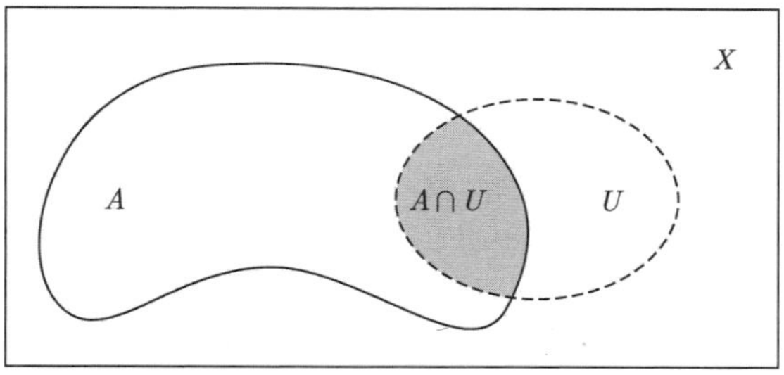


그림 3.7 • 부분공간위상

**기초정리 3.4.2** 위상공간 $(X, \mathscr{T})$와 $A \subset X$에 대하여

$$\mathscr{T}_A = \{A \cap U \mid U \in \mathscr{T}\}$$

는 집합 $A$상의 위상이다.

증명 (t1) 먼저 $X \in \mathscr{T}$이므로 $A = A \cap X \in \mathscr{T}_A$이고, $\varnothing \in \mathscr{T}$이므로 $\varnothing = A \cap \varnothing \in \mathscr{T}_A$이다.

(t2) 이제 $V_\alpha \in \mathscr{T}_A (\alpha \in \Lambda)$이라 하자. $\mathscr{T}_A$의 정의에 의해 각각의 $\alpha \in \Lambda$에 대하여 $V_\alpha = A \cap U_\alpha$를 만족하는 $U_\alpha \in \mathscr{T}$가 존재한다. 그리고 $U = \cup_{\alpha \in \Lambda} U_\alpha \in \mathscr{T}$이고

$$\bigcup_{\alpha\in\Lambda} V_\alpha = \bigcup_{\alpha\in\Lambda}(A\cap U_\alpha) = A\cap(\bigcup_{\alpha\in\Lambda} U_\alpha) = A\cap U$$

이므로 $\cup_{\alpha\in\Lambda} V_\alpha \in \mathscr{T}_A$이다.

(t3) 이제 $V_1, V_2, \ldots, V_n \in \mathscr{T}_A$이라 하자. $\mathscr{T}_A$의 정의에 의해 각각의 $i=1,2,\ldots,n$에 대하여 $V_i = A\cap U_i$를 만족하는 $U_i\in\mathscr{T}$가 존재한다. 그리고 $U=\cap_{i=1}^n U_i \in \mathscr{T}$이고

$$\bigcap_{i=1}^{n} V_i = \bigcap_{i=1}^{n}(A\cap U_i) = A\cap(\bigcap_{i=1}^{n} U_i) = A\cap U$$

이므로 $\cap_{i=1}^n V_i \in \mathscr{T}_A$이다.

따라서 $\mathscr{T}_A$는 집합 $A$상의 위상이다. □

**정리 3.4.3** 위상공간 $X$의 부분공간 $A$에 대하여 다음이 성립한다.

(1) $V\subset A$가 부분공간 $A$의 열린집합일 필요충분조건은 $V=A\cap U$를 만족하는 $X$의 열린집합 $U$가 존재하는 것이다.

(2) $F\subset A$가 부분공간 $A$의 닫힌집합일 필요충분조건은 $F=A\cap E$를 만족하는 $X$의 닫힌집합 $E$가 존재하는 것이다.

증명 (1) 정의 3.4.1에 의하여 당연하다.

(2) 만약 $F$가 부분공간 $A$의 닫힌집합이면 $A-F$는 $A$의 열린집합이다. 그리고 (1)에 의하여 $A-F=A\cap U$를 만족하는 $X$의 열린집합 $U$가 존재한다. 그러면 $E=X-U$는 $X$의 닫힌집합이고

$$A\cap E = A\cap(X-U) = A-(A\cap U) = A-(A-F) = F$$

이다.

역으로 $X$의 닫힌집합 $E$에 대해 $F=A\cap E$라 하자. 그러면 $X-E$는 $X$의 열린집합이 되어, (1)에 의하여 $A\cap(X-E)$는 $A$의 열린집합이다. 그런데 $A\cap(X-E)=A-(A\cap E)$이므로 $F=A\cap E$는 $A$의 닫힌집합이다. □

**보기 3.4.4** 집합 $X=\{a,b,c,d\}$상의 위상

$$\mathscr{T} = \{\varnothing, \{a\}, \{b\}, \{a,b\}, \{b,c\}, \{a,b,c\}, X\}$$

에 의해 정의되는 위상공간 $X=(X,\mathscr{T})$의 부분집합 $A=\{a,c,d\}$상의 부분공간위상은

다음과 같다.

$$\mathcal{T}_A = \{A \cap U \mid U \in \mathcal{T}\} = \{\varnothing, \{a\}, \{c\}, \{a, c\}, A\}$$

이 보기에서 볼 수 있듯이 일반적으로 부분공간 $A$의 열린집합($\{a, c\}$)이 $X$의 열린집합이 되는 것은 아니다.

**보기 3.4.5** 유클리드(보통거리)공간 $\mathbb{R}$의 부분공간 $A = [1, \infty)$에 대하여 $[1, 3)$은 $A$의 열린집합이다. 왜냐하면 $\mathbb{R}$의 열린집합 $(0, 3)$에 대하여 $[1, 3) = A \cap (0, 3)$이므로 $[1, 3)$은 $A$의 열린집합이다. 하지만 $[1, 3)$은 $\mathbb{R}$의 열린집합은 아니다.

**보기 3.4.6** 유클리드공간 $\mathbb{R}$의 부분공간 $\mathbb{Z}$는 이산공간이다.

**풀이** 임의의 정수 $n \in \mathbb{Z}$에 대하여, $\mathbb{R}$의 열린집합 $(n - \frac{1}{2}, n + \frac{1}{2})$이 존재하여

$$\{n\} = \mathbb{Z} \cap (n - \frac{1}{2}, n + \frac{1}{2})$$

을 만족하므로 $\{n\}$은 부분공간 $\mathbb{Z}$의 열린집합이다. 따라서 $\mathbb{Z}$상의 부분공간위상 $\mathcal{T}_{\mathbb{Z}}$는 이산위상이다. 즉 $\mathcal{T}_{\mathbb{Z}} = \mathcal{D} = \mathcal{P}(\mathbb{Z})$이다. □

**보기 3.4.7** $\mathbb{R}$을 유클리드공간이라 하자.

(1) $\mathbb{R}$의 부분공간 $X = (2, 5]$에 대하여 $(2, 3) = X \cap (0, 3)$, $(3, 5] = X \cap (3, 6)$이므로 $(2, 3)$과 $(3, 5]$는 $X$의 열린집합이다. 그리고 $(2, 3] = X \cap [0, 3]$, $[3, 5] = X \cap [3, 6]$이므로 $(2, 3]$과 $[3, 5]$는 $X$의 닫힌집합이다.

(2) $\mathbb{R}$의 부분공간 $\mathbb{Q}$의 부분집합 $A = \{x \in \mathbb{Q} \mid \sqrt{2} < x < \sqrt{3}\}$는 $A = \mathbb{Q} \cap (\sqrt{2}, \sqrt{3})$이므로 $\mathbb{Q}$의 열린집합이다. 한편 $A = \mathbb{Q} \cap [\sqrt{2}, \sqrt{3}]$이므로 $A$는 $\mathbb{Q}$의 닫힌집합이다. 따라서 $A$는 $\mathbb{Q}$의 열린집합인 동시에 닫힌집합이다.

**정리 3.4.8** 위상공간 $X$와 $B \subset A \subset X$에 대하여 다음이 성립한다.

(1) 만약 $B$가 부분공간 $A$의 열린집합이고 $A$가 $X$의 열린집합이면 $B$는 $X$의 열린집합이다.

(2) 만약 $B$가 부분공간 $A$의 닫힌집합이고 $A$가 $X$의 닫힌집합이면 $B$는 $X$의 닫힌집합이다.

증명 $(A,\mathscr{T}_A)$를 위상공간 $(X,\mathscr{T})$의 부분공간이라 하자.

(1) 만약 $B$가 부분공간 $A$의 열린집합(즉, $B\in\mathscr{T}_A$)이면 정리 3.4.3에 의하여 $B=A\cap U$를 만족하는 $X$의 열린집합 $U$(즉, $U\in\mathscr{T}$)가 존재한다. 그런데 가정에 의하여 $A$도 $X$의 열린집합이므로 $B=A\cap U$는 $X$의 열린집합이다.

(2) 만약 $B$가 부분공간 $A$의 닫힌집합이면 정리 3.4.3에 의하여 $B=A\cap E$를 만족하는 $X$의 닫힌집합 $E$가 존재한다. 그런데 가정에 의하여 $A$도 $X$의 닫힌집합이므로 $B=A\cap E$는 $X$의 닫힌집합이다. □

**성질 3.4.9** 만약 $\mathscr{B}$가 위상공간 $(X,\mathscr{T})$의 기저이면

$$\mathscr{B}_A=\{A\cap B\mid B\in\mathscr{B}\}$$

는 부분공간 $(A,\mathscr{T}_A)$의 기저이다.

증명 (1) 우리는 먼저 $\mathscr{B}_A$가 $A$의 기저임을 보이자.

(b1) 임의의 $x\in A$에 대하여, $A\subset X$이므로, $x\in X$이다. 그런데 $\mathscr{B}$가 위상공간 $X$의 기저이므로 $x\in B$인 $B\in\mathscr{B}$가 존재한다. 따라서 $x\in A\cap B$를 만족하는 $A\cap B\in\mathscr{B}_A$가 존재한다.

(b2) 임의의 $A\cap B_1$, $A\cap B_2\in\mathscr{B}_A$와 $x\in(A\cap B_1)\cap(A\cap B_2)$에 대하여, $x\in B_1\cap B_2$이므로 $x\in B_3\subset B_1\cap B_2$인 $B_3\in\mathscr{B}$이 존재한다. 따라서

$$x\in A\cap B_3\subset(A\cap B_1)\cap(A\cap B_2)$$

를 만족하는 $A\cap B_3\in\mathscr{B}_A$이 존재한다.

(2) 이제 $\mathscr{T}_{\mathscr{B}_A}=\mathscr{T}_A$임을 보이자.

($\subset$) $\mathscr{B}$가 위상공간 $(X,\mathscr{T})$의 기저이므로 $\mathscr{T}_{\mathscr{B}}=\mathscr{T}$이고 $\mathscr{B}\subset\mathscr{T}_{\mathscr{B}}=\mathscr{T}$이다. 그러므로 임의의 $B\in\mathscr{B}$에 대하여 $B\in\mathscr{T}$이고 $A\cap B\in\mathscr{T}_A$이다. 따라서 $\mathscr{B}_A\subset\mathscr{T}_A$이다. 그리고 정리 3.2.3에 의해 $\mathscr{T}_{\mathscr{B}_A}$는 $\mathscr{B}_A$를 포함하는 가장 작은 위상이므로 $\mathscr{T}_{\mathscr{B}_A}\subset\mathscr{T}_A$이다.

($\supset$) $V\in\mathscr{T}_A$이라 하자. 그러면 정리 3.4.3에 의해 $V=A\cap U$를 만족하는 $U\in\mathscr{T}$가 존재한다. 이제 임의의 점 $x\in V(\subset A)$에 대해 $x\in U$이고, $\mathscr{B}$가 $\mathscr{T}$의 기저이므로 $x\in B\subset U$인 $B\in\mathscr{B}$가 존재한다. 그래서 $A\cap B\in\mathscr{B}_A$가

$$x\in A\cap B\subset A\cap U=V$$

를 만족하므로 $V\in\mathscr{T}_{\mathscr{B}_A}$이다. 따라서 $\mathscr{T}_A\subset\mathscr{T}_{\mathscr{B}_A}$이다. □

## 거리공간의 부분공간

이제부터 거리공간 $(X, d)$의 부분집합 $A$상에 정의된 부분공간위상에 대해 알아보자.

앞에서 다루었듯이 집합 $X$상의 거리 $d$가 유도하는 기저는

$$\mathscr{B}_d = \{B_d(x, r) \subset X \mid x \in X,\ 0 < r \in \mathbb{R}\}$$

이고 $d$가 유도하는 거리위상 $\mathscr{T}_d$는 기저 $\mathscr{B}_d$가 생성하는 위상이다. 즉

$$\mathscr{T}_d = \mathscr{T}_{\mathscr{B}_d} = \{U \subset X \mid \forall x \in U,\ \exists r_x > 0 \text{ s.t. } x \in B_d(x, r_x) \subset U\}$$

이다(참고 3.3.12 참조).

(i) $A$가 $X$의 부분집합이므로 우리는 $A$상의 부분공간위상을 생각할 수 있다. 성질 3.4.9에 의해

$$\begin{aligned}(\mathscr{B}_d)_A &= \{A \cap B \mid B \in \mathscr{B}_d\} \\ &= \{A \cap B_d(x, r) \mid x \in X,\ 0 < r \in \mathbb{R}\}\end{aligned}$$

는 부분집합 $A$에 정의되는 부분공간위상 $(\mathscr{T}_d)_A$의 기저이다. 즉, 집합 $A$상의 부분공간위상은

$$(\mathscr{T}_d)_A = \{A \cap U \mid U \in \mathscr{T}_d\} = \mathscr{T}_{(\mathscr{B}_d)_A}$$

이다.

(ii) 한편 집합 $X$상의 거리 $d : X \times X \to \mathbb{R}$의 축소함수

$$d' = d|_{A \times A} : A \times A \to \mathbb{R},\ d'(a, b) = d(a, b)$$

이 집합 $A$상의 거리가 되므로 우리는 거리 $d'$이 생성하는 집합 $A$상의 거리위상을 생각할 수 있다. 거리 $d'$이 생성하는 집합 $A$상의 기저는

$$\mathscr{B}_{d'} = \{B_{d'}(a, r) \subset A \mid a \in A,\ 0 < r \in \mathbb{R}\}$$

이고 $d'$이 유도하는 $A$상의 거리위상 $\mathscr{T}_{d'}$은 기저 $\mathscr{B}_{d'}$이 생성하는 위상이므로

$$\mathscr{T}_{d'} = \mathscr{T}_{\mathscr{B}_{d'}} = \{V \subset A \mid \forall a \in V,\ \exists r_a > 0 \text{ s.t. } a \in B_{d'}(a, r_a) \subset V\}$$

이다. 그리고 우리는 이러한 거리공간 $(A, \mathscr{T}_{d'})$을 $(A, d')$로 표기하기로 하였다.

이제 우리는 거리공간 $X$의 부분집합 $A$상에 정의된 두 위상이 같음을 보이자.

**성질 3.4.10** 거리공간 $(X, d)$의 부분공간 $(A, (\mathscr{T}_d)_A)$는 거리공간 $(A, d')$과 같다. 즉 $(\mathscr{T}_d)_A = \mathscr{T}_{d'}$이다. 따라서 거리공간의 부분공간은 거리공간이다.

증명 임의의 $B_{d'}(a, r) \in \mathscr{B}_{d'}$에 대하여 $B_{d'}(a, r) \subset A$이므로

$$B_{d'}(a, r) = A \cap B_d(a, r) \in (\mathscr{B}_d)_A$$

이다. 따라서 $\mathscr{B}_{d'} \subset (\mathscr{B}_d)_A$이므로

$$\mathscr{T}_{d'} = \mathscr{T}_{\mathscr{B}_{d'}} \subset \mathscr{T}_{(\mathscr{B}_d)_A} = (\mathscr{T}_d)_A$$

이다(참고 3.2.10 참조).

역으로 임의의 $A \cap B_d(x, r) \in (\mathscr{B}_d)_A$와 점 $a \in A \cap B_d(x, r)$에 대하여 $\delta = r - d(a, x)$이라 하자. 그러면

$$B_{d'}(a, \delta) = A \cap B_d(a, \delta), \quad B_d(a, \delta) \subset B_d(x, r)$$

이므로

$$a \in B_{d'}(a, \delta) = A \cap B_d(a, \delta) \subset A \cap B_d(x, r)$$

을 만족하는 $B_{d'}(a, \delta) \in \mathscr{B}_{d'}$가 존재한다. 그러므로 정리 3.2.9에 의해

$$(\mathscr{T}_d)_A = \mathscr{T}_{(\mathscr{B}_d)_A} \subset \mathscr{T}_{\mathscr{B}_{d'}} = \mathscr{T}_{d'}$$

이다.

따라서 $(\mathscr{T}_d)_A = \mathscr{T}_{d'}$이다. □

## 연습문제

**문제 3.4.1** 집합 $X = \{a, b, c, d, e\}$에 위상

$$\mathscr{T} = \{\varnothing, X, \{a\}, \{c, d\}, \{a, c, d\}, \{b, c, d, e\}\}$$

를 준 위상공간 $(X, \mathscr{T})$의 부분집합 $Y = \{b, c, d\}$상의 부분공간위상 $\mathscr{T}_Y$를 구하시오.

**문제 3.4.2** 다음을 보이시오.

(1) 이산공간의 부분공간은 이산공간이다.

(2) 자명한(비이산)공간의 부분공간은 자명한공간이다.

**문제 3.4.3** 다음을 보이시오.

(1) 여유한공간의 부분공간은 여유한공간이다.

(2) 여가산공간의 부분공간은 여가산공간이다.

**문제 3.4.4** 만약 $Y$는 위상공간 $X$의 부분공간이고 $Z$는 $Y$의 부분공간이면 $Z$는 $X$의 부분공간임을 보이시오.

**문제 3.4.5** 위상공간 $(X,\mathscr{T})$와 점 $p \notin X$에 대해 $X^* = X \cup \{p\}$이고

$$\mathscr{T}^* = \{ U \cup \{p\} \mid U \in \mathscr{T} \} \cup \{ \varnothing \}$$

이라 하자.

(1) $\mathscr{T}^*$가 집합 $X^*$상의 위상이 됨을 보이시오.

(2) $A \subset X$에 대해 $A$가 $(X^*,\mathscr{T}^*)$의 닫힌집합일 필요충분조건이 $A$가 $(X,\mathscr{T})$의 닫힌집합임을 보이시오.

(3) 위상공간 $(X^*,\mathscr{T}^*)$의 부분집합 $X$상의 부분공간위상이 $\mathscr{T}$임을 보이시오.

**문제 3.4.6** $\mathbb{R}$을 유클리드(보통)공간이라 하자.

(1) $\mathbb{R}$의 부분집합 $\{\frac{1}{n} \mid n \in \mathbb{N}\}$상의 부분공간위상은 이산위상임을 보이시오.

(2) $\mathbb{R}$의 부분집합 $\{0\} \cup \{\frac{1}{n} \mid n \in \mathbb{N}\}$상의 부분공간위상은 이산위상이 아님을 보이시오.

**문제 3.4.7** 집합 $X$에 두 위상 $\mathscr{T}$와 $\mathscr{T}'$이 주어졌다고 하자. 만약 $\mathscr{T}$가 $\mathscr{T}'$보다 세밀하다면 $X$의 부분집합 $Y$상에 주어지는 부분공간위상 $\mathscr{T}_Y$와 $\mathscr{T}'_Y$ 사이에는 어떠한 관계가 있는가?

**문제 3.4.8** $Y = [-1, 1]$를 유클리드공간 $\mathbb{R}$의 부분공간이라 하자. 다음과 같이 주어진 집합들이 $Y$상의 열린집합인가? 또 $\mathbb{R}$상의 열린집합인가?

(1) $A = \{x \mid \frac{1}{2} < |x| < 1\}$.

(2) $B = \{x \mid \frac{1}{2} < |x| \leq 1\}$.

(3) $C = \{x \mid \frac{1}{2} \leq |x| < 1\}$.

(4) $D = \{x \mid \frac{1}{2} \leq |x| \leq 1\}$.

(5) $E = \{x \mid 0 < |x| < 1,\ \frac{1}{x} \notin \mathbb{N}\}$.

**문제 3.4.9** $I=[a,b]$를 유클리드공간 $\mathbb{R}$의 부분공간이라 하자. 만약 $\mathscr{A}$가 $I$의 쌍마다 서로소인 열린집합들의 모임이면 $\mathscr{A}$는 가산집합임을 보이시오.[14)]

**문제 3.4.10** $Y=[-1,0)\cup(0,1]$를 하극한공간 $\mathbb{R}_l$의 부분공간이라 하자.

(1) $(0,1]$이 $Y$의 열린집합과 닫힌집합이 되는지 판별하시오.

(2) $[-1,0)$이 $Y$의 열린집합과 닫힌집합이 되는지 판별하시오.

**문제 3.4.11** 집합 $\mathbb{R}^2$상의 다음과 같이 주어진 두 기저

$$\mathscr{B}_1=\{[a,b)\times(c,d)\mid a<b,\ c<d,\ a,b,c,d\in\mathbb{R}\},$$
$$\mathscr{B}_2=\{[a,b)\times[c,d)\mid a<b,\ c<d,\ a,b,c,d\in\mathbb{R}\}$$

가 생성하는 위상을 각각 $\mathscr{T}_1$과 $\mathscr{T}_2$라 하자. 그러면 집합 $L=\{(x,y)\in\mathbb{R}^2\mid y=-x\}$ 상의 $(\mathbb{R}^2,\mathscr{T}_1)$과 $(\mathbb{R}^2,\mathscr{T}_2)$의 부분공간위상은 각각 무엇이 되는가?

**문제 3.4.12** 만약 $\mathcal{S}$가 위상공간 $(X,\mathscr{T})$의 부분기저이면 $\mathcal{S}_A=\{A\cap S\mid S\in\mathcal{S}\}$가 부분공간 $(A,\mathscr{T}_A)$의 부분기저임을 보이시오.

**문제 3.4.13** 위상공간 $X$의 두 부분공간 $A, B$가 $A\cup B=X$이고 $U\subset X$이라 하자.

(1) $A, B$가 $X$의 열린집합일 때, 다음이 동치임을 보이시오.

(a) $U$는 $X$의 열린집합이다.

(b) $A\cap U$는 $A$의 열린집합이고 $B\cap U$는 $B$의 열린집합이다.

(2) $A, B$가 $X$의 닫힌집합일 때, 다음이 동치임을 보이시오.

(a) $U$는 $X$의 열린집합이다.

(b) $A\cap U$는 $A$의 열린집합이고 $B\cap U$는 $B$의 열린집합이다.

**문제 3.4.14** $X_1$과 $X_2$는 위상공간 $X$의 부분공간이고 $A\subset X_1\cap X_2$이라 하자.

(1) 만약 $A$가 $X_1$의 열린집합인 동시에 $X_2$의 열린집합이면 $A$는 부분공간 $X_1\cup X_2$의 열린집합이 됨을 보이시오.

(2) 만약 $A$가 $X_1$의 닫힌집합인 동시에 $X_2$의 닫힌집합이면 $A$는 부분공간 $X_1\cup X_2$의 닫힌집합이 됨을 보이시오.

**문제 3.4.15** $X_1$과 $X_2$는 위상공간 $X$의 부분공간이고 $B\subset X_1\cup X_2$라 하자.

(1) $B$가 부분공간 $X_1\cup X_2$의 열린집합이면 $B\cap X_1$은 $X_1$의 열린집합이고 $B\cap X_2$는 $X_2$의 열린집합임을 보이시오.

---

14) 따름정리 2.2.23 참조.

(2) (1)의 역이 성립하지 않는 예를 찾으시오.

(3) $B$가 부분공간 $X_1 \cup X_2$의 닫힌집합이면 $B \cap X_1$은 $X_1$의 닫힌집합이고 $B \cap X_2$는 $X_2$의 닫힌집합임을 보이시오.

(4) (3)의 역이 성립하지 않는 예를 찾으시오.

## 3.5 순서위상(order topology)

이제 전순서집합(totally ordered set) $(X, \leq)$상의 자연스러운 위상인 순서위상에 대하여 알아보자. $a < b$인 두 점 $a, b \in X$에 대하여 다음과 같이 $X$의 부분집합을 정의하자.

$$(a, b) = \{x \in X \mid a < x < b\}$$
$$(a, b] = \{x \in X \mid a < x \leq b\}$$
$$[a, b) = \{x \in X \mid a \leq x < b\}$$
$$[a, b] = \{x \in X \mid a \leq x \leq b\}$$

**정의 3.5.1** $(X, \leq)$를 공집합이 아닌 전순서집합이라 하자. 이제 $\mathscr{B}_o$를 다음과 같은 세 가지 형태의 $X$의 부분집합들의 모임이라 하자:

(i) 모든 $a < b$인 $a, b \in X$에 대하여 $(a, b)$ 형태의 $X$의 부분집합들;

(ii) 만약 $X$의 최소원(극소원소) $a_0$이 존재하면 모든 $a \in X$에 대하여 $[a_0, a)$ 형태의 $X$의 부분집합들;

(iii) 만약 $X$의 최대원(극대원소) $b_0$이 존재하면 모든 $a \in X$에 대하여 $(a, b_0]$ 형태의 $X$의 부분집합들.[15)]

단, 여기서 $(X, \leq)$의 최소원이 존재하지 않는 경우에는 (ii) 형태의 부분집합은 생각하지 않는다. 그리고 $(X, \leq)$의 최대원이 존재하지 않는 경우에는 (iii) 형태의 부분집합은 생각하지 않는다.

이러한 $\mathscr{B}_o$는 집합 $X$상의 기저가 되고, $\mathscr{B}_o$가 생성하는 $X$상의 위상 $\mathscr{T}_o$를 **순서위상**(order topology)이라 한다. 우리는 이러한 순서위상을 준 위상공간 $(X, \mathscr{T}_o)$를 **순서공간**이라 하고 간단히 $(X, \leq)$으로 표기한다.

이제 임의의 점 $a \in X$에 대하여 $X$의 두 부분집합

$$U_a := \{x \in X \mid x > a\}, \ L_a := \{x \in X \mid x < a\}$$

를 생각하자. 먼저 $X$의 최소원 $a_0$과 최대원 $b_0$이 존재하면

$$U_a = (a, b_0], \ L_a = [a_0, a)$$

---

15) $(X, \leq)$가 전순서집합인 경우는 최소원과 극소원소는 같은 의미이고, 최대원과 극대원소도 같은 의미이다.

이다. 그리고 $X$의 최소원과 최대원이 존재하지 않으면 $U_a$와 $L_a$는

$$U_a = \bigcup_{x > a} (a, x), \ \ L_a = \bigcup_{x < a} (x, a)$$

와 같이 기저 $\mathscr{B}_o$의 원소들의 합집합으로 표현된다. 따라서 어느 경우든 $U_a$, $L_a \in \mathscr{T}_o$이다. 즉 $U_a$와 $L_a$는 순서공간 $(X, \leq)$의 열린집합이다.

또한 $a < b$인 임의의 두 점 $a, b \in X$에 대하여 $(a, b) = U_a \cap L_b$이다. 따라서

$$\mathcal{S} = \{U_a \mid a \in X\} \cup \{L_a \mid a \in X\}$$

는 순서공간 $(X, \leq)$의 부분기저이다. 즉 $\mathscr{B}_{\mathcal{S}} = \mathscr{B}_o$이고 $\mathscr{T}_{\mathcal{S}} = \mathscr{T}_o$이다.

한편 임의의 두 점 $a, b \in X$에 대하여 $[a, b] = X - (L_a \cup U_b)$이므로 $[a, b]$는 $(X, \leq)$의 닫힌집합이다.

**보기 3.5.2** (1) 실수 집합 $\mathbb{R}$상의 보통순서 $\leq$는 전순서이고, $(\mathbb{R}, \leq)$는 최대원과 최소원을 갖지 않는 전순서집합이다. 이 경우 집합 $\mathbb{R}$상의 순서위상 $\mathscr{T}_o$의 기저 $\mathscr{B}_o$의 원소는 (i) 형태뿐이므로

$$\mathscr{B}_o = \{(a, b) \mid a, b \in \mathbb{R}, \ a < b\}$$

이다. 그런데 보기 3.2.5에서 보았듯이 $\mathscr{B}_o$는 집합 $\mathbb{R}$상의 보통위상 $\mathscr{U}$의 기저이다. 따라서 $\mathscr{T}_o = \mathscr{T}_{\mathscr{B}_o} = \mathscr{U}$이므로 순서공간 $(\mathbb{R}, \leq)(= (\mathbb{R}, \mathscr{T}_o))$은 유클리드공간 $(\mathbb{R}, \mathscr{U})$와 같다.

(2) $A = [1, 5) \subset \mathbb{R}$에 집합 $\mathbb{R}$상의 보통순서 $\leq$를 그대로 준 $(A, \leq)$는 최소원 1을 갖는 전순서집합이다. 그리고 집합 $A$상의 순서위상 $\mathscr{T}_o^*$의 기저는

$$\mathscr{B}_o^* = \{(a, b) \mid a, b \in A, \ a < b\} \cup \{[1, a) \mid a \in A\}$$

이다. 한편 집합 $A$상의 유클리드공간 $(\mathbb{R}, \mathscr{U})$의 부분공간위상 $\mathscr{U}_A$의 기저는

$$\mathscr{B}_A = \{A \cap (c, d) \mid c, d \in \mathbb{R}, \ c < d\}$$

이다. 먼저 임의의 $a, b \in A$에 대해 $(a, b) = A \cap (a, b)$이고 $[1, a) = A \cap (0, a)$이므로 $\mathscr{B}_o^* \subset \mathscr{B}_A$이 되어 $\mathscr{T}_o^* \subset \mathscr{U}_A$이다. 역으로 임의의 $A \cap (c, d) \in \mathscr{B}_A$와 $x \in A \cap (c, d)$가 주어졌다고 하자. (단, 여기서 $c, d \in \mathbb{R}$이고 $c < d$이다.) 그러면 $1 \leq x < 5$이고 $c < x < d$이다. 이제 $x \in B^* \subset A \cap (c, d)$를 만족하는 $B^* \in \mathscr{B}_o^*$가 존재함을 보이자.

- $x=1$인 경우: $c<1<d$이므로 $1<a<d$인 $a\in A$가 존재한다. 그리고 이러한 $a$에 대해 $[1,a)\in\mathscr{B}_o^*$이고 $1\in[1,a)\subset A\cap(c,d)$이다.
- $x\neq 1$인 경우: $1<x<5$이고 $c<x<d$이므로 $c<a<x<b<d$인 $a,b\in A$가 존재한다. 그리고 이러한 $a,b$에 대해 $(a,b)\in\mathscr{B}_o^*$이고 $x\in(a,b)\subset A\cap(c,d)$이다.

따라서 정리 3.2.9에 의하여 $\mathscr{U}_A\subset\mathscr{T}_o^*$이다. 그러므로 $\mathscr{T}_o^*=\mathscr{U}_A$이다. 다시 말해 순서공간 $(A,\le)(=(A,\mathscr{T}_o^*))$는 유클리드공간 $(\mathbb{R},\mathscr{U})$의 부분공간 $(A,\mathscr{U}_A)$와 같다.

**보기 3.5.3** 집합 $\mathbb{R}^2=\mathbb{R}\times\mathbb{R}$상의 순서를 $\mathbb{R}$상의 보통순서 $\le$가 유도하는 사전식 순서를 주자. 즉 두 점 $(a,b),(c,d)\in\mathbb{R}^2$의 순서는 다음과 같이 정의된다.

$$(a,b)<'(c,d)\ \Leftrightarrow\ \begin{cases}a<c \text{ 또는}\\ a=c,\ b<d\end{cases}$$

그러면 $(\mathbb{R}^2,\le')$는 전순서집합이다. 그리고 $(\mathbb{R}^2,\le')$의 최대원과 최소원은 존재하지 않는다. 따라서 순서공간 $(\mathbb{R}^2,\le')(=(\mathbb{R}^2,\mathscr{T}_o))$의 기저는

$$\mathscr{B}_o=\{((a,b),(c,d))\subset\mathbb{R}^2 \mid (a,b),(c,d)\in\mathbb{R}^2,\ (a,b)<'(c,d)\}$$

이다.

이제 $(a,b)<'(c,d)$을 만족하는 두 점 $(a,b),(c,d)\in\mathbb{R}^2$에 대한 기저의 원소 $((a,b),(c,d))\in\mathscr{B}_o$에 대해서 알아보자.

(i) 먼저 $a<c$인 경우에는

$$\begin{aligned}((a,b),(c,d))&=\{(a,y)\in\mathbb{R}^2 \mid b<y\}\bigcup\{(x,y)\in\mathbb{R}^2 \mid a<x<c,\ y\in\mathbb{R}\}\\&\quad\bigcup\{(c,y)\in\mathbb{R}^2 \mid y<d\}\\&=\{a\}\times(b,\infty)\bigcup(a,c)\times\mathbb{R}\bigcup\{c\}\times(-\infty,d)\end{aligned}$$

이다(그림 3.8(a) 참조).

(ii) 그리고 $a=c$이고 $b<d$인 경우에는

$$((a,b),(a,d))=\{(a,y)\in\mathbb{R}^2 \mid b<y<d\}=\{a\}\times(b,d)$$

이다(그림 3.8(b) 참조).

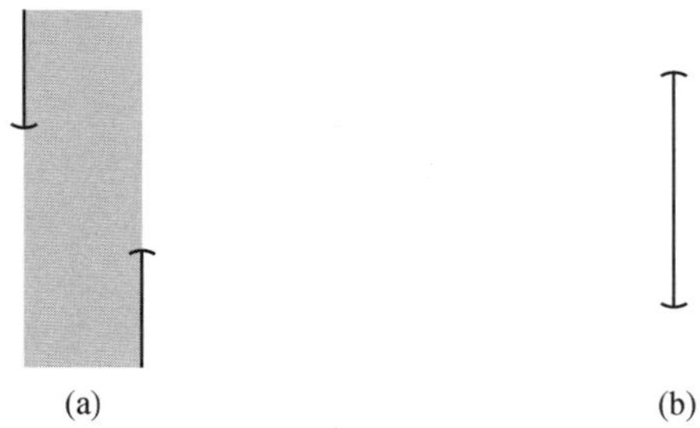

그림 3.8 • $\mathbb{R}^2$상의 사전식 순서위상의 기저의 원소

또한 구간 $((a, b), (a, d))$는 순서공간 $(\mathbb{R}^2, \leq')$의 열린집합이지만 유클리드공간 $\mathbb{R}^2$의 열린집합은 아니다. 따라서 집합 $\mathbb{R}^2$상의 사전식 순서위상 $\mathscr{T}_o$와 보통위상(유클리드위상) $\mathscr{U}$는 서로 다르다. 보다 구체적으로 $\mathscr{U} \subsetneq \mathscr{T}_o$임을 보이자. 보기 3.2.11에 의해

$$\mathscr{B}' = \{(a, b) \times (c, d) \subset \mathbb{R}^2 \mid a < b,\ c < d,\ a, b, c, d \in \mathbb{R}\}$$

이 $\mathscr{U}$의 기저임을 상기하자. 단, 여기서 $(a, b) \times (c, d)$는 집합 $\mathbb{R}$의 두 열린구간 $(a, b)$와 $(c, d)$의 곱집합임을 유의하자. 임의의 $(a, b) \times (c, d) \in \mathscr{B}'$와 점 $(x, y) \in (a, b) \times (c, d)$에 대하여

$$(x, y) \in \{x\} \times (c, d) \subset (a, b) \times (c, d)$$

이다. 그리고 $\{x\} \times (c, d) = ((x, c), (x, d))$이므로

$$(x, y) \in ((x, c), (x, d)) \subset (a, b) \times (c, d)$$

를 만족하는 $\mathscr{T}_o$의 기저의 원소 $((x, c), (x, d)) \in \mathscr{B}_o$가 존재한다. 따라서 정리 3.2.9에 의하여 $\mathscr{U} \subset \mathscr{T}_o$이다. 그리고 앞에서 보았듯이 $U = \{0\} \times (1, 2)$에 대하여 $U = ((0, 1), (0, 2)) \in \mathscr{T}_o$이지만, $U \notin \mathscr{U}$이므로 $\mathscr{U} \subsetneq \mathscr{T}_o$이다.

**보기 3.5.4** 자연수 집합 $\mathbb{N}$상의 보통순서 $\leq$에 의한 전순서집합 $(\mathbb{N}, \leq)$상의 순서위상은 이산위상이 된다: 이를 위하여 모든 한 점 집합 $\{n\}$이 열린집합임을 보이면 된다. 만약 $n \neq 1$이면 $\{n\} = (n-1, n+1) \in \mathscr{B}_o$이므로 $\{n\}$은 순서위상에서 열린집합이다. 한편 $n = 1$이 $(\mathbb{N}, \leq)$의 최소원이므로 $\{1\} = [1, 2) \in \mathscr{B}_o$이 되어 $\{1\}$도 순서위상에서 열린집합이다.

**보기 3.5.5** 집합 $X = \{1, 2\} \times \mathbb{N}$상에 사전식 순서 $\leq'$를 주면 $X$는 전순서집합이 된다. 이제 $a_n = (1, n)$, $b_n = (2, n)$이라 놓으면 $X$의 순서는

$$a_1, a_2, a_3, \dots; b_1, b_2, b_3, \dots$$

과 같이 표현되고 $a_1 = (1, 1)$은 $X$의 최소원이다. 만약 $x \in X$가 $b_1$이 아니면 한 점 집합 $\{x\}$는 순서위상에서 열린집합이 된다. 구체적으로

$$\{a_1\} = [a_1, a_2) \in \mathscr{B}_o,$$
$$\{a_n\} = (a_{n-1}, a_{n+1}) \in \mathscr{B}_o \ (\forall n \geq 2),$$
$$\{b_n\} = (b_{n-1}, b_{n+1}) \in \mathscr{B}_o \ (\forall n \geq 2)$$

이다. 그러나 점 $b_1 \in X$을 포함하는 기저의 원소 $B \in \mathscr{B}_o$는 적당한 원소 $a_n, b_m \in X$에 대하여 $B = (a_n, b_m)$ 형태이다. 이 경우 모든 $i > n$에 대해 $a_i \in B$이므로 $B$는 무한집합이다. 따라서 $b_1 \in B \subset \{b_1\}$을 만족하는 기저의 원소 $B \in \mathscr{B}_o$가 존재하지 않는다. 그러므로 $\{b_1\}$은 $X$상의 순서위상에서 열린집합이 아니다. 따라서 $X$상의 순서위상은 이산위상이 아니다.

## 순서위상의 부분공간위상†

이제 전순서집합 $(X, \leq)$상의 순서위상을 $\mathscr{T}_o$라 하고 $A$를 $X$의 부분집합이라 하자. 그리고 $A$상의 $(X, \mathscr{T}_o)$의 부분공간위상을 $\mathscr{T}_s^*$라 하자. 즉 $\mathscr{T}_s^* = (\mathscr{T}_o)_A$이다. 한편 $X$상의 순서 $\leq$를 부분집합 $A$에 그대로 준 $(A, \leq)$도 전순서집합이 된다. 따라서 $A$상에는 순서위상 $\mathscr{T}_o^*$도 존재한다. 일반적으로 이 두 위상은 같지 않고, $\mathscr{T}_o^* \subset \mathscr{T}_s^*$이 성립한다(성질 3.5.8의 증명 참조). 다음 보기는 이러한 두 위상이 다름을 보여준다.

**보기 3.5.6** (1) $\mathbb{R}$상의 보통순서 $\leq$를 준 순서공간 $(\mathbb{R}, \leq)$의 부분집합 $A = [0, 1) \cup \{2\}$를 생각하자.

먼저 $\{2\}$는 $A$상의 부분공간위상 $\mathscr{T}_s^*$에서 열린집합이다: 왜냐면 $(1, 3)$은 $(\mathbb{R}, \leq)$ $(= (\mathbb{R}, \mathscr{T}_o))$의 열린집합이고 $\{2\} = A \cap (1, 3)$이기 때문이다.

그러나 $\{2\}$는 $A$상의 순서위상 $\mathscr{T}_o^*$에서 열린집합이 아니다: 왜냐하면 2가 $(A, \leq)$의 최대원이므로 2를 포함하는 $\mathscr{T}_o^*$의 기저의 원소 $B^*$는 적당한 $a \in A$에 대하여

$B^*=\{x\in A \mid a<x\le 2\}$ 형태이다. 이 경우 $a<1$이 되어야 하므로 $B^*$는 무한집합이다. 따라서 $2\in B^*\subset\{2\}$를 만족하는 $\mathscr{T}_o^*$의 기저의 원소 $B^*$가 존재하지 않으므로 $\{2\}\not\in\mathscr{T}_o^*$이다.

(2) $\le'$를 집합 $\mathbb{R}\times\mathbb{R}$상의 사전식순서라 하자. 그리고 순서집합 $(\mathbb{R}\times\mathbb{R}, \le')$의 순서위상을 $\mathscr{T}_o$라 하자. 이제 $\mathbb{R}\times\mathbb{R}$의 부분집합 $A=[0,1]\times[0,1]$를 생각하자. 그러면 $U=\{\frac{1}{4}\}\times(\frac{1}{2},1]$에 대하여 $U\in\mathscr{T}_s^*$이지만 $U\not\in\mathscr{T}_o^*$이다. 구체적으로 $\{\frac{1}{4}\}\times(\frac{1}{2},2)=((\frac{1}{4},\frac{1}{2}),(\frac{1}{4},2))\in\mathscr{T}_o$이고 $U=A\cap[\{\frac{1}{4}\}\times(\frac{1}{2},2)]$이므로 $U\in\mathscr{T}_s^*$이다(그림 3.9(b) 참조). 이제 $U\not\in\mathscr{T}_o^*$임을 보이자. 만약 $U\in\mathscr{T}_o^*$이라 가정하면 점 $p=(\frac{1}{4},1)\in U$에 대하여 $p\in B^*\subset U=\{\frac{1}{4}\}\times(\frac{1}{2},1]$을 만족하는 $\mathscr{T}_o^*$의 기저의 원소 $B^*$가 존재한다. 우리는

$$B^*=((a,b),(c,d))=\{(s,t)\in A \mid (a,b)<'(s,t)<'(c,d)\}$$

이라 하자. 단, 여기서 $(a,b),(c,d)\in A$이다(그림 3.9(a) 참조). 그러면 $(a,b)<'(\frac{1}{4},1)<'(c,d)$이므로 $a\le\frac{1}{4}<c$이 되어야 한다. 이제 $\frac{1}{4}<s<c$인 실수 $s$와 $0\le t\le 1$인 실수 $t$에 대하여 $(s,t)\in B^*$이지만 $(s,t)\not\in U$이다. 이는 $B^*\subset U$에 모순이다. 따라서 $U\not\in\mathscr{T}_o^*$이다.

(a) 순서위상 $\mathscr{T}_o^*$의 기저　　　(b) 부분공간위상 $\mathscr{T}_s^*$의 기저

그림 3.9 • $A$상의 두 위상의 기저

**정의 3.5.7** 전순서집합 $(X,\le)$의 부분집합 $A$가 볼록(convex)이란 임의의 두 점 $a,b\in A$에 대하여 $[a,b]=\{x\in X \mid a\le x\le b\}\subset A$를 만족함을 의미한다.

자명하게 전순서집합 $(X,\le)$상의 임의의 두 점 $a,b\in X$에 대하여 $(a,b)$, $[a,b)$, $(a,b]$, $[a,b]$, $U_a$, $L_a$는 모두 $(X,\le)$의 볼록 부분집합이다.

한편 보기 3.5.6(1)의 보통순서에 의한 순서공간 $(\mathbb{R},\le)$의 부분집합 $A=[0,1)\cup\{2\}$

는 볼록이 아니다. 왜냐하면 $\frac{1}{2}, 2 \in A$이고 $\frac{1}{2} \leq \frac{3}{2} \leq 2$이지만 $\frac{3}{2} \notin A$이기 때문이다.

또한 보기 3.5.6(2)의 사전식 순서에 의한 순서공간 $(\mathbb{R}\times\mathbb{R}, \leq')$의 부분집합 $A = [0,1]\times[0,1]$는 볼록이 아니다. 왜냐하면 $(0,0), (1,1) \in A$이고 $(0,0) \leq' (\frac{1}{2}, 2) \leq' (1,1)$이지만 $(\frac{1}{2}, 2) \notin A$이기 때문이다.

**성질 3.5.8** 전순서집합 $(X, \leq)$의 볼록 부분집합 $A$에 대하여 $X$상의 순서 $\leq$를 그대로 준 전순서집합 $(A, \leq)$상의 순서위상 $\mathscr{T}_o^*$은 순서공간 $(X, \leq)$의 부분공간위상 $\mathscr{T}_s^*$와 같다.

증명 전순서집합 $(X, \leq)$상의 순서위상을 $\mathscr{T}_o$라 하고, $\mathscr{B}_o$를 $\mathscr{T}_o$의 기저라 하자. 그리고 순서공간 $(X, \leq)(=(X, \mathscr{T}_o))$의 부분집합 $A$상의 부분공간위상을 $\mathscr{T}_s^*$라 하자. 즉 $\mathscr{T}_s^* = (\mathscr{T}_o)_A$이다. 그리고 $\mathscr{T}_s^*$의 기저를 $\mathscr{B}_s^*$라 하자. 즉

$$\mathscr{B}_s^* = (\mathscr{B}_o)_A = \{A \cap B \mid B \in \mathscr{B}_o\}$$

이다. 또한 $X$상의 순서 $\leq$를 그대로 준 전순서집합 $(A, \leq)$상의 순서위상을 $\mathscr{T}_o^*$라 하고, $\mathscr{B}_o^*$를 $\mathscr{T}_o^*$의 기저라 하자. 이제 $\mathscr{T}_s^* = \mathscr{T}_o^*$임을 보이자.

(1) 먼저 $\mathscr{T}_o^* \subset \mathscr{T}_s^*$임을 보이자.

(i) 임의의 $a \in A$에 대하여

$$U_a^* = \{y \in A \mid y > a\},\ L_a^* = \{y \in A \mid y < a\}$$
$$U_a = \{x \in X \mid x > a\},\ L_a = \{x \in X \mid x < a\}$$

이라 하자. (우리는 $\{U_a^*, L_a^* \mid a \in A\}$가 $\mathscr{T}_o^*$의 부분기저임을 상기하자.) 그러면 $U_a, L_a \in \mathscr{T}_o$이고 $U_a^* = A \cap U_a$, $L_a^* = A \cap L_a$이므로 $U_a^*, L_a^* \in \mathscr{T}_s^*$이다.

(ii) $a < b$인 $a, b \in A$에 대하여 (i)에 의해 $U_a^*, L_b^* \in \mathscr{T}_s^*$이므로

$$(a,b)^* = \{y \in A \mid a < y < b\} = U_a^* \cap L_b^* \in \mathscr{T}_s^*$$

이다.

따라서 (i)과 (ii)에 의해 $\mathscr{B}_o^* \subset \mathscr{T}_s^*$이므로 $\mathscr{T}_o^* \subset \mathscr{T}_s^*$이다(정리 3.2.3 참조).

(2) 역으로 $\mathscr{T}_s^* \subset \mathscr{T}_o^*$임을 보이자.

임의의 $a \in X$에 대하여

$$U_a = \{x \in X \mid x > a\},\ L_a = \{x \in X \mid x < a\}$$

이고 $U_a, L_a \in \mathscr{T}_o$이다.

(iii) 이제 $A \cap U_a \in \mathscr{T}_o^*$임을 보이자.

- $a \in A$인 경우: $A \cap U_a = \{y \in A \mid y > a\} = U_a{}^*$이고 $U_a^* \in \mathscr{T}_o^*$이므로 $A \cap U_a \in \mathscr{T}_o^*$이다.
- $a \not\in A$인 경우: $A$가 볼록이므로 $a > y(\forall y \in A)$이거나 $a < y(\forall y \in A)$이다. 전자의 경우는 $A \cap U_a = \varnothing$이고, 후자의 경우는 $A \cap U_a = A$이다. 따라서 $A \cap U_a \in \mathscr{T}_o^*$이다.

(iv) 같은 방법으로 $A \cap L_a \in \mathscr{T}_o^*$임을 보일 수 있다.

(v) 임의의 $a < b$인 $a, b \in X$에 대하여 $(a, b) = \{x \in X \mid a < x < b\}$이므로 (iii)과 (iv)에 의해

$$A \cap (a, b) = (A \cap U_a) \cap (A \cap L_b) \in \mathscr{T}_o^*$$

이다.

따라서 (iii), (iv), (v)에 의해 $\mathscr{B}_s^* = (\mathscr{B}_o)_A \subset \mathscr{T}_o^*$이므로 $\mathscr{T}_s^* \subset \mathscr{T}_o^*$이다. □

## 연습문제

**문제 3.5.1** 집합 $X = \{0\} \cup \{\frac{1}{n} \mid n \in \mathbb{N}\}$상의 보통순서 $\leq$에 의한 전순서집합 $(X, \leq)$상의 순서위상은 이산위상이 아님을 보이시오.

**문제 3.5.2** 사전식 순서를 준 전순서집합 $\mathbb{N} \times \mathbb{N}$상의 순서위상에 대하여 한 점 집합 $\{(m, n)\}$이 열린집합이 되는 점 $(m, n)$들을 찾으시오.

**문제 3.5.3** 다음과 같이 주어진 사전식 순서공간이 이산공간이 되는지 판별하시오.

(1) $\mathbb{Z} \times \mathbb{Z}$

(2) $\mathbb{Z} \times \mathbb{N}$

(3) $\mathbb{N} \times \mathbb{Z}$

(4) $[0, \infty) \times \mathbb{R}$

**문제 3.5.4** 집합 $\mathbb{R}^2$상의 사전식 순서위상 $\mathscr{T}'$과 다음과 같이 주어진 기저 $\mathscr{B}$가 생성하는 위상 $\mathscr{T}$가

같음을 보이시오.

$$\mathscr{B} = \{\{x\} \times (a, b) \mid x,\ a, b \in \mathbb{R},\ a < b\}$$

**문제 3.5.5** 순서공간 $(X, \le)$상의 서로 다른 두 점 $x, y \in X$에 대하여

$$x \in U, \quad y \in V, \quad U \cap V = \varnothing$$

을 만족하는 열린집합 $U, V$가 존재함을 보이시오.

**문제 3.5.6** 사전식 순서공간 $(\mathbb{R}^2, \le')$은 거리화가능임을 보이시오.

# 4장

# 열린집합과 닫힌집합

CONTENTS

이 장에서는 위상수학의 가장 기본적인 개념인 열린집합과 닫힌집합의 성질들을 깊이 있게 공부할 것이다. 이러한 열린집합과 닫힌집합의 성질들은 앞으로 위상수학을 공부하는데 자주 사용하는 기본적인 성질들이므로 정확히 알아둘 필요가 있다. 특히 열린집합과 내부, 닫힌집합과 폐포의 관계는 앞으로 유용하게 사용될 것이다.

## 4.1 열린집합과 내부

먼저 앞에서 정의한 위상공간의 열린집합과 닫힌집합의 정의를 다시 상기하자(정의 3.1.9 참조).

**정의 4.1.1** 위상공간 $(X, \mathscr{T})$의 부분집합 $A$에 대하여 $A$의 **내부**(interior)란 $A$에 포함되는 모든 열린집합들의 합집합이다. 우리는 $A$의 내부를 $A^\circ$ 또는 $\mathrm{int}(A)$로 표시한다. 따라서

$$\begin{aligned} A^\circ &= \cup \{U \in \mathscr{T} \mid U \subset A\} \\ &= \cup \{U \subset X \mid U\text{는 } U \subset A\text{인 열린집합}\} \end{aligned}$$

이다. 자명하게 $A^\circ \subset A$이고 $A^\circ$는 열린집합이다.

그리고 점 $x \in X$가 $A$의 **내부점**(interior point)이란 $x \in A^\circ$를 의미한다. 즉, $x \in A^\circ$일 필요충분조건은 $x \in U \subset A$를 만족하는 열린집합 $U$가 존재하는 것이다.

$$\begin{aligned} x\text{는 } A\text{의 내부점} &\underset{\text{정의}}{\Leftrightarrow} x \in A^\circ \\ &\Leftrightarrow x \in U \subset A\text{인 열린집합 } U\text{가 존재} \end{aligned}$$

**성질 4.1.2** 위상공간 $X$의 부분집합 $A$에 대하여 $A^\circ$는 $A$에 포함되는 가장 큰 열린집합이다. 즉, 만약 $V$가 $A$에 포함되는 열린집합이면 $V \subset A^\circ \subset A$이다.

증명 내부의 정의에 의해 당연하다. □

**정리 4.1.3** 위상공간 $X$의 부분집합 $A$에 대하여 다음은 서로 동치이다.
(a) $A$는 열린집합이다.
(b) $A = A°$.
(c) 모든 점 $x \in A$는 $A$의 내부점이다. 즉, 각각의 점 $x \in A$에 대하여 $x \in U_x \subset A$인 열린집합 $U_x$가 존재한다.

증명 (a)⇒(b) $A$가 열린집합이면, $A$ 자신이 $A$에 포함되는 가장 큰 열린집합이므로 $A° = A$이다.
(b)⇒(c) $A° = A$이라 하자. 모든 점 $x \in A$에 대해 열린집합 $A°(= U_x)$가 존재하여 $x \in A° \subset A$를 만족한다.
(c)⇒(a) 각각의 점 $x \in A$에 대하여 $x \in U_x \subset A$인 열린집합 $U_x$가 존재하므로 $A = \cup_{x \in A} U_x$이다. 따라서 $A$는 열린집합들의 합집합이므로 열린집합이다. □

**따름정리 4.1.4** $\mathscr{B}$가 위상공간 $X$의 기저이고 $A \subset X$일 때 다음은 동치이다.
(a) $x$는 $A$의 내부점이다(즉 $x \in A°$).
(b) $x \in B \subset A$인 $B \in \mathscr{B}$가 존재한다.

증명 $X = (X, \mathscr{T})$이라 하자.
(a)⇒(b) 만약 $x \in A°$이면 정의에 의하여 $x \in U \subset A$를 만족하는 열린집합 $U \in \mathscr{T}$가 존재한다. $\mathscr{B}$가 $\mathscr{T}$의 기저이므로 $x \in B \subset U$를 만족하는 $B \in \mathscr{B}$가 존재하여 $x \in B \subset A$이다.
(b)⇒(a) $x \in B \subset A$인 $B \in \mathscr{B}$가 존재한다고 하자. 그러면 $\mathscr{B} \subset \mathscr{T}$이므로 $B$가 우리가 원하는 열린집합이다. 따라서 $x$는 집합 $A$의 내부점이다. □

**따름정리 4.1.5** 거리공간 $(X,d)$의 부분집합 $A$에 대하여 다음은 동치이다.
(a) $x$는 $A$의 내부점이다(즉 $x \in A°$).
(b) $B_d(x, r) \subset A$를 만족하는 양의 실수 $r$이 존재한다.

증명 거리공간 $(X,d)$의 기저와 위상이 각각

$$\mathscr{B}_d = \{ B_d(x, r) \mid x \in X,\ 0 < r \in \mathbb{R} \}$$
$$\mathscr{T}_d = \{ U \subset X \mid \forall x \in U,\ \exists r_x > 0 \ \text{ s.t. } x \in B_d(x, r_x) \subset U \}$$

이므로 따름정리 4.1.4에 의하여 성립한다. 구체적으로 만약 $x \in B_d(x,r) \subset A$를 만족하는 양의 실수 $r$이 존재하면 따름정리 4.1.4에 의하여 $x \in A^\circ$이다. 역으로 만약 $x \in A^\circ$이면 $A^\circ \in \mathscr{T}_d$이므로

$$x \in B_d(x,r) \subset A^\circ \subset A$$

를 만족하는 양의 실수 $r$이 존재한다. □

**보기 4.1.6** 유클리드공간 $\mathbb{R}$의 부분집합 $\mathbb{Q}$와 $\mathbb{Q}^c$에 대하여 $\operatorname{int}(\mathbb{Q}) = \varnothing$, $\operatorname{int}(\mathbb{Q}^c) = \varnothing$이다. 그러므로 $\mathbb{Q}$와 $\mathbb{Q}^c$은 모두 $\mathbb{R}$의 열린집합이 아니고 닫힌집합도 아니다.

**풀이** 임의의 점 $x \in \mathbb{R}$와 양의 실수 $r > 0$에 대하여 $B(x,r) = (x-r, x+r)$이므로

$$B(x,r) \not\subset \mathbb{Q},\ B(x,r) \not\subset \mathbb{Q}^c$$

이다.[1] 그러므로 $x \notin \operatorname{int}(\mathbb{Q})$, $x \notin \operatorname{int}(\mathbb{Q}^c)$이다. 따라서 $\operatorname{int}(\mathbb{Q}) = \varnothing$, $\operatorname{int}(\mathbb{Q}^c) = \varnothing$이다.

그리고 $\operatorname{int}(\mathbb{Q}) \neq \mathbb{Q}$, $\operatorname{int}(\mathbb{Q}^c) \neq \mathbb{Q}^c$이므로 정리 4.1.3에 의해 $\mathbb{Q}$와 $\mathbb{Q}^c$은 모두 열린집합이 아니다. 따라서 $\mathbb{Q}$와 $\mathbb{Q}^c$은 모두 닫힌집합도 아니다. □

**보기 4.1.7** 집합 $X = \{a,b,c,d,e\}$에 위상

$$\mathscr{T} = \{\varnothing, X, \{a\}, \{b\}, \{a,b\}, \{a,c,d\}, \{a,b,e\}, \{a,b,c,d\}\}$$

가 주어졌을 때, $X$의 부분집합 $A = \{a,b,c,e\}$의 내부 $A^\circ$를 구하여 보자.

(a) 먼저 $A$의 내부점들을 구해보자.

(i) $a \in \{a\} \subset A$인 $\{a\} \in \mathscr{T}$가 존재하므로 $a \in A^\circ$이다.

(ii) $b \in \{a,b\} \subset A$인 $\{a,b\} \in \mathscr{T}$가 존재하므로 $b \in A^\circ$이다.

(iii) $c \in U \subset A$인 $U \in \mathscr{T}$가 존재하지 않으므로 $c \notin A^\circ$이다.

(iv) $d \notin A$이므로 $d \notin A^\circ$이다.

(v) $e \in \{a,b,e\} \subset A$인 열린집합 $\{a,b,e\}$가 존재하므로 $e \in A^\circ$이다.

따라서 $A^\circ = \{a,b,e\}$이다.

(b) 이제 다른 방법으로 $A^\circ$를 구해보자. $A^\circ$는 $A$에 포함되는 가장 큰 열린집합이므로 $A^\circ = \{a,b,e\}$이다.

---

1) 정리 2.1.12와 따름정리 2.1.14 참조.

**보기 4.1.8** (1) 그림 4.1과 같은 유클리드공간 $\mathbb{R}^2$의 부분집합 $A$에 대하여 점 $p$는 $A$의 내부점이지만 $q$는 $A$의 내부점이 아니다.

(2) 그림 4.2와 같은 유클리드공간 $\mathbb{R}^2$의 부분집합 $X$는 $X$의 모든 점이 $X$의 내부점이므로 $\mathbb{R}^2$의 열린집합이다. 하지만 $\mathbb{R}^2$의 부분집합 $Y$는 $q, r$이 $Y$의 내부점이 아니므로 $Y$는 $\mathbb{R}^2$의 열린집합이 아니다.

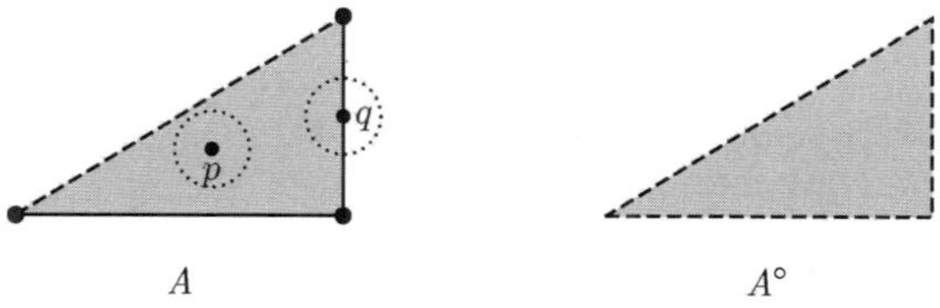


그림 4.1 • 내부점과 내부

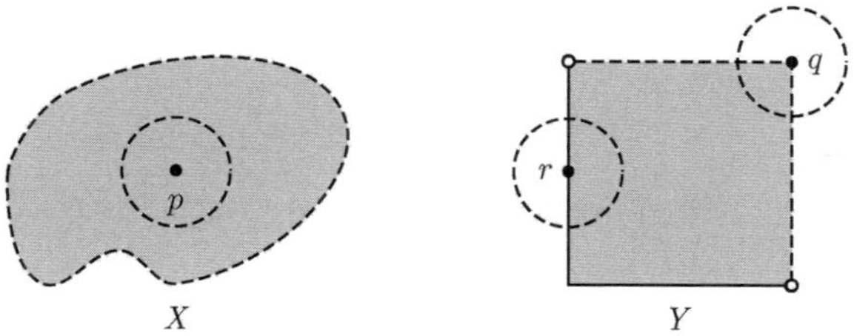


그림 4.2 • $X$는 $\mathbb{R}^2$의 열린집합이지만 $Y$는 열린집합이 아니다

**성질 4.1.9** 위상공간 $X$와 $A, B, A_\alpha \subset X(\alpha \in \Lambda)$에 대하여 다음이 성립한다.

(1) 만약 $A \subset B$이면 $A^\circ \subset B^\circ$이다.

(2) $(A \cup B)^\circ \supset A^\circ \cup B^\circ$.

(3) $(A \cap B)^\circ = A^\circ \cap B^\circ$.

(4) $(\bigcap_{\alpha \in \Lambda} A_\alpha)^\circ \subset \bigcap_{\alpha \in \Lambda} A_\alpha^\circ$.

증명 (1) 만약 $x \in A^\circ$이면 $x \in U \subset A$를 만족하는 열린집합 $U$가 존재한다. 그런데 $A \subset B$이므로 이러한 열린집합 $U$는 $x \in U \subset B$를 만족한다. 따라서 $x \in B^\circ$이다.

(2) $A \subset A \cup B$, $B \subset A \cup B$이므로 (1)에 의하여 $A^\circ \subset (A \cup B)^\circ$, $B^\circ \subset (A \cup B)^\circ$이다. 따라서 $A^\circ \cup B^\circ \subset (A \cup B)^\circ$이 성립한다.

(3) ($\subset$) $A \cap B \subset A$, $A \cap B \subset B$이므로 (1)에 의하여 $(A \cap B)^\circ \subset A^\circ$, $(A \cap B)^\circ \subset B^\circ$이다. 따라서 $(A \cap B)^\circ \subset A^\circ \cap B^\circ$이다.

(⊃) 만약 $p \in A^\circ \cap B^\circ$이면 $p \in A^\circ$, $p \in B^\circ$이다. 따라서

$$p \in U \subset A, \quad p \in V \subset B$$

를 만족하는 열린집합 $U$, $V$가 존재한다. 그러면 열린집합 $U \cap V$에 대해

$$p \in U \cap V \subset A \cap B$$

이므로 $p \in (A \cap B)^\circ$이다.

(4) $E = \bigcap_{\alpha \in \Lambda} A_\alpha$이라 하자. 모든 $\alpha \in \Lambda$에 대하여 $E \subset A_\alpha$이므로 (1)에 의하여 $E^\circ \subset A_\alpha^\circ$이다. 따라서 $E^\circ \subset \bigcap_{\alpha \in \Lambda} A_\alpha^\circ$이다. □

**보기 4.1.10** 성질 4.1.9(2)와 (4)의 등호(=)가 성립하지 않는 보기를 살펴보자.

(i) 먼저 성질 4.1.9(2)의 등호가 성립하지 않는 보기를 보자. 예를 들어 유클리드공간 $\mathbb{R}$의 두 부분집합 $\mathbb{Q}, \mathbb{Q}^c$에 대하여 $\mathbb{Q} \cup \mathbb{Q}^c = \mathbb{R}$이므로 $(\mathbb{Q} \cup \mathbb{Q}^c)^\circ = \mathbb{R}$이다. 한편 $\mathbb{Q}^\circ = \varnothing$, $(\mathbb{Q}^c)^\circ = \varnothing$ 이므로 $\mathbb{Q}^\circ \cup (\mathbb{Q}^c)^\circ = \varnothing$ 이다. 따라서 $\mathbb{Q}^\circ \cup (\mathbb{Q}^c)^\circ \subsetneq (\mathbb{Q} \cup \mathbb{Q}^c)^\circ$ 이다.

(ii) 이제 성질 4.1.9(4)의 등호가 성립하지 않는 보기를 보자. 예를 들어 유클리드공간 $\mathbb{R}$의 부분집합 $A_n = (-\frac{1}{n}, \frac{1}{n})$ $(n \in \mathbb{N})$에 대하여 $A_n^\circ = (-\frac{1}{n}, \frac{1}{n})$이므로 $\bigcap_{n \in \mathbb{N}} A_n^\circ = \bigcap_{n \in \mathbb{N}} (-\frac{1}{n}, \frac{1}{n}) = \{0\}$ 이다. 한편 $\bigcap_{n \in \mathbb{N}} A_n = \{0\}$ 이므로 $(\bigcap_{n \in \mathbb{N}} A_n)^\circ = \{0\}^\circ = \varnothing$ 이다. 따라서 $(\bigcap_{n \in \mathbb{N}} A_n)^\circ \subsetneq \bigcap_{n \in \mathbb{N}} A_n^\circ$이다.

## 부분공간에서의 내부

보기 2.2.9에서 보았듯이 전체공간을 무엇으로 보느냐에 따라 주어진 집합이 열린집합이 될 수도 있고 안 될 수도 있다. 따라서 어떤 집합이 열린집합인지 알기 위해서는 전체공간이 무엇인지가 중요하다. 이를 구별하기 위해 우리는 다음과 같은 기호가 필요하다.

위상공간 $X$의 부분공간 $A$와 집합 $B \subset A \subset X$에 대하여

$$\text{int}_X(B) = \text{위상공간 } X \text{에서의 } B \text{의 내부}$$
$$\text{int}_A(B) = \text{부분공간 } A \text{에서의 } B \text{의 내부}$$

라고 하자.

**성질 4.1.11** 위상공간 $X$의 부분공간 $A$와 집합 $B \subset A \subset X$에 대하여 다음이 성립한다.

(1) $\text{int}_X(B) \subset \text{int}_A(B)$.

(2) $\text{int}_X(B) = \text{int}_X(A) \cap \text{int}_A(B)$.

증명 (1) 만약 $x \in \text{int}_X(B)$이면 $x \in U \subset B$를 만족하는 $X$의 열린집합 $U$가 존재한다. 그리고 $U \subset B \subset A$이므로 $U = A \cap U$는 부분공간 $A$의 열린집합이다. 따라서 $A$의 열린집합 $U$가 $x \in U \subset B$를 만족하므로 $x \in \text{int}_A(B)$이다.

(2) ($\subset$) 성질 4.1.9에 의해 $\text{int}_X(B) \subset \text{int}_X(A)$이고, (1)에 의해 $\text{int}_X(B) \subset \text{int}_A(B)$이므로 $\text{int}_X(B) \subset \text{int}_X(A) \cap \text{int}_A(B)$이다.

($\supset$) 역으로, 만약 $x \in \text{int}_X(A) \cap \text{int}_A(B)$이면

$$x \in U \subset A, \quad x \in V \subset B$$

를 각각 만족하는 $X$의 열린집합 $U$와 $A$의 열린집합 $V$가 존재한다. 그리고 $V$가 $A$의 열린집합이므로, 정리 3.4.3에 의해, $V = A \cap U'$를 만족하는 $X$의 열린집합 $U'$이 존재한다. 그러면 $X$의 열린집합 $U \cap U'$에 대해

$$x \in U \cap U' \subset A \cap U' = V \subset B$$

이므로 $x \in \text{int}_X(B)$이다. □

**보기 4.1.12** 유클리드공간 $\mathbb{R}$의 부분공간 $A = (1, 4]$를 생각하자.

(1) 집합 $B = (1, 3)$이 $\mathbb{R}$의 열린집합이므로 $B = A \cap B$는 부분공간 $A$의 열린집합이다. 따라서

$$\text{int}_{\mathbb{R}}(B) = B, \quad \text{int}_A(B) = B$$

이므로 $\text{int}_{\mathbb{R}}(B) = \text{int}_A(B)$이다.

(2) 집합 $C = (2, 4]$에 대하여 $\text{int}_{\mathbb{R}}(C) = (2, 4)$이다. 한편 집합 $(2, 5)$가 $\mathbb{R}$의 열린집합이므로 집합 $(2, 4] = A \cap (2, 5)$는 부분공간 $A$의 열린집합이 되어

$$\text{int}_A(C) = (2, 4]$$

이다. 따라서 $\text{int}_{\mathbb{R}}(C) \subsetneq \text{int}_A(C)$이고, $\text{int}_{\mathbb{R}}(C) = \text{int}_A(C) \cap \text{int}_{\mathbb{R}}(A)$이다. 여기서 $\text{int}_A(C) \neq \text{int}_{\mathbb{R}}(C) \cap A$임을 주의하자.

## 연습문제

**문제 4.1.1** 유클리드(보통)공간 $\mathbb{R}$의 다음 부분집합들의 열린집합 여부를 판정하여라.

(1) $A=\{x\in\mathbb{R} \mid 1<|x|\leq 2\}$.

(2) $B=\{x\in\mathbb{R} \mid 2<|x|<3\}$.

(3) $C=\{\frac{1}{n} \mid n\in\mathbb{N}\}$.

(4) $D=\{0\}\cup\{\frac{1}{n} \mid n\in\mathbb{N}\}$.

(5) $E=\{x\in\mathbb{R} \mid \frac{1}{x}\notin\mathbb{Z}\}$.

**문제 4.1.2** 유클리드공간 $\mathbb{R}$의 쌍마다 서로소인 열린집합들의 모임은 가산집합임을 보이시오.

**문제 4.1.3** 여가산공간 $(X,\mathscr{T}_c)$의 가산개의 열린집합들의 교집합도 열린집합임을 보이시오.

**문제 4.1.4** 위상공간 $X$의 두 부분집합 $A$와 $B$에 대하여 $(A-B)^\circ\subset A^\circ-B^\circ$가 성립함을 보이시오. 또한 등호(=)가 성립하지 않는 예를 드시오.

**문제 4.1.5** $H=\{(x,y)\in\mathbb{R}^2 \mid y\geq 0\}$를 유클리드공간 $\mathbb{R}^2$의 부분공간이라 하자.

(1) 집합 $A=\{(x,y)\in H \mid 0<x<1,\ y\geq 0\}$는 $H$의 열린집합임을 보이시오.

(2) 집합 $B=\{(x,y)\in H \mid 0\leq x\leq 1,\ 0\leq y\leq 1\}$에 대하여 $\text{int}_H(B)$를 구하시오.

(3) $\text{int}_{\mathbb{R}^2}(B)$를 구하시오.

(4) $\text{int}_H(B)\neq\text{int}_{\mathbb{R}^2}(B)\cap H$임을 확인하시오.

## 4.2 닫힌집합과 폐포

**정의 4.2.1** 위상공간 $X$의 점 $x$에 대하여 $X$의 부분집합 $N$이 $x$의 **근방**(neighborhood 또는 neighbourhood)이란 다음을 만족하는 $X$의 열린집합 $U$가 존재함을 뜻한다:

$$x \in U \subset N$$

특별히 $N$이 $X$의 열린집합인 경우, $N$을 $x$의 **열린근방**(open neighborhood)이라 한다. 즉, $x$의 열린근방이란 $x$를 포함하는 열린집합을 뜻한다.

**정의 4.2.2** $A$를 위상공간 $X$의 부분집합이라 하자.

(1) 점 $x \in X$가 $A$의 **극한점**(limit point) 또는 **집적점**(accumulation point)이란 $x$의 모든 열린근방 $U$에 대하여 $A \cap U - \{x\} \neq \varnothing$인 경우를 뜻한다.

(2) $A$의 **도집합**(derived set) $A'$이란 $A$의 극한점들의 모임을 뜻한다. 즉,

$$A' = \{x \in X \mid x\text{는 } A\text{의 극한점}\}$$

이다.

(3) $A$의 **폐포**(closure)란 $A$를 포함하는 모든 닫힌집합들의 교집합이다. 우리는 $A$의 폐포를 $\overline{A}$ 또는 $\mathrm{cl}(A)$로 표시한다. 따라서

$$\overline{A} = \cap \{C \subset X \mid C\text{는 } A \subset C\text{인 } X\text{의 닫힌집합}\}$$

이다. 자명하게 $A \subset \overline{A}$이고 $\overline{A}$는 닫힌집합이다.

**참고 4.2.3** 여기서 우리는

$$(A \cap U) - \{x\} = A \cap (U - \{x\}) = (A - \{x\}) \cap U$$

이 성립함을 상기하자.

**보기 4.2.4** 집합 $X = \{a, b, c, d, e\}$에 다음과 같은 위상 $\mathscr{T}$가 주어졌을 때, 부분집합 $A = \{b, c\}$의 도집합 $A'$과 폐포 $\overline{A}$를 구해보자.

$$\mathscr{T} = \{\varnothing, X, \{a\}, \{b\}, \{a, b\}, \{a, c, d\}, \{a, b, e\}, \{a, b, c, d\}\}$$

**풀이** (a) 먼저 $A'$을 구하여 보자.

(i) $x=a$인 경우, $a\in\{a\}\in\mathscr{T}$이고 $A\cap\{a\}-\{a\}=\varnothing$이므로 $a\notin A'$이다.

(ii) $x=b$인 경우, $b\in\{b\}\in\mathscr{T}$이고 $A\cap\{b\}-\{b\}=\varnothing$이므로 $b\notin A'$이다.

(iii) $x=c$인 경우, $c\in\{a,c,d\}\in\mathscr{T}$이고 $A\cap\{a,c,d\}-\{c\}=\varnothing$이므로 $c\notin A'$이다.

(iv) $x=d$인 경우, $d$의 열린근방은 $X$, $\{a,c,d\}$, $\{a,b,c,d\}$뿐이고

$$A\cap X-\{d\}=\{b,c\}\neq\varnothing,$$
$$A\cap\{a,c,d\}-\{d\}=\{c\}\neq\varnothing,$$
$$A\cap\{a,b,c,d\}-\{d\}=\{b,c\}\neq\varnothing$$

이므로 $d\in A'$이다.

(v) $x=e$인 경우, $e$의 열린근방은 $X$, $\{a,b,e\}$뿐이고

$$A\cap X-\{e\}=\{b,c\}\neq\varnothing,$$
$$A\cap\{a,b,e\}-\{e\}=\{b\}\neq\varnothing$$

이므로 $e\in A'$이다.

따라서 $A'=\{d,e\}$이다.

이 보기에서 알 수 있듯이 일반적으로 $A'$은 닫힌집합이 되는 것은 아니다 (성질 4.3.13, 문제 7.1.9 참조).

(b) 이제 $A$의 폐포 $\overline{A}$를 구하여 보자. 위상공간 $(X,\mathscr{T})$의 닫힌집합은 $X$의 열린집합의 여집합이므로 $X$의 닫힌집합은

$$X,\ \varnothing,\ \{b,c,d,e\},\ \{a,c,d,e\},\ \{c,d,e\},\ \{b,e\},\ \{c,d\},\ \{e\}$$

뿐이다. 이 중에서 $A=\{b,c\}$를 포함하는 닫힌집합은 $X$, $\{b,c,d,e\}$이므로 $\overline{A}=X\cap\{b,c,d,e\}=\{b,c,d,e\}$이다. □

**기초정리 4.2.5** 위상공간 $X$와 $A\subset X$에 대하여 다음은 동치이다.

(a) $x\in A'$.

(b) 임의의 $x$의 근방 $N$에 대하여 $A\cap N-\{x\}\neq\varnothing$이다.

**증명** (a)⇒(b) 임의의 $x$의 근방 $N$에 대하여 $x\in U\subset N$을 만족하는 열린집합 $U$가 존재한다. 그러면 (a)에 의하여 $A\cap U-\{x\}\neq\varnothing$이다. 그런데 $A\cap U-\{x\}\subset$

$A \cap N - \{x\}$이므로 $A \cap N - \{x\} \neq \varnothing$이 된다.

(b)⇒(a) 임의의 $x$의 열린근방 $U$는 $x$의 근방이므로 (b)에 의하여 $A \cap U - \{x\} \neq \varnothing$이다. 따라서 $x \in A'$이다. □

**성질 4.2.6** $\mathscr{B}$가 위상공간 $X$의 기저이고 $A \subset X$일 때 다음은 동치이다.

(a) $x \in A'$.

(b) $x \in B$인 $B \in \mathscr{B}$에 대하여 $A \cap B - \{x\} \neq \varnothing$이다.

증명 (a)⇒(b) 먼저 $x \in A'$이라 하자. 모든 $B \in \mathscr{B}$가 열린집합이므로 정의에 의하여 $x \in B$를 만족하는 $B \in \mathscr{B}$에 대하여 $A \cap B - \{x\} \neq \varnothing$이다.

(b)⇒(a) 점 $x \in X$가 조건 (b)를 만족한다고 하자. 이제 임의의 $x$의 열린근방 $U$에 대하여, $\mathscr{B}$가 기저이므로 $x \in B \subset U$인 $B \in \mathscr{B}$가 존재한다. 그런데 가정에 의하여 $A \cap B - \{x\} \neq \varnothing$이고 $A \cap B - \{x\} \subset A \cap U - \{x\}$이므로 $A \cap U - \{x\} \neq \varnothing$이다. 따라서 $x \in A'$이다. □

성질 4.2.6으로부터 우리는 다음 따름정리를 얻는다.

**따름정리 4.2.7** 거리공간 $(X,d)$의 부분집합 $A$에 대해 다음은 서로 동치이다.

(a) $x \in A'$.

(b) $\forall r > 0,\ A \cap B_d(x,r) - \{x\} \neq \varnothing$.

(c) $\forall r > 0,\ \exists y \in A \cap B_d(x,r)$ s.t. $y \neq x$.

**보기 4.2.8** 유클리드공간 $\mathbb{R}$의 부분집합 $\mathbb{Q}$, $\mathbb{Q}^c$에 대해 $\mathbb{Q}' = (\mathbb{Q}^c)' = \mathbb{R}$이다.

풀이 임의로 주어진 점 $x \in \mathbb{R}$와 임의의 양의 실수 $r$에 대하여 $B(x,r) = (x-r, x+r)$이고 $(x-r, x+r)$은 무수히 많은 유리수와 무리수를 포함하므로 이 구간은 $x$와 다른 유리수와 무리수를 포함한다.[2] 그러므로 $x \in \mathbb{Q}'$, $x \in (\mathbb{Q}^c)'$이다. 따라서 $\mathbb{Q}' = (\mathbb{Q}^c)' = \mathbb{R}$이다. □

---

2) 정리 2.1.12와 따름정리 2.1.14 참조.

**성질 4.2.9** 위상공간 $X$와 $A, B, A_\alpha \subset X\ (\alpha \in \Lambda)$에 대하여 다음이 성립한다.

(1) 만약 $A \subset B$이면 $A' \subset B'$이다.

(2) $(A \cap B)' \subset A' \cap B'$.

(3) $(A \cup B)' = A' \cup B'$.

(4) $(\cup_{\alpha \in \Lambda} A_\alpha)' \supset \cup_{\alpha \in \Lambda} A'_\alpha$.

증명 (1) $x \in A'$이라 하자. 그러면 임의의 $x$의 열린근방 $U$에 대하여 $A \cap U - \{x\} \neq \varnothing$이다. 그리고 $A \cap U - \{x\} \subset B \cap U - \{x\}$이므로 $B \cap U - \{x\} \neq \varnothing$이다. 따라서 $x \in B'$이다. 그러므로 $A' \subset B'$이다.

(2) $A \cap B \subset A$, $A \cap B \subset B$이므로 (1)에 의하여 $(A \cap B)' \subset A'$, $(A \cap B)' \subset B'$이다. 따라서 $(A \cap B)' \subset A' \cap B'$이다.

(3) ($\subset$) 만약 $x \notin A' \cup B'$이라 하면 $x \notin A'$이므로 $A \cap U - \{x\} = \varnothing$을 만족하는 $x$의 열린근방 $U$가 존재한다. 그리고 $x \notin B'$이므로 $B \cap V - \{x\} = \varnothing$을 만족하는 $x$의 열린근방 $V$도 존재한다. 그러면 $U \cap V$는 $x$의 열린근방으로서

$$(A \cup B) \cap (U \cap V) - \{x\} = [A \cap (U \cap V) - \{x\}] \cup [B \cap (U \cap V) - \{x\}]$$
$$\subset (A \cap U - \{x\}) \cup (B \cap V - \{x\}) = \varnothing$$

이므로 $(A \cup B) \cap (U \cap V) - \{x\} = \varnothing$이다. 따라서 $x \notin (A \cup B)'$이다. 그러므로 $(A \cup B)' \subset A' \cup B'$이다.

($\supset$) (방법1) $A \subset A \cup B$, $B \subset A \cup B$이므로 (1)에 의하여 $A' \subset (A \cup B)'$, $B' \subset (A \cup B)'$이다. 따라서 $A' \cup B' \subset (A \cup B)'$이 성립한다.

(방법2) 만약 $x \in A' \cup B'$이라 가정하면 $x \in A'$이거나 $x \in B'$이므로 우리는 일반성을 잃지 않고 $x \in A'$이라 할 수 있다. 이제 $U$를 $x$의 임의의 열린근방이라 하면 $x \in A'$이므로 $A \cap U - \{x\} \neq \varnothing$이다. 그리고

$$A \cap U - \{x\} \subset (A \cup B) \cap U - \{x\}$$

이므로 $(A \cup B) \cap U - \{x\} \neq \varnothing$이다. 따라서 $x \in (A \cup B)'$이다. 그러므로 $A' \cup B' \subset (A \cup B)'$이다.

(4) $E = \cup_{\alpha \in \Lambda} A_\alpha$이라 하자. 모든 $\alpha \in \Lambda$에 대하여 $A_\alpha \subset E$이므로 (1)에 의하여 $A'_\alpha \subset E'$이다. 따라서 $\cup_{\alpha \in \Lambda} A'_\alpha \subset E'$이다. □

**보기 4.2.10** 성질 4.2.9(2)와 (4)의 등호가 성립하지 않는 보기를 살펴보자.

(i) 먼저 성질 4.2.9(2)의 등호가 성립하지 않는 보기를 보자. 예를 들어 유클리드공간

$\mathbb{R}$의 두 부분집합 $\mathbb{Q}$, $\mathbb{Q}^c$에 대하여 $\mathbb{Q}\cap\mathbb{Q}^c=\varnothing$이므로 $(\mathbb{Q}\cap\mathbb{Q}^c)'=\varnothing$이다. 한편 $\mathbb{Q}'=\mathbb{R}$, $(\mathbb{Q}^c)'=\mathbb{R}$이므로 $\mathbb{Q}'\cap(\mathbb{Q}^c)'=\mathbb{R}$이다. 따라서 $(\mathbb{Q}\cap\mathbb{Q}^c)'\subsetneq\mathbb{Q}'\cap(\mathbb{Q}^c)'$이다.

(ii) 이제 성질 4.2.9(4)의 등호가 성립하지 않는 보기를 보자. 예를 들어 유클리드공간 $\mathbb{R}$의 부분집합 $A_q=\{q\}$ $(q\in\mathbb{Q})$에 대하여 $A_q'=\varnothing$이므로 $\cup_{q\in\mathbb{Q}}A_q'=\varnothing$이다. 한편 $\cup_{q\in\mathbb{Q}}A_q=\mathbb{Q}$이므로 $(\cup_{q\in\mathbb{Q}}A_q)'=\mathbb{Q}'=\mathbb{R}$이다. 따라서 $\cup_{q\in\mathbb{Q}}A_q'\subsetneq(\cup_{q\in\mathbb{Q}}A_q)'$이다.

**성질 4.2.11** 위상공간 $X$의 부분집합 $A$에 대하여 $\overline{A}$는 $A$를 포함하는 가장 작은 닫힌집합이다. 즉, $F$가 $A$를 포함하는 닫힌집합이면 $A\subset\overline{A}\subset F$이다.

증명 폐포의 정의에 의해 당연하다. □

**보기 4.2.12** 집합 $X=\{x_1,x_2,x_3,x_4,x_5\}$상에 위상

$$\mathscr{T}=\{X,\varnothing,\{x_1\},\{x_1,x_2\},\{x_1,x_3,x_4\},\{x_1,x_2,x_3,x_4\},\{x_1,x_2,x_5\}\}$$

가 주어졌을 때, 부분집합 $\{x_2\}$의 폐포를 구해보자.

풀이 위상공간 $(X,\mathscr{T})$의 닫힌집합들은 다음과 같다:

$$\varnothing,X,\{x_2,x_3,x_4,x_5\},\{x_3,x_4,x_5\},\{x_2,x_5\},\{x_5\},\{x_3,x_4\}$$

따라서 $\{x_2\}$를 포함하는 가장 작은 닫힌집합이 $\{x_2,x_5\}$이므로 $\{x_2\}$의 폐포는 $\{x_2,x_5\}$이다. □

**정리 4.2.13** 위상공간 $X$의 부분집합 $A$에 대하여 다음은 서로 동치이다.

(a) $x\in\overline{A}$.

(b) 임의의 $x$의 열린근방 $U$에 대하여 $A\cap U\neq\varnothing$이다.

(c) 임의의 $x$의 근방 $N$에 대하여 $A\cap N\neq\varnothing$이다.[3)]

증명 (a)⇒(b) (대우) $A\cap U=\varnothing$인 $x$의 열린근방 $U$가 존재한다고 가정하자. 그러면 $U^c$은 $A\subset U^c$인 닫힌집합이므로 성질 4.2.11에 의해 $\overline{A}\subset U^c$이다. 그런데 $x\in U$이므로 $x\notin U^c$이 되어 $x\notin\overline{A}$이다.

(b)⇒(c) 임의의 $x$의 근방 $N$에 대해 $x\in U\subset N$인 열린집합 $U$가 존재한다. 그

3) $x\in\overline{A}$인 점 $x\in X$를 $A$의 **밀착점**(부착점, adherent point)이라 부르기도 한다.

리고 (b)에 의하여 $A\cap U\neq\varnothing$이고 $A\cap U\subset A\cap N$이므로 $A\cap N\neq\varnothing$이다.

(c)⇒(a) (대우) $x\not\in\overline{A}$이라 가정하자. 만약 $N=(\overline{A})^c$이라 하면 $\overline{A}$가 닫힌집합이므로 $N$은 열린집합이다. 그리고 $x\in N$이고 $A\subset\overline{A}$이므로 $N$은 $A\cap N=\varnothing$을 만족하는 $x$의 (열린)근방이다. □

**따름정리 4.2.14** $\mathscr{B}$가 위상공간 $X$의 기저이고 $A\subset X$일 때 다음은 동치이다.

(a) $x\in\overline{A}$.

(b) $x\in B$인 $B\in\mathscr{B}$에 대하여 $A\cap B\neq\varnothing$이다.

증명 (a)⇒(b) 먼저 $x\in\overline{A}$라 하자. 만약 $x\in B\in\mathscr{B}$이면 $B$가 열린집합이므로 정리 4.2.13에 의하여 $A\cap B\neq\varnothing$이다.

(b)⇒(a) 이제 점 $x\in X$가 조건 (b)를 만족한다고 하자. 임의의 $x$의 열린근방 $U$에 대하여, $\mathscr{B}$가 기저이므로 $x\in B\subset U$인 $B\in\mathscr{B}$가 존재한다. 그런데 가정에 의하여 $A\cap B\neq\varnothing$이고 $A\cap B\subset A\cap U$이므로 $A\cap U\neq\varnothing$이다. 따라서 정리 4.2.13에 의하여 $x\in\overline{A}$이다. □

앞의 따름정리 4.2.14로부터 우리는 다음 따름정리를 얻는다.

**따름정리 4.2.15** 거리공간 $(X,d)$와 $A\subset X$에 대하여 다음은 동치이다.

(a) $x\in\overline{A}$.

(b) $\forall r>0,\ A\cap B_d(x,r)\neq\varnothing$.

**보기 4.2.16** 그림 4.3과 같은 유클리드공간 $\mathbb{R}^2$의 점 $c$를 포함하는 부분집합 $A$를 생각하자. $A$의 내부에 있는 점 $a$에 대해 $a$를 중심으로 하는 모든 열린구들이 $A$와 무수히 많은 점에서 만나므로 $a$는 $A$의 극한점이다. 그리고 경계에 있는 점 $b$역시 $b$를 중심으로 하는 모든 열린구들이 $A$와 무수히 많은 점에서 만나므로 $b$는 $A$의 극한점이다. 그리고 홀로 떨어져 있는 점 $c$는 $A$와 만나는 점이 $c$ 자신밖에 없는 $c$를 중심으로 하는 열린구가 존재하므로 $c$는 $A$의 극한점이 아니다. 그리고 그 밖의 점 $e$에 대하여 $A$와 만나지 않는 $e$를 중심으로 하는 열린구가 존재하므로 $e$는 $A$의 극한점이 아니다. 따라서 $A$의 도집합 $A'$과 폐포 $\overline{A}$는 그림 4.3과 같다.

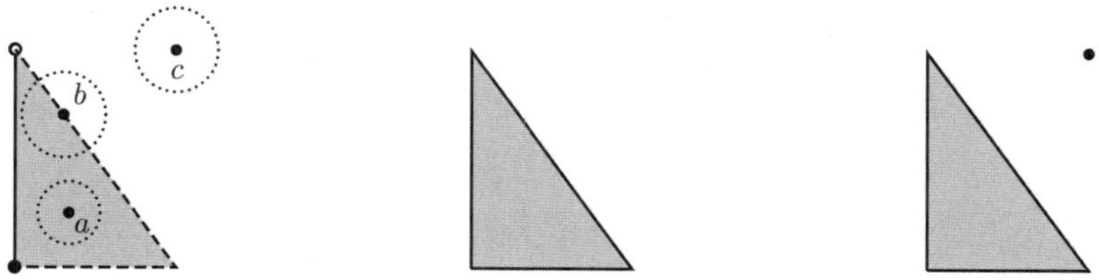


$A$ $A'$ $\overline{A}$

그림 4.3 • 도집합과 폐포

**보기 4.2.17** 유클리드공간 $\mathbb{R}$의 부분집합 $\mathbb{Q}$, $\mathbb{Q}^c$에 대해 $\overline{\mathbb{Q}} = \overline{\mathbb{Q}^c} = \mathbb{R}$이다.

**풀이** 임의로 주어진 점 $x \in \mathbb{R}$와 양의 실수 $r$에 대해 $B(x, r) = (x - r, x + r)$이므로

$$B(x, r) \cap \mathbb{Q} \neq \varnothing, \; B(x, r) \cap \mathbb{Q}^c \neq \varnothing$$

이 되어 $x \in \overline{\mathbb{Q}}$, $x \in \overline{\mathbb{Q}^c}$이다. 따라서 $\overline{\mathbb{Q}} = \overline{\mathbb{Q}^c} = \mathbb{R}$이다. □

**성질 4.2.18** 위상공간 $X$와 $A, B, A_\alpha \subset X (\alpha \in \Lambda)$에 대하여 다음이 성립한다.

(1) 만약 $A \subset B$이면 $\overline{A} \subset \overline{B}$이다.

(2) $\overline{A \cup B} = \overline{A} \cup \overline{B}$.

(3) $\cup_{\alpha \in \Lambda} \overline{A_\alpha} \subset \overline{\cup_{\alpha \in \Lambda} A_\alpha}$.

(4) $\overline{A \cap B} \subset \overline{A} \cap \overline{B}$.

(5) $\overline{(A^c)} = (A^\circ)^c$, $(\overline{A})^c = (A^c)^\circ$.

**증명** (1) $x \in \overline{A}$이라 하자. 정리 4.2.13에 의해 임의의 $x$의 열린근방 $U$에 대하여 $A \cap U \neq \varnothing$이다. 그런데 $A \cap U \subset B \cap U$이므로 $B \cap U \neq \varnothing$이다. 따라서 정리 4.2.13에 의해 $x \in \overline{B}$이다.

(2) ($\supset$) $A \subset A \cup B$, $B \subset A \cup B$이므로 (1)에 의하여 $\overline{A} \subset \overline{A \cup B}$, $\overline{B} \subset \overline{A \cup B}$이다. 따라서 $\overline{A} \cup \overline{B} \subset \overline{A \cup B}$이 성립한다.

($\subset$) 만약 $x \notin \overline{A} \cup \overline{B}$이라 하면 $x \notin \overline{A}$, $x \notin \overline{B}$이므로 $A \cap U = \varnothing$, $B \cap V = \varnothing$을 만족하는 $x$의 열린근방 $U$, $V$가 존재한다. 그러면 $U \cap V$는 $x$의 열린근방이고

$$\begin{aligned}(A \cup B) \cap (U \cap V) &= [A \cap (U \cap V)] \cup [B \cap (U \cap V)] \\ &\subset (A \cap U) \cup (B \cap V) = \varnothing\end{aligned}$$

이므로 $x \notin \overline{A \cup B}$이다.

(3) $E = \cup_{\alpha \in \Lambda} A_\alpha$이라 하자. 모든 $\alpha \in \Lambda$에 대하여 $A_\alpha \subset E$이므로 (1)에 의하여 $\overline{A}_\alpha \subset \overline{E}$이다. 따라서 $\cup_{\alpha \in \Lambda} \overline{A}_\alpha \subset \overline{E}$이 성립한다.

(4) $A \cap B \subset A$, $A \cap B \subset B$이므로 (1)에 의하여 $\overline{A \cap B} \subset \overline{A}$, $\overline{A \cap B} \subset \overline{B}$이다. 따라서 $\overline{A \cap B} \subset \overline{A} \cap \overline{B}$이다.

(5) ($\subset$) $A^\circ \subset A$이므로 $A^c \subset (A^\circ)^c$이다. 그런데 $(A^\circ)^c$이 닫힌집합이므로 성질 4.2.11에 의해 $\overline{(A^c)} \subset (A^\circ)^c$이다.

($\supset$) 만약 $x \notin \overline{(A^c)}$이면 $A^c \cap U = \varnothing$을 만족하는 $x$의 열린근방 $U$가 존재한다. 그런데 $x \in U \subset A$이므로 $x \in A^\circ$이다. 따라서 $x \notin (A^\circ)^c$이다.

그러므로 $\overline{(A^c)} = (A^\circ)^c$이다. 그리고 $A$ 대신 $A^c$을 대입하면 $(\overline{A})^c = (A^c)^\circ$이 성립한다. □

**보기 4.2.19** 성질 4.2.18(3)과 (4)의 등호가 성립하지 않는 보기를 살펴보자.

(i) 먼저 성질 4.2.18(3)의 등호가 성립하지 않는 보기를 보자. 예를 들어 유클리드공간 $\mathbb{R}$의 부분집합 $A_p = \{p\}$ $(p \in \mathbb{Q})$에 대하여 $\overline{A}_p = \{p\}$이므로 $\cup_{p \in \mathbb{Q}} \overline{A}_p = \mathbb{Q}$이다. 한편 $\cup_{p \in \mathbb{Q}} A_p = \mathbb{Q}$이므로 $\overline{\cup_{p \in \mathbb{Q}} A_p} = \overline{\mathbb{Q}} = \mathbb{R}$이다.

(ii) 이제 성질 4.2.18(4)의 등호가 성립하지 않는 보기를 들자. 예를 들어 유클리드공간 $\mathbb{R}$의 두 부분집합 $\mathbb{Q}$, $\mathbb{Q}^c$에 대하여 $\mathbb{Q} \cap \mathbb{Q}^c = \varnothing$이므로 $\overline{\mathbb{Q} \cap \mathbb{Q}^c} = \varnothing$이다. 한편 $\overline{\mathbb{Q}} = \mathbb{R}$, $\overline{\mathbb{Q}^c} = \mathbb{R}$이므로 $\overline{\mathbb{Q}} \cap \overline{\mathbb{Q}^c} = \mathbb{R}$이다.

**정리 4.2.20** 위상공간 $X$의 부분집합 $A$에 대하여 다음이 성립한다:

$$\overline{A} = A \cup A'$$

**증명** ($\supset$) 폐포의 정의에 의하여 $A \subset \overline{A}$이므로 $A' \subset \overline{A}$을 보이면 충분하다. 이를 위해 $x \in A'$이라 하자. 임의의 $x$의 열린근방 $U$에 대하여 $A \cap U - \{x\} \neq \varnothing$이다. 한편 $A \cap U - \{x\} \subset A \cap U$이므로 $A \cap U \neq \varnothing$이다. 따라서 정리 4.2.13에 의해 $x \in \overline{A}$이다. 그러므로 $A' \subset \overline{A}$이다.

($\subset$) 이제 $x \notin A \cup A'$이라 하자. 그러면 $x \notin A$이고 $x \notin A'$이다. 먼저 $x \notin A'$이므로 $A \cap U - \{x\} = \varnothing$을 만족하는 $x$의 열린근방 $U$가 존재한다. 한편 $x \notin A$이므로 $A \cap U - \{x\} = A \cap U$이다. 그러므로 $x$의 열린근방 $U$는

$A \cap U = \varnothing$을 만족한다. 그리고 정리 4.2.13에 의하여 $x \notin \overline{A}$이다. 따라서 $\overline{A} \subset A \cup A'$이다. □

**정리 4.2.21** 위상공간 $X$의 부분집합 $A$에 대하여 다음은 서로 동치이다.
(a) $A$는 닫힌집합이다.
(b) $\overline{A} = A$.
(c) $A' \subset A$.

**증명** (b)⇔(c) 정리 4.2.20에 의해 성립한다.

(a)⇒(b) 만약 $A$가 ($X$의) 닫힌집합이면 $A$는 자기 자신 $A$를 포함하는 가장 작은 닫힌집합이므로 성질 4.2.11에 의해 $\overline{A} = A$이다.

(b)⇒(a) 만약 $A = \overline{A}$이면 모든 집합의 폐포는 닫힌집합이므로 $\overline{A}$는 닫힌집합이다. 따라서 $A$는 닫힌집합이다. □

**보기 4.2.22** $\mathbb{R}$을 유클리드공간이라 하자.

(1) $\mathbb{R}$의 부분집합 $X = \{\frac{1}{n} \mid n \in \mathbb{N}\}$에 대해 $X' = \{0\}$, $\overline{X} = \{0\} \cup \{\frac{1}{n} \mid n \in \mathbb{N}\}$이다. 따라서 $X = \{\frac{1}{n} \mid n \in \mathbb{N}\}$는 $\mathbb{R}$의 닫힌집합이 아니다.
(2) $\mathbb{R}$의 부분집합 $Y = \{0\} \cup \{\frac{1}{n} \mid n \in \mathbb{N}\}$에 대해 $Y' = \{0\}$, $\overline{Y} = Y' \cup Y = Y$이다. 따라서 $Y$는 $\mathbb{R}$의 닫힌집합이다.
(3) 구간 $[a, b]$에 대해 $[a, b]' = [a, b]$이므로 $[a, b]$는 $\mathbb{R}$의 닫힌집합이다.
(4) 주어진 실수 $a < b$에 대하여,

$$(a, b]' = [a, b], \ [a, b)' = [a, b], \ (a, b)' = [a, b]$$

이므로 $(a, b], [a, b), (a, b)$는 모두 $\mathbb{R}$의 닫힌집합이 아니다.

**보기 4.2.23** $X = (X, \mathscr{T}_f)$를 여유한공간이라 하자.

(1) $X$가 유한집합인 경우, 모든 부분집합 $A \subset X$에 대해 $A^\circ = A$, $A' = \varnothing$, $\overline{A} = A$이다.
(2) $X$가 무한집합인 경우, $A \subset X$에 대해 다음이 성립한다.
 (a) 만약 $A$가 유한집합이면 $A^\circ = \varnothing$, $A' = \varnothing$, $\overline{A} = A$이다.
 (b) 만약 $A$가 무한집합이면 $A' = X$, $\overline{A} = X$이다.
 (c) 만약 $A^c$이 무한집합이면 $A^\circ = \varnothing$이다.

(d) 만약 $A^c$이 유한집합이면 $A^\circ = A$이다.

**풀이** (1) 먼저 $X$가 유한집합이면 $\mathscr{T}_f$는 이산위상이므로 $X$의 모든 부분집합 $A$는 열린집합인 동시에 닫힌집합이다. 따라서 $A^\circ = A$이고 $\overline{A} = A$이다. 한편 임의의 점 $x \in X$에 대해 $\{x\}$는 $x$의 열린근방이고 $A \cap \{x\} - \{x\} = \varnothing$이므로 $x \notin A'$이다. 따라서 $A' = \varnothing$이다.

(2) 이제 $X$는 무한집합이고 $A \subset X$이라 하자.

(a) $A$가 유한집합인 경우:

(i) $A^\circ$는 $A^\circ \subset A$인 열린집합이므로 $(A^\circ)^c \supset A^c$이다. 그런데 $A$가 유한집합이고 $X$가 무한집합이므로 $A^c$은 무한집합이다. 따라서 $(A^\circ)^c$도 무한집합이므로 $A^\circ = \varnothing$이 되어야 한다.

(ii) 임의의 점 $x \in X$에 대하여 $A - \{x\}$는 유한집합이므로 $U = (A - \{x\})^c$는 $x$의 열린근방이다. 그런데

$$(A \cap U) - \{x\} = (A - \{x\}) \cap U = \varnothing$$

이므로 $x \notin A'$이다. 따라서 $A' = \varnothing$이다.

(iii) $\overline{A} = A \cup A'$이므로 $\overline{A} = A$이다.

(b) $A$가 무한집합인 경우: 임의의 점 $x \in X$를 택하자. 그리고 $U$를 $x$의 임의의 열린근방이라 하자. 그러면 $U \neq \varnothing$이므로 $U^c$은 유한집합이다. 그리고 $A \cap U = A - U^c$이므로 $A \cap U$는 무한집합이 되어 $A \cap U - \{x\} \neq \varnothing$이다. 따라서 $x \in A'$이다. 우리는 $x$를 임의로 택하였으므로 $A' = X$이다.

한편 $\overline{A} = A \cup A'$이므로 $\overline{A} = X$이다.

(c) $A^c$이 무한집합인 경우: $A^\circ$는 $A^\circ \subset A$인 열린집합이므로 $(A^\circ)^c \supset A^c$이다. 그런데 $A^c$이 무한집합이므로 $(A^\circ)^c$도 무한집합이다. 따라서 $A^\circ = \varnothing$이 되어야 한다.

(d) $A^c$이 유한집합인 경우: $A^c$이 유한집합이므로 $A$는 열린집합이다. 따라서 $A^\circ = A$이다. □

우리는 앞의 보기와 같은 방법으로 다음을 보일 수 있다.

**보기 4.2.24** $X = (X, \mathscr{T}_c)$를 여가산공간이라 하자.

(1) $X$가 가산집합인 경우, 모든 부분집합 $A \subset X$에 대해 $A^\circ = A$, $A' = \varnothing$, $\overline{A} = A$이다.

(2) $X$가 비가산집합인 경우, $A \subset X$에 대해 다음이 성립한다.

(a) 만약 $A$가 가산집합이면 $A^\circ = \varnothing$, $A' = \varnothing$, $\overline{A} = A$이다.

(b) 만약 $A$가 비가산집합이면 $A' = X$, $\overline{A} = X$이다.

(c) 만약 $A^c$이 비가산집합이면 $A^\circ = \varnothing$이다.

(d) 만약 $A^c$이 가산집합이면 $A^\circ = A$이다.

**보기 4.2.25** (1) 여유한공간 $(\mathbb{R}, \mathscr{T}_f)$의 부분집합 $\mathbb{Z}$, $\mathbb{Q}^c$, $[1, 3]$을 생각하자.

(i) $\mathbb{Z}$가 무한집합이므로 $\mathbb{Z}' = \mathbb{R}$, $\overline{\mathbb{Z}} = \mathbb{R}$이다. 그리고 $\mathbb{Z}^c = \mathbb{R} - \mathbb{Z}$이 무한집합이므로 $\mathbb{Z}^\circ = \varnothing$이다.

(ii) $\mathbb{Q}^c$과 $(\mathbb{Q}^c)^c = \mathbb{Q}$이 모두 무한집합이므로 $(\mathbb{Q}^c)' = \mathbb{R}$, $\overline{(\mathbb{Q}^c)} = \mathbb{R}$, $(\mathbb{Q}^c)^\circ = \varnothing$이다.

(iii) $[1, 3]$과 $[1, 3]^c$이 모두 무한집합이므로 $[1, 3]' = \mathbb{R}$, $\overline{[1, 3]} = \mathbb{R}$, $[1, 3]^\circ = \varnothing$이다.

(2) 여가산공간 $(\mathbb{R}, \mathscr{T}_c)$의 부분집합 $\mathbb{Q}$, $\mathbb{Q}^c$, $[1, 3]$을 생각하자.

(i) $\mathbb{Q}$가 가산집합이므로 $\mathbb{Q}' = \varnothing$, $\overline{\mathbb{Q}} = \mathbb{Q}$, $\mathbb{Q}^\circ = \varnothing$이다.

(ii) $\mathbb{Q}^c$은 비가산이고 $(\mathbb{Q}^c)^c = \mathbb{Q}$는 가산이므로 $(\mathbb{Q}^c)' = \mathbb{R}$, $\overline{(\mathbb{Q}^c)} = \mathbb{R}$, $(\mathbb{Q}^c)^\circ = \mathbb{Q}^c$이다.

(iii) $[1, 3]$과 $[1, 3]^c$이 모두 비가산이므로 $[1, 3]' = \mathbb{R}$, $\overline{[1, 3]} = \mathbb{R}$, $[1, 3]^\circ = \varnothing$이다.

**정리 4.2.26** $\mathbb{R}$을 유클리드공간이라 하자. 그러면 공집합이 아닌 위로유계인 집합 $A \subset \mathbb{R}$에 대하여 다음이 성립한다.

(1) $\sup A \in \overline{A}$.

(2) 특별히 $A$가 닫힌집합이면 $\sup A \in A$이다.

**증명** (1) $A$가 위로유계이므로 $\alpha = \sup A \in \mathbb{R}$이 존재한다.[4] 만약 $\alpha \in A$이면 당연히 $\alpha \in A \cup A' = \overline{A}$이다. 이제 $\alpha \not\in A$인 경우에 대해 생각하자. 임의의 양의 실수 $r$에 대하여, $\alpha - r < \alpha$이므로 $\alpha - r$은 $A$의 상계가 아니다. 그러므로 $\alpha - r < a < \alpha$인 $a \in A$가 존재해서

$$a \in A \cap (\alpha - r, \alpha + r) - \{\alpha\} \neq \varnothing$$

이 된다. 따라서 $\alpha \in A'$이므로 $\alpha \in \overline{A}$이다.

(2) $A$가 닫힌집합이면 $A = \overline{A}$이므로 (1)에 의하여 성립한다. □

4) 성질 2.1.3 참조.

**따름정리 4.2.27** $\mathbb{R}$을 유클리드공간이라 하자. 그러면 공집합이 아닌 아래로유계인 집합 $A \subset \mathbb{R}$에 대하여 다음이 성립한다.

(1) $\inf A \in \overline{A}$.

(2) 특별히 $A$가 닫힌집합이면 $\inf A \in A$이다.

## 부분공간에서의 폐포

위상공간 $X$의 부분공간 $A$와 집합 $B \subset A \subset X$에 대하여

$$\mathrm{cl}_X(B) = \text{위상공간 } X \text{에서의 } B\text{의 폐포}$$
$$\mathrm{cl}_A(B) = \text{부분공간 } A \text{에서의 } B\text{의 폐포}$$

라고 하자.

**성질 4.2.28** 위상공간 $X$의 부분공간 $A$와 집합 $B \subset A \subset X$에 대하여 다음이 성립한다.

(1) $\mathrm{cl}_A(B) \subset \mathrm{cl}_X(B)$.

(2) $\mathrm{cl}_A(B) = A \cap \mathrm{cl}_X(B)$.

증명 $\mathrm{cl}_X(B)$는 $B$를 포함하는 $X$의 닫힌집합이므로 정리 3.4.3에 의하여 $A \cap \mathrm{cl}_X(B)$는 $B$를 포함하는 $A$의 닫힌집합이다. 그리고 성질 4.2.11에 의하여 $\mathrm{cl}_A(B) \subset A \cap \mathrm{cl}_X(B)$이다. 따라서

$$\mathrm{cl}_A(B) \subset A \cap \mathrm{cl}_X(B) \subset \mathrm{cl}_X(B)$$

이다.

한편 $\mathrm{cl}_A(B)$는 부분공간 $A$의 닫힌집합이므로 정리 3.4.3에 의하여 $\mathrm{cl}_A(B) = A \cap C$를 만족하는 $X$의 닫힌집합 $C$가 존재한다. 그러면 $B \subset \mathrm{cl}_A(B) \subset C$이므로 성질 4.2.11에 의하여 $\mathrm{cl}_X(B) \subset C$이다. 따라서

$$A \cap \mathrm{cl}_X(B) \subset A \cap C = \mathrm{cl}_A(B)$$

이다. 그러므로 $\mathrm{cl}_A(B) = A \cap \mathrm{cl}_X(B)$이다. □

**보기 4.2.29** 유클리드공간 $\mathbb{R}$의 부분공간 $A=(1,4]$에 대해 다음이 성립한다.

(1) 먼저 집합 $B=(1,3)$에 대하여 $[1,3]$이 $\mathbb{R}$의 닫힌집합이므로 $(1,3]=A\cap[1,3]$은 부분공간 $A$의 닫힌집합이다. 따라서 $\mathrm{cl}_A(B)=(1,3]$, $\mathrm{cl}_{\mathbb{R}}(B)=[1,3]$이므로 $\mathrm{cl}_A(B)=A\cap\mathrm{cl}_{\mathbb{R}}(B)$이다.

(2) 집합 $C=(2,4]$에 대하여 $\mathrm{cl}_A(C)=[2,4]$, $\mathrm{cl}_{\mathbb{R}}(C)=[2,4]$이므로 $\mathrm{cl}_A(C)=A\cap\mathrm{cl}_{\mathbb{R}}(C)$이다.

**따름정리 4.2.30** $A$를 위상공간 $X$의 부분공간이라 하자. 그러면 $X$의 부분집합 $C$에 대하여 $\mathrm{cl}_A(A\cap C)\subset A\cap\mathrm{cl}_X(C)$이 성립한다.

증명 $A\cap C\subset A$이므로 성질 4.2.28에 의하여 $\mathrm{cl}_A(A\cap C)=A\cap\mathrm{cl}_X(A\cap C)$이다. 그리고 $A\cap C\subset C$이므로 $\mathrm{cl}_X(A\cap C)\subset\mathrm{cl}_X(C)$이다. 따라서

$$\mathrm{cl}_A(A\cap C)=A\cap\mathrm{cl}_X(A\cap C)\subset A\cap\mathrm{cl}_X(C)$$

이다. □

**보기 4.2.31** 유클리드공간 $\mathbb{R}$의 부분공간 $A=(1,4]$에 대하여 $\mathbb{R}$의 부분집합 $C=(4,6)$을 생각하자. 그러면 $A\cap C=\varnothing$이므로 $\mathrm{cl}_A(A\cap C)=\mathrm{cl}_A(\varnothing)=\varnothing$이다. 한편 $\mathrm{cl}_{\mathbb{R}}(C)=[4,6]$이므로

$$A\cap\mathrm{cl}_{\mathbb{R}}(C)=(1,4]\cap[4,6]=\{4\}$$

이다. 따라서 $\mathrm{cl}_A(A\cap C)\subsetneq A\cap\mathrm{cl}_{\mathbb{R}}(C)$이다.

## 외부와 경계

**정의 4.2.32** $A$를 위상공간 $X$의 부분집합이라 하자.

(1) $A$의 **외부(exterior)**란 $A$의 여집합 $A^c$의 내부를 뜻하고, 이를 $e(A)$ 또는 $\mathrm{ext}(A)$로 표기한다. 즉, $e(A)=(A^c)^\circ$이다.

(2) 한편 $A$의 **경계(boundary)**란 $A$의 내부도 아니고 외부도 아닌 점들의 집합을 뜻하고, 이를 $\partial(A)$ 또는 $\mathrm{bdy}(A)$로 표기한다. 즉,

$$\partial(A) = X - (A^\circ \cup e(A))$$

이다. 참고로 $A^\circ$와 $e(A)$가 모두 열린집합이므로 경계 $\partial(A)$는 항상 닫힌집합이다.

**보기 4.2.33** 집합 $X = \{a, b, c, d, e\}$에 위상

$$\mathscr{T} = \{\varnothing, X, \{a\}, \{b\}, \{a, b\}, \{a, c, d\}, \{a, b, e\}, \{a, b, c, d\}\}$$

가 주어졌을 때, 부분집합 $A = \{a, d\}$의 외부 $e(A)$와 경계 $\partial(A)$를 구해보자.

**풀이** 먼저 $A$에 포함되는 가장 큰 열린집합이 $\{a\}$이므로 $A$의 내부는 $A^\circ = \{a\}$이다. 이제 $A$의 외부 $e(A)$를 구해보자. $A^c = \{b, c, e\}$에 포함되는 가장 큰 열린집합이 $\{b\}$이므로 $e(A) = (A^c)^\circ = \{b\}$이다. 따라서 $A$의 경계는

$$\partial(A) = X - (A^\circ \cup e(A)) = \{c, d, e\}$$

이다. □

**보기 4.2.34** $X$가 이산공간이고 $A \subset X$이라 하자. 그러면 $A$와 $A^c$이 모두 열린집합이므로 $A^\circ = A$이고 $e(A) = A^c$이다. 그리고 $\partial A = \varnothing$ 이다.

**성질 4.2.35** 위상공간 $X$와 $A, B \subset X$에 대하여 다음이 성립한다.

(1) $A^\circ \cap e(A) = \varnothing$, $A^\circ \cap \partial A = \varnothing$, $\partial A \cap e(A) = \varnothing$.

(2) $X = A^\circ \cup \partial A \cup e(A)$.

(3) $e(A) = (\overline{A})^c$.

(4) $\overline{A} = A^\circ \cup \partial A$.

(5) $\partial A = \overline{A} - A^\circ$.

(6) $\partial A = \overline{A} \cap \overline{A^c}$.

(7) $\partial A = \partial(A^c)$.

(8) $e(A \cup B) = e(A) \cap e(B)$.

**증명** (1) $A^\circ \subset A$, $e(A) = (A^c)^\circ \subset A^c$이고 $A \cap A^c = \varnothing$ 이므로 $A^\circ \cap e(A) = \varnothing$ 이다. 그리고 $\partial(A) = X - (A^\circ \cup e(A))$이므로 $A^\circ \cap \partial A = \varnothing$, $\partial A \cap e(A) = \varnothing$ 이다.

(2) $\partial(A) = X - (A^\circ \cup e(A))$이므로 $X = A^\circ \cup \partial A \cup e(A)$이다.

(3) 정의에 의해 $e(A) = (A^c)^\circ$이고 성질 4.2.18(5)에 의하여 $(A^c)^\circ = (\overline{A})^c$이므로

$e(A) = (\overline{A})^c$이다.

(4) (1), (2)와 (3)에 의하여 다음과 같이 성립한다:

$$\overline{A} \underset{(3)}{=} (e(A))^c \underset{(1)(2)}{=} A^\circ \cup \partial A$$

(5) (1)과 (4)에 의하여 성립한다.

(6) (1), (2), (3)과 성질 4.2.18(5)에 의하여 다음과 같이 성립한다:

$$\partial A \underset{(1)(2)}{=} (A^\circ \cup e(A))^c = (A^\circ)^c \cap (e(A))^c \underset{(3),\, 4.2.18(5)}{=} \overline{(A^c)} \cap \overline{A} = \overline{A} \cap \overline{A^c}$$

(7) (6)에 의하여 성립한다.

(8) (3)과 성질 4.2.18(2)에 의하여

$$e(A \cup B) \underset{(3)}{=} (\overline{A \cup B})^c \underset{4.2.18(2)}{=} (\overline{A} \cup \overline{B})^c = (\overline{A})^c \cap (\overline{B})^c \underset{(3)}{=} e(A) \cap e(B)$$

이다. □

참고로 위상공간 $X$의 부분집합 $A$와 점 $x \in X$에 대하여 $x \in \partial A$일 필요충분조건은 $x$의 임의의 열린근방 $U$에 대해 $A \cap U \neq \varnothing$이고 $A^c \cap U \neq \varnothing$인 것이다(성질 4.2.35(6)).

**보기 4.2.36** (1) 유클리드공간 $\mathbb{R}$의 부분집합 $\mathbb{Q}$에 대하여

$$\mathbb{Q}^\circ = \varnothing, \ e(\mathbb{Q}) = (\mathbb{Q}^c)^\circ = \varnothing, \ \partial(\mathbb{Q}) = \mathbb{R}$$

이다.

(2) 유클리드공간 $\mathbb{R}$의 부분집합 $A = (0, 4] \cup \{6\}$에 대하여

$$A^\circ = (0, 4), \quad \overline{A} = [0, 4] \cup \{6\},$$
$$\partial A = \overline{A} - A^\circ = \{0, 4, 6\},$$
$$e(A) = (-\infty, 0) \cup (4, 6) \cup (6, \infty)$$

이다.

(3) 유클리드공간 $\mathbb{R}^2$의 다음 그림 4.4와 같은 부분집합 $A$의 폐포, 내부, 경계, 외부는 그림과 같이 나타난다.

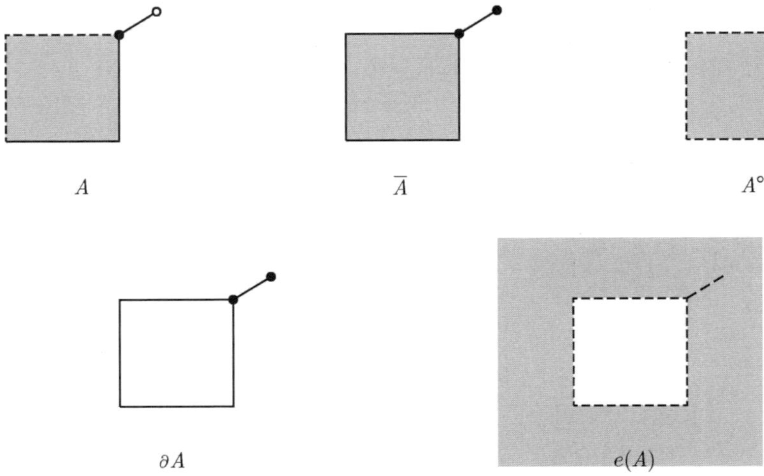


그림 4.4 • $A \subset \mathbb{R}^2$의 폐포, 내부, 경계, 외부

## 조밀한 부분집합

**정의 4.2.37** 위상공간 $X$의 부분집합 $A$가 $\overline{A} = X$를 만족하면 우리는 $A$를 $X$의 조밀한 부분집합(dense subset)이라 부른다.

**보기 4.2.38** 집합 $X = \{a, b, c, d, e\}$에 위상

$$\mathscr{T} = \{\varnothing, X, \{a\}, \{c, d\}, \{a, c, d\}, \{b, c, d, e\}\}$$

가 주어진 위상공간 $(X, \mathscr{T})$의 부분집합 $A = \{a, b\}$, $B = \{a, c, e\}$를 생각하자. 위상공간 $X$의 닫힌집합은

$$X, \varnothing, \{b, c, d, e\}, \{a, b, e\}, \{b, e\}, \{a\}$$

뿐이다. 따라서 $A$를 포함하는 가장 작은 닫힌집합은 $\{a, b, e\}$이다. 따라서 $\overline{A} = \{a, b, e\}$이므로 $A$는 $X$의 조밀한 부분집합이 아니다. 그러나 $B$를 포함하는 가장 작은 닫힌집합은 $X$이므로 $\overline{B} = X$이다. 따라서 $B$는 $X$의 조밀한 부분집합이다.

**보기 4.2.39** (1) $\mathbb{Q}$와 $\mathbb{Q}^c$은 유클리드공간 $\mathbb{R}$의 조밀한 부분집합이다(보기 4.2.17 참조).

(2) $X$가 무한집합이면 여유한공간 $(X, \mathscr{T}_f)$의 모든 무한 부분집합은 조밀한 부분집합이다(보기 4.2.23 참조).

(3) $X$가 비가산집합이면 여가산공간 $(X, \mathscr{T}_c)$의 모든 비가산 부분집합은 조밀한 부분집합이다(보기 4.2.24 참조).

**정리 4.2.40** 위상공간 $X$의 부분집합 $A$에 대하여 다음은 동치이다.
(a) $A$는 $X$의 조밀한 부분집합이다.
(b) $(A^c)^\circ = \varnothing$ 이다.

증명 성질 4.2.18(5)를 사용하여 보이자. 먼저 $A$가 $X$의 조밀한 부분집합이면 $\overline{A} = X$ 이다. 따라서

$$(A^c)^\circ = (\overline{A})^c = X^c = \varnothing$$

이다.

역으로 $(A^c)^\circ = \varnothing$ 이면

$$\overline{A} = \overline{((A^c)^c)} = ((A^c)^\circ)^c = \varnothing^c = X$$

이므로 $A$는 $X$의 조밀한 부분집합이다. □

**정의 4.2.41** 위상공간 $X$의 부분집합 $A$가 조밀한 곳이 없는 부분집합(nowhere dense subset)이란 $(\overline{A})^\circ = \varnothing$ 인 것을 의미한다.5)

**보기 4.2.42** 유클리드공간 $\mathbb{R}$의 부분집합 $\mathbb{Z}$는 $(\overline{\mathbb{Z}})^\circ = \mathbb{Z}^\circ = \varnothing$ 이므로 $\mathbb{R}$의 조밀한 곳이 없는 부분집합이다. 그러나 집합 $\mathbb{Q}$는 $(\overline{\mathbb{Q}})^\circ = \mathbb{R}^\circ = \mathbb{R} \neq \varnothing$ 이므로 $\mathbb{R}$의 조밀한 곳이 없는 부분집합이 아니다.

**정리 4.2.43** 위상공간 $X$의 부분집합 $A$에 대하여 다음은 서로 동치이다.
(a) $A$는 $X$의 조밀한 곳이 없는 부분집합이다.
(b) $X - \overline{A}$는 $X$의 조밀한 부분집합이다.
(c) $X - \overline{X - \overline{A}} = \varnothing$.
(d) $A \subset \overline{X - \overline{A}}$.

5) 경우에 따라서 이러한 $A$를 "어디에서도 조밀하지 않은 부분집합"이라 부르기도 한다.

증명 (a)⇒(b) $A$를 $X$의 조밀한 곳이 없는 부분집합이라 하자. 따라서 $(\overline{A})^\circ = \varnothing$ 이다. 그러면 성질 4.2.18(5)에 의하여

$$\overline{(X-\overline{A})} = \overline{(\overline{A})^c} = ((\overline{A})^\circ)^c = \varnothing^c = X$$

이므로 $X-\overline{A}$는 $X$의 조밀한 부분집합이다.

(b)⇒(c) $X-\overline{A}$이 $X$의 조밀한 부분집합이면 $\overline{X-\overline{A}} = X$이므로 $X-\overline{X-\overline{A}} = \varnothing$ 이다.

(c)⇒(d) $X-\overline{X-\overline{A}} = \varnothing$ 이면 $X = \overline{X-\overline{A}}$ 이므로 $A \subset X = \overline{X-\overline{A}}$ 이다.

(d)⇒(a) $A \subset \overline{X-\overline{A}}$ 이라 하자. 그러면 성질 4.2.18(5)에 의하여

$$\overline{X-\overline{A}} = \overline{(\overline{A})^c} = ((\overline{A})^\circ)^c$$

이므로 가정에 의해 $A \subset ((\overline{A})^\circ)^c$이다. 따라서 $A^c \supset (\overline{A})^\circ$이므로 $(A^c)^\circ \supset (\overline{A})^\circ$이 된다. 그리고 $(A^c)^\circ = (\overline{A})^c$이므로 $(\overline{A})^c \supset (\overline{A})^\circ$이다. 한편 $(\overline{A})^\circ \subset \overline{A}$ 이므로 $(\overline{A})^\circ \subset \overline{A} \cap (\overline{A})^c = \varnothing$ 이 성립하여 $(\overline{A})^\circ = \varnothing$ 이므로 $A$는 $X$의 조밀한 곳이 없는 부분집합이다. □

## 최소 비가산 정렬집합 $S_\Omega$

정렬원리(정리 1.5.25)에 의하여 모든 집합이 정렬 가능하므로 비가산집합인 $\mathbb{C}$도 정렬 가능하다. 따라서 우리는 다음을 얻는다.

**성질 4.2.44** 비가산인 정렬집합이 존재한다.

**정의 4.2.45** $(X, \leq)$를 정렬집합이라 하자. 주어진 점 $a \in X$에 대하여

$$S_a = \{x \in X \mid x < a\} = [a_0, a)$$

를 $a$에 의한 $X$의 절편(section)이라 한다. 여기서 $a_0$은 $(X, \leq)$의 최소원이다.

**따름정리 4.2.46** 다음 성질을 만족하는 최대원 $\Omega$를 갖는 정렬집합 $(X, \le)$가 존재한다:

(1) 절편 $S_\Omega$는 비가산집합이고;

(2) 만약 $a \neq \Omega$이면 $S_a$는 가산집합이다.

증명 $Y$를 비가산인 정렬집합이라 하자(성질 4.2.44 참조). 그리고 $Z = \{1, 2\} \times Y$를 사전식순서를 갖는 정렬집합이라 하자. 그러면 임의의 점 $y \in Y$에 의한 $Z$의 절편 $S_{(2, y)}$에 대하여 $\{1\} \times Y \subset S_{(2, y)}$이므로 $S_{(2, y)}$는 비가산집합이다. 그래서

$$A = \{(n, y) \in Z \mid S_{(n, y)} \text{ 는 비가산집합}\}$$

는 정렬집합 $Z$의 공집합이 아닌 부분집합이므로 집합 $A$의 최소원 $\Omega \in A$가 존재한다. 따라서 $X = S_\Omega \cup \{\Omega\}\ (\subset Z)$가 우리가 원하는 정렬집합이다. □

우리는 이와 같은 $S_\Omega$를 **최소 비가산 정렬집합**이라 한다. 그리고 $X = S_\Omega \cup \{\Omega\}$의 최소원을 $a_0$이라 하면 $X = S_\Omega \cup \{\Omega\} = [a_0, \Omega]$, $S_\Omega = [a_0, \Omega)$로 표현할 수 있다.

**정리 4.2.47** 만약 $A$가 $S_\Omega$의 가산 부분집합이면 $A$의 상계가 $S_\Omega$ 내에 존재한다.

증명 임의의 $a \in A$에 대하여 $a \in S_\Omega$이므로 $a < \Omega$이다. 따라서 $S_a$는 가산이다. 그리고 $A$가 가산이므로 $B = \cup_{a \in A} S_a\ (\subset S_\Omega)$도 가산집합이다. 그런데 $S_\Omega$가 비가산이므로 $B \neq S_\Omega$이다. 따라서 $b \in S_\Omega - B$가 존재하고 이러한 $b$가 주어진 집합 $A$의 상계이다. (왜냐하면 만약 $b < a$인 $a \in A$가 존재한다면 $b \in S_a$이므로 $b \in B$가 되어 모순이다.) □

**보기 4.2.48** 순서공간 $X = S_\Omega \cup \{\Omega\} = [a_0, \Omega]$의 부분집합 $S_\Omega$에 대하여 $\overline{S}_\Omega = S_\Omega \cup \{\Omega\}$이다. 따라서 우리는 $X$를 $\overline{S}_\Omega$로 표기한다. 구체적으로 $\overline{S}_\Omega = S_\Omega \cup \{\Omega\}$임을 다음과 같이 보일 수 있다: 만약 $\overline{S}_\Omega \neq S_\Omega \cup \{\Omega\}$이라 가정하면 $X - \overline{S}_\Omega = \{\Omega\}$이므로 $\{\Omega\}$는 $X$의 열린집합이다. 그래서 $\Omega \in (b, \Omega] \subset \{\Omega\}$를 만족하는 기저의 원소 $(b, \Omega]$가 존재한다. 그러면 $(b, \Omega]$는 유한집합이고 $S_b$는 가산집합이므로 $X = S_b \cup \{b\} \cup (b, \Omega]$도 가산집합이다. 이는 $X$가 비가산이라는 사실에 모순이다. 따라서 $\overline{S}_\Omega = S_\Omega \cup \{\Omega\}$이다.

## 연습문제

**문제 4.2.1** 보기 4.2.24를 보이시오.

**문제 4.2.2** 집합 $X$와 점 $p \in X$에 대해

$$\mathscr{T} = \{U \subset X \mid p \in U\} \cup \{\varnothing\}$$

이라 하자. 이러한 위상공간 $(X, \mathscr{T})$를 **요새공간**(fort space)이라 한다.

(1) $\mathscr{T}$가 집합 $X$상의 위상이 됨을 보이시오.

(2) 한 점 집합 $\{p\}$의 내부, 폐포, 경계를 구하시오.

(3) 점 $q \in X - \{p\}$에 대해 $\{q\}$의 내부, 폐포, 경계를 구하시오.

(4) $p \in A \subset X$인 부분집합 $A$의 내부, 폐포, 경계를 구하시오.

(5) $p \notin A \subset X$인 부분집합 $A$의 내부, 폐포, 경계를 구하시오.

(6) 부분집합 $A = X - \{p\}$상의 부분공간위상이 이산위상이 됨을 보이시오.

**문제 4.2.3** 위상공간 $X$의 부분집합 $A$에 대하여 다음을 증명하시오.

(1) $A$가 열린집합이기 위한 필요충분조건은 $\partial A = \overline{A} - A$이다.

(2) $A$가 열린집합이기 위한 필요충분조건은 $\partial A \cap A = \varnothing$이다.

(3) $\partial A = \varnothing$이기 위한 필요충분조건은 $A$가 열린집합인 동시에 닫힌집합이다.

(4) $\overline{A} = X$일 필요충분조건은 $(A^c)^\circ = \varnothing$이다.

**문제 4.2.4** 집합 $X$상의 두 위상 $\mathscr{T}$와 $\mathscr{T}'$에 대하여 다음이 서로 동치임을 보이시오.

(a) $\mathscr{T} \subset \mathscr{T}'$이다.

(b) 모든 부분집합 $A \subset X$에 대하여 $\mathrm{cl}_{\mathscr{T}'}(A) \subset \mathrm{cl}_{\mathscr{T}}(A)$이다.

(c) 모든 부분집합 $A \subset X$에 대하여 $\mathrm{int}_{\mathscr{T}}(A) \subset \mathrm{int}_{\mathscr{T}'}(A)$이다.

**문제 4.2.5** $A$를 위상공간 $X$의 부분집합이라 하고, $U$를 $X$의 열린집합이라 하자. 만약 $A \cap U = \varnothing$이면 $\overline{A} \cap U = \varnothing$임을 보이시오.

**문제 4.2.6** $A, B$를 위상공간 $X$의 부분집합이라 하자. 만약 $X = A \cup B$이면 $X = \overline{A} \cup B^\circ$임을 보이시오.

**문제 4.2.7** $X$는 위상공간이고 $B \subset A \subset X$이라 하자. 만약 $A$가 $X$의 닫힌집합이면 $\mathrm{cl}_A(B) = \mathrm{cl}_X(B)$임을 보이시오.

**문제 4.2.8** 전순서집합 $X$에 순서위상을 주자. 이 경우 $a, b \in X$에 대해 $\overline{(a,b)} \subset [a,b]$가 성립함을 보이시오. 어떤 조건하에서 등호가 성립하는지 알아보시오. 그리고 등호가 성립하지 않는 보기를 드시오.

**문제 4.2.9** 집합 $X = \{a, b, c, d, e\}$에 위상

$$\mathscr{T} = \{\varnothing, X, \{a\}, \{a,b\}, \{a,c,d\}, \{a,b,c,d\}, \{a,b,e\}\}$$

를 주자. 이제 부분집합 $A = \{a, b, c\}$에 대하여 $A°$, $e(A)$, $\partial A$를 구하여라.

**문제 4.2.10** 다음과 같이 주어진 유클리드공간 $\mathbb{R}$의 부분집합 $A_n$에 대하여 $\overline{\cup_{n\in\mathbb{N}} A_n}$와 $\cup_{n\in\mathbb{N}} \overline{A}_n$을 서로 비교하시오.

(1) $A_n = \{\frac{1}{n}\}$ $(n \in \mathbb{N})$

(2) $A_n = (1 + \frac{1}{n}, 3)$ $(n \in \mathbb{N})$

**문제 4.2.11** 보통공간 $\mathbb{R}^2$의 다음 부분집합들의 내부, 폐포, 외부, 경계를 구하시오.

(1) $\{(x, y) \mid xy > 0\}$

(2) $\{(x, y) \mid 1 \le x^2 + y^2 < 2\}$

(3) $\{(x, \sin\frac{1}{x}) \mid 0 < x \in \mathbb{R}\}$

(4) $\{(r, s) \mid r, s \in \mathbb{Q}\}$

(5) $\{(x, 0) \mid 0 < x \le 1\}$

(6) $\{(\frac{1}{n}, 0) \mid n \in \mathbb{N}\}$

(7) $\{(1 - \frac{1}{n}, \frac{1}{2}) \mid n \in \mathbb{N}\}$

**문제 4.2.12** 하극한공간 $\mathbb{R}_l$의 다음 부분집합들의 내부, 폐포, 경계, 외부를 구하시오.

(1) $A = (a, b)$

(2) $B = (a, b]$

(3) $C = [a, b)$

(4) $D = [a, b]$

**문제 4.2.13** 유클리드공간 $\mathbb{R}^2$의 부분집합 $A = \{(\frac{1}{m}, \frac{1}{n}) \mid m, n \in \mathbb{N}\}$의 도집합 $A'$을 구하시오.

**문제 4.2.14** 사전식 순서공간 $\mathbb{N} \times \mathbb{N}$의 다음 부분집합들의 내부, 폐포, 경계, 외부를 구하시오.

(1) $A = \{(1, 1)\}$

(2) $B = \{(2, 1)\}$

(3) $C = \{(2, n) \mid n \in \mathbb{N}\}$

(4) $D = \{(2, n) \mid 3 \le n \in \mathbb{N}\}$

**문제 4.2.15** 유클리드공간 $\mathbb{R}$의 다음 부분집합들의 극한점을 구하시오.

(1) $\{\frac{1}{m} + \frac{1}{n} \mid m, n \in \mathbb{N}\}$

(2) $\{\frac{\sin n}{n} \mid n \in \mathbb{N}\}$

**문제 4.2.16** 집합 $\mathbb{R}$상에 다음과 같은 위상을 준 경우 부분집합 $K = \{\frac{1}{n} \mid n \in \mathbb{N}\}$에 대하여 $K'$, $\overline{K}$, $K^\circ$, $e(K)$, $\partial(K)$를 구하시오.

(1) 보통위상(유클리드위상).

(2) 이산위상.

(3) 비이산위상.

(4) 하극한위상.

(5) 여유한위상.

(6) 여가산위상.

(7) $\mathscr{B} = \{(a, b) \mid a < b,\ a, b \in \mathbb{R}\} \cup \{(c, d) - K \mid c < d,\ c, d \in \mathbb{R}\}$를 기저로 하는 위상.

**문제 4.2.17** 집합 $\mathbb{R}$상의 위상 $\mathscr{T} = \{U \subset \mathbb{R} \mid 0 \notin U\} \cup \{\mathbb{R}\}$에 대해 다음을 답하시오.

(1) $\mathscr{T}$가 집합 $\mathbb{R}$상의 위상이 됨을 보이시오.

(2) 집합 $A = (1, 2)$의 내부, 폐포, 도집합을 구하시오.

(3) 집합 $B = (-1, 1)$의 내부, 폐포, 도집합을 구하시오.

**문제 4.2.18** $H = \{(x, y) \in \mathbb{R}^2 \mid y \ge 0\}$를 유클리드공간 $\mathbb{R}^2$의 부분공간이라 하자.

(1) 집합 $B = \{(x, y) \in H \mid 0 \le x \le 1,\ 0 \le y \le 1\}$에 대하여 $\mathrm{cl}_H(B)$, $\mathrm{bdy}_H(B)$를 구하시오. 여기서 $\mathrm{cl}_H(B)$와 $\mathrm{bdy}_H(B)$는 각각 부분공간 $H$에서의 $B$의 폐포와 경계를 나타낸다.

(2) $\mathrm{cl}_{\mathbb{R}^2}(B)$, $\mathrm{bdy}_{\mathbb{R}^2}(B)$를 구하시오.

(3) $\mathrm{cl}_H(B) = \mathrm{cl}_{\mathbb{R}^2}(B) \cap H$, $\mathrm{bdy}_H(B) \ne \mathrm{bdy}_{\mathbb{R}^2}(B) \cap H$임을 확인하시오.

**문제 4.2.19** $A$를 위상공간 $X$의 부분공간이라 하고 $B \subset A \subset X$라 하자.

(1) $B'_A = B'_X \cap A$를 보이시오. 여기서 $B'_X$은 $X$에서의 집합 $B$의 도집합이고 $B'_A$은 부분공간 $A$에서의 집합 $B$의 도집합이다.

(2) $\mathrm{bdy}_A(B) \subset \mathrm{bdy}_X(B) \cap A$이 성립함을 보이시오.

**문제 4.2.20** 만약 $A$가 유클리드공간 $\mathbb{R}$의 비가산 부분집합이면 $A' \ne \varnothing$임을 보이시오. (힌트: 성질 2.1.10 사용)

**문제 4.2.21** 만약 유클리드공간 $\mathbb{R}$의 부분집합 $A$가 $A\cap A' = \varnothing$이면 $A$는 가산집합임을 보이시오. (힌트: 성질 2.2.22 사용)

**문제 4.2.22** $A$를 위상공간 $X$의 부분집합이라 하자. 점 $x\in A$가 $A$의 **고립점**(isolated point)이란 $U\cap A=\{x\}$를 만족하는 $x$의 열린근방 $U$가 존재함을 의미한다. 그리고 $A$가 **완전집합**(perfect set)이란 $A=A'$임을 의미한다. 이제 다음을 보이시오.

(1) $x$가 $A$의 고립점일 필요충분조건은 $x\in A-A'$이다.

(2) $A$가 완전집합일 필요충분조건은 $A$가 고립점을 갖지 않는 닫힌집합이다.

(3) 만약 $A$가 고립점을 갖지 않으면 $\overline{A}$는 완전집합이다. 즉, $\overline{A}=(\overline{A})'$이다.

(4) $x$가 $X$의 고립점일 필요충분조건은 $\{x\}$가 $X$의 열린집합이다.

(5) 만약 $X$가 고립점을 갖지 않으면 모든 $X$의 열린집합 $U$도 고립점을 갖지 않는다.

**문제 4.2.23** 다음을 만족하지 않은 거리공간 $(X,d)$를 찾으시오.

(1) $\overline{B_d(a,r)} = \{x\in X \mid d(a,x)\le r\}$.

(2) $\partial B_d(a,r) = \{x\in X \mid d(a,x) = r\}$.

**문제 4.2.24** $\mathbb{R}^n$을 유클리드공간이라 하자.

(1) $\overline{B(\mathbf{x},r)} = \{\mathbf{y}\in\mathbb{R}^n \mid \|\mathbf{x}-\mathbf{y}\|\le r\}$임을 보이시오.

(2) $\partial B(\mathbf{x},r) = \{\mathbf{y}\in\mathbb{R}^n \mid \|\mathbf{x}-\mathbf{y}\| = r\}$임을 보이시오.

(3) $\mathbf{x}$의 열린근방 $U$에 대해 $\mathbf{x}\in B(\mathbf{x},r)\subset\overline{B(\mathbf{x},r)}\subset U$을 만족하는 양의 실수 $r$이 존재함을 보이시오.

**문제 4.2.25** $(X,d)$를 거리공간이라 하자.

(1) 만약 $0<s<r\in\mathbb{R}$이면 $\overline{B_d(a,s)}\subset B_d(a,r)$이 됨을 보이시오.

(2) 만약 $x\in\overline{B_d(a,s)}$이면 $d(a,x)\le s$임을 보이시오.

(3) $A\subset X$에 대하여 $\overline{A}=\{x\in X \mid d(x,A)=0\}$임을 보이시오.[6)]

**문제 4.2.26** 집합 $X$상의 두 거리 $d_1$과 $d_2$에 대하여 다음이 서로 동치임을 보이시오.[7)]

(a) $d_1\sim d_2$.

(b) 모든 $A\subset X$에 대하여 $d_1(x,A)=0 \Leftrightarrow d_2(x,A)=0$이다.

**문제 4.2.27** 집합 $X=\{n\in\mathbb{N} \mid n\ge 2\}$의 각 원소 $n$에 대하여

$$B_n = \{k\in X \mid k\text{는 } n\text{의 약수}\}$$

---

6) 정의 3.3.20 참조.

7) 참고 3.3.19 참조.

이라 하고, $\mathscr{B}=\{B_n \mid n\in X\}$를 기저로 하는 $X$상의 위상을 $\mathscr{T}$라 하자.

(1) $\mathscr{B}$가 집합 $X$상의 기저가 됨을 보이시오.

(2) 집합 $\{2,4,6,7\}$은 열린집합이 아님을 보이시오.

(3) 소수 전체집합 $P$는 열린집합임을 보이시오.

(4) 소수 전체집합 $P$는 $X$의 조밀한 부분집합임을 보이시오.

(5) 점 $n\in X$에 대해 한 점 집합 $\{n\}$의 폐포는 $\{nk \mid k\in\mathbb{N}\}$임을 보이시오.

**문제 4.2.28** 자연수 $n\in\mathbb{N}$에 대하여 $E_n=\{n,n+1,n+2,\ldots\}=\{k\in\mathbb{N} \mid k\geq n\}$이라 하자. 그리고 $\mathscr{T}=\{E_n \mid n\in\mathbb{N}\}\cup\{\varnothing\}$이라 하자.

(1) $\mathscr{T}$가 자연수 집합 $\mathbb{N}$상의 위상이 됨을 보이시오.

(2) $6\in\mathbb{N}$을 포함하는 열린집합을 모두 찾으시오.

(3) 집합 $A=\{2k \mid k\in\mathbb{N}\}$의 폐포를 구하시오.

(4) 집합 $B=\{10\}$의 폐포를 구하시오.

(5) $\mathbb{N}$의 부분집합 $A=\{7,24,47,85\}$와 $B=\{3,6,9,12,\ldots\}$에 대하여 $A'$, $\overline{A}$, $B'$, $\overline{B}$를 구하여라.

(6) 어떤 부분집합 $A\subset\mathbb{N}$가 조밀한가?

**문제 4.2.29** 위상공간 $X$의 부분집합 $A, B$에 대하여 다음을 보이시오.

(1) $\overline{\partial A}=\partial A$.

(2) $\partial(\overline{A})\subset\partial A$.

(3) $\partial(\partial A)\subset\partial A$.

(4) $(\partial(\partial A))^\circ=\varnothing$.

(5) $\partial(\partial(\partial A))=\partial(\partial A)$.

(6) $\partial(A^\circ)\subset\partial A$.

(7) $\partial(A\cup B)\subset\partial A\cup\partial B$.

(8) $A\subset B$이지만 $\partial(A)\subset\partial(B)$이 되지 않는 보기를 드시오.

**문제 4.2.30** 위상공간 $X$의 닫힌집합 $A$에 대하여 다음을 보이시오.

(1) $(\partial A)^\circ=\varnothing$.

(2) $\partial(\partial A)=\partial A$.

**문제 4.2.31** 만약 위상공간 $X$가 가산인 기저를 가지면 $X$는 가산인 조밀한 부분집합을 가짐을 보이시오.

**문제 4.2.32** $(X,\mathscr{T}_0)$를 자명한(비이산)공간이라 하자. 그러면 임의의 부분집합 $\varnothing\subsetneq A\subsetneq X$에 대하여 $A^\circ=\varnothing$이고 $\overline{A}=X$임을 보이시오.

**문제 4.2.33** 위상공간 $X$의 부분집합 $A$에 대해 다음이 서로 동치임을 보이시오.

(a) $A \cap D = \varnothing$ 인 조밀한 부분집합 $D$가 존재한다.

(b) $A^\circ = \varnothing$.

**문제 4.2.34** $A$와 $B$를 위상공간 $X$의 조밀한 부분집합이라 하자. 만약 $B$가 $X$의 열린집합이면 $A \cap B$도 $X$의 조밀한 부분집합임을 보이시오.

**문제 4.2.35** $A$를 위상공간 $X$의 조밀한 부분집합이라 하자. 이제 $X$의 열린집합 $U$에 대하여 다음이 성립함을 보이시오.

(1) $U \subset \overline{A \cap U}$.

(2) $\overline{U} = \overline{A \cap U}$.

**문제 4.2.36** $D$를 위상공간 $X$의 조밀한 부분집합이라 하자. 이제 $D \cap A$가 부분공간 $A$의 조밀한 부분집합이 되지 않는 예를 찾으시오.

**문제 4.2.37** $X$를 위상공간이라 하고 $A \subset B \subset X$라 하자. 이제 다음이 서로 동치임을 보이시오.

(a) $A$는 부분공간 $B$의 조밀한 부분집합이다.

(b) $B \subset \overline{A}$.

**문제 4.2.38** $X$를 위상공간이라 하고 $A \subset B \subset X$라 하자. 이제 다음이 서로 동치임을 보이시오.

(a) $A$는 부분공간 $B$의 조밀한 부분집합이다.

(b) $A$는 부분공간 $\overline{B}$의 조밀한 부분집합이다.

**문제 4.2.39** $\mathscr{P}(X)$를 집합 $X$의 멱집합이라 하자. 그리고 함수 $\kappa : \mathscr{P}(X) \to \mathscr{P}(X)$가

(i) 모든 $A \in \mathscr{P}(X)$에 대해 $\kappa(A) \supset A$이다.

(ii) 모든 $A \in \mathscr{P}(X)$에 대해 $\kappa(\kappa(A)) = \kappa(A)$이다.

(iii) 모든 $A, B \in \mathscr{P}(X)$에 대해 $\kappa(A \cup B) = \kappa(A) \cup \kappa(B)$이다.

(iv) $\kappa(\varnothing) = \varnothing$

을 만족한다고 하자.[8] 그리고 $\mathscr{T}_\kappa = \{A \in \mathscr{P}(X) \mid \kappa(A^c) = A^c\}$이라 하자. 이제 다음을 보이시오.

(1) 만약 $A \subset B \subset X$이면 $\kappa(A) \subset \kappa(B)$이다.

(2) $\mathscr{T}_\kappa$는 집합 $X$상의 위상이다.

(3) 위상공간 $(X, \mathscr{T}_\kappa)$의 부분집합 $A$에 대해 $\mathrm{cl}_{\mathscr{T}_\kappa}(A) = \kappa(A)$이다.

(4) $\mathscr{T}$를 집합 $X$상의 위상이라 하자. 만약 위상공간 $(X, \mathscr{T})$의 모든 부분집합 $A$에 대

8) Kuratowski Closure Axioms

해 $\mathrm{cl}_{\mathscr{T}}(A)=\kappa(A)$이면 $\mathscr{T}=\mathscr{T}_\kappa$이다.

(5) 특별히 $\kappa: \mathscr{P}(X)\to\mathscr{P}(X)$가 항등함수이면 $\mathscr{T}_\kappa$는 이산위상이다.

**문제 4.2.40** $\mathscr{P}(X)$를 집합 $X$의 멱집합이라 하자. 그리고 함수 $\iota: \mathscr{P}(X)\to\mathscr{P}(X)$가

(i) 모든 $A\in\mathscr{P}(X)$에 대해 $\iota(A)\subset A$이다.

(ii) 모든 $A\in\mathscr{P}(X)$에 대해 $\iota(\iota(A))=\iota(A)$이다.

(iii) 모든 $A, B\in\mathscr{P}(X)$에 대해 $\iota(A\cap B)=\iota(A)\cap\iota(B)$이다.

(iv) $\iota(X)=X$

을 만족한다고 하자. 그리고 $\mathscr{T}_\iota=\{A\in\mathscr{P}(X) \mid \iota(A)=A\}$이라 하자. 이제 다음을 보이시오.

(1) 만약 $A\subset B\subset X$이면 $\iota(A)\subset\iota(B)$이다.

(2) $\mathscr{T}_\iota$는 집합 $X$상의 위상이다.

(3) 위상공간 $(X,\mathscr{T}_\iota)$의 부분집합 $A$에 대해 $\mathrm{int}_{\mathscr{T}_\iota}(A)=\iota(A)$이다.

(4) $\mathscr{T}$를 집합 $X$상의 위상이라 하자. 만약 위상공간 $(X,\mathscr{T})$의 모든 부분집합 $A$에 대해 $\mathrm{int}_{\mathscr{T}}(A)=\iota(A)$이면 $\mathscr{T}=\mathscr{T}_\iota$이다.

**문제 4.2.41** 실수 집합 $\mathbb{R}$의 부분집합들의 모임 $\mathscr{B}=\{(a,\infty) \mid a\in\mathbb{R}\}$에 대해 다음을 보이시오.

(1) $\mathscr{B}$는 집합 $\mathbb{R}$상의 기저이다.

(2) 모든 실수 $r\in\mathbb{R}$에 대해 $A_r=(-\infty,r)$은 위상공간 $(\mathbb{R},\mathscr{T}_{\mathscr{B}})$의 조밀한 곳이 없는 부분집합이다.

## 4.3 수열의 수렴성과 극한

### 수열의 수렴성

집합 $X$상의 수열(sequence)이란 함수 $f:\mathbb{N}\to X$를 의미한다. 이 경우, 각각의 자연수 $n$에 대한 $f$의 함숫값 $f(n)$을 $x_n$으로 표기한다. 즉, $x_n = f(n) \in X$이다. 일반적으로 수열 $f$를 $\{x_n\}$으로 표기하고, $x_n$을 수열 $\{x_n\}$의 제$n$항이라 한다. 참고로 $f$의 상 $f(\mathbb{N})$은 $\{x_n \mid n\in\mathbb{N}\}$으로 표시된다.9)

**정의 4.3.1** 위상공간 $X$상의 수열 $\{x_n\}$이 점 $x\in X$로 **수렴**(converge)한다란 임의의 $x$의 열린근방 $U$에 대하여 $n \ge n_0$이면 $x_n\in U$가 되는 자연수 $n_0$이 존재함을 의미한다. 즉, 임의로 주어진 $x$의 열린근방 $U$에 대하여

$$n \ge n_0 \ \Rightarrow\ x_n \in U$$

를 만족하는 자연수 $n_0$이 존재함을 의미한다.10) 이 경우 우리는 $x_n \to x$ 또는 $\lim_{n\to\infty} x_n = x$로 나타내고, $x$를 수열 $\{x_n\}$의 **극한**(limit)이라 한다.11)

**보기 4.3.2** 집합 $X=\{a,b,c\}$상에 위상

$$\mathscr{T} = \{\varnothing, \{a,c\}, X\}$$

를 준 위상공간 $(X,\mathscr{T})$상의 다음과 같이 주어진 두 수열의 수렴성을 조사해 보자:

$$\{x_n\} : a, b, a, b, a, b, a, b, a, b, a, b, \dots$$
$$\{y_n\} : a, c, a, c, a, c, a, c, a, c, a, c, \dots$$

(1) 먼저 수열 $\{x_n\}$의 수렴성을 알아보자.

(i) 점 $a\in X$의 열린근방 $\{a,c\}\in\mathscr{T}$에 대하여

---

9) 사실 $x_n\in X$은 수가 아니라 $X$상의 점(point)이므로 $\{x_n\}$을 수열보다는 **점열**이라 부르는 게 바른 표현일 수 있다. 하지만 일반적으로 수열이라는 용어를 많이 사용하므로 이 책에서도 수열을 사용하기로 한다.

10) 여기서 $n_0$은 주어진 $U$에 따라 변할 수 있음을 주의하자.

11) 수열의 극한과 집합의 극한점은 다른 것이므로 혼동하지 않도록 주의하자. 문제 4.3.5 참조.

$$n \geq n_0 \ \Rightarrow \ x_n \in \{a, c\}$$

를 만족하는 자연수 $n_0$이 존재하지 않으므로 $x_n \nrightarrow a$이다.

(ii) 점 $b$의 열린근방은 $X \in \mathscr{T}$ 뿐이고, 자연수 $n_0 = 1$이

$$n \geq 1 \ \Rightarrow \ x_n \in X$$

를 만족하므로 $x_n \to b$이다.

(iii) 점 $c$의 열린근방 $\{a, c\} \in \mathscr{T}$에 대하여

$$n \geq n_0 \ \Rightarrow \ x_n \in \{a, c\}$$

를 만족하는 자연수 $n_0$이 존재하지 않으므로 $x_n \nrightarrow c$이다.

(2) 이제 수열 $\{y_n\}$의 수렴성을 알아보자.

(i) 점 $a \in X$의 열린근방은 $\{a, c\}$, $X \in \mathscr{T}$ 뿐이다. 그리고 각각의 경우 자연수 $n_0 = 1$이

$$n \geq 1 \ \Rightarrow \ y_n \in \{a, c\},$$
$$n \geq 1 \ \Rightarrow \ y_n \in X$$

를 만족하므로 $y_n \to a$이다.

(ii) 점 $b \in X$의 열린근방은 $X \in \mathscr{T}$ 뿐이고, 자연수 $n_0 = 1$이

$$n \geq 1 \ \Rightarrow \ y_n \in X$$

를 만족하므로 $y_n \to b$이다.

(iii) 점 $c \in X$의 열린근방은 $\{a, c\}$, $X \in \mathscr{T}$ 뿐이다. 그리고 각각의 경우 자연수 $n_0 = 1$이

$$n \geq 1 \ \Rightarrow \ y_n \in \{a, c\},$$
$$n \geq 1 \ \Rightarrow \ y_n \in X$$

를 만족하므로 $y_n \to c$이다.

**보기 4.3.3** $\mathbb{R}_l = (\mathbb{R}, \mathscr{T}_l)$을 하극한공간이라 하자.

(1) $\mathbb{R}_l$상의 수열 $\{\frac{1}{n}\}$은 0으로 수렴한다.

(2) $\mathbb{R}_l$상의 수열 $\{-\frac{1}{n}\}$은 0으로 수렴하지 않는다.

**풀이** (1) 임의로 주어진 0의 열린근방 $U$에 대하여 $0 \in [a, b) \subset U$를 만족하는 기저의 원소 $[a, b)$가 존재한다. 여기서 $a \leq 0 < b$이다. 그리고 아르키메데스 원리(정리 2.1.11)에 의하여 $0 < \frac{1}{n_0} < b$를 만족하는 자연수 $n_0$이 존재한다. 그러면 이러한 $n_0$에 대해

$$n \geq n_0 \;\Rightarrow\; \frac{1}{n} \in [a, b) \subset U$$

이 성립하므로 $\frac{1}{n} \to 0$이다.

(2) 0의 열린근방 $[0, 1)$에 대하여 $-\frac{1}{n} \notin [0, 1)$ $(\forall n \in \mathbb{N})$이므로 $-\frac{1}{n} \not\to 0$이다.

□

**보기 4.3.4** 여유한공간 $(X, \mathscr{T}_f)$상의 수열 $\{x_n\}$이 $x_n \neq x_m\,(n \neq m)$을 만족하면 $\{x_n\}$은 모든 $x \in X$로 수렴한다. 특별히, 여유한공간 $(\mathbb{R}, \mathscr{T}_f)$상의 수열 $\{2n-1\}$은 모든 실수로 수렴한다.

**풀이** 임의로 주어진 점 $x \in X$와 $x$의 열린근방 $U$에 대하여 $U$가 공집합이 아닌 열린집합이므로 $U^c$은 유한집합이다. 우리는 $U^c = \{a_1, \ldots, a_k\}$이라 하자. 그리고 $\{x_n\}$이 서로 다른 점들로 이루어졌으므로 $\{n \in \mathbb{N} \mid x_n \in U^c\}$은 유한집합이다. 이제 $n_0 = \max\{n \in \mathbb{N} \mid x_n \in U^c\} + 1$이라 하면

$$n \geq n_0 \;\Rightarrow\; x_n \in U$$

를 만족한다. 따라서 수열 $\{x_n\}$은 $x$로 수렴한다. □

**보기 4.3.5** 여가산공간 $(X, \mathscr{T}_c)$상의 수열 $\{x_n\}$이 $x \in X$로 수렴하면 다음을 만족하는 자연수 $n_0 \in \mathbb{N}$이 존재한다:

$$x_{n_0} = x_{n_0+1} = x_{n_0+2} = \cdots = x$$

**풀이** $X$의 부분집합 $B = \{x_n \mid x_n \neq x\}$는 가산이고 $x \notin B$이다. 따라서 $B^c$은 $x$의 열린근방이다. 그런데 $x_n \to x$이므로

$$n \geq n_0 \;\Rightarrow\; x_n \in B^c$$

을 만족하는 자연수 $n_0 \in \mathbb{N}$이 존재한다. 그리고 $x_n \in B^c$이면 $x_n = x$이므로

$$x_{n_0} = x_{n_0+1} = x_{n_0+2} = \cdots = x$$

이다. □

**성질 4.3.6** $A$를 위상공간 $X$의 부분집합이라 하자.

(1) 만약 $x \in X$로 수렴하는 $A$의 점들로 이루어진 수열 $\{a_n\}$이 존재하면 $x \in \overline{A}$이다.

(2) 만약 $x \in X$로 수렴하는 $A$의 서로 다른 점들로 이루어진 수열 $\{a_n\}$이 존재하면 $x \in A'$이다.

증명 임의의 $x$의 열린근방 $U$에 대하여 $a_n \to x$이므로

$$n \geq n_0 \;\Rightarrow\; a_n \in U$$

를 만족하는 자연수 $n_0$이 존재한다. 따라서 $a_{n_0} \in A \cap U \neq \varnothing$이므로 $x \in \overline{A}$이다.

특별히, $\{a_n\}$이 $A$의 서로 다른 점들로 이루어져 있으면 $a_{n_0}$, $a_{n_0+1}$ 중 적어도 하나는 $x$와 다르고 $a_{n_0}, a_{n_0+1} \in A \cap U$이므로 $A \cap U - \{x\} \neq \varnothing$이다. 따라서 $x \in A'$이다. □

**참고 4.3.7** 일반적으로 성질 4.3.6의 역은 성립하지 않는다. 예를 들어 보기 4.2.24에 의해 여가산공간 $(\mathbb{R}, \mathscr{T}_c)$의 부분집합 $\mathbb{Q}^c$에 대해 $\overline{\mathbb{Q}^c} = \mathbb{R}$, $(\mathbb{Q}^c)' = \mathbb{R}$이다. 그런데 $0 \in \mathbb{R} = \overline{\mathbb{Q}^c} = (\mathbb{Q}^c)'$이지만 보기 4.3.5에 의해 0으로 수렴하는 $\mathbb{Q}^c$의 점들로 이루어진 수열 $\{a_n\}$은 존재하지 않는다.

## 거리공간상의 수열

**성질 4.3.8** 거리공간 $(X, d)$상의 수열 $\{x_n\}$에 대하여 다음은 동치이다.

(a) 수열 $\{x_n\}$이 점 $x \in X$로 수렴한다.

(b) 임의의 양의 실수 $\varepsilon$에 대하여 다음을 만족하는 자연수 $n_0$이 존재한다:

$$n \geq n_0 \;\Rightarrow\; d(x_n, x) < \varepsilon \;(\text{즉 } x_n \in B_d(x, \varepsilon))$$

증명 (a)⇒(b) 주어진 양의 실수 $\varepsilon$에 대하여 $B_d(x, \varepsilon)$은 $x$의 열린근방이다. 그리고

$x_n \to x$이므로

$$n \geq n_0 \quad \Rightarrow \quad x_n \in B_d(x, \varepsilon)$$

을 만족하는 자연수 $n_0$이 존재한다.

(b)⇒(a) $U$를 $x$의 열린근방이라 하자. 그러면 $x \in B_d(x, \varepsilon) \subset U$를 만족하는 기저의 원소인 열린구 $B_d(x, \varepsilon)$이 존재한다. 그리고 (b)에 의하여

$$n \geq n_0 \quad \Rightarrow \quad x_n \in B_d(x, \varepsilon)$$

을 만족하는 자연수 $n_0$이 존재하고, $B_d(x, \varepsilon) \subset U$이므로

$$n \geq n_0 \quad \Rightarrow \quad x_n \in U$$

이다. 따라서 $x_n \to x$이다. □

**참고 4.3.9** 거리공간상의 모든 수렴하는 수열은 유일한 극한을 갖는다.12)

**풀이** $\{x_n\}$을 거리공간 $(X,d)$상의 수렴하는 수열이라 하자. 이제 $\{x_n\}$이 유일한 극한을 가짐을 귀류법을 사용하여 보이자. $\{x_n\}$이 서로 다른 두 점 $p$와 $q$로 수렴한다고 가정하자. 그러면 $p \neq q$이므로 $d(p,q) > 0$이다. 이제 $\delta = \frac{d(p,q)}{3}$이라 하면 $B_d(p, \delta)$와 $B_d(q, \delta)$는

$$p \in B_d(p, \delta), \quad q \in B_d(q, \delta), \quad B_d(p, \delta) \cap B_d(q, \delta) = \varnothing$$

을 만족하는 열린집합이다. 그런데 $p$, $q$가 수열 $\{x_n\}$의 극한이므로

$$n \geq n_1 \quad \Rightarrow \quad x_n \in B_d(p, \delta),$$
$$n \geq n_2 \quad \Rightarrow \quad x_n \in B_d(q, \delta)$$

를 만족하는 자연수 $n_1$과 $n_2$가 존재한다. 그러면 자연수 $n_0 = \max\{n_1, n_2\}$에 대해

$$n \geq n_0 \quad \Rightarrow \quad x_n \in B_d(p, \delta) \cap B_d(q, \delta)$$

이 성립한다. 이것은 $B_d(p, \delta) \cap B_d(q, \delta) = \varnothing$에 모순이다. □

12) 성질 7.1.21 참조.

**정리 4.3.10** 거리공간 $(X,d)$와 $A \subset X$에 대하여 다음은 서로 동치이다.
(a) $p$는 $A$의 극한점이다. 즉, $p \in A'$이다.
(b) 임의의 양의 실수 $r$에 대하여 $A \cap B_d(p,r)$은 무한집합이다.
(c) 임의의 $p$의 열린근방 $U$에 대하여 $A \cap U$는 무한집합이다.

증명 (a)⇒(b) (대우) $A \cap B_d(p,r)$이 유한집합인 양의 실수 $r$이 존재한다고 가정하자. 그러면 $A \cap B_d(p,r)$이 유한집합이므로

$$A \cap B_d(p,r) - \{p\} = \{q_1, q_2, \dots, q_k\}$$

이라 할 수 있다. 이제 양의 실수 $\delta$를

$$\delta := \min\{r, d(p,q_1), d(p,q_2), \dots, d(p,q_k)\}$$

이라 하면

$$B_d(p,\delta) \subset B_d(p,r), \quad q_i \not\in A \cap B_d(p,\delta) \quad \forall i = 1,2,\dots,k$$

이므로 $A \cap B_d(p,\delta) \subset \{p\}$이 된다. 따라서 $A \cap B_d(p,\delta) - \{p\} = \varnothing$이 되어 $p$는 $A$의 극한점이 아니다.
(b)⇒(c) 임의의 $p$의 열린근방 $U$에 대하여 $p \in B_d(p,r) \subset U$를 만족하는 양의 실수 $r$이 존재하여 $A \cap B_d(p,r) \subset A \cap U$이 된다. 그런데 (b)에 의하여 $A \cap B_d(p,r)$이 무한집합이므로 $A \cap U$도 무한집합이다.
(c)⇒(a) 정의 4.2.2에 의하여 당연하다. □

**따름정리 4.3.11** 거리공간 $(X,d)$에 대하여 다음이 성립한다.
(1) 모든 유한 부분집합은 극한점을 갖지 않는다.
(2) 모든 유한 부분집합은 닫힌집합이다.

증명 (1) 정리 4.3.10에 의하여 자명하다.
(2) (1)에 의하여 유한 부분집합 $A$의 도집합 $A'$이 공집합이므로, $\overline{A} = A \cup A' = A \cup \varnothing = A$이다. 따라서 $A$는 닫힌집합이다. □

**보기 4.3.12** 유클리드공간 $\mathbb{R}$의 유계인 무한 부분집합은 극한점을 갖는다.

**풀이** $A$를 $\mathbb{R}$의 유계인 무한 부분집합이라 하자. 그러면 $A$가 유계이므로 $A \subset I = [a,b]$

인 닫힌구간 $I$가 존재한다. 이제 닫힌구간 $I$를 이등분한 두 닫힌구간 $J_1 = [a, \frac{a+b}{2}]$, $J_2 = [\frac{a+b}{2}, b]$ 중 적어도 하나는 $A$의 무한개의 원소를 포함한다. (왜냐하면 $A \cap J_1$과 $A \cap J_2$가 모두 유한집합이면 $A = A \cap I = (A \cap J_1) \cup (A \cap J_2)$도 유한집합이 되어 모순이다.) 우리는 이러한 닫힌구간을 $I_1$이라 하자. 다시 닫힌구간 $I_1$을 이등분한 두 닫힌구간 중 적어도 하나는 $A$의 무한개의 원소를 포함한다. 이러한 닫힌구간을 $I_2$라 하자. 다시 닫힌구간 $I_2$를 이등분한 두 닫힌구간 중 적어도 하나는 $A$의 무한개의 원소를 포함한다. 이러한 닫힌구간을 $I_3$이라 하자. 우리는 이와 같은 방법을 계속하여 다음을 만족하는 닫힌구간들의 모임 $\{I_n \mid n \in \mathbb{N}\}$을 얻을 수 있다:

(a) $I \supset I_1 \supset I_2 \supset I_3 \supset \cdots$;
(b) 모든 $A \cap I_n$은 무한집합이다;
(c) $\text{diam}(I_n) = \frac{b-a}{2^n}$.

한편 (a)와 성질 2.1.10에 의해 점 $x^* \in \bigcap_{n=1}^{\infty} I_n \subset I$가 존재한다. 그리고 $x^*$의 임의의 열린근방 $U$에 대하여 $x^* = (x^* - r, x^* + r) \subset U$인 양의 실수 $r$이 존재한다. 이제 $\frac{b-a}{2^k} < \frac{r}{2}$을 만족하는 자연수 $k$를 택하자. 그런데 $x^* \in I_k$이고 $\text{diam}(I_k) = \frac{b-a}{2^k} < \frac{r}{2}$이므로 $I_k \subset U$이다. 그리고 $A \cap I_k \subset A \cap U$이므로 $A \cap U$는 무한집합이다. 따라서 $x^*$는 $A$의 극한점이다. □

**성질 4.3.13** $(X,d)$를 거리공간이라 하자. 그러면 임의의 $A \subset X$에 대하여 $A'$은 $X$의 닫힌집합이다.[13)]

증명 정리 4.2.21에 의해 우리는 $(A')' \subset A'$임을 보이면 충분하다. 주어진 점 $x \in (A')'$에 대하여 $U$를 $x$의 열린근방이라 하자. $x$가 집합 $A'$의 극한점이므로 점 $y \in A' \cap U - \{x\}$가 존재한다. 한편 $y \in U$이고 $y \in A'$이므로 정리 4.3.10에 의해 $A \cap U$는 무한집합이다. 그래서 점 $z \in A \cap U - \{x, y\}$가 존재하여 $z \in A \cap U - \{x\} \neq \varnothing$이다. 따라서 $x \in A'$이다. 그러므로 $(A')' \subset A'$이다. □

13) 보기 4.2.4에서 보았듯이 성질 4.3.13은 일반적인 위상공간에서는 성립하지 않는다.

**따름정리 4.3.14** $A$를 거리공간 $(X,d)$의 부분집합이라 하자.

(1) $p \in A'$일 필요충분조건은 $\lim_{n\to\infty} a_n = p$인 $A$의 서로 다른 점들로 이루어진 수열 $\{a_n\}$이 존재하는 것이다.

(2) $p \in \overline{A}$일 필요충분조건은 $\lim_{n\to\infty} a_n = p$인 $A$의 점들로 이루어진 수열 $\{a_n\}$이 존재하는 것이다.

증명 (1) 먼저 $p \in A'$이라 하자. 그러면 정리 4.3.10에 의하여 모든 자연수 $n \in \mathbb{N}$에 대해 $A \cap B_d(p, \frac{1}{n})$은 무한집합이다. 우리는 먼저 임의의 점 $a_1 \in A \cap B_d(p, 1)$을 택하자. 그리고 $A \cap B_d(p, \frac{1}{2})$도 무한집합이므로 $a_1$과 다른 점 $a_2 \in A \cap B_d(p, \frac{1}{2})$를 택하자. 우리는 수학적 귀납법 가정으로서 자연수 $m = 1, 2, \ldots, n-1$에 대해 $a_m \in A \cap B_d(p, \frac{1}{m})$인 서로 다른 점 $a_1, a_2, \ldots, a_{n-1}$이 존재한다고 하자. 이제 $A \cap B_d(p, \frac{1}{n})$도 무한집합이므로 $a_1, a_2, \ldots, a_{n-1}$과 다른 점 $a_n \in A \cap B_d(p, \frac{1}{n})$을 택할 수 있다. 따라서 우리는 $A$의 서로 다른 점들로 이루어진 수열 $\{a_n\}$을 얻을 수 있다. 이제 $\lim_{n\to\infty} a_n = p$임을 보이자. 임의로 주어진 양의 실수 $\varepsilon$에 대하여 $\frac{1}{n_0} < \varepsilon$을 만족하는 자연수 $n_0$이 존재한다. 그리고 이러한 $n_0$에 대해 만약 $n \geq n_0$이면 $x_n \in B_d(p, \frac{1}{n})$이므로 $d(p, x_n) < \frac{1}{n} \leq \frac{1}{n_0} < \varepsilon$이다. 따라서 $\lim_{n\to\infty} a_n = p$이다.

역으로 $\lim_{n\to\infty} a_n = p$인 $A$의 서로 다른 점들로 이루어진 수열 $\{a_n\}$이 존재하면 성질 4.3.6(2)에 의해 $p \in A'$이다.

(2) 먼저 $p \in \overline{A} = A \cup A'$이라 하자. 만약 $p \in A$이면 $a_n = p$로 잡으면 된다. 그리고 만약 $p \notin A$이면 $p \in A'$이므로 (1)에 의해 $\lim_{n\to\infty} a_n = p$인 $A$의 원소로 이루어진 수열 $\{a_n\}$이 존재한다.

역으로 $\lim_{n\to\infty} a_n = p$인 $A$의 원소로 이루어진 수열 $\{a_n\}$이 존재하면 성질 4.3.6(1)에 의해 $p \in \overline{A}$이다. □

## 연습문제

**문제 4.3.1** 여유한공간 $(\mathbb{R},\mathscr{T}_f)$상의 수열 $x_n=\frac{1}{n}$은 수렴하는가?

**문제 4.3.2** 여유한공간 $(\mathbb{R},\mathscr{T}_f)$상의 수열

$$\{a_n\}\ :\ 3, \frac{1}{2}, 3, \frac{1}{4}, 3, \frac{1}{6}, 3, \frac{1}{8}, 3, \frac{1}{10}, 3, \frac{1}{12}, 3, \dots$$

(즉, 자연수 $n$에 대해 $a_{2n-1}=3,\ a_{2n}=\frac{1}{2n}$)에 대하여 다음을 보이시오.

(1) 집합 $A=\{a_n \mid n\in\mathbb{N}\}$에 대하여 $A'=\mathbb{R}$이다.

(2) 수열 $\{a_n\}$은 오직 3으로만 수렴한다.

**문제 4.3.3** 이산공간 $(X,\mathscr{D})$상의 수열 $\{x_n\}$이 $a$로 수렴할 필요충분조건을 구하시오.

**문제 4.3.4** 자명한(비이산)공간 $X$상의 수열 $\{x_n\}$은 모든 점 $x\in X$로 수렴함을 보이시오.

**문제 4.3.5** 하극한공간 $\mathbb{R}_l=(\mathbb{R},\mathscr{T}_l)$상의 수열 $\{\frac{(-1)^n}{n}\}$에 대해 다음을 답하시오.

(1) 집합 $A=\{\frac{(-1)^n}{n} \mid n\in\mathbb{N}\}$에 대해 $0\in A'$임을 보이시오.

(2) 수열 $\frac{(-1)^n}{n}\nrightarrow 0$임을 보이시오.

**문제 4.3.6** 거리공간 $(X,d)$상의 수열 $x_n$에 대하여 다음이 성립함을 보이시오.

$$x_n\to p \iff d(x_n,p)\to 0$$

**문제 4.3.7** $A$를 위상공간 $X$의 부분공간이라 하자. 그리고 $\{x_n\}$이 $A$상의 수열이고 $x\in A$라 하자. 이제 수열 $\{x_n\}$이 $A$상에서 점 $x$로 수렴할 필요충분조건이 $\{x_n\}$이 $X$상에서 점 $x$로 수렴하는 것임을 보이시오.

**문제 4.3.8** 유클리드공간 $\mathbb{R}$상의 유계인 수열은 수렴하는 부분수열을 가짐을 보이시오. (힌트: 보기 4.3.12 참조)

# 5장

# 연속사상

CONTENTS

여기서 우리는 위상을 보존하는 두 위상공간 사이에 정의되는 함수를 생각하는 것은 자연스럽다. 그런데 위상을 보존한다는 뜻은 무엇인가? 위상수학은 위상적 변형의 세 가지 특성인 구부리거나 잡아당기고 비트는 조작을 하여도 변하지 않는 사물의 특성을 연구하는 학문이다. 조건은 변형 전에 서로 가까이 있던 점들은 변형된 후에도 서로 가까이 있어야 한다는 것이다. 즉, 얼마든지 줄어들거나 늘어날 수 있는 이상적인 고무의 성질을 연구하는 것이다. 흔히 위상수학자들은 커피 잔과 도넛을 구분할 수 없다고 하는데, 이것은 커피 잔이 만약 이상적인 고무찰흙으로 만들어져 있다면 도넛모양으로 연속적으로 변형시킬 수 있기 때문이다. 한편, 공과 커피 잔은 위상적으로도 다르다. 두 대상이 위상적으로 같음을 보이기 위해서는 한 대상을 다른 대상으로 옮겨주는 위상적 변형을 찾아야 한다. 예를 들면, 삼각형과 사각형 및 원은 위상적으로 같은 것이다. 여기에는 한 대상을 연속적으로 다른 대상으로 변형시키는 자명한 방법이 있다. 철사로 만든 원을 연속적으로 구부려서 삼각형을 만들 수 있음을 상기하자. 이러한 위상적 변형을 수학적으로 표현한 것이 연속사상이다. 그러므로 연속사상은 위상수학을 공부하는 데 가장 기본적인 함수임을 알 수 있다. 이러한 연속사상은 수학의 여러 분야에 이용되는 기본적인 개념이다. 우리는 이미 미적분학이나 해석학 시간에 연속사상을 배웠다. 위상수학에서의 연속사상은 이미 배운 이러한 연속사상의 개념을 보다 일반화한 것이다.

## 5.1 연속사상(continuous map)

먼저 우리는 두 위상공간 사이의 함수의 연속을 정의하고자 한다. 그런데 주어진 위상공간에 대하여 우리가 알고 있는 정보는 열린집합들뿐이다. 따라서 우리는 열린집합을 사용하여 함수의 연속을 정의할 수밖에 없다. 두 위상공간 사이의 연속사상이란 유클리드공간 사이의 연속사상에 관한 성질 2.2.19를 일반화한 것이다. 그리고 이 책에서는 함수(function)와 사상(map)은 같은 의미로 쓰인다.

**정의 5.1.1** $X$와 $Y$를 위상공간이라 하자.

(1) 함수 $f: X \to Y$가 **연속사상**(continuous map)이란 임의의 $Y$의 열린집합 $V$에 대하여 $f^{-1}(V)$가 $X$의 열린집합이 되는 경우를 뜻한다.[1)]

1) 경우에 따라 연속사상을 **연속함수**(continuous function)라고도 한다.

(2) 함수 $f: X \to Y$가 **열린사상**(open map 또는 개사상)이란 임의의 $X$의 열린집합 $U$에 대하여 $f(U)$가 $Y$의 열린집합이 되는 경우를 뜻한다.

(3) 함수 $f: X \to Y$가 **닫힌사상**(closed map 또는 폐사상)이란 임의의 $X$의 닫힌집합 $C$에 대하여 $f(C)$가 $Y$의 닫힌집합이 되는 경우를 뜻한다.

**보기 5.1.2** 다음과 같이 정의된 두 위상공간 $(X, \mathscr{T}_X)$와 $(Y, \mathscr{T}_Y)$를 생각하자.

$$X = \{x, y, z\},\ \mathscr{T}_X = \{\varnothing, \{x\}, \{y, z\}, X\}$$
$$Y = \{a, b\},\quad \mathscr{T}_Y = \{\varnothing, \{a\}, Y\}$$

(1) 먼저 다음과 같이 정의된 함수 $f: X \to Y$를 살펴보자.

$$f: X \to Y,\ \ f(x) = a,\ \ f(y) = b,\ \ f(z) = a$$

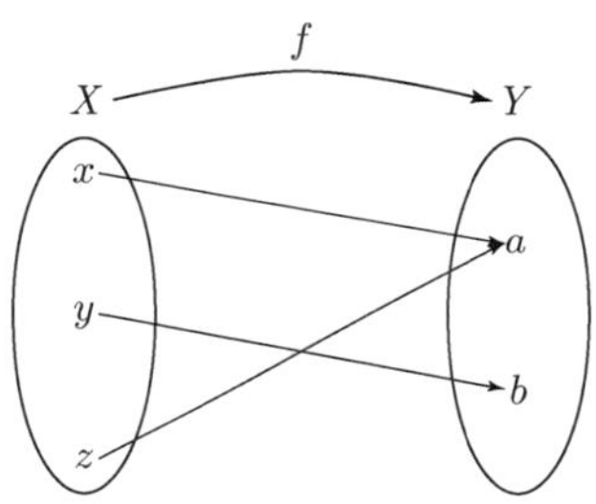


(i) $Y$의 열린집합 $\{a\}$에 대하여 역상 $f^{-1}(\{a\}) = \{x, z\}$가 $X$의 열린집합이 아니므로 $f$는 연속사상이 아니다.

(ii) $X$의 모든 열린집합 $\varnothing$, $\{x\}$, $\{y, z\}$, $X$에 대하여 이들의 상 $f(\varnothing) = \varnothing$, $f(\{x\}) = \{a\}$, $f(\{y, z\}) = Y$, $f(X) = Y$가 모두 $Y$의 열린집합이 되므로 $f$는 열린사상이다.

(iii) $X$의 닫힌집합 $\{x\} = X - \{y, z\}$에 대하여 $f(\{x\}) = \{a\}$가 $Y$의 닫힌집합이 아니므로 $f$는 닫힌사상이 아니다.

(2) 이제 다음과 같이 정의된 함수 $g: X \to Y$를 살펴보자.

$$g: X \to Y,\ g(x) = a,\ g(y) = b,\ g(z) = b$$

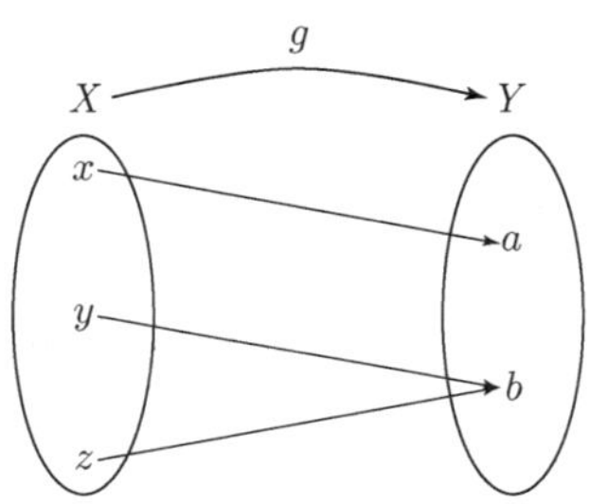

(i) $Y$의 모든 열린집합 $\varnothing$, $\{a\}$, $Y$에 대하여 이들의 역상 $g^{-1}(\varnothing)=\varnothing$, $g^{-1}(\{a\})=\{x\}$, $g^{-1}(Y)=X$가 모두 $X$의 열린집합이 되므로 $g$는 연속이다.

(ii) $X$의 열린집합 $\{y,z\}$에 대하여 $g(\{y,z\})=\{b\}$가 $Y$의 열린집합이 아니므로 $g$는 열린사상이 아니다.

(iii) $X$의 닫힌집합 $\{x\}=\{y,z\}^c$에 대하여 $g(\{x\})=\{a\}$가 $Y$의 닫힌집합이 아니므로 $g$는 닫힌사상이 아니다.

**참고 5.1.3** 성질 2.2.19에 의해 두 유클리드공간 $\mathbb{R}^m$과 $\mathbb{R}^n$ 사이의 함수 $f:\mathbb{R}^m\to\mathbb{R}^n$에 대한 연속의 정의는 미적분학 또는 해석학에서의 연속의 정의와 같은 것이다. 그러므로 위상수학에서의 연속은 해석학에의 연속의 정의를 보다 일반화된 (위상)공간으로 확장한 것이다. 따라서 해석학에서의 연속사상 $f:\mathbb{R}^m\to\mathbb{R}^n$는 위상수학에서도 연속이다. 단, 여기서 $\mathbb{R}^m$과 $\mathbb{R}^n$이 모두 유클리드공간임을 유의하자.

**정리 5.1.4** 두 위상공간 사이의 함수 $f:X\to Y$에 대하여 다음은 서로 동치이다.

(a) $f$는 연속사상이다.

(b) 임의의 $Y$의 닫힌집합 $C$에 대하여 $f^{-1}(C)$는 $X$의 닫힌집합이다.

(c) 임의의 부분집합 $A\subset X$에 대하여 $f(\overline{A})\subset\overline{f(A)}$이다.

(d) 임의의 부분집합 $B\subset Y$에 대하여 $f^{-1}(B^\circ)\subset(f^{-1}(B))^\circ$이다.

증명 먼저 성질 1.4.4를 상기하자.

(a)⇒(b) 임의의 $Y$의 닫힌집합 $C$에 대하여 $C^c$은 $Y$의 열린집합이다. 그리고 $f$가 연속이므로 $f^{-1}(C^c)$은 $X$의 열린집합이다. 한편

$$\{f^{-1}(C)\}^c=f^{-1}(C^c)$$

이므로 $f^{-1}(C)$는 $X$의 닫힌집합이다.

(b)⇒(c) 임의의 부분집합 $A\subset X$에 대하여 폐포 $\overline{f(A)}$는 $Y$의 닫힌집합이므로 (b)에 의하여 $f^{-1}(\overline{f(A)})$는 $X$의 닫힌집합이다. 한편

$$A\subset f^{-1}(f(A))\subset f^{-1}(\overline{f(A)})$$

이므로 $\overline{A}\subset f^{-1}(\overline{f(A)})$이다(성질 4.2.11 참조). 따라서

$$f(\overline{A})\subset f(f^{-1}(\overline{f(A)}))\subset\overline{f(A)}$$

이다.

(c)⇒(d) 임의의 부분집합 $B\subset Y$에 대하여

$$A=f^{-1}(B^c)=(f^{-1}(B))^c$$

이라 하자. 그러면 (c)에 의해 $f(\overline{A})\subset\overline{f(A)}$이다. 그리고 성질 4.2.18(5)에 의해

$$f(\overline{A})=f(\overline{(f^{-1}(B))^c})=f(((f^{-1}(B))^\circ)^c),$$
$$\overline{f(A)}=\overline{f(f^{-1}(B^c))}\subset\overline{B^c}=(B^\circ)^c$$

이므로 $f(((f^{-1}(B))^\circ)^c)\subset(B^\circ)^c$이 된다. 그래서

$$((f^{-1}(B))^\circ)^c\subset f^{-1}(f(((f^{-1}(B))^\circ)^c))\subset f^{-1}((B^\circ)^c)=(f^{-1}(B^\circ))^c$$

이 되므로 $(f^{-1}(B))^\circ\supset f^{-1}(B^\circ)$이다.

(d)⇒(a) 임의의 $Y$의 열린집합 $U$에 대하여 $U^\circ=U$이므로 (d)에 의해

$$f^{-1}(U)=f^{-1}(U^\circ)\subset(f^{-1}(U))^\circ$$

이다. 그리고 항상 $(f^{-1}(U))^\circ\subset f^{-1}(U)$이므로 $f^{-1}(U)=(f^{-1}(U))^\circ$이다. 따라서 정리 4.1.3에 의해 $f^{-1}(U)$는 $X$의 열린집합이다. 그러므로 $f$는 연속사상이다.

□

**보기 5.1.5** (1) 임의의 위상공간 $X$에 대하여 항등사상 $\text{id}:X\to X$, $\text{id}(x)=x$은 연속이다.

(2) 임의의 위상공간 $X$와 $Y$에 대하여 상수함수 $f:X\to Y$, $f(x)=c$는 연속이다.

(3) 이산공간 $(X,\mathscr{D})$와 임의의 위상공간 $Y$에 대하여 모든 함수 $f:X\to Y$는 연속이다.

(4) 임의의 위상공간 $X$와 자명한(비이산)공간 $Y$에 대하여 모든 함수 $f:X\to Y$는 연속이다.

**풀이** (1) 임의의 $X$의 열린집합 $U$에 대하여 $(\text{id})^{-1}(U)=U$가 $X$의 열린집합이므로 id는 연속이다.

(2) 임의의 $Y$의 열린집합 $V$에 대하여

$$f^{-1}(V)=\begin{cases}X, & c\in V\\ \varnothing, & c\notin V\end{cases}$$

이므로 $f^{-1}(V)$는 항상 $X$의 열린집합이다. 따라서 상수함수 $f$는 연속이다.

(3) $V$를 $Y$의 열린집합이라 하자. 한편 $X$의 모든 부분집합이 열린집합이므로

$f^{-1}(V)$는 $X$의 열린집합이다. 따라서 $f$는 연속이다.

(4) $Y$의 열린집합은 $\varnothing$, $Y$뿐이고 이들의 역상 $f^{-1}(\varnothing)=\varnothing$, $f^{-1}(Y)=X$가 모두 $X$의 열린집합이다. 따라서 $f$는 연속이다. □

**성질 5.1.6** $X$와 $Y$를 위상공간이라 하고 $\mathscr{B}$를 $Y$의 기저라 하자. 그러면 함수 $f: X \to Y$에 대하여 다음은 동치이다.

(a) $f$는 연속이다.

(b) 모든 $B \in \mathscr{B}$에 대하여 $f^{-1}(B)$는 $X$의 열린집합이다.

증명 (a)⇒(b) 먼저 $f$가 연속이라 하자. 임의의 기저의 원소 $B \in \mathscr{B}$는 $Y$의 열린집합이고 $f$가 연속이므로 $f^{-1}(B)$는 $X$의 열린집합이다.

(b)⇒(a) 역으로 임의의 $Y$의 열린집합 $V$는 적당한 기저의 원소 $B_\alpha \in \mathscr{B}(\alpha \in \Lambda)$들의 합집합으로 표현되므로

$$V = \bigcup_{\alpha \in \Lambda} B_\alpha$$

이다. 따라서

$$f^{-1}(V) = f^{-1}\Big(\bigcup_{\alpha \in \Lambda} B_\alpha\Big) = \bigcup_{\alpha \in \Lambda} f^{-1}(B_\alpha)$$

이고 $f^{-1}(B_\alpha)$가 모두 $X$의 열린집합이므로 $f^{-1}(V)$는 $X$의 열린집합이다. 그러므로 $f$는 연속사상이다. □

**보기 5.1.7** $\mathbb{R}$을 유클리드공간이라 하자.

(1) 만약 $X$가 $\mathbb{R}$의 유한 부분집합이면 $\mathbb{R}$의 부분공간 $X$는 이산위상을 가지므로 임의의 위상공간 $Y$에 대하여 모든 함수 $f: X \to Y$는 연속이다.

(2) 함수 $f: \mathbb{R} \to \mathbb{R}$, $f(x) = x^2$은 연속이다.

(3) 함수

$$g: \mathbb{R} \to \mathbb{R},\ \ g(x) = \begin{cases} x+1, & x \geq 0 \\ x, & x < 0 \end{cases}$$

는 연속이 아니다.

(4) 모든 다항함수(polynomial) $p: \mathbb{R} \to \mathbb{R}$는 연속이다. 연습문제 5.1.7 참조.

**풀이** (2) $\mathbb{R}$의 임의의 기저의 원소 $(a, b) \subset \mathbb{R}$에 대하여

$$f^{-1}((a,b)) = \begin{cases} (-\sqrt{b},\ \sqrt{b}), & a < 0 < b \\ (-\sqrt{b},\ -\sqrt{a}) \cup (\sqrt{a},\ \sqrt{b}), & a \geq 0 \\ \varnothing, & b \leq 0 \end{cases}$$

이고 $(-\sqrt{b},\ \sqrt{b})$, $(-\sqrt{b},\ -\sqrt{a}) \cup (\sqrt{a},\ \sqrt{b})$, $\varnothing$이 모두 $\mathbb{R}$의 열린집합이므로 성질 5.1.6에 의해 $f(x) = x^2$은 연속이다(그림 5.1 참조).

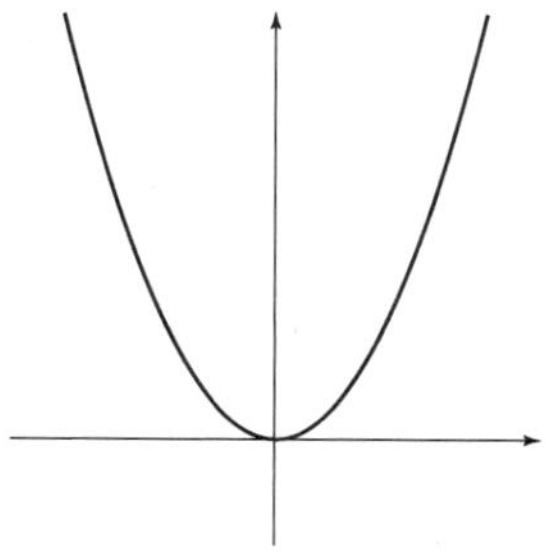

그림 5.1 • $f$의 그래프

(3) $\mathbb{R}$의 열린집합 $(\frac{1}{2}, 2)$의 역상 $g^{-1}((\frac{1}{2}, 2)) = [0, 1)$은 $\mathbb{R}$의 열린집합이 아니다. 따라서 $g$는 연속이 아니다(그림 5.2 참조).

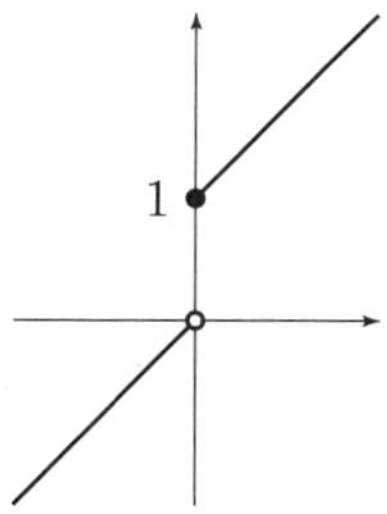


그림 5.2 • $g$의 그래프

□

**보기 5.1.8** $\mathbb{R}_l$을 하극한공간이라 하자. 그러면 함수

$$h : \mathbb{R}_l \to \mathbb{R}_l, \quad h(x) = \begin{cases} x+1, & x \geq 0 \\ x, & x < 0 \end{cases}$$

는 연속이다.

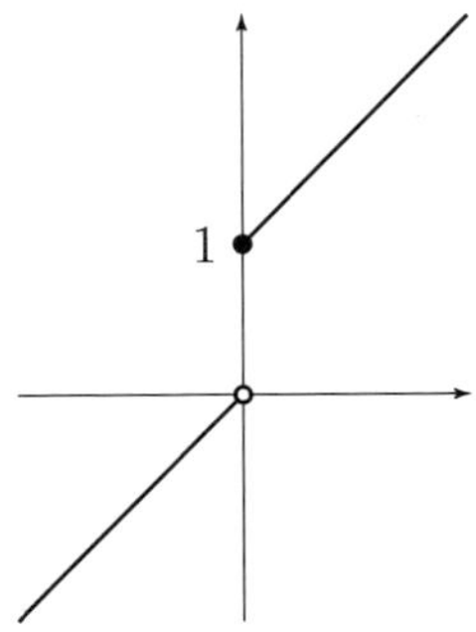

그림 5.3 • 함수 $h$의 그래프

**풀이** $\mathbb{R}_l$의 임의의 기저의 원소 $[a,b) \subset \mathbb{R}_l$에 대하여

$$h^{-1}([a,b)) = \begin{cases} [a-1,b-1), & 1 \le a \\ [0,b-1), & 0 \le a < 1 < b \\ [a,b-1), & a < 0 < 1 < b \\ \varnothing, & 0 \le a < b \le 1 \\ [a,0), & a < 0 < b \le 1 \\ [a,b), & b \le 0 \end{cases}$$

이므로 $h^{-1}([a,b))$는 $\mathbb{R}_l$의 열린집합이다. 따라서 성질 5.1.6에 의하여 $h$는 연속이다. □

**보기 5.1.9** 집합 $X$상의 기저 $\mathscr{B}$가 조건

$$B \in \mathscr{B} \Rightarrow B^c = X - B \in \mathscr{B}$$

를 만족한다고 하자. 그리고 $\mathscr{T}$를 기저 $\mathscr{B}$가 생성하는 집합 $X$상의 위상이라 하자. 그러면 임의로 주어진 $(X,\mathscr{T})$의 닫힌집합 $F$와 점 $p \notin F$에 대하여 $f(p)=0,\ f(F)=1$을 만족하는 연속사상 $f:(X,\mathscr{T}) \to \mathbb{R}$가 존재함을 보이자. 단, 여기서 $\mathbb{R}$은 유클리드공간이다.

**풀이** 먼저 $F^c$이 점 $p$의 열린근방이므로 $p \in B \subset F^c$를 만족하는 기저의 원소 $B \in \mathscr{B}$가 존재한다. 그런데 조건에 의하여 $B^c \in \mathscr{B}$이고 $\mathscr{B} \subset \mathscr{T}$이므로 $B$와 $B^c$은 모두 $(X,\mathscr{T})$의 열린집합이다. 그러면 특성함수

$$f:(X,\mathscr{T}) \to \mathbb{R},\ f(x) = \begin{cases} 0, & x \in B \\ 1, & x \in B^c \end{cases}$$

가 $f(p)=0,\ f(F)=1$을 만족하므로 $f$가 연속임을 보이면 충분하다. 임의의 열린집합 $U \subset \mathbb{R}$에 대하여

$$f^{-1}(U)=\begin{cases}\varnothing, & 0,1\notin U\\ B, & 0\in U, 1\notin U\\ B^c, & 0\notin U, 1\in U\\ X, & 0,1\in U\end{cases}$$

이므로 $f^{-1}(U)$는 $(X,\mathscr{T})$의 열린집합이다. 따라서 $f$는 연속이다. □

**정리 5.1.10** $X, Y, Z$를 위상공간이라 하자. 그러면 두 연속사상 $f: X\to Y$와 $g: Y\to Z$의 합성사상 $g\circ f: X\to Z$도 연속이다.

증명 임의의 $Z$의 열린집합 $W$에 대하여 $g$가 연속이므로 $g^{-1}(W)$는 $Y$의 열린집합이다. 또한 $f$가 연속이므로 $(g\circ f)^{-1}(W)=f^{-1}(g^{-1}(W))$는 $X$의 열린집합이다. 따라서 합성사상 $g\circ f$는 연속이다. □

**기초정리 5.1.11** 위상공간 $X, Y$와 $X$의 부분공간 $A$에 대해 다음이 성립한다.
(1) 포함사상(inclusion) $i: A\hookrightarrow X,\ a\mapsto a$는 연속이다.
(2) 연속사상 $f: X\to Y$의 축소사상(restriction) $f|_A: A\to Y,\ a\mapsto f(a)$도 연속이다.[2)]
(3) 만약 $f: X\to Y$가 연속이면 $f: X\to f(X)$도 연속이다.

증명 (1) 임의의 $X$의 열린집합 $U$에 대하여 $i^{-1}(U)=A\cap U\in\mathscr{T}_A$이므로 $i^{-1}(U)$는 부분공간 $A$의 열린집합이다. 그러므로 $i$는 연속이다.

(2) (방법 1) 포함사상 $i: A\hookrightarrow X$에 대하여 $f|_A=f\circ i$이므로 (1)과 정리 5.1.10에 의하여 $f|_A$는 연속이다.

(방법 2) 임의의 $Y$의 열린집합 $V$에 대하여 $f: X\to Y$가 연속이므로 $f^{-1}(V)$는 $X$의 열린집합이다. 그리고

$$f|_A^{-1}(V)=A\cap f^{-1}(V)\in\mathscr{T}_A$$

이므로 $f|_A^{-1}(V)$는 $A$의 열린집합이다. 따라서 $f|_A$는 연속이다.

(3) 혼동을 피하기 위하여 편의상 $g: X\to f(X)$, $g(x)=f(x)$이라 하자. 이제 $V$를 $Y$의 부분공간 $f(X)$의 열린집합이라 하자. 그러면 $V=U\cap f(X)$인 $Y$의 열린집합 $U$가 존재한다. 그리고 $f: X\to Y$가 연속이므로 $f^{-1}(U)$는 $X$의

2) 경우에 따라서 축소사상을 **제한사상**이라 부르기도 한다.

열린집합이다. 그런데 $g^{-1}(V)=f^{-1}(U)$이므로 $g^{-1}(V)$도 $X$의 열린집합이다. 따라서 $g: X \to f(X)$는 연속이다. □

**성질 5.1.12** $X$와 $Y$를 위상공간이라 하자. 만약 $X$의 열린집합들의 모임 $\{U_\alpha\}_{\alpha \in \Lambda}$
이 $X = \cup_{\alpha \in \Lambda} U_\alpha$를 만족하면 다음은 동치이다.

(a) $f: X \to Y$는 연속사상이다.

(b) 모든 $\alpha \in \Lambda$에 대하여 축소사상 $f|_{U_\alpha}: U_\alpha \to Y$는 연속이다.

증명 (a)⇒(b) 기초정리 5.1.11에 의하여 성립한다.

(b)⇒(a) 임의의 $Y$의 열린집합 $V$에 대하여, 각각의 $\alpha \in \Lambda$에 대한 축소사상 $f|_{U_\alpha}: U_\alpha \to Y$가 연속이므로 $(f|_{U_\alpha})^{-1}(V)$는 $U_\alpha$의 열린집합이다. 그런데 $U_\alpha$가 $X$의 열린집합이므로, 정리 3.4.8에 의해, $(f|_{U_\alpha})^{-1}(V)$는 $X$의 열린집합이다. 한편 $(f|_{U_\alpha})^{-1}(V) = f^{-1}(V) \cap U_\alpha$이므로

$$f^{-1}(V) = f^{-1}(V) \cap (\underset{\alpha \in \Lambda}{\cup} U_\alpha) = \underset{\alpha \in \Lambda}{\cup} (f^{-1}(V) \cap U_\alpha) = \underset{\alpha \in \Lambda}{\cup} (f|_{U_\alpha})^{-1}(V)$$

이 되어 $f^{-1}(V)$는 $X$의 열린집합이다. 따라서 $f: X \to Y$는 연속이다. □

**기초정리 5.1.13** 두 위상공간 사이의 연속사상 $f: X \to Y$에 대하여 다음이 성립한다.

(1) $f(X) \subset Z \subset Y$인 $Y$의 부분공간 $Z$에 대하여 사상 $g: X \to Z$, $g(x) = f(x)$도 연속이다.

(2) 만약 $Y$가 위상공간 $W$의 부분공간이면 사상 $h: X \to W$, $h(x) = f(x)$도 연속이다.

증명 (1) (방법 1) 임의의 $Z$의 열린집합 $V$에 대하여 $V = U \cap Z$인 $Y$의 열린집합 $U$가 존재한다. 그리고 $f$가 연속이므로 $f^{-1}(U)$는 $X$의 열린집합이다. 그런데

$$\begin{aligned} g^{-1}(V) &= g^{-1}(U \cap Z) = f^{-1}(U \cap Z) = f^{-1}(U) \cap f^{-1}(Z) \\ &= f^{-1}(U) \cap X = f^{-1}(U) \end{aligned}$$

이므로 $g^{-1}(V)$는 $X$의 열린집합이다. 따라서 $g$는 연속이다.

(방법 2) 기초정리 5.1.11에 의하여 포함사상 $j: f(X) \hookrightarrow Z$, $j(y)=y$와 $f: X \to f(X)$는 모두 연속이다. 따라서 정리 5.1.10에 의하여 $g = j \circ f$도 연속이다.

(2) 포함사상 $i: Y \hookrightarrow W$, $i(y)=y$에 대해 $h = i \circ f: X \to W$이므로, 정리 5.1.10과 기초정리 5.1.11에 의해, $h$는 연속이다. □

**기초정리 5.1.14 (붙임보조정리[3])** $X$와 $Y$는 위상공간이고 $A, B \subset X$가 $X = A \cup B$이라 하자. 만약 $A$와 $B$가 모두 닫힌집합이거나 모두 열린집합이고, $f: A \to Y$와 $g: B \to Y$가 $f|_{A \cap B} = g|_{A \cap B}$인 연속사상이면

$$h = f \cup g : X = A \cup B \to Y, \quad h(x) = \begin{cases} f(x), & x \in A \\ g(x), & x \in B \end{cases}$$

도 연속사상이다.

증명 먼저 $X = A \cup B$이고 $f|_{A \cap B} = g|_{A \cap B}$이므로 $h$는 잘 정의된다.

(i) 이제 $A, B$가 모두 $X$의 닫힌집합이라 하자. 임의의 $Y$의 닫힌집합 $C$에 대하여 $f: A \to Y$, $g: B \to Y$가 연속이므로 정리 5.1.4에 의하여 $f^{-1}(C)$는 $A$의 닫힌집합이고 $g^{-1}(C)$는 $B$의 닫힌집합이다. 그런데 $A, B$가 모두 $X$의 닫힌집합이므로 정리 3.4.8에 의하여 $f^{-1}(C)$, $g^{-1}(C)$는 $X$의 닫힌집합들이다. 따라서 $h^{-1}(C) = f^{-1}(C) \cup g^{-1}(C)$는 $X$의 닫힌집합이다. 그러므로 정리 5.1.4에 의하여 $h$는 연속이다.

(ii) 한편 $A, B$가 모두 $X$의 열린집합인 경우는 (i)의 증명 과정의 "닫힌"을 "열린"으로 바꾸면 된다.[4] □

**보기 5.1.15** $\mathbb{R}$을 유클리드공간이라 하자.

(1) 사상

$$h: \mathbb{R} \to \mathbb{R}, \quad h(x) = \begin{cases} x^2, & x \le 1 \\ 3 - 2x, & x \ge 1 \end{cases}$$

는 연속이다(그림 5.4 참조): 왜냐하면 $A = (-\infty, 1]$, $B = [1, \infty)$는 $\mathbb{R}$의 닫힌집합이고 $A \cup B = \mathbb{R}$이다. 그리고 보기 5.1.7(4)와 기초정리 5.1.11에 의하여 $f: A \to \mathbb{R}$,

3) pasting lemma
4) 물론 성질 5.1.12를 사용해서 바로 보일 수 있다.

$f(x)=x^2$과 $g:B\to\mathbb{R}$, $g(x)=3-2x$가 모두 연속이고, 교집합 $A\cap B=\{1\}$에서 $f(1)=g(1)$이다. 따라서 붙임보조정리(기초정리 5.1.14)에 의해 $h$는 연속이다.

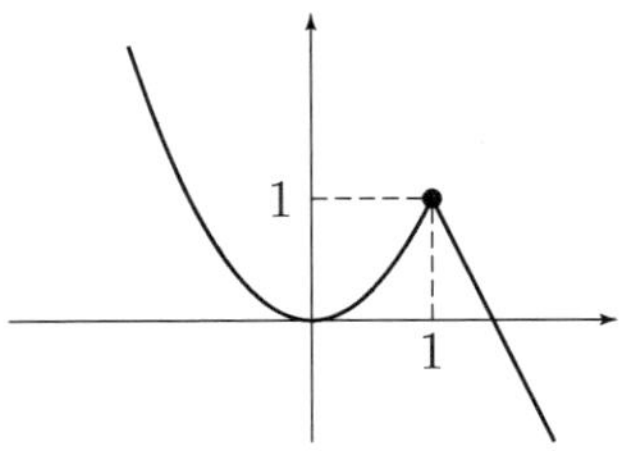


그림 5.4 • $h$의 그래프

(2) 사상

$$f:\mathbb{R}\to\mathbb{R},\ f(x)=\begin{cases} x, & x\le 0 \\ \frac{x}{2}, & x>0 \end{cases}$$

는 붙임보조정리에 의해 연속이다(그림 5.5 참조): 왜냐하면 $A=(-\infty,0]$, $B=[0,\infty)$는 $\mathbb{R}$의 닫힌집합이고 $A\cup B=\mathbb{R}$이다. 그리고 $f_1:A\to\mathbb{R}$, $f_1(x)=x$와 $f_2:B\to\mathbb{R}$, $f_2(x)=\dfrac{x}{2}$가 모두 연속이고, 교집합 $A\cap B=\{0\}$에서 $f_1(0)=f_2(0)$이다. 따라서 붙임보조정리(기초정리 5.1.14)에 의해 $f_1\cup f_2$는 연속이다. 그런데 $f=f_1\cup f_2$이므로 $f$는 연속이다.

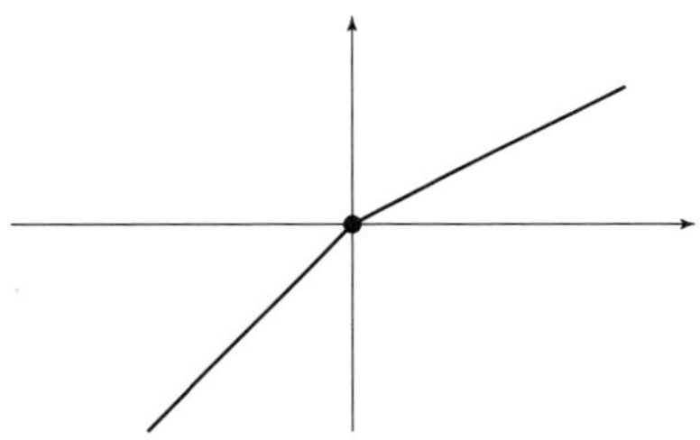

그림 5.5 • $f$의 그래프

(3) 사상

$$g:\mathbb{R}\to\mathbb{R},\ \ g(x)=\begin{cases} x-2, & x<0 \\ 2x-1, & x\ge 0 \end{cases}$$

는 연속이 아니다(그림 5.6 참조): 왜냐하면 열린구간 $(-\frac{3}{2},0)$은 $\mathbb{R}$의 열린집합이지만 $g^{-1}((-\frac{3}{2},0))=[0,\frac{1}{2})$은 $\mathbb{R}$의 열린집합이 아니다. 여기서 주의할 점은 $A=$

$(-\infty, 0)$은 $\mathbb{R}$의 열린집합이지만 $B=[0, \infty)$는 $\mathbb{R}$의 열린집합이 아니라는 사실이다.

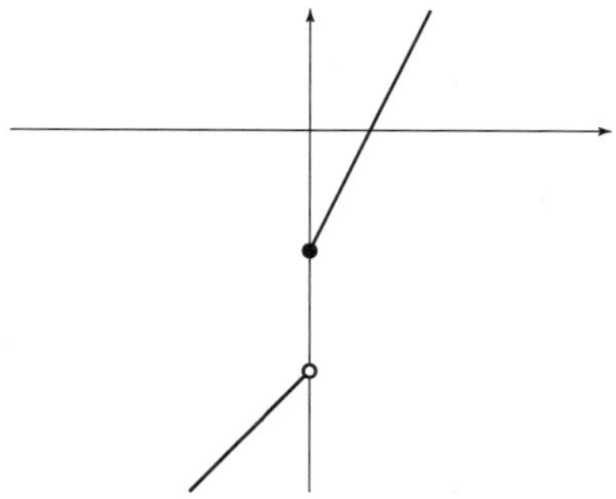

그림 5.6 • $g$의 그래프

(4) 위의 보기 (3)에서 보았듯이 만약 $A, B$에 아무런 조건이 없으면 붙임보조정리(기초정리 5.1.14)는 성립하지 않는다. 예를 들어 $\mathbb{Q} \cup \mathbb{Q}^c = \mathbb{R}$이고 $\mathbb{Q} \cap \mathbb{Q}^c = \varnothing$이다. 한편 다음과 같이 정의된 함수 $f$와 $g$는 연속사상들의 축소사상이므로

$$f : \mathbb{Q} \to \mathbb{R},\ f(x) = x,$$
$$g : \mathbb{Q}^c \to \mathbb{R},\ g(x) = 0$$

는 모두 연속이다.

그러나 사상

$$h = f \cup g : \mathbb{R} \to \mathbb{R}, \quad h(x) = \begin{cases} x, & x \in \mathbb{Q} \\ 0, & x \in \mathbb{Q}^c \end{cases}$$

는 연속이 아니다. 왜냐하면 열린구간 $(1, 2)$는 $\mathbb{R}$의 열린집합이지만 $h^{-1}((1, 2)) = (1, 2) \cap \mathbb{Q}$는 $\mathbb{R}$의 열린집합이 아니다. 여기서 주의할 점은 $\mathbb{Q}$, $\mathbb{Q}^c$이 $\mathbb{R}$의 열린집합도 닫힌집합도 아니라는 사실이다.

## 점에서의 연속

**정의 5.1.16** $X$와 $Y$를 위상공간이라 하자. 함수 $f : X \to Y$가 점 $x \in X$에서 연속[5]이란 점 $f(x)$의 임의의 열린근방 $V \subset Y$에 대하여 $U \subset f^{-1}(V)$ (즉 $f(U) \subset V$)를 만족하는 $x$의 열린근방 $U \subset X$가 존재함을 의미한다.

5) continuous at $x$

**정리 5.1.17** 두 위상공간 사이의 함수 $f: X \to Y$에 대하여 다음은 동치이다.
(a) $f: X \to Y$는 연속이다.
(b) $f$는 $X$의 모든 점에서 연속이다.

증명 (a)⇒(b) 만약 $f: X \to Y$가 연속이라 가정하면 임의로 주어진 점 $x \in X$와 $f(x)$의 열린근방 $V \subset Y$에 대하여 $U := f^{-1}(V)$가 $x \in U = f^{-1}(V) \subset f^{-1}(V)$를 만족하는 $X$의 열린집합이다. 따라서 $f$는 점 $x$에서 연속이다.

(b)⇒(a) 이제 $f$가 $X$의 모든 점에서 연속이라 하자. 그리고 $V$를 $Y$의 열린집합이라 하자. 임의의 점 $x \in f^{-1}(V)$에 대하여 $V$는 $f(x)$의 열린근방이고 $f$가 점 $x$에서 연속이므로 $x \in U_x \subset f^{-1}(V)$를 만족하는 $x$의 열린근방 $U_x$가 존재한다. 그런데 $f^{-1}(V) = \cup_{x \in f^{-1}(V)} U_x$이므로 $f^{-1}(V)$는 $X$의 열린집합이다. 따라서 $f$는 연속이다. □

**보기 5.1.18** 두 위상공간

$$X = \{x, y, z\}, \quad \mathscr{T}_X = \{\varnothing, \{x\}, \{y, z\}, X\}$$
$$Y = \{a, b\}, \quad \mathscr{T}_Y = \{\varnothing, \{a\}, Y\}$$

에 대하여 다음과 같이 정의된 함수 $f: X \to Y$를 살펴보자.

$$f: X \to Y, \ f(x) = a, \ f(y) = b, \ f(z) = a$$

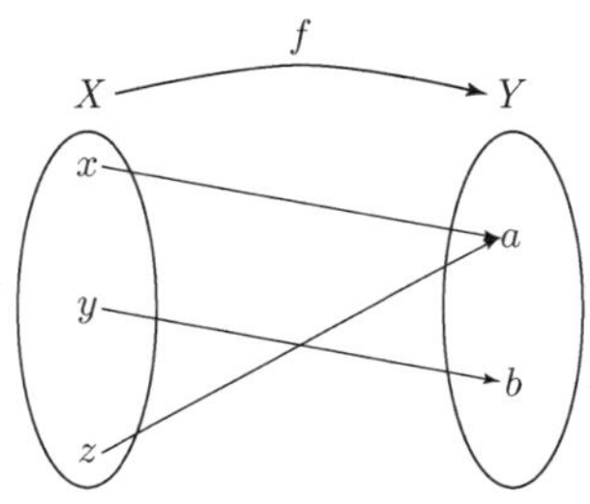


우리는 이미 보기 5.1.2(1)에서 $f$가 연속사상이 아님을 보였다. 따라서 $f$는 적어도 한 점에서는 연속이 아니어야 한다.

(i) $f$는 점 $x$에서 연속이다: 왜냐하면 $f(x) = a$를 포함하는 $Y$의 열린집합은 $\{a\}$와 $Y = \{a, b\}$뿐이다. 그리고 $X$의 열린집합 $\{x\}$가

$$x \in \{x\} \subset f^{-1}(\{a\}) = \{x, z\}, \quad x \in \{x\} \subset f^{-1}(Y) = X$$

를 만족하므로 $f$는 $x$에서 연속이다.

(ii) $f$는 점 $y$에서 연속이다: 왜냐하면 $f(y)=b$의 열린근방은 $Y=\{a,b\}$뿐이다. 그리고 $y$의 열린근방 $\{y,z\}$가

$$y\in\{y,z\}\subset f^{-1}(Y)=X$$

를 만족하므로 $f$는 $y$에서 연속이다.

(iii) $f$는 점 $z$에서 연속이 아니다: 왜냐하면 $\{a\}$는 $f(z)=a$의 열린근방이다. 그런데

$$z\in U\subset f^{-1}(\{a\})=\{x,z\}$$

를 만족하는 $z$의 열린근방 $U$가 존재하지 않으므로 $f$는 $z$에서 연속이 아니다.

**참고 5.1.19** 여기서 주의할 점은 앞의 보기에서 보았듯이 $f$가 점 $x$에서 연속이라 해서 $f(x)=a$의 열린근방 $\{a\}$에 대하여 $f^{-1}(\{a\})=\{x,z\}$가 $X$의 열린집합일 필요는 없다는 것이다.

## 거리공간에서의 연속성

**성질 5.1.20** 두 거리공간 사이의 함수 $f:(X,d)\to(Y,d')$에 대하여 다음은 동치이다.

(a) $f$는 점 $p\in X$에서 연속이다.

(b) 임의로 주어진 양의 실수 $\varepsilon$에 대하여

$$d(x,p)<\delta \;\Rightarrow\; d'(f(x),f(p))<\varepsilon$$

을 만족하는 양의 실수 $\delta$가 존재한다.

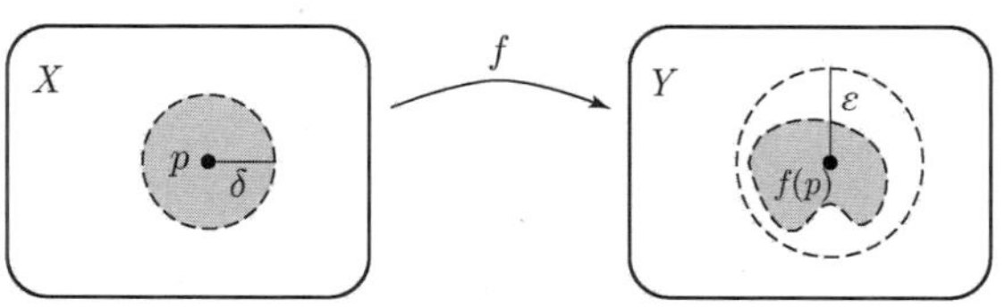


그림 5.7 • 함수 $f$의 점 $p$에서의 연속성

증명 (a)⇒(b) 임의로 주어진 양의 실수 $\varepsilon$에 대하여 $B_{d'}(f(p),\varepsilon)$은 $f(p)$의 열린근방이

다. (a)에 의하여 $p \in U \subset f^{-1}(B_{d'}(f(p), \varepsilon))$을 만족하는 $p$의 열린근방 $U$가 존재한다. 그리고 성질 3.3.11에 의해 $p \in B_d(p, \delta) \subset U$를 만족하는 양의 실수 $\delta$가 존재한다. 따라서 $\delta$는 $B_d(p, \delta) \subset f^{-1}(B_{d'}(f(p), \varepsilon))$을 만족한다. 그리고 이러한 $\delta$에 대해

$$\begin{aligned} d(x,p) < \delta &\Rightarrow x \in B_d(p,\delta) \Rightarrow x \in f^{-1}(B_{d'}(f(p),\varepsilon)) \\ &\Rightarrow f(x) \in B_{d'}(f(p),\varepsilon) \Rightarrow d'(f(x), f(p)) < \varepsilon \end{aligned}$$

이다.

(b)⇒(a) $V$를 $f(p)$의 임의의 열린근방이라 하자. 그러면 $Y$가 거리공간이므로 성질 3.3.11에 의해 $f(p) \in B_{d'}(f(p), \varepsilon) \subset V$를 만족하는 양의 실수 $\varepsilon$이 존재한다. 그리고 (b)에 의하여

$$d(x,p) < \delta \;\Rightarrow\; d'(f(x), f(p)) < \varepsilon$$

을 만족하는 양의 실수 $\delta$가 존재한다. 그러므로

$$p \in B_d(p,\delta) \subset f^{-1}(B_{d'}(f(p),\varepsilon)) \subset f^{-1}(V)$$

이 된다. 그리고 $B_d(p, \delta)$가 $X$의 열린집합이므로 정의에 의하여 $f$는 점 $p$에서 연속이다. □

**정리 5.1.21** 함수 $f : (X,d) \to (Y,d')$에 대하여 다음은 동치이다.
(a) $f$는 연속이다.
(b) 임의로 주어진 점 $x \in X$와 양의 실수 $\varepsilon$에 대하여 다음을 만족하는 양의 실수 $\delta$가 존재한다:

$$d(x,y) < \delta \;\Rightarrow\; d'(f(x), f(y)) < \varepsilon$$

증명 정리 5.1.17과 성질 5.1.20에 의하여 성립한다. □

따라서 두 거리공간 사이의 사상(함수)에 대한 위상수학에서의 연속의 정의는 해석학에서의 연속의 정의와 같은 것이다. 따라서 해석학에서의 두 거리공간 사이의 연속사상은 위상수학에서도 연속사상이다.

**보기 5.1.22** $(X,d)$를 거리공간이라 하고 $A \subset X$이라 하자. 그러면 사상

$$f: X \to \mathbb{R},\ \ x \mapsto d(x, A) = \inf\{d(x, a) \mid a \in A\}$$

는 연속이다. 단, 여기서 $\mathbb{R}$은 유클리드공간이다.

**풀이** $x, y \in X$이라 하자. 모든 $a \in A$에 대하여 $d(x, a) \le d(x, y) + d(y, a)$이므로

$$\begin{aligned} d(x, A) &= \inf\{d(x, a) \mid a \in A\} \le d(x, y) + \inf\{d(y, a) \mid a \in A\} \\ &= d(x, y) + d(y, A) \end{aligned}$$

이다. 그래서 $d(x, A) - d(y, A) \le d(x, y)$이다. 같은 방법으로 $d(y, A) - d(x, A) \le d(y, x)$를 보일 수 있다. 따라서

$$|f(x) - f(y)| = |d(x, A) - d(y, A)| \le d(x, y)$$

이다. 이제 주어진 $\varepsilon > 0$에 대해 $\delta = \varepsilon$으로 택하면

$$d(x, y) < \delta \Rightarrow |f(x) - f(y)| \le d(x, y) < \delta = \varepsilon$$

을 만족한다. 따라서 $f$는 연속이다.[6) ] □

**보기 5.1.23** 유클리드공간 $\mathbb{R}$에 대하여 함수 $f: \mathbb{R} \to \mathbb{R}$, $f(x) = 3x$가 연속임을 보여보자: 임의로 주어진 점 $p \in \mathbb{R}$와 양의 실수 $\varepsilon$에 대하여

$$|f(x) - f(p)| = |3x - 3p| = 3|x - p|$$

이므로 $\delta = \frac{\varepsilon}{3}$로 잡으면

$$|x - p| < \delta \Rightarrow |f(x) - f(p)| < \varepsilon$$

이 된다. 그러므로 $f$는 점 $p$에서 연속이다. 그리고 $p$가 임의로 주어진 점이므로 함수 $f: \mathbb{R} \to \mathbb{R}$는 연속이다.

**보기 5.1.24** 집합 $\mathbb{R}^2$상의 두 점 $x = (x_1, x_2)$와 $y = (y_1, y_2)$ 사이의 거리를

$$d(x, y) = |x_1 - y_1| + |x_2 - y_2|$$

으로 정의할 때, 행렬

---

6) 사실 $f$는 고른(uniformly)연속이다.

$$A=\begin{pmatrix} \frac{\sqrt{3}}{4} & -\frac{1}{4} \\ \frac{1}{4} & \frac{\sqrt{3}}{4} \end{pmatrix}$$

에 의하여 표현되는 변환 $f:(\mathbb{R}^2, d)\to(\mathbb{R}^2, d),\ x\mapsto Ax$는 연속이다.[7)]

**풀이** 정의로부터

$$f(x)=f(x_1, x_2)=\left(\frac{\sqrt{3}}{4}x_1-\frac{1}{4}x_2,\ \frac{1}{4}x_1+\frac{\sqrt{3}}{4}x_2\right)$$

이다. 그리고 임의로 주어진 점 $p=(p_1, p_2)\in\mathbb{R}^2$에 대하여

$$\begin{aligned} d(f(p), f(x)) &= \left|\frac{\sqrt{3}}{4}(p_1-x_1)-\frac{1}{4}(p_2-x_2)\right|+\left|\frac{1}{4}(p_1-x_1)+\frac{\sqrt{3}}{4}(p_2-x_2)\right| \\ &\le \frac{\sqrt{3}}{4}|p_1-x_1|+\frac{1}{4}|p_2-x_2|+\frac{1}{4}|p_1-x_1|+\frac{\sqrt{3}}{4}|p_2-x_2| \\ &= \frac{\sqrt{3}+1}{4}(|p_1-x_1|+|p_2-x_2|)=\frac{\sqrt{3}+1}{4}d(p, x) \end{aligned}$$

이다. 따라서 주어진 양의 실수 $\varepsilon$에 대하여 $\delta=\frac{4}{\sqrt{3}+1}\varepsilon$으로 택하면 된다. 보다 구체적으로 만약 $d(p, x)<\delta$이면

$$d(f(p), f(x))\le\frac{\sqrt{3}+1}{4}d(p, x)<\frac{\sqrt{3}+1}{4}\delta=\varepsilon$$

이다. 따라서 $f$는 연속이다. □

## 점별 수렴과 고른 수렴†

두 집합 $X$와 $Y$에 대하여 $Y^X$를 $X$에서 $Y$로의 함수들의 집합이라 하자. 즉, $Y^X=\{f\mid f:X\to Y\text{는 함수}\}$이다. $X$에서 $Y$로의 **함수열**(sequence of functions)이란 함수 $\varphi:\mathbb{N}\to Y^X$를 의미한다. 이 경우, 각각의 자연수 $n$에 대한 $\varphi$의 함수값 $\varphi(n)$을 $f_n$으로 표기한다. 즉, $f_n=\varphi(n):X\to Y$이다. 일반적으로 함수열 $\varphi$를 $\{f_n\}$으로 표기하고, $f_n$을 함수열 $\{f_n\}$의 제$n$항이라 한다. 또한 $X$에서 $Y$로의 함수열 $\{f_n\}$이 주어지면 각각의 점 $x\in X$에 대하여 함수값 $f_n(x)\in Y$를 제$n$항으로 하는 $Y$상의 수열 $\{f_n(x)\}$이 대응된다.

---

7) 여기서 $d$는 보기 3.3.3에서 다룬 택시거리이다.

**정의 5.1.25** (1) 집합 $X$에서 위상공간 $Y$로의 함수열 $\{f_n\}$이 함수 $f: X \to Y$로 **점별 수렴**(pointwise converge)한다란 임의의 점 $x \in X$에 대하여 수열 $\{f_n(x)\}$이 $f(x)$로 수렴함을 의미한다. 즉, 임의의 점 $x \in X$와 $f(x)$의 임의의 열린근방 $V$에 대하여

$$n \geq n_0 \;\Rightarrow\; f_n(x) \in V$$

을 만족하는 자연수 $n_0$이 존재함을 의미한다. 이 경우 우리는 $f_n \to f$로 나타낸다.

특별히 $Y$가 거리 $d_Y$를 갖는 거리공간인 경우에는 함수열 $f_n: X \to Y$이 함수 $f: X \to Y$로 점별 수렴할 필요충분조건은 임의의 점 $x \in X$와 임의의 양의 실수 $\varepsilon > 0$에 대하여

$$n \geq n_0 \;\Rightarrow\; d_Y(f_n(x), f(x)) < \varepsilon$$

을 만족하는 자연수 $n_0$이 존재하는 것이다.8)

(2) 집합 $X$에서 거리공간 $(Y, d_Y)$으로의 함수열 $\{f_n\}$이 함수 $f: X \to Y$로 **고르게 수렴**(또는 균등 수렴, 평등 수렴, uniformly converge)한다란 임의로 주어진 양의 실수 $\varepsilon > 0$에 대하여

$$n \geq n_0 \;\Rightarrow\; d_Y(f_n(x), f(x)) < \varepsilon \;\; \forall x \in X$$

을 만족하는 자연수 $n_0 \in \mathbb{N}$이 존재하는 경우를 뜻한다. 이 경우 우리는 $f_n \rightrightarrows f$로 나타낸다.9)

정의로부터 집합 $X$에서 거리공간 $(Y, d_Y)$로의 함수열 $\{f_n\}$이 $f$로 고르게 수렴하면 $\{f_n\}$은 $f$로 점별 수렴한다.

**보기 5.1.26** $\mathbb{R}$을 유클리드공간이라 하자.

(1) 함수열 $f_n: \mathbb{R} \to \mathbb{R}$, $f_n(x) = x^n$은 점별 수렴하지 않는다.

(2) 함수열 $g_n: [0, 1] \to \mathbb{R}$, $g_n(x) = x^n$은 점별 수렴하지만 고르게 수렴하지는 않는다.

(3) 함수열 $h_n: [0, 2] \to \mathbb{R}$, $h_n(x) = (x^2 + nx)/n$은 고르게 수렴한다.

**풀이** (1) 점 $x = 2$에 대하여 수열 $\{f_n(2)\} = \{2^n\}$은 수렴하지 않는다. 따라서 함수열 $\{f_n\}$은 점별 수렴하지 않는다.

---

8) 여기서 $n_0$은 주어진 $x$와 $\varepsilon$(또는 $V$)에 따라 변할 수 있음을 주의하자. 16.4절의 점-수렴 위상 참조.
9) 여기서 $n_0$은 $x$와는 상관없고 $\varepsilon$에 따라서만 변한다. 16.1절 고른위상 참조.

(2) 각각의 점 $x \in [0,1)$에 대하여 $g_n(x) = x^n \to 0$이다. 그리고 점 $x=1$에 대하여 $g_n(1) = 1^n \to 1$이다. 따라서 함수열 $g_n$은 함수

$$g:[0,1] \to \mathbb{R},\ g(x) = \begin{cases} 0, & 0 \le x < 1 \\ 1, & x = 1 \end{cases}$$

로 점별 수렴한다. 한편 만약 $g_n$이 고르게 수렴한다면 당연하게 $g_n \rightrightarrows g$이어야 한다. 그런데 각각의 자연수 $n$에 대하여 $x_n = \frac{1}{2^n}$이라 하면 $|g_n(x_n) - g(x_n)| = \frac{1}{2}$이므로 양의 실수 $\varepsilon = \frac{1}{3}$에 대하여

$$n \ge n_0 \ \Rightarrow\ |g_n(x) - g(x)| < \frac{1}{3} \ \ \forall x \in [0,1]$$

을 만족하는 자연수 $n_0$이 존재하지 않는다. 따라서 $g_n$은 $g$로 고르게 수렴하지 않는다. 그러므로 $g_n$은 고르게 수렴하지 않는다.

(3) 먼저 각각의 점 $x \in [0,2]$에 대하여 $h_n(x) = (x^2 + nx)/n \to x$이므로 $h_n$은 함수 $h:[0,2] \to \mathbb{R},\ h(x) = x$로 점별 수렴한다. 이제 우리는 함수열 $h_n$이 $h$로 고르게 수렴함을 보이자. 모든 점 $x \in [0,2]$와 자연수 $n \in \mathbb{N}$에 대하여

$$|h_n(x) - h(x)| = \left|\frac{x^2 + nx}{n} - x\right| = \frac{x^2}{n} \le \frac{4}{n}$$

이다. 그러므로 임의로 주어진 양의 실수 $\varepsilon$에 대하여 $\frac{1}{n_0} < \frac{\varepsilon}{4}$인 자연수 $n_0$을 택하면

$$n \ge n_0 \ \Rightarrow\ |h_n(x) - h(x)| \le \frac{4}{n} \le \frac{4}{n_0} < \varepsilon \ \ \forall x \in [0,1]$$

을 만족한다. 따라서 $h_n$은 $h$로 고르게 수렴한다. □

**정리 5.1.27** $X$를 위상공간, $(Y, d_Y)$를 거리공간이라 하자. 만약 연속사상들의 수열 $f_n : X \to Y$이 $f : X \to Y$로 고르게 수렴하면 $f$도 연속이다.[10)]

증명 임의로 주어진 점 $x_0 \in X$과 $y_0 = f(x_0)$의 열린근방 $V \subset Y$에 대하여 $U \subset f^{-1}(V)$를 만족하는 $x_0$의 열린근방 $U$가 존재함을 보이면 충분하다. 먼저 $V$가

10) uniform limit theorem

$y_0$의 열린근방이므로

$$y_0 \in B(y_0, \varepsilon) \subset V$$

를 만족하는 양의 실수 $\varepsilon$이 존재한다. 그리고 $f_n$이 $f$로 고르게 수렴하므로, 이러한 $\varepsilon$에 대하여

$$n \geq n_0 \;\Rightarrow\; d_Y(f_n(x), f(x)) < \frac{\varepsilon}{4} \;\; (\forall x \in X)$$

을 만족하는 자연수 $n_0$이 존재한다. 한편 $f_{n_0}$이 연속이므로

$$U = f_{n_0}^{-1}(B(f_{n_0}(x_0), \frac{\varepsilon}{2}))$$

는 $x_0$의 열린근방이다. 이제 우리는 $U \subset f^{-1}(V)$이 됨을 보이면 된다. 이를 위해 $f(U) \subset B(y_0, \varepsilon)(\subset V)$을 보이면 충분하다. 임의의 점 $x \in U$에 대하여

$$\begin{aligned} d(f(x), y_0) &= d(f(x), f(x_0)) \\ &\leq d(f(x), f_{n_0}(x)) + d(f_{n_0}(x), f_{n_0}(x_0)) + d(f_{n_0}(x_0), f(x_0)) \\ &< \frac{\varepsilon}{4} + \frac{\varepsilon}{2} + \frac{\varepsilon}{4} = \varepsilon \end{aligned}$$

이다. 따라서 $f(U) \subset B(y_0, \varepsilon)$이다. □

## 극한과 연속성

**기초정리 5.1.28** 함수 $f: X \to Y$를 두 위상공간 $X$와 $Y$ 사이의 연속사상이라 하자. 만약 $X$상의 수열 $\{x_n\}$이 $\lim_{n\to\infty} x_n = x$이면 $\lim_{n\to\infty} f(x_n) = f(x)$이다.[11]

증명 $X$상의 수열 $\{x_n\}$이 $\lim_{n\to\infty} x_n = x$이라 하자. 정리 5.1.17에 의해 $f$는 점 $x$에서 연속이다. 그래서 $f(x)$의 임의의 열린근방 $V \subset Y$에 대하여 $x \in U \subset f^{-1}(V)$를 만족하는 $x$의 열린근방 $U$가 존재한다. 그런데 수열 $\{x_n\}$이 $x$로 수렴하므로

$$n \geq n_0 \;\Rightarrow\; x_n \in U$$

11) 정의 4.3.1, 정리 9.5.10, 정리 10.2.13 참조.

를 만족하는 자연수 $n_0$이 존재한다. 따라서 이러한 $n_0$에 대해

$$n \geq n_0 \;\Rightarrow\; f(x_n) \in f(U) \subset f(f^{-1}(V)) \subset V$$

이므로 $\lim_{n\to\infty} f(x_n) = f(x)$이다. □

다음 보기와 같이 기초정리 5.1.28의 역은 일반적으로 성립하지 않는다.

**보기 5.1.29** 여가산공간 $X = (\mathbb{R}, \mathscr{T}_c)$와 이산공간 $Y = \{0, 1\}$ 사이의 함수

$$f : X \to Y, \quad f(x) = \begin{cases} 0, & x \in \mathbb{Q} \\ 1, & x \in \mathbb{Q}^c \end{cases}$$

를 생각하자.

(1) 먼저 $X$상의 수열 $\{x_n\}$이 $\lim_{n\to\infty} x_n = x$이면 $\lim_{n\to\infty} f(x_n) = f(x)$임을 보이자.

만약 $\lim_{n\to\infty} x_n = x$이면 보기 4.3.5에 의해

$$x_{n_0} = x_{n_0+1} = x_{n_0+2} = \cdots = x$$

를 만족하는 자연수 $n_0 \in \mathbb{N}$이 존재한다. 먼저 $x \in \mathbb{Q}$인 경우에는 $f(x_n) = 0\,(\forall n \geq n_0)$이므로 $\lim_{n\to\infty} f(x_n) = 0 = f(x)$이다. 그리고 $x \in \mathbb{Q}^c$인 경우에는 $f(x_n) = 1\,(\forall n \geq n_0)$이므로 $\lim_{n\to\infty} f(x_n) = 1 = f(x)$이다.

(2) 이제 $f$가 연속이 아님을 보이자. $Y$가 이산공간이므로 한 점 집합 $\{1\}$은 $Y$의 닫힌집합이다. 그런데 이의 역상 $f^{-1}(\{1\}) = \mathbb{Q}^c$은 비가산집합이므로 $X$의 닫힌집합이 아니다. 따라서 $f$는 연속이 아니다.

**정의 5.1.30** 두 거리공간 사이의 함수 $f : (X, d) \to (Y, d')$와 점 $p \in X$에 대하여 $\lim_{x\to p} f(x) = q$이란 임의의 양의 실수 $\varepsilon > 0$에 대하여 다음을 만족하는 양의 실수 $\delta > 0$가 존재함을 뜻한다:

$$0 < d(x, p) < \delta \;\Rightarrow\; d'(f(x), q) < \varepsilon$$

성질 5.1.20에 의하여 다음 성질이 성립한다.

**성질 5.1.31** 함수 $f:(X,d)\to(Y,d')$에 대하여 다음은 동치이다.
(a) $f$는 점 $p\in X$에서 연속이다.
(b) $\lim_{x\to p} f(x)=f(p)$.

**정리 5.1.32** 함수 $f:(X,d)\to(Y,d')$에 대하여 다음은 동치이다.
(a) $\lim_{x\to p} f(x)=q$.
(b) 만약 $X$상의 수열 $\{x_n\}$이 $x_n\neq p(\forall n)$이고 $\lim_{n\to\infty} x_n=p$이면 $\lim_{n\to\infty} f(x_n)=q$ 이다.

증명 (a)⇒(b) $X$상의 수열 $\{x_n\}$이 $x_n\neq p(\forall n)$이고 $\lim_{n\to\infty} x_n=p$이라 하자. 그러면 (a)에 의해 임의로 주어진 양의 실수 $\varepsilon$에 대하여 다음을 만족하는 $\delta>0$가 존재한다;

$$0<d(x,p)<\delta \;\Rightarrow\; d'(f(x),q)<\varepsilon.$$

한편 $\lim_{n\to\infty} x_n=p$이므로 주어진 $\delta$에 대하여 $d(x_n,p)<\delta\,(\forall n\geq n_0)$인 자연수 $n_0$이 존재한다. 따라서 $d'(f(x_n),q)<\varepsilon\,(\forall n\geq n_0)$이 되어 $\lim_{n\to\infty} f(x_n)=q$이다.
(b)⇒(a) (귀류법) $\lim_{x\to p} f(x)\neq q$라 가정하자. 그러면 다음을 만족하는 양의 실수 $\varepsilon$이 존재한다; 임의의 양의 실수 $\delta$에 대하여 $0<d(x,p)<\delta$이고 $d'(f(x),q)\geq\varepsilon$인 $x\in X$가 존재한다. 따라서 각각의 자연수 $n$에 대해 $\delta_n=\frac{1}{n}>0$이므로 $0<d(x_n,p)<\delta_n=\frac{1}{n}$이고 $d'(f(x_n),q)\geq\varepsilon$인 $x_n\in X$이 존재한다. 그런데 수열 $\{x_n\}$은 $x_n\neq p$이고 $\lim_{n\to\infty} x_n=p$이지만 $\lim_{n\to\infty} f(x_n)\neq q$이 되어 (b)에 모순이다. □

## 연습문제

**문제 5.1.1** $\mathbb{R}$을 유클리드공간이라 하자. 만약 모든 함수 $f:X\to\mathbb{R}$가 연속이면 $X$는 이산공간임을 보이시오.

**문제 5.1.2** $\mathbb{R}$은 유클리드공간이고 $f:\mathbb{R}\to\mathbb{R}$는 연속사상이라 하자. 만약 $f(x)=0(\forall x\in\mathbb{Q})$이면 $f\equiv 0$(즉 $f(x)=0\ \forall x\in\mathbb{R}$)임을 보이시오. (힌트: 정리 5.1.4 사용)

**문제 5.1.3** 무한집합 $X$에 여유한위상 $\mathscr{T}_f$를 주자. 그리고 $\mathbb{R}$을 유클리드공간이라 하자. 만약 $f: X \to \mathbb{R}$가 연속사상이면 $f$는 상수사상임을 보이시오.

**문제 5.1.4** 비가산집합 $X$에 여가산위상 $\mathscr{T}_c$를 주자. 그리고 $\mathbb{R}$을 유클리드공간이라 하자. 만약 $f: X \to \mathbb{R}$가 연속사상이면 $f$는 상수사상임을 보이시오.

**문제 5.1.5** $X$는 위상공간이고 $(Y, d)$는 거리공간이라 하자. 함수 $h: X \to Y$에 대해 다음이 동치임을 보이시오.

(a) $h$가 점 $p \in X$에서 연속이다.

(b) 임의의 양의 실수 $\varepsilon > 0$에 대해 다음을 만족하는 $p$의 열린근방 $U$가 존재한다:

$$x \in U \ \Rightarrow \ d(h(x), h(p)) < \varepsilon$$

**문제 5.1.6** $X$는 위상공간이고 $\mathbb{R}$은 유클리드공간이라 하자. 만약 $f, g: X \to \mathbb{R}$가 연속사상이면 다음과 같이 정의된 사상 $h_i: X \to \mathbb{R}$들도 연속임을 보이시오.

(1) $h_1(x) = f(x) + g(x)$.

(2) $h_2(x) = c \cdot f(x)$, 여기서 $c$는 고정된 실수이다.

(3) $h_3(x) = f(x)g(x)$.

(4) $h_4(x) = f(x)/g(x)$, 여기서 $g(x) \neq 0 (\forall x \in X)$이다.

(5) $h_5(x) = |f(x)|$.

(6) $h_6(x) = \max\{f(x), g(x)\}$.

(7) $h_7(x) = \min\{f(x), g(x)\}$.

**문제 5.1.7** $\mathbb{R}$을 유클리드공간이라 하자. 모든 다항함수 $f: \mathbb{R} \to \mathbb{R}$가 연속임을 보이시오.

**문제 5.1.8** 유클리드공간 $\mathbb{R}, \mathbb{R}^2$에 대하여 다음을 보이시오.

(1) 함수 $\pi_1: \mathbb{R}^2 \to \mathbb{R}, \ (x, y) \mapsto x$는 연속이다.

(2) 함수 $\pi_2: \mathbb{R}^2 \to \mathbb{R}, \ (x, y) \mapsto y$는 연속이다.

(3) 함수 $+: \ \mathbb{R}^2 \to \mathbb{R}, \ (x, y) \mapsto x + y$는 연속이다.

(4) 함수 $\cdot: \mathbb{R}^2 \to \mathbb{R}, \ (x, y) \mapsto xy$는 연속이다.

(5) 다항함수 $f: \mathbb{R}^2 \to \mathbb{R}$는 연속이다.

**문제 5.1.9** 연속사상 $f: \mathbb{R} \to \mathbb{R}_l$는 무엇인가? (힌트: 성질 2.2.15 이용)

**문제 5.1.10** $f: X \to Y$는 연속사상이고 $A \subset X$이라 하자. 만약 $x$가 $A$의 극한점이면 $f(x)$는 $f(A)$의 극한점이 되는가?

**문제 5.1.11** $X$는 위상공간이고 $\mathbb{R}$은 유클리드공간일 때 다음을 보이시오.

(1) 만약 $g: X \to \mathbb{R}$가 연속사상이면 $\{x \in X \mid g(x) = 0\}$는 $X$의 닫힌집합이다.

(2) 만약 $f, g: X \to \mathbb{R}$가 연속사상이면 $\{x \in X \mid f(x) \leq g(x)\}$는 $X$의 닫힌집합이다.

(3) 만약 $f, g: X \to \mathbb{R}$가 연속사상이면 $\{x \in X \mid f(x) < g(x)\}$는 $X$의 열린집합이다.

(4) 연속사상 $f: \mathbb{R} \to \mathbb{R}$의 고정점 집합 $\{x \in \mathbb{R} \mid f(x) = x\}$는 $\mathbb{R}$의 닫힌집합이다.

(5) 고정점 집합 $\{x \in X \mid f(x) = x\}$이 $X$의 닫힌집합이 되지 않는 위상공간 $X$와 연속사상 $f: X \to X$를 찾으시오.

**문제 5.1.12** $\mathbb{R}, \mathbb{R}^2$를 유클리드공간이라 하자. 이제 적당한 연속사상 $f: \mathbb{R}^2 \to \mathbb{R}$를 사용하여 다음과 같이 주어진 집합 $A, B, C$가 $\mathbb{R}^2$의 닫힌집합임을 보이고 $D, E$는 $\mathbb{R}^2$의 열린집합임을 보이시오.

(1) $A = \{(x, y) \mid xy = 1\}$.

(2) $B = \{(x, y) \mid x^2 + y^2 = 1\}$.

(3) $C = \{(x, y) \mid x^2 + y^2 \leq 3\}$.

(4) $D = \{(x, y) \mid x < y\}$.

(5) $E = \{(x, y) \mid xy > 1\}$.

**문제 5.1.13** $(X, d_X)$와 $(Y, d_Y)$를 거리공간이라 하자. 함수 $f: X \to Y$에 대해

$$d_Y(f(x), f(x')) < \alpha d_X(x, x') \quad \forall x, x' \in X$$

를 만족하는 양의 실수 $\alpha$가 존재하면 $f: (X, d_X) \to (Y, d_Y)$는 연속임을 보이시오.

**문제 5.1.14** $f: X \to Y$를 위상공간 $X$와 $Y$ 사이의 함수라 하자. 그리고 모든 $\alpha \in \Lambda$에 대하여 $A_\alpha$가 $X$의 닫힌집합이고 $X = \cup_{\alpha \in \Lambda} A_\alpha$이라 하자.

(1) 모든 $\alpha \in \Lambda$에 대하여 $f|_{A_\alpha}: A_\alpha \to Y$가 연속이지만 $f: X \to Y$는 연속이 아닌 보기를 찾으시오.[12)]

(2) 이제 $\Lambda$가 유한집합이라 하자. 만약 모든 $\alpha \in \Lambda$에 대하여 $f|_{A_\alpha}: A_\alpha \to Y$가 연속이면 $f: X \to Y$도 연속임을 보이시오.

**문제 5.1.15** 유클리드공간 $\mathbb{R}^2$의 부분공간

$$X = \{(x, \sin \tfrac{1}{x}) \in \mathbb{R}^2 \mid x \neq 0\} \cup \{(0, 0)\}$$

에 대하여 다음을 보이시오.

---

12) 성질 5.1.12와 비교.

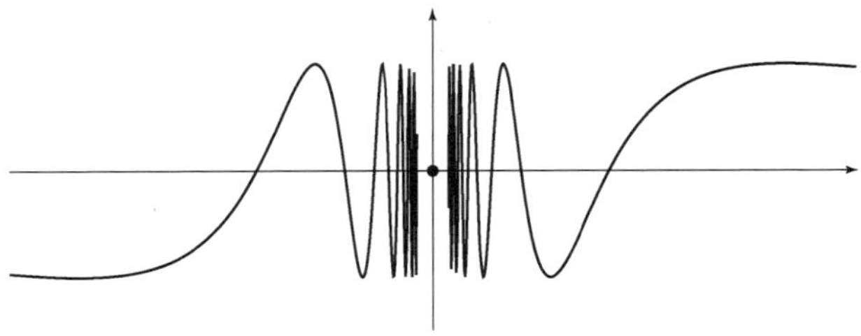

(1) $f: X \to \mathbb{R},\ f(x, y) = x$는 연속사상이다. 단, 여기서 $\mathbb{R}$은 유클리드공간이다.

(2) $g: \mathbb{R} \to X,\ g(x) = \begin{cases} (x, \sin\frac{1}{x}), & x \neq 0 \\ (0, 0), & x = 0 \end{cases}$는 연속사상이 아니다.

**문제 5.1.16** 위상공간 $X$의 부분집합 $A_n\,(n \in \mathbb{N})$이

$$X = \cup_{n=1}^{\infty} A_n,\quad A_n \subset (A_{n+1})^{\circ}\ (\forall n \in \mathbb{N})$$

를 만족한다고 하자. 그리고 위상공간 $Y$와 함수 $f: X \to Y$가 주어졌다고 하자. 만약 축소사상 $f|_{A_n}: A_n \to Y$이 모두 연속이면 $f: X \to Y$도 연속임을 보이시오.

**문제 5.1.17** 두 위상공간 $X$와 $Y$ 사이의 함수 $f: X \to Y$에 대해 다음 세 조건을 만족하는 $A, B \subset X$가 존재하면 $f$는 연속임을 보이시오.

(i) $X = A \cup B$.

(ii) $A, B$는 모두 $X$의 닫힌집합이거나 모두 $X$의 열린집합이다.

(iii) 두 축소사상 $f|_A: A \to Y,\ f|_B: B \to Y$는 모두 연속이다.

**문제 5.1.18** $\mathbb{R}$은 유클리드공간이고, $A = (-\infty, 0],\ B = [0, \infty) \subset \mathbb{R}$일 때, 함수

$$f: \mathbb{R} \to \mathbb{R},\quad f(x) = \begin{cases} x, & x \in A \\ x^2, & x \in B \end{cases}$$

가 연속임을 붙임보조정리를 사용하여 보이시오.

**문제 5.1.19** $\mathbb{R}$을 유클리드공간이라 하자. 함수

$$f: \mathbb{R} \to \mathbb{R},\quad f(x) = \begin{cases} x^2, & x \geq 1 \\ x+1, & x < 1 \end{cases}$$

가 연속이 아님을 보이시오.

**문제 5.1.20** $\mathbb{R}_l$을 하극한공간이라 하자. 함수

$$f: \mathbb{R}_l \to \mathbb{R}_l,\quad f(x) = \begin{cases} x^2, & x \geq 1 \\ x+1, & x < 1 \end{cases}$$

가 연속임을 보이시오.

**문제 5.1.21** $\mathbb{R}$을 유클리드공간이라 하자. 함수

$$f:\mathbb{R}\to\mathbb{R},\quad f(x)=\begin{cases} x, & x\in\mathbb{Q} \\ 0, & x\in\mathbb{Q}^c \end{cases}$$

는 오직 한 점 $x=0$에서만 연속임을 보이시오.

**문제 5.1.22** $(X,\mathscr{T})$를 위상공간, $Y$를 집합이라 하자. 함수 $f:(X,\mathscr{T})\to Y$에 대해

$$\mathscr{T}'=\{V\subset Y \mid f^{-1}(V)\in\mathscr{T}\}$$

이 $f$가 연속이 되게 하는 집합 $Y$상의 가장 큰 위상임을 보이시오.

**문제 5.1.23** 유클리드공간 $\mathbb{R}$과 집합 $Y=\{a,b,c,d,e,f\}$에 대해 함수

$$\varphi:\mathbb{R}\to Y,\quad \varphi(x)=\begin{cases} a, & x>2 \\ b, & x=2 \\ c, & -1<x<2 \\ d, & x\le -1 \end{cases}$$

를 연속이 되게 하는 집합 $Y$상의 최대의 위상을 구하시오.

**문제 5.1.24** 유클리드공간 $\mathbb{R}$과 정수 집합 $\mathbb{Z}$에 대하여 가우스 함수 $f:\mathbb{R}\to\mathbb{Z}$, $f(x)=[x]$가 연속이 되게 하는 집합 $\mathbb{Z}$상의 최대의 위상 $\mathscr{T}$를 구하시오. 단, $[x]$는 $x$를 넘지 않는 최대의 정수이다.

**문제 5.1.25** $X$를 집합, $(Y,\mathscr{T})$를 위상공간이라 하자. 함수 $f:X\to(Y,\mathscr{T})$에 대하여

$$\mathscr{T}'=\{f^{-1}(U)\subset X \mid U\in\mathscr{T}\}$$

이 $f$가 연속이 되게 하는 집합 $X$상의 가장 작은 위상임을 보이시오.

**문제 5.1.26** $\mathscr{T}_1$과 $\mathscr{T}_2$를 $\mathscr{T}_2\subset\mathscr{T}_1$인 집합 $X$상의 위상이라 하자. 이제 위상공간 $Y$에 대하여 다음을 보이시오.

(1) 만약 $f:(X,\mathscr{T}_2)\to Y$가 연속사상이면 $f:(X,\mathscr{T}_1)\to Y$도 연속이다.

(2) 만약 $g:Y\to(X,\mathscr{T}_1)$가 연속사상이면 $g:Y\to(X,\mathscr{T}_2)$도 연속이다.

**문제 5.1.27** $\mathscr{T}_1$과 $\mathscr{T}_2$를 집합 $X$상의 위상이라 하자. 이제 항등사상 $\mathrm{id}:(X,\mathscr{T}_1)\to(X,\mathscr{T}_2)$, $x\mapsto x$이 연속일 필요충분조건은 $\mathscr{T}_2\subset\mathscr{T}_1$임을 보이시오.

**문제 5.1.28** $\mathscr{U}, \mathscr{T}_l, \mathscr{T}_f$를 각각 집합 $\mathbb{R}$상의 보통(유클리드)위상, 하극한위상, 여유한위상이라 하자. 이제 다음 사상들이 연속사상이 되는지 판별하시오.

(1) 항등사상 $\text{id} : (\mathbb{R}, \mathscr{U}) \to (\mathbb{R}, \mathscr{T}_l),\ x \mapsto x$.

(2) 항등사상 $\text{id} : (\mathbb{R}, \mathscr{T}_l) \to (\mathbb{R}, \mathscr{U}),\ x \mapsto x$.

(3) 항등사상 $\text{id} : (\mathbb{R}, \mathscr{U}) \to (\mathbb{R}, \mathscr{T}_f),\ x \mapsto x$.

(4) 항등사상 $\text{id} : (\mathbb{R}, \mathscr{T}_f) \to (\mathbb{R}, \mathscr{U}),\ x \mapsto x$.

(5) $f : (\mathbb{R}, \mathscr{U}) \to (\mathbb{R}, \mathscr{T}_f),\ f(x) = x^3 + e^x \sin x$.

(6) $g : (\mathbb{R}, \mathscr{T}_l) \to (\mathbb{R}, \mathscr{T}_f),\ g(x) = x^3 \cos x + e^x \sin x$.

**문제 5.1.29** 집합 $X = \{a, b, c, d\}$에 위상

$$\mathscr{T} = \{X, \varnothing, \{a\}, \{b\}, \{a, b\}, \{b, c, d\}\}$$

를 준 위상공간 $(X, \mathscr{T})$를 생각하자. 함수 $f : (X, \mathscr{T}) \to (X, \mathscr{T})$

$$f(a) = b,\ f(b) = d,\ f(c) = b,\ f(d) = c$$

에 대하여 다음을 보이시오.

(1) $f$는 점 $a$에서 연속이다.

(2) $f$는 점 $c$에서 연속이 아니다.

**문제 5.1.30** $A$를 위상공간 $X$의 부분집합이라 하고 $\mathbb{R}$을 유클리드공간이라 하자. 그러면 특성함수

$$\chi_A : X \to \mathbb{R},\quad \chi_A(x) = \begin{cases} 1, & x \in A \\ 0, & x \notin A \end{cases}$$

에 대해 다음을 보이시오.

(1) $\chi_A$가 연속일 필요충분조건은 $A$가 열린집합인 동시에 닫힌집합이다.[13)]

(2) $\chi_A$가 점 $p \in X$에서 연속일 필요충분조건은 $p \notin \partial(A)$이다.

**문제 5.1.31** $\mathscr{T}$를 주어진 집합 $X$상의 위상이라 하자. 이제

$$\mathscr{B}_* = \{V \subset X \mid V, V^c \in \mathscr{T}\}$$

에 대하여 다음을 보이시오.

(1) $\mathscr{B}_*$는 집합 $X$상의 기저이다.

(2) $\mathscr{T}_*$를 기저 $\mathscr{B}_*$가 생성하는 집합 $X$상의 위상이라 하자. 그러면 $(X, \mathscr{T}_*)$의 닫힌집합 $F$와 점 $p \notin F$에 대하여 $f(p) = 0,\ f(F) = 1$을 만족하는 연속사상 $f : (X, \mathscr{T}_*) \to \mathbb{R}$가 존재한다. 단, 여기서 $\mathbb{R}$은 유클리드공간이다.

---

13) 연습문제 4.2.3 참조.

**문제 5.1.32** $X$는 위상공간이고 $Y$는 거리공간이라 하자. 그리고 $f_n : X \to Y$을 연속함수들의 수열이라 하고 $x_n$을 $x$로 수렴하는 $X$상의 수열이라 하자. 만약 $f_n$이 $f$로 고르게 수렴하면 $f_n(x_n)$은 $f(x)$로 수렴함을 보이시오.

**문제 5.1.33** $A$를 위상공간 $X$의 부분공간이라 하자. $A$가 $X$의 **수축**(retract)이란 연속사상

$$r : X \to A \quad \text{s.t.} \quad r(a) = a \ (\forall a \in A)$$

이 존재함을 의미한다. 그리고 이러한 사상 $r$을 **수축사상**(retraction)이라 한다.

(1) 만약 $A$가 거리공간 $X$의 수축이면 $A$는 $X$의 닫힌집합임을 보이시오.

(2) 만약 $A$가 $\mathbb{R}$의 두 점으로 이루어진 부분집합이면 $A$는 $\mathbb{R}$의 수축이 아님을 보이시오. (힌트: 성질 2.2.15)

(3) 만약 $A$가 $\mathbb{R}^2$의 두 점 부분집합이면 $A$는 $\mathbb{R}^2$의 수축이 아님을 보이시오.

(4) $S^1$이 $\mathbb{R}^2 - \{\mathbf{0}\}$의 수축임을 보이시오.

(5) $S^1$은 $\mathbb{R}^2$의 수축이 되는가?[14)]

**문제 5.1.34** $\mathcal{C}([0,1], \mathbb{R}) = \{f \mid f : [0,1] \to \mathbb{R}\text{는 연속함수}\}$이라 하자. 이제

$$d : \mathcal{C}([0,1], \mathbb{R}) \times \mathcal{C}([0,1], \mathbb{R}) \to \mathbb{R},\ d(f,g) = \sup\{|f(t) - g(t)| \in \mathbb{R} \mid t \in [0,1]\}.$$

$$e : \mathcal{C}([0,1], \mathbb{R}) \times \mathcal{C}([0,1], \mathbb{R}) \to \mathbb{R},\ e(f,g) = \int_0^1 |f(t) - g(t)| dt$$

로 정의된 함수 $d$와 $e$가 모두 집합 $\mathcal{C}([0,1], \mathbb{R})$상의 거리가 됨을 보이시오. 그리고 $\mathcal{T}_e \subsetneq \mathcal{T}_d$임을 보이시오.

**문제 5.1.35** $X$와 $Y$를 위상공간이라 하고 $\mathcal{S}$를 $Y$의 부분기저라 하자. 그러면 함수 $f : X \to Y$에 대하여 다음이 동치임을 보이시오.

(a) $f$는 연속이다.

(b) 모든 $S \in \mathcal{S}$에 대하여 $f^{-1}(S)$는 $X$의 열린집합이다.

**문제 5.1.36** $X$는 집합이고 $(Y_\alpha, \mathcal{T}_\alpha)$ $(\alpha \in J)$는 위상공간이라 하자. 그리고 각각의 $\alpha \in J$에 대해 주어진 함수 $f_\alpha : X \to (Y_\alpha, \mathcal{T}_\alpha)$들의 집합을

$$\mathcal{F} = \{f_\alpha \mid \alpha \in J\}$$

라 하자. 이 경우 우리는

---

14) 이 문제는 지금까지 배운 내용으로 정확한 풀이를 할 수 없으므로 어떻게 될지만 추측하여 보자.

$$\mathcal{S} = \bigcup_{\alpha \in J} \{ f_\alpha^{-1}(U_\alpha) \mid U_\alpha \in \mathcal{T}_\alpha \}$$

를 부분기저로 하는 $X$상의 위상 $\mathcal{T}$를 $\mathcal{F}$에 의하여 생성된 **약위상**(weak topology)이라 한다. 이제 다음을 보이시오.

(1) $\mathcal{S}$는 집합 $X$상의 부분기저이다.

(2) 모든 $\alpha \in J$에 대해 $f_\alpha : (X, \mathcal{T}) \to (Y_\alpha, \mathcal{T}_\alpha)$는 연속이다.

(3) $\mathcal{T}$는 모든 $f_\alpha$가 연속이 되게 하는 $X$상의 최소의 위상이다.

# 5.2 위상동형사상(homeomorphism)

## 열린사상과 닫힌사상

먼저 앞 절에서 정의한 열린사상과 닫힌사상의 정의를 다시 상기하자.

**정의 5.2.1** $X$, $Y$를 위상공간이라 하자.

(1) 함수 $f : X \to Y$가 **열린사상**(open map 또는 개사상)이란 임의의 $X$의 열린집합 $U$에 대해 $f(U)$가 $Y$의 열린집합이 되는 경우를 뜻한다.

(2) 함수 $f : X \to Y$가 **닫힌사상**(closed map 또는 폐사상)이란 임의의 $X$의 닫힌집합 $C$에 대해 $f(C)$가 $Y$의 닫힌집합이 되는 경우를 뜻한다.

**보기 5.2.2** $\mathbb{R}$을 유클리드공간이라 하자.

(1) 함수 $f : \mathbb{R} \to \mathbb{R}$, $f(x) = x^2$은 연속사상이고 닫힌사상이지만 열린사상은 아니다. 예를 들어 $(-1, 1)$은 $\mathbb{R}$의 열린집합이지만 $f((-1, 1)) = [0, 1)$은 $\mathbb{R}$의 열린집합이 아니다.

(2) 함수 $g : \mathbb{R} \to \mathbb{R}$를 다음과 같이 정의하자.

$$g(x) = \begin{cases} x+1, & x \geq 0 \\ x, & x < 0 \end{cases}$$

(i) $g$는 연속이 아니다: $\mathbb{R}$의 열린집합 $(\frac{1}{2}, 2)$의 역상 $f^{-1}((\frac{1}{2}, 2)) = [0, 1)$은 $\mathbb{R}$의 열린집합이 아니다.

(ii) $g$는 열린사상이 아니다: $(-1, 1)$은 $\mathbb{R}$의 열린집합이지만 $f((-1, 1)) = (-1, 0) \cup [1, 2)$는 $\mathbb{R}$의 열린집합이 아니다.

(iii) $g$는 닫힌사상이 아니다: $[-1, 1]$은 $\mathbb{R}$의 닫힌집합이지만 $f([-1, 1]) = [-1, 0) \cup [1, 2]$는 $\mathbb{R}$의 닫힌집합이 아니다.

(3) 단위원 $S^1 = \{(x, y) \in \mathbb{R}^2 \mid x^2 + y^2 = 1\}$을 유클리드공간 $\mathbb{R}^2$의 부분공간이라 하자. 그러면 함수 $h : \mathbb{R} \to S^1$, $h(t) = (\cos 2\pi t, \sin 2\pi t)$는 연속사상이고 열린사상이지만 닫힌사상은 아니다. 예를 들어 $C = \{n - \frac{1}{2n} \mid n \in \mathbb{N}\}$는 $\mathbb{R}$의 닫힌집합이다. 하지만 $h(C)$의 극한점 $(1, 0) \in \{h(C)\}'$이 $(1, 0) \notin h(C)$이므로 $h(C)$는 $S^1$의 닫힌집합이 아니다.

(4) 함수 $k : [0, 1) \to S^1$, $k(t) = (\cos 2\pi t, \sin 2\pi t)$를 생각하자.

(i) $k$는 연속사상 $h$의 축소사상이므로 연속이다.

(ii) $k$는 열린사상이 아니다: $[0, \frac{1}{2}) = (-\frac{1}{2}, \frac{1}{2}) \cap [0, 1)$이므로 $[0, \frac{1}{2})$은 $[0, 1)$의 열린집합이지만 $k([0, \frac{1}{2}))$은 $S^1$의 열린집합이 아니다.

(iii) $k$는 닫힌사상이 아니다: $[\frac{1}{2}, 1) = [\frac{1}{2}, 2] \cap [0, 1)$이므로 $[\frac{1}{2}, 1)$은 $[0, 1)$의 닫힌집합이지만 $k([\frac{1}{2}, 1))$은 $S^1$의 닫힌집합이 아니다.

**보기 5.2.3** $X$를 유클리드공간 $(\mathbb{R}, \mathscr{U})$, $Y$를 이산공간 $(\mathbb{R}, \mathscr{D})$이라 하자.

(1) 사상 $i : X \to Y$, $i(x) = x$는 열린사상이고 닫힌사상이지만 연속사상은 아니다. 왜냐하면 $Y$의 모든 부분집합이 열린집합인 동시에 닫힌집합이므로 $i$는 열린사상이고 닫힌사상이다. 한편 한 점 집합 $\{1\}$은 $Y$의 열린집합이지만 $i^{-1}(\{1\}) = \{1\}$은 $X$의 열린집합이 아니다. 따라서 $i$는 연속사상이 아니다.

(2) 사상 $j : Y \to X$, $j(x) = x$는 연속사상이지만 열린사상, 닫힌사상 모두 아니다. 왜냐하면 $Y$의 모든 부분집합이 열린집합이므로 $j$는 연속사상이다. 한편 한 점 집합 $\{1\}$은 $Y$의 열린집합이지만 $j(\{1\}) = \{1\}$은 $X$의 열린집합이 아니다. 따라서 $j$는 열린사상이 아니다. 그리고 구간 $(0, 1)$은 $Y$의 닫힌집합이지만 $j((0, 1)) = (0, 1)$은 $X$의 닫힌집합이 아니다. 따라서 $j$는 닫힌사상이 아니다.

**성질 5.2.4** 두 위상공간 $X$와 $Y$에 대하여 다음은 동치이다.

(a) $f : X \to Y$는 열린사상이다.

(b) 임의의 $A \subset X$에 대하여 $f(A^\circ) \subset (f(A))^\circ$이다.

증명 (a)⇒(b) 주어진 $A \subset X$에 대하여 $A^\circ \subset A$이므로 $f(A^\circ) \subset f(A)$이다. 그리고 (a)에 의해 $f$가 열린사상이므로 $f(A^\circ)$는 열린집합이다. 따라서 성질 4.1.2에 의해 $(f(A))^\circ$는 $f(A)$에 포함되는 가장 큰 열린집합이므로 $f(A^\circ) \subset (f(A))^\circ$이다.

(b)⇒(a) $U$를 $X$의 열린집합이라 하자. 그러면 $U$가 열린집합이므로 $U^\circ = U$이다. (b)에 의해 $f(U) = f(U^\circ) \subset (f(U))^\circ$이다. 그런데 항상 $(f(U))^\circ \subset f(U)$이므로 $f(U) = (f(U))^\circ$이다. 그러므로 정리 4.1.3에 의해 $f(U)$는 $Y$의 열린집합이다. 따라서 $f$는 열린사상이다. □

위상공간 $X$의 기저를 알고 있는 경우에는 다음과 같이 편리하게 주어진 함수 $f : X \to Y$가 열린사상이 되는지를 판별할 수 있다.

**성질 5.2.5** $X$와 $Y$는 위상공간이고 $\mathscr{B}$가 $X$의 기저이면 다음은 동치이다.
(a) $f: X \to Y$는 열린사상이다.
(b) 임의의 $B \in \mathscr{B}$에 대하여 $f(B)$는 $Y$의 열린집합이다.

증명 (a)⇒(b) 임의로 주어진 기저의 원소 $B \in \mathscr{B}$는 $X$의 열린집합이므로 (a)에 의해 $f(B)$는 $Y$의 열린집합이다.

(b)⇒(a) 이제 $U$를 $X$의 임의의 열린집합이라 하자. 그러면 $U$는 기저의 적당한 원소들의 합집합 $U = \cup_{\delta \in J} B_\delta$으로 표현된다. 그래서 $f(U) = f(\cup_{\delta \in J} B_\delta) = \cup_{\delta \in J} f(B_\delta)$이 된다. 그리고 (b)에 의해 모든 $f(B_\delta)$가 $Y$의 열린집합이므로 $f(U)$도 $Y$의 열린집합이다. 따라서 $f$는 열린사상이다. □

**보기 5.2.6** $\mathbb{R}$, $\mathbb{R}^2$을 유클리드공간이라 하자. 그러면 사영사상 $\pi_1 : \mathbb{R}^2 \to \mathbb{R}$, $\pi_1(x, y) = x$에 대하여 다음이 성립한다.

(i) $\pi_1$은 연속사상이다: $\mathbb{R}$의 임의의 기저의 원소(열린구간) $(a, b)$에 대하여 $\pi_1^{-1}((a, b)) = (a, b) \times \mathbb{R}$이 $\mathbb{R}^2$의 열린집합이므로 $\pi_1$은 연속이다.

(ii) $\pi_1$은 열린사상이다: $\mathbb{R}^2$의 임의의 기저의 원소인 열린구 $B((x, y), r)$에 대하여 $\pi_1(B((x, y), r)) = (x - r, x + r)$이 $\mathbb{R}$의 열린집합이므로 성질 5.2.5에 의해 $\pi_1$은 열린사상이다.

(iii) $\pi_1$은 닫힌사상이 아니다: $C = \{(x, y) \in \mathbb{R}^2 \mid xy = 1\}$는 $\mathbb{R}^2$의 닫힌집합이지만 $\pi_1(C) = \mathbb{R} - \{0\}$는 $\mathbb{R}$의 닫힌집합이 아니다.

**성질 5.2.7** 두 위상공간 $X$와 $Y$에 대하여 다음은 동치이다.
(a) $f: X \to Y$는 닫힌사상이다.
(b) 임의의 $A \subset X$에 대하여 $\overline{f(A)} \subset f(\overline{A})$이다.

증명 먼저 $f$가 닫힌사상이라고 하자. 그러면 임의의 $A \subset X$에 대해 $\overline{A}$가 $X$의 닫힌집합이므로 $f(\overline{A})$는 $Y$의 닫힌집합이다. 그리고 $f(A) \subset f(\overline{A})$이므로 성질 4.2.11에 의해 $\overline{f(A)} \subset f(\overline{A})$이다.

역으로 $f$가 (b)를 만족한다고 하자. 그리고 $A$를 $X$의 닫힌집합이라 하자. 그러면 $\overline{A} = A$이므로 $f(A) \subset \overline{f(A)} \subset f(\overline{A}) = f(A)$이 되어 $f(A) = \overline{f(A)}$이다. 따라서 정리 4.2.21에 의해 $f(A)$는 $Y$의 닫힌집합이므로 $f$는 닫힌사상이다. □

**성질 5.2.8** 두 위상공간 $X$와 $Y$ 사이의 전단사함수 $f: X \to Y$에 대하여 다음은 서로 동치이다.[15)]

(a) $f$는 열린사상이다.

(b) $f$는 닫힌사상이다.

(c) $f^{-1}: Y \to X$는 연속사상이다.

증명 (a)⇒(b) 임의의 $X$의 닫힌집합 $C$에 대하여 $C^c$이 $X$의 열린집합이므로 (a)에 의해 $f(C^c)$는 $Y$의 열린집합이다. 그리고 $f$가 전단사이므로 $f(C^c) = f(C)^c$이 되어 $f(C)$는 $Y$의 닫힌집합이다.

(b)⇒(c) 임의의 $X$의 닫힌집합 $C$에 대하여 $f$가 닫힌사상이므로 $f(C)$는 $Y$의 닫힌집합이다. 그리고 $f$가 전단사이므로 $(f^{-1})^{-1}(C) = f(C)$이 되어 $(f^{-1})^{-1}(C)$는 $Y$의 닫힌집합이다. 따라서 정리 5.1.4에 의하여 $f^{-1}$는 연속이다.

(c)⇒(a) $f^{-1}: Y \to X$가 연속이므로 임의의 $X$의 열린집합 $U$에 대하여 $(f^{-1})^{-1}(U)$는 $Y$의 열린집합이다. 그리고 $(f^{-1})^{-1}(U) = f(U)$이므로 $f$는 열린사상이다. □

**참고 5.2.9** $X$와 $Y$를 위상공간이라 하자.

(1) $f: X \to Y$가 닫힌사상이면 임의의 $Y$의 부분집합 $B$와 $f^{-1}(B) \subset U$인 $X$의 열린집합 $U$에 대하여 $B \subset V$, $f^{-1}(V) \subset U$를 만족하는 $Y$의 열린집합 $V$가 존재한다.

(2) $f: X \to Y$가 열린사상이면 임의의 $Y$의 부분집합 $B$와 $f^{-1}(B) \subset C$인 $X$의 닫힌집합 $C$에 대하여 $B \subset D$, $f^{-1}(D) \subset C$를 만족하는 $Y$의 닫힌집합 $D$가 존재한다.

풀이 (1) $V = \{f(U^c)\}^c$이라 하면 $f$가 닫힌사상이므로 $V$는 $Y$의 열린집합이다. 한편 $f^{-1}(B) \subset U$이므로 $B \subset V$이다. (보다 구체적으로 만약 $f(U^c) \cap B \neq \varnothing$이라 가정하면 $f(x) \in B$를 만족하는 $x \in U^c$가 존재하여야 한다. 그러면 $x \in f^{-1}(B) \subset U$이므로 $x \in U \cap U^c = \varnothing$이 되어 모순이다. 따라서 $f(U^c) \cap B = \varnothing$이므로 $B \subset V$이다.) 그리고

$$f^{-1}(V) = f^{-1}(\{f(U^c)\}^c) = \{f^{-1}(f(U^c))\}^c \subset \{U^c\}^c = U$$

---

15) 여기서 $f$는 연속일 필요는 없다. 그리고 함수 $f: X \to Y$가 단사(injective, 일대일)란 $x_1 \neq x_2$이면 $f(x_1) \neq f(x_2)$인 경우를 뜻하고, $f$가 전사(surjective, 위로)란 임의의 $y \in Y$에 대하여 $f(x) = y$인 $x \in X$가 존재하는(즉, $f(X) = Y$인) 경우를 뜻한다. 그리고 $f$가 전사이고 단사인 경우를 전단사(bijective, 일대일 대응)라 한다.

이다.

(2) $D=\{f(C^c)\}^c$이라 하면 $f$가 열린사상이므로 $D$는 $Y$의 닫힌집합이다. 한편 $f^{-1}(B) \subset C$이므로 $B \subset D$이다. 그리고

$$f^{-1}(D)=f^{-1}(\{f(C^c)\}^c)=\{f^{-1}(f(C^c))\}^c \subset \{C^c\}^c=C$$

이다. □

## 위상동형사상

위상수학의 주요 목표 중 하나는 주어진 두 위상공간이 서로 위상동형인지 아닌지를 밝히는 것이다.

**정의 5.2.10** $X$, $Y$를 위상공간이라 하자.

(1) 함수 $f: X \to Y$가 **위상동형사상**(homeomorphism)이란 다음 세 조건을 만족하는 경우를 뜻한다:

(i) $f$는 전단사이다;

(ii) $f$는 연속이다;

(iii) $f^{-1}: Y \to X$도 연속이다.

(2) 만약 $X$와 $Y$ 사이에 위상동형사상이 존재하면 $X$와 $Y$는 **위상동형**(homeomorphic)이라 하고 $X \cong Y$로 표기한다.

자명하게 $f: X \to Y$가 위상동형사상이면 역함수 $f^{-1}: Y \to X$도 위상동형사상이다.

**성질 5.2.11** $\cong$는 동치관계이다.

증명 (반사율) 임의의 위상공간 $X$에 대하여 항등사상 $\mathrm{id}: X \to X$, $\mathrm{id}(x)=x$가 위상동형사상이므로 $X \cong X$이다.

(대칭률) 두 위상공간 $X$와 $Y$에 대하여 만약 $X \cong Y$이면 위상동형사상 $f: X \to Y$가 존재한다. 그리고 역함수 $f^{-1}: Y \to X$도 위상동형사상이므로 $Y \cong X$이다.

(추이율) 만약 $X \cong Y$이고 $Y \cong Z$이면 위상동형사상 $f: X \to Y$, $g: Y \to Z$가 존재한다. 그러면 합성함수 $g \circ f: X \to Z$가 위상동형사상이므로 $X \cong Z$이다. □

위상수학에서는 서로 위상동형인 공간은 같은 것으로 간주한다.

**성질 5.2.12** 두 위상공간 $X$와 $Y$ 사이의 전단사함수 $f: X \to Y$에 대하여 다음은 서로 동치이다.

(a) $f$는 위상동형사상이다.

(b) $f$는 연속인 열린사상이다.

(c) $f$는 연속인 닫힌사상이다.

(d) 임의의 $A \subset X$에 대하여 $f(\overline{A}) = \overline{f(A)}$이다.

증명 (a) $\Leftrightarrow$ (b) $\Leftrightarrow$ (c) 성질 5.2.8에 의하여 성립한다.

(c) $\Leftrightarrow$ (d) 정리 5.1.4와 성질 5.2.7에 의하여 성립한다. □

**보기 5.2.13** 집합 $X = \{a, b, c\}$에 두 위상

$$\mathscr{T}_1 = \{\varnothing, X, \{b\}, \{a, b\}, \{b, c\}\}, \quad \mathscr{T}_2 = \{\varnothing, X, \{c\}, \{a, c\}, \{b, c\}\}$$

를 준 위상공간 $(X, \mathscr{T}_1)$와 $(X, \mathscr{T}_2)$는 서로 위상동형이다. 구체적으로 $f: (X, \mathscr{T}_1) \to (X, \mathscr{T}_2)$, $f(a) = a$, $f(b) = c$, $f(c) = b$가 우리가 원하는 위상동형사상이다.

**보기 5.2.14** 유클리드공간 $\mathbb{R}$과 부분공간 $\mathbb{Q}$는 위상동형이 아니다. 왜냐하면 $\mathbb{Q}$는 가산집합이고 $\mathbb{R}$은 비가산집합이므로 $\mathbb{Q}$와 $\mathbb{R}$ 사이에는 전단사함수가 존재하지 않는다.

**보기 5.2.15** (1) $\mathbb{R}$은 유클리드공간이고, 실수 $a, b, c, d$는 $a < b$, $c < d$이라 하자.

(i) $\mathbb{R}$의 두 부분공간 $(a, b)$와 $(c, d)$는 위상동형이다: 함수 $f: (a, b) \to (c, d)$, $f(x) = \frac{d-c}{b-a}(x-a) + c$는 연속이고, 이의 역함수 $f^{-1}: (c, d) \to (a, b)$, $f^{-1}(x) = \frac{b-a}{d-c}(x-c) + a$도 연속이므로 $f$는 위상동형사상이다. 따라서 $(a, b) \cong (c, d)$이다.

(ii) $(-1, 1) \cong \mathbb{R}$이다: (방법 1) 함수 $f: (-1, 1) \to \mathbb{R}$, $f(x) = \frac{x}{1-|x|}$는 연속이고, 이의 역함수 $f^{-1}: \mathbb{R} \to (-1, 1)$, $f^{-1}(x) = \frac{x}{1+|x|}$도 연속이므로 $f$는 위상동형사상이다. (방법 2) 함수 $g: (-1, 1) \to \mathbb{R}$, $g(x) = \tan \frac{\pi}{2} x$와 이의 역함수 $g^{-1}: \mathbb{R} \to (-1, 1)$, $g^{-1}(x) = \frac{2}{\pi} \tan^{-1} y$가 모두 연속이므로 $g$는 위상동형사상이다.

(iii) $(a, b) \cong \mathbb{R}$이다: 왜냐하면 (i), (ii)에 의해 $(a, b) \cong (-1, 1)$이고 $(-1, 1) \cong \mathbb{R}$이므로 성질 5.2.11에 의해 $(a, b) \cong \mathbb{R}$이다.

(2) 유클리드공간 $\mathbb{R}^{n+1}$의 부분공간 $\mathbb{R}^n \times \{0\}$은 유클리드공간 $\mathbb{R}^n$과 위상동형이다: 구체적으로 사상

$$f : \mathbb{R}^n \to \mathbb{R}^n \times \{0\},\ f(\mathbf{x}) = (\mathbf{x}, 0)$$

는 연속이고, 이의 역사상

$$f^{-1} : \mathbb{R}^n \times \{0\} \to \mathbb{R}^n,\ f^{-1}(\mathbf{x}, 0) = \mathbf{x}$$

도 연속이므로 $f$는 위상동형사상이다. 따라서 $\mathbb{R}^n \times \{0\} \cong \mathbb{R}^n$이다.

(3) $\mathbb{R}^n$은 유클리드공간이고, $r$과 $s$는 양의 실수라 하자.

(i) $\mathbb{R}^n$의 부분공간인 두 열린구 $B(\mathbf{a}, r)$과 $B(\mathbf{b}, s)$는 위상동형이다: 구체적으로 사상

$$f : B(\mathbf{a}, r) \to B(\mathbf{b}, s),\ \mathbf{x} \mapsto \frac{s}{r}(\mathbf{x} - \mathbf{a}) + \mathbf{b}$$

는 연속이고, 이의 역사상

$$f^{-1} : B(\mathbf{b}, s) \to B(\mathbf{a}, r),\ \mathbf{x} \mapsto \frac{r}{s}(\mathbf{x} - \mathbf{b}) + \mathbf{a}$$

도 연속이므로 $f$는 위상동형사상이다. 따라서 $B(\mathbf{a}, r) \cong B(\mathbf{b}, s)$이다.

(ii) $B(\mathbf{0}, 1) \cong \mathbb{R}^n$이다: 구체적으로 사상

$$f : B(\mathbf{0}, 1) \to \mathbb{R}^n,\ \mathbf{x} \mapsto \frac{1}{1 - \|\mathbf{x}\|}\mathbf{x}$$

는 연속이고, 이의 역사상

$$f^{-1} : \mathbb{R}^n \to B(\mathbf{0}, 1),\ \mathbf{x} \mapsto \frac{1}{1 + \|\mathbf{x}\|}\mathbf{x}$$

도 연속이므로 $f$는 위상동형사상이다. 따라서 $B(\mathbf{0}, 1) \cong \mathbb{R}^n$이다.

(iii) $B(\mathbf{a}, r) \cong \mathbb{R}^n$이다: 왜냐하면 (i), (ii)에 의해 $B(\mathbf{a}, r) \cong B(\mathbf{0}, 1)$이고 $B(\mathbf{0}, 1) \cong \mathbb{R}^n$이므로 성질 5.2.11에 의해 $B(\mathbf{a}, r) \cong \mathbb{R}^n$이다.

(4) 유클리드공간 $\mathbb{R}^2$의 부분공간인 단위 원 $S^1 = \{(x, y) \in \mathbb{R}^2 \mid x^2 + y^2 = 1\}$과 타원 $E = \{(x, y) \in \mathbb{R}^2 \mid \frac{x^2}{a^2} + \frac{y^2}{b^2} = 1\}$은 위상동형이다. 실제로 $f : S^1 \to E$, $f(x, y) = (ax, by)$가 위상동형사상이 됨을 쉽게 알 수 있다. 이 경우 역사상은 $f^{-1}(x, y) = \left(\frac{x}{a}, \frac{y}{b}\right)$이다.

**보기 5.2.16** 유클리드공간 $\mathbb{R}$의 두 부분공간

$$X = \mathbb{N} \cup \{0\}, \quad Y = \{ \tfrac{1}{n} \mid n \in \mathbb{N} \} \cup \{0\}$$

은 위상동형이 아니다.

(i) $X$는 이산공간이다. 따라서 모든 부분집합이 열린집합이다. 특별히 한 점 집합들도 모두 $X$의 열린집합이다.

(ii) $\{0\}$은 $Y$의 열린집합이 아니다. 구체적으로 만약 $\{0\}$이 $Y$의 열린집합이라 가정하면 $\{0\} = Y \cap U$인 $\mathbb{R}$의 열린집합 $U$가 존재하여야 한다. 그리고 $0 \in U$이므로 $0 \in (a, b) \subset U$를 만족하는 기저의 원소 $(a, b)$가 존재하고 $Y \cap (a, b) \subset Y \cap U = \{0\}$이다. 그런데 $(a, b) \cap Y$는 무한집합이므로 모순이다.

(iii) $f: Y \to X$를 임의로 주어진 전단사함수라 하자. 그리고 $f(0) = n \in X$이라 놓으면 $\{n\}$은 $X$의 열린집합이지만 역상 $f^{-1}(\{n\}) = \{0\}$은 $Y$의 열린집합이 아니다. 따라서 $f$는 연속이 아니다. 그러므로 $Y$와 $X$ 사이에는 위상동형사상이 존재하지 않는다.

**보기 5.2.17** 유클리드공간 $\mathbb{R}^2$의 두 부분공간 $X = \{\mathbf{x} \in \mathbb{R}^2 \mid 1 < \|\mathbf{x}\| < 3\}$와 $Y = \mathbb{R}^2 - \{\mathbf{0}\}$는 서로 위상동형이다(그림 5.8 참조).

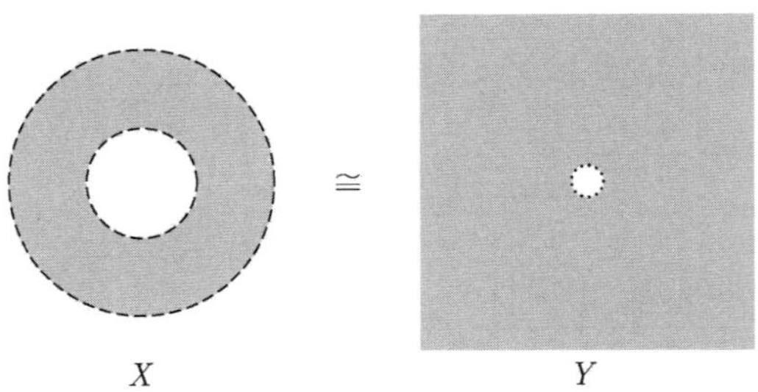


그림 5.8 • $X$와 $Y$는 위상동형이다.

**풀이** 먼저 $Y = \mathbb{R}^2 - \{\mathbf{0}\} = \{\mathbf{y} \in \mathbb{R}^2 \mid 0 < \|\mathbf{y}\|\}$임을 유의하자. 그리고 $\mathbb{R}$의 두 부분공간 $(1, 3)$과 $(0, \infty)$에 대해

$$\varphi : (1, 3) \to (0, \infty), \ r \mapsto \frac{r-1}{3-r},$$

$$\varphi^{-1} : (0, \infty) \to (1, 3), \ s \mapsto \frac{3s+1}{s+1}$$

가 위상동형사상임을 상기하자. 따라서 두 함수

$$f: X \to Y, \ \ \mathbf{x} \mapsto \frac{\|\mathbf{x}\|-1}{3-\|\mathbf{x}\|} \frac{\mathbf{x}}{\|\mathbf{x}\|},$$
$$g: Y \to X, \ \ \mathbf{y} \mapsto \frac{3\|\mathbf{y}\|+1}{\|\mathbf{y}\|+1} \frac{\mathbf{y}}{\|\mathbf{y}\|}$$

는 모두 연속이고 $g = f^{-1}$이므로 $f$는 위상동형사상이다. □

**보기 5.2.18** 단위 구면 $S^n$을 유클리드공간 $\mathbb{R}^{n+1}$의 부분공간이라 하고 $\mathbf{p} \in S^n$라 하자. 그러면 $S^n - \{\mathbf{p}\} \cong \mathbb{R}^n$이다. 단, 여기서 $\mathbb{R}^n$은 유클리드공간이다.

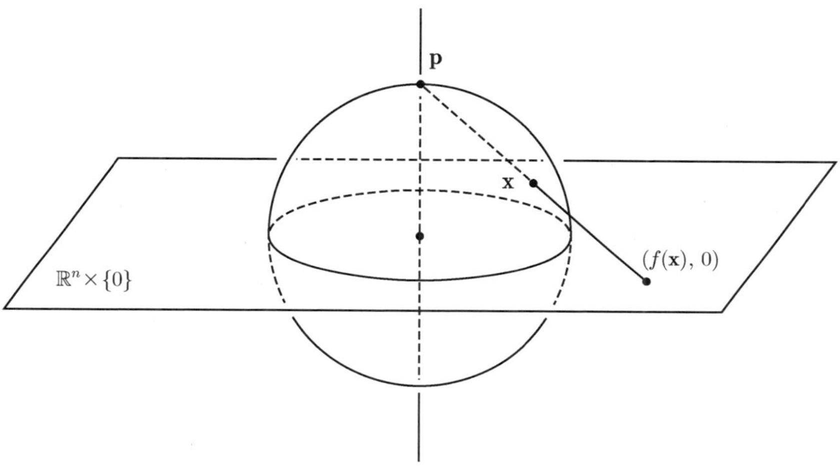


그림 5.9 • 극사영사상(stereographic projection)

**풀이** 먼저 $\mathbb{R}^n$과 $\mathbb{R}^n \times \{0\} \subset \mathbb{R}^{n+1}$이 서로 위상동형이므로 $\mathbb{R}^n$과 $\mathbb{R}^n \times \{0\}$을 같은 공간으로 볼 수 있다. 그리고 우리는 일반성을 잃지 않고 단위 구면

$$S^n = \{(x_1, x_2, \ldots, x_n, x_{n+1}) \in \mathbb{R}^{n+1} \mid x_1^2 + x_2^2 + \cdots + x_n^2 + x_{n+1}^2 = 1\}$$

위의 점 $\mathbf{p}$를 $\mathbf{p} = (0, 0, \ldots, 0, 1)$이라 할 수 있다. 이제 각각의 점 $\mathbf{x} \in S^n - \{\mathbf{p}\}$에 대해 점 $\mathbf{p}$와 $\mathbf{x}$를 잇는 직선이 $\mathbb{R}^n \times \{0\}$과 만나는 점을 $(f(\mathbf{x}), 0) \in \mathbb{R}^n \times \{0\}$으로 정의한 사상

$$f: S^n - \{\mathbf{p}\} \to \mathbb{R}^n, \ \ f(x_1, x_2, \ldots, x_n, x_{n+1}) = \frac{1}{1-x_{n+1}}(x_1, x_2, \ldots, x_n)$$

는 연속이다(그림 5.9 참조). 이러한 사상 $f$를 **극사영사상**(stereographic projection)이라 한다. 역으로 각각의 점 $\mathbf{x} = (x_1, x_2, \ldots, x_n) \in \mathbb{R}^n$에 대해 점 $(\mathbf{x}, 0) \in \mathbb{R}^n \times \{0\}$과 $\mathbf{p}$를 잇는 직선이 $S^n$과 만나는 $\mathbf{p}$와 다른 점을 $g(\mathbf{x})$로 정의한 사상

$$g:\mathbb{R}^n \to S^n - \{\mathbf{p}\},\ g(\mathbf{x}) = \left(\frac{2x_1}{1+\|\mathbf{x}\|^2}, \frac{2x_2}{1+\|\mathbf{x}\|^2}, \dots, \frac{2x_n}{1+\|\mathbf{x}\|^2}, 1-\frac{2}{1+\|\mathbf{x}\|^2}\right)$$

도 연속이고 $f$와 $g$는 서로 역함수 관계이므로 $f$는 위상동형사상이다. □

**성질 5.2.19** $f: X \to Y$를 위상동형사상이라 하자. 그러면 부분공간 $A \subset X$에 대해 두 축소함수 $f|_A : A \to f(A)$와 $f|_{X-A} : X-A \to Y-f(A)$는 모두 위상동형사상이다.

증명 $f$가 전단사이므로 축소사상 $f|_A$도 전단사이다. 그리고 $f, f^{-1}$이 연속이므로 기초정리 5.1.11에 의하여 축소사상 $f|_A$, $f^{-1}|_{f(A)}$도 모두 연속이다. 더구나 $(f|_A)^{-1} = f^{-1}|_{f(A)}$이므로 $f|_A$는 위상동형사상이다.

같은 방법으로 $f|_{X-A}$도 위상동형사상임을 보일 수 있다. □

**성질 5.2.20** 모든 거리공간은 유계인 거리공간과 위상동형이다.

증명 $(X,d)$를 거리공간이라 하자. 그러면 보기 3.3.18에서 보았듯이 함수

$$\bar{d}: X \times X \to \mathbb{R},\ \ \bar{d}(x,y) = \min\{d(x,y), 1\}$$

는 집합 $X$상의 거리가 되고, 이 경우 $\mathscr{T}_d = \mathscr{T}_{\bar{d}}$이다. 따라서 항등사상

$$\text{id} : (X,d) \to (X,\bar{d}),\ \ x \mapsto x$$

는 위상동형사상이고 $(X,\bar{d})$는 유계인 거리공간이다. □

**정의 5.2.21** $X$와 $Y$를 위상공간이라 하자. 연속사상 $f: X \to Y$가 **넣기사상(embedding, imbedding, 매장사상)**이란 $f: X \to f(X)$가 위상동형사상인 경우를 뜻한다. 단, 여기서 $f(X)$는 $Y$의 부분공간이다. 이 경우 $f: X \hookrightarrow Y$로 표기한다.

만약 넣기사상 $f: X \hookrightarrow Y$가 존재하면 우리는 $X$를 $Y$의 부분공간인 $f(X)$로 볼 수 있다.

**보기 5.2.22** (1) $f: X \hookrightarrow Y$가 넣기사상이면 $f$는 단사인 연속사상이지만 그 역은 성립하지 않는다. 예를 들어, 유클리드공간 $\mathbb{R}^2$와 유클리드공간 $\mathbb{R}$의 부분공간 $[0,1)$에 대

하여

$$f:[0,1)\to\mathbb{R}^2,\ f(t)=(\cos 2\pi t,\ \sin 2\pi t)$$

는 단사인 연속사상이고 $f([0,1))=S^1$이다. 하지만 보기 5.2.2에서 보았듯이 $f:[0,1)\to f([0,1))$은 열린사상이 아니므로 $f^{-1}:\ f([0,1))\to[0,1)$은 연속이 아니다. 그러므로 $f:[0,1)\to f([0,1))$는 위상동형사상이 아니다. 따라서 $f:[0,1)\to\mathbb{R}^2$는 넣기사상이 아니다.

(2) $g:(0,1)\to\mathbb{R}^2,\ g(t)=(\cos 2\pi t,\ \sin 2\pi t)$는 넣기사상이다. 단, 여기서 $(0,1)$은 유클리드공간 $\mathbb{R}$의 부분공간이다.

**보기 5.2.23** 단위원 $S^1$을 유클리드공간 $\mathbb{R}^2$의 부분공간이라 하자.

(1) 넣기사상 $f:S^1\hookrightarrow\mathbb{R}$는 존재하지 않는다.[16)]

(2) 그러나 넣기사상 $f:S^1\hookrightarrow\mathbb{R}^2$는 존재한다. 그리고 이러한 넣기사상 $f$의 상 $f(S^1)$을 **단순폐곡선**(simple closed curve 또는 Jordan curve)이라 한다. 그림 5.10의 (a)는 $\mathbb{R}^2$ 상의 단순폐곡선이고 (b)는 단순폐곡선이 아니다.

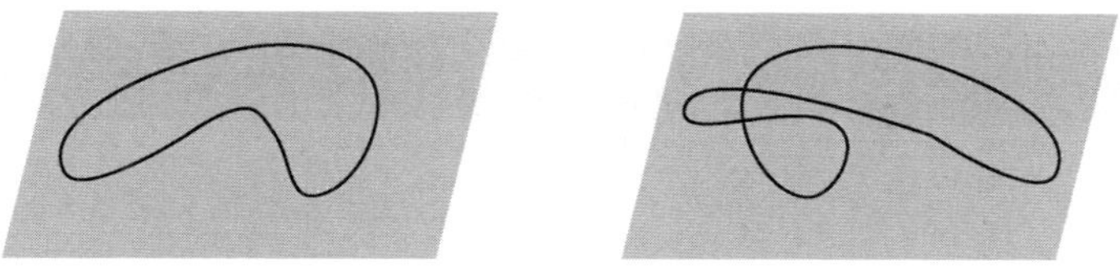

(a) (b)

그림 5.10 • $\mathbb{R}^2$상의 폐곡선

(3) 그리고 넣기사상 $f:S^1\hookrightarrow\mathbb{R}^3$도 존재한다. 이러한 넣기사상 $f$의 상 $f(S^1)$을 **매듭**(knot)이라 한다. 이러한 매듭 중에는 그림 5.11의 **세잎매듭**(trefoil knot) $K$와 같이 꼬인 것도 있다. $f$가 넣기사상이므로 $S^1$은 세잎매듭 $K$와 위상동형이다. 이 현상은 위상동형사상이 도형을 자르거나 붙이지 않고 구부리거나 늘이고 줄이는 변형이라는 직관적인 생각이 잘못되었음을 보여준다. 여기서 주의할 점은 $S^1$은 꼬여있지 않고, $K$는 꼬여있다는 성질은 $S^1$과 $K$가 $\mathbb{R}^3$상에 어떻게 넣어져(놓여) 있는가 하는 문제이지, $S^1$과 $K$ 자체의 성질은 아니라는 것이다.[17)]

---

16) 문제 9.3.3 참조.

17) 세잎매듭 $K$의 한 점을 잘라서 꼬임을 푼 다음 다시 붙이면 원이 됨을 알 수 있다. 여기서 주의할 점은 자른 점을 다시 똑같은 점으로 붙여야 한다는 것이다.

그림 5.11 • 세잎매듭 $K$

(4) 같은 의미에서 그림 5.12와 같은 고리 두 개로 이루어진 유클리드공간 $\mathbb{R}^3$의 두 부분공간 $X$와 $Y$는 서로 위상동형이다.

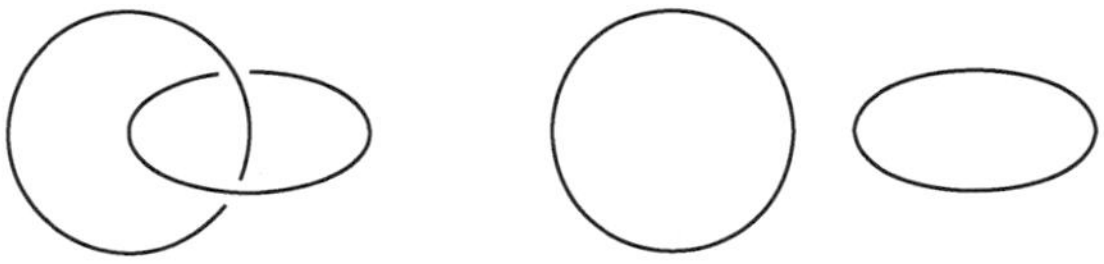


그림 5.12 • $X$와 $Y$는 위상동형이다.

## 연습문제

**문제 5.2.1** 집합 $X=\{a,b,c,d,e,f\}$에 위상 $\mathscr{T}=\{X,\{a,b\},\{c,d\},\{a,b,c,d\},\varnothing\}$가 주어질 때, $X$에서 $X$로의 위상동형사상의 개수를 구하시오.

**문제 5.2.2** 다음과 같이 정의된 유클리드공간 $\mathbb{R}^3$의 두 부분공간 $X$와 $Y$ 사이의 위상동형사상을 찾으시오.

$$X=\{(x,y,0)\in\mathbb{R}^3 \mid (x-2)^2+y^2=1\}\cup\{(x,y,0)\in\mathbb{R}^3 \mid (x+2)^2+y^2=1\},$$
$$Y=\{(x,y,0)\in\mathbb{R}^3 \mid x^2+y^2=1\}\cup\{(x,0,z)\in\mathbb{R}^3 \mid (x+1)^2+z^2=1\}.$$

**문제 5.2.3** 복소수 집합 $\mathbb{C}=\{x+yi \mid x,y\in\mathbb{R}\}$의 점 $z=x+yi$의 크기는 $|z|=\sqrt{x^2+y^2}$으로 정의된다. 그리고 두 점 $z,z'\in\mathbb{C}$ 사이의 거리를 $d(z,z')=|z-z'|$으로 정의하면 $\mathbb{C}$는 거리공간이 된다. 이제 유클리드공간 $\mathbb{R}^2$와 $\mathbb{C}$가 서로 위상동형임을 보이시오.

**문제 5.2.4** 집합 $\mathbb{C}^n=\{(z_1,z_2,\dots,z_n) \mid z_1,z_2,\dots,z_n\in\mathbb{C}\}$의 점 $\mathbf{z}=(z_1,z_2,\dots,z_n)$의 크기는

$$|\mathbf{z}| = \sqrt{\sum_{k=1}^{n}(Rez_k)^2 + \sum_{k=1}^{n}(Imz_k)^2} = \sqrt{\sum_{k=1}^{n} z_k \bar{z}_k}$$

로 정의된다. 여기서 $Rez_k$, $Imz_k$와 $\bar{z}_k$는 각각 $z_k$의 실수부, 허수부와 컬레복소수를 나타낸다. 그리고 두 점 $\mathbf{z}, \mathbf{z}' \in \mathbb{C}^n$ 사이의 거리를 $|\mathbf{z} - \mathbf{z}'|$로 정의하자. 그러면 $\mathbb{C}$는 거리공간이 되고, 이를 **복소공간**이라 한다. 이제

$$\rho : \mathbb{C}^n \to \mathbb{R}^{2n}, \quad \rho(z_1, z_2, \ldots, z_n) = (Rez_1, Imz_1, Rez_2, Imz_2, \ldots, Rez_n, Imz_n)$$

가 위상동형사상임을 보이시오. 단, 여기서 $\mathbb{R}^{2n}$은 유클리드공간이다.

**문제 5.2.5** 만약 넣기사상 $f : X \hookrightarrow Y$와 $g : Y \hookrightarrow X$가 존재하면 $X$와 $Y$는 위상동형인가?

**문제 5.2.6** 유클리드공간 $\mathbb{R}$의 두 부분공간 $\mathbb{Z}$와 $\mathbb{Q}$는 서로 위상동형인가?

**문제 5.2.7** $(X, d_X)$와 $(Y, d_Y)$를 거리공간이라 하자. 그리고 함수 $f : X \to Y$가

$$d_Y(f(x_1), f(x_2)) = d_X(x_1, x_2) \quad \forall x_1, x_2 \in X$$

를 만족하면 $f$를 **등거리사상**(isometric map)이라 한다. 이제 등거리사상 $f$는 넣기사상(embedding)이 됨을 보이시오.

**문제 5.2.8** 만약 $f : X \to Y$가 연속사상이면 임의의 $B \subset Y$에 대하여 $f^{-1}(\overline{B}) \supset \overline{f^{-1}(B)}$임을 보이시오.

**문제 5.2.9** 만약 $f : X \to Y$가 열린사상이면 임의의 $B \subset Y$에 대하여 $f^{-1}(\overline{B}) \subset \overline{f^{-1}(B)}$임을 보이시오. (힌트: 참고 5.2.9(2) 사용)

**문제 5.2.10** $\mathscr{T}_1$과 $\mathscr{T}_2$를 $\mathscr{T}_2 \subset \mathscr{T}_1$인 집합 $X$상의 위상이라 하자. 이제 임의의 위상공간 $Y$에 대하여 다음을 보이시오.

(1) 만약 $f : (X, \mathscr{T}_1) \to Y$가 열린사상이면 $f : (X, \mathscr{T}_2) \to Y$도 열린사상이다.

(2) 만약 $f : (X, \mathscr{T}_1) \to Y$가 닫힌사상이면 $f : (X, \mathscr{T}_2) \to Y$도 닫힌사상이다.

(3) 만약 $g : Y \to (X, \mathscr{T}_2)$가 열린사상이면 $g : Y \to (X, \mathscr{T}_1)$도 열린사상이다.

(4) 만약 $g : Y \to (X, \mathscr{T}_2)$가 닫힌사상이면 $g : Y \to (X, \mathscr{T}_1)$도 닫힌사상이다.

**문제 5.2.11** $\mathscr{T}_1$과 $\mathscr{T}_2$를 집합 $X$상의 위상이라 하자. 이제 항등사상 $\mathrm{id} : (X, \mathscr{T}_1) \to (X, \mathscr{T}_2)$, $x \mapsto x$이 위상동형사상일 필요충분조건이 $\mathscr{T}_1 = \mathscr{T}_2$임을 보이시오.

**문제 5.2.12** $\mathbb{R}$은 유클리드공간, $\mathbb{R}_l$은 하극한공간이고 $\mathscr{T}_f$는 $\mathbb{R}$상의 여유한위상이라 하자. 이때 다음 사상들이 열린사상, 닫힌사상이 각각 되는지 판별하시오.

(1) 항등사상 $\mathrm{id} : \mathbb{R} \to \mathbb{R}_l,\ x \mapsto x$.

(2) 항등사상 $\mathrm{id} : \mathbb{R}_l \to \mathbb{R},\ x \mapsto x$.

(3) 항등사상 $\mathrm{id} : \mathbb{R} \to (\mathbb{R}, \mathscr{T}_f),\ x \mapsto x$.

(4) 항등사상 $\mathrm{id} : (\mathbb{R}, \mathscr{T}_f) \to \mathbb{R},\ x \mapsto x$.

**문제 5.2.13** $f : (X, \mathscr{T}_X) \to (Y, \mathscr{T}_Y)$가 위상동형사상이면

$$\mathscr{T}_X = \{f^{-1}(V) \mid V \in \mathscr{T}_Y\}, \quad \mathscr{T}_Y = \{f(U) \mid U \in \mathscr{T}_X\}$$

임을 보이시오.

**문제 5.2.14** 위상동형사상 $f : X \to Y$와 $A \subset X$에 대하여 다음이 성립함을 보이시오.

(1) $f(A^\circ) = (f(A))^\circ$.

(2) $f(\partial A) = \partial f(A)$.

(3) $f(e(A)) = e(f(A))$.

**문제 5.2.15** $M_n(\mathbb{R})$을 실수로 이루어진 $n \times n$ 행렬들의 모임이라 하자. 그리고 $A = (a_{ij}),\ B = (b_{ij}) \in M_n(\mathbb{R})$에 대해

$$\rho(A, B) = \sqrt{\sum_{1 \le i, j \le n} (a_{ij} - b_{ij})^2}$$

로 정의되는 거리 $\rho$를 주자.

(1) 거리공간 $(M_n(\mathbb{R}), \rho)$는 유클리드공간 $\mathbb{R}^{n^2}$과 위상동형임을 보이시오.

(2) 행렬식 $\det : M_n(\mathbb{R}) \to \mathbb{R},\ A \mapsto \det(A)$는 연속임을 보이시오. 단, 여기서 $\mathbb{R}$은 유클리드공간이다.

(3) $GL_n(\mathbb{R}) = \{A \in M_n(\mathbb{R}) \mid \det(A) \neq 0\}$은 $(M_n(\mathbb{R}), \rho)$의 열린집합임을 보이시오.

(4) $SL_n(\mathbb{R}) = \{A \in M_n(\mathbb{R}) \mid \det(A) = 1\}$은 $(M_n(\mathbb{R}), \rho)$의 닫힌집합임을 보이시오.

**문제 5.2.16** $(0, \infty)$를 유클리드공간 $\mathbb{R}$의 부분공간이라 하자. 함수 $f : (0, \infty) \to \mathbb{R},\ f(x) = \sin\frac{1}{x}$은 연속이지만 열린사상도 아니고 닫힌사상도 아님을 보이시오.

**문제 5.2.17** $f : X \to Y$는 열린사상이지만 축소사상 $f|_A : A \to Y$는 열린사상이 아닌 보기를 찾으시오.

**문제 5.2.18** 만약 $A$가 $X$의 열린집합이고 $f : X \to Y$가 열린사상이면 축소사상 $f|_A : A \to Y$도 열

린사상임을 보이시오.

**문제 5.2.19** 만약 $A$가 $X$의 닫힌집합이고 $f: X \to Y$가 닫힌사상이면 축소사상 $f|_A : A \to Y$도 닫힌사상임을 보이시오.

**문제 5.2.20** 위상공간 $X$와 $Y$에 대하여 다음이 서로 동치임을 보이시오.

(a) $f: X \to Y$는 열린사상이다.

(b) 임의의 점 $x \in X$와 $x$의 열린근방 $U$에 대하여 $f(x) \in V \subset f(U)$를 만족하는 열린집합 $V$가 존재한다.

(c) 모든 $B \subset Y$에 대하여 $f^{-1}(\partial B) \subset \partial f^{-1}(B)$이다.

**문제 5.2.21** 유클리드공간 $\mathbb{R}$에 대하여 다음을 보이시오.

(1) 모든 다항함수 $p: \mathbb{R} \to \mathbb{R}$는 닫힌사상이다. (힌트: 문제 4.3.8 참조)

(2) 전단사인 연속사상 $f: \mathbb{R} \to \mathbb{R}$는 열린사상이다.

(3) 전단사인 연속사상 $f: \mathbb{R} \to \mathbb{R}$는 위상동형사상이다.

**문제 5.2.22** 함수 $f: \mathbb{R} \to (0,1)$, $f(x) = \dfrac{e^x}{1+e^x}$가 위상동형사상임을 보이시오. 단, 여기서 $(0,1)$은 유클리드공간 $\mathbb{R}$의 부분공간이다.

**문제 5.2.23** 함수 $f: X \to Y$와 $g: Y \to Z$에 대하여 다음이 성립함을 보이시오.

(1) 만약 $f, g$가 모두 열린사상이면 $g \circ f$도 열린사상이다.

(2) 만약 $g \circ f$가 열린사상이고 $f$가 전사인 연속사상이면 $g$는 열린사상이다.

(3) 만약 $g \circ f$가 열린사상이고 $g$가 단사인 연속사상이면 $f$는 열린사상이다.

(4) 만약 $f, g$가 모두 닫힌사상이면 $g \circ f$도 닫힌사상이다.

(5) 만약 $g \circ f$가 닫힌사상이고 $f$가 전사인 연속사상이면 $g$는 닫힌사상이다.

(6) 만약 $g \circ f$가 닫힌사상이고 $g$가 단사인 연속사상이면 $f$는 닫힌사상이다.

**문제 5.2.24** 함수 $f: X \to Y$에 대하여 다음이 서로 동치임을 보이시오.

(a) $f$는 닫힌사상이다.

(b) 만약 $U$가 $X$의 열린집합이면 $\{y \mid f^{-1}(y) \subset U\}$은 $Y$의 열린집합이다.

(c) 만약 $C$가 $X$의 닫힌집합이면 $\{y \mid f^{-1}(y) \cap C \neq \varnothing\}$은 $Y$의 닫힌집합이다.

**문제 5.2.25** $I = [0,1]$를 유클리드공간 $\mathbb{R}$의 부분공간, $Y = \{0,1\}$를 이산공간이라 하자. 이제 $[0, \frac{1}{2}]$의 특성함수

$$\chi : I \to Y, \quad \chi(x) = \begin{cases} 1, & x \in [0, \frac{1}{2}] \\ 0, & x \notin [0, \frac{1}{2}] \end{cases}$$

에 대하여 다음을 보이시오.

(1) $\chi$는 전사, 닫힌, 열린사상이다.

(2) $\chi$는 연속이 아니다.

**문제 5.2.26** 실수 집합 $\mathbb{R}$에 위상

$$\mathscr{T} = \{\mathbb{R}, \varnothing\} \cup \{U_x = (x, \infty) \mid x \in \mathbb{R}\}$$

가 주어질 때, 다음과 같이 주어진 두 부분공간 $A$와 $B$가 서로 위상동형인지 판별하시오.

(1) $A = [1, \infty),\ B = (1, \infty)$

(2) $A = (0, 2),\ B = (0, 1] \cup (2, 4)$

**문제 5.2.27** 자연수 $n$에 대하여 기저

$$\mathscr{B}_n = \{(a, b) \subset \mathbb{R} \mid a < b,\ a, b \in \mathbb{R}\} \cup \{\{n\}\}$$

이 생성하는 실수 집합 $\mathbb{R}$상의 위상을 $\mathscr{T}_n$이라 하자. 만약 $m \neq n$이면 $\mathscr{T}_m \neq \mathscr{T}_n$이지만 $(\mathbb{R}, \mathscr{T}_m)$과 $(\mathbb{R}, \mathscr{T}_n)$은 위상동형임을 보이시오.

**문제 5.2.28** 다음과 같이 주어진 유클리드공간 $\mathbb{R}^2$의 세 부분공간이 서로 위상동형임을 보이시오.

$$X = \{\mathbf{x} \in \mathbb{R}^2 \mid 2 < \|\mathbf{x}\| \le 4\},$$
$$Y = \{\mathbf{x} \in \mathbb{R}^2 \mid 1 < \|\mathbf{x}\| \le 7\},$$
$$Z = \{\mathbf{x} \in \mathbb{R}^2 \mid 3 \le \|\mathbf{x}\| < 5\}.$$

**문제 5.2.29** 유클리드공간 $\mathbb{R}^2$의 두 부분공간 $[0, 1) \times [0, 1)$과 $[0, 1] \times [0, 1)$이 서로 위상동형임을 그림으로 설명하시오.

**문제 5.2.30** 유클리드공간 $\mathbb{R}^2$의 두 부분공간 $D^2 = \{(x, y) \mid x^2 + y^2 \le 1\}$와 $[0, 1] \times [0, 1]$이 서로 위상동형임을 보이시오.

**문제 5.2.31** 유클리드공간 $\mathbb{R}^2$의 두 부분공간 $X = \{(x, y) \mid 1 \le x^2 + y^2 \le 4,\ x > 0\}$와 $Y = [1, 2] \times (1, 2)$가 서로 위상동형임을 보이시오. (힌트: 극좌표 표현 사용)

**문제 5.2.32** $A$와 $B$가 유클리드공간 $\mathbb{R}$의 가산인 부분집합이라 하자. 만약 $\overline{A} = \overline{B} = \mathbb{R}$이면 $A \cong B$

임을 보이시오.

**문제 5.2.33** 위상공간 $X$가 거리공간의 부분공간과 위상동형이면 $X$는 거리화가능임을 보이시오.

**문제 5.2.34** $\mathbb{R}$은 유클리드공간, $\mathbb{R}_l$은 하극한공간, $\mathscr{T}_f$는 $\mathbb{R}$상의 여유한위상, $\mathscr{T}_c$는 $\mathbb{R}$상의 여가산위상, $\mathbb{Z}$와 $\mathbb{Q}$는 유클리드공간 $\mathbb{R}$의 부분공간이라 하자. 이때 위상공간

$$\mathbb{Z},\ \mathbb{Q},\ \mathbb{R},\ \mathbb{R}_l,\ (\mathbb{R},\mathscr{T}_f),\ (\mathbb{R},\mathscr{T}_c)$$

들이 서로 위상동형이 아님을 보이시오.

**문제 5.2.35** $f: X \to Y$는 위상동형사상이고 $A \subset X$이라 하자. 만약 $A \cap A' = \varnothing$이면 $f(A) \cap f(A)' = \varnothing$임을 보이시오.

**문제 5.2.36** 유클리드공간 $\mathbb{R}$과 $\mathbb{R}^2$에 대하여 다음과 같이 정의된 연속사상 $f: \mathbb{R} \to \mathbb{R}^2$는 넣기사상임을 보이시오.

(1) $f(x) = (x, 0)$.

(2) $f(x) = (x, x)$.

(3) $f(x) = (x, x^2)$.

**문제 5.2.37** $X$와 $Y$를 위상공간이라 하고 $\mathcal{S}$를 $X$의 부분기저라 하자. 그리고 함수 $f: X \to Y$가 주어졌다 하자. 만약 모든 $S \in \mathcal{S}$에 대해 $f(S)$가 $Y$의 열린집합이면 $f$는 열린사상인가?

# 6장

# 곱공간

CONTENTS

이 장에서는 주어진 두 위상공간 $X$와 $Y$상에 각각 정의된 위상 $\mathscr{T}_X$와 $\mathscr{T}_Y$를 사용하여 새로운 집합인 곱집합 $X \times Y$상에 위상을 주는 방법 중 하나인 곱위상에 대해 알아보자. 또한 위상공간 $(X_\alpha, \mathscr{T}_\alpha)(\alpha \in \Lambda)$들의 곱집합 $\Pi_{\alpha \in \Lambda} X_\alpha$ 상의 곱위상과 상자위상에 대해서 알아보자.

## 6.1 곱공간(product space)

### 곱공간 $X \times Y$

두 집합 $X$와 $Y$의 (카테시안) 곱집합은

$$X \times Y = \{(x, y) \mid x \in X,\ y \in Y\}$$

이다.

**정의 6.1.1** $(X, \mathscr{T}_X)$와 $(Y, \mathscr{T}_Y)$를 위상공간이라 하자. 곱집합 $X \times Y$ 상의 기저

$$\begin{aligned} \mathscr{B}_p &= \{U \times V \mid U\text{는 } X\text{의 열린집합, } V\text{는 } Y\text{의 열린집합}\} \\ &= \{U \times V \mid U \in \mathscr{T}_X,\ V \in \mathscr{T}_Y\}. \end{aligned}$$

가 생성하는 위상 $\mathscr{T}_p(=\mathscr{T}_{\mathscr{B}p})$를 $X \times Y$ 상의 **곱위상**(product topology)이라 하고, 위상공간 $(X \times Y, \mathscr{T}_p)$를 위상공간 $X$와 $Y$의 **곱공간**(product space)이라 한다.

**정리 6.1.2** 두 위상공간 $(X, \mathscr{T}_X)$와 $(Y, \mathscr{T}_Y)$에 대하여 다음이 성립한다.

(1) $\mathscr{B}_p$는 곱집합 $X \times Y$ 상의 기저이다.

(2) 두 사영사상

$$\begin{aligned} \pi_X &: (X \times Y, \mathscr{T}_p) \to X,\ \pi_X(x, y) = x, \\ \pi_Y &: (X \times Y, \mathscr{T}_p) \to Y,\ \pi_Y(x, y) = y \end{aligned}$$

는 모두 연속이다.

(3) $\mathscr{T}_p$는 두 사영사상 $\pi_X$, $\pi_Y$가 모두 연속이 되도록 하는 곱집합 $X \times Y$ 상의 최소의 위상이다.

증명 (1) 먼저 $\mathscr{B}_p$가 곱집합 $X\times Y$ 상의 기저가 됨을 보이자.

(i) 임의의 점 $(x,y)\in X\times Y$에 대하여 $X\times Y\in\mathscr{B}_p$가 존재하여 $(x,y)\in X\times Y$를 만족한다.

(ii) $\mathscr{B}_p$의 두 원소 $B_1=U_1\times V_1$, $B_2=U_2\times V_2$와 점 $(x,y)\in B_1\cap B_2$에 대하여

$$B_1\cap B_2=(U_1\times V_1)\cap(U_2\times V_2)=(U_1\cap U_2)\times(V_1\cap V_2)$$

이고 $U_1\cap U_2\in\mathscr{T}_X$, $V_1\cap V_2\in\mathscr{T}_Y$이므로 $B_1\cap B_2\in\mathscr{B}_p$이다. 이제 $B_3=B_1\cap B_2$이라 하면 $B_3\in\mathscr{B}_p$이고 $x\in B_3\subset B_1\cap B_2$이 된다.

따라서 $\mathscr{B}_p$는 곱집합 $X\times Y$ 상의 기저이다.

(2) 이제 사영사상 $\pi_X:(X\times Y,\mathscr{T}_p)\to X$, $\pi_X(x,y)=x$가 연속임을 보이자. 임의의 $X$의 열린집합 $U\in\mathscr{T}_X$에 대하여

$$\pi_X^{-1}(U)=U\times Y\in\mathscr{B}_p\subset\mathscr{T}_p$$

이므로 $\pi_X^{-1}(U)$는 $(X\times Y,\mathscr{T}_p)$의 열린집합이다. 따라서 $\pi_X$는 연속이다.

한편 임의의 $Y$의 열린집합 $V\in\mathscr{T}_Y$에 대하여

$$\pi_Y^{-1}(V)=X\times V\in\mathscr{B}_p\subset\mathscr{T}_p$$

이므로 $\pi_Y^{-1}(V)$는 $(X\times Y,\mathscr{T}_p)$의 열린집합이다. 따라서 $\pi_Y$도 연속이다.

(3) 이제 곱집합 $X\times Y$ 상의 위상 $\mathscr{T}'$에 대하여 두 사영사상

$$\pi_X:(X\times Y,\mathscr{T}')\to X,\ \ \pi_X(x,y)=x,$$
$$\pi_Y:(X\times Y,\mathscr{T}')\to Y,\ \ \pi_Y(x,y)=y$$

가 연속이라고 가정하자. 그러면 임의의 $X$의 열린집합 $U\in\mathscr{T}_X$와 $Y$의 열린집합 $V\in\mathscr{T}_Y$에 대하여

$$U\times Y=\pi_X^{-1}(U)\in\mathscr{T}',\ \ X\times V=\pi_Y^{-1}(V)\in\mathscr{T}'$$

이다. 따라서

$$U\times V=\pi_X^{-1}(U)\cap\pi_Y^{-1}(V)\in\mathscr{T}'$$

이므로 $\mathscr{B}_p\subset\mathscr{T}'$이다. 그리고 정리 3.2.3에 의해 $\mathscr{T}_p\,(=\mathscr{T}_{\mathscr{B}p})$는 $\mathscr{B}_p$를 포함하는 가장 작은 위상이므로 $\mathscr{T}_p\subset\mathscr{T}'$이다. □

**성질 6.1.3** 만약 $\mathscr{B}_X$와 $\mathscr{B}_Y$가 각각 위상공간 $X$와 $Y$의 기저이면

$$\mathscr{B}_p' = \{B \times C \mid B \in \mathscr{B}_X,\ C \in \mathscr{B}_Y\}$$

은 곱집합 $X \times Y$ 상의 곱위상 $\mathscr{T}_p$를 생성하는 기저이다.

증명 (1) 먼저 $\mathscr{B}_p'$이 곱집합 $X \times Y$ 상의 기저임을 보이자.

(i) 임의의 점 $(x, y) \in X \times Y$에 대하여 $\mathscr{B}_X$와 $\mathscr{B}_Y$가 각각 위상공간 $X$와 $Y$의 기저이므로 $x \in B,\ y \in C$를 만족하는 $B \in \mathscr{B}_X,\ C \in \mathscr{B}_Y$가 존재한다. 따라서 $(x, y) \in B \times C$를 만족하는 $B \times C \in \mathscr{B}_p'$가 존재한다.

(ii) 임의의 $B_1 \times C_1,\ B_2 \times C_2 \in \mathscr{B}_p'$와 $(x, y) \in (B_1 \times C_1) \cap (B_2 \times C_2)$에 대하여

$$(x, y) \in (B_1 \times C_1) \cap (B_2 \times C_2) = (B_1 \cap B_2) \times (C_1 \cap C_2)$$

이므로 $x \in B_1 \cap B_2,\ y \in C_1 \cap C_2$이다. 그런데 $\mathscr{B}_X$와 $\mathscr{B}_Y$가 기저이므로

$$x \in B_3 \subset B_1 \cap B_2,\ y \in C_3 \subset C_1 \cap C_2$$

를 만족하는 $B_3 \in \mathscr{B}_X$과 $C_3 \in \mathscr{B}_Y$이 존재한다. 따라서

$$(x, y) \in B_3 \times C_3 \subset (B_1 \times C_1) \cap (B_2 \times C_2)$$

를 만족하는 $B_3 \times C_3 \in \mathscr{B}_p'$이 존재한다.

그러므로 $\mathscr{B}_p'$은 곱집합 $X \times Y$ 상의 기저이다.

(2) 편의상 $\mathscr{T}_p' = \mathscr{T}_{\mathscr{B}_p'}$이라 하자. 이제 $\mathscr{T}_p' = \mathscr{T}_p$임을 보이자.

(i) 먼저 $\mathscr{B}_X \subset \mathscr{T}_X,\ \mathscr{B}_Y \subset \mathscr{T}_Y$이므로

$$\mathscr{B}_p' \subset \mathscr{B}_p = \{U \times V \mid U \in \mathscr{T}_X,\ V \in \mathscr{T}_Y\} \subset \mathscr{T}_p$$

이다. 그리고 정리 3.2.3에 의해 $\mathscr{T}_p'$이 $\mathscr{B}_p'$을 포함하는 가장 작은 위상이므로 $\mathscr{T}_p' \subset \mathscr{T}_p$이다.

(ii) 한편 주어진 $U \times V \in \mathscr{B}_p$와 점 $(x, y) \in U \times V$에 대하여 $x \in U \in \mathscr{T}_X$, $y \in V \in \mathscr{T}_Y$이다. 그런데 $\mathscr{B}_X$와 $\mathscr{B}_Y$가 각각 위상공간 $X$와 $Y$의 기저이므로 정의 3.2.1(2)에 의해 $x \in B \subset U,\ y \in C \subset V$를 만족하는 $B \in \mathscr{B}_X,\ C \in \mathscr{B}_Y$가 존재한다. 따라서 $(x, y) \in B \times C \subset U \times V$를 만족하는 $B \times C \in \mathscr{B}_p'$가 존재

한다. 그러므로 정리 3.2.9에 의하여 $\mathscr{T}_p \subset \mathscr{T}_p'$이다.

따라서 (i), (ii)에 의해 $\mathscr{T}_p' = \mathscr{T}_p$이다. □

**보기 6.1.4** $\mathbb{R}$을 유클리드공간이라 하자. 그러면 곱공간 $\mathbb{R}\times\mathbb{R}$은 유클리드공간 $\mathbb{R}^2$와 같다: 실제로, 성질 6.1.3에 의하여, 곱공간 $\mathbb{R}\times\mathbb{R}$의 기저는

$$\mathscr{B} = \{(a,b)\times(c,d) \subset \mathbb{R}\times\mathbb{R} \mid a,b,c,d\in\mathbb{R},\ a<b,\ c<d\}$$

이므로 $\mathscr{T}_{\mathscr{B}} = \mathscr{T}_p$이다. 한편 보기 3.2.11에서 보았듯이 $\mathscr{B}$는 집합 $\mathbb{R}^2$상의 보통위상 $\mathscr{U}$의 기저도 되므로 $\mathscr{T}_p = \mathscr{U}$이다. 따라서 $(\mathbb{R}\times\mathbb{R}, \mathscr{T}_p) = (\mathbb{R}^2, \mathscr{U})$이다.

**보기 6.1.5** 보기 3.2.12에서 다루었던 하극한공간 $\mathbb{R}_l$의 곱공간 $\mathbb{R}_l^2 = \mathbb{R}_l\times\mathbb{R}_l$의 기저는

$$\mathscr{B} = \{[a,b)\times[c,d) \subset \mathbb{R}^2 \mid a,b,c,d\in\mathbb{R}\}$$

이다(그림 6.1 참조).[1)]

(i) $L = \{(x,-x)\in\mathbb{R}^2 \mid x\in\mathbb{R}\}$은 $\mathbb{R}_l^2$의 닫힌집합이다: 임의의 $(x,y)\in\mathbb{R}_l^2 - L$에 대해 $y\neq -x$이다. 먼저 $y>-x$인 경우는 기저의 원소 $[x,x+1)\times[y,y+1)\in\mathscr{B}$이 존재하여 $(x,y)\in[x,x+1)\times[y,y+1)\subset\mathbb{R}_l^2 - L$을 만족한다. 그리고 $y\leftarrow x$인 경우는 $\delta$를 충분히 작게 잡으면 $(x,y)\in[x,x+\delta)\times[y,y+\delta)\subset\mathbb{R}_l^2 - L$을 만족하는 기저의 원소 $[x,x+\delta)\times[y,y+\delta)\in\mathscr{B}$가 존재한다. 따라서 $\mathbb{R}_l^2 - L$은 $\mathbb{R}_l^2$의 열린집합이다.

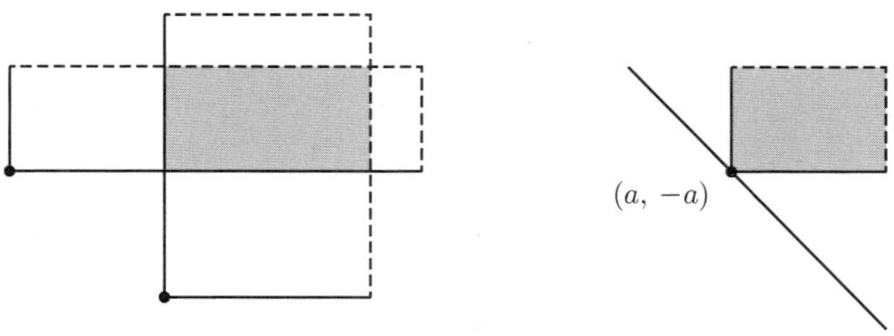


그림 6.1 • $\mathbb{R}_l^2$의 기저

(ii) $\mathbb{R}_l^2$의 부분공간 $L$은 이산위상을 갖는다: 임의의 점 $(a,-a)\in L$에 대하여 $\{(a,-a)\} = L\cap[a,a+1)\times[-a,-a+1)$이고 $[a,a+1)\times[-a,-a+1)$이 $\mathbb{R}_l^2$의 열린집합이

---

1) 이러한 위상공간 $\mathbb{R}_l^2$를 Sorgenfrey 평면이라 부르기도 한다.

므로 한 점 집합 $\{(a, -a)\}$는 부분공간 $L$의 열린집합이다. 따라서 부분공간 $L$은 이산위상을 갖는다.

**보기 6.1.6** 다음과 같이 주어진 위상공간

$$X = \{a, b, c\}, \quad \mathscr{T}_X = \{X, \varnothing, \{a\}, \{b, c\}\}$$
$$Y = \{u, v\}, \qquad \mathscr{T}_Y = \{Y, \varnothing, \{u\}\}$$

에 대한 곱집합

$$X \times Y = \{(a, u), (a, v), (b, u), (b, v), (c, u), (c, v)\}$$

상의 곱위상에 대한 기저는

$$\begin{aligned}\mathscr{B}_p &= \{U \times V \mid U \in \mathscr{T}_X,\ V \in \mathscr{T}_Y\} \\ &= \{X \times Y, \varnothing, X \times \{u\}, \{a\} \times Y, \{a\} \times \{u\}, \{b, c\} \times Y, \{b, c\} \times \{u\}\}\end{aligned}$$

이다. 참고로 이러한 $\mathscr{B}_p$는 곱집합 $X \times Y$ 상의 위상은 아니다. 왜냐하면

$$X \times \{u\} = \{(a, u), (b, u), (c, u)\}, \{a\} \times Y = \{(a, u), (a, v)\} \in \mathscr{B}_p$$

이지만

$$(X \times \{u\}) \cup (\{a\} \times Y) = \{(a, u), (a, v), (b, u), (c, u)\} \notin \mathscr{B}_p$$

이다.

**참고 6.1.7** 앞의 보기 6.1.6에서의 $W = (X \times \{u\}) \cup (\{a\} \times Y)$는 두 기저의 원소의 합집합이므로 $W \in \mathscr{T}_p$이지만 $W = U \times V$를 만족하는 $U \in \mathscr{T}_X$와 $V \in \mathscr{T}_Y$는 존재하지 않는다. 그러므로 곱공간 $(X \times Y, \mathscr{T}_p)$의 열린집합 $W$를 다룰 때는 약간의 주의가 필요하다. 이런 이유로 곱공간을 다룰 때는 열린집합 대신 기저의 원소를 사용하여 주어진 성질을 증명하는 것이 편리하다. 보다 구체적으로 두 위상공간 $X$와 $Y$의 곱공간 $(X \times Y, \mathscr{T}_p)$의 열린집합 $W \in \mathscr{T}_p$에 대하여 적당한 $X$의 열린집합 $U$와 $Y$의 열린집합 $V$가 존재하여 $W = U \times V$ 꼴로 표현되는 것이 아니라, 임의로 주어진 점 $(x, y) \in W$에 대하여

$$(x, y) \in U_x \times V_y \subset W$$

를 만족하는 $X$의 열린집합 $U_x$와 $Y$의 열린집합 $V_y$가 존재함을 의미한다. 여기서 $U_x \times U_y$는 기저 $\mathscr{B}_p$의 원소임을 유의하자.

**참고 6.1.8** 각각의 $\alpha \in \Lambda$에 대해 $A_\alpha, B_\alpha \subset X_\alpha$이면

$$(\Pi_\alpha A_\alpha) \cap (\Pi_\alpha B_\alpha) = \Pi_\alpha (A_\alpha \cap B_\alpha)$$

이지만

$$(\Pi_\alpha A_\alpha) \cup (\Pi_\alpha B_\alpha) \neq \Pi_\alpha (A_\alpha \cup B_\alpha)$$

이다. 일반적으로

$$(\Pi_\alpha A_\alpha) \cup (\Pi_\alpha B_\alpha) \subset \Pi_\alpha (A_\alpha \cup B_\alpha)$$

이다. 예를 들어 $X = \{1, 2, 3\}$과 $Y = \{a, b, c\}$에 대해

$$A_1 = \{1\},\ B_1 = \{2\} \subset X, \quad A_2 = \{a\},\ B_2 = \{b\} \subset Y$$

이라 하자. 그러면

$$(A_1 \times A_2) \cup (B_1 \times B_2) = \{(1, a)\} \cup \{(2, b)\} = \{(1, a), (2, b)\}$$

이지만

$$(A_1 \cup B_1) \times (A_2 \cup B_2) = \{1, 2\} \times \{a, b\} = \{(1, a), (1, b), (2, a), (2, b)\}$$

이다.

## 곱공간 $\Pi_{i=1}^n X_i$

집합 $X_1, X_2, \dots, X_n$의 곱집합은

$$\Pi_{i=1}^n X_i = X_1 \times X_2 \times \cdots \times X_n = \{(x_1, x_2, \dots, x_n) \mid x_i \in X_i\ \forall i\}$$

이다.

**정의 6.1.9** $(X_1, \mathscr{T}_1), \dots, (X_n, \mathscr{T}_n)$을 위상공간이라 하자. 곱집합 $\Pi_{i=1}^n X_i = X_1 \times \cdots \times X_n$상의 기저

$$\mathscr{B}_p = \{\Pi_{i=1}^n U_i \mid U_i\text{는 } X_i\text{의 열린집합}\} = \{U_1 \times \cdots \times U_n \mid U_i \in \mathscr{T}_i\ \forall i\}$$

가 생성하는 위상 $\mathscr{T}_p (= \mathscr{T}_{\mathscr{B}_p})$를 $\Pi_{i=1}^n X_i$상의 **곱위상(product topology)**이라 하고, 위상공

간 $(\Pi_{i=1}^n X_i, \mathscr{T}_p)$를 위상공간 $X_1, \ldots, X_n$의 곱공간(product space)이라 한다.

**정리 6.1.10** 위상공간 $X_1, \ldots, X_n$에 대하여 다음이 성립한다.

(1) $\mathscr{B}_p$는 곱집합 $\Pi_{i=1}^n X_i$ 상의 기저이다.

(2) 모든 사영사상

$$\pi_i : (\Pi_{i=1}^n X_i, \mathscr{T}_p) \to X_i, \quad \pi_i(x_1, x_2, \ldots, x_n) = x_i$$

는 연속이고, $\mathscr{T}_p$는 이러한 성질을 갖는 곱집합 $\Pi_{i=1}^n X_i$상의 최소의 위상이다.

(3) 만약 $\mathscr{B}_i$가 $X_i$의 기저이면

$$\mathscr{B}_p' = \{\Pi_{i=1}^n B_i \mid B_i \in \mathscr{B}_i \ \forall i\}$$

는 곱집합 $\Pi_{i=1}^n X_i$상의 기저가 되고 $\mathscr{B}_p'$이 생성하는 위상은 $\mathscr{T}_p$와 같다. 즉, $\mathscr{T}_{\mathscr{B}_p'} = \mathscr{T}_p$이다.2)

증명 (1) 정리 6.1.2(1)의 증명과 비슷하게 보일 수 있다.

(2) 먼저 모든 사영사상 $\pi_i : (\Pi_{i=1}^n X_i, \mathscr{T}_p) \to X_i$가 연속임을 보이자. 임의의 $X_i$의 열린집합 $U_i \in \mathscr{T}_i$에 대하여

$$\pi_i^{-1}(U_i) = X_1 \times \cdots \times X_{i-1} \times U_i \times X_{i+1} \times \cdots \times X_n \in \mathscr{B}_p \subset \mathscr{T}_p$$

이므로 $\pi_i^{-1}(U_i)$는 $(\Pi_{i=1}^n X_i, \mathscr{T}_p)$의 열린집합이다. 따라서 $\pi_i$는 연속이다.

이제 곱집합 $\Pi_{i=1}^n X_i$ 상의 위상 $\mathscr{T}'$에 대해 모든 사영사상

$$\pi_i : (\Pi_{i=1}^n X_i, \mathscr{T}') \to X_i, \quad \pi_i(x_1, x_2, \ldots, x_n) = x_i$$

가 연속이라고 가정하자. 그러면 임의의 $X_i$의 열린집합 $U_i \in \mathscr{T}_i$에 대하여

$$\pi_i^{-1}(U_i) = X_1 \times \cdots \times X_{i-1} \times U_i \times X_{i+1} \times \cdots \times X_n \in \mathscr{T}'$$

이다. 따라서 임의의 $U_1 \times U_2 \times \cdots \times U_n \in \mathscr{B}_p$에 대하여

$$U_1 \times \cdots \times U_n = \pi_1^{-1}(U_1) \cap \pi_2^{-1}(U_2) \cap \cdots \cap \pi_n^{-1}(U_n) \in \mathscr{T}'$$

2) (3)은 위상공간 $X_i$들의 기저 $\mathscr{B}_i$를 알고 있을 때 사용하면 편리하다.

이므로 $\mathscr{B}_p \subset \mathscr{T}'$이다. 그리고 $\mathscr{T}_p$는 $\mathscr{B}_p$를 포함하는 가장 작은 위상이므로 $\mathscr{T}_p \subset \mathscr{T}'$이다.

(3) 성질 6.1.3의 증명과 비슷하게 보일 수 있다. □

**보기 6.1.11** $n$개의 유클리드공간 $\mathbb{R}$의 곱공간 $\mathbb{R}\times\cdots\times\mathbb{R}$은 유클리드공간 $\mathbb{R}^n$과 같다: 실제로 $\mathbb{R}$의 기저가 $\{(a,b)\subset\mathbb{R} \mid a,b\in\mathbb{R},\ a<b\}$이므로 정리 6.1.10(3)에 의하여 곱공간 $\mathbb{R}\times\cdots\times\mathbb{R}$의 기저는

$$\mathscr{B}=\{(a_1,b_1)\times\cdots\times(a_n,b_n)\subset\mathbb{R}\times\cdots\times\mathbb{R} \mid a_i,b_i\in R,\ a_i<b_i\ \ \forall i\}$$

이므로 $\mathscr{T}_{\mathscr{B}}=\mathscr{T}_p$이다. 한편 보기 3.2.11에서 보았듯이 $\mathscr{B}$는 집합 $\mathbb{R}^n$상의 보통위상 $\mathscr{U}$의 기저도 되므로 $\mathscr{T}_p=\mathscr{U}$이다. 따라서 $(\mathbb{R}\times\cdots\times\mathbb{R},\mathscr{T}_p)=(\mathbb{R}^n,\mathscr{U})$이다.

**정리 6.1.12** 위상공간 $X$에서 곱공간 $\Pi_{i=1}^n Y_i$로의 함수

$$f: X\to\Pi_{i=1}^n Y_i,\quad f(x)=(f_1(x),f_2(x),\dots,f_n(x))$$

에 대하여 다음은 서로 동치이다.

(a) $f: X\to\Pi_{i=1}^n Y_i$는 연속이다.
(b) 모든 성분함수 $f_i: X\to Y_i$는 연속이다.

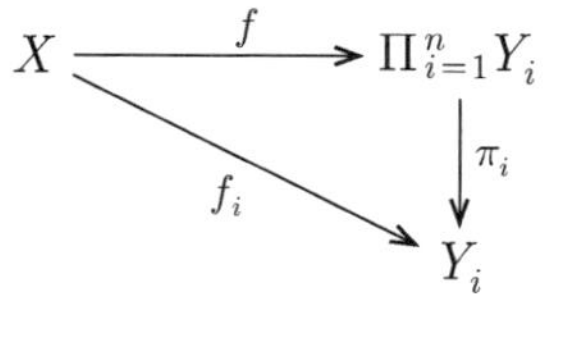


증명 (a)⇒(b) 먼저 $f$가 연속이라 하자. 그러면 모든 사영사상 $\pi_i:\Pi_{i=1}^n Y_i\to Y_i$가 연속이므로 이들의 합성사상 $f_i=\pi_i\circ f$도 연속이다.

(b)⇒(a) 역으로 모든 성분함수 $f_i: X\to Y_i$가 연속이라고 가정하자. 곱공간 $\Pi_{i=1}^n Y_i$의 기저 $\mathscr{B}_p$의 임의의 원소 $B=U_1\times U_2\times\cdots\times U_n$에 대하여

$$B=U_1\times U_2\times\cdots\times U_n=\pi_1^{-1}(U_1)\cap\pi_2^{-1}(U_2)\cap\cdots\cap\pi_n^{-1}(U_n)$$

이다. 그리고

$$
\begin{aligned}
f^{-1}(B) &= f^{-1}(\cap_{i=1}^n \pi_i^{-1}(U_i)) = \cap_{i=1}^n (f^{-1}(\pi_i^{-1}(U_i))) \\
&= \cap_{i=1}^n (\pi_i \circ f)^{-1}(U_i) = \cap_{i=1}^n f_i^{-1}(U_i)
\end{aligned}
$$

이다. 한편 각각의 $f_i$가 연속이므로 $f_i^{-1}(U_i)$는 $X$의 열린집합이다. 그러므로 $f^{-1}(B)$도 $X$의 열린집합이다. 따라서 성질 5.1.6에 의하여 $f$는 연속이다. □

**보기 6.1.13** 보기 6.1.11에서 보았듯이 유클리드공간 $\mathbb{R}^n$은 곱공간 $\mathbb{R}\times\cdots\times\mathbb{R}$과 같으므로 함수 $f=(f_1,\dots,f_n):\mathbb{R}\to\mathbb{R}^n$가 연속이기 위한 필요충분조건은 모든 성분함수 $f_i:\mathbb{R}\to\mathbb{R}$가 연속인 것이다.

**성질 6.1.14** 위상공간 $X_1, X_2,\dots, X_n$과 $A_i \subset X_i$에 대해 다음이 성립한다.[3]

(1) $\overline{A_1\times A_2\times\cdots\times A_n} = \overline{A}_1\times\overline{A}_2\times\cdots\times\overline{A}_n$.

(2) $(A_1\times A_2\times\cdots\times A_n)^\circ = A_1^\circ\times A_2^\circ\times\cdots\times A_n^\circ$.

증명 (1) ($\subset$) 먼저 $\mathbf{x}=(x_1,\dots,x_n)\in\overline{\Pi_{i=1}^n A_i}$이라 하자. 이제 각각의 $i$에 대하여 $x_i\in\overline{A}_i$임을 다음과 같이 보이자: $x_i$의 임의의 열린근방 $U_i\subset X_i$에 대하여 $X_1\times\cdots\times X_{i-1}\times U_i\times X_{i+1}\times\cdots\times X_n$은 $\mathbf{x}$를 포함하는 곱공간 $\Pi_{i=1}^n X_i$의 열린집합이다. 그리고 $\mathbf{x}\in\overline{\Pi_{i=1}^n A_i}$이므로

$$
\begin{aligned}
\varnothing &\neq (X_1\times\cdots\times X_{i-1}\times U_i\times X_{i+1}\times\cdots\times X_n)\cap(A_1\times\cdots\times A_n) \\
&= A_1\times\cdots\times A_{i-1}\times(U_i\cap A_i)\times A_{i+1}\times\cdots\times A_n
\end{aligned}
$$

이다. 그래서 $U_i\cap A_i\neq\varnothing$이므로 $x_i\in\overline{A}_i$이다. 따라서 $\mathbf{x}\in\Pi_{i=1}^n\overline{A}_i$이다.

($\supset$) 역으로 $\mathbf{x}=(x_1,\dots,x_n)\in\Pi_{i=1}^n\overline{A}_i$이라 하자. 임의의 $\mathbf{x}$의 열린근방 $W\subset\Pi_{i=1}^n X_i$에 대하여

$$
\mathbf{x}\in\Pi_{i=1}^n U_i = U_1\times\cdots\times U_n\subset W
$$

를 만족하는 $\Pi_{i=1}^n X_i$의 기저의 원소 $\Pi_{i=1}^n U_i$가 존재한다. 여기서 $U_i$는 $X_i$의 열린집합이다. 각각의 $i$에 대하여 $x_i\in\overline{A}_i$이고 $x_i\in U_i$이므로 $U_i\cap A_i\neq\varnothing$이다.

3) 성질 6.1.26과 성질 6.1.28 참조.

그러므로 점 $y_i \in U_i \cap A_i$가 존재하여 $\mathbf{y} = (y_1, \ldots, y_n) \in \Pi_{i=1}^n U_i \cap \Pi_{i=1}^n A_i \subset W \cap \Pi_{i=1}^n A_i$이다. 따라서 $W \cap \Pi_{i=1}^n A_i \neq \varnothing$ 이므로 $\mathbf{x} \in \overline{\Pi_{i=1}^n A_i}$이다.

(2) ($\subset$) 만약 $\mathbf{x} = (x_1, \ldots, x_n) \in (\Pi_{i=1}^n A_i)^\circ$이면 $\mathbf{x} \in \Pi_{i=1}^n U_i \subset \Pi_{i=1}^n A_i$를 만족하는 $\Pi_{i=1}^n X_n$의 기저의 원소 $\Pi_{i=1}^n U_i$가 존재한다. 그리고 각각의 $i$에 대하여 $x_i \in U_i \subset A_i$이고 $U_i$가 $X_i$의 열린집합이므로 $x_i \in A_i^\circ$이다. 따라서 $\mathbf{x} \in \Pi_{i=1}^n A_i^\circ$이다.

($\supset$) 만약 $\mathbf{x} = (x_1, \ldots, x_n) \in \Pi_{i=1}^n A_i^\circ$이면 각각의 $i$에 대하여 $x_i \in A_i^\circ$이므로 $x_i \in U_i \subset A_i$를 만족하는 $X_i$의 열린집합 $U_i$가 존재한다. 그런데 $\Pi_{i=1}^n U_i$는 곱공간 $\Pi_{i=1}^n X_i$의 기저의 원소로서 $\mathbf{x} \in \Pi_{i=1}^n U_i \subset \Pi_{i=1}^n A_i$를 만족하므로 $\mathbf{x} \in (\Pi_{i=1}^n A_i)^\circ$이다. □

**따름정리 6.1.15** 위상공간 $X$, $Y$와 $A \subset X$, $B \subset Y$에 대해 다음이 성립한다:

$$\partial(A \times B) = (\overline{A} \times \partial(B)) \cup (\partial(A) \times \overline{B})$$

증명 성질 1.2.17, 성질 4.2.35와 성질 6.1.14에 의하여

$$\begin{aligned}\partial(A \times B) &= \overline{A \times B} - (A \times B)^\circ = \overline{A} \times \overline{B} - A^\circ \times B^\circ \\ &= \overline{A} \times (\overline{B} - B^\circ) \cup (\overline{A} - A^\circ) \times \overline{B} = (\overline{A} \times \partial(B)) \cup (\partial(A) \times \overline{B})\end{aligned}$$

이다. □

**보기 6.1.16** $\mathscr{U}$와 $\mathscr{D}$를 각각 실수 집합 $\mathbb{R}$상의 보통(유클리드)위상과 이산위상이라 하자. 이제 두 위상공간 $X = (\mathbb{R}, \mathscr{U})$, $Y = (\mathbb{R}, \mathscr{D})$의 곱공간 $X \times Y$의 부분집합 $E = (-1, 1) \times (-1, 1)$의 폐포, 내부, 경계를 구해보자. 먼저 성질 6.1.14에 의해 $E$의 폐포는

$$\overline{E} = \mathrm{cl}_X((-1, 1)) \times \mathrm{cl}_Y((-1, 1)) = [-1, 1] \times (-1, 1)$$

이다. 그리고 내부는

$$E^\circ = \mathrm{int}_X((-1, 1)) \times \mathrm{int}_Y((-1, 1)) = (-1, 1) \times (-1, 1)$$

이다. 그림 6.2 참조. 마지막으로 경계는 성질 4.2.35에 의해 다음과 같다:

$$\partial(E) = \overline{E} - E^\circ = [-1, 1] \times (-1, 1) - (-1, 1) \times (-1, 1) = \{-1, 1\} \times (-1, 1)$$

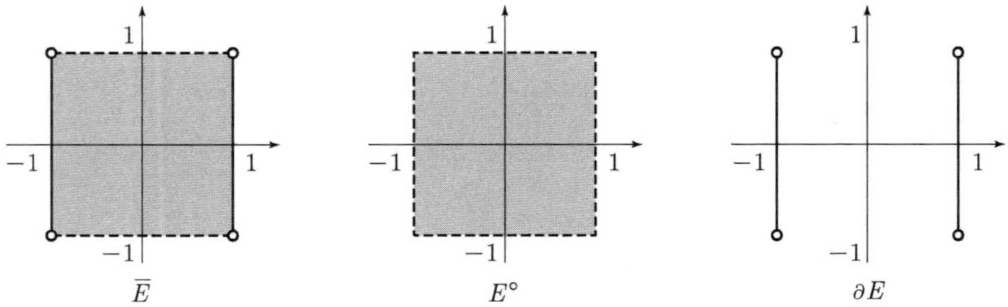


그림 6.2 • 곱공간에서의 폐포와 내부

**보기 6.1.17** 유클리드공간 $\mathbb{R}^2$의 부분집합 $E=(0,1]\times[3,4)$의 폐포와 내부를 구해보자: 먼저 $\mathbb{R}^2$상의 보통위상 $\mathscr{U}$와 곱위상 $\mathscr{T}_p$가 같으므로 유클리드공간 $\mathbb{R}^2$를 곱공간 $\mathbb{R}\times\mathbb{R}$으로 볼 수 있다. 따라서 $E$의 폐포는

$$\overline{E} = \overline{(0,1]\times[3,4)} = \overline{(0,1]}\times\overline{[3,4)} = [0,1]\times[3,4]$$

이다. 그리고 $E$의 내부는 다음과 같다:

$$E^\circ = ((0,1]\times[3,4))^\circ = (0,1]^\circ\times[3,4)^\circ = (0,1)\times(3,4)$$

**보기 6.1.18** 두 위상공간 $X$와 $Y$ 사이의 함수 $f: X\to Y$의 그래프

$$\Gamma(f) = \{(x, f(x))\in X\times Y \mid x\in X\}$$

는 곱공간 $X\times Y$의 부분공간이다. 그러면 $f$가 연속이기 위한 필요충분조건은

$$p: X\to\Gamma(f),\quad p(x) = (x, f(x))$$

가 위상동형사상인 것이다.

**풀이** ($\Rightarrow$) 항등사상 $\mathrm{id}_X$와 $f$가 모두 연속이므로 정리 6.1.12에 의하여 $p=(\mathrm{id}_X, f)$도 연속이다. 자명하게 $p: X\to\Gamma(f)$는 전단사이다. 한편 사영사상 $\pi_X: X\times Y\to X$, $\pi_X(x,y)=x$가 연속이므로 이의 축소사상 $\pi_X|: \Gamma(f)\to X$도 연속이다. 그리고 $\pi_X|_{\Gamma(f)}$은 $p$의 역사상이다. 따라서 $p$는 위상동형사상이다.

($\Leftarrow$) $p: X\to\Gamma(f)$가 위상동형사상이면 $p$는 연속이다. 그래서 합성함수

$$h: X\xrightarrow{p}\Gamma(f)\hookrightarrow X\times Y,\quad h(x) = (x, f(x))$$

도 연속이다. 그리고 사영사상

$$\pi_Y : X \times Y \to Y,\ \ \pi_Y(x, y) = y$$

가 연속이므로 $f = \pi_Y \circ h$도 연속이다. □

**보기 6.1.19** 집합 $X$상에 정의된 거리 $d$가 유도하는 $X$상의 거리위상 $\mathscr{T}_d$는 거리 $d : (X \times X, \mathscr{T}_p) \to \mathbb{R}$가 연속이 되도록 하는 $X$상의 최소의 위상이다.

**풀이** (i) 먼저 거리

$$d : (X, \mathscr{T}_d) \times (X, \mathscr{T}_d) \to \mathbb{R},\ \ (x, y) \mapsto d(x, y)$$

가 연속임을 보이자: 이를 위하여 우리는 임의로 주어진 점 $(a, b) \in X \times X$에서 연속임을 보이면 된다(정리 5.1.17 참조). 점 $d(a, b) \in \mathbb{R}$의 임의의 열린근방 $V \subset \mathbb{R}$에 대하여

$$d(a, b) \in (d(a, b) - \varepsilon,\ d(a, b) + \varepsilon) \subset V$$

를 만족하는 양의 실수 $\varepsilon$이 존재한다. 그리고 이러한 $\varepsilon$에 대하여

$$U := B_d(a, \frac{\varepsilon}{2}) \times B_d(b, \frac{\varepsilon}{2})$$

는 $(a, b)$의 열린근방이다. 이제 $d(U) \subset V$임을 보이면 된다. 부등식

$$d(x, y) \le d(x, a) + d(a, b) + d(b, y),$$
$$d(a, b) \le d(a, x) + d(x, y) + d(y, b)$$

으로부터

$$|d(x, y) - d(a, b)| \le d(a, x) + d(b, y)$$

를 얻을 수 있으므로 모든 점 $(x, y) \in B_d(a, \frac{\varepsilon}{2}) \times B_d(b, \frac{\varepsilon}{2})$에 대해

$$|d(x, y) - d(a, b)| < \varepsilon$$

이 된다. 즉,

$$d(U) = d(B_d(a, \frac{\varepsilon}{2}) \times B_d(b, \frac{\varepsilon}{2})) \subset (d(a, b) - \varepsilon, d(a, b) + \varepsilon) \subset V$$

이므로 $d$는 점 $(a, b)$에서 연속이다. 따라서 $d$는 연속이다.

(ii) 이제 $\mathscr{T}_d$가 거리 $d$가 연속이 되도록 하는 $X$상의 최소의 위상임을 보이자: 이

를 위해 집합 $X$상의 위상 $\mathscr{T}$에 대하여

$$d:(X,\mathscr{T})\times(X,\mathscr{T})\to\mathbb{R},\quad (x,y)\mapsto d(x,y)$$

가 연속이라 가정하자. 임의의 점 $a\in X$와 양의 실수 $\varepsilon$에 대하여

$$g:(X,\mathscr{T})\to(X,\mathscr{T})\times\{a\},\quad x\mapsto(x,a)$$

는 위상동형사상이다. 그러면 합성함수

$$f=(d|)\circ g:(X,\mathscr{T})\to(X,\mathscr{T})\times\{a\}\to\mathbb{R},\quad x\mapsto d(x,a)$$

가 연속이므로

$$f^{-1}((-\varepsilon,\varepsilon))=\{x\in X\mid d(x,a)<\varepsilon\}=B_d(a,\varepsilon)$$

은 $(X,\mathscr{T})$의 열린집합이다. 즉, $B_d(a,\varepsilon)\in\mathscr{T}$이다. 따라서 $\mathscr{B}_d\subset\mathscr{T}$이므로 정리 3.2.3과 정의 3.3.10에 의하여 $\mathscr{T}_d\subset\mathscr{T}$이다. □

## 곱공간 $\Pi_\alpha X_\alpha$

주어진 첨자집합(index set) $\Lambda$와 집합 $X_\alpha\,(\alpha\in\Lambda)$들에 대하여, 다음과 같은 함수

$$\mathbf{x}:\Lambda\to\cup_{\alpha\in\Lambda}X_\alpha\quad\text{s.t.}\quad\mathbf{x}(\alpha)\in X_\alpha\ \ \forall\,\alpha\in\Lambda$$

들의 모임을 집합 $X_\alpha\,(\alpha\in\Lambda)$들의 (카테시안) 곱집합이라 하고 $\Pi_{\alpha\in\Lambda}X_\alpha$로 표시한다. 그리고 이러한 함수 $\mathbf{x}$에 대하여 $\mathbf{x}(\alpha)=x_\alpha\in X_\alpha$인 경우 $\mathbf{x}$를 $(x_\alpha)_{\alpha\in\Lambda}$로 표기하기로 하자. 따라서 집합 $X_\alpha\,(\alpha\in\Lambda)$들의 (카테시안) 곱집합은

$$\begin{aligned}\Pi_{\alpha\in\Lambda}X_\alpha&=\{\mathbf{x}\mid \text{함수 }\mathbf{x}:\Lambda\to\cup_{\alpha\in\Lambda}X_\alpha\ \text{ s.t. }\ \mathbf{x}(\alpha)=x_\alpha\in X_\alpha\ \forall\,\alpha\in\Lambda\}\\&=\{\mathbf{x}=(x_\alpha)_{\alpha\in\Lambda}\mid x_\alpha\in X_\alpha\ \forall\,\alpha\in\Lambda\}\end{aligned}$$

이다.

이제 임의의 개수의 위상공간들의 곱공간에 대하여 알아보자. 임의의 첨자집합 $\Lambda$가 주어졌다고 하자. 그리고 모든 $\alpha\in\Lambda$에 대하여 $X_\alpha$가 위상공간이라 하자. 곱집합

$$\Pi_{\alpha\in\Lambda}X_\alpha=\{(x_\alpha)\mid x_\alpha\in X_\alpha\ \forall\,\alpha\in\Lambda\}$$

에 대하여 모든 사영사상

$$\pi_\alpha : \Pi_{\alpha\in\Lambda} X_\alpha \to X_\alpha,\ (x_\alpha) \mapsto x_\alpha$$

가 연속이 되게 하는 $\Pi_{\alpha\in\Lambda} X_\alpha$상의 최소의 위상이 무엇인지 알아보자.

이를 위해 $\mathscr{T}$가 곱집합 $\Pi_{\alpha\in\Lambda} X_\alpha$상의 위상이라 하자. 임의로 주어진 $\alpha_0 \in \Lambda$에 대하여 사영사상

$$\pi_{\alpha_0} : (\Pi_{\alpha\in\Lambda} X_\alpha, \mathscr{T}) \to X_{\alpha_0},\quad (x_\alpha) \mapsto x_{\alpha_0}$$

이 연속일 필요충분조건은 $X_{\alpha_0}$의 임의의 열린집합 $U_{\alpha_0}$에 대하여 $\pi_{\alpha_0}^{-1}(U_{\alpha_0}) \in \mathscr{T}$가 되는 것이다. 그리고

$$\pi_{\alpha_0}^{-1}(U_{\alpha_0}) = \Pi_{\alpha\in\Lambda} U_\alpha,\ \text{여기서}\ \ U_\alpha = \begin{cases} U_{\alpha_0}, & \alpha = \alpha_0 \\ X_\alpha, & \alpha \neq \alpha_0 \end{cases}$$

이다. 그러므로 유한개의 이러한 집합들의 교집합

$$\pi_{\alpha_1}^{-1}(U_{\alpha_1}) \cap \pi_{\alpha_2}^{-1}(U_{\alpha_2}) \cap \cdots \cap \pi_{\alpha_n}^{-1}(U_{\alpha_n})$$

도 $\mathscr{T}$의 원소이다. 그리고

$$\bigcap_{i=1}^{n} \pi_{\alpha_i}^{-1}(U_{\alpha_i}) = \Pi_{\alpha\in\Lambda} U_\alpha,\ \text{여기서}\ \ U_\alpha = \begin{cases} U_{\alpha_i}, & \alpha = \alpha_i \\ X_\alpha, & \alpha \neq \alpha_i \end{cases}$$

이다. 따라서

$$\begin{aligned} \mathscr{B}_p &= \left\{ \Pi_{\alpha\in\Lambda} U_\alpha \;\middle|\; \begin{array}{l} \text{유한개의 } \alpha\text{를 제외하고는 } U_\alpha = X_\alpha \text{이고} \\ \text{나머지 유한개의 } \alpha\text{에 대해 } U_\alpha\text{는 } X_\alpha\text{의 열린집합} \end{array} \right\} \\ &= \left\{ \bigcap_{i=1}^{n} \pi_{\alpha_i}^{-1}(U_{\alpha_i}) \;\middle|\; \begin{array}{l} \{\alpha_1, \ldots, \alpha_n\}\text{는 } \Lambda\text{의 유한부분집합이고} \\ U_{\alpha_i}\text{는 } X_{\alpha_i}\text{의 열린집합} \end{array} \right\} \end{aligned}$$

는 $\mathscr{T}$에 포함되어야 한다. 그런데 $\mathscr{B}_p$가 곱집합 $\Pi_{\alpha\in\Lambda} X_\alpha$상의 기저가 되므로, 모든 사영사상 $\pi_\alpha$가 연속이 되게 하는 곱집합 $\Pi_{\alpha\in\Lambda} X_\alpha$상의 최소의 위상은 $\mathscr{B}_p$가 생성하는 위상 $\mathscr{T}_{\mathscr{B}_p}$이다. 우리는 편의상 $\mathscr{T}_p = \mathscr{T}_{\mathscr{B}_p}$이라 하자.

한편 위상공간 $X_\alpha$의 기저 $\mathscr{B}_\alpha$가 주어진 경우, 성질 6.1.3과 같이,

$$\mathscr{B}_p' = \left\{ \Pi_{\alpha\in\Lambda} B_\alpha \;\middle|\; \begin{array}{l} \text{유한개의 } \alpha\text{를 제외하고는 } B_\alpha = X_\alpha \text{이고} \\ \text{나머지 유한개의 } \alpha\text{에 대해 } B_\alpha \in \mathscr{B}_\alpha \end{array} \right\}$$

는 곱집합 $\Pi_{\alpha\in\Lambda} X_\alpha$상의 기저가 되고, $\mathscr{B}_p$와 $\mathscr{B}_p'$이 생성하는 위상은 같다. 즉, $\mathscr{T}_p = \mathscr{T}_{\mathscr{B}_p'}$이다. 따라서 우리는 다음 정리를 얻는다.

**정리 6.1.20** 주어진 위상공간 $X_\alpha\,(\alpha\in\Lambda)$에 대하여 다음이 성립한다.

(1) $\mathscr{B}_p$는 곱집합 $\Pi_{\alpha\in\Lambda}X_\alpha$상의 기저이다.

(2) $\mathscr{B}_p$가 생성하는 위상 $\mathscr{T}_p$에 대해 모든 사영사상 $\pi_\alpha:(\Pi_{\alpha\in\Lambda}X_\alpha,\mathscr{T}_p)\to X_\alpha$는 연속이고, $\mathscr{T}_p$는 이러한 성질을 갖는 최소의 위상이다.

(3) 만약 $\mathscr{B}_\alpha$가 $X_\alpha$의 기저이면 $\mathscr{B}_p'$은 곱집합 $\Pi_{\alpha\in\Lambda}X_\alpha$상의 기저가 되고, $\mathscr{B}_p'$이 생성하는 위상은 $\mathscr{T}_p$와 같다. 즉, $\mathscr{T}_{\mathscr{B}_p'}=\mathscr{T}_p$이다.[4)]

**정의 6.1.21** 정리 6.1.20에서 정의된 위상 $\mathscr{T}_p$를 $\Pi_{\alpha\in\Lambda}X_\alpha$상의 **곱위상**(product topology)이라 하고, 이러한 위상을 갖는 $(\Pi_{\alpha\in\Lambda}X_\alpha,\mathscr{T}_p)$를 **곱공간**(product space)이라 한다.

**참고 6.1.22** (1) 특별히 첨자집합 $\Lambda$가 유한집합인 경우는 정리 6.1.20의 $\mathscr{B}_p$, $\mathscr{T}_p$, $\mathscr{B}_p'$은 각각 정의 6.1.9와 정리 6.1.10의 $\mathscr{B}_p$, $\mathscr{T}_p$, $\mathscr{B}_p'$과 같다.

(2) 위상공간 $X_\alpha\,(\alpha\in\Lambda)$에 대해

$$\mathcal{S}_p=\{\pi_\alpha^{-1}(U_\alpha)\mid U_\alpha\text{는 } X_\alpha\text{의 열린집합, } \alpha\in\Lambda\}$$

는 곱집합 $\Pi_{\alpha\in\Lambda}X_\alpha$상의 곱위상 $\mathscr{T}_p$의 부분기저이다.

**보기 6.1.23** 유클리드공간 $\mathbb{R}$의 곱공간 $\mathbb{R}^\omega$를 생각하자. 여기서

$$\mathbb{R}^\omega=\Pi_{n=1}^{\infty}\mathbb{R}=\mathbb{R}\times\mathbb{R}\times\mathbb{R}\times\cdots=\{\mathbf{x}=(x_n)_{n\in\mathbb{N}}\mid x_n\in\mathbb{R}\ \forall n\in\mathbb{N}\}$$

이다.[5)] 그리고 $\mathbb{R}^\omega$의 원소는 $\mathbf{x}=(x_1,x_2,x_3,\ldots)$으로 표현된다. (따라서 집합적으로 $\mathbb{R}^\omega$는 $\mathbb{R}$상의 수열들의 모임이다.)

이 경우 $W=\Pi_{n=1}^{\infty}(-n,n)=(-1,1)\times(-2,2)\times\cdots\times(-n,n)\times\cdots$는 곱공간 $\mathbb{R}^\omega$의 열린집합이 아니다: $W$가 $\mathbb{R}^\omega$의 열린집합이라고 가정하자. 그러면 $\mathbf{0}=(0,0,0,\ldots)\in W$이므로 $\mathbf{0}\in\Pi_{n=1}^{\infty}U_n\subset W$를 만족하는 기저의 원소 $\Pi_{n=1}^{\infty}U_n\in\mathscr{B}_p$이 존재하여 $0\in U_n\subset(-n,n)\,(\forall n\in\mathbb{N})$이 된다. 그런데 곱공간의 기저 $\mathscr{B}_p$의 정의에 의해 유한개를 제

4) (3)은 위상공간 $X_\alpha$들의 기저 $\mathscr{B}_\alpha$를 알고 있을 때 사용하면 편리하다.

5) 경우에 따라서는 $\mathbb{R}^\omega$를 무한차원 유클리드공간(infinite-dimensional euclidean space)이라 부른다. 그리고 $\omega$는 순서집합 $(\mathbb{N},\le)$의 서수(ordinal number)임을 상기하자. 곱집합 $X^\omega$의 정의 참조.

외한 $n$에 대해 $U_n = \mathbb{R}$이고, 이러한 $n$에 대해 $0 \in U_n = \mathbb{R} \subset (-n, n)$이 되어 모순이다. 따라서 $W$는 곱공간 $\mathbb{R}^\omega$의 열린집합이 아니다.

**정리 6.1.24** 위상공간 $X$에서 곱공간 $\Pi_{\alpha \in \Lambda} Y_\alpha$로의 사상

$$f : X \to \Pi_{\alpha \in \Lambda} Y_\alpha$$

에 대하여 다음은 서로 동치이다.
(a) $f : X \to \Pi_{\alpha \in \Lambda} Y_\alpha$는 연속이다.
(b) 모든 $\alpha \in \Lambda$에 대하여 $f_\alpha = \pi_\alpha \circ f : X \to Y_\alpha$는 연속이다.

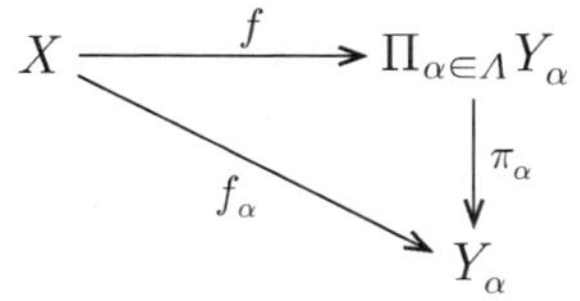


증명 (a)⇒(b) 먼저 $f$가 연속이라 하자. 그러면 모든 사영사상 $\pi_\alpha : \Pi_{\alpha \in \Lambda} Y_\alpha \to Y_\alpha$가 연속이므로 이들의 합성사상 $f_\alpha = \pi_\alpha \circ f$도 연속이다.

(b)⇒(a) 역으로 모든 $f_\alpha = \pi_\alpha \circ f : X \to Y_\alpha$가 연속이라고 가정하자. 곱공간 $\Pi_{\alpha \in \Lambda} Y_\alpha$의 기저 $\mathscr{B}_p$의 임의의 원소 $B = \pi_{\alpha_1}^{-1}(U_{\alpha_1}) \cap \pi_{\alpha_2}^{-1}(U_{\alpha_2}) \cap \cdots \cap \pi_{\alpha_n}^{-1}(U_{\alpha_n})$에 대하여

$$f^{-1}\left(\bigcap_{i=1}^{n} \pi_{\alpha_i}^{-1}(U_{\alpha_i})\right) = \bigcap_{i=1}^{n} \left(f^{-1}(\pi_{\alpha_i}^{-1}(U_{\alpha_i}))\right) = \bigcap_{i=1}^{n} (\pi_{\alpha_i} \circ f)^{-1}(U_{\alpha_i}) = \bigcap_{i=1}^{n} f_{\alpha_i}^{-1}(U_{\alpha_i})$$

이고, 각각의 $f_{\alpha_i}$가 연속이므로 $f_{\alpha_i}^{-1}(U_{\alpha_i})$는 $X$의 열린집합이다. 그러므로

$$f^{-1}(B) = \bigcap_{i=1}^{n} f_{\alpha_i}^{-1}(U_{\alpha_i})$$

는 $X$의 열린집합이다. 따라서 성질 5.1.6에 의하여 $f$는 연속이다. □

정리 6.1.24에서와 같은 기호를 사용하면, 임의의 $x \in X$에 대해 $f_\alpha(x) = \pi_\alpha(f(x))$이므로 $f(x) = (f_\alpha(x))_{\alpha \in \Lambda}$이다. 그러므로 우리는 $f = (f_\alpha)_{\alpha \in \Lambda}$로 볼 수 있고, 각각의 $f_\alpha$는 $f$의 성분함수로 볼 수 있다. 따라서 정리 6.1.24는 $f$가 연속이기 위한 필요충분조건

은 모든 성분함수 $f_\alpha$가 연속인 것을 의미한다(정리 6.1.12 참조).

보기 5.2.6에서 보았듯이 곱공간 $\Pi_{\alpha\in\Lambda}X_\alpha$에 대하여 모든 사영사상

$$\pi_\alpha : \Pi_{\alpha\in\Lambda}X_\alpha \to X_\alpha,\ (x_\alpha)_{\alpha\in\Lambda} \mapsto x_\alpha$$

가 닫힌사상이 되는 것은 아니다. 그러나 모든 사영사상은 항상 열린사상이다.

**성질 6.1.25** 위상공간 $X_\alpha(\alpha\in\Lambda)$들의 곱공간 $\Pi_{\alpha\in\Lambda}X_\alpha$에 대하여 모든 사영사상 $\pi_\alpha : \Pi_{\alpha\in\Lambda}X_\alpha \to X_\alpha,\ (x_\alpha)_{\alpha\in\Lambda} \mapsto x_\alpha$는 열린사상이다.

증명 임의의 $\alpha_0\in\Lambda$을 고정하자. 먼저 곱공간 $\Pi_{\alpha\in\Lambda}X_\alpha$의 기저의 임의의 원소 $B=\Pi_{\alpha\in\Lambda}U_\alpha\in\mathscr{B}_p$에 대하여 $\pi_{\alpha_0}(B)=U_{\alpha_0}$은 $X_{\alpha_0}$의 열린집합이다.

이제 $W$를 곱공간 $\Pi_{\alpha\in\Lambda}X_\alpha$의 임의의 열린집합이라 하자. 그런데 $\mathscr{B}_p$가 곱공간의 기저이므로 $W$는 기저의 적당한 원소들의 합집합으로 이루어진다(정리 3.2.3 참조). 즉,

$$W=\bigcup_{\delta\in J}B_\delta$$

이다. 단, 여기서 $B_\delta\in\mathscr{B}_p(\delta\in J)$이다. 따라서

$$\pi_{\alpha_0}(W)=\pi_{\alpha_0}\Big(\bigcup_{\delta\in J}B_\delta\Big)=\bigcup_{\delta\in J}\pi_{\alpha_0}(B_\delta)$$

이 되어 $\pi_{\alpha_0}(W)$가 $X_{\alpha_0}$의 열린집합 $\pi_{\alpha_0}(B_\delta)$들의 합집합이므로 $\pi_{\alpha_0}(W)$는 $X_{\alpha_0}$의 열린집합이다. 따라서 $\pi_{\alpha_0}$은 열린사상이다. □

**성질 6.1.26** 각각의 $\alpha\in\Lambda$에 대해 $X_\alpha$는 위상공간이고 $A_\alpha\subset X_\alpha$이라 하자. 그러면 곱공간 $\Pi_{\alpha\in\Lambda}X_\alpha$에서 부분집합 $\Pi_{\alpha\in\Lambda}A_\alpha$의 폐포는 다음과 같다:

$$\overline{\Pi A_\alpha}=\Pi\overline{A}_\alpha$$

증명 ($\subset$) 먼저 $\mathbf{x}=(x_\alpha)\in\overline{\Pi A_\alpha}$이라 하자. 이제 각각의 $\alpha\in\Lambda$에 대하여 $x_\alpha\in\overline{A}_\alpha$임을 다음과 같이 보이자. 임의의 $x_\alpha$의 열린근방 $V_\alpha\subset X_\alpha$에 대하여 $\pi_\alpha^{-1}(V_\alpha)$는

$\mathbf{x} \in \pi_\alpha^{-1}(V_\alpha)$를 만족하는 곱공간 $\Pi X_\alpha$의 열린집합이다. 그리고 $\mathbf{x} \in \overline{\Pi A_\alpha}$이므로

$$\pi_\alpha^{-1}(V_\alpha) \cap \Pi A_\alpha \neq \varnothing$$

이다. 그래서 점 $\mathbf{y} = (y_\alpha) \in \pi_\alpha^{-1}(V_\alpha) \cap \Pi A_\alpha$가 존재하여 $y_\alpha \in V_\alpha \cap A_\alpha$이므로 $V_\alpha \cap A_\alpha \neq \varnothing$이다. 그러므로 $x_\alpha \in \overline{A}_\alpha$이다. 따라서 $\mathbf{x} = (x_\alpha) \in \Pi \overline{A}_\alpha$이다.

($\supset$) 역으로 $\mathbf{x} = (x_\alpha) \in \Pi \overline{A}_\alpha$이라 하자. 이제 임의의 $\mathbf{x}$의 열린근방 $W \subset \Pi X_\alpha$에 대하여

$$\mathbf{x} \in \Pi U_\alpha \subset W$$

를 만족하는 $\Pi X_\alpha$상의 기저의 원소 $\Pi U_\alpha$가 존재한다. 각각의 $\alpha \in \Lambda$에 대하여 $x_\alpha \in \overline{A}_\alpha$이고 $x_\alpha \in U_\alpha$이므로 $U_\alpha \cap A_\alpha \neq \varnothing$이다. 그러므로 점 $y_\alpha \in U_\alpha \cap A_\alpha$가 존재하여

$$\mathbf{y} = (y_\alpha) \in \Pi U_\alpha \cap \Pi A_\alpha \subset W \cap \Pi A_\alpha$$

이다. 따라서 $W \cap \Pi A_\alpha \neq \varnothing$이므로 $\mathbf{x} = (x_\alpha) \in \overline{\Pi A_\alpha}$이다. □

**따름정리 6.1.27** 각각의 $\alpha \in \Lambda$에 대해 $X_\alpha$는 위상공간이고 $A_\alpha \subset X_\alpha$이라 하자. 그러면 다음은 동치이다.

(a) 모든 $\alpha \in \Lambda$에 대해 $A_\alpha$는 $X_\alpha$의 닫힌집합이다.

(b) $\Pi_{\alpha \in \Lambda} A_\alpha$는 곱공간 $\Pi_{\alpha \in \Lambda} X_\alpha$의 닫힌집합이다.

증명 (a)⇒(b) 각각의 $\alpha \in \Lambda$에 대하여 $A_\alpha$가 $X_\alpha$의 닫힌집합이므로 $\overline{A}_\alpha = A_\alpha$이다. 그러면 성질 6.1.26에 의해

$$\overline{\Pi A_\alpha} = \Pi \overline{A}_\alpha = \Pi A_\alpha$$

이므로 $\Pi_{\alpha \in \Lambda} A_\alpha$는 $\Pi_{\alpha \in \Lambda} X_\alpha$의 닫힌집합이다.

(b)⇒(a) 역으로 $\Pi_{\alpha \in \Lambda} A_\alpha$가 곱공간 $\Pi_{\alpha \in \Lambda} X_\alpha$의 닫힌집합이므로 $\Pi A_\alpha = \overline{\Pi A_\alpha}$이다. 그리고 성질 6.1.26에 의해 $\overline{\Pi A_\alpha} = \Pi \overline{A}_\alpha$이므로 $\Pi A_\alpha = \Pi \overline{A}_\alpha$이다. 따라서 각각의 $\alpha \in \Lambda$에 대하여 $\overline{A}_\alpha = A_\alpha$이므로 $A_\alpha$는 $X_\alpha$의 닫힌집합이다. □

**성질 6.1.28** 각각의 $\alpha\in\Lambda$에 대해 $X_\alpha$는 위상공간이고 $A_\alpha\subset X_\alpha$이면 다음이 성립한다:6)

$$(\Pi A_\alpha)^\circ\subset\Pi A_\alpha^\circ$$

증명 만약 $(x_\alpha)\in(\Pi A_\alpha)^\circ$이면 $(x_\alpha)\in\Pi U_\alpha\subset\Pi A_\alpha$를 만족하는 $\Pi X_\alpha$의 기저의 원소 $\Pi U_\alpha$가 존재한다. 그리고 각각의 $\alpha\in\Lambda$에 대하여 $x_\alpha\in U_\alpha\subset A_\alpha$이고 $U_\alpha$가 $X_\alpha$의 열린집합이므로 $x_\alpha\in A_\alpha^\circ$이다. 따라서 $(x_\alpha)\in\Pi A_\alpha^\circ$가 되어 $(\Pi A_\alpha)^\circ\subset\Pi A_\alpha^\circ$이다. □

**보기 6.1.29** 이제 성질 6.1.28의 등호가 성립하지 않는 보기를 보자. 유클리드공간 $\mathbb{R}$의 곱공간 $\mathbb{R}^\omega=\mathbb{R}\times\mathbb{R}\times\mathbb{R}\times\cdots$를 생각하자. 이 경우 $\mathbb{R}^\omega$의 원소는 $\mathbf{x}=(x_1,x_2,x_3,\ldots)$으로 표현된다. 이제 다음과 같은 곱공간 $\mathbb{R}^\omega$의 부분집합

$$[0,1)^\omega=[0,1)\times[0,1)\times[0,1)\times\cdots$$

을 생각하자.

(i) 먼저 $[0,1)^\omega$의 폐포를 구해보자. $\overline{[0,1)}=\text{cl}_{\mathbb{R}}([0,1))=[0,1]$이므로, 성질 6.1.26에 의해, $\text{cl}_{\mathbb{R}^\omega}([0,1)^\omega)=\overline{[0,1)^\omega}=\overline{[0,1)}^\omega=[0,1]^\omega$이다.

(ii) 이제 $[0,1)^\omega$의 내부가 공집합이 됨을 보이자. 즉,

$$([0,1)^\omega)^\circ=([0,1)\times[0,1)\times\cdots)^\circ=\varnothing$$

임을 보이자. 만약 $([0,1)\times[0,1)\times\cdots)^\circ\neq\varnothing$이라 가정하면 $(x_n)\in([0,1)\times[0,1)\times\cdots)^\circ$이 존재한다. 따라서

$$(x_n)\in U_1\times U_2\times\cdots\subset[0,1)\times[0,1)\times\cdots$$

을 만족하는 곱공간 $\mathbb{R}^\omega$의 기저의 원소 $U_1\times U_2\times\cdots$가 존재해야 한다. 그런데 유한개를 제외하고는 $U_i=\mathbb{R}$이므로 무한개의 $U_i$들에 대해 $\mathbb{R}=U_i\subset[0,1)$이 되어 모순이다. 따라서 $([0,1)\times[0,1)\times\cdots)^\circ=\varnothing$이 되어야 한다.

한편 $[0,1)^\circ=\text{int}_{\mathbb{R}}([0,1))=(0,1)$이므로

6) 성질 6.1.14 참조.

$$[0,1)^\circ \times [0,1)^\circ \times \cdots = (0,1) \times (0,1) \times \cdots$$

이다. 따라서

$$([0,1) \times [0,1) \times \cdots)^\circ \subsetneq [0,1)^\circ \times [0,1)^\circ \times \cdots$$

이다.

## 고른위상

주어진 집합 $X$상의 거리 $d$가 유도하는 집합 $X$상의 표준유계거리

$$\bar{d} : X \times X \to \mathbb{R}, \quad \bar{d}(x,y) = \min\{d(x,y), 1\}$$

를 생각하자. 그러면 보기 3.3.18에서 보았듯이 $\mathscr{T}_d = \mathscr{T}_{\bar{d}}$이므로 위상공간으로서 $(X, \mathscr{T}_d) = (X, \mathscr{T}_{\bar{d}})$이다.

**정의 6.1.30** 각각의 $\alpha \in \Lambda$에 대해 $(X_\alpha, d_\alpha)$를 거리공간이라 하자. 그러면 곱집합

$$\begin{aligned}\Pi_{\alpha\in\Lambda} X_\alpha &= \{\mathbf{x} \mid \text{함수 } \mathbf{x} : \Lambda \to \cup_{\alpha\in\Lambda} X_\alpha \text{ s.t. } \mathbf{x}(\alpha) = x_\alpha \in X_\alpha \ \forall \alpha \in \Lambda\} \\ &= \{\mathbf{x} = (x_\alpha)_{\alpha\in\Lambda} \mid x_\alpha \in X_\alpha \ \forall \alpha \in \Lambda\}\end{aligned}$$

상에 정의된 함수

$$\bar{\rho} : \Pi_{\alpha\in\Lambda} X_\alpha \times \Pi_{\alpha\in\Lambda} X_\alpha \to \mathbb{R}, \quad \bar{\rho}(\mathbf{x}, \mathbf{y}) = \sup\{\bar{d}_\alpha(x_\alpha, y_\alpha) \mid \alpha \in \Lambda\}$$

는 곱집합 $\Pi_{\alpha\in\Lambda} X_\alpha$상의 거리가 된다. 우리는 이러한 거리 $\bar{\rho}$를 곱집합 $\Pi_{\alpha\in\Lambda} X_\alpha$상의 **고른거리(uniform metric)**라 하고, 거리 $\bar{\rho}$가 유도하는 위상 $\mathscr{T}_{\bar{\rho}}$를 **고른위상(uniform topology)**이라 한다. 그리고 $(\Pi_{\alpha\in\Lambda} X_\alpha, \mathscr{T}_{\bar{\rho}})$를 **고른공간**이라 하고, 간단히 $(\Pi_{\alpha\in\Lambda} X_\alpha, \bar{\rho})$로 표기한다.

**참고 6.1.31** 집합 $X$와 거리공간 $(Y, d)$에 대하여 $Y^X$를 $X$에서 $Y$로의 함수들의 모임이라 하자. 즉,

$$Y^X = \{f \mid f : X \to Y \text{는 함수}\}$$

이다. 그런데 $X$를 첨자집합으로 보고 모든 $x \in X$에 대해 $Y_x = Y$이라 하면 이들의 곱

집합이

$$\begin{aligned}\Pi_{x\in X}Y_x &= \{f \mid \text{함수 } f: X\to \cup_{x\in X}Y_x = Y \text{ s.t. } f(x)\in Y_x = Y\ \forall x\in X\}\\ &= \{f \mid f: X\to Y\text{는 함수}\}\end{aligned}$$

이므로 집합적으로 $Y^X = \Pi_{x\in X}Y_x$이다. 그러므로 우리는 $Y^X$를 고른거리 $\bar{\rho}$를 갖는 거리공간으로 볼 수 있다. 구체적으로 $f, g\in Y^X$에 대해

$$\bar{\rho}(f,g) = \sup\{\bar{d}(f(x), g(x)) \mid x\in X\}$$

이다.

이제 수열 $f_n \in Y^X$이 고른거리 $\bar{\rho}$에 의해 $f\in Y^X$로 수렴한다고 가정하자.

(i) 먼저 수열 $f_n$은 $Y$상의 거리 $\bar{d}$에 의해 $f$로 고르게 수렴함을 보이자: 가정에 의해 $f_n$이 $f$로 수렴하므로, 주어진 양의 실수 $\varepsilon$에 대해

$$n\geq n_0 \Rightarrow \bar{\rho}(f_n, f) < \varepsilon$$

을 만족하는 자연수 $n_0\in\mathbb{N}$이 존재한다. 그런데 모든 $x\in X$에 대하여

$$\bar{d}(f_n(x), f(x)) \leq \bar{\rho}(f_n, f) < \varepsilon$$

이므로 이러한 자연수 $n_0$이

$$n\geq n_0 \Rightarrow \bar{d}(f_n(x), f(x)) < \varepsilon\ \forall x\in X$$

를 만족한다. 따라서 수열 $\{f_n\}$은 $Y$상의 거리 $\bar{d}$에 의해 $f$로 고르게 수렴한다.

(ii) 그리고 수열 $f_n$은 $Y$상의 거리 $d$에 의해서도 $f$로 고르게 수렴한다:[7)] 주어진 $\varepsilon' > 0$에 대해 $0<\varepsilon<\min\{\varepsilon', 1\}$을 만족하는 양의 실수 $\varepsilon$을 택하자. 그러면 (i)에 의해

$$n\geq n_0 \Rightarrow \bar{d}(f_n(x), f(x)) < \varepsilon\ \forall x\in X$$

를 만족하는 자연수 $n_0\in\mathbb{N}$이 존재한다. 그런데

$$\bar{d}(f_n(x), f(x)) < \varepsilon < 1\ \ \forall x\in X$$

이므로

7) 정의 5.1.25 참조. 참고 6.1.31은 $\bar{\rho}$를 왜 고른거리라 부르는지 설명하고 있다.

$$d(f_n(x), f(x)) = \bar{d}(f_n(x), f(x)) \ \forall x \in X$$

이다. 따라서 이러한 $n_0$이

$$n \geq n_0 \ \Rightarrow \ d(f_n(x), f(x)) < \varepsilon < \varepsilon' \ \forall x \in X$$

를 만족하므로 수열 $\{f_n\}$은 $Y$상의 거리 $d$에 의해 $f$로 고르게 수렴한다.

**성질 6.1.32** 각각의 $\alpha \in \Lambda$에 대해 $(X_\alpha, d_\alpha)$가 거리공간이면 곱집합 $\Pi_{\alpha \in \Lambda} X_\alpha$상의 고른위상 $\mathscr{T}_{\bar{\rho}}$은 곱위상 $\mathscr{T}_p$보다 세밀하다. 즉, $\mathscr{T}_p \subset \mathscr{T}_{\bar{\rho}}$이다.

증명 우리는 정리 3.2.9를 사용하여 이 성질을 증명하고자 한다. 곱위상 $\mathscr{T}_p$의 임의의 기저의 원소 $\Pi_{\alpha \in \Lambda} U_\alpha$와 점 $\mathbf{x} = (x_\alpha)_{\alpha \in \Lambda} \in \Pi_{\alpha \in \Lambda} U_\alpha$가 주어졌다 하자. 그러면 $\Pi_{\alpha \in \Lambda} U_\alpha$가 곱위상의 기저의 원소이므로 유한개의 $\alpha = \alpha_1, \alpha_2, \dots, \alpha_n \in \Lambda$에 대하여 $U_\alpha$는 $X_\alpha$의 열린집합이고 나머지 $\alpha \in \Lambda$에 대해서는 $U_\alpha = X_\alpha$이다. 이제 각각의 $i = 1, 2, \dots, n$에 대하여 $\mathscr{T}_{d_{\alpha_i}} = \mathscr{T}_{\bar{d}_{\alpha_i}}$이므로 $x_{\alpha_i} \in U_{\alpha_i} \in \mathscr{T}_{\bar{d}_{\alpha_i}}$이다. 따라서

$$x_{\alpha_i} \in B_{\bar{d}_{\alpha_i}}(x_{\alpha_i}, \delta_i) = \{x \in X_{\alpha_i} \mid \bar{d}_{\alpha_i}(x_{\alpha_i}, x) < \delta_i\} \subset U_{\alpha_i}$$

를 만족하는 $\mathscr{T}_{\bar{d}_{\alpha_i}}$의 기저의 원소인 열린구 $B_{\bar{d}_{\alpha_i}}(x_{\alpha_i}, \delta_i)$가 존재한다. 단, 여기서 $\delta_i$는 양의 실수이다.

이제 $\delta = \min\{\delta_1, \delta_2, \dots, \delta_n\}$이라 하면

$$B_{\bar{\rho}}(\mathbf{x}, \delta) = \{\mathbf{z} \in \Pi_{\alpha \in \Lambda} X_\alpha \mid \bar{\rho}(\mathbf{x}, \mathbf{z}) < \delta\} \subset \Pi_{\alpha \in \Lambda} U_\alpha$$

이다. (왜냐하면 만약 $\mathbf{z} \in B_{\bar{\rho}}(\mathbf{x}, \delta)$이면 $\bar{\rho}(\mathbf{x}, \mathbf{z}) < \delta$이므로

$$\bar{d}_\alpha(x_\alpha, z_\alpha) \leq \bar{\rho}(\mathbf{x}, \mathbf{z}) < \delta \ \forall \alpha \in \Lambda$$

가 되어

$$z_\alpha \in B_{\bar{d}_\alpha}(x_\alpha, \delta) \ \forall \alpha \in \Lambda$$

이다. 먼저 $\alpha = \alpha_1, \alpha_2, \dots, \alpha_n \in \Lambda$인 경우에는 $\delta \leq \delta_i$이므로

$$z_{\alpha_i} \in B_{\bar{d}_{\alpha_i}}(x_{\alpha_i}, \delta) \subset B_{\bar{d}_{\alpha_i}}(x_{\alpha_i}, \delta_i) \subset U_{\alpha_i}$$

이다. 그리고 나머지 $\alpha$에 대해서는 $U_\alpha = X_\alpha$이므로 $z_\alpha \in U_\alpha$이다. 따라서 $\mathbf{z} \in \Pi_{\alpha \in \Lambda} U_\alpha$이다.) 그러므로

$$\mathbf{x} \in B_{\bar{\rho}}(\mathbf{x}, \delta) \subset \Pi_{\alpha \in \Lambda} U_\alpha$$

를 만족하는 $\mathscr{T}_{\bar{\rho}}$의 기저의 원소 $B_{\bar{\rho}}(\mathbf{x}, \delta)$가 존재한다. 따라서 정리 3.2.9에 의해 $\mathscr{T}_p \subset \mathscr{T}_{\bar{\rho}}$이다. □

**보기 6.1.33** 이제 특별히 실수 집합 $\mathbb{R}$상의 보통거리

$$d : \mathbb{R} \times \mathbb{R} \to \mathbb{R},\ d(x, y) = |x - y|$$

가 유도하는 표준유계거리

$$\bar{d} : \mathbb{R} \times \mathbb{R} \to \mathbb{R},\ \bar{d}(x, y) = \min\{d(x, y), 1\} = \min\{|x - y|, 1\}$$

를 생각하자.

(1) 보기 3.3.18에서 보았듯이 $\mathscr{T}_d = \mathscr{T}_{\bar{d}}$이므로 거리공간 $(\mathbb{R}, \mathscr{T}_{\bar{d}})$는 유클리드공간 $(\mathbb{R}, \mathscr{T}_d)$이다. 이제 임의의 첨자집합 $\Lambda$에 대하여 다음과 같은 곱집합

$$\mathbb{R}^\Lambda = \Pi_{\alpha \in \Lambda} \mathbb{R}_\alpha$$

를 생각하자. 단, 여기서 모든 $\alpha \in \Lambda$에 대해 $\mathbb{R}_\alpha = \mathbb{R}$이다. 그리고 $\bar{\rho}$를 곱집합 $\mathbb{R}^\Lambda$상의 고른거리라 하고 $\mathscr{T}_{\bar{\rho}}$를 고른위상이라 하자. 이 경우

$$\bar{\rho}(\mathbf{x}, \mathbf{y}) = \sup\{\bar{d}(x_\alpha, y_\alpha) \mid \alpha \in \Lambda\}$$

이다. 그리고 $\mathscr{T}_p$를 곱집합 $\mathbb{R}^\Lambda$상의 유클리드공간 $\mathbb{R} = (\mathbb{R}, \mathscr{T}_d)$들의 곱위상이라 하자. 그러면 성질 6.1.32에 의해 $\mathscr{T}_p \subset \mathscr{T}_{\bar{\rho}}$이다.

(2) (i) 먼저 $\Lambda$가 유한집합(즉 $\mathbb{R}^\Lambda = \mathbb{R} \times \cdots \times \mathbb{R} = \mathbb{R}^n$)이면 $\mathscr{T}_{\bar{\rho}} = \mathscr{T}_p = \mathscr{U}$이다: 보기 6.1.11에 의해 $\mathscr{T}_p = \mathscr{U}$이다. 이제 정리 3.2.9를 사용하여 $\mathscr{T}_{\bar{\rho}} \subset \mathscr{T}_p$임을 보이자. 임의의 $\mathscr{T}_{\bar{\rho}}$의 기저의 원소 $B_{\bar{\rho}}(\mathbf{x}, r)$과 점 $\mathbf{y} \in B_{\bar{\rho}}(\mathbf{x}, r)$에 대하여 $s = r - \bar{\rho}(\mathbf{x}, \mathbf{y})$이라 하면 $B_{\bar{\rho}}(\mathbf{y}, s) \subset B_{\bar{\rho}}(\mathbf{x}, r)$이 된다. 그리고 $\mathbf{y} = (y_1, \ldots, y_n)$이라 하면

$$\mathbf{y} \in \Pi_{i=1}^n B_d\left(y_i, \frac{s}{2}\right) \subset \Pi_{i=1}^n B_{\bar{d}}\left(y_i, \frac{s}{2}\right) \subset B_{\bar{\rho}}(\mathbf{y}, s) \subset B_{\bar{\rho}}(\mathbf{x}, r)$$

이 성립한다. 여기서 $\Pi_{i=1}^{n} B_d(y_i, \frac{s}{2})$가 $\mathscr{T}_p$의 기저의 원소임을 유의하자. 따라서 정리 3.2.9에 의해 $\mathscr{T}_{\bar{\rho}} \subset \mathscr{T}_p$이다.

(ii) 그리고 만약 $\Lambda$가 무한집합이면 $\mathscr{T}_p \neq \mathscr{T}_{\bar{\rho}}$이다. 즉, $\mathscr{T}_p \subsetneq \mathscr{T}_{\bar{\rho}}$이다: 왜냐하면 $B_{\bar{\rho}}(\mathbf{0}, \frac{1}{2}) \subset \mathbb{R}^{\Lambda}$는 $\mathscr{T}_{\bar{\rho}}$의 기저의 원소이므로 $B_{\bar{\rho}}(\mathbf{0}, \frac{1}{2}) \in \mathscr{T}_{\bar{\rho}}$이다. 이제 $B_{\bar{\rho}}(\mathbf{0}, \frac{1}{2}) \notin \mathscr{T}_p$임을 귀류법을 사용하여 보이자. 만약 $B_{\bar{\rho}}(\mathbf{0}, \frac{1}{2}) \in \mathscr{T}_p$이라 가정하면

$$\mathbf{0} \in \Pi_{\alpha \in \Lambda} U_\alpha \subset B_{\bar{\rho}}(\mathbf{0}, \frac{1}{2})$$

을 만족하는 $\mathscr{T}_p$의 기저의 원소 $\Pi_{\alpha \in \Lambda} U_\alpha$가 존재한다. 여기서 유한개를 제외한 $\alpha$에 대해 $U_\alpha = \mathbb{R}$이고 $\Lambda$가 무한집합이므로 $U_{\alpha_0} = \mathbb{R}$인 $\alpha_0 \in \Lambda$이 존재한다. 이제

$$\mathbf{x} = (x_\alpha)_{\alpha \in \Lambda}, \quad x_\alpha = \begin{cases} \frac{2}{3}, & \alpha = \alpha_0 \\ 0, & \alpha \neq \alpha_0 \end{cases}$$

이라 하면 $\mathbf{x} \in \Pi_{\alpha \in \Lambda} U_\alpha$이다. 그런데 $\bar{\rho}(\mathbf{0}, \mathbf{x}) = \frac{2}{3}$이므로 $\mathbf{x} \notin B_{\bar{\rho}}(\mathbf{0}, \frac{1}{2})$이다. 이것은 $\Pi_{\alpha \in \Lambda} U_\alpha \subset B_{\bar{\rho}}(\mathbf{0}, \frac{1}{2})$라는 사실에 모순이다. 따라서 $B_{\bar{\rho}}(\mathbf{0}, \frac{1}{2}) \notin \mathscr{T}_p$이다.

그렇다면 $\Lambda$가 무한집합인 경우 $\mathscr{T}_D = \mathscr{T}_p$인 곱집합 $\mathbb{R}^{\Lambda}$상의 거리 $D$는 존재하지 않는가? 이에 대한 답이 다음 두 정리에 나와 있다.

**정리 6.1.34** $\Lambda$가 비가산집합이면 곱공간 $\mathbb{R}^{\Lambda}$는 거리화가능이 아니다.

증명 위상공간 $X$가 거리화가능이면, 따름정리 4.3.14에 의해, 임의의 부분집합 $A \subset X$와 점 $x \in \overline{A}$에 대하여 $x$로 수렴하는 $A$의 점들로 이루어진 수열이 존재한다. 따라서 우리는 곱공간 $\mathbb{R}^{\Lambda}$가 이 성질을 만족하지 않음을 보이면 충분하다. 이를 위하여

$$A = \{(x_\alpha)_{\alpha \in \Lambda} \mid \text{유한개의 } \alpha\text{에 대하여 } x_\alpha = 0, \text{ 나머지 } \alpha\text{에 대하여 } x_\alpha = 1\}$$

이라 하자.

(i) 먼저 $\mathbf{0} \in \overline{A}$이다: 실제로 $\mathbf{0}$을 포함하는 임의의 기저의 원소 $\Pi_{\alpha \in \Lambda} U_\alpha$에 대하여 유한개의 $\alpha_1, \ldots, \alpha_n$을 제외하고 $U_\alpha = \mathbb{R}$이다. 이제 $(x_\alpha)_{\alpha \in \Lambda}$를 $x_{\alpha_1} = \cdots = x_{\alpha_n} = 0$이고 나머지 $\alpha \in \Lambda$에 대하여 $x_\alpha = 1$이라 하자. 그러면 $(x_\alpha) \in A \cap$

$\Pi U_\alpha \neq \varnothing$ 이므로 $\mathbf{0} \in \overline{A}$ 이다.

(ii) 그러나 $\Lambda$가 비가산집합이므로 $\mathbf{0}$으로 수렴하는 $A$의 원소들로 이루어진 수열은 존재하지 않는다: 실제로 $A$의 원소로 이루어진 임의의 수열 $\mathbf{x}_n = (x_{n\alpha})_{\alpha\in\Lambda} \in A$에 대하여 $\Lambda_n = \{\alpha \in \Lambda \mid x_{n\alpha} = 0\}$이 유한집합이므로 $\Lambda' = \cup_{n\in\mathbb{N}} \Lambda_n$은 가산집합이다. 그런데 $\Lambda$가 비가산집합이므로 $\beta \in \Lambda - \Lambda'$가 존재한다. 그리고 모든 $n \in \mathbb{N}$에 대하여 $x_{n\beta} = 1$이다. 만약 $\lim_{n\to\infty} \mathbf{x}_n = \mathbf{0}$이라 가정하면 사영사상

$$\pi_\beta : \mathbb{R}^\Lambda \to \mathbb{R},\ \ \pi_\beta((x_\alpha)) = x_\beta$$

가 연속이므로 $\lim_{n\to\infty} \pi_\beta(\mathbf{x}_n) = \pi_\beta(\mathbf{0})$이 되어야 한다. 그런데

$$\pi_\beta(\mathbf{x}_n) = x_{n\beta} = 1 \not\to \pi_\beta(\mathbf{0}) = 0$$

이므로 모순이다. 따라서 $\lim_{n\to\infty} \mathbf{x}_n \neq \mathbf{0}$이다. □

이제 가산개의 유클리드공간 $\mathbb{R}$의 곱공간 $\mathbb{R}^\omega = \Pi_{n\in\mathbb{N}}\mathbb{R}$를 생각하자.

**정리 6.1.35** 함수

$$D : \mathbb{R}^\omega \times \mathbb{R}^\omega \to \mathbb{R},\ \ D(\mathbf{x}, \mathbf{y}) = \sup\{\frac{\overline{d}(x_n, y_n)}{n} \mid n \in \mathbb{N}\}$$

에 대하여 다음이 성립한다.

(1) $D$는 곱집합 $\mathbb{R}^\omega$상의 거리이다.

(2) $D$는 $\mathbb{R}^\omega$상의 곱위상을 유도한다. 즉, $\mathscr{T}_D = \mathscr{T}_p$이다.

(3) 따라서 곱공간 $\mathbb{R}^\omega$는 거리공간이다. 즉, 거리화가능이다.

증명 (1) 먼저 $D$가 집합 $\mathbb{R}^\omega$상의 거리임을 보이자. 이를 위해 $\mathbf{x} = (x_n)$, $\mathbf{y} = (y_n)$, $\mathbf{z} = (z_n) \in \mathbb{R}^\omega$이라 하자.

(i) 만약 $\mathbf{x} = \mathbf{y}$이면 모든 $n \in \mathbb{N}$에 대하여 $x_n = y_n$이므로 $\overline{d}(x_n, y_n) = 0$이다. 따라서 $D(\mathbf{x}, \mathbf{y}) = 0$이다. 그리고 만약 $\mathbf{x} \neq \mathbf{y}$이면 $x_k \neq y_k$인 $k \in \mathbb{N}$가 존재하여 $\overline{d}(x_k, y_k) > 0$이므로

$$D(\mathbf{x},\mathbf{y}) = \sup\{\frac{\bar{d}(x_n, y_n)}{n} \mid n \in \mathbb{N}\} \ge \frac{\bar{d}(x_k, y_k)}{k} > 0$$

이다.

(ii) 모든 $n \in \mathbb{N}$에 대해 $\bar{d}(x_n, y_n) = \bar{d}(y_n, x_n)$이므로 $D(\mathbf{x},\mathbf{y}) = D(\mathbf{y},\mathbf{x})$이다.

(iii) (삼각부등식) 모든 $n \in \mathbb{N}$에 대하여

$$\frac{\bar{d}(x_n, z_n)}{n} \le \frac{\bar{d}(x_n, y_n)}{n} + \frac{\bar{d}(y_n, z_n)}{n} \le D(\mathbf{x},\mathbf{y}) + D(\mathbf{y},\mathbf{z})$$

이므로

$$D(\mathbf{x},\mathbf{z}) = \sup\{\frac{\bar{d}(x_n, z_n)}{n} \mid n \in \mathbb{N}\} \le D(\mathbf{x},\mathbf{y}) + D(\mathbf{y},\mathbf{z})$$

이 성립한다.

(2) 이제 $D$가 집합 $\mathbb{R}^\omega$상의 곱위상을 유도함을 보이자. 즉, $\mathscr{T}_D = \mathscr{T}_p$임을 보이자.

(iv) 먼저 $\mathscr{T}_D \subset \mathscr{T}_p$임을 보이자: 임의의 $U \in \mathscr{T}_D$와 점 $\mathbf{x} = (x_n) \in U$가 주어졌다고 하자. 우리는 $\mathbf{x} \in V \subset U$를 만족하는 $V \in \mathscr{T}_p$가 존재함을 보이면 충분하다. 먼저 $\mathbf{x} \in B_D(\mathbf{x}, r) \subset U$를 만족하는 양의 실수 $r$을 택하자. 그리고 $r > 0$이므로 $0 < \frac{1}{n_0} < r$을 만족하는 자연수 $n_0 \in \mathbb{N}$이 존재한다. 그러면

$$V = (x_1 - r, x_1 + r) \times \cdots \times (x_{n_0} - r, x_{n_0} + r) \times \mathbb{R} \times \mathbb{R} \times \cdots$$

는 $\mathscr{T}_p$의 기저의 원소이므로 $V \in \mathscr{T}_p$이다.

이제

$$\mathbf{x} \in V \subset B_D(\mathbf{x}, r) \subset U$$

임을 보이자. 임의의 $\mathbf{y} \in V$에 대하여 $1 \le i \le n_0$이면 $|x_i - y_i| < r$이므로 $\bar{d}(x_i, y_i) < r$이고 $\frac{\bar{d}(x_i, y_i)}{i} < r$이다. 그리고 $i > n_0$이면 $\bar{d}(x_i, y_i) \le 1$이므로 $\frac{\bar{d}(x_i, y_i)}{i} \le \frac{1}{i} < \frac{1}{n_0} < r$이다. 그래서

$$D(\mathbf{x},\mathbf{y}) = \sup\{\frac{\bar{d}(x_n, y_n)}{n} \mid n \in \mathbb{N}\} \le \max\{\frac{\bar{d}(x_1, y_1)}{1}, \ldots, \frac{\bar{d}(x_{n_0}, y_{n_0})}{n_0}, \frac{1}{n_0}\} < r$$

이 되어 $\mathbf{y} \in B_D(\mathbf{x}, r)$이다. 그러므로 $V \subset B_D(\mathbf{x}, r)$이다. 따라서 $\mathscr{T}_D \subset \mathscr{T}_p$이다.

(v) 역으로 $\mathscr{T}_p \subset \mathscr{T}_D$임을 보이자: 곱위상 $\mathscr{T}_p$의 기저의 원소 $V$와 점 $\mathbf{x} \in V$가 주어졌다 하자. 우리는 $\mathbf{x} \in U \subset V$를 만족하는 $U \in \mathscr{T}_D$가 존재함을 보이면 충

분하다. 그런데 $V$가 $\mathscr{T}_p$의 기저의 원소이므로

$$V = \Pi_{n \in \mathbb{N}} V_n$$

으로 표현된다. 단, 여기서 유한개의 $n = n_1, \dots, n_k \in \mathbb{N}$에 대해서는 $V_n$은 $\mathbb{R}$의 열린집합이고 나머지의 $n$에 대해서는 $V_n = \mathbb{R}$이다. 이제 각각의 $n = n_1, \dots, n_k$에 대하여 $x_n \in V_n$이므로 $x_n \in (x_n - r_n, x_n + r_n) \subset V_n$을 만족하는 양의 실수 $0 < r_n \leq 1$이 존재한다. 그리고 $r = \min\{\frac{r_n}{n} \mid n = n_1, \dots, n_k\}$이라 하면

$$\mathbf{x} \in B_D(\mathbf{x}, r) \subset V$$

이 성립한다. 구체적으로 만약 $\mathbf{y} \in B_D(\mathbf{x}, r)$이면 모든 $n \in \mathbb{N}$에 대해

$$\frac{\bar{d}(x_n, y_n)}{n} \leq D(\mathbf{x}, \mathbf{y}) < r$$

이다. 만약 $n = n_1, \dots, n_k$이면 $\bar{d}(x_n, y_n) < nr \leq r_n \leq 1$이므로 $|x_n - y_n| < r_n$이다. 따라서 $y_n \in V_n$이다. 그리고 $n \neq n_1, \dots, n_k$에 대해서는 $y_n \in \mathbb{R} = V_n$이다. 그래서 $\mathbf{y} \in V = \Pi_{n \in \mathbb{N}} V_n$이 되어 $B_D(\mathbf{x}, r) \subset V$이다. 그러므로 $\mathscr{T}_p \subset \mathscr{T}_D$이다.

(3) (2)에 의하여 성립한다. □

**참고 6.1.36** (1) 거리공간 $(X_1, d_1), \dots, (X_n, d_n)$에 대하여

$$\rho : \Pi_{i=1}^n X_i \times \Pi_{i=1}^n X_i \to \mathbb{R},\ \ \rho((x_i), (y_i)) = \max\{d_i(x_i, y_i) \mid i = 1, 2, \dots, n\}$$

는 곱집합 $\Pi_{i=1}^n X_i$ 상의 거리이고, 곱위상을 유도한다. 즉, $\mathscr{T}_\rho = \mathscr{T}_p$이다. 따라서 유한개의 거리공간들의 곱공간은 거리화가능이다.

(2) 자연수 $n \in \mathbb{N}$에 대하여 $(X_n, d_n)$을 거리공간이라 하자. 그러면

$$D : \Pi_{n=1}^\infty X_n \times \Pi_{n=1}^\infty X_n \to \mathbb{R},\ \ D((x_n), (y_n)) = \sup\{\frac{\bar{d}_n(x_n, y_n)}{n} \mid n \in \mathbb{N}\}$$

는 곱집합 $\Pi_{n=1}^\infty X_n$ 상의 거리이고, 곱위상을 유도한다. 즉, $\mathscr{T}_D = \mathscr{T}_p$이다. 따라서 가산개의 거리공간들의 곱공간은 거리화가능이다.

## 연습문제

**문제 6.1.1** 두 위상공간 $X$, $Y$와 $A \subset X$, $B \subset Y$에 대해 $\mathscr{T}$를 $A \times B$상의 곱공간 $X \times Y$의 부분공간위상이라 하자. 그리고 $\mathscr{T}^*$를 두 부분공간 $A$와 $B$의 곱위상이라 하자. 이제 $\mathscr{T} = \mathscr{T}^*$임을 보이시오.

**문제 6.1.2** 정의 6.1.30에서 정의한 $\bar{\rho}$가 곱집합 $\Pi_{\alpha \in A} X_\alpha$상의 거리가 됨을 보이시오.

**문제 6.1.3** 위상공간 $X$, $Y$, $Z$에 대하여 다음을 보이시오.

(1) $X \times Y \cong Y \times X$.

(2) $(X \times Y) \times Z \cong X \times (Y \times Z)$.

**문제 6.1.4** $I = [0,1] \subset \mathbb{R}$이라 하자. 집합 $I \times I$상의 곱위상 $\mathscr{T}_1$, 사전식 순서위상 $\mathscr{T}_2$, 유클리드공간 $\mathbb{R}^2$의 부분공간위상 $\mathscr{T}_3$을 서로 비교하시오.

**문제 6.1.5** $\mathbb{R} \times \mathbb{R}$상의 사전식 순서위상과 $\mathbb{R}_d \times \mathbb{R}$상의 곱위상이 같음을 보이시오. 단, 여기서 $\mathbb{R}_d$는 이산공간이다.

**문제 6.1.6** 집합 $\mathbb{R}^2 = \mathbb{R} \times \mathbb{R}$의 부분집합 $A = [1,3) \times (2,4]$에 대하여 다음과 같은 위상공간의 부분집합으로서의 내부, 폐포, 경계, 도집합을 구하시오.

(1) 유클리드공간 $\mathbb{R}^2$.

(2) 곱공간 $\mathbb{R} \times \mathbb{R}_l$. 단, 여기서 $\mathbb{R}$은 유클리드공간이고 $\mathbb{R}_l$은 하극한공간이다.

(3) 곱공간 $\mathbb{R}_l \times \mathbb{R}_l$. 단, 여기서 $\mathbb{R}_l$은 하극한공간이다.

(4) 곱공간 $\mathbb{R} \times \mathbb{R}_d$. 단, 여기서 $\mathbb{R}$은 유클리드공간이고 $\mathbb{R}_d$는 이산공간이다.

**문제 6.1.7** 곱공간 $\mathbb{R}^\omega$의 부분집합 $A = (0,1]^\omega = (0,1] \times (0,1] \times \cdots$의 폐포, 내부, 경계를 구하시오.

**문제 6.1.8** 가산개의 하극한공간 $\mathbb{R}_l$의 곱공간 $\mathbb{R}_l^\omega$의 부분집합 $A = [0,1)^\omega = [0,1) \times [0,1) \times \cdots$의 폐포, 내부, 경계를 구하시오.

**문제 6.1.9** (R. Baire) $\mathbb{R}^n$을 유클리드공간이라 하자. 그리고 점 $\mathbf{x} = (x_1, \ldots, x_n) \in \mathbb{R}^n$와 양의 실수 $r$에 대해

$$U(\mathbf{x}, r) = (x_1 - r, x_1 + r) \times (x_2 - r, x_2 + r) \times \cdots \times (x_n - r, x_n + r),$$
$$F(\mathbf{x}, r) = [x_1 - r, x_1 + r] \times [x_2 - r, x_2 + r] \times \cdots \times [x_n - r, x_n + r]$$

이라 하자.

(1) $U(\mathbf{x}, r)$은 $\mathbb{R}^n$의 열린집합임을 보이시오.

(2) $F(\mathbf{x}, r)$은 $\mathbb{R}^n$의 닫힌집합임을 보이시오.

(3) $\overline{U(\mathbf{x}, r)} = F(\mathbf{x}, r)$임을 보이시오.

(4) 만약

$$F(\mathbf{x}_1, r_1) \supset F(\mathbf{x}_2, r_2) \supset \cdots \supset F(\mathbf{x}_k, r_k) \supset F(\mathbf{x}_{k+1}, r_{k+1}) \supset \cdots$$

이면 $\cap_{k=1}^{\infty} F(\mathbf{x}_k, r_k) \neq \varnothing$임을 보이시오(성질 2.1.10 참조).

(5) $\mathbf{x}$의 열린근방 $W$에 대해 $\mathbf{x} \in U(\mathbf{x}, r) \subset F(\mathbf{x}, r) \subset W$를 만족하는 양의 실수 $r$이 존재함을 보이시오.

(6) $\mathbb{R}^n$의 가산개의 조밀한 열린집합들의 교집합은 조밀한 집합이 됨을 보이시오.[8)]

**문제 6.1.10** $X_\alpha\ (\alpha \in \Lambda)$를 위상공간, $\Pi_\alpha X_\alpha$를 곱공간이라 하자.

(1) 만약 모든 $A_\alpha$가 $X_\alpha$의 열린집합이면 $\Pi_\alpha A_\alpha$는 $\Pi_\alpha X_\alpha$의 열린집합이 되는가?

(2) 만약 $\Pi_\alpha A_\alpha$가 $\Pi_\alpha X_\alpha$의 열린집합이면 모든 $A_\alpha$는 $X_\alpha$의 열린집합이 되는가?

**문제 6.1.11** $(X, d_X)$와 $(Y, d_Y)$를 거리공간이라 하자. 그리고

$$d_1,\ d_2 : (X \times Y) \times (X \times Y) \to \mathbb{R},$$
$$d_1((x_1, y_1), (x_2, y_2)) = \sqrt{\{d_X(x_1, x_2)\}^2 + \{d_Y(y_1, y_2)\}^2},$$
$$d_2((x_1, y_1), (x_2, y_2)) = \max\{d_X(x_1, x_2), d_Y(y_1, y_2)\}$$

이라 하자.

(1) $d_1$과 $d_2$가 곱집합 $X \times Y$ 상의 거리가 됨을 보이시오.

(2) 곱집합 $X \times Y$ 상의 곱위상 $\mathscr{T}_p$와 거리 $d_1, d_2$가 유도하는 거리위상 $\mathscr{T}_{d_1}, \mathscr{T}_{d_2}$가 같음을 보이시오. 즉, $\mathscr{T}_{d_1} = \mathscr{T}_p = \mathscr{T}_{d_2}$임을 보이시오. 따라서 두 거리공간의 곱공간은 거리화가능이다.

**문제 6.1.12** 만약 $f : A \to X$와 $g : B \to Y$가 연속사상이면 두 곱공간 사이의 사상

$$f \times g : A \times B \to X \times Y, \quad (a, b) \mapsto (f(a), g(b))$$

도 연속임을 보이시오.

**문제 6.1.13** 두 위상공간 $X$와 $Y$상의 점 $x_0 \in X$과 $y_0 \in Y$을 고정하자. 이제 두 사상

---

8) 따라서 유클리드공간 $\mathbb{R}^n$은 Baire 공간이다(11.3절 참조).

$$f: X \to X \times Y, \quad f(x) = (x, y_0),$$
$$g: Y \to X \times Y, \quad g(y) = (x_0, y)$$

는 모두 넣기사상임을 보이시오. 단, 여기서 $X \times Y$는 곱공간이다.

**문제 6.1.14** 연속사상 $f: X \times Y \to Z$에 대하여 다음이 성립함을 보이시오.

(1) 각각의 $y_0 \in Y$에 대해 $g: X \to Z$, $g(x) = f(x, y_0)$는 연속사상이다.

(2) 각각의 $x_0 \in X$에 대해 $h: Y \to Z$, $h(y) = f(x_0, y)$는 연속사상이다.

**문제 6.1.15** $\mathbb{R}$과 $\mathbb{R}^2$가 유클리드공간일 때, 함수

$$F: \mathbb{R}^2 \to \mathbb{R}, \quad F(x, y) = \begin{cases} \frac{xy}{x^2 + y^2}, & (x, y) \neq (0, 0) \\ 0, & (x, y) = (0, 0) \end{cases}$$

에 대하여 다음을 보이시오.

(1) $F$는 문제 6.1.14의 (1)과 (2)를 만족한다.

(2) $g: \mathbb{R} \to \mathbb{R}$, $g(x) = F(x, x)$는 연속사상이 아니다.

(3) $F$는 연속사상이 아니다.

**문제 6.1.16** 거리공간 $(X_n, d_n)(n \in \mathbb{N})$에 대한 곱집합 $X = \Pi_{n=1}^{\infty} X_n$상의 거리

$$d: X \times X \to \mathbb{R}, \quad d((a_n), (b_n)) = \sum_{n=1}^{\infty} \frac{1}{2^n} \frac{d_n(a_n, b_n)}{1 + d_n(a_n, b_n)}$$

가 곱집합 $X$상의 곱위상을 유도함을 보이시오. 즉, $\mathscr{T}_d = \mathscr{T}_p$임을 보이시오. 따라서 가산개의 거리공간들의 곱공간은 거리화가능이다.

**문제 6.1.17** $X = (0, 1) \subset \mathbb{R}$이라 하자.

(1) $d(x, y) = |\frac{1}{x} - \frac{1}{y}|$는 집합 $X$상의 거리임을 보이시오.

(2) $\delta|_{X \times X} = d$를 만족하는 집합 $\mathbb{R}$상의 거리 $\delta$가 존재하지 않음을 보이시오(힌트: 보기 6.1.19 사용).

(3) $X = (0, 1)$상의 보통거리 $d_0$에 대하여 $d \sim d_0$임을 보이시오(참고 3.3.19 참조).

**문제 6.1.18** $X$를 실수 집합 $\mathbb{R}$에 기저 $\mathscr{B} = \{(a, b] \mid a < b\}$가 생성하는 위상 $\mathscr{T}_{\mathscr{B}}$를 준 위상공간이라 하자. 즉, $X = (\mathbb{R}, \mathscr{T}_{\mathscr{B}})$이다.[9] 그러면 곱공간 $X \times X$는 이산공간이 아니지만 부분공간 $A = \{(x, y) \mid x + y = 1\}$은 이산공간임을 보이시오.

---

9) 이러한 위상을 상극한위상이라 한다.

## 6.2 상자위상(box topology)

(i) 앞 절에서 보았듯이 유한개의 위상공간 $X_1, X_2, \dots, X_n$에 대하여

$$\mathscr{B}_p = \{\Pi_{i=1}^{n} U_i \mid U_i\text{는 } X_i\text{의 열린집합}\}$$

는 곱집합 $\Pi_{i=1}^{n} X_i$ 상의 곱위상 $\mathscr{T}_p$의 기저이다.

(ii) 그리고 첨자집합 $\Lambda$가 유한하지 않더라도, 위상공간 $X_\alpha\,(\alpha \in \Lambda)$에 대하여

$$\mathscr{B}_b = \{\Pi_{\alpha \in \Lambda} U_\alpha \mid U_\alpha\text{는 } X_\alpha\text{의 열린집합}\}$$

도 곱집합 $\Pi_{\alpha \in \Lambda} X_\alpha$ 상의 (위상의) 기저가 된다(연습문제 6.2.1 참조). 이러한 기저 $\mathscr{B}_b$가 생성하는 곱집합 $\Pi_{\alpha \in \Lambda} X_\alpha$ 상의 새로운 위상 $\mathscr{T}_b\,(=\mathscr{T}_{\mathscr{B}_b})$를 **상자위상(box topology)**이라 한다. 그리고 위상공간 $(\Pi_{\alpha \in \Lambda} X_\alpha, \mathscr{T}_b)$를 **상자공간(box space)**이라 한다.

(iii) 각각의 $\alpha \in \Lambda$에 대하여 $\mathscr{B}_\alpha$가 위상공간 $X_\alpha$의 기저이면

$$\mathscr{B}_b' = \{\Pi_{\alpha \in \Lambda} B_\alpha \mid B_\alpha \in \mathscr{B}_\alpha \ \ \forall\, \alpha \in \Lambda\}$$

도 곱집합 $\Pi_{\alpha \in \Lambda} X_\alpha$ 상의 기저이고, $\mathscr{B}_b'$이 생성하는 위상은 $\mathscr{B}_b$가 생성하는 위상과 같다. 즉, $\mathscr{T}_{\mathscr{B}_b'} = \mathscr{T}_b$이다.

**참고 6.2.1** (1) 만약 첨자집합 $\Lambda$가 유한이면 $\mathscr{B}_b = \mathscr{B}_p$이므로 $\mathscr{T}_b = \mathscr{T}_p$이다. 즉, 유한개의 위상공간 $X_1, \dots, X_n$의 곱집합 $\Pi_{i=1}^{n} X_i = X_1 \times \cdots \times X_n$ 상의 곱위상과 상자위상은 같은 것이다.

(2) 일반적으로 곱집합 $\Pi_{\alpha \in \Lambda} X_\alpha$ 상의 상자위상 $\mathscr{T}_b$는 곱위상 $\mathscr{T}_p$보다 더 세밀하다. 왜냐하면 $\mathscr{B}_p \subset \mathscr{B}_b$이므로 $\mathscr{T}_p \subset \mathscr{T}_b$이다(참고 3.2.10).

**성질 6.2.2** 모든 사영사상 $\pi_\alpha : (\Pi_{\alpha \in \Lambda} X_\alpha, \mathscr{T}_b) \to X_\alpha$는 연속이다.

증명 (방법 1) 이와 같은 성질은 곱공간에서 성립하고 $\mathscr{T}_p \subset \mathscr{T}_b$이므로 상자공간에서도 성립한다. 보다 구체적으로, 임의의 $X_\alpha$의 열린집합 $U_\alpha$에 대하여 사영사상

$\pi_\alpha : (\Pi_{\alpha\in\Lambda}X_\alpha, \mathscr{T}_p) \to X_\alpha$가 연속이므로 $\pi_\alpha^{-1}(U_\alpha) \in \mathscr{T}_p$이다. 그런데 $\mathscr{T}_p \subset \mathscr{T}_b$이므로 $\pi_\alpha^{-1}(U_\alpha) \in \mathscr{T}_b$이다. 따라서 $\pi_\alpha : (\Pi_{\alpha\in\Lambda}X_\alpha, \mathscr{T}_b) \to X_\alpha$는 연속이다.

(방법 2) 임의의 $\alpha_0 \in \Lambda$을 고정하자. 우리는 $\pi_{\alpha_0} : (\Pi_{\alpha\in\Lambda}X_\alpha, \mathscr{T}_b) \to X_{\alpha_0}$이 연속임을 보이면 된다. 임의의 $X_{\alpha_0}$의 열린집합 $U_{\alpha_0}$에 대하여 $\pi_{\alpha_0}^{-1}(U_{\alpha_0}) = \Pi_{\alpha\in\Lambda}U_\alpha$라 하면 $U_\alpha = \begin{cases} U_{\alpha_0}, & \alpha = \alpha_0 \\ X_\alpha, & \alpha \neq \alpha_0 \end{cases}$이다. 그러므로 $\pi_{\alpha_0}^{-1}(U_{\alpha_0}) \in \mathscr{B}_b \subset \mathscr{T}_b$가 되어 $\pi_{\alpha_0}^{-1}(U_{\alpha_0})$는 상자공간 $(\Pi_{\alpha\in\Lambda}X_\alpha, \mathscr{T}_b)$의 열린집합이다. 따라서 $\pi_{\alpha_0}$은 연속이다. □

만약 위상공간 $X$에 대해 $f : X \to (\Pi_{\alpha\in\Lambda}Y_\alpha, \mathscr{T}_b)$가 연속이면, 성질 6.2.2에 의해, 모든 성분함수 $f_\alpha = \pi_\alpha \circ f : X \to Y_\alpha$도 연속이 된다. 그러나, 정리 6.1.24에서와 같이, 이의 역은 상자공간에서는 성립하지 않는다. 즉, 모든 $\alpha \in \Lambda$에 대하여 성분함수 $f_\alpha = \pi_\alpha \circ f : X \to \Pi_{\alpha\in\Lambda}Y_\alpha \to Y_\alpha$가 연속이라 하여 $f : X \to (\Pi_{\alpha\in\Lambda}Y_\alpha, \mathscr{T}_b)$가 연속이 되는 것은 아니다.

**보기 6.2.3** 예를 들어 가산개의 유클리드공간 $\mathbb{R}$의 상자공간 $(\mathbb{R}^\omega, \mathscr{T}_b)$와 함수

$$f : \mathbb{R} \to (\mathbb{R}^\omega, \mathscr{T}_b), \quad f(x) = (x, x, x, \ldots)$$

를 생각하자. 그러면 모든 $n \in \mathbb{N}$에 대하여

$$f_n = \pi_n \circ f : \mathbb{R} \to \mathbb{R}, \quad f_n(x) = \pi_n(f(x)) = x$$

이므로 $f_n$은 연속이다.

한편 집합

$$U = (-1, 1) \times \left(-\frac{1}{2}, \frac{1}{2}\right) \times \cdots \times \left(-\frac{1}{n}, \frac{1}{n}\right) \times \cdots$$

는 상자공간 $(\mathbb{R}^\omega, \mathscr{T}_b)$의 열린집합이다. 그러나 $f^{-1}(U) = \{0\}$은 $\mathbb{R}$상의 열린집합이 아니다. 따라서 $f$는 연속이 아니다.

**주의** 위의 $U$는 곱공간 $(\mathbb{R}^\omega, \mathscr{T}_p)$의 열린집합이 아니다.

성질 6.1.26의 증명과 비슷한 방법으로 우리는 다음을 보일 수 있다.

**성질 6.2.4** 각각의 $\alpha \in \Lambda$에 대해 $X_\alpha$는 위상공간이고 $A_\alpha \subset X_\alpha$이라 하자. 그러면 상자공간 $(\Pi_{\alpha\in\Lambda}X_\alpha, \mathscr{T}_b)$에서 부분집합 $\Pi_{\alpha\in\Lambda}A_\alpha$의 폐포는 다음과 같다:

$$\overline{\Pi A_\alpha} = \Pi \overline{A}_\alpha$$

**성질 6.2.5** 각각의 $\alpha \in \Lambda$에 대해 $X_\alpha$는 위상공간이고 $A_\alpha \subset X_\alpha$이라 하자. 그러면 상자공간 $(\Pi_{\alpha\in\Lambda}X_\alpha, \mathscr{T}_b)$에서 부분집합 $\Pi_{\alpha\in\Lambda}A_\alpha$의 내부는 다음과 같다:

$$(\Pi A_\alpha)^\circ = \Pi A_\alpha^\circ$$

**성질 6.2.6** 각각의 $\alpha \in \Lambda$에 대해 $(X_\alpha, d_\alpha)$가 거리공간이면 곱집합 $\Pi_{\alpha\in\Lambda}X_\alpha$상의 고른위상 $\mathscr{T}_{\bar\rho}$은 상자위상 $\mathscr{T}_b$보다 거칠다. 즉, $\mathscr{T}_{\bar\rho} \subset \mathscr{T}_b$이다.

증명 임의의 $\mathscr{T}_{\bar\rho}$의 기저의 원소 $B_{\bar\rho}(\mathbf{z}, \varepsilon)$과 점 $\mathbf{x} = (x_\alpha) \in B_{\bar\rho}(\mathbf{z}, \varepsilon)$에 대하여 $\delta := \varepsilon - \bar\rho(\mathbf{x}, \mathbf{z})$이라 하면 $\mathbf{x} \in B_{\bar\rho}(\mathbf{x}, \delta) \subset B_{\bar\rho}(\mathbf{z}, \varepsilon)$이다. 한편

$$U = \Pi_{\alpha\in\Lambda}B_{d_\alpha}(x_\alpha, \frac{1}{2}\delta)$$

는 상자공간의 열린집합이다. 그리고 임의의 $\mathbf{y} = (y_\alpha) \in U$에 대해

$$\bar d(x_\alpha, y_\alpha) \le d(x_\alpha, y_\alpha) < \frac{1}{2}\delta \ \ \forall \alpha \in \Lambda$$

이므로 $\bar\rho(\mathbf{x}, \mathbf{y}) \le \frac{1}{2}\delta < \delta$이다. 그러므로 $\mathbf{x} \in U \subset B_{\bar\rho}(\mathbf{x}, \delta) \subset B_{\bar\rho}(\mathbf{z}, \varepsilon)$이다. 따라서 정리 3.2.9에 의하여 $\mathscr{T}_{\bar\rho} \subset \mathscr{T}_b$이다. □

**보기 6.2.7** 만약 $\Lambda$가 무한집합이면 곱집합 $\mathbb{R}^\Lambda$상의 고른위상 $\mathscr{T}_{\bar\rho}$과 상자위상 $\mathscr{T}_b$에 대해 $\mathscr{T}_b \neq \mathscr{T}_{\bar\rho}$이다: 왜냐하면 $\Lambda$가 무한집합이면 가산인 무한집합 $\Gamma = \{\alpha_n \mid n \in \mathbb{N}\} \subset \Lambda$가 존재한다. 이제 $U_\alpha = \begin{cases} (-\frac{1}{n}, \frac{1}{n}), & \alpha = \alpha_n \\ (-1, 1), & \alpha \notin \Gamma \end{cases}$이라 하자. 그러면 $U = \Pi_{\alpha\in\Lambda}U_\alpha \in \mathscr{T}_b$이다. 그런데 $\mathbf{0} \in B_{\bar\rho}(\mathbf{0}, \delta) \subset U$인 양의 실수 $\delta$가 존재하지 않는다. (구체적으로 임의로 주어진 양의 실수 $\delta$에 대해 점 $\mathbf{y} = (\frac{\delta}{2})_{\alpha\in\Lambda} \in \mathbb{R}^\Lambda$를 택하면 $\mathbf{y} \in B_{\bar\rho}(\mathbf{0}, \delta)$이고 $\mathbf{y} \notin U$이 되어

$B_{\bar{\rho}}(\mathbf{0}, \delta) \not\subset U$이다.) 따라서 $U \notin \mathscr{T}_{\bar{\rho}}$이므로 $\mathscr{T}_b \neq \mathscr{T}_{\bar{\rho}}$이다.

결국 거리공간 $(X_\alpha, d_\alpha)$들의 곱집합 $\Pi_{\alpha\in\Lambda} X_\alpha$상의 세 위상 사이의 관계는

$$\mathscr{T}_p \subset \mathscr{T}_{\bar{\rho}} \subset \mathscr{T}_b$$

이다. 특별히 첨자집합 $\Lambda$가 유한이면 $\mathscr{T}_p = \mathscr{T}_{\bar{\rho}} = \mathscr{T}_b$이다.

## 연습문제

**문제 6.2.1** 위상공간 $X_\alpha (\alpha \in \Lambda)$에 대하여

$$\mathscr{B}_b = \{\Pi_{\alpha\in\Lambda} U_\alpha \mid U_\alpha\text{는 } X_\alpha\text{의 열린집합}\}$$

가 곱집합 $\Pi_{\alpha\in\Lambda} X_\alpha$상의 기저가 됨을 보이시오.

**문제 6.2.2** 각각의 $\alpha \in \Lambda$에 대해 $\mathscr{B}_\alpha$를 위상공간 $X_\alpha$의 기저라 하자. 그리고

$$\mathscr{B}_b' = \{\Pi_{\alpha\in\Lambda} B_\alpha \mid B_\alpha \in \mathscr{B}_\alpha\}$$

이라 하자.

(1) $\mathscr{B}_b'$이 곱집합 $\Pi_{\alpha\in\Lambda} X_\alpha$상의 기저가 됨을 보이시오.

(2) $\mathscr{B}_b'$이 생성하는 위상은 상자위상 $\mathscr{T}_b$임을 보이시오.

**문제 6.2.3** 성질 6.2.4를 증명하시오.

**문제 6.2.4** 성질 6.2.5를 증명하시오.

**문제 6.2.5** 사영사상 $\pi_\alpha : (\Pi X_\alpha, \mathscr{T}_b) \to X_\alpha$는 닫힌사상인가? 또 열린사상인가?

**문제 6.2.6** 곱공간 $\Pi X_\alpha$의 점들로 이루어진 수열 $\{\mathbf{x}_n\}$을 생각하자.

(1) 수열 $\{\mathbf{x}_n\}$이 $\mathbf{x}$로 수렴하기 위한 필요충분조건은 모든 $\alpha$에 대하여 $X_\alpha$의 수열 $\{\pi_\alpha(\mathbf{x}_n)\}$이 $\pi_\alpha(\mathbf{x})$로 수렴하는 것임을 보이시오.

(2) 상자공간에서는 어떻게 되는가?

**문제 6.2.7** $\mathbb{R}^\omega$의 부분집합

$$\mathbb{R}^\infty = \{(x_n) \in \mathbb{R}^\omega \mid \text{유한개의 } x_i\text{를 제외한 나머지 } x_j = 0\}$$

의 곱공간 $(\mathbb{R}^\omega, \mathscr{T}_p)$에서의 폐포, 상자공간 $(\mathbb{R}^\omega, \mathscr{T}_b)$에서의 폐포, 그리고 고른공간 $(\mathbb{R}^\omega, \bar{\rho})$에서의 폐포를 구하시오.

**문제 6.2.8** $\mathbb{R}$은 유클리드공간, $\mathbb{R}_l$은 하극한공간이라 하자. 이제 상자공간 $\mathbb{R} \times \mathbb{R}_l$의 부분집합 $(-1,1) \times (-1,1)$의 폐포, 내부, 경계를 구하시오.

**문제 6.2.9** 상자공간 $\mathbb{R}^\omega$의 부분집합 $A = (0,1]^\omega = (0,1] \times (0,1] \times \cdots$의 폐포와 내부를 구하시오.

**문제 6.2.10** 가산개의 하극한공간 $\mathbb{R}_l$의 상자공간 $\mathbb{R}_l^\omega$의 부분집합 $A = [0,1)^\omega = [0,1) \times [0,1) \times \cdots$의 폐포와 내부를 구하시오.

**문제 6.2.11** $(a_n), (b_n) \in \mathbb{R}^\omega$이고 $a_n > 0 \ (\forall n \in \mathbb{N})$이라 하자. 그리고

$$h : \mathbb{R}^\omega \to \mathbb{R}^\omega, \ (x_1, x_2, x_3, \ldots) \mapsto (a_1 x_1 + b_1, a_2 x_2 + b_2, a_3 x_3 + b_3, \ldots)$$

이라 하자. 이제 곱위상을 주었을 때, $h : (\mathbb{R}^\omega, \mathscr{T}_p) \to (\mathbb{R}^\omega, \mathscr{T}_p)$가 위상동형사상이 됨을 보이시오. 그리고 상자위상을 주었을 때, $h : (\mathbb{R}^\omega, \mathscr{T}_b) \to (\mathbb{R}^\omega, \mathscr{T}_b)$도 위상동형사상이 됨을 보이시오.

**문제 6.2.12** 유클리드공간 $\mathbb{R}$과 집합 $\mathbb{R}^\omega$상의 곱위상, 상자위상, 고른위상을 생각하자.

(1) 다음과 같이 주어진 함수 $f, g, h : \mathbb{R} \to \mathbb{R}^\omega$는 집합 $\mathbb{R}^\omega$에 어떤 위상이 주어지면 연속이 되는가?

$$\begin{aligned} f(t) &= (t, 2t, 3t, \ldots), \\ g(t) &= (t, t, t, \ldots), \\ h(t) &= (t, \tfrac{1}{2}t, \tfrac{1}{3}t, \ldots). \end{aligned}$$

(2) 다음과 같이 주어진 수열은 집합 $\mathbb{R}^\omega$에 어떤 위상이 주어지면 수렴하는가?

$$\mathbf{x}_1 = (1,1,1,1,\ldots),\ \mathbf{x}_2 = (0,2,2,2,\ldots),\ \mathbf{x}_3 = (0,0,3,3,\ldots), \ldots,$$

$$\mathbf{y}_1 = (1,1,1,1,\ldots),\ \mathbf{y}_2 = (0, \tfrac{1}{2}, \tfrac{1}{2}, \tfrac{1}{2}, \ldots),\ \mathbf{y}_3 = (0, 0, \tfrac{1}{3}, \tfrac{1}{3}, \ldots), \ldots,$$

$$\mathbf{z}_1 = (1,0,0,0,\ldots),\ \mathbf{z}_2 = (\tfrac{1}{2}, \tfrac{1}{2}, 0, 0, \ldots),\ \mathbf{z}_3 = (\tfrac{1}{3}, \tfrac{1}{3}, \tfrac{1}{3}, 0, \ldots), \ldots,$$

$$\mathbf{w}_1 = (1,1,0,0,\ldots),\ \mathbf{w}_2 = (\tfrac{1}{2}, \tfrac{1}{2}, 0, 0, \ldots),\ \mathbf{w}_3 = (\tfrac{1}{3}, \tfrac{1}{3}, 0, 0, \ldots), \ldots.$$

**문제 6.2.13** $\bar{\rho}$를 집합 $\mathbb{R}^{\omega}$상의 고른거리라 하자. 그리고 주어진 점 $\mathbf{x}=(x_1, x_2, x_3, \ldots) \in \mathbb{R}^{\omega}$와 양의 실수 $0<\varepsilon<1$에 대하여 $\mathbb{R}^{\omega}$의 부분집합

$$U(\mathbf{x}, \varepsilon)=(x_1-\varepsilon, x_1+\varepsilon) \times \cdots \times (x_n-\varepsilon, x_n+\varepsilon) \times \cdots$$

을 생각하자.

(1) $U(\mathbf{x}, \varepsilon)$과 $B_{\bar{\rho}}(\mathbf{x}, \varepsilon)$이 서로 다른 집합임을 보이시오.

(2) $U(\mathbf{x}, \varepsilon)$은 고른공간 $(\mathbb{R}^{\omega}, \bar{\rho})$의 열린집합이 아님을 보이시오.

(3) $B_{\bar{\rho}}(\mathbf{x}, \varepsilon)=\cup_{\delta<\varepsilon} U(\mathbf{x}, \delta)$이 성립함을 보이시오.

# 7장

# 분리공리

CONTENTS

위상수학의 가장 중요한 문제 중 하나는 주어진 두 위상공간이 서로 위상동형인지 아닌지를 판별하는 것이다. 위상동형임을 보이기 위해서는 위상동형사상을 하나 찾으면 된다. 그러나 위상동형이 아님을 보이기 위해서는 주어진 두 위상공간 사이의 모든 연속사상이 위상동형사상이 아님을 보여야 하므로 쉽지 않다. 이러한 이유로 우리는 위상동형사상에 의해서 보존되는 성질들을 알아야 한다. 위상동형사상에 의해서 보존되는 성질을 간단히 **위상적 성질**이라 한다. 어떤 위상적 성질이 위상공간 $X$에서는 성립하고 위상공간 $Y$에서는 성립하지 않으면 $X$와 $Y$는 서로 위상동형이 아니다. 이 장에서는 이러한 위상적 성질인 분리공리들을 정의하고 이들의 성질들을 설명할 것이다. 그리고 이들 사이의 관계를 알아볼 것이다.

## 7.1 하우스도르프공간

유클리드공간 $\mathbb{R}^n$에서는 임의의 한 점으로 이루어진 집합은 닫힌집합이다. 하지만 일반적으로는 그렇지 않다.

**보기 7.1.1** (1) $X$가 2개 이상의 원소로 된 집합이고, 여기에 자명한(비이산)위상 $\mathscr{T} = \{\varnothing, X\}$를 준 자명한 공간의 경우 닫힌집합이 $\varnothing$, $X$뿐이므로 임의의 한 점 집합은 닫힌집합이 아니다.

(2) 집합 $X = \{a, b, c\}$에 위상 $\mathscr{T} = \{\varnothing, X, \{a, b\}, \{b\}, \{b, c\}\}$를 준 위상공간 $(X, \mathscr{T})$에서 한 점 집합 $\{b\}$는 닫힌집합이 아니다.

이제 어떤 조건을 만족하는 위상공간에서 한 점 집합이 닫힌집합이 되는지 알아보자.

**정의 7.1.2** (1) 위상공간 $X$가 $T_0$이란 임의의 서로 다른 두 점 $x, y \in X$에 대하여 다음을 만족하는 열린집합 $U$가 존재하는 경우를 뜻한다:

$$x \in U,\ y \notin U \ \text{ 또는 } \ x \notin U,\ y \in U$$

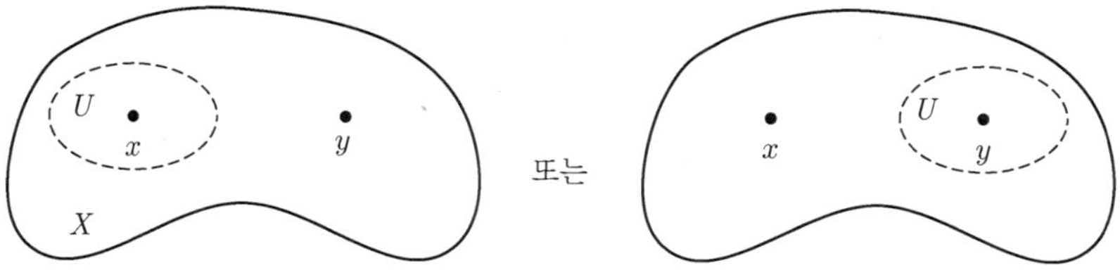


그림 7.1 • $T_0$-공간

(2) 위상공간 $X$가 $T_1$이란 임의의 서로 다른 두 점 $x, y \in X$에 대하여 다음을 만족하는 열린집합 $U, V$가 존재하는 경우를 뜻한다:

$$x \in U,\ y \notin U \text{이고 } x \notin V,\ y \in V$$

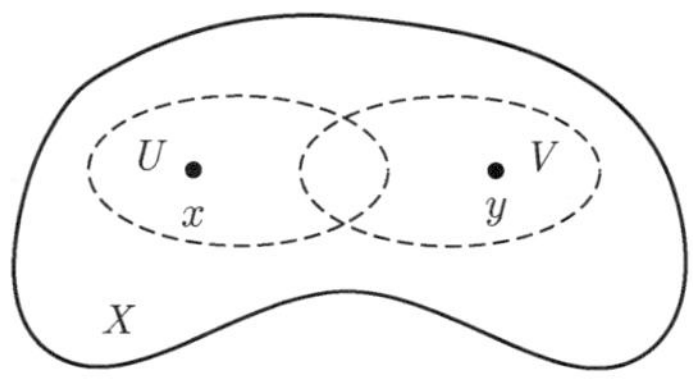


그림 7.2 • $T_1$-공간

(3) 위상공간 $X$가 하우스도르프(Hausdorff) 또는 $T_2$란 임의의 서로 다른 두 점 $x, y \in X$에 대하여 다음을 만족하는 열린집합 $U, V$가 존재하는 경우를 뜻한다:

$$x \in U, \quad y \in V, \quad U \cap V = \varnothing$$

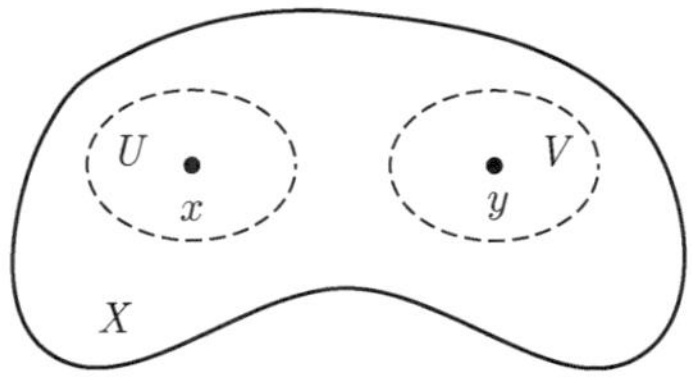


그림 7.3 • 하우스도르프공간

우리는 간단히 $T_0$, $T_1$, 하우스도르프인 위상공간을 각각 **$T_0$-공간**, **$T_1$-공간**, **하우스도르프공간**이라 한다.

정의로부터 다음이 성립함은 자명하다.

**기초정리 7.1.3** 하우스도르프공간 $\Rightarrow$ $T_1$-공간 $\Rightarrow$ $T_0$-공간.

이제 기초정리 7.1.3의 역이 성립하지 않는 보기를 살펴보자.

**보기 7.1.4** $X=\{a,b,c\}$이라 하자.

(1) 집합 $X$상의 위상 $\mathscr{T}=\{\varnothing, X\}$에 대하여 위상공간 $(X,\mathscr{T})$는 $T_0$-공간이 아니다. 왜냐하면 두 점 $a, b$에 대하여 $a$를 포함하는 열린집합은 $X$뿐이고, $b$를 포함하는 열린집합도 $X$뿐이다. 그러므로 $a$와 $b$ 중 하나만을 포함하는 열린집합이 존재하지 않는다. 따라서 $(X,\mathscr{T})$는 $T_0$-공간이 아니다.

(2) 집합 $X$상의 위상 $\mathscr{T}=\{\varnothing, \{a\}, X\}$에 대하여 위상공간 $(X,\mathscr{T})$는 $T_0$-공간이 아니다. 두 점 $b$와 $c$를 생각해보자.

(3) 집합 $X$상의 위상 $\mathscr{T}=\{\varnothing, \{a\}, \{b\}, \{a,b\}, X\}$에 대하여 위상공간 $(X,\mathscr{T})$는 $T_0$-공간이지만 $T_1$-공간은 아니다. 따라서 하우스도르프공간도 아니다. 먼저 $X$가 $T_0$-공간임을 보이자.

(i) 두 점 $a, b$에 대하여 열린집합 $U=\{a\}$가 존재하여 $a\in U$, $b\notin U$를 만족한다.
(ii) 두 점 $b, c$에 대하여 열린집합 $U=\{b\}$가 존재하여 $b\in U$, $c\notin U$를 만족한다.
(iii) 두 점 $a, c$에 대하여 열린집합 $U=\{a,b\}$가 존재하여 $a\in U$, $c\notin U$를 만족한다.
따라서 $(X,\mathscr{T})$는 $T_0$-공간이다.

한편 두 점 $b, c$에 대하여 $b\in U$, $c\notin U$를 만족하는 열린집합 $U=\{b\}$는 존재하지만 $b\notin V$, $c\in V$를 만족하는 열린집합 $V$는 존재하지 않는다. 따라서 $(X,\mathscr{T})$는 $T_1$-공간은 아니다.

(4) 집합 $X$상의 주어진 위상 $\mathscr{T}=\{\varnothing, \{a,b\}, \{b,c\}, \{b\}, X\}$에 대하여 위상공간 $(X,\mathscr{T})$는 $T_0$-공간이지만 $T_1$-공간은 아니다.

**보기 7.1.5** $X$를 전순서집합 $(X,\leq)$에 순서위상을 준 위상공간이라 하자(3.5절 참조). 그러면 $X$는 하우스도르프공간이다: 임의의 서로 다른 두 점 $x, y\in X$에 대하여 $X$가 전순서집합이므로 우리는 $x<y$이라 할 수 있다. 먼저 $x<z<y$를 만족하는 $z\in X$가 존재하지 않은 경우에는 $U=(-\infty, y)=(-\infty, x]$, $V=(x,\infty)=[y,\infty)$이라 하면 $U$와 $V$는

$$x\in U, \quad y\in V, \quad U\cap V=\varnothing$$

을 만족하는 $X$의 열린집합이다. 그리고 $x < z < y$를 만족하는 $z \in X$가 존재하는 경우에는 $U = (-\infty, z)$, $V = (z, \infty)$이라 하면 $U$와 $V$는

$$x \in U, \quad y \in V, \quad U \cap V = \varnothing$$

을 만족하는 $X$의 열린집합이다.

**보기 7.1.6** 모든 이산공간 $X$는 하우스도르프이다. 왜냐하면 임의의 서로 다른 두 점 $x, y \in X$에 대하여 $U = \{x\}$, $V = \{y\}$로 잡으면 $U$, $V$는 열린집합으로서 $x \in U$, $y \in V$, $U \cap V = \varnothing$을 만족한다. 따라서 $X$는 하우스도르프이다.

**보기 7.1.7** 자연수 집합 $\mathbb{N}$에 위상

$$\mathscr{T} = \{\varnothing, \mathbb{N}\} \cup \{\{1, 2, 3, \dots, n\} \mid n \in \mathbb{N}\}$$

를 준 위상공간 $X = (\mathbb{N}, \mathscr{T})$는 $T_0$-공간이지만 $T_1$-공간은 아니다.

먼저 $X$가 $T_0$-공간임을 보이자. 서로 다른 두 점 $m, n \in X$에 대하여 편의상 $m < n$이라 하자. 그러면 열린집합 $U = \{1, 2, 3, \dots, m\}$이 존재하여 $m \in U$, $n \notin U$를 만족한다. 따라서 위상공간 $X$는 $T_0$-공간이다.

한편 서로 다른 두 점 $m, n \in X$에 대하여 편의상 $m < n$이라 하자. 만약 열린집합 $U$가 $n \in U$이면 $m < n$이므로 $m \in U$이다. 즉, $n \in U$이고 $m \notin U$를 만족하는 열린집합 $U$는 존재하지 않는다. 따라서 $X$는 $T_1$-공간이 아니다.

**보기 7.1.8** (1) 무한집합 $X$상에 정의된 여유한공간 $(X, \mathscr{T}_f)$는 $T_1$이지만 하우스도르프는 아니다.

(i) 먼저 $(X, \mathscr{T}_f)$가 $T_1$-공간임을 보이자. 서로 다른 두 점 $x, y \in X$에 대하여 열린집합 $U = X - \{y\}$, $V = X - \{x\}$가 존재하여 $x \in U$, $y \notin U$이고 $x \notin V$, $y \in V$를 만족한다. 따라서 $(X, \mathscr{T}_f)$는 $T_1$이다.

(ii) 한편 서로 다른 두 점 $x, y \in X$에 대하여 만약

$$x \in U, \quad y \in V, \quad U \cap V = \varnothing$$

을 만족하는 열린집합 $U$, $V$가 존재한다면

$$U^c = \{a_1, \dots, a_n\}, \quad V^c = \{b_1, \dots, b_m\}$$

꼴이므로

$$X = (U \cap V)^c = U^c \cup V^c = \{a_1, \ldots, a_n\} \cup \{b_1, \ldots, b_m\}$$

이다. 그런데 이것은 $X$가 무한집합이라는 가정에 모순이다. 그러므로 $x \in U$, $y \in V$, $U \cap V = \varnothing$을 만족하는 열린집합 $U$, $V$는 존재하지 않는다. 따라서 $(X, \mathscr{T}_f)$는 하우스도르프가 아니다.

(2) 비슷한 방법으로 비가산집합 $X$ 상에 정의된 여가산공간 $(X, \mathscr{T}_c)$는 $T_1$이지만 하우스도르프가 아님을 보일 수 있다.

**기초정리 7.1.9** 모든 거리공간은 하우스도르프이다.

증명 $(X, d)$를 거리공간이라 하자. 임의의 서로 다른 두 점 $x, y \in X$에 대하여 $r = d(x, y) > 0$이라 하자. 이제 $U = B_d(x, \frac{r}{3})$, $V = B_d(y, \frac{r}{3})$이라 하면 $U$, $V$는 열린집합으로서 $x \in U$, $y \in V$, $U \cap V = \varnothing$을 만족한다. 따라서 $(X, d)$는 하우스도르프이다. □

**보기 7.1.10** 여유한공간 $(\mathbb{R}, \mathscr{T}_f)$는 거리화가능이 아니다: 만약 $(\mathbb{R}, \mathscr{T}_f)$가 거리화가능이라 가정하면 $(\mathbb{R}, \mathscr{T}_f)$는 거리공간이 된다. 그러면 기초정리 7.1.9에 의해 $(\mathbb{R}, \mathscr{T}_f)$는 하우스도르프이어야 한다. 그런데 보기 7.1.8(1)에서 보았듯이 $(\mathbb{R}, \mathscr{T}_f)$는 하우스도르프가 아니므로 이는 모순이다.

$T_0$, $T_1$, 하우스도르프는 위상적 성질이다.

**성질 7.1.11** 두 위상공간 $X$와 $Y$가 위상동형이면 다음이 성립한다.

(1) $X$가 $T_0$일 필요충분조건은 $Y$가 $T_0$인 것이다.

(2) $X$가 $T_1$일 필요충분조건은 $Y$가 $T_1$인 것이다.

(3) $X$가 하우스도르프일 필요충분조건은 $Y$가 하우스도르프인 것이다.

증명 우리는 하우스도르프인 경우만 증명하기로 하자. 나머지 경우는 비슷한 방법으로 보일 수 있다. 이제 위상공간 $X$와 $Y$가 위상동형이고 $X$가 하우스도르프라고 가정하자. $X$와 $Y$가 위상동형이므로 위상동형사상 $f : X \xrightarrow{\cong} Y$가 존재한다. 이제 임의로 주어진 서로 다른 두 점 $y_1, y_2 \in Y$에 대하여 $f$가 전단사이므로 $x_1 = f^{-1}(y_1)$, $x_2 = f^{-1}(y_2) \in X$는 서로 다른 점이다. 그리고 $X$가 하우스도르프이므로

$$x_1 \in U_1, \quad x_2 \in U_2, \quad U_1 \cap U_2 = \varnothing$$

을 만족하는 $X$의 열린집합 $U_1$, $U_2$가 존재한다. 한편 $f$가 위상동형사상이므로 $V_1 = f(U_1)$과 $V_2 = f(U_2)$는 $Y$의 열린집합으로서

$$y_1 \in V_1, \quad y_2 \in V_2, \quad V_1 \cap V_2 = \varnothing$$

을 만족시킨다. 따라서 $Y$도 하우스도르프이다. □

**보기 7.1.12** 유클리드공간 $\mathbb{R}$은 기초정리 7.1.9에 의하여 하우스도르프이지만 여유한공간 $(\mathbb{R}, \mathscr{T}_f)$는 보기 7.1.8에 의해 하우스도르프가 아니므로 $\mathbb{R}$과 $(\mathbb{R}, \mathscr{T}_f)$는 위상동형이 아니다.

**기초정리 7.1.13** (1) $T_0$-공간의 부분공간은 $T_0$이다.
(2) $T_1$-공간의 부분공간은 $T_1$이다.
(3) 하우스도르프공간의 부분공간은 하우스도르프이다.

증명 (1) $A$를 $T_0$-공간 $X$의 부분공간이라 하자. 임의의 서로 다른 두 점 $a, b \in A$에 대하여 $a, b \in X$이고 $X$가 $T_0$-공간이므로 $a \in U$, $b \notin U$ 또는 $a \notin U$, $b \in U$인 $X$의 열린집합 $U$가 존재한다. 편의상 $a \in U$, $b \notin U$이라 하자. 그러면 부분공간 $A$의 열린집합 $U_A = A \cap U$가 $a \in U_A$, $b \notin U_A$를 만족하므로 부분공간 $A$도 $T_0$-공간이다.

(2) $A$를 $T_1$-공간 $X$의 부분공간이라 하자. 임의의 서로 다른 두 점 $a, b \in A$에 대하여 $a, b \in X$이고 $X$가 $T_1$-공간이므로 $a \in U$, $b \notin U$, $a \notin V$, $b \in V$를 만족하는 $X$의 열린집합 $U$와 $V$가 존재한다. 그러면 부분공간 $A$의 열린집합 $U_A = A \cap U$와 $V_A = A \cap V$가 $a \in U_A$, $b \notin U_A$, $a \notin V_A$, $b \in V_A$를 만족하므로 부분공간 $A$도 $T_1$-공간이다.

(3) $A$를 하우스도르프공간 $X$의 부분공간이라 하자. 임의의 서로 다른 두 점 $a, b \in A$에 대하여 $a, b \in X$이고 $X$가 하우스도르프이므로 $a \in U$, $b \in V$, $U \cap V = \varnothing$인 $X$의 열린집합 $U$와 $V$가 존재한다. 그러면 부분공간 $A$의 열

린집합 $U_A = A \cap U$와 $V_A = A \cap V$가 $a \in U_A$, $b \in V_A$, $U_A \cap V_A = \varnothing$을 만족하므로 부분공간 $A$도 하우스도르프이다. □

**성질 7.1.14** 위상공간 $X_\alpha(\alpha \in \Lambda)$에 대하여 다음이 성립한다.

(1) 모든 $X_\alpha$가 $T_0$-공간이면 곱공간 $\Pi_{\alpha \in \Lambda} X_\alpha$도 $T_0$이다.

(2) 모든 $X_\alpha$가 $T_1$-공간이면 곱공간 $\Pi_{\alpha \in \Lambda} X_\alpha$도 $T_1$이다.

(3) 모든 $X_\alpha$가 Hausdorff 공간이면 곱공간 $\Pi_{\alpha \in \Lambda} X_\alpha$도 Hausdorff이다.

증명 (1) $(x_\alpha)$와 $(y_\alpha)$를 곱공간 $\Pi_{\alpha \in \Lambda} X_\alpha$상의 서로 다른 두 점이라 하면 $x_{\alpha_0} \neq y_{\alpha_0}$인 $\alpha_0 \in \Lambda$이 존재한다. 그런데 $X_{\alpha_0}$이 $T_0$-공간이므로

$$x_{\alpha_0} \in U_{\alpha_0},\ y_{\alpha_0} \notin U_{\alpha_0} \text{ 또는 } x_{\alpha_0} \notin U_{\alpha_0},\ y_{\alpha_0} \in U_{\alpha_0}$$

을 만족하는 $X_{\alpha_0}$의 열린집합 $U_{\alpha_0}$이 존재한다. 이제

$$U = \pi_{\alpha_0}^{-1}(U_{\alpha_0}) = \Pi_{\alpha \in \Lambda} U_\alpha$$

이라 하면 $\pi_{\alpha_0}$이 연속이므로 $U$는 곱공간 $\Pi_{\alpha \in \Lambda} X_\alpha$의 열린집합이다. 여기서 $\alpha \neq \alpha_0$이면 $U_\alpha = X_\alpha$이고 $\alpha = \alpha_0$이면 $U_\alpha = U_{\alpha_0}$이다. 그래서

$$(x_\alpha) \in U,\ (y_\alpha) \notin U \text{ 또는 } (x_\alpha) \notin U,\ (y_\alpha) \in U$$

를 만족한다. 따라서 곱공간 $\Pi_{\alpha \in \Lambda} X_\alpha$는 $T_0$이다.

(2) $(x_\alpha)$와 $(y_\alpha)$를 곱공간 $\Pi_{\alpha \in \Lambda} X_\alpha$상의 서로 다른 두 점이라 하면 $x_{\alpha_0} \neq y_{\alpha_0}$인 $\alpha_0 \in \Lambda$이 존재한다. 그런데 $X_{\alpha_0}$이 $T_1$-공간이므로

$$x_{\alpha_0} \in U_{\alpha_0},\quad y_{\alpha_0} \notin U_{\alpha_0},\quad x_{\alpha_0} \notin V_{\alpha_0},\quad y_{\alpha_0} \in V_{\alpha_0}$$

을 만족하는 $X_{\alpha_0}$의 열린집합 $U_{\alpha_0}$과 $V_{\alpha_0}$이 존재한다. 그러면 곱공간 $\Pi_{\alpha \in \Lambda} X_\alpha$의 열린집합 $U = \pi_{\alpha_0}^{-1}(U_{\alpha_0})$, $V = \pi_{\alpha_0}^{-1}(V_{\alpha_0})$가

$$(x_\alpha) \in U,\quad (y_\alpha) \notin U,\quad (x_\alpha) \notin V,\quad (y_\alpha) \in V$$

를 만족한다. 따라서 곱공간 $\Pi_{\alpha \in \Lambda} X_\alpha$는 $T_1$이다.

(3) $(x_\alpha)$와 $(y_\alpha)$를 곱공간 $\Pi_{\alpha \in \Lambda} X_\alpha$상의 서로 다른 두 점이라 하면 $x_{\alpha_0} \neq y_{\alpha_0}$인 $\alpha_0 \in \Lambda$이 존재한다. 그런데 $X_{\alpha_0}$이 Hausdorff이므로

$$x_{\alpha_0} \in U_{\alpha_0}, \quad y_{\alpha_0} \in V_{\alpha_0}, \quad U_{\alpha_0} \cap V_{\alpha_0} = \varnothing$$

을 만족하는 $X_{\alpha_0}$의 열린집합 $U_{\alpha_0}$과 $V_{\alpha_0}$이 존재한다. 그러면 곱공간 $\Pi_{\alpha \in \Lambda} X_\alpha$의 열린집합 $U = \pi_{\alpha_0}^{-1}(U_{\alpha_0})$, $V = \pi_{\alpha_0}^{-1}(V_{\alpha_0})$가

$$(x_\alpha) \in U, \quad (y_\alpha) \in V, \quad U \cap V = \varnothing$$

을 만족한다. 따라서 곱공간 $\Pi_{\alpha \in \Lambda} X_\alpha$는 Hausdorff이다. □

**참고 7.1.15** 참고 6.2.1에서 보았듯이 상자위상 $\mathscr{T}_b$는 곱위상 $\mathscr{T}_p$ 보다 더 세밀하다. 즉, $\mathscr{T}_p \subset \mathscr{T}_b$이다. 따라서 모든 $X_\alpha$가 $T_0$($T_1$, Hausdorff)이면 곱공간 $(\Pi X_\alpha, \mathscr{T}_p)$가 $T_0$(각각 $T_1$, Hausdorff)이므로 상자공간 $(\Pi X_\alpha, \mathscr{T}_b)$도 $T_0$(각각 $T_1$, Hausdorff)이다.

**정리 7.1.16** 위상공간 $X$에 대하여 다음은 동치이다.
(a) $X$는 $T_0$-공간이다.
(b) 임의의 서로 다른 두 점 $x, y \in X$에 대하여 이들의 폐포가 서로 다르다. 즉, $\overline{\{x\}} \neq \overline{\{y\}}$이다.

**증명** (a)⇒(b) $X$를 $T_0$-공간이라 하자. 이제 서로 다른 두 점 $x, y \in X$에 대하여, $X$가 $T_0$-공간이므로,

$$x \in U, \ y \notin U \text{ 또는 } x \notin U, \ y \in U$$

를 만족하는 $X$의 열린집합 $U$가 존재한다. 우리는 편의상 $x \in U$, $y \notin U$이라 하자. 그러면 $U^c$은 $y$를 포함하는 닫힌집합이므로, 성질 4.2.11에 의해, $\overline{\{y\}} \subset U^c$이다. 따라서 $x \notin \overline{\{y\}}$이고 $x \in \overline{\{x\}}$이므로 $\overline{\{x\}} \neq \overline{\{y\}}$이다.
(b)⇒(a) 임의의 서로 다른 두 점 $x, y \in X$에 대하여 $\overline{\{x\}} \neq \overline{\{y\}}$이므로

$$\overline{\{x\}} - \overline{\{y\}} \neq \varnothing \text{ 또는 } \overline{\{y\}} - \overline{\{x\}} \neq \varnothing$$

이다. 편의상 $\overline{\{x\}} - \overline{\{y\}} \neq \varnothing$이라고 하자. 그러면 $x \notin \overline{\{y\}}$이다. (왜냐하면 만약 $x \in \overline{\{y\}}$이라 가정하면 $\overline{\{x\}} \subset \overline{\{y\}}$이므로 $\overline{\{x\}} - \overline{\{y\}} = \varnothing$이 되어 모순이다.) 그러므로 열린집합 $U = X - \overline{\{y\}}$는 $x \in U$, $y \notin U$를 만족한다. 따라서 $X$는 $T_0$-공간이다. □

**정리 7.1.17** 위상공간 $X$에 대하여 다음은 동치이다.
(a) $X$는 $T_1$-공간이다.
(b) 임의의 점 $x \in X$에 대하여 한 점 집합 $\{x\}$는 $X$의 닫힌집합이다.

증명 (a)⇒(b) 점 $x \in X$가 주어졌다고 하자. 이제 임의의 점 $y(\neq x)$에 대하여 $X$가 $T_1$-공간이므로 $x \notin U_y$, $y \in U_y$인 열린집합 $U_y$가 존재한다. 그러면 $U = \bigcup_{y \neq x} U_y$는 열린집합이다. 그리고

$$U = \bigcup_{y \neq x} U_y = X - \{x\}$$

이므로 $\{x\} = U^c$은 닫힌집합이다.

(b)⇒(a) 임의의 서로 다른 두 점 $x, y \in X$에 대하여 $\{x\}$와 $\{y\}$가 닫힌집합이므로 $U = X - \{y\}$, $V = X - \{x\}$는 열린집합으로서

$$x \in U, \quad y \notin U, \quad x \notin V, \quad y \in V$$

이다. 따라서 $X$는 $T_1$-공간이다. □

따라서 $T_1$-공간 $X$의 모든 유한 부분집합 $A = \{x_1, x_2, \ldots, x_n\}$은 닫힌집합이다.

**따름정리 7.1.18** $T_1$-공간 $X$의 부분집합 $A$에 대하여 다음은 동치이다.
(a) $x$가 $A$의 극한점이다.
(b) 임의의 $x$의 열린근방 $U$에 대하여 $U \cap A$는 무한집합이다.1)

증명 (b)⇒(a) 임의의 $x$의 열린근방 $U$에 대하여 $U \cap A$가 무한집합이므로 $U \cap A - \{x\} \neq \varnothing$이다. 따라서 $x \in A'$이다.

(a)⇒(b) (대우) $U \cap A$가 유한집합인 $x$의 열린근방 $U$가 존재한다고 가정하자. 그러면 $U \cap A$가 유한집합이므로

$$U \cap A - \{x\} = \{x_1, x_2, \ldots, x_n\}$$

으로 표현할 수 있다. 한편 정리 7.1.17에 의하여 집합

$$U \cap A - \{x\} = \{x_1, x_2, \ldots, x_n\} = \{x_1\} \cup \{x_2\} \cup \cdots \cup \{x_n\}$$

1) 정리 4.3.10 참조.

이 닫힌집합이므로 $\{x_1, x_2, \ldots, x_n\}^c$은 열린집합이다. 따라서

$$V = U \cap \{x_1, x_2, \ldots, x_n\}^c$$

도 열린집합이다. 그런데 $V$는 $x$의 열린근방이고

$$\begin{aligned} V \cap A - \{x\} &= V \cap (A - \{x\}) = (U \cap \{x_1, x_2, \ldots, x_n\}^c) \cap (A - \{x\}) \\ &= (U \cap (A - \{x\})) \cap \{x_1, x_2, \ldots, x_n\}^c \\ &= \{x_1, x_2, \ldots, x_n\} \cap \{x_1, x_2, \ldots, x_n\}^c = \varnothing \end{aligned}$$

이므로 $x \notin A'$이다. □

하지만 따름정리 7.1.18은 보기 4.2.4에서 보았듯이 $X$가 $T_1$-공간이 아니면 성립하지 않는다.

**정리 7.1.19** 위상공간 $X$가 Hausdorff일 필요충분조건은 집합

$$\Delta = \{(x, x) \in X \times X \mid x \in X\}$$

가 곱공간 $X \times X$의 닫힌집합인 것이다.

증명 먼저 $X$가 Hausdorff라고 가정하자. 이제 $X \times X - \Delta$가 $X \times X$의 열린집합임을 보이자. 임의의 점 $(x, y) \in X \times X - \Delta$에 대하여 $x \neq y$이고 $X$가 Hausdorff이므로 다음을 만족하는 $X$의 열린집합 $U$, $V$가 존재한다:

$$x \in U, \quad y \in V, \quad U \cap V = \varnothing$$

그러면 $U \times V$가 $X \times X$의 열린집합이고 $(x, y) \in U \times V \subset X \times X - \Delta$이므로 $(x, y)$는 $X \times X - \Delta$의 내부점이다. 따라서 $X \times X - \Delta$는 $X \times X$의 열린집합이다.

역으로 $\Delta$가 $X \times X$의 닫힌집합이라고 가정하자. 그러면 $X \times X - \Delta$는 $X \times X$의 열린집합이다. 임의의 서로 다른 두 점 $x, y \in X$에 대해 $(x, y) \in X \times X - \Delta$이다. 그런데 $X \times X - \Delta$가 $X \times X$의 열린집합이므로

$$(x, y) \in U \times V \subset X \times X - \Delta$$

를 만족하는 $X$의 열린집합 $U$와 $V$가 존재한다.[2] 그리고 이러한 $U$, $V$는

2) 곱공간의 기저를 상기하자.

$$x \in U, \quad y \in V, \quad U \cap V = \varnothing$$

을 만족하므로 $X$는 Hausdorff이다. □

**성질 7.1.20** $X$는 위상공간이고 $Y$는 하우스도르프공간이라 하자. 그러면 두 연속사상 $f, g: X \to Y$에 대하여 다음이 성립한다.

(1) $\{x \in X \mid f(x) = g(x)\}$는 $X$의 닫힌집합이다.

(2) 만약 $f$와 $g$가 조밀한 부분집합 $A$에서 일치(즉 $f|_A = g|_A$)하면 $f = g$이다.

증명 (1) (방법 1) $B = \{x \in X \mid f(x) = g(x)\}$이라 하고 $Y \times Y$를 곱공간이라 하자. 그러면 함수

$$\varphi = (f, g): X \to Y \times Y, \ \varphi(x) = (f(x), g(x))$$

의 성분함수 $f$와 $g$가 모두 연속이므로 정리 6.1.24에 의해 $\varphi$는 연속이다. 한편 정리 7.1.19에 의해 $\Delta = \{(y, y) \in Y \times Y \mid y \in Y\}$가 $Y \times Y$의 닫힌집합이므로 $B = \varphi^{-1}(\Delta)$는 $X$의 닫힌집합이다.

(방법 2) $B = \{x \in X \mid f(x) = g(x)\}$이라 하자. 우리는 $B^c$이 $X$의 열린집합임을 보면 충분하다. 임의의 점 $x \in B^c$에 대하여 $f(x) \neq g(x)$이고 $Y$가 하우스도르프이므로

$$f(x) \in V, \quad g(x) \in W, \quad V \cap W = \varnothing$$

을 만족하는 $Y$의 열린집합 $V$와 $W$가 존재한다. 한편 $f$와 $g$가 연속이므로 $U = f^{-1}(V) \cap g^{-1}(W)$는 $X$의 열린집합이고 $x \in U$이다. 그리고 임의의 점 $p \in U$에 대하여 $f(p) \in V$, $g(p) \in W$이고 $V \cap W = \varnothing$이므로 $f(p) \neq g(p)$가 되어 $p \in B^c$이다. 그러므로 $x \in U \subset B^c$이 되어 $x$는 $B^c$의 내부점이다. 따라서 $B^c$은 열린집합이다.

(2) $f$와 $g$가 조밀한 부분집합 $A$에서 일치(즉, $f|_A = g|_A$)한다고 가정하자. 이제 $B = \{x \in X \mid f(x) = g(x)\}$이라 하면 $A \subset B$이다. 그런데 (1)에 의해 $B$가 $X$의 닫힌집합이고 $A$는 $X$의 조밀한 부분집합이므로 $X = \overline{A} \subset \overline{B} = B$가 되어 $B = X$이다. 따라서 $f = g$이다. □

보기 4.3.2와 보기 4.3.4에서 보았듯이 위상공간상의 수렴하는 수열이 유일한 점으로 수렴하는 것은 아니다. 그러나 Hausdorff 공간상의 수렴하는 수열은 유일한 점으로 수

렴한다.

**성질 7.1.21** Hausdorff 공간상의 수렴하는 수열은 유일한 극한을 갖는다.[3)]

증명 (귀류법) 두 극한을 갖는 Hausdorff 공간 $X$상의 수열 $\{x_n\}$이 존재한다고 가정하고,

$$\lim_{n\to\infty} x_n = p, \quad \lim_{n\to\infty} x_n = q, \quad p \neq q$$

이라 하자. 그러면 $X$가 Hausdorff이므로

$$p \in U, \quad q \in V, \quad U \cap V = \varnothing$$

을 만족하는 열린집합 $U$와 $V$가 존재한다. 한편 $p$, $q$가 수열 $\{x_n\}$의 극한이므로

$$n \geq n_1 \Rightarrow x_n \in U,$$
$$n \geq n_2 \Rightarrow x_n \in V$$

를 만족하는 자연수 $n_1$과 $n_2$가 존재한다. 그리고 자연수 $n_0 = \max\{n_1, n_2\}$에 대해

$$n \geq n_0 \Rightarrow x_n \in U \cap V$$

이 성립한다. 이것은 $U \cap V = \varnothing$에 모순이다. □

## 연습문제

**문제 7.1.1** 집합 $X = \{a, b, c, d\}$에 대하여 다음을 답하시오.

(1) 위상공간 $(X, \mathscr{T})$가 $T_0$이 안 되는 $X$상의 위상 $\mathscr{T}$를 찾으시오.

(2) $(X, \mathscr{T})$가 $T_0$이지만 $T_1$은 안 되는 $X$상의 위상 $\mathscr{T}$를 찾으시오.

(3) $(X, \mathscr{T})$가 $T_2$가 되는 $X$상의 위상 $\mathscr{T}$를 찾으시오.

**문제 7.1.2** $\mathscr{T}_1 \subset \mathscr{T}_2$인 집합 $X$상의 두 위상 $\mathscr{T}_1, \mathscr{T}_2$에 대해 다음을 보이시오.

(1) 만약 $(X, \mathscr{T}_1)$이 $T_0$-공간이면 $(X, \mathscr{T}_2)$도 $T_0$-공간이다.

---

3) 보기 4.3.2(2), 보기 4.3.4, 참고 4.3.9, 정리 10.2.14 참조.

(2) 만약 $(X,\mathscr{T}_1)$이 $T_1$-공간이면 $(X,\mathscr{T}_2)$도 $T_1$-공간이다.

(3) 만약 $(X,\mathscr{T}_1)$이 Hausdorff 공간이면 $(X,\mathscr{T}_2)$도 Hausdorff 공간이다.

(4) (1), (2), (3)의 역이 성립하지 않는 보기를 각각 드시오.

**문제 7.1.3** 단사인 연속사상 $f: X \to Y$가 존재하면 다음이 성립함을 보이시오.

(1) $Y$가 $T_0$-공간이면 $X$도 $T_0$-공간이다.

(2) $Y$가 $T_1$-공간이면 $X$도 $T_1$-공간이다.

(3) $Y$가 Hausdorff 공간이면 $X$도 Hausdorff 공간이다.

**문제 7.1.4** 위상공간 $X$에 대하여 다음이 동치임을 보이시오.

(a) $X$는 $T_0$-공간이다.

(b) 임의의 서로 다른 두 점 $x, y \in X$에 대하여 $x \notin \overline{\{y\}}$ 또는 $y \notin \overline{\{x\}}$이 성립한다.

**문제 7.1.5** $\mathscr{T}$를 유한집합 $X$상에 정의된 위상이라 하자. 만약 $(X,\mathscr{T})$가 $T_1$-공간이면 $\mathscr{T}$는 이산위상임을 보이시오.4)

**문제 7.1.6** $T_1$-공간의 유한 부분집합은 극한점을 가질 수 없음을 보이시오.

**문제 7.1.7** 위상공간 $(X,\mathscr{T})$에 대하여 다음이 동치임을 보이시오.

(a) $(X,\mathscr{T})$는 $T_1$-공간이다.

(b) $\mathscr{T} \supset \mathscr{T}_f$이다. 단, 여기서 $\mathscr{T}_f$는 집합 $X$상의 여유한위상이다.

**문제 7.1.8** $X$는 $T_1$-공간이고 $(Y,\mathscr{T}_f)$는 여유한공간이라 하자. 모든 단사함수 $g: X \to (Y,\mathscr{T}_f)$가 연속임을 보이시오.

**문제 7.1.9** $T_1$-공간 $X$의 부분집합 $A$에 대하여 다음이 성립함을 보이시오.

(1) $A'$은 $X$의 닫힌집합이다. 즉, $(A')' \subset A'$이다. 따라서 $\overline{A'} = A'$이다.5)

(2) $(\overline{A})' = A'$.

**문제 7.1.10** $T_1$-공간 $X$에 대하여 다음이 성립함을 보이시오.

(1) $\cap \{C \subset X \mid C$는 $p$를 포함하는 닫힌집합$\} = \{p\}$.

(2) $\cap \{U \subset X \mid U$는 $p$를 포함하는 열린집합$\} = \{p\}$.

---

4) 따라서 유한집합상에 정의된 $T_1$-공간은 하우스도르프공간이다. 그러므로 우리는 유한집합상에 $T_1$이지만 하우스도르프가 아닌 위상을 찾을 수 없다.

5) 보기 4.2.4와 성질 4.3.13 참조.

**문제 7.1.11** $X$를 위상공간이라 하자.

(1) $X$는 고립점을 갖지 않지만, $X$의 조밀한 부분집합 $D$가 고립점을 갖는 보기를 찾으시오.[6)]

(2) 만약 $T_1$-공간 $X$가 고립점을 갖지 않으면 모든 $X$의 조밀한 부분집합 $D$도 고립점을 갖지 않음을 보이시오.

**문제 7.1.12** 여가산공간 $(\mathbb{R},\mathscr{T}_c)$는 $T_1$이지만 $T_2$는 아님을 보이시오.

**문제 7.1.13** 집합 $X$상의 여유한위상 $\mathscr{T}_f$와 여가산위상 $\mathscr{T}_c$에 대하여 다음을 보이시오.

(1) $(X,\mathscr{T}_f)$는 Hausdorff $\Leftrightarrow$ $X$는 유한집합.

(2) $(X,\mathscr{T}_c)$는 Hausdorff $\Leftrightarrow$ $X$는 가산집합.

**문제 7.1.14** $X_\alpha(\alpha\in\Lambda)$를 공집합이 아닌 위상공간이라 하자.

(1) 만약 곱공간 $\Pi X_\alpha$가 $T_1$이면 모든 $X_\alpha$도 $T_1$임을 보이시오.

(2) 만약 곱공간 $\Pi X_\alpha$가 Hausdorff이면 모든 $X_\alpha$도 Hausdorff임을 보이시오.

**문제 7.1.15** $A$를 위상공간 $X$의 부분공간이라 하자. $A$가 $X$의 **수축**(retract)이란 연속사상

$$r: X\to A \text{ s.t. } r(a)=a\ (\forall a\in A)$$

이 존재함을 의미한다. 그리고 이러한 사상 $r$을 **수축사상**(retraction)이라 한다. 만약 $A$가 Hausdorff 공간 $X$의 수축이면 $A$는 $X$의 닫힌집합임을 보이시오.

**문제 7.1.16** (1) 만약 $X$가 Hausdorff이면 모든 연속사상 $f: X\to X$의 고정점 집합 $F=\{x\in X \mid f(x)=x\}$는 $X$의 닫힌집합이 됨을 보이시오.

(2) $X$가 Hausdorff라는 가정이 없으면 (1)이 성립하지 않는 보기를 찾으시오.

**문제 7.1.17** $X$는 위상공간이고 $Y$는 Hausdorff 공간이라 하자. 이제 연속사상 $f: X\to Y$의 그래프 $\Gamma(f)=\{(x,f(x))\in X\times Y \mid x\in X\}$가 곱공간 $X\times Y$의 닫힌집합임을 보이시오.

**문제 7.1.18** 두 연속사상 $f: X\to Y$와 $g: Y\to X$가 $g\circ f=\mathrm{id}_X$를 만족한다고 하자. 만약 $Y$가 하우스도르프이면 $X$도 하우스도르프이고 $f(X)$는 $Y$의 닫힌집합임을 보이시오.

**문제 7.1.19** $x_1,x_2,\dots,x_n$을 하우스도르프공간 $X$의 서로 다른 점들이라고 하자. 그러면 $x_i\in U_i$인 쌍마다 서로소인 열린집합 $U_1, U_2,\dots, U_n$이 존재함을 보이시오. 즉, 다음을 만족하는 열린집합 $U_1, U_2,\dots, U_n$이 존재함을 보이시오.

6) 문제 4.2.22 참조.

$$x_i \in U_i, \quad U_i \cap U_j = \varnothing \, (i \neq j)$$

**문제 7.1.20** $A$는 위상공간 $X$의 부분집합, $Y$는 Hausdorff 공간이라고 하자. 만약 두 연속사상 $f, g : X \to Y$가 $f|_A = g|_A$이면 $f|_{\overline{A}} = g|_{\overline{A}}$임을 보이시오.

**문제 7.1.21** $D$를 Hausdorff 공간 $X$의 조밀한 부분집합이라고 하자. 만약 연속사상 $f : X \to X$가 $f|_D = \mathrm{id}_D$를 만족하면 $f = \mathrm{id}_X$임을 보이시오.

**문제 7.1.22** $D$를 위상공간 $X$의 조밀한 부분집합, $Y$를 Hausdorff 공간이라고 하자. 이제 연속사상 $f : D \to Y$의 확장 $\tilde{f} : X \to Y$가 존재하면 유일함을 보이시오.[7)]

**문제 7.1.23** $D$를 Hausdorff 공간 $X$의 조밀한 부분집합, $Y$를 위상공간이라고 하자. 만약 연속사상 $f : X \to Y$의 축소사상 $f|_D : D \to Y$이 넣기사상이면 $f(X - D) \subset Y - f(D)$임을 보이시오.

**문제 7.1.24** $X_1$과 $X_2$는 Hausdorff 공간이고, $D_1$과 $D_2$는 각각 $X_1$과 $X_2$의 조밀한 부분집합이라고 하자. 그리고 $f : D_1 \to D_2$는 위상동형사상이고 $g : D_2 \to D_1$는 $f$의 역사상이라고 하자. 이제 만약 $\tilde{f} : X_1 \to X_2$와 $\tilde{g} : X_2 \to X_1$이 각각 $f$와 $g$의 확장이면 $\tilde{f}$와 $\tilde{g}$는 모두 위상동형사상이고 $\tilde{g} = (\tilde{f})^{-1}$임을 보이시오.

**문제 7.1.25** $D = \mathbb{R} - \{0\}$을 유클리드공간 $\mathbb{R}$의 부분공간이라고 하자.

(1) $D$는 $\mathbb{R}$의 조밀한 부분집합임을 보이시오.

(2) 함수 $f : D \to \mathbb{R}$, $f(x) = \begin{cases} 1, & x > 0 \\ -1, & x < 0 \end{cases}$가 연속임을 보이시오.

(3) $f$의 확장 $\tilde{f} : \mathbb{R} \to \mathbb{R}$가 존재하지 않음을 보이시오.

---

7) $X$, $Y$는 위상공간이고 $A$는 $X$의 부분공간일 때, 연속사상 $f : A \to Y$의 **확장**(extension)이란 $\tilde{f}|_A = f$를 만족하는 연속사상 $\tilde{f} : X \to Y$를 의미한다.

## 7.2 정칙공간과 정규공간

**정의 7.2.1** 위상공간 $X$가 **정칙**(regular)이란 $T_1$이고, 다음 조건 (R)을 만족함을 의미한다:

(R) 임의의 닫힌집합 $C$와 점 $x \in X - C$에 대하여

$$C \subset U, \quad x \in V, \quad U \cap V = \varnothing$$

을 만족하는 열린집합 $U$와 $V$가 존재한다.

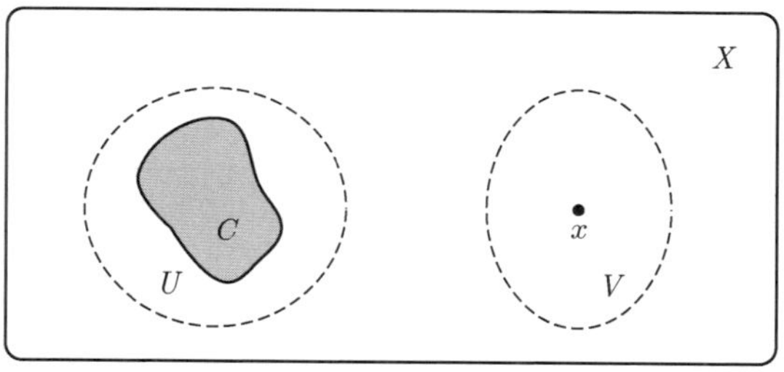


그림 7.4 • 정칙공간

우리는 정칙인 위상공간을 간단히 **정칙공간**(regular space)이라 한다.[8)]

**정리 7.2.2** 모든 정칙공간은 하우스도르프이다.

증명 위상공간 $X$가 정칙이라고 하자. 이제 임의의 서로 다른 두 점 $x, y \in X$에 대하여, $X$가 $T_1$-공간이므로, 정리 7.1.17에 의하여, 한 점 집합 $\{x\}$는 닫힌집합이고 $y \notin \{x\}$이다. 그리고 $X$가 정칙이므로(조건 (R)을 만족하므로)

$$\{x\} \subset U, \quad y \in V, \quad U \cap V = \varnothing$$

을 만족하는 열린집합 $U$와 $V$가 존재한다. 따라서 이러한 열린집합 $U$, $V$가

$$x \in U, \quad y \in V, \quad U \cap V = \varnothing$$

을 만족하므로 $X$는 하우스도르프이다. □

8) 책에 따라서 정칙공간을 $T_3$-공간이라 하고, 조건 (R)을 만족하는 위상공간을 정칙공간이라 부르기도 한다. 따라서 다른 책을 참고할 때는 그 책에서의 정의를 정확히 알고 있어야 한다.

하지만 조건 (R)을 만족하는 위상공간이 항상 하우스도르프가 되는 것은 아니다.

**보기 7.2.3** 집합 $X=\{a, b, c\}$에 위상

$$\mathscr{T}=\{\varnothing, \{a\}, \{b, c\}, X\}$$

를 준 위상공간 $(X, \mathscr{T})$의 닫힌집합은 $X, \{b, c\}, \{a\}, \varnothing$ 뿐이다.

(1) 먼저 $(X, \mathscr{T})$가 조건 (R)을 만족함을 보이자.

(i) 닫힌집합 $\varnothing$과 점 $x \in \varnothing^c$에 대하여 $U=\varnothing$, $V=X$로 잡으면 된다.

(ii) 닫힌집합 $\{a\}$와 점 $x \in \{a\}^c=\{b, c\}$에 대하여 $U=\{a\}$, $V=\{b, c\}$로 잡으면 된다.

(iii) 닫힌집합 $\{b, c\}$와 점 $x \in \{b, c\}^c=\{a\}$에 대하여 $U=\{b, c\}$, $V=\{a\}$로 잡으면 된다.

(iv) 닫힌집합 $X$에 대하여 $x \in X^c=\varnothing$을 만족하는 점 $x$가 없으므로 이 경우 조건 (R)이 성립한다(정의 1.1.4 참조).

따라서 위상공간 $(X, \mathscr{T})$는 조건 (R)을 만족한다.

(2) 그러나 한 점 집합 $\{b\}$와 $\{c\}$가 $(X, \mathscr{T})$의 닫힌집합이 아니므로 $(X, \mathscr{T})$는 $T_1$-공간이 아니다(정리 7.1.17). 따라서 $(X, \mathscr{T})$는 하우스도르프도 아니다.

이제 하우스도르프이지만 조건 (R)을 만족하지 않는 위상공간의 예를 들어보자.

**보기 7.2.4** **($K$-위상)** 실수 집합 $\mathbb{R}$의 부분집합 $K=\{\frac{1}{n} \mid n \in \mathbb{N}\}$에 대하여 집합 $\mathbb{R}$상의 기저

$$\mathscr{B}_K=\{(a, b) \mid a, b \in \mathbb{R}\} \cup \{(a, b)-K \mid a, b \in \mathbb{R}\}$$

가 생성하는 위상 $\mathscr{T}_K$를 $K$-위상($K$-topology)이라 하고, 이러한 위상공간 $(\mathbb{R}, \mathscr{T}_K)$를 $\mathbb{R}_K$로 나타낸다. 이제 위상공간 $\mathbb{R}_K$의 성질들을 알아보자.

(i) 집합 $\mathbb{R}$상의 보통(유클리드)위상 $\mathscr{U}$는 기저

$$\mathscr{B}=\{(a, b) \mid a, b \in \mathbb{R}\}$$

에 의해 생성되고, $\mathscr{B} \subset \mathscr{B}_K$이므로 $\mathscr{U} \subset \mathscr{T}_K$이다. 한편 기저 $\mathscr{B}_K$의 정의로부터 $\mathbb{R}-K \in \mathscr{T}_K$는 자명하다. 그런데 보통위상에서 집합 $K$는 극한점 0을 포함하지 않으므로 닫힌집합이 아니다. 따라서 $\mathbb{R}-K$는 보통위상에서 열린집합이 아니다. 즉, $\mathbb{R}-K \notin$

$\mathscr{U}$이다. 그래서 $\mathscr{U} \subsetneq \mathscr{T}_K$이므로 $\mathscr{T}_K$는 $\mathscr{U}$보다 순-세밀(properly finer)하다.

(ii) $\mathbb{R}_K$는 하우스도르프이다: 왜냐하면 $K$-위상이 보통위상보다 세밀하고 보통(유클리드) 공간 $\mathbb{R}$이 하우스도르프이기 때문이다. 보다 구체적으로, 임의의 서로 다른 두 점 $x, y \in \mathbb{R}$에 대하여 우리는 $x < y$이라고 할 수 있다. 그러면 열린집합 $U = (x-1, \frac{x+y}{2})$, $V = (\frac{x+y}{2}, y+1) \in \mathscr{T}_K$가 존재하여

$$x \in U, \quad y \in V, \quad U \cap V = \varnothing$$

을 만족한다. 따라서 $\mathbb{R}_K$는 하우스도르프이다.

(iii) $\mathbb{R}_K$는 조건 (R)을 만족하지 않는다: $\mathbb{R} - K \in \mathscr{T}_K$가 열린집합이므로 $K$는 닫힌집합이다. 그리고 $0 \notin K$이다. 만약 $\mathbb{R}_K$가 조건 (R)을 만족한다고 가정하면

$$K \subset U, \quad 0 \in V, \quad U \cap V = \varnothing$$

을 만족하는 열린집합 $U, V \in \mathscr{T}_K$가 존재해야 한다. 그러면 $0 \in B \subset V$를 만족하는 기저의 원소 $B \in \mathscr{B}_K$가 존재한다. 그리고 $U \cap V = \varnothing$이므로 $B = (a, b) - K$ 형태가 되어야 한다. 그런데 $0 \in B = (a, b) - K$이므로 $a < 0 < b$이어야 한다. 이제 $\frac{1}{n} \in (a, b)$가 되는 충분히 큰 자연수 $n \in \mathbb{N}$을 택하자. 한편 $\frac{1}{n} \in K \subset U$이므로 $\frac{1}{n} \in B_* \subset U$를 만족하는 기저의 원소 $B_* \in \mathscr{B}_K$가 존재한다. 그리고 $\frac{1}{n} \in B_*$이므로 $B_* = (c, d)$ 형태가 되어서 $c < \frac{1}{n} < d$이다. 이제 $\max\{c, \frac{1}{n+1}\} < z < \frac{1}{n}$을 만족하는 실수 $z$를 택하자. 그러면 $z \in U$이고 $z \in V$이므로 $U \cap V \neq \varnothing$이 되어 모순이다.

**정리 7.2.5** 위상공간 $X$에 대하여 다음은 동치이다.

(a) $X$는 조건 (R)을 만족한다.

(b) 임의의 점 $x \in X$와 $x$의 열린근방 $U$에 대하여

$$x \in V \subset \overline{V} \subset U$$

를 만족하는 열린집합 $V$가 존재한다.

증명 (a)⇒(b) 임의의 점 $x \in X$와 $x$의 열린근방 $U$에 대하여 $U^c$은 닫힌집합이고 $x \notin U^c$이므로 (a)에 의하여

$$x \in V, \quad U^c \subset W, \quad V \cap W = \varnothing$$

인 열린집합 $V$와 $W$가 존재한다. 그러면 $V \subset W^c$이고 $W^c$이 닫힌집합이므로 성질 4.2.11에 의해 $\overline{V} \subset W^c$이다. 그래서 $\overline{V} \cap W = \varnothing$ 이므로 $\overline{V} \cap U^c = \varnothing$ 이다. 따라서 $x \in V \subset \overline{V} \subset U$ 이다.

(b)⇒(a) 임의의 닫힌집합 $C$와 점 $x \notin C$에 대하여 $C^c$은 $x$의 열린근방이다. 그러면 (b)에 의하여 $x \in V \subset \overline{V} \subset C^c$을 만족하는 열린집합 $V$가 존재한다. 따라서 두 열린집합 $V$와 $(\overline{V})^c$이

$$x \in V, \quad C \subset (\overline{V})^c, \quad V \cap (\overline{V})^c = \varnothing$$

을 만족하므로 $X$는 조건 (R)을 만족한다. □

정칙성은 위상적 성질이다.

**성질 7.2.6** 두 위상공간 $X$와 $Y$가 위상동형이면 다음이 성립한다:

$$X\text{는 정칙공간} \Leftrightarrow Y\text{는 정칙공간}$$

증명 $X$와 $Y$가 위상동형이고 $X$가 정칙이라고 가정하자. $X$와 $Y$가 위상동형이므로 위상동형사상 $f : X \to Y$가 존재한다.

($T_1$) $X$가 $T_1$이므로, 성질 7.1.11에 의해, $Y$도 $T_1$이다.

(R) 이제 임의로 주어진 $Y$의 닫힌집합 $C$와 점 $y \in Y - C$에 대하여 $f$가 위상동형사상이므로 $f^{-1}(C)$는 $X$의 닫힌집합이고 $x = f^{-1}(y) \in X - f^{-1}(C)$이다. 그리고 $X$가 정칙이므로(조건 (R)을 만족하므로)

$$f^{-1}(C) \subset U, \quad x \in V, \quad U \cap V = \varnothing$$

을 만족하는 $X$의 열린집합 $U$, $V$가 존재한다. 한편 $f$가 위상동형사상이므로 $f(U)$와 $f(V)$는 $Y$의 열린집합이고

$$C = f(f^{-1}(C)) \subset f(U), \quad y = f(x) \in f(V), \quad f(U) \cap f(V) = f(U \cap V) = \varnothing$$

이다. 그러므로 $Y$는 조건 (R)을 만족한다. 따라서 $Y$는 정칙이다. □

**성질 7.2.7** (1) 정칙공간의 부분공간은 정칙이다.
(2) 정칙공간들의 곱공간도 정칙이다.

증명 (1) $A$를 정칙공간 $(X, \mathscr{T})$의 부분공간이라 하자. 먼저 기초정리 7.1.13에 의해 $X$가 $T_1$-공간이므로 부분공간 $A$도 $T_1$-공간이다.

이제 부분공간 $A$가 조건 (R)을 만족함을 보이자. $A$상의 임의의 닫힌집합 $C(\subset A)$와 $a \in A - C$에 대하여 $C = D \cap A$를 만족하는 $X$의 닫힌집합 $D$를 택하자. 그러면 $a \in A$이므로 $a \notin D$이다. 그리고 $X$가 정칙이므로

$$a \in U, \quad D \subset V, \quad U \cap V = \varnothing$$

을 만족하는 $X$의 열린집합 $U, V \in \mathscr{T}$가 존재한다. 그러면 $A$상의 열린집합 $U_A = U \cap A$, $V_A = V \cap A \in \mathscr{T}_A$가

$$a \in U_A, \quad C = D \cap A \subset V_A, \quad U_A \cap V_A = \varnothing$$

을 만족한다. 그러므로 부분공간 $A$는 조건 (R)을 만족한다. 따라서 부분공간 $A$는 정칙이다.

(2) $X_\alpha (\alpha \in \Lambda)$를 정칙공간들이라고 하자. 그러면 성질 7.1.14에 의하여 곱공간 $\Pi_{\alpha \in \Lambda} X_\alpha$는 $T_1$-공간이다.

이제 정리 7.2.5를 사용하여 곱공간 $\Pi_{\alpha \in \Lambda} X_\alpha$이 조건 (R)을 만족함을 보이자. 임의의 점 $\mathbf{x} = (x_\alpha) \in \Pi_{\alpha \in \Lambda} X_\alpha$와 $\mathbf{x}$의 열린근방 $U$에 대하여 다음을 만족하는 기저의 원소 $\Pi_{\alpha \in \Lambda} U_\alpha$가 존재한다.

$$\mathbf{x} = (x_\alpha) \in \Pi_{\alpha \in \Lambda} U_\alpha \subset U$$

먼저 $U_\alpha = X_\alpha$인 경우에는 $V_\alpha = X_\alpha$로 놓자. 그리고 나머지 유한개의 $\alpha \in \Lambda$에 대해서는 $U_\alpha$가 $x_\alpha$의 열린근방이고 $X_\alpha$가 정칙이므로

$$x_\alpha \in V_\alpha \subset \overline{V}_\alpha \subset U_\alpha$$

을 만족하는 $X_\alpha$의 열린집합 $V_\alpha$를 택하자. 그러면 $V = \Pi_{\alpha \in \Lambda} V_\alpha$는 $\Pi_{\alpha \in \Lambda} X_\alpha$의 열린집합이다. 그리고 성질 6.1.26에 의하여

$$\mathbf{x} = (x_\alpha) \in V \subset \overline{V} = \overline{\Pi_{\alpha \in \Lambda} V_\alpha} = \Pi_{\alpha \in \Lambda} \overline{V}_\alpha \subset \Pi_{\alpha \in \Lambda} U_\alpha \subset U$$

이다. 따라서 곱공간 $\Pi_{\alpha \in \Lambda} X_\alpha$는 정칙이다. □

**정의 7.2.8** 위상공간 $X$가 **정규**(normal)란 $T_1$이고, 다음 조건 (N)을 만족함을 의미한다:

(N) 임의의 서로소인 닫힌집합 $C$와 $D$에 대하여

$$C \subset U, \quad D \subset V, \quad U \cap V = \varnothing$$

을 만족하는 열린집합 $U$와 $V$가 존재한다.

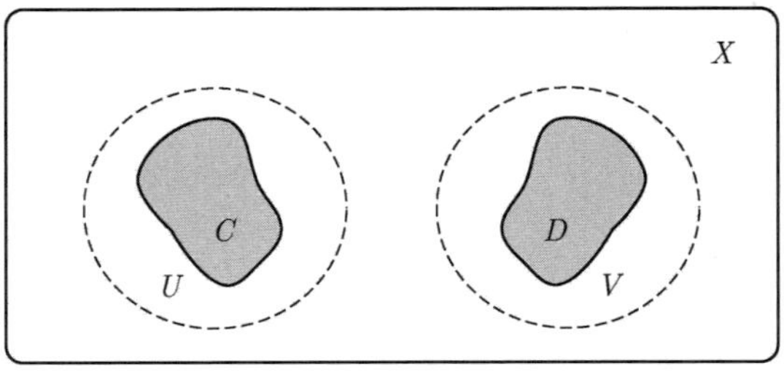


그림 7.5 • 정규공간

우리는 정규인 위상공간을 간단히 **정규공간**(normal space)이라 한다.[9)]

**보기 7.2.9** 정렬집합 $(X, \leq)$에 순서위상을 준 순서공간 $X$는 정규공간이다:

보기 7.1.5에 의해 순서공간 $X$는 $T_1$-공간이다.

(1) 먼저 임의의 서로 다른 두 점 $x < y \in X$에 대해 $(x, y] = \{z \in X \mid x < z \leq y\}$이 열린집합임을 보이자. 이를 위해

$$D = (y, \infty) = \{z \in X \mid z > y\}$$

이라고 하자. 만약 $D = \varnothing$이면 $(x, y] = (x, \infty)$이 되어 $(x, y]$는 열린집합이다. 그리고 $D$가 공집합이 아니면 $X$가 정렬집합이므로 $D$의 최소원 $d = \min(D) \in D$가 존재하여 $(x, y] = (x, d)$가 되므로 $(x, y]$는 열린집합이다.

(2) 이제 $X$가 조건 (N)을 만족함을 보이자. 이를 위해 $A$와 $B$를 서로소인 닫힌집합이라 하자. 그리고 $m$을 $X$의 최소원이라 하자.

(i) $m \notin A \cup B$인 경우: 주어진 점 $a \in A$에 대해 $B^c$이 $a$의 열린근방이므로 $a \in (x_a, z_a) \subset B^c$을 만족하는 기저의 원소 $(x_a, z_a)$가 존재한다. 따라서 $(x_a, a] \cap B = \varnothing$

9) 책에 따라서 정규공간을 $T_4$-공간이라 하고, 조건 (N)을 만족하는 위상공간을 정규공간이라 부르기도 한다. 따라서 다른 책을 참고할 때는 그 책에서의 정의를 정확히 알고 있어야 한다.

을 만족하는 $x_a \in X$가 존재한다. 그리고 같은 방법으로 주어진 점 $b \in B$에 대해 $(y_b, b] \cap A = \varnothing$을 만족하는 $y_b \in X$가 존재한다. 이제

$$U = \bigcup_{a \in A} (x_a, a], \quad V = \bigcup_{b \in B} (y_b, b]$$

이라고 하면 (1)에 의해 $U$와 $V$는 열린집합이고 $A \subset U$, $B \subset V$를 만족한다. 우리는 $U \cap V = \varnothing$임을 보이면 충분하다. 만약 $U \cap V \neq \varnothing$이라고 가정하면 점 $z \in U \cap V$가 존재한다. 그러면 $z \in (x_a, a]$, $z \in (y_b, b]$을 만족하는 $a \in A$와 $b \in B$가 존재한다. 우리는 $X$가 정렬집합이므로 $a < b$이라고 할 수 있다. 그리고 $y_b < z \leq a$이므로 $a \in (y_b, b]$가 되어 $(y_b, b] \cap A \neq \varnothing$이다. 이것은 모순이다. 따라서 $U \cap V = \varnothing$이다.

(ii) $m \in A \cup B$인 경우: 우리는 일반성을 잃지 않고 $m \in A$라고 할 수 있다. 그러면 $m \notin B$이다. 그리고 $\{m\} = (-\infty, m]$은 닫힌집합인 동시에 열린집합이다. 그러면 $A - \{m\}$과 $B$는 서로소인 닫힌집합이고 이들의 합집합은 $m$을 포함하지 않는다. 따라서 경우 (i)에 의하여

$$A - \{m\} \subset U, \quad B \subset V, \quad U \cap V = \varnothing$$

을 만족하는 열린집합 $U$와 $V$가 존재한다. 이제

$$U' := U \cup \{m\}, \quad V' := V - \{m\}$$

이라고 하면 $U'$과 $V'$은

$$A \subset U', \quad B \subset V', \quad U' \cap V' = \varnothing$$

을 만족하는 열린집합이다. 따라서 $X$는 정규공간이다.

정규성은 위상적 성질이다.

**성질 7.2.10** 두 위상공간 $X$와 $Y$가 위상동형이면 다음이 성립한다:

$$X\text{는 정규공간} \Leftrightarrow Y\text{는 정규공간}$$

증명 $X$와 $Y$는 위상동형이고 $X$는 정규라고 가정하자. $X$와 $Y$가 위상동형이므로 위상동형사상 $f : X \to Y$가 존재한다.

($T_1$) $X$가 $T_1$이므로, 성질 7.1.11에 의해, $Y$도 $T_1$이다.

(N) 이제 임의로 주어진 서로소인 닫힌집합 $C, D \subset Y$에 대하여 $f$가 위상동형 사상이므로 $f^{-1}(C)$, $f^{-1}(D)$는 $X$의 서로소인 닫힌집합이다. 그리고 $X$가 정규이므로(조건 (N)을 만족하므로)

$$f^{-1}(C) \subset U, \quad f^{-1}(D) \subset V, \quad U \cap V = \varnothing$$

을 만족하는 $X$의 열린집합 $U$, $V$가 존재한다. 한편 $f$가 위상동형사상이므로 $f(U)$와 $f(V)$는 $Y$의 열린집합이고

$$C = f(f^{-1}(C)) \subset f(U), \quad D = f(f^{-1}(D)) \subset f(V), \quad f(U) \cap f(V) = \varnothing$$

이다. 그러므로 $Y$는 조건 (N)을 만족한다. 따라서 $Y$는 정규이다. □

**정리 7.2.11** 위상공간 $X$에 대하여 다음은 동치이다.

(a) $X$는 조건 (N)을 만족한다.

(b) 임의의 닫힌집합 $C$와 $C \subset U$인 열린집합 $U$에 대하여

$$C \subset V \subset \overline{V} \subset U$$

를 만족하는 열린집합 $V$가 존재한다.

증명 (a)⇒(b) 임의의 닫힌집합 $C$와 $C \subset U$인 열린집합 $U$에 대하여 $U^c$은 닫힌집합이고 $C \cap U^c = \varnothing$이므로 (a)에 의하여

$$C \subset V, \quad U^c \subset W, \quad V \cap W = \varnothing$$

인 열린집합 $V$와 $W$가 존재한다. 그러면 $V \subset W^c$이고 $W^c$이 닫힌집합이므로 성질 4.2.11에 의해 $\overline{V} \subset W^c$이다. 그리고 $W^c \subset U$이므로 $C \subset V \subset \overline{V} \subset U$이다.

(b)⇒(a) 임의의 서로소인 두 닫힌집합 $C$와 $D$에 대하여 $C^c$은 열린집합이고 $D \subset C^c$이다. 그러면 (b)에 의하여

$$D \subset V \subset \overline{V} \subset C^c$$

을 만족하는 열린집합 $V$가 존재한다. 그러면 두 열린집합 $V$와 $(\overline{V})^c$에 대해

$$D \subset V, \quad C \subset (\overline{V})^c, \quad V \cap (\overline{V})^c = \varnothing$$

이 성립하므로 $X$는 조건 (N)을 만족한다. □

한편 조건 (N)을 만족하는 위상공간이 항상 하우스도르프가 되는 것은 아니다. 또한 위상공간이 조건 (N)을 만족하여도 조건 (R)을 만족하는 것은 아니다.

**보기 7.2.12** 집합 $X=\{a,b,c\}$에 위상 $\mathscr{T}=\{\varnothing,\{a\},\{b\},\{a,b\},X\}$를 준 위상공간 $(X,\mathscr{T})$를 생각하자.

(i) $(X,\mathscr{T})$는 조건 (N)을 만족한다: 위상공간 $(X,\mathscr{T})$의 닫힌집합은

$$X,\ \{b,c\},\ \{a,c\},\ \{c\},\ \varnothing$$

뿐이다. 그러므로 만약 $C$와 $D$가 서로소인 닫힌집합이면 둘 중 하나는 공집합이 되어야 한다. 편의상 $C=\varnothing$이라고 하자. 그러면 두 열린집합 $\varnothing$과 $X$에 대해

$$C\subset\varnothing,\quad D\subset X,\quad \varnothing\cap X=\varnothing$$

이 된다. 따라서 $(X,\mathscr{T})$는 조건 (N)을 만족한다.

(ii) 하지만 $(X,\mathscr{T})$는 $T_1$-공간이 아니다: 한 점 집합 $\{a\}$가 닫힌집합이 아니므로 정리 7.1.17에 의해 $(X,\mathscr{T})$는 $T_1$-공간이 아니다.

(iii) 따라서 기초정리 7.1.3에 의해 $(X,\mathscr{T})$는 하우스도르프도 아니다.

(iv) 그리고 $(X,\mathscr{T})$는 조건 (R)을 만족하지 않는다: 왜냐하면 닫힌집합 $\{b,c\}$와 점 $a\notin\{b,c\}$에 대하여 $\{b,c\}$를 포함하는 열린집합은 $X$뿐이므로

$$a\in U,\quad \{b,c\}\subset V,\quad U\cap V=\varnothing$$

을 만족하는 열린집합 $U$와 $V$는 존재하지 않는다.

**정리 7.2.13** 모든 정규공간은 정칙이다.

**증명** 위상공간 $X$가 정규라고 하자. 우리는 $X$가 조건 (R)을 만족함을 보이면 된다. 임의의 닫힌집합 $C$와 점 $x\notin C$가 주어졌다고 하자. 먼저 $X$가 $T_1$-공간이므로 정리 7.1.17에 의하여 한 점 집합 $\{x\}$는 닫힌집합이고 $\{x\}\cap C=\varnothing$이다. 그리고 $X$가 정규이므로(조건 (N)을 만족하므로)

$$\{x\}\subset U,\quad C\subset V,\quad U\cap V=\varnothing$$

을 만족하는 열린집합 $U$와 $V$가 존재한다. 이러한 $U$와 $V$는 $x\in U$, $C\subset V$, $U\cap V=\varnothing$을 만족한다. 따라서 $X$는 정칙이다. □

하지만 정칙공간이 항상 정규가 되는 것은 아니다. 그리고 정규공간들의 곱공간도 항상 정규가 되는 것은 아니다. 또한 정규공간의 부분공간이 항상 정규가 되는 것도 아니다.[10)]

**보기 7.2.14** $\mathbb{R}_l$을 보기 3.2.12에서 다루었던 하극한공간이라 하자.

(1) $\mathbb{R}_l$은 정규공간이다:

(a) 먼저 $\mathbb{R}_l$이 $T_1$-공간임을 보이자. 주어진 점 $x \in \mathbb{R}_l$에 대하여

$$U = (-\infty, x) = \bigcup_{n=1}^{\infty} [x-n, x),$$

$$V = (x, \infty) = \bigcup_{n=1}^{\infty} [x + \frac{1}{n}, x+n)$$

가 모두 $\mathbb{R}_l$의 열린집합이므로 한 점 집합 $\{x\} = \mathbb{R}_l - (U \cup V)$는 닫힌집합이다. 따라서 정리 7.1.17에 의해 $\mathbb{R}_l$은 $T_1$-공간이다.

(b) 이제 $\mathbb{R}_l$이 조건 (N)을 만족함을 보이자. $A$와 $B$를 임의로 주어진 서로소인 $\mathbb{R}_l$의 닫힌집합이라고 하자. 임의의 점 $a \in A$에 대하여 $a \in B^c$이고 $B^c$이 열린집합이므로 $a \in [y_a, x_a) \subset B^c$인 기저의 원소 $[y_a, x_a)$가 존재한다. 따라서 $[a, x_a) \cap B = \varnothing$인 실수 $x_a$가 존재한다. 같은 방법으로 임의의 점 $b \in B$에 대해서도 $[b, x_b) \cap A = \varnothing$을 만족하는 실수 $x_b$가 존재한다. 그러면 두 열린집합

$$U = \bigcup_{a \in A} [a, x_a), \quad V = \bigcup_{b \in B} [b, x_b)$$

에 대해 $A \subset U$, $B \subset V$이다. 더구나 $U \cap V = \varnothing$이다. (왜냐하면 만약 $U \cap V \neq \varnothing$이라고 가정하면 점 $z \in U \cap V$가 존재한다. 그러면 $z \in [a, x_a)$와 $z \in [b, x_b)$를 만족하는 $a \in A$와 $b \in B$가 존재해야 한다. 우리는 $a < b$라고 할 수 있다. 그러면 $a < b \leq z < x_a$가 되어 $b \in [a, x_a)$이다. 이것은 $[a, x_a) \cap B = \varnothing$에 모순이다.) 따라서 $\mathbb{R}_l$은 조건 (N)을 만족한다.

(2) 이제 보기 6.1.5에서 다루었던 하극한공간 $\mathbb{R}_l$의 곱공간 $\mathbb{R}_l^2 = \mathbb{R}_l \times \mathbb{R}_l$을 생각하자. 우리는 $\mathbb{R}_l^2$가 정칙공간이지만 정규공간은 아님을 보일 것이다. 따라서 정칙공간이 정규가 되는 것도 아니며, 정규공간들의 곱공간이 정규가 되는 것도 아니다.

(a) 먼저 $\mathbb{R}_l$이 정규공간이므로 $\mathbb{R}_l$은 정칙이다. 따라서 성질 7.2.7에 의하여 곱공간

10) 정규공간 $\overline{S}_\Omega \times \overline{S}_\Omega$의 부분공간 $S_\Omega \times \overline{S}_\Omega$는 정규가 아니다. 보기 9.1.31 참조.

$\mathbb{R}_l^2$는 정칙이다.

(b) 이제 $\mathbb{R}_l^2$가 정규공간이 아님을 보이자: 보기 6.1.5에서 보았듯이 $\mathbb{R}_l^2$ 의 부분공간

$$L = \{(x, -x) \mid x \in \mathbb{R}_l\}$$

은 이산위상을 갖는다. 귀류법 가정으로 $\mathbb{R}_l^2$가 정규라고 가정하자. 그러면 임의로 주어진 진부분집합 $A \subsetneq L$와 $L - A$는 이산공간 $L$의 닫힌집합이다. 그런데 $L$이 $\mathbb{R}_l^2$의 닫힌집합이므로 $A$와 $L - A$는 $\mathbb{R}_l^2$의 서로소인 닫힌집합이 된다. 그리고 $\mathbb{R}_l^2$가 정규라고 가정하였으므로

$$A \subset U_A, \quad L - A \subset V_A, \quad U_A \cap V_A = \varnothing$$

을 만족하는 $\mathbb{R}_l^2$의 열린집합 $U_A$와 $V_A$가 존재한다.

이제 $D$를 $\mathbb{R}_l^2$의 점들 중 유리수 좌표를 갖는 것들의 모임이라 하자. 즉, $D = \{(x, y) | x, y \in \mathbb{Q}\}$이다. 그리고 $\mathscr{P}(L)$과 $\mathscr{P}(D)$를 각각 $L$과 $D$의 모든 부분집합들의 모임이라 하자. 그리고 함수 $\theta : \mathscr{P}(L) \to \mathscr{P}(D)$를

$$\text{만약 } \varnothing \subsetneq A \subsetneq L\text{이면 } \theta(A) = D \cap U_A,$$
$$\theta(\varnothing) = \varnothing, \quad \theta(L) = D$$

와 같이 정의하자.

(i) 그러면 $\theta : \mathscr{P}(L) \to \mathscr{P}(D)$가 단사함수임을 다음과 같이 보일 수 있다: 먼저 $\varnothing \subsetneq A \subsetneq L$인 집합 $A$에 대하여 $U_A$가 $\varnothing \neq A \subset U_A$인 $\mathbb{R}_l^2$의 열린집합이고 $D$가 $\mathbb{R}_l^2$의 조밀한 부분집합이므로 $\theta(A) = D \cap U_A \neq \varnothing$이다. 한편 $V_A$도 $\mathbb{R}_l^2$의 열린집합이고 $D$가 조밀한 부분집합이므로 $D \cap V_A \neq \varnothing$이다. 그리고 $U_A \cap V_A = \varnothing$이므로 $\theta(A) = D \cap U_A \neq D$이다.

이제 $\varnothing \subsetneq A, B \subsetneq L$이고 $A \neq B$인 집합 $A$와 $B$에 대하여 우리는 $A - B \neq \varnothing$이라고 할 수 있다. 그러므로 점 $\mathbf{z} \in A - B$가 존재하여 $\mathbf{z} \in L - B$이므로 $\mathbf{z} \in U_A \cap U_B$이다. 따라서 $U_A \cap V_B$는 공집합이 아닌 열린집합이고 $D$가 조밀한 부분집합이므로 $(U_A \cap V_B) \cap D \neq \varnothing$이 되어 점 $\mathbf{w} \in (U_A \cap V_B) \cap D$가 존재한다. 그러면 $\mathbf{w} \in D \cap U_A$이고 $\mathbf{w} \notin D \cap U_B$이다. 따라서 $\theta(A) \neq \theta(B)$이다.

(ii) 한편 전단사함수 $\phi : \mathscr{P}(D) \to L$가 존재한다:

$$D \sim \mathbb{Q} \times \mathbb{Q} \sim \mathbb{N}, \quad L \sim \mathbb{R}$$

이므로

$$\mathscr{P}(D) \sim \mathscr{P}(\mathbb{N}) \sim \mathbb{R} \sim L$$

이다. 따라서 전단사함수 $\phi : \mathscr{P}(D) \to L$가 존재한다.[11)]

(iii) (i)과 (ii)에 의하여 합성함수 $\phi \circ \theta : \mathscr{P}(L) \to \mathscr{P}(D) \to L$는 단사함수이다. 따라서 기초정리 1.6.9에 의해 $\mathscr{P}(L) \sim L$이 되어 모순이다.[12)]

그러므로 $\mathbb{R}_l^2$는 정규공간이 아니다.

**보기 7.2.15** 집합 $X = \{(x, y) \in \mathbb{R}^2 \mid y \geq 0\}$에 대해 $\mathscr{B}$를 다음과 같은 두 가지 형태의 $X$의 부분집합들의 모임이라 하자:

(i) 임의의 실수 $a$와 양의 실수 $b > 0$에 대해 점 $(a, b) \in X$를 중심으로 하는 임의의 열린구 $B((a, b), r)$와 $X$의 교집합들, 즉 모든 실수 $a$와 양의 실수 $b, r > 0$에 대해 $B((a, b), r) \cap X$ 형태의 $X$의 부분집합들(그림 7.6 참조),

(ii) 임의의 실수 $a$에 대해 점 $(a, 0)$에서 $x$-축에 접하는 열린구와 점 $(a, 0)$의 합집합들, 즉 모든 실수 $a$와 양의 실수 $b > 0$에 대해 $B((a, b), b) \cup \{(a, 0)\}$ 형태의 $X$의 부분집합들.

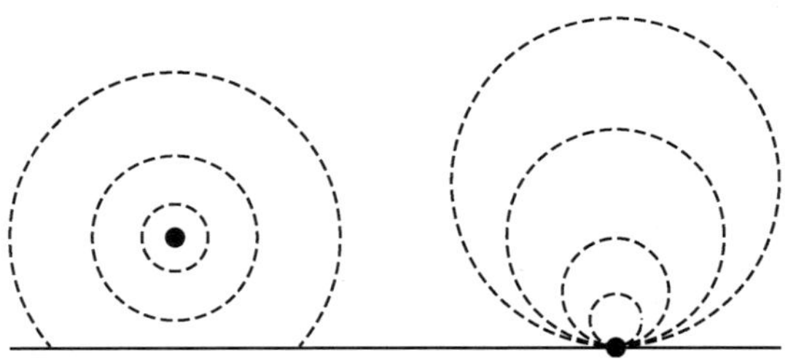

그림 7.6 • $X$상의 기저들

이러한 $\mathscr{B}$는 집합 $X$상의 기저가 된다. 이제 $X$에 $\mathscr{B}$가 생성하는 위상을 주자. 그러면 위상공간 $X$는 정칙이지만 정규는 아니다.

(1) $L = \mathbb{R} \times \{0\}$은 $X$의 닫힌집합이다: 임의의 점 $(x, y) \in X - L$에 대하여 $y > 0$이므로 $B((x, y), y)$는 기저의 원소이다. 그리고 $(x, y) \in B((x, y), y) \subset X - L$이므로

---

11) 두 집합 $X, Y$에 대하여 $X \sim Y$란 $X$와 $Y$ 사이에 전단사함수가 존재하는 경우를 뜻한다. 경우에 따라 $\text{card}(X) = \text{card}(Y)$로 표기하기도 한다. 1.6절 참조.

12) 임의의 집합 $X$에 대하여 $X \nsim \mathscr{P}(X)$이다. 즉, $\text{card}(X) < \text{card}(\mathscr{P}(X))$이다. 참고 문헌 [22] 참조.

$X-L$은 $X$의 열린집합이다. 따라서 $L$은 $X$의 닫힌집합이다.

(2) 부분공간 $L$은 이산위상을 갖는다: 임의의 점 $(x,0)\in L$에 대하여 $U=\{(x,0)\}\cup B((x,1),1)$은 $X$의 열린집합으로서 $\{(x,0)\}=L\cap U$를 만족한다. 따라서 $\{(x,0)\}$은 부분공간 $L$의 열린집합이다. 그러므로 부분공간 $L$은 이산공간이다.

(3) $X$는 Hausdorff이다: $(x_1,y_1),(x_2,y_2)\in X$를 서로 다른 두 점이라 하자.

(a) $y_1,\ y_2>0$인 경우: $r=\|(x_1,y_1)-(x_2,y_2)\|$이라 하면

$$U=B((x_1,y_1),\frac{r}{2})\cap X,\quad V=B((x_2,y_2),\frac{r}{2})\cap X$$

는 기저의 원소이므로 열린집합이고 $(x_1,y_1)\in U,\ (x_2,y_2)\in V,\ U\cap V=\varnothing$이다.

(b) $y_1=y_2=0$인 경우: $r=\|x_1-x_2\|$이라 하면

$$U=B((x_1,\frac{r}{2}),\frac{r}{2})\cup\{(x_1,0)\},\quad V=B((x_2,\frac{r}{2}),\frac{r}{2})\cup\{(x_2,0)\}$$

는 기저의 원소이므로 열린집합이고 $(x_1,y_1)\in U,\ (x_2,y_2)\in V,\ U\cap V=\varnothing$이다.

(c) $y_1=0,\ y_2>0$인 경우: $r=\|y_1-y_2\|$이라 하면

$$U=B((x_1,\frac{r}{4}),\frac{r}{4})\cup\{(x_1,0)\},\quad V=B((x_2,y_2),\frac{r}{4})\cap X$$

는 기저의 원소이므로 열린집합이고 $(x_1,y_1)\in U,\ (x_2,y_2)\in V,\ U\cap V=\varnothing$이다.

따라서 $X$는 Hausdorff이다.

(4) $X$는 정칙이다: (3)에 의해 $X$가 Hausdorff이므로 우리는 정리 7.2.5를 사용하여 $X$가 조건 (R)을 만족함을 보이면 된다. 임의의 점 $(x,y)\in X$와 $(x,y)$의 열린근방 $U$에 대하여 $(x,y)\in B\subset U$를 만족하는 기저의 원소 $B$가 존재한다.

(a) $B=B((a,b),r)\cap X$ 형태인 경우: 양의 실수 $s=r-\|(x,y)-(a,b)\|$에 대해 $V=B((x,y),\frac{s}{2})\cap X$는 $X$의 열린집합으로서

$$(x,y)\in V\subset\overline{V}\subset B=B((a,b),r)\cap X\subset U$$

를 만족한다.

(b) $B=B((a,b),b)\cup\{(a,0)\}$ 형태인 경우: 먼저 $y>0$인 경우에는 $s=b-\|(x,y)-(a,b)\|$에 대해 $V=B((x,y),\frac{s}{2})\cap X$는 $X$의 열린집합으로서

$$(x,y)\in V\subset\overline{V}\subset B=B((a,b),b)\cup\{(a,0)\}\subset U$$

를 만족한다. 한편 $y=0$인 경우에는 $(x,y)=(a,0)$이다. 그리고 $V=B((a,\frac{b}{2}),\frac{b}{2})\cup\{(a,0)\}$는 $X$의 열린집합으로서

$$(x,y)\in V\subset\overline{V}\subset B=B((a,b),b)\cup\{(a,0)\}\subset U$$

를 만족한다.

따라서 정리 7.2.5에 의해 $X$는 정칙이다.

(5) $X$는 정규가 아니다: $D=\{(p,q)\mid(p,q)\in\mathbb{Q}\times\mathbb{Q},\ q\geq 0\}$는 $X$의 조밀한 부분집합이다. 우리는 보기 7.2.14(2)(b)의 풀이 과정과 같은 방법으로 $X$가 정규가 아님을 보일 수 있다.

**성질 7.2.16** 정규공간의 닫힌 부분공간은 정규이다.[13)]

증명 $A$를 정규공간 $X$의 닫힌집합이라고 하자. 이제 부분공간 $A$가 정규임을 보이자. 먼저 $X$가 $T_1$-공간이므로 기초정리 7.1.13에 의해 $A$도 $T_1$-공간이다.

한편 임의의 서로소인 $A$의 닫힌 부분집합 $C$와 $D$에 대하여, $A$가 $X$의 닫힌집합이므로 $C$와 $D$는 $X$의 닫힌집합이다. 한편 $X$가 정규이므로

$$C\subset U,\quad D\subset V,\quad U\cap V=\varnothing$$

을 만족하는 $X$의 열린집합 $U$, $V$가 존재한다. 이제 $U_A=A\cap U$, $V_A=A\cap V$이라 하면 $U_A$, $V_A$는 $A$의 열린집합으로서

$$C\subset U_A,\quad D\subset V_A,\quad U_A\cap V_A=\varnothing$$

을 만족한다. 따라서 부분공간 $A$는 정규이다. □

**정리 7.2.17** 모든 거리공간은 정규이다.

증명 기초정리 7.1.9에 의해 거리공간 $(X,d)$는 하우스도르프이므로 $T_1$이다. 이제 $A$, $B$를 거리공간 $(X,d)$의 서로소인 닫힌집합이라고 하자. 임의의 점 $a\in A$에 대하여 $a\in B^c$이고 $B^c$이 열린집합이므로 $a\in B_d(a,r_a)\subset B^c$을 만족하는 양의 실수 $r_a$가 존재하여 $B_d(a,r_a)\cap B=\varnothing$이 된다. 같은 방법으로 임의의 점 $b\in B$에 대하여 $B_d(b,r_b)\cap A=\varnothing$을 만족하는 양의 실수 $r_b$를 택하자. 그러면

13) 정규공간의 부분공간이 항상 정규가 되는 것은 아니다. 보기 9.1.31 참조.

$$U := \bigcup_{a \in A} B_d(a, \frac{r_a}{2}), \quad V := \bigcup_{b \in B} B_d(b, \frac{r_b}{2})$$

는 열린집합들이고 $A \subset U$, $B \subset V$, $U \cap V = \varnothing$을 만족한다. 따라서 $(X, d)$는 정규이다. 우리는 $U \cap V = \varnothing$이 됨을 다음과 같이 보일 수 있다. 만약 $U \cap V \neq \varnothing$이라고 가정하면 점 $x \in U \cap V$가 존재한다. 그러면 $U$와 $V$의 정의에 의하여

$$x \in B_d(a, \frac{r_a}{2}), \quad x \in B_d(b, \frac{r_b}{2})$$

를 만족하는 $a \in A$와 $b \in B$가 존재한다. 우리는 일반성을 잃지 않고 $r_b \leq r_a$이라 할 수 있다. 그러면

$$d(a, b) \leq d(a, x) + d(x, b) < \frac{r_a}{2} + \frac{r_b}{2} \leq r_a$$

이므로 $b \in B_d(a, r_a)$이다. 그래서 $b \in B_d(a, r_a) \cap B$이므로 $B_d(a, r_a) \cap B \neq \varnothing$이 되어 모순이다. 그리고 $r_a \leq r_b$인 경우에도 $B_d(b, r_b) \cap A \neq \varnothing$이 되어 모순이다. 따라서 $U \cap V = \varnothing$이 되어야 한다. □

**참고 7.2.18** 모든 거리공간의 부분공간은 정규이다: 성질 3.4.10에 의해 거리공간 $X$의 부분공간 $A$는 거리공간이다. 따라서 정리 7.2.17에 의해 부분공간 $A$는 정규이다.

**참고 7.2.19** 하극한공간 $\mathbb{R}_l$은 정규이지만 거리화가능은 아니다: 구체적으로 만약 $\mathbb{R}_l$이 거리화가능이라 가정하면 $\mathbb{R}_l$을 거리공간이라 할 수 있으므로 곱공간 $\mathbb{R}_l^2$도 거리화가능이다(참고 6.1.36). 따라서 $\mathbb{R}_l^2$는 정규이다. 그런데 보기 7.2.14에서 보았듯이 $\mathbb{R}_l^2$는 정규가 아니므로 모순이다.

**따름정리 7.2.20** 거리공간 $\Rightarrow$ 정규공간 $\Rightarrow$ 정칙공간 $\Rightarrow$ Hausdorff $\Rightarrow$ $T_1$-공간 $\Rightarrow$ $T_0$-공간.

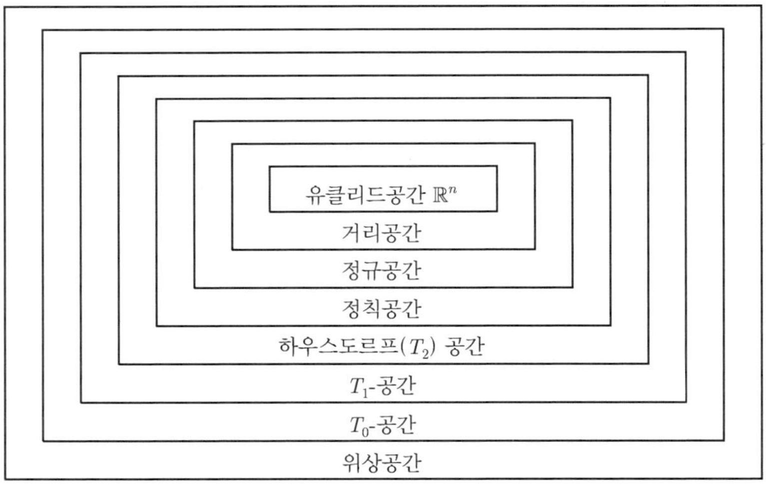


그림 7.7 • 위상공간들 사이의 관계

**성질 7.2.21** 전사이고 연속인 닫힌사상 $f : X \to Y$가 존재한다고 가정하자. 만약 $X$가 정규공간이면 $Y$도 정규공간이다.

증명 ($T_1$) 임의의 점 $y \in Y$에 대하여 $f$가 전사이므로 $f(x) = y$인 점 $x \in X$가 존재한다. 그리고 $X$가 $T_1$이므로 정리 7.1.17에 의하여 한 점 집합 $\{x\}$는 $X$의 닫힌집합이다. 그리고 $f$가 닫힌사상이므로 한 점 집합 $\{y\} = f(\{x\})$도 $Y$의 닫힌집합이 된다. 따라서 $Y$는 $T_1$이다.

(N) $A$와 $B$를 서로소인 $Y$의 닫힌집합이라 하자. 그러면 $f$가 연속이므로 $f^{-1}(A)$와 $f^{-1}(B)$는 서로소인 $X$의 닫힌집합이다. 한편 $X$가 정규이므로

$$f^{-1}(A) \subset U, \quad f^{-1}(B) \subset V, \quad U \cap V = \varnothing$$

을 만족하는 $X$의 열린집합 $U$와 $V$가 존재한다. 그리고 $f$가 닫힌사상이므로 참고 5.2.9에 의하여

$$A \subset U^*, \quad f^{-1}(U^*) \subset U, \quad B \subset V^*, \quad f^{-1}(V^*) \subset V$$

를 만족하는 $Y$의 열린집합 $U^*$와 $V^*$가 존재한다. 그리고 $U \cap V = \varnothing$이므로 $U^* \cap V^* = \varnothing$이 되어야 한다. 따라서 $Y$는 정규공간이다. □

따라서 $X$가 정규공간이면 연속인 닫힌사상 $f : X \to Y$에 의한 상 $f(X)$도 정규이다.

**참고 7.2.22** 문제 7.1.5에 의해 유한집합상의 $T_1$-위상은 이산위상이 되므로 유한집합상의 위상이 $T_1$인 것과 정규인 것은 동치이다. 따라서 유한집합 $X$상의 위상에 대해서 다음이 성립한다:

$$T_1 \Leftrightarrow \text{하우스도르프} \Leftrightarrow \text{정칙} \Leftrightarrow \text{정규} \Leftrightarrow \text{이산}$$

**참고 7.2.23** 위상공간 $X$, $Y$, $X_\alpha$에 대하여 다음이 성립한다.

(1) $X$와 $Y$가 위상동형일 때, $X$가 조건 (R)을 만족할 필요충분조건은 $Y$가 조건 (R)을 만족하는 것이다.

(2) $X$가 조건 (R)을 만족하면 부분공간도 조건 (R)을 만족한다.

(3) 모든 $X_\alpha$가 조건 (R)을 만족하면 곱공간 $\Pi_\alpha X_\alpha$도 조건 (R)을 만족한다.

(4) $X$와 $Y$가 위상동형일 때, $X$가 조건 (N)을 만족할 필요충분조건은 $Y$가 조건 (N)을 만족하는 것이다.

## 연습문제

**문제 7.2.1** 조건 (R)을 만족하는 $T_0$-공간은 정칙임을 보이시오.

**문제 7.2.2** $\mathscr{T}_1 \subset \mathscr{T}_2$인 집합 $X$상의 두 위상 $\mathscr{T}_1$, $\mathscr{T}_2$에 대하여 다음을 보이시오.

(1) $(X, \mathscr{T}_1)$은 정칙이지만 $(X, \mathscr{T}_2)$는 정칙이 아닌 보기를 드시오.

(2) $(X, \mathscr{T}_1)$은 정규이지만 $(X, \mathscr{T}_2)$는 정규가 아닌 보기를 드시오.

(3) $(X, \mathscr{T}_2)$는 정칙이지만 $(X, \mathscr{T}_1)$은 정칙이 아닌 보기를 드시오.

(4) $(X, \mathscr{T}_2)$는 정규이지만 $(X, \mathscr{T}_1)$은 정규가 아닌 보기를 드시오.

**문제 7.2.3** 집합 $X$상의 여유한위상 $\mathscr{T}_f$와 여가산위상 $\mathscr{T}_c$에 대하여 다음을 보이시오.

(1) $(X, \mathscr{T}_f)$는 정규 $\Leftrightarrow$ $X$는 유한집합.

(2) $(X, \mathscr{T}_c)$는 정규 $\Leftrightarrow$ $X$는 가산집합.

(3) $(X, \mathscr{T}_f)$는 거리화가능 $\Leftrightarrow$ $X$는 유한집합.

(4) $(X, \mathscr{T}_c)$는 거리화가능 $\Leftrightarrow$ $X$는 가산집합.

**문제 7.2.4** 정칙공간 $X$의 닫힌집합 $A$에 대하여 다음이 성립함을 보이시오.

$$A = \cap \{ U \subset X \mid U\text{는 } A\text{를 포함하는 열린집합} \}$$

**문제 7.2.5** 정칙공간 $X$의 닫힌집합 $C$와 점 $x \notin C$에 대하여 다음을 만족하는 $X$의 열린집합 $U$와 $V$가 존재함을 보이시오.

$$x \in U, \quad C \subset V, \quad \overline{U} \cap \overline{V} = \varnothing$$

**문제 7.2.6** 정칙공간 $X$의 닫힌집합 $C$와 서로 다른 점 $x_1, \ldots, x_n \notin C$에 대하여 다음을 만족하는 $X$의 열린집합 $U_0, U_1, \ldots, U_n$이 존재함을 보이시오.

$$C \subset U_0, \quad x_i \in U_i, \quad \overline{U}_i \cap \overline{U}_j = \varnothing \, (i \neq j)$$

**문제 7.2.7** $X$를 $T_1$-공간이라 하자. 만약 임의의 점 $x \in X$에 대해 부분공간 $\overline{V}_x$가 정칙인 $x$의 열린근방 $V_x$가 존재하면 $X$는 정칙공간임을 보이시오.

**문제 7.2.8** 전순서집합상에 순서위상을 준 순서공간은 정칙임을 보이시오.

**문제 7.2.9** 모든 $\alpha \in \Lambda$에 대해 $X_\alpha$가 정칙공간이면 상자공간 $(\Pi_{\alpha \in \Lambda} X_\alpha, \mathscr{T}_b)$도 정칙임을 보이시오.

**문제 7.2.10** 모든 $\alpha \in \Lambda$에 대해 $X_\alpha$가 정규공간이면 상자공간 $(\Pi_{\alpha \in \Lambda} X_\alpha, \mathscr{T}_b)$는 정규인가?

**문제 7.2.11** 정규공간 $X$의 서로소인 닫힌집합 $A$와 $B$에 대하여 다음을 만족하는 $X$의 열린집합 $U$와 $V$가 존재함을 보이시오.

$$A \subset U, \quad B \subset V, \quad \overline{U} \cap \overline{V} = \varnothing$$

**문제 7.2.12** $F_1, \ldots, F_n$을 정규공간 $X$의 닫힌집합이라 하자. 만약 $F_i \cap F_j = \varnothing \, (i \neq j)$이면 다음을 만족하는 열린집합 $U_1, \ldots, U_n$이 존재함을 보이시오.

$$F_i \subset U_i, \quad \overline{U}_i \cap \overline{U}_j = \varnothing \, (i \neq j)$$

**문제 7.2.13** $F_1, \ldots, F_n$을 정규공간 $X$의 닫힌집합이라 하자. 만약 $\cap_{i=1}^{n} F_i = \varnothing$이면 다음을 만족하는 열린집합 $U_1, \ldots, U_n$이 존재함을 보이시오.

$$F_i \subset U_i, \quad \overline{U}_1 \cap \overline{U}_2 \cap \cdots \cap \overline{U}_n = \varnothing$$

**문제 7.2.14** 유클리드공간 $\mathbb{R}$에 대해 다음을 답하시오.

(1) 곱공간 $\mathbb{R}^\omega$는 정규인가?

(2) 고른공간 $(\mathbb{R}^\omega, \overline{\rho})$는 정규인가?

**문제 7.2.15** $X_\alpha(\alpha \in \Lambda)$를 공집합이 아닌 위상공간이라 하자.

(1) 만약 곱공간 $\Pi X_\alpha$가 정칙이면 모든 $X_\alpha$도 정칙임을 보이시오.

(2) 만약 곱공간 $\Pi X_\alpha$가 정규이면 모든 $X_\alpha$도 정규임을 보이시오.

**문제 7.2.16** $I = [0,1] \subset \mathbb{R}$, $A = I \cap \mathbb{Q}$이라 하고, $\mathscr{T}_u$를 $I$상의 유클리드공간 $\mathbb{R}$의 부분공간위상이라 하자. 이제 $I$상의 위상 $\mathscr{T} = \{U \cup B \mid U \in \mathscr{T}_u,\ B \subset A\}$에 대하여 $(I, \mathscr{T})$가 정규가 아님을 보이시오.

**문제 7.2.17** 실수 집합 $\mathbb{R}$상의 기저

$$\mathscr{B} = \{(a,b) \mid a < b,\ a,b \in \mathbb{R}\} \cup \{(a,b) \cap \mathbb{Q} \mid a < b,\ a,b \in \mathbb{R}\}$$

가 생성하는 위상을 $\mathscr{T}$라 하자. 이제 다음을 보이시오.

(1) $\mathscr{B}$는 집합 $\mathbb{R}$상의 기저이다.

(2) $(\mathbb{R}, \mathscr{T})$는 하우스도르프이다.

(3) $\mathbb{Q}$는 $(\mathbb{R}, \mathscr{T})$의 조밀한 부분집합이다.

(4) $\mathbb{Q}^c = \mathbb{R} - \mathbb{Q}$은 $(\mathbb{R}, \mathscr{T})$의 닫힌집합이다. 따라서 $\mathbb{Q}^c$은 $(\mathbb{R}, \mathscr{T})$의 조밀한 부분집합이 아니다.

(5) $(\mathbb{R}, \mathscr{T})$는 정칙이 아니다.

(6) 만약 연속사상 $f : (\mathbb{R}, \mathscr{U}) \to (\mathbb{R}, \mathscr{T})$가 $f(x) = 0(\forall x \in \mathbb{Q})$이면 $f \equiv 0$이다. 즉, $f(x) = 0(\forall x \in \mathbb{R})$이다. 단, 여기서 $\mathscr{U}$는 집합 $\mathbb{R}$상의 유클리드(보통)위상이다.

(7) 만약 연속사상 $f : (\mathbb{R}, \mathscr{T}) \to (\mathbb{R}, \mathscr{U})$가 $f(x) = 0(\forall x \in \mathbb{Q})$이면 $f \equiv 0$이다.

(8) 만약 연속사상 $f : (\mathbb{R}, \mathscr{U}) \to (\mathbb{R}, \mathscr{T})$가 $f(x) = 0(\forall x \in \mathbb{Q}^c)$이면 $f \equiv 0$이다.

(9) 만약 연속사상 $f : (\mathbb{R}, \mathscr{T}) \to (\mathbb{R}, \mathscr{U})$가 $f(x) = 0(\forall x \in \mathbb{Q}^c)$이면 $f \equiv 0$이다.

**문제 7.2.18** 위상공간 $X$가 **완전정규**(completely normal)란 $T_1$이고, $A \cap \overline{B} = \overline{A} \cap B = \varnothing$인 $X$의 부분집합 $A$와 $B$에 대하여 $A \subset U$, $B \subset V$, $U \cap V = \varnothing$을 만족하는 $X$의 열린집합 $U$와 $V$가 존재함을 의미한다. 이제 다음을 보이시오.

(1) 모든 완전정규공간은 정규이다.

(2) 모든 거리공간은 완전정규이다.

(3) 위상공간 $X$가 완전정규일 필요충분조건은 $X$의 모든 부분공간이 정규인 것이다.

(4) 완전정규공간의 부분공간은 완전정규이다.

(5) 하극한공간 $\mathbb{R}_l = (\mathbb{R}, \mathscr{T}_l)$은 완전정규이다.

(6) 곱공간 $\mathbb{R}_l^2 = \mathbb{R}_l \times \mathbb{R}_l$은 완전정규가 아니다.

# 8장

# 연결성

CONTENTS

이 장에서는 또 다른 위상적 성질인 연결성을 다룰 것이다. 닫힌구간 $[a, b]$와 단위원 $S^1$이 위상동형인지 아닌지를 어떻게 판별할 수 있을까? 이 물음에 답할 수 있는 위상적 성질이 연결성이다. 또한 미적분학 시간에 배워서 알고 있는 중간값 정리의 증명에도 연결성은 핵심적인 역할을 한다.

우리는 이 장에서 위상공간의 여러 가지 연결성을 다룰 것이다. 구체적으로 연결(connected), 국소연결(locally connected), 길연결(path connected), 국소길연결(locally path connected)에 대해 다룰 것이다.

## 8.1 연결성(connectedness)

위상공간 $\mathbb{R}$과 $\mathbb{R}-\{0\}$은 위상동형인가? 이 두 공간 사이에는 어떤 차이가 있는가? 예를 들어 $\mathbb{R}-\{0\}$은 공집합이 아닌 서로소인 두 개의 열린집합의 합집합으로 표현되지만 $\mathbb{R}$은 공집합이 아닌 서로소인 두 개의 열린집합의 합집합으로 표현할 수 없다. 이를 일반적인 위상공간으로 확장한 개념이 연결성이다.

**정의 8.1.1** (1) 위상공간 $X$의 **분리**(separation)란 다음을 만족하는 $X$의 열린집합의 쌍 $\{U, V\}$를 의미한다:

$$U \neq \varnothing, \quad V \neq \varnothing, \quad U \cup V = X, \quad U \cap V = \varnothing$$

(2) 위상공간 $X$가 **비연결**(disconnected)이란 $X$의 분리 $\{U, V\}$가 존재하는 경우를 뜻한다.1) 이 경우 $X$를 간단히 **비연결공간**(disconnected space)이라 한다.

(3) 위상공간 $X$가 **연결**(connected)이란 $X$의 분리 $\{U, V\}$가 존재하지 않는 경우를 뜻한다. 이러한 $X$를 간단히 **연결공간**(connected space)이라 한다.

**보기 8.1.2** (1) 세 점 집합 $X=\{a, b, c\}$에 위상

$$\mathscr{T}=\{\varnothing, X, \{b\}, \{a, b\}, \{b, c\}\}$$

를 준 위상공간 $(X, \mathscr{T})$는 연결이다: 왜냐하면 $(X, \mathscr{T})$의 분리가 존재하지 않는다.

(2) 두 점 이상으로 이루어진 이산공간 $X$는 비연결이다: 먼저 한 점 $a \in X$를 택하자. 그

1) 경우에 따라서 비연결공간을 **분리공간**이라 하기도 한다.

러면 $\{\{a\}, X-\{a\}\}$는 $X$의 분리이다.

(3) 하극한공간 $\mathbb{R}_l$은 비연결이다: $\{(-\infty, 0), [0, \infty)\}$가 $\mathbb{R}_l$의 분리이다.

(4) 여유한공간 $(\mathbb{R}, \mathscr{T}_f)$는 연결이다: 왜냐하면 만약 $(\mathbb{R}, \mathscr{T}_f)$가 비연결이라고 가정하면

$$U \neq \varnothing, \quad V \neq \varnothing, \quad U \cup V = \mathbb{R}, \quad U \cap V = \varnothing$$

을 만족하는 $(\mathbb{R}, \mathscr{T}_f)$의 열린집합 $U$와 $V$가 존재한다. 그러면 $U \neq \varnothing$, $V \neq \varnothing$이므로 $U^c$과 $V^c$은 유한집합이다. 그런데

$$\mathbb{R} = \varnothing^c = (U \cap V)^c = U^c \cup V^c$$

이므로 $\mathbb{R}$이 유한집합이 되어 모순이다. 따라서 $(\mathbb{R}, \mathscr{T}_f)$는 연결공간이다.

**기초정리 8.1.3** 만약 $\{U, V\}$가 위상공간 $X$의 분리이면 $U$와 $V$는 모두 열린집합인 동시에 닫힌집합이다.

증명 $\{U, V\}$가 $X$의 분리이면 $U$와 $V$는 $U \cup V = X$, $U \cap V = \varnothing$을 만족하는 열린집합이고 $U = V^c$, $V = U^c$이므로 $U$와 $V$는 닫힌집합도 된다. □

**정리 8.1.4** 위상공간 $X$에 대하여 다음은 서로 동치이다.

(a) $X$는 비연결이다.

(b) 다음을 만족하는 닫힌집합 $C$와 $D$가 존재한다:

$$C \neq \varnothing, \quad D \neq \varnothing, \quad C \cup D = X, \quad C \cap D = \varnothing$$

(c) 열린집합인 동시에 닫힌집합인 $\varnothing \subsetneq A \subsetneq X$가 존재한다.

증명 (a)⇒(b) $\{U, V\}$가 $X$의 분리이면 기초정리 8.1.3에 의하여 $U$와 $V$는 닫힌집합이다. 따라서 $U(=C)$와 $V(=D)$가 우리가 원하는 집합이다.

(b)⇒(c) (b)의 조건을 만족하는 닫힌집합 $C$와 $D$에 대하여 $C = X - D = D^c$이므로 $C$는 열린집합이다. 그리고 $D \neq \varnothing$이므로 $C \neq X$이다. 따라서 $C(=A)$가 우리가 원하는 집합이다.

(c)⇒(a) 만약 $A$가 열린집합인 동시에 닫힌집합이 되는 공집합이 아닌 $X$의 진부분집합이면 $\{A, A^c\}$이 $X$의 분리이다. 따라서 $X$는 비연결이다. □

**참고 8.1.5** 위상공간 $X$에 대하여 다음은 서로 동치이다.

(a) $X$는 비연결이다.

(b) 다음을 만족하는 부분집합 $A$와 $B$가 존재한다:

$$A \neq \varnothing, \quad B \neq \varnothing, \quad A \cup B = X, \quad \overline{A} \cap B = \varnothing, \quad A \cap \overline{B} = \varnothing$$

(c) 이산공간 $\{a, b\}$에 대하여 전사인 연속사상 $f : X \to \{a, b\}$가 존재한다.

(d) $\partial(A) = \varnothing$인 부분집합 $\varnothing \subsetneq A \subsetneq X$가 존재한다.

**풀이** (a)⇒(b) $X$가 비연결이므로 $X$의 분리 $\{U, V\}$가 존재한다. 그리고 기초정리 8.1.3에 의하여 $U$와 $V$는 닫힌집합이다. 따라서 $U(= A)$, $V(= B)$가 우리가 원하는 집합이다.

(b)⇒(c) (b)의 조건을 만족하는 $X$의 부분집합 $A$, $B$에 대해 $A = X - \overline{B}$, $B = X - \overline{A}$이므로 $A$, $B$는 열린집합이고 $A \cap B = \varnothing$이다. 이제 이산공간 $\{a, b\}$에 대하여

$$f : X \to \{a, b\}, \quad f(x) = \begin{cases} a, & x \in A \\ b, & x \in B \end{cases}$$

이라 하자. 그러면 $f^{-1}(\{a\}) = A$, $f^{-1}(\{b\}) = B$가 모두 열린집합이므로 $f$는 전사인 연속사상이다.

(c)⇒(d) 이산공간 $\{a, b\}$에 대하여 전사인 연속사상 $f : X \to \{a, b\}$가 존재한다고 하자. 그러면 $\{a\}$와 $\{b\}$는 $\{a, b\}$의 닫힌집합이고 $f$가 연속이므로 $A = f^{-1}(\{a\})$, $B = f^{-1}(\{b\})$는 $X$의 닫힌집합이다. 그리고 $f$가 전사이므로

$$A \neq \varnothing, \quad B \neq \varnothing, \quad A \cap B = \varnothing, \quad A \cup B = X$$

이다. 따라서 $A \neq X$이다. 한편 $A^c = B$이므로 $A^c$도 닫힌집합이다. 따라서 $\partial(A) = \overline{A} \cap \overline{A^c} = A \cap A^c = \varnothing$이다.

(d)⇒(a) 만약 $\partial(A) = \varnothing$인 $X$의 공집합이 아닌 진부분집합 $A$가 존재한다고 하자. 그러면 $A \neq \varnothing$, $X - A \neq \varnothing$이므로 $\overline{A} \neq \varnothing$, $\overline{X - A} \neq \varnothing$이다. 그리고 $\overline{A} \cap \overline{X - A} = \partial(A) = \varnothing$이다. 또한

$$\overline{A} \cup \overline{X - A} = \overline{A \cup (X - A)} = \overline{X} = X$$

이다. 한편 $U = \overline{A} = (\overline{X - A})^c$, $V = \overline{X - A} = (\overline{A})^c$이라 하면 $U$, $V$는 열린집합이다. 따라서 $\{U, V\}$가 $X$의 분리이므로 $X$는 비연결이다. □

다음은 정리 8.1.4의 대우이다.

**따름정리 8.1.6** 위상공간 $X$에 대하여 다음은 서로 동치이다.
(a) $X$는 연결공간이다.
(b) 다음을 만족하는 닫힌집합 $C$와 $D$는 존재하지 않는다:

$$C \neq \varnothing, \quad D \neq \varnothing, \quad C \cup D = X, \quad C \cap D = \varnothing$$

(c) $X$의 열린집합인 동시에 닫힌집합은 $\varnothing$과 $X$뿐이다.

다음은 참고 8.1.5의 대우이다.

**참고 8.1.7** 위상공간 $X$에 대하여 다음은 서로 동치이다.
(a) $X$는 연결공간이다.
(b) 만약 $X$의 부분집합 $A$와 $B$가

$$A \neq \varnothing, \quad B \neq \varnothing, \quad A \cup B = X, \quad A \cap B = \varnothing$$

을 만족하면 $\overline{A} \cap B \neq \varnothing$ 또는 $A \cap \overline{B} \neq \varnothing$이다.
(c) 임의의 이산공간 $Y$에 대하여 연속사상 $f : X \to Y$는 상수사상뿐이다.
(d) 만약 부분집합 $A$가 $\partial(A) = \varnothing$이면 $A = \varnothing$ 또는 $A = X$이다.

**성질 8.1.8** 위상공간 $X$와 $A \subset X$에 대하여 다음은 동치이다.
(a) 부분공간 $A$가 비연결이다.
(b) 다음을 만족하는 $X$의 열린집합의 쌍 $\{U, V\}$가 존재한다:
(i) $A \cap U \neq \varnothing$, $A \cap V \neq \varnothing$;
(ii) $(A \cap U) \cap (A \cap V) = A \cap (U \cap V) = \varnothing$;
(iii) $A \subset U \cup V$.

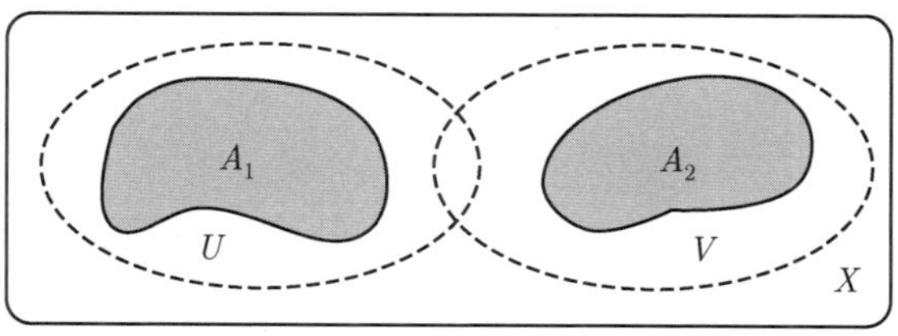


그림 8.1 • 부분공간 $A = A_1 \cup A_2$의 분리

증명 (⇒) 부분공간 $A$가 비연결이므로 $A$의 분리 $\{U_A, V_A\}$가 존재한다. 그러면 $U_A$와 $V_A$가 $A$의 열린집합이므로 정리 3.4.3에 의하여 $U_A = U\cap A$, $V_A = V\cap A$인 $X$의 열린집합 $U$와 $V$가 존재한다. 그리고 이러한 $\{U, V\}$는 (b)의 조건들을 만족한다.

(⇐) 만약 (b)의 조건을 만족하는 $X$의 열린집합의 쌍 $\{U, V\}$가 존재하면 정리 3.4.3에 의하여 $U_A = U\cap A$와 $V_A = V\cap A$는 부분공간 $A$의 열린집합이다. 그리고 이러한 $\{U_A, V_A\}$가 부분공간 $A$의 분리가 되므로 $A$는 비연결이다. □

**성질 8.1.9** $\{U, V\}$를 위상공간 $X$의 분리라 하자. 만약 $A\subset X$가 연결된 부분공간이면 $A\subset U$ 또는 $A\subset V$이다.

증명 (귀류법) 만약 $A\not\subset U$이고 $A\not\subset V$이라고 가정하면 $U_A = A\cap U$와 $V_A = A\cap V$가 부분공간 $A$의 분리가 되어 $A$는 비연결이다. 이것은 $A$가 연결이라는 가정에 모순이다. □

우리는 $X$의 "연결된 부분공간"을 "연결된 부분집합"이라 부르기도 한다.

**보기 8.1.10** 다음은 모두 비연결공간이다.

(1) 유클리드공간 $\mathbb{R}^n$의 서로 다른 두 점으로 이루어진 부분공간 $X=\{a, b\}$는 비연결이다: 왜냐하면 $\{\{a\}, \{b\}\}$가 부분공간 $X$의 분리이다.

(2) 유클리드공간 $\mathbb{R}$의 부분공간 $X=[0, 1)\cup(2, 3)$는 비연결이다: 왜냐하면 $\{[0, 1), (2, 3)\}$이 $X$의 분리이다.

(3) 유클리드공간 $\mathbb{R}$의 부분공간 $\mathbb{Q}$는 비연결이다: $\{(-\infty, \sqrt{2})\cap\mathbb{Q}, (\sqrt{2}, \infty)\cap\mathbb{Q}\}$가 $\mathbb{Q}$의 분리이다.

(4) 유클리드공간 $\mathbb{R}^2$의 부분공간

$$X=\{(x, 0)\in\mathbb{R}^2 \mid x\in\mathbb{R}\}\cup\{(x, y)\in\mathbb{R}^2 \mid x>0,\ y=\frac{1}{x}\}$$

는 비연결이다:

$$C=\{(x, 0)\in\mathbb{R}^2 \mid x\in\mathbb{R}\},\quad D=\{(x, y)\in\mathbb{R}^2 \mid x>0,\ y=\frac{1}{x}\}$$

가 $\mathbb{R}^2$의 닫힌집합이므로 $C=C\cap X$, $D=D\cap X$는 부분공간 $X$의 닫힌집합이다.

그리고

$$C \neq \varnothing, \quad D \neq \varnothing, \quad C \cup D = X, \quad C \cap D = \varnothing$$

이므로 정리 8.1.4에 의해 $X$는 비연결이다.

대체적으로 주어진 위상공간이 비연결임을 보이는 것이 연결임을 보이는 것보다 수월하다. 그 이유는 비연결임을 보일 때는 단 하나의 분리가 존재함을 보이면 충분하지만, 연결임을 보이는 것은 모든 부분집합의 쌍 $\{A, B\}$가 분리가 되지 않음을 보여야 하기 때문이다. 따라서 우리는 어떠한 위상공간이 연결이 되는지 더 살펴볼 필요가 있다.

**정리 8.1.11** 만약 $X$가 연결공간이고 $f : X \to Y$가 연속사상이면 $Y$의 부분공간 $f(X)$는 연결이다.

증명 (귀류법) $f(X)$가 비연결이라고 가정하자. 그러면 $f(X)$의 분리 $\{U, V\}$가 존재하여

$$U \neq \varnothing, \quad V \neq \varnothing, \quad U \cap V = \varnothing, \quad U \cup V = f(X)$$

이다. 그런데 기초정리 5.1.11에 의해 $f : X \to f(X)$도 연속이므로 $f^{-1}(U)$, $f^{-1}(V)$는 $X$의 열린집합이다. 그리고 $\{f^{-1}(U), f^{-1}(V)\}$가 $X$의 분리가 됨을 쉽게 보일 수 있다. 따라서 $X$는 비연결이 되어 모순이다. □

연결성은 위상동형사상에 의해서 보존되는 위상적 성질이다.

**따름정리 8.1.12** 두 위상공간 $X$와 $Y$가 위상동형이면 다음이 성립한다:

$$X\text{는 연결공간} \Leftrightarrow Y\text{는 연결공간}$$

증명 $X$가 연결공간이라고 가정하자. $X$와 $Y$가 위상동형이므로 위상동형사상 $f : X \to Y$가 존재한다. 그러면 정리 8.1.11에 의하여 $Y = f(X)$도 연결이다. □

**정리 8.1.13** $A$가 위상공간 $X$의 연결된 부분집합이면 다음이 성립한다.

(1) 만약 $A \subset B \subset \overline{A}$이면 $B$도 연결이다.

(2) 특별히 $\overline{A}$도 연결이다.

증명 (1) (귀류법) 부분공간 $B$가 비연결이라고 가정하자. 그러면 성질 8.1.8에 의하여 다음을 만족하는 $X$의 열린집합의 쌍 $\{U,V\}$가 존재한다:

$$B\cap U\neq\varnothing,\quad B\cap V\neq\varnothing,\quad (B\cap U)\cap(B\cap V)=\varnothing,\quad B\subset U\cup V$$

그리고 $B\subset\overline{A}$이므로 $\overline{A}\cap U\neq\varnothing$, $\overline{A}\cap V\neq\varnothing$이다.

이제 $A\cap U\neq\varnothing$, $A\cap V\neq\varnothing$임을 보이자. 만약 $A\cap U=\varnothing$이라 가정하면 $A\subset U^c$이다. 그런데 $U^c$이 $X$의 닫힌집합이므로 $\overline{A}\subset U^c$이 되어 $\overline{A}\cap U=\varnothing$이다. 이것은 모순이다. 따라서 $A\cap U\neq\varnothing$이 되어야 한다. 같은 방법으로 우리는 $A\cap V\neq\varnothing$임을 보일 수 있다.

한편 $A\subset B$이므로

$$(A\cap U)\cap(A\cap V)=\varnothing,\quad A\subset U\cup V$$

가 되어 성질 8.1.8에 의해 $A$는 비연결이다. 이것은 $A$가 연결이라는 가정에 모순이다. 따라서 $B$는 연결이어야 한다.

(2) $A\subset\overline{A}\subset\overline{A}$이므로 (1)에 의해 성립한다. □

**정리 8.1.14** 유클리드공간 $\mathbb{R}$은 연결이다.

증명 (방법 1) 성질 2.2.15와 따름정리 8.1.6에 의해 성립한다.

(방법 2) (귀류법) $\mathbb{R}$이 비연결이라 가정하자. 그러면 정리 8.1.4에 의하여 다음을 만족하는 $\mathbb{R}$의 닫힌집합의 쌍 $\{A,B\}$가 존재한다:

$$A\neq\varnothing,\quad B\neq\varnothing,\quad A\cup B=\mathbb{R},\quad A\cap B=\varnothing$$

이제 $A\neq\varnothing$, $B\neq\varnothing$이므로 두 점 $a\in A$, $b\in B$를 택하자. 그리고 우리는 일반성을 잃지 않고 $a<b$이라 할 수 있다. 그러면 집합 $A_1=\{x\in A\mid x<b\}$은 $b$를 상계로 갖는 위로유계인 집합이므로 상한 $s=\sup A_1\in\mathbb{R}$이 존재한다. 한편 정리 4.2.26에 의하여 $s\in\overline{A_1}\subset\overline{A}$이므로 $s\in\overline{A}=A$이다. 그리고 $B_1=\{y\in\mathbb{R}\mid s<y\leq b\}=(s,b]\subset B$이다. 그래서 $s\in\overline{B_1}\subset\overline{B}=B$이다. 따라서 $s\in A\cap B$이 되어 모순이다($\because A\cap B=\varnothing$). 그러므로 $\mathbb{R}$은 연결공간이다. □

**따름정리 8.1.15** 유클리드공간 $\mathbb{R}$의 부분공간 중 연결인 것은

$$\mathbb{R}, (-\infty, b), (a, \infty), (-\infty, b], [a, \infty), (a, b), (a, b], [a, b), [a, b], \{a\}, \varnothing$$

꼴 뿐이다.

증명 (i) 먼저 $\varnothing, \{a\}$가 연결인 것은 자명하다.

그리고 $(-\infty, b), (a, \infty), (a, b)$는 모두 $\mathbb{R}$과 위상동형이다. 정리 8.1.14에 의해 $\mathbb{R}$이 연결공간이므로 $(-\infty, b), (a, \infty), (a, b)$는 모두 연결이다.

한편

$$(a, b) \subset (a, b], [a, b), [a, b] \subset \overline{(a, b)} = [a, b],$$
$$\overline{(a, \infty)} = [a, \infty),$$
$$\overline{(-\infty, b)} = (-\infty, b]$$

이므로 정리 8.1.13에 의해 $(a, b], [a, b), [a, b], [a, \infty), (-\infty, b]$도 모두 연결이다.

(ii) 만약 $X \subset \mathbb{R}$가 주어진 꼴이 아니면 $c < p < d$인 점 $c, d \in X$와 $p \notin X$가 존재한다. 이제

$$A = \{x \in X \mid x < p\} = X \cap (-\infty, p),$$
$$B = \{x \in X \mid x > p\} = X \cap (p, \infty)$$

이라 놓으면 $A$와 $B$는 $X$의 열린집합이고 $c \in A$, $d \in B$이다. 그리고 우리는 쉽게 $\{A, B\}$가 $X$의 분리임을 보일 수 있다. 따라서 $X$는 비연결이다. □

**보기 8.1.16** 유클리드공간 $\mathbb{R}^2$의 다음과 같은 부분공간들을 생각하자.

(1) $S^1 = \{(x, y) \in \mathbb{R}^2 \mid x^2 + y^2 = 1\}$은 연결이다: 함수

$$f : \mathbb{R} \to \mathbb{R}^2, \quad f(t) = (\cos 2\pi t, \sin 2\pi t)$$

가 연속이고, $\mathbb{R}$이 연결공간이므로 정리 8.1.11에 의해 $S^1 = f(\mathbb{R})$도 연결이다.

(2) 임의의 점 $\mathbf{p} \in S^1$에 대해 $S^1 - \{\mathbf{p}\}$도 연결이다: 우리는 일반성을 잃지 않고 $\mathbf{p} = (0, 1)$이라 할 수 있다. 보기 5.2.18에서 다룬 극사영사상 $f : S^1 - \{\mathbf{p}\} \to \mathbb{R}$, $f(x, y) = \dfrac{x}{1-y}$는 위상동형사상이고 $\mathbb{R}$이 연결이므로 따름정리 8.1.12에 의해 $S^1 - \{\mathbf{p}\}$도 연결이다.

**보기 8.1.17** (1) 유클리드공간 $\mathbb{R}$은 연결이지만 부분공간 $\mathbb{R}-\{0\}$은 비연결이므로 서로 위상동형이 아니다.

(2) 유클리드공간 $\mathbb{R}$의 부분공간 $X=(0,1)\cup(2,3)$은 비연결이고 $Y=(-1,1)$은 연결이므로, 따름정리 8.1.12에 의하여, $X$와 $Y$는 위상동형이 아니다.

(3) 우리는 유클리드공간 $\mathbb{R}$의 부분공간 $(a,b)$와 $[c,d)$가 위상동형이 아님을 다음과 같이 보일 수 있다: 만약 $(a,b)$와 $[c,d)$가 위상동형이라고 가정하면 위상동형사상 $g:[c,d)\to(a,b)$가 존재한다. 그리고 $p=g(c)\in(a,b)$이라 하자(그림 8.2 참조). 그러면 성질 5.2.19에 의해 축소사상

$$g|:(c,d)=[c,d)-\{c\}\to(a,b)-\{p\}$$

도 위상동형사상이므로 $(c,d)\cong(a,b)-\{p\}$이다. 그런데 $(c,d)$는 연결이고 $(a,b)-\{p\}$는 비연결이므로 모순이다. 따라서 $[c,d)\not\cong(a,b)$이다.

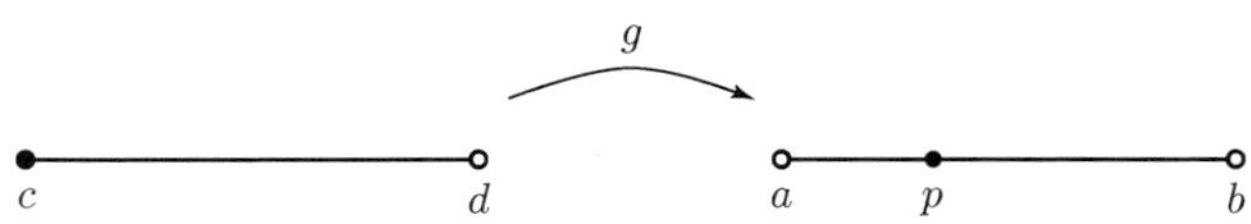


그림 8.2 • $[c,d)$와 $(a,b)$는 위상동형이 아니다.

(4) 유클리드공간 $\mathbb{R}^2$의 부분공간 $S^1$과 유클리드공간 $\mathbb{R}$의 부분공간 $[-1,1]$은 위상동형이 아니다: 만약 $S^1$과 $[-1,1]$이 위상동형이라 가정하면 위상동형사상 $h:[-1,1]\to S^1$가 존재한다(그림 8.3 참조). 이제 $c=h(0)\in S^1$이라 놓으면 축소사상

$$h|:[-1,1]\to\{0\}\to S^1-\{c\}$$

도 위상동형사상이므로 $[-1,1]-\{0\}\cong S^1-\{c\}$이다. 그런데 $[-1,1]-\{0\}$은 비연결이고 $S^1-\{c\}$는 연결이므로 모순이다. 따라서 $[-1,1]\not\cong S^1$이다.

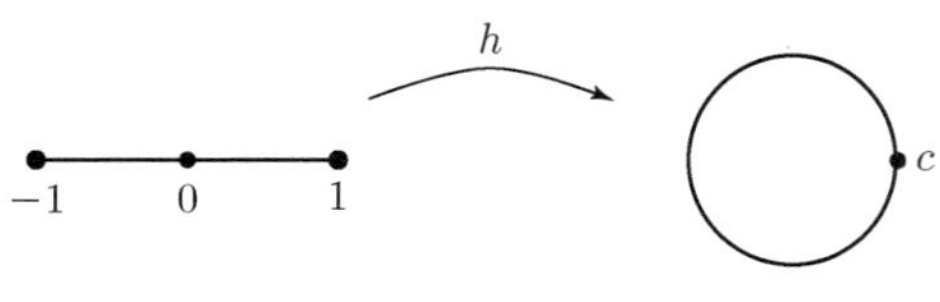


그림 8.3 • $[-1,1]$과 $S^1$은 위상동형이 아니다.

**보기 8.1.18** **(위상수학자의 싸인곡선)** 위상수학자의 싸인곡선(topologist's sine curve)이란 유클리드공간 $\mathbb{R}^2$의 부분공간

$$S=\{(x,y)\in\mathbb{R}^2 \mid x>0,\ y=\sin\frac{1}{x}\}\ \cup(\{0\}\times[-1,1])$$

를 뜻한다(그림 8.4 참조).

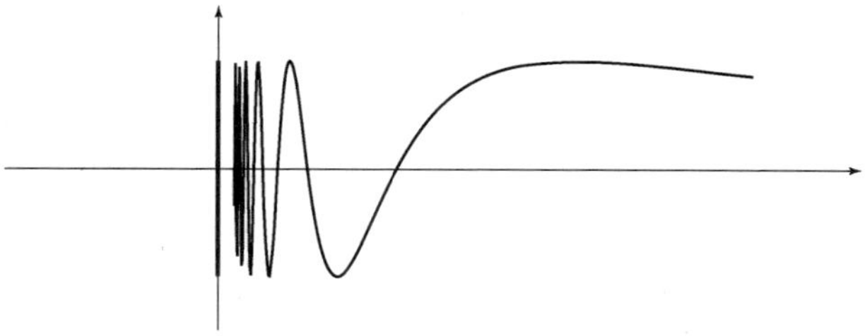

그림 8.4 • 위상수학자의 싸인곡선 $S$는 연결공간이다

이제 $S$가 연결임을 보이자. $B=\{(x,y)\in\mathbb{R}^2 \mid x>0,\ y=\sin\frac{1}{x}\}$이라 하면 함수

$$f:(0,\infty)\to B,\quad x\mapsto(x,\sin\tfrac{1}{x}),$$

$$f^{-1}:B\to(0,\infty),\ (x,y)\mapsto x$$

는 위상동형사상이다. 그리고 따름정리 8.1.15에 의해 $(0,\infty)$가 연결이므로 $B$도 연결이다. 한편 $\overline{B}=S$이므로 정리 8.1.13에 의해 $S$도 연결이다.

**정리 8.1.19** 위상공간 $X$의 부분공간 $A_\alpha(\forall\alpha\in\Lambda)$가 연결이라 하자. 만약 $\cap_{\alpha\in\Lambda}A_\alpha\neq\varnothing$이면 $\cup_{\alpha\in\Lambda}A_\alpha$도 연결이다.

증명 (귀류법) 만약 $A=\cup_{\alpha\in\Lambda}A_\alpha\subset X$가 비연결이라고 가정하면 $A$의 분리 $\{U,V\}$가 존재하여

$$U\neq\varnothing,\quad V\neq\varnothing,\quad U\cap V=\varnothing,\quad U\cup V=A$$

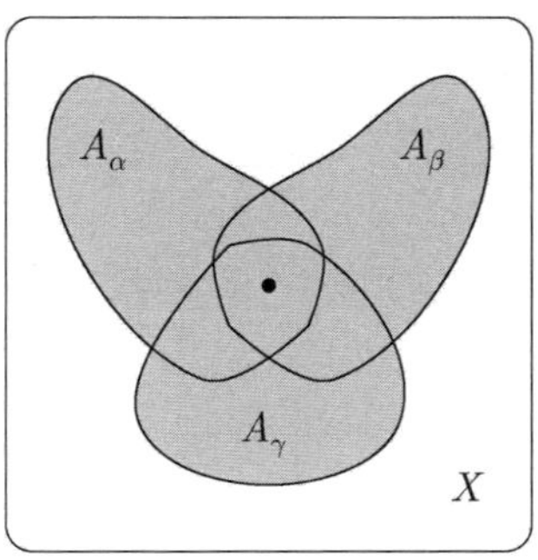


그림 8.5 • 연결집합

를 만족한다(그림 8.5 참조). 이제 $\cap_{\alpha\in\Lambda}A_\alpha \neq \varnothing$ 이므로 한 점 $a\in \cap_{\alpha\in\Lambda}A_\alpha$를 택하여 고정하자. 그러면 $a\in A = U\cup V$ 이므로 우리는 일반성을 잃지 않고 $a\in U$ 이라 할 수 있다.

이제 모든 $\alpha\in\Lambda$에 대하여 $U_\alpha = U\cap A_\alpha$, $V_\alpha = V\cap A_\alpha$이라 하면 $U_\alpha$, $V_\alpha$는 $A_\alpha$의 열린집합이고

$$a\in U_\alpha \neq \varnothing, \quad U_\alpha\cap V_\alpha = \varnothing, \quad U_\alpha\cup V_\alpha = A_\alpha$$

를 만족한다. 그리고 $A_\alpha$가 연결이므로 $V_\alpha = \varnothing$ 이 되어야 한다. (만약 $V_\alpha \neq \varnothing$ 이면 $\{U_\alpha, V_\alpha\}$가 $A_\alpha$의 분리가 되어 모순이다.) 그런데

$$V = V\cap A = V\cap\Big(\bigcup_{\alpha\in\Lambda}A_\alpha\Big) = \bigcup_{\alpha\in\Lambda}(V\cap A_\alpha) = \bigcup_{\alpha\in\Lambda}V_\alpha = \varnothing$$

이 되어 모순이다. □

**따름정리 8.1.20** 위상공간 $X$의 부분공간 $A_n(\forall n\in\mathbb{N})$이 연결이라 하자. 만약 모든 $n\in\mathbb{N}$에 대하여

$$(\cup_{i=1}^{n}A_i)\cap A_{n+1} \neq \varnothing$$

이면 $\cup_{n=1}^{\infty}A_n$도 연결이다.

증명 자연수 $n\in\mathbb{N}$에 대하여

$$B_n = A_1\cup A_2\cup\cdots\cup A_n$$

이라 하자(그림 8.6 참조).

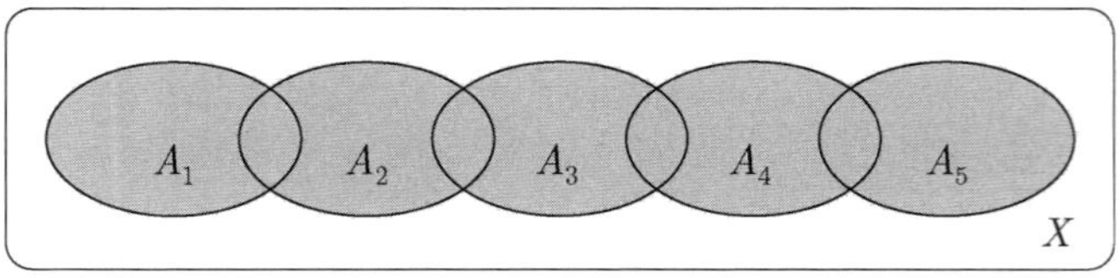


그림 8.6 • 연결집합

(i) 먼저 수학적 귀납법을 사용하여 $B_n$들이 연결임을 보이자: $B_1 = A_1$은 가정에 의하여 연결이다. 이제 $B_n$이 연결이라고 가정하자. 그러면 $B_n\cap A_{n+1} \neq \varnothing$ 이고 $A_{n+1}$과 $B_n$이 모두 연결이므로 정리 8.1.19에 의하여 $B_{n+1} = B_n\cup A_{n+1}$

도 연결이다. 따라서 수학적 귀납법에 의해 모든 자연수 $n\in\mathbb{N}$에 대하여 $B_n$은 연결이다.

(ii) 한편 $\cup_{n=1}^{\infty}A_n = \cup_{n=1}^{\infty}B_n$이므로 우리는 $\cup_{n=1}^{\infty}B_n$이 연결임을 보이면 충분하다. 그런데

$$B_1 \subset B_2 \subset \cdots \subset B_n \subset \cdots$$

이므로 $\cap_{n=1}^{\infty}B_n = B_1 = A_1 \neq \varnothing$이다. ($A_1 \cap A_2 \neq \varnothing$이므로 $A_1$이 공집합이 될 수 없다.) 따라서 정리 8.1.19에 의하여 $\cup_{n=1}^{\infty}B_n$은 연결이다. □

**보기 8.1.21** 유클리드공간 $\mathbb{R}^2$의 다음과 같은 부분공간들은 연결이다.

(1) 모든 자연수 $n\in\mathbb{N}$에 대하여

$$C_n = \{(x, y)\in\mathbb{R}^2 \mid y = \frac{1}{n}x,\ 0 \le x \le 1\},$$

$$D = \{(\frac{1}{n}, 0)\in\mathbb{R}^2 \mid n\in\mathbb{N}\}$$

이라 하자. 그러면 $X = (\cup_{n\in\mathbb{N}}C_n)\cup D$는 연결이다(그림 8.7 참조).

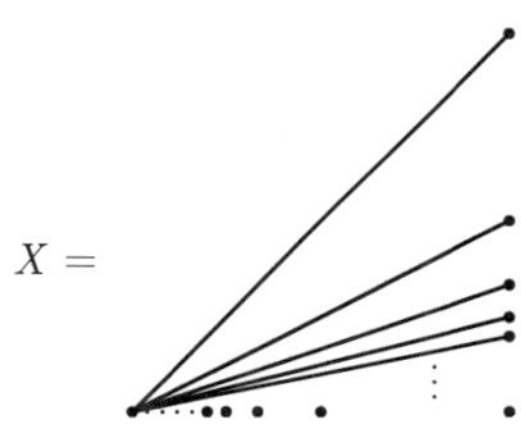

그림 8.7 • $X$는 연결공간이다.

왜냐하면 $C_n \cong [0, 1]$이므로 $C_n$은 연결이고, $\mathbf{0}\in\cap_{n\in\mathbb{N}}C_n \neq \varnothing$이므로 정리 8.1.19에 의하여 $C = \cup_{n\in\mathbb{N}}C_n$은 연결이다. 그리고 $C$의 ($\mathbb{R}^2$에서의) 폐포가

$$\overline{C} = (\bigcup_{n\in\mathbb{N}} C_n)\cup([0, 1]\times\{0\})$$

이므로 $C \subset X \subset \overline{C}$이다. 따라서 정리 8.1.13에 의하여 $X$는 연결공간이다.

(2) 빗공간 : 모든 자연수 $n\in\mathbb{N}$에 대하여

$$C_n = \{(\frac{1}{n}, y)\in\mathbb{R}^2 \mid 0 \le y \le 1\} = \{\frac{1}{n}\}\times[0, 1],$$

$$C_0 = \{(0, y) \in \mathbb{R}^2 \mid 0 \le y \le 1\} = \{0\} \times [0, 1],$$
$$B = \{(x, 0) \in \mathbb{R}^2 \mid 0 \le x \le 1\} = [0, 1] \times \{0\}$$

이라 하자. 위상 수학자의 빗공간(comb space)이란

$$C = \left(\bigcup_{n=0}^{\infty} C_n\right) \cup B$$

를 뜻한다(그림 8.8 참조). 이제 빗공간 $C$가 연결임을 보이자. 자명하게 $C_n$, $C_0$, $B$

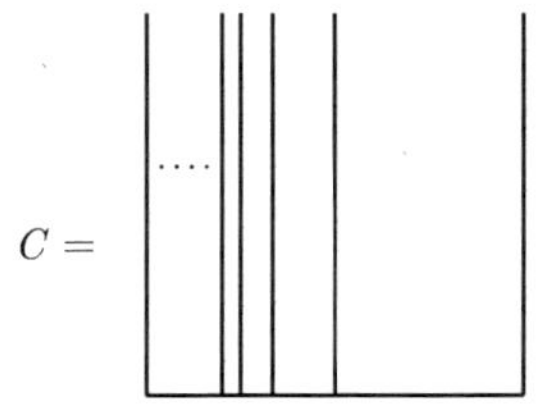

그림 8.8 • 빗공간 $C$는 연결공간이다.

는 모두 $[0, 1]$과 위상동형이므로 $C_n$, $C_0$, $B$는 모두 연결이다. 이제 각각의 $n \in \mathbb{N} \cup \{0\}$에 대하여 $A_n = C_n \cup B$로 놓으면 $C_n \cap B \neq \varnothing$이므로 정리 8.1.19에 의하여 $A_n$도 연결이다. 한편

$$\bigcap_{n=0}^{\infty} A_n = B \neq \varnothing, \quad \bigcup_{n=0}^{\infty} A_n = C$$

이므로 정리 8.1.19에 의하여 빗공간 $C$는 연결이다.

**정리 8.1.22** 모든 $X_\alpha (\alpha \in \Lambda)$가 연결공간이면 곱공간 $\Pi_{\alpha \in \Lambda} X_\alpha$도 연결이다.

증명 (i) 먼저 두 연결공간 $X$와 $Y$의 곱공간 $X \times Y$가 연결임을 보이자. 임의의 점 $x \in X$와 $y \in Y$에 대하여

$$X \times \{y\} \cong X, \quad \{x\} \times Y \cong Y$$

이므로 $X \times \{y\}$, $\{x\} \times Y$는 모두 연결이다. 그리고

$$X \times \{y\} \cap \{x\} \times Y = \{(x, y)\} \neq \varnothing$$

이므로 정리 8.1.19에 의하여 $X \times \{y\} \cup \{x\} \times Y$도 연결이다.

이제 한 점 $b \in Y$를 택하여 고정하자. 그러면 임의의 점 $x \in X$에 대하여

$$T_x = X \times \{b\} \cup \{x\} \times Y$$

는 연결이고 $T_x \supset X \times \{b\}$이다. 따라서 $X \times \{b\} \subset \bigcap_{x \in X} T_x$이므로 $\bigcap_{x \in X} T_x \neq \varnothing$이다. 정리 8.1.19에 의하여

$$X \times Y = \bigcup_{x \in X} T_x$$

는 연결이다.

(ii) 유한개의 연결공간 $X_1, X_2, \ldots, X_n$의 곱공간 $\Pi_{i=1}^n X_i$가 연결임을 보이자. (i)에 의해 $X_1 \times X_2$는 연결이다. 그리고 $X_1 \times X_2 \times X_3 \cong (X_1 \times X_2) \times X_3$이므로 (i)에 의해 $X_1 \times X_2 \times X_3$도 연결이다. 이러한 방법을 계속하면 우리는 $\Pi_{i=1}^n X_i$가 연결임을 보일 수 있다.

(iii) 이제 일반적인 경우에 대하여 곱공간이 연결임을 보이자. 즉, 모든 $X_\alpha (\alpha \in \Lambda)$가 연결공간이면 곱공간 $\Pi_{\alpha \in \Lambda} X_\alpha$도 연결임을 보이자. 편의상 $X = \Pi_{\alpha \in \Lambda} X_\alpha$이라 하고 한 점 $\mathbf{b} = (b_\alpha)_{\alpha \in \Lambda} \in X$를 택하자. 임의의 유한집합 $\{\alpha_1, \alpha_2, \ldots, \alpha_n\} \subset \Lambda$에 대해

$$X_{(\alpha_1, \alpha_2, \ldots, \alpha_n)} = \{(x_\alpha)_{\alpha \in \Lambda} \in X \mid \alpha \neq \alpha_1, \alpha_2, \ldots, \alpha_n \text{이면 } x_\alpha = b_\alpha\}$$

이라 하면

$$X_{(\alpha_1, \alpha_2, \ldots, \alpha_n)} \cong X_{\alpha_1} \times X_{\alpha_2} \times \cdots \times X_{\alpha_n}$$

이므로 (ii)에 의하여 $X_{(\alpha_1, \alpha_2, \ldots, \alpha_n)}$는 연결이다. 이제 $\mathscr{F}$를 $\Lambda$의 유한 부분집합들의 모임이라 하자. 그러면

$$\bigcap_{\{\alpha_1, \alpha_2, \ldots, \alpha_n\} \in \mathscr{F}} X_{(\alpha_1, \alpha_2, \ldots, \alpha_n)} \ni \mathbf{b}$$

이므로 $\bigcap_{\{\alpha_1, \alpha_2, \ldots, \alpha_n\} \in \mathscr{F}} X_{(\alpha_1, \alpha_2, \ldots, \alpha_n)} \neq \varnothing$이다. 그리고 정리 8.1.19에 의하여

$$Y = \bigcup_{\{\alpha_1, \alpha_2, \ldots, \alpha_n\} \in \mathscr{F}} X_{(\alpha_1, \alpha_2, \ldots, \alpha_n)}$$

는 연결이다.[2)]

---

2) $\Lambda$가 무한집합인 경우에는 $Y \subsetneq X$이다. 예를 들어 각각의 $\alpha \in \Lambda$에 대하여 $c_\alpha \neq b_\alpha$인 $c_\alpha \in X_\alpha$를 택하자. 그러면 $\mathbf{c} = (c_\alpha) \in X$이지만 $\mathbf{c} \notin Y$이다.

정리 8.1.13에 의해 우리는 $\overline{Y} = X$임을 보이면 충분하다. 이를 위하여 임의의 점 $\mathbf{x} = (x_\alpha) \in X$와 $\mathbf{x}$의 열린근방 $W$에 대하여 $W \cap Y \neq \varnothing$임을 보이면 된다. $W$가 $\mathbf{x}$의 열린근방이므로

$$\mathbf{x} \in \Pi_\alpha U_\alpha \subset W$$

인 기저의 원소 $\Pi_\alpha U_\alpha$가 존재한다. 따라서 우리는 $(\Pi_\alpha U_\alpha) \cap Y \neq \varnothing$임을 보이면 충분하다. 그런데 $U_\alpha$는 유한개의 $\alpha_1, \alpha_2, \ldots, \alpha_n$을 제외하면 $U_\alpha = X_\alpha$이다. 이제

$$y_\alpha = \begin{cases} y_\alpha \in U_\alpha, & \alpha = \alpha_1, \alpha_2, \ldots, \alpha_n \\ b_\alpha, & \alpha \neq \alpha_1, \alpha_2, \ldots, \alpha_n \end{cases}$$

와 같이 정의된 점 $\mathbf{y} = (y_\alpha) \in X$를 택하면

$$\mathbf{y} \in X_{(\alpha_1, \alpha_2, \ldots, \alpha_n)} \subset Y, \quad \mathbf{y} \in \Pi_\alpha U_\alpha$$

이다. 따라서 $\mathbf{y} \in (\Pi_\alpha U_\alpha) \cap Y \neq \varnothing$이다. □

역으로, 모든 $X_\alpha (\alpha \in \Lambda)$가 공집합이 아닌 경우, 곱공간 $\Pi_{\alpha \in \Lambda} X_\alpha$가 연결이면 모든 $\alpha \in \Lambda$에 대해 사영사상 $\pi_\alpha$가 연속이므로 정리 8.1.11에 의하여 $X_\alpha = \pi_\alpha(\Pi_{\alpha \in \Lambda} X_\alpha)$도 연결이다.

특별히 유클리드공간 $\mathbb{R}$이 연결이므로 유클리드공간 $\mathbb{R}^n$도 연결이다.

그러나 정리 8.1.22는 상자공간에서는 성립하지 않는다.

**보기 8.1.23** 곱집합 $\mathbb{R}^\omega$상의 곱위상과 상자위상을 생각하자.

(1) 유클리드공간 $\mathbb{R}$이 연결공간이므로 정리 8.1.22에 의하여 곱공간 $\mathbb{R}^\omega$는 연결이다.

(2) 이제 상자공간 $\mathbb{R}^\omega$가 비연결임을 보이자: 점 $\mathbf{a} = (a_n) \in \mathbb{R}^\omega$가 유계란 $|a_n| \leq M$ $(\forall n \in \mathbb{N})$을 만족하는 실수 $M$이 존재함을 의미한다. 이제 $\mathbb{R}^\omega$의 두 부분집합

$$A = \{\mathbf{a} \in \mathbb{R}^\omega \mid \mathbf{a}\text{는 유계이다}\},$$
$$B = \{\mathbf{a} \in \mathbb{R}^\omega \mid \mathbf{a}\text{는 유계가 아니다}\}$$

를 생각하자. 당연히 $A \cap B = \varnothing$, $A \cup B = \mathbb{R}^\omega$이다. 그리고

$$\mathbf{0} = (0, 0, 0, \ldots) \in A, \quad \mathbf{b} = (1, 2, 3, \ldots) \in B$$

이므로 $A \neq \varnothing$, $B \neq \varnothing$이다. 한편 임의로 주어진 점 $\mathbf{a} = (a_n) \in \mathbb{R}^\omega$에 대해

$$U_{\mathbf{a}} = (a_1 - 1, a_1 + 1) \times (a_2 - 1, a_2 + 1) \times \cdots$$

이라 하면 $U_{\mathbf{a}}$는 $\mathbf{a}$를 포함하는 열린집합이다. 더구나 만약 $\mathbf{a} \in A$이면 $\mathbf{a} \in U_{\mathbf{a}} \subset A$이므로 $A$는 열린집합이다. 그리고 만약 $\mathbf{a} \in B$이면 $\mathbf{a} \in U_{\mathbf{a}} \subset B$이므로 $B$도 열린집합이다. 따라서 $\{A, B\}$는 상자공간 $\mathbb{R}^\omega$의 분리이다. 그러므로 상자공간 $\mathbb{R}^\omega$는 비연결이다.

## 연습문제

**문제 8.1.1** $\mathscr{T}_1 \subset \mathscr{T}_2$인 집합 $X$상의 두 위상 $\mathscr{T}_1, \mathscr{T}_2$에 대하여 다음을 보이시오.
(1) 만약 $(X, \mathscr{T}_1)$이 비연결공간이면 $(X, \mathscr{T}_2)$도 비연결공간이다.
(2) 만약 $(X, \mathscr{T}_2)$가 연결공간이면 $(X, \mathscr{T}_1)$도 연결공간이다.
(3) (2)의 역이 성립하지 않는 보기를 드시오.

**문제 8.1.2** 실수 집합 $\mathbb{R}$에 위상 $\mathscr{T} = \{\mathbb{R}, \varnothing, [0, 1]\}$를 준 위상공간 $(\mathbb{R}, \mathscr{T})$는 연결인가?

**문제 8.1.3** 실수 집합 $\mathbb{R}$에 위상 $\mathscr{T} = \{U \subset \mathbb{R} \mid 0 \in U\} \cup \{\varnothing\}$를 준 위상공간 $X = (\mathbb{R}, \mathscr{T})$는 연결임을 보이시오. 그리고 부분공간 $X - \{0\}$은 연결이 아님을 보이시오.

**문제 8.1.4** 공집합이 아닌 집합 $X$상의 여유한위상 $\mathscr{T}_f$와 여가산위상 $\mathscr{T}_c$에 대하여 다음이 성립함을 보이시오.
(1) $(X, \mathscr{T}_f)$는 연결 $\Leftrightarrow$ $X$는 무한집합 또는 한 점 집합.
(2) $(X, \mathscr{T}_c)$는 연결 $\Leftrightarrow$ $X$는 비가산집합 또는 한 점 집합.

**문제 8.1.5** $\{A_n\}_{n \in \mathbb{N}}$을 위상공간 $X$의 연결된 부분공간들이라 하자. 만약 모든 $n \in \mathbb{N}$에 대해 $A_n \cap A_{n+1} \neq \varnothing$이면 $\cup_{n \in \mathbb{N}} A_n$이 $X$의 연결된 부분공간임을 보이시오.

**문제 8.1.6** $A_\alpha (\alpha \in \Lambda)$와 $B$가 모두 위상공간 $X$의 연결된 부분공간이라 하자. 만약 모든 $\alpha \in \Lambda$에 대해 $A_\alpha \cap B \neq \varnothing$이면 $(\cup_{\alpha \in \Lambda} A_\alpha) \cup B$도 연결임을 보이시오.

**문제 8.1.7** $X$를 연결공간이라 하자. 만약 $f: X \to Y$가 연속사상이면 $f$의 그래프 $\Gamma(f) = \{(x, f(x)) \in X \times Y \mid x \in X\}$는 연결임을 보이시오. 단, $\Gamma(f)$는 곱공간 $X \times Y$의 부분공간이다.

**문제 8.1.8** $[a,b]$를 유클리드공간 $\mathbb{R}$의 부분공간이라 하자. 만약 함수 $f:[a,b]\to\mathbb{R}$의 그래프 $\Gamma(f)=\{(x,f(x))\in\mathbb{R}^2 | x\in[a,b]\}$가 연결이면 $f$는 연속인가?

**문제 8.1.9** 유클리드공간 $\mathbb{R}$의 부분공간 $(0,1),(0,1],[0,1]$이 서로 위상동형이 아님을 보이시오.

**문제 8.1.10** 하극한공간 $\mathbb{R}_l$에 대하여 다음이 성립함을 보이시오.

(1) $\mathbb{R}_l$의 공집합이 아닌 부분공간 $A$가 연결일 필요충분조건은 $A$가 한 점 집합인 것이다.

(2) 연속사상 $f:\mathbb{R}\to\mathbb{R}_l$는 상수사상뿐이다. 단, 여기서 $\mathbb{R}$은 유클리드공간이다.

**문제 8.1.11** $f:X\to Y$를 전사인 열린사상이라 하자. 만약 $Y$는 연결공간이고 모든 $y\in Y$에 대해 $f^{-1}(y)$가 연결이면 $X$는 연결공간임을 보이시오.

**문제 8.1.12** $A$와 $B$를 각각 $X$와 $Y$의 진부분집합이라 하자. 만약 $X$와 $Y$가 연결공간이면 곱공간 $X\times Y$의 부분공간 $(X\times Y)-(A\times B)$도 연결임을 보이시오.

**문제 8.1.13** 다음과 같이 정의된 유클리드공간 $\mathbb{R}^2$의 부분공간 $X$가 연결임을 보이시오(그림 8.9 참조).

$$X=\{(x,\sin\frac{1}{x}) \mid 0<x\}\cup\{(x,\sin\frac{1}{x}) \mid x<0\}\cup\{(0,0)\}$$

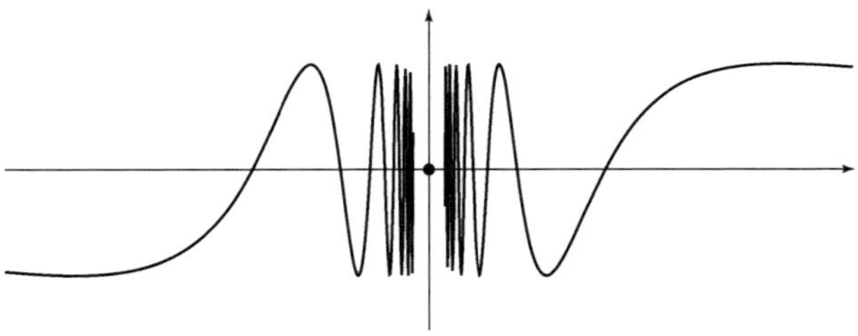

그림 8.9 • $X$는 연결이다.

**문제 8.1.14** 유클리드공간 $\mathbb{R}^2$의 부분집합

$$A=\{(x,y) \mid x^2+y^2=1\},\quad B=\{(\frac{t-1}{t}\cos t,\frac{t-1}{t}\sin t) \mid 1\le t\in\mathbb{R}\}$$

에 대해 $X=A\cup B$가 연결임을 보이시오.

**문제 8.1.15** 유클리드공간 $\mathbb{R}^2$의 부분공간

$$X=\{(x,y)\in\mathbb{R}^2 \mid x\in\mathbb{Q} \text{ 또는 } y\in\mathbb{Q}\}=(\mathbb{Q}\times\mathbb{R})\cup(\mathbb{R}\times\mathbb{Q})$$

는 연결임을 보이시오.

**문제 8.1.16** $A=\{\mathbf{a}\in\mathbb{R}^{\omega}\mid \mathbf{a}$는 유계이다$\}$와 $B=\{\mathbf{a}\in\mathbb{R}^{\omega}\mid \mathbf{a}$는 유계가 아니다$\}$는 고른공간 $(\mathbb{R}^{\omega},\bar{\rho})$의 분리임을 보이시오. 따라서 $(\mathbb{R}^{\omega},\bar{\rho})$는 비연결이다(보기 8.1.23 참조).

**문제 8.1.17** 보기 7.2.4에서 다룬 $K$-위상공간 $\mathbb{R}_K$는 연결임을 보이시오. (힌트: $(-\infty,0)$과 $(0,\infty)$ 상의 $\mathbb{R}_K$의 부분공간위상은 유클리드공간 $\mathbb{R}$의 부분공간위상과 같다.)

**문제 8.1.18** $Y$를 연결공간 $X$의 연결된 부분공간이라 하자. 만약 $A$와 $B$가 $X-Y$의 분리이면 $Y\cup A$와 $Y\cup B$는 모두 연결임을 보이시오.

**문제 8.1.19** $A\subset X$이라 하자. 만약 $X$의 연결된 부분집합 $C$가 $C\cap A\neq\varnothing$이고 $C\cap(X-A)\neq\varnothing$이면 $C\cap\partial A\neq\varnothing$임을 보이시오.

**문제 8.1.20** $A$를 위상공간 $X$의 부분집합이라 하자.

(1) 만약 $A$가 연결이면 $A^{\circ}$도 연결인가?

(2) 만약 $A$가 연결이면 $\partial A$도 연결인가?

(3) 만약 $A^{\circ}$와 $\partial A$가 모두 연결이면 $A$도 연결인가?

**문제 8.1.21** $A_n(n=1,2,\ldots)$은 위상공간 $X$의 연결된 부분집합이고 $A_n\supset A_{n+1}$이지만 $\cap_{n=1}^{\infty}A_n$은 비연결인 보기를 찾으시오.

**문제 8.1.22** 위상공간 $X$가 **완전비연결**(totally disconnected)이란 $X$의 연결된 부분집합이 한 점 집합들 밖에 없는 경우를 뜻한다.

(1) 이산공간은 완전비연결임을 보이시오.

(2) 완전비연결인 위상공간은 이산공간인가?

## 8.2 연결성분(connected component)

만약 위상공간 $X$가 비연결이면 $X$는 연결된 부분공간들로 나누어질 것이다. 이를 엄밀하게 다루기 위해 우리는 $X$상의 다음과 같은 동치관계를 다루어야 한다.

**정의 8.2.1** 위상공간 $X$상의 점 $x$와 $y$ 사이의 관계 $x \sim y$를 $x$와 $y$를 동시에 포함하는 $X$의 연결된 부분집합(부분공간)이 존재하는 경우로 정의하자. 그러면 $\sim$는 $X$상의 동치관계이다(기초정리 8.2.2). 이러한 동치관계 $\sim$에 의한 동치류들을 $X$의 **연결성분**(connected component, 연결요소)이라 한다.

그리고 성질 1.3.3에 의해 점 $x \in X$의 동치류인 연결성분

$$C_x = [x] = \{y \in X \mid x \sim y\}$$

에 대하여 다음 성질들이 성립한다.

(i) 만약 $x \sim y$이면 $C_x = C_y$이다.

(ii) 만약 $x \nsim y$이면 $C_x \cap C_y = \varnothing$이다.

(iii) 그러므로 임의의 $x, y \in X$에 대하여 $C_x = C_y$이거나 $C_x \cap C_y = \varnothing$이다.

(iv) $X = \cup\{C_x \mid x \in X\}$이다.

따라서 주어진 위상공간은 쌍마다 서로소인 연결성분들의 합집합으로 표현된다.

**기초정리 8.2.2** 앞의 $\sim$는 $X$상의 동치관계이다.

증명 (반사율) 임의의 점 $x \in X$에 대하여 한 점 집합 $\{x\}$는 $X$의 연결된 부분집합이고 $x, x \in \{x\}$이므로 $x \sim x$이다.

(대칭률) 만약 $x \sim y$이면 정의에 의하여 $x, y \in A$인 $X$의 연결된 부분집합 $A$가 존재한다. 그리고 $y, x \in A$이므로 $y \sim x$이다.

(추이율) 만약 $x \sim y$, $y \sim z$이라 하면 $x, y \in A$, $y, z \in B$인 $X$의 연결된 부분집합 $A$와 $B$가 존재한다. 그러면 $y \in A \cap B \neq \varnothing$이므로 정리 8.1.19에 의하여 $A \cup B$도 $X$의 연결된 부분집합이다. 따라서 $x, z \in A \cup B$이므로 $x \sim z$이다. □

**기초정리 8.2.3** 위상공간 $X$에 대하여 다음이 성립한다.

(1) 점 $x \in X$를 포함하는 연결성분은 $C_x$뿐이다.

(2) $C_x$는 $x$를 포함하는 가장 큰 연결된 부분집합이다.

(3) $A$가 공집합이 아닌 $X$의 연결된 부분집합이면 $A \subset C_x$인 연결성분 $C_x$가 유일하게 존재한다.

(4) 모든 연결성분은 닫힌집합이다.

(5) $X$가 연결공간일 필요충분조건은 $X$의 연결성분이 하나인 것이다.

(6) 만약 $\{U, V\}$가 $X$의 분리이면 임의로 주어진 점 $x \in X$에 대해 $C_x \subset U$이거나 $C_x \subset V$이다.

증명 (1) 만약 $x \in C_y$이면 $x \sim y$이므로 $C_y = C_x$이다.

(2) (i) (최대성) 만약 $A$가 $x$를 포함하는 $X$의 연결된 부분집합이라 하자. 그러면 모든 $y \in A$에 대하여 $A$가 $x, y \in A$인 연결된 부분집합이므로 $x \sim y$이다. 그래서 $y \in C_x$이다. 따라서 $A \subset C_x$이다.

(ii) (연결성) 이제 $C_x$가 연결된 부분집합임을 보이자. 임의의 점 $z \in C_x$에 대하여 $z \sim x$이므로 $x, z \in A_z$인 $X$의 연결된 부분집합 $A_z$가 존재한다. 그러면 (i)에 의하여 $x \in A_z \subset C_x$이므로

$$C_x = \bigcup_{z \in C_x} A_z, \quad x \in \bigcap_{z \in C_x} A_z \neq \varnothing$$

이 된다. 따라서 정리 8.1.19에 의해 $C_x$는 연결된 부분집합이다.

(3) $A \subset X$를 공집합이 아닌 연결된 부분집합이라 하자.

(존재성) 먼저 존재성을 보이자. $A$가 공집합이 아니므로 한 점 $x \in A$를 택하자. 그러면 임의의 점 $a \in A$에 대하여 $x, a \in A$이고 $A$가 연결된 부분집합이므로 $a \sim x$이다. 그러므로 $a \in C_x$가 되어 $A \subset C_x$이다.

(유일성) 이제 유일성을 보이자. 만약 $A \subset C_x$이고 $A \subset C_y$이라 하면 $a \in A$에 대하여 $a \in C_x$, $a \in C_y$이므로 $a \sim x$, $a \sim y$이다. 따라서 $x \sim y$이므로 $C_x = C_y$이다.

(4) (2)에 의하여 임의의 연결성분 $C_x$는 연결된 부분집합이다. 그러면 정리 8.1.13에 의해 $\overline{C_x}$도 연결된 부분집합이다. 그리고 $x \in \overline{C_x}$이므로 (2)에 의하여 $\overline{C_x} \subset C_x$이다. 따라서 $C_x = \overline{C_x}$이므로 $C_x$는 닫힌집합이다.

(5) $X$가 연결공간이면 임의의 $x, y \in X$에 대하여 $x, y \in X$인 연결된 부분집합 $X$

가 존재하므로 $x \sim y$이다. 따라서 $C_x = C_y$이다. 그러므로 $X$의 연결성분은 하나이다. 역으로 $X$는 연결성분들의 합집합이고 연결성분이 하나이므로 $X = C_x$이다. 그리고 (2)에 의해 모든 연결성분이 연결이므로 $X$는 연결공간이다.

(6) 성질 8.1.9에 의하여 성립한다. □

**보기 8.2.4** (1) 모든 자연수 $n \in \mathbb{N}$에 대하여

$$C_n = \{(x, y) \in \mathbb{R}^2 \mid y = \frac{1}{n}x,\ 0 \le x \le 1\},$$

$$D = \{(\frac{1}{n}, 0) \in \mathbb{R}^2 \mid n \in \mathbb{N}\}$$

이라 하자. 그러면 보기 8.1.21에서 보았듯이 유클리드공간 $\mathbb{R}^2$의 부분공간 $X = (\cup_{n \in \mathbb{N}} C_n) \cup D$는 연결이다(그림 8.7 참조). 그러나 부분공간 $Y = X - \{(0,0)\}$은 비연결이고 $Y$의 연결성분들은

$$C_n - \{(0,0)\},\ \{(\frac{1}{n}, 0)\}\quad \forall\, n \in \mathbb{N}$$

이다. 여기서 주의할 점은 연결성분 중의 하나인 한 점 집합 $\{(\frac{1}{n}, 0)\}$은 $Y$의 열린 집합이 아니라는 것이다.[3)]

(2) 유클리드공간 $\mathbb{R}$의 부분공간 $\mathbb{Q}$의 분리 $\mathbb{Q} \cap (-\infty, \sqrt{2})$, $\mathbb{Q} \cap (\sqrt{2}, \infty)$가 존재하므로 $\mathbb{Q}$는 비연결이다. 그리고 $\mathbb{Q}$의 연결성분은 $\{p\}$ $(\forall\, p \in \mathbb{Q})$이다. 특별히 연결성분 $\{p\}$는 $\mathbb{Q}$의 닫힌집합이지만 열린집합은 아니다. 따라서 $\mathbb{Q}$는 완전비연결이지만 이산공간은 아니다(문제 8.1.22 참조).

위의 사실들을 보다 구체적으로 보여 보자. 먼저 한 점 집합 $\{p\}$가 연결성분이 됨을 보이자. 이를 위해 우리는 서로 다른 두 유리수 $p, q \in \mathbb{Q}$가 서로 동치관계가 아님을 보이면 충분하다. 만약 $p \sim q$이라고 가정하면 $p, q \in A \subset \mathbb{Q}$인 연결된 부분집합 $A$가 존재한다. 이제 일반성을 잃지 않고 $p < q$이라 하고 $p < r < q$를 만족하는 무리수 $r$을 택하자. 그러면

$$U = (-\infty, r) \cap \mathbb{Q},\quad V = (r, \infty) \cap \mathbb{Q}$$

는 $p \in U$, $q \in V$를 만족하는 $\mathbb{Q}$의 분리이다. 그래서 $U_A = A \cap U$, $V_A = A \cap V$는 $p \in U_A$, $q \in V_A$를 만족하는 부분공간 $A$의 분리가 되어 $A$는 비연결이 된다. 이는

---

3) 기초정리 8.2.3(4) 참조.

$A$가 연결이라는 사실에 모순이다. 따라서 $p$와 $q$는 서로 동치관계가 아니다.

이제 한 점 집합 $\{p\}$가 부분공간 $\mathbb{Q}$의 열린집합이 아님을 보이자. 만약 $\{p\}$가 $\mathbb{Q}$의 열린집합이라고 가정하면 $\mathbb{Q}$가 $\mathbb{R}$의 부분공간이므로 $\{p\}=\mathbb{Q}\cap U$를 만족하는 $\mathbb{R}$의 열린집합 $U$가 존재한다. 그리고 $p\in(a,b)\subset U$를 만족하는 $\mathbb{R}$의 기저의 원소인 열린구간 $(a,b)$가 존재하여

$$\{p\}=\mathbb{Q}\cap U\supset\mathbb{Q}\cap(a,b)$$

가 된다. 그런데 $(a,b)\cap\mathbb{Q}$는 무한집합이고 $\{p\}$는 한 점 집합이므로 모순이다. 따라서 $\{p\}$는 $\mathbb{Q}$의 열린집합이 아니다.

연결성분의 개수는 위상적 불변량이다.

**성질 8.2.5** 서로 위상동형인 두 위상공간은 같은 개수의 연결성분을 갖는다.

증명 두 위상공간 $X$와 $Y$가 위상동형이라 하자. 그러면 위상동형사상 $f:X\to Y$가 존재한다. 먼저 임의의 점 $x\in X$에 대하여 $f(C_x)=C_{f(x)}$임을 보이자. 정리 8.1.11에 의하여 $f(C_x)$는 $Y$의 연결된 부분집합이다. 그리고 $f(x)\in f(C_x)$이므로 기초정리 8.2.3에 의하여 $f(C_x)\subset C_{f(x)}$이다. 같은 방법으로($f$ 대신 $f^{-1}$를 생각하면)

$$f^{-1}(C_{f(x)})\subset C_{f^{-1}(f(x))}=C_x$$

임을 보일 수 있으므로

$$C_{f(x)}=f(f^{-1}(C_{f(x)}))\subset f(C_x)$$

이다. 따라서 $f(C_x)=C_{f(x)}$이다.

우리는 같은 방법으로 임의의 점 $y\in Y$에 대하여 $f^{-1}(C_y)=C_{f^{-1}(y)}$임을 보일 수 있다.

이제 사상

$$\phi:\{C_x\mid x\in X\}\to\{C_y\mid y\in Y\},\quad \phi(C_x)=C_{f(x)}$$

가 전단사임을 보이면 된다. 만약 $\phi(C_{x_1})=\phi(C_{x_2})$이라고 가정하면 정의에 의해 $C_{f(x_1)}=C_{f(x_2)}$이므로 $f(C_{x_1})=f(C_{x_2})$이다. 따라서

$$C_{x_1} = f^{-1}(f(C_{x_1})) = f^{-1}(f(C_{x_2})) = C_{x_2}$$

이므로 $\phi$는 단사이다. 그리고 $Y$의 임의의 연결성분 $C_y$에 대하여 $f$가 전사이므로 $f(x) = y$인 $x \in X$가 존재하여 $\phi(C_x) = C_y$이다. 그러므로 $\phi$는 전사이다. 따라서 $\phi$는 전단사이다. 특별히 $\phi^{-1}(C_y) = C_{f^{-1}(y)}$이다. □

**정리 8.2.6** 만약 위상공간이 유한개의 연결성분을 가지면 모든 연결성분은 닫힌집합인 동시에 열린집합이다.

증명 위상공간 $X$의 유한개의 연결성분을 $C_1, C_2, \dots, C_n$이라 하자. 그러면 기초정리 8.2.3에 의해 $C_i$는 쌍마다 서로소인 닫힌집합들이다. 그래서 각각의 $i$에 대해 $\cup_{j \neq i} C_j$가 닫힌집합이므로

$$C_i = X - (\bigcup_{j \neq i} C_j)$$

는 열린집합이다. 따라서 $C_i$는 닫힌집합인 동시에 열린집합이다. □

**보기 8.2.7** 유클리드공간 $\mathbb{R}^2$의 두 부분공간 $X = \mathbb{R} \times \{0\} \cup \{0\} \times \mathbb{R}$와 $Y = \mathbb{R} \times \{0\}$은 위상동형이 아니다(그림 8.10 참조): 만약 $X$와 $Y$가 위상동형이라 가정하면 위상동형사상 $f: X \to Y$가 존재한다. 이제 $\mathbf{a} = f(\mathbf{0}) \in Y$이라 하자. 그러면 성질 5.2.19에 의해 축소함수 $f|: X - \{\mathbf{0}\} \to Y - \{\mathbf{a}\}$도 위상동형사상이므로 $X - \{\mathbf{0}\} \cong Y - \{\mathbf{a}\}$이다. 그런데 $X - \{\mathbf{0}\}$의 연결성분은 4개이고 $Y - \{\mathbf{a}\}$의 연결성분은 2개이므로 성질 8.2.5에 모순이다. 따라서 $X \not\cong Y$이다.

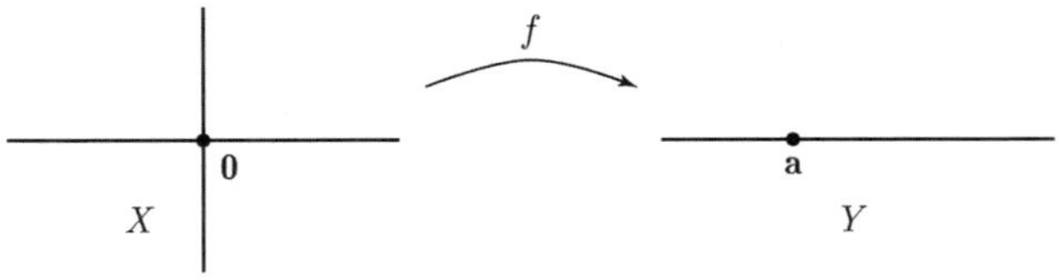


그림 8.10 • $X$와 $Y$는 위상동형이 아니다

**보기 8.2.8** 다음 그림 8.11과 같은 유클리드공간 $\mathbb{R}^2$의 두 부분공간 $X$와 $Y$는 위상동형이 아니다.

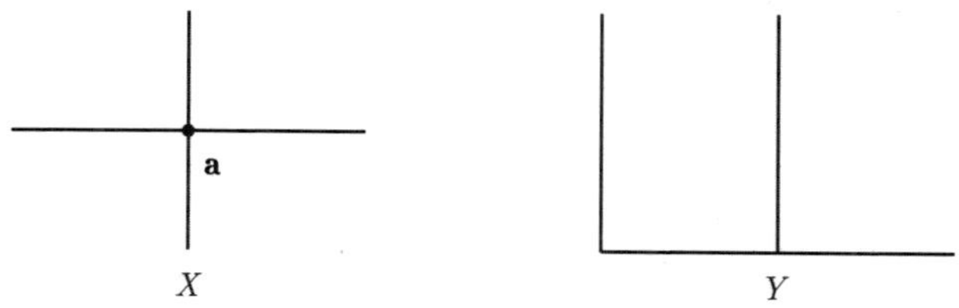


그림 8.11 • $X$와 $Y$는 위상동형이 아니다

**풀이** (귀류법) 만약 $X$와 $Y$가 위상동형이라고 가정하면 위상동형사상 $f: X \to Y$가 존재한다. 이제 그림 8.11과 같이 격자점 $\mathbf{a} \in X$를 택하고 $\mathbf{b} = f(\mathbf{a}) \in Y$이라 하자. 그러면 축소사상 $f|: X - \{\mathbf{a}\} \to Y - \{\mathbf{b}\}$도 위상동형사상이므로 $X - \{\mathbf{a}\}$와 $Y - \{\mathbf{b}\}$는 서로 위상동형이다. 그런데 $X - \{\mathbf{a}\}$의 연결성분은 4개이고, $Y - \{\mathbf{b}\}$의 연결성분은 많아야 3개이므로 모순이다. 따라서 $X$와 $Y$는 위상동형이 아니다.

□

## 국소연결(locally connected)

$X$가 연결공간이면 $X$에는 하나의 연결성분 $X$ 밖에 없고 이 연결성분은 닫힌집합인 동시에 열린집합이 된다. 만약 $X$가 유한개의 연결성분으로 이루어졌으면 모든 연결성분은 닫힌집합인 동시에 열린집합이 된다(정리 8.2.6). 그러나 일반적으로 위상공간의 연결성분은 항상 닫힌집합이지만 열린집합이 되는 것은 아니다(보기 8.2.4). 그렇다면 모든 연결성분이 닫힌집합인 동시에 열린집합이기 위한 조건은 무엇인가? 이를 위해 우리는 다음 정의가 필요하다.

**정의 8.2.9** (1) 위상공간 $X$가 점 $x \in X$에서 **국소연결되어 있다**란 $x$의 임의의 근방 $N$에 대하여 $x \in V \subset N$을 만족하는 연결된 열린집합 $V$가 존재하는 경우를 뜻한다.
(2) 위상공간 $X$가 **국소연결(locally connected)**이란 $X$의 모든 점에서 국소연결되어 있는 경우를 뜻한다. 이러한 $X$를 간단히 **국소연결공간(locally connected space)**이라 한다.

**보기 8.2.10** 국소연결성과 연결성 사이에는 아무런 관계가 없다.
(1) 유클리드공간 $\mathbb{R}$은 국소연결이다.
(2) 유클리드공간 $\mathbb{R}$의 부분공간 $X = [0, 1) \cup (2, 3]$는 국소연결이지만 연결은 아니다.
(3) 모든 자연수 $n \in \mathbb{N}$에 대하여

$$C_n = \{(x, y) \in \mathbb{R}^2 \mid y = \frac{1}{n}x,\ 0 \le x \le 1\},\quad D = \{(\frac{1}{n}, 0) \in \mathbb{R}^2 \mid n \in \mathbb{N}\}$$

이라 하자. 그러면 보기 8.1.21에서 보았듯이 유클리드공간 $\mathbb{R}^2$의 부분공간 $X = (\cup_{n \in \mathbb{N}} C_n) \cup D$는 연결공간이다. 그러나 $X$는 점 $(1, 0)$에서 국소연결이 아니므로 $X$는 국소연결공간은 아니다.

**정리 8.2.11** 위상공간 $X$가 국소연결일 필요충분조건은 임의의 열린집합 $U$의 모든 연결성분이 열린집합인 것이다.4)

증명 먼저 $X$가 국소연결이라 하자. 그리고 $U$를 $X$의 열린집합이고 $C$를 부분공간 $U$의 연결성분이라 하자. 임의의 점 $x \in C$에 대하여, $X$가 국소연결이므로, $x \in V_x \subset U$를 만족하는 연결된 열린집합 $V_x$가 존재한다. 그런데 $C$가 $x$를 포함하는 $U$의 연결성분이므로, 기초정리 8.2.3에 의해, $V_x \subset C$이다. 그리고 $C = \cup_{x \in C} V_x$이므로 $C$는 열린집합이다.

역으로 $X$의 임의의 열린집합 $U$의 모든 연결성분이 열린집합이라고 가정하자. 이제 임의의 점 $x \in X$와 $x$의 근방 $N$에 대하여 우리는 $x \in U \subset N$을 만족하는 열린집합 $U$를 택하자. 그러면 가정에 의하여 $x$를 포함하는 $U$의 연결성분 $C$는 열린집합이고 $x \in C \subset U \subset N$이다. 따라서 $X$는 국소연결공간이다. □

**따름정리 8.2.12** 국소연결공간의 모든 연결성분은 닫힌집합인 동시에 열린집합이다.

증명 정리 8.2.11의 $U$를 $X$로 놓으면 된다. □

4) $U$가 $X$의 열린집합이므로 $U$의 부분집합이 $X$에서 열린집합일 필요충분조건은 부분공간 $U$에서 열린집합인 것이다.

## 연습문제

**문제 8.2.1** 그림 8.12와 같은 유클리드공간 $\mathbb{R}^2$의 두 부분공간 $X$와 $Y$는 서로 위상동형이 아님을 보이시오.

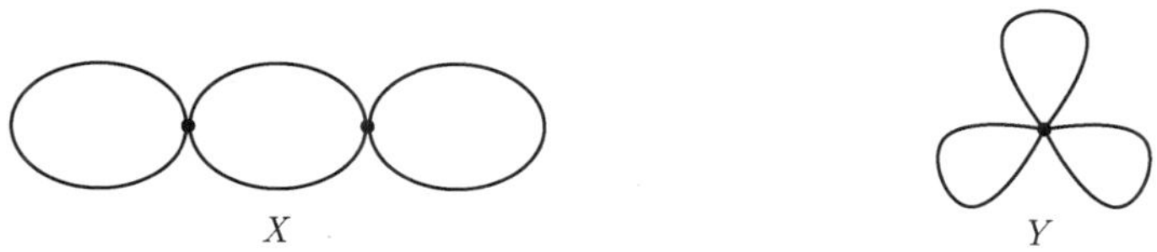

그림 8.12 • $X$와 $Y$는 위상동형이 아니다.

**문제 8.2.2** 그림 8.13과 같은 유클리드공간 $\mathbb{R}^2$의 부분공간들이 서로 위상동형이 아님을 보이시오.

그림 8.13 • 서로 위상동형이 아니다.

**문제 8.2.3** 다음과 같은 유클리드공간 $\mathbb{R}^2$의 부분공간들 중 서로 위상동형인 것들끼리 짝지으시오.

A B C D E F G K L N O P R S T X

**문제 8.2.4** $X=\{0\}\cup\{\frac{1}{n}\mid n\in\mathbb{N}\}$을 유클리드공간 $\mathbb{R}$의 부분공간이라 하자.

(1) $X$의 연결성분을 모두 구하시오.

(2) $X$의 어떤 연결성분이 열린집합인가?

(3) $X$는 국소연결인가?

(4) 부분공간 $X-\{0\}$은 국소연결임을 보이시오.

**문제 8.2.5** 실수 집합 $\mathbb{R}$에 위상 $\mathscr{T}=\{U\subset\mathbb{R}\mid 0\in U\}\cup\{\varnothing\}$을 준 위상공간 $X=(\mathbb{R},\mathscr{T})$를 생각하자.

(1) $X$는 Hausdorff가 아님을 보이시오.

(2) $X$는 연결공간임을 보이시오.

(3) $X$의 부분공간 $X-\{0\}$은 연결이 아님을 보이시오.

(4) 부분공간 $X-\{0\}$의 연결성분을 모두 구하시오.

**문제 8.2.6** $B$를 위상공간 $X$의 공집합이 아닌 연결된 부분집합이라 하자. 만약 $B$가 $X$의 열린집합인 동시에 닫힌집합이면 $B$는 $X$의 연결성분임을 보이시오.

**문제 8.2.7** 하극한공간 $\mathbb{R}_l$의 연결성분을 모두 구하시오.

**문제 8.2.8** 유클리드공간 $\mathbb{R}$의 부분공간 $\mathbb{Q}^c$의 연결성분을 모두 구하시오.

**문제 8.2.9** 유클리드공간 $\mathbb{R}^2$의 부분공간 $\mathbb{Q}^2=\mathbb{Q}\times\mathbb{Q}$의 연결성분을 모두 구하시오.

**문제 8.2.10** 두 위상공간 $X$와 $Y$ 사이에 전사인 연속사상 $f: X\to Y$가 존재하면 다음이 성립함을 보이시오.

(1) 만약 $X$가 $n$개의 연결성분을 가지면 $Y$는 많아야 $n$개의 연결성분을 갖는다.

(2) 만약 $Y$가 $n$개의 연결성분을 가지면 $X$는 적어도 $n$개의 연결성분을 갖는다.

**문제 8.2.11** $X=\mathbb{R}\times\{0\}$과 $Y=(\mathbb{R}\times\{0\})\cup(\{0\}\times\mathbb{R})$을 유클리드공간 $\mathbb{R}^2$의 부분공간이라 하자. 만약 $f: X\to Y$가 전사인 연속사상이면 집합 $f^{-1}((0,0))$은 적어도 세 점을 포함함을 보이시오. (힌트: 문제 8.2.10 사용)

**문제 8.2.12** 만약 $A_1, A_2, \ldots, A_n$이 유클리드공간 $\mathbb{R}$의 쌍마다 서로소인 닫힌집합들이고 $\mathbb{R}=\cup_{i=1}^{n}A_i$이면 단 하나의 $A_k$는 $\mathbb{R}$이고 이를 제외한 나머지 $A_i$는 공집합임을 보이시오.

**문제 8.2.13** (Sierpinski 정리). $\{A_n\}_{n\in\mathbb{N}}$은 유클리드공간 $\mathbb{R}$의 쌍마다 서로소인 닫힌집합들이고 $\mathbb{R}=\cup_{n=1}^{\infty}A_n$이라 하자. 이제 다음을 보이시오.

(1) $\mathbb{R}$의 닫힌집합 $\varnothing\subsetneq A\subsetneq\mathbb{R}$의 모든 연결성분 $C$에 대하여 $C\cap\partial(A)\neq\varnothing$이다.

(2) 만약 적어도 두 개의 $A_n$이 공집합이 아니면 임의로 주어진 (고정된 하나의) $i$에 대하여 $C\cap A_i=\varnothing$이고 적어도 두 개의 $A_n$에 대하여 $C\cap A_n\neq\varnothing$인 닫힌구간 $C$가 존재한다. 단, 여기서 닫힌구간이란 $[a,b](a\neq b)$, $(-\infty, a]$, $[a,\infty)$, $\mathbb{R}$ 꼴 중 하나를 의미한다.

(3) 단 하나의 $A_k$는 $\mathbb{R}$이고 이를 제외한 나머지 $A_i$는 공집합이다.

(4) 만약 유클리드공간 $\mathbb{R}$의 부분공간 $[p,q]$가 쌍마다 서로소인 가산개의 닫힌집합 $D_i(\subset[p,q])$들의 합집합으로 표현되면 단 하나의 $D_k$는 $[p,q]$이고 이를 제외한 나머지 $D_i$는 공집합이다.

**문제 8.2.14** $\mathbb{R}$을 유클리드공간이라 하자.

(1) 곱공간 $\mathbb{R}^\omega$의 연결성분을 구하시오.

(2) 상자공간 $\mathbb{R}^\omega$에서 두 점 $\mathbf{x}$와 $\mathbf{y}$가 같은 연결성분에 들어갈 필요충분조건은 $\mathbf{x}-\mathbf{y}$가

$(z_1, z_2, \ldots, z_k, 0, 0, 0, \ldots)$ 형태인 것임을 보이시오. (힌트: 만약 $\mathbf{x}-\mathbf{y}$가 $(z_1, z_2, \ldots, z_k,$ $0, 0, 0, \ldots)$ 형태가 아니면 문제 6.2.11을 사용하여 $h(\mathbf{x})$는 유계이고 $h(\mathbf{y})$는 유계가 아닌 위상동형사상 $h: \mathbb{R}^\omega \to \mathbb{R}^\omega$가 존재함을 보이시오.)

(3) 상자공간 $\mathbb{R}^\omega$의 점 $\mathbf{x} = (x_n)$을 포함하는 연결성분 $C_\mathbf{x}$에 대하여 $C_\mathbf{x} = \cup_{n=1}^\infty X_n$임을 보이시오. 단, 여기서 $X_n = \mathbb{R} \times \cdots \times \mathbb{R} \times \{x_{n+1}\} \times \{x_{n+2}\} \times \cdots$이다.

(4) 고른공간 $(\mathbb{R}^\omega, \bar{\rho})$의 점 $\mathbf{0}$에 대하여 $C_\mathbf{0} = \{\mathbf{a} \in \mathbb{R}^\omega \mid \mathbf{a}$는 유계이다$\}$임을 보이시오. (힌트: 문제 8.1.16 참조)

(5) 고른공간 $(\mathbb{R}^\omega, \bar{\rho})$에서 두 점 $\mathbf{x}$와 $\mathbf{y}$가 같은 연결성분에 들어갈 필요충분조건은 $\mathbf{x}-\mathbf{y}$가 유계인 것임을 보이시오.

**문제 8.2.15** $X$는 국소연결이고 $p: X \to Y$는 전사인 연속사상이라 하자.

(1) 만약 $p$가 열린사상이면 $Y$도 국소연결임을 보이시오.

(2) 만약 $p$가 닫힌사상이면 $Y$도 국소연결임을 보이시오. (힌트: 정리 8.2.11 사용)

**문제 8.2.16** $X$와 $Y$를 위상공간이라 하자.

(1) $X$와 $Y$가 위상동형일 때, $X$가 국소연결일 필요충분조건은 $Y$가 국소연결인 것임을 보이시오.

(2) $X$는 국소연결이고 $f: X \to Y$는 연속사상이지만 $f$의 상 $f(X)$가 국소연결이 안 되는 보기를 찾으시오.

**문제 8.2.17** 그림 8.14와 같은 유클리드공간 $\mathbb{R}^2$의 부분공간 $X$는 국소연결인가?

$$X = \{(x, \sin\frac{1}{x}) \mid x > 0\} \cup \{(x, \sin\frac{1}{x}) \mid x < 0\} \cup \{(0,0)\}$$

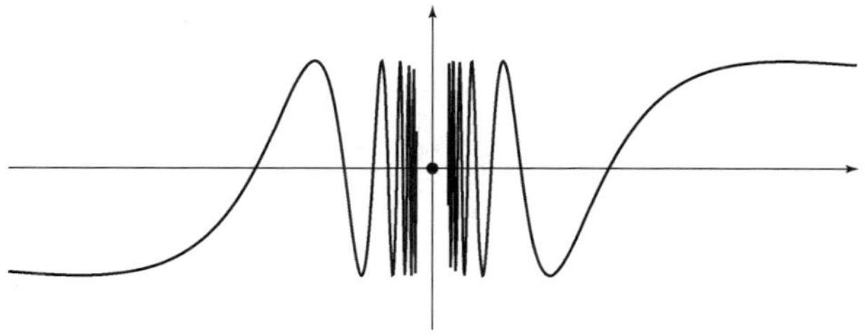

그림 8.14 • $X$

## 8.3 연결성의 응용

이 절에서 $\mathbb{R}$과 $\mathbb{R}^n$은 항상 유클리드공간이고, 닫힌구간 $[a,b]$는 유클리드공간 $\mathbb{R}$의 부분공간이다.

**정리 8.3.1 (중간값 정리[5])** $X$는 연결공간이고 $f: X \to \mathbb{R}$는 연속사상이라 하자. 만약 $a, b \in X$와 $r \in \mathbb{R}$이 $f(a) \leq r \leq f(b)$ 또는 $f(b) \leq r \leq f(a)$이면 $f(c) = r$인 점 $c \in X$가 존재한다.

증명 먼저 $f(a) \leq r \leq f(b)$인 경우에 대해 귀류법을 사용하여 정리를 보이자. 이를 위하여 $f(c) = r$인 점 $c \in X$가 존재하지 않는다고 가정하자. 그러면 $r \not\in f(X)$이다. 집합 $(-\infty, r)$과 $(r, \infty)$는 $\mathbb{R}$의 열린집합이고 $f$가 연속이므로 $A = f^{-1}((-\infty, r))$와 $B = f^{-1}((r, \infty))$는 $X$의 열린집합이다. 그리고 $f(a) < r < f(b)$이므로 $a \in A$, $b \in B$가 되어 $A \neq \varnothing$, $B \neq \varnothing$이다. 한편 $r \not\in f(X)$이므로 $A \cup B = X$이다. 그리고

$$\begin{aligned} A \cap B &= f^{-1}((-\infty, r)) \cap f^{-1}((r, \infty)) = f^{-1}((-\infty, r) \cap (r, \infty)) \\ &= f^{-1}(\varnothing) = \varnothing \end{aligned}$$

이다. 따라서 $\{A, B\}$는 $X$의 분리이다. 이는 $X$가 연결이라는 가정에 모순이다.

우리는 $f(b) \leq r \leq f(a)$인 경우에도 같은 방법으로 보일 수 있다. □

**따름정리 8.3.2** 만약 $f: [a,b] \to \mathbb{R}$가 연속이고 $f(a) \leq r \leq f(b)$ 또는 $f(b) \leq r \leq f(a)$이면 $f(c) = r$인 점 $c \in [a,b]$가 존재한다.

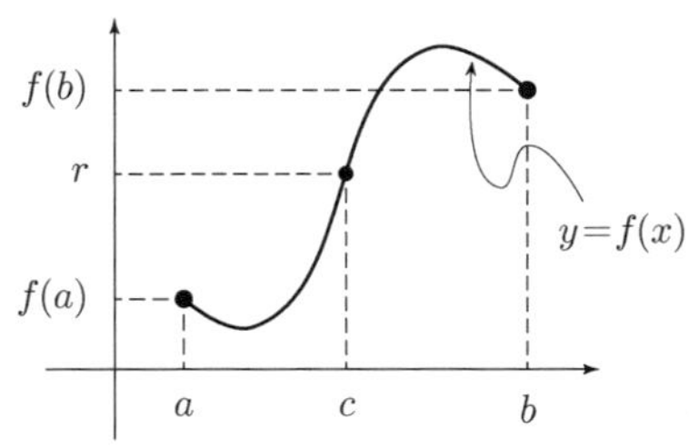


그림 8.15 • 중간값 정리

5) intermediate value theorem

증명 $[a, b]$가 연결공간이므로 정리 8.3.1에 의하여 성립한다. □

**성질 8.3.3 (고정점 정리[6])** 만약 $f: [a, b] \to [a, b]$가 연속이면 $f(p) = p$인 점 $p \in [a, b]$가 존재한다. 이러한 점 $p$를 $f$의 고정점(fixed point)이라 한다.

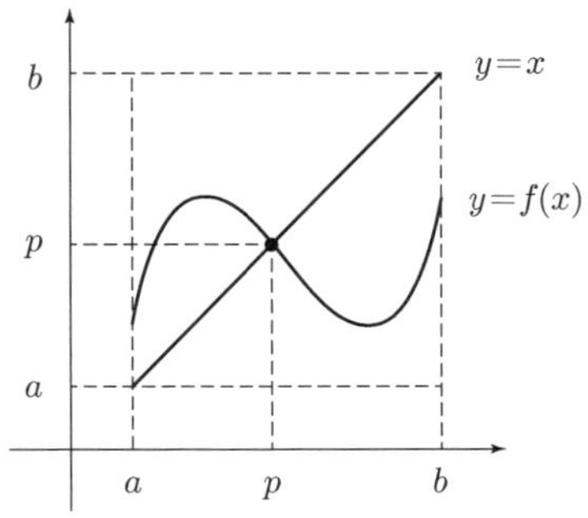


그림 8.16 • 고정점 정리

증명 $f$가 연속이므로 $g: [a, b] \to \mathbb{R}$, $g(x) = x - f(x)$도 연속사상이다. 그러면 $g(a) \le 0 \le g(b)$이므로 중간값 정리(정리 8.3.1)에 의해 $g(p) = 0$인 점 $p \in [a, b]$가 존재하여 $f(p) = p$이다. □

성질 8.3.3은 닫힌구간이 아니면 성립하지 않는다. 예를 들어 $[0, 1) \subset \mathbb{R}$에 대해 함수

$$f: [0, 1) \to [0, 1), \ f(x) = \frac{x+1}{2}$$

은 연속이고 모든 $x \in [0, 1)$에 대해 $x < f(x)$이다. 따라서 $f(p) = p$인 점 $p \in [0, 1)$는 존재하지 않는다.

**보기 8.3.4** $A = (0, 1)$, $B = (1, 2) \subset \mathbb{R}$이라 하자. 그러면 $f(A) = 0$, $f(B) = 1$을 만족하는 연속사상 $f: \mathbb{R} \to [0, 1]$는 존재하지 않는다.[7]

풀이 (귀류법) 만약 이러한 연속함수 $f: \mathbb{R} \to [0, 1]$가 존재한다고 가정하면 $\{0, 1\}$이 $[0, 1]$의 닫힌집합이므로 $f^{-1}(\{0, 1\})$은 $\mathbb{R}$의 닫힌집합이다. 또한 $A \cup B = (0, 1) \cup (1, 2) \subset f^{-1}(\{0, 1\})$이므로 $[0, 2] = \overline{(0, 1) \cup (1, 2)} \subset f^{-1}(\{0, 1\})$이다. 따라

6) fixed point theorem
7) Uryshon 보조정리(정리 12.1.1) 참조.

서 $f([0,2]) \subset \{0,1\}$이다. 그리고 $f(A)=0$, $f(B)=1$이므로 $f([0,2])=\{0,1\}$이 되어야 한다. 한편 $[0,2]$는 연결이고 $f$가 연속이므로 $f([0,2])=\{0,1\}$도 연결이 되어야 한다. 그런데 $\{0,1\}$은 연결이 아니므로 모순이다. □

**정리 8.3.5** 만약 $n \geq 2$이고 $B \subset \mathbb{R}^n$가 가산집합이면 $\mathbb{R}^n - B$는 연결이다.[8)] 단, 여기서 $\mathbb{R}^n - B$는 유클리드공간 $\mathbb{R}^n$의 부분공간이다.

증명 한 점 $a \in \mathbb{R}^n - B$를 고정하자. 임의의 점 $x \in \mathbb{R}^n - B$에 대하여 $\{a, x\} \subset T_x \subset \mathbb{R}^n - B$를 만족하는 연결된 부분집합 $T_x$가 존재함을 보이면 충분하다. 그 이유는 만약 이러한 연결된 부분집합 $T_x$가 존재하면

$$a \in \bigcap_{x \in \mathbb{R}^n - B} T_x \neq \varnothing, \quad \bigcup_{x \in \mathbb{R}^n - B} T_x = \mathbb{R}^n - B$$

이므로 정리 8.1.19에 의하여 $\mathbb{R}^n - B$는 연결이다.

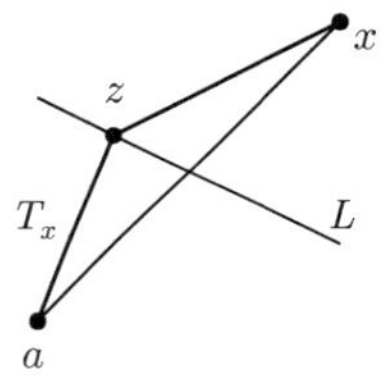


그림 8.17 • $T_x$의 그림

이제 임의로 주어진 점 $x \in \mathbb{R}^n - B$에 대하여 $T_x$를 만들어 보자. 선분 $L$을 $a, x$가 아닌 단 한점에서 선분 $\overline{ax}$와 만나는 길이가 1인 선분이라 하자(그림 8.17 참조). 그러면 $B$가 가산집합이므로 다음 두 집합

$$E = \{ z \in L \mid \overline{az} \cap B \neq \varnothing \},$$
$$F = \{ z \in L \mid \overline{xz} \cap B \neq \varnothing \}$$

는 모두 가산집합이다. 그런데 $L$이 비가산이므로 $L - (E \cup F) \neq \varnothing$이다. 따라서 $z \in L - (E \cup F)$가 존재하여 $\overline{az} \cap B = \varnothing$이고 $\overline{xz} \cap B = \varnothing$이다. 그리고 두 선분 $\overline{az}$, $\overline{xz}$가 모두 연결이고 $z \in \overline{az} \cap \overline{xz} \neq \varnothing$이므로 정리 8.1.19에 의하여 $T_x = \overline{az} \cup \overline{xz}$는 연결이고 $a, x \in T_x \subset \mathbb{R}^n - B$이다. □

8) 사실 $\mathbb{R}^n - B$는 길연결(path connected)이다.

**따름정리 8.3.6** 만약 $n \geq 2$이고 $B \subset S^n$가 가산집합이면 $S^n - B$는 연결이다.[9] 단, 여기서 $S^n - B$는 유클리드공간 $\mathbb{R}^{n+1}$의 부분공간이다.

증명 만약 $B = \varnothing$인 경우에는 $S^n - B = S^n$이다. 그리고

$$f: \mathbb{R}^{n+1} - \{\mathbf{0}\} \to S^n, \ f(\mathbf{x}) = \frac{\mathbf{x}}{\| \mathbf{x} \|}$$

가 전사인 연속사상이고, 정리 8.3.5에 의해 $\mathbb{R}^{n+1} - \{\mathbf{0}\}$은 연결공간이다. 따라서 정리 8.1.11에 의하여 $S^n = f(\mathbb{R}^{n+1} - \{\mathbf{0}\})$도 연결이다.

이제 $B \neq \varnothing$이라 하자. 우리는 일반성을 잃지 않고 $\mathbf{p} = (0, \ldots, 0, 1) \in B$이라 할 수 있다. 그리고 $f: S^n - \{\mathbf{p}\} \to \mathbb{R}^n$를 보기 5.2.18에서 보았던 극사영사상이라 하자. 그러면 $f$가 위상동형사상이므로 $S^n - B \cong \mathbb{R}^n - f(B - \{\mathbf{p}\})$이다. 한편 $f(B - \{\mathbf{p}\})$가 가산집합이므로 정리 8.3.5에 의해 $\mathbb{R}^n - f(B - \{\mathbf{p}\})$는 연결이다. 따라서 $S^n - B$도 연결이다. □

**보기 8.3.7** $n = 1$인 경우는 정리 8.3.5는 성립하지 않는다. 예를 들어 한 점 집합 $\{a\}$에 대하여 $\mathbb{R} - \{a\}$는 연결공간이 아니다.

**보기 8.3.8** (1) 만약 $n \geq 2$이면 $\mathbb{R}^n$과 $\mathbb{R}$은 위상동형이 아니다: 만약 $\mathbb{R}^n$과 $\mathbb{R}$이 위상동형이라 가정하면 위상동형사상 $f: \mathbb{R}^n \to \mathbb{R}$가 존재한다. 이제 $a = f(\mathbf{0}) \in \mathbb{R}$이라 하면 축소사상 $f| : \mathbb{R}^n - \{\mathbf{0}\} \to \mathbb{R} - \{a\}$도 위상동형사상이므로 $\mathbb{R}^n - \{\mathbf{0}\} \cong \mathbb{R} - \{a\}$이다. 그런데 정리 8.3.5에 의하여 $\mathbb{R}^n - \{\mathbf{0}\}$은 연결이고 $\mathbb{R} - \{a\}$는 비연결이므로 모순이다. 따라서 $\mathbb{R}^n \ncong \mathbb{R}$이다.

(2) 만약 $n \geq 2$이면 $S^1 \subset \mathbb{R}^2$과 $S^n \subset \mathbb{R}^{n+1}$은 위상동형이 아니다: 만약 $S^n$과 $S^1$이 위상동형이라 가정하면 위상동형사상 $f: S^n \to S^1$가 존재한다. 이제 $\mathbf{n} = (0, \ldots, 0, 1)$, $\mathbf{s} = (0, \ldots, 0, -1) \in S^n$이라 하고 $\mathbf{a} = f(\mathbf{n})$, $\mathbf{b} = f(\mathbf{s}) \in S^1$이라 하면 축소사상 $f| : S^n - \{\mathbf{n}, \mathbf{s}\} \to S^1 - \{\mathbf{a}, \mathbf{b}\}$도 위상동형사상이므로 $S^n - \{\mathbf{n}, \mathbf{s}\} \cong S^1 - \{\mathbf{a}, \mathbf{b}\}$이다. 그런데 정리 8.3.5에 의하여 $S^n - \{\mathbf{n}, \mathbf{s}\}$는 연결이고 $S^1 - \{\mathbf{a}, \mathbf{b}\}$는 비연결이므로 모순이다. 따라서 $S^n \ncong S^1$이다.

9) 사실 $S^n - B$는 길연결(path connected)이다.

**보기 8.3.9** 만약 $n \geq 2$이면 $I^n$과 $I$는 위상동형이 아님을 비슷한 방법으로 보일 수 있다. 단, 여기서 $I$는 유클리드공간 $\mathbb{R}$의 부분공간 $[0,1]$이다.

## 연습문제

**문제 8.3.1** 만약 위상공간 $X$가 비연결이면 고정점을 갖지 않는 연속사상 $f: X \to X$가 존재함을 보이시오.

**문제 8.3.2** 위상공간 $X$가 다음 조건 (*)를 만족하면 $X$는 연결임을 보이시오.

(*) 모든 연속사상 $f: X \to X$는 고정점을 갖는다.

**문제 8.3.3** 문제 8.3.2의 역이 성립하지 않는 보기를 찾으시오. 즉, 연결공간 $X$와 고정점을 갖지 않는 연속사상 $f: X \to X$를 찾으시오.

**문제 8.3.4** 만약 $f: S^1 \to \mathbb{R}$가 연속사상이면 $f(x) = f(-x)$를 만족하는 점 $x \in S^1$가 존재함을 보이시오. 단, 여기서 $\mathbb{R}$은 유클리드공간이고 $S^1$은 유클리드공간 $\mathbb{R}^2$의 부분공간이다.

**문제 8.3.5** 만약 $f: S^1 \to [a,b]$가 전사인 연속사상이면 모든 $a < c < b$에 대해 $f^{-1}(c)$는 두 점 이상으로 이루어진 집합임을 보이시오. 단, 여기서 $S^1$은 유클리드공간 $\mathbb{R}^2$의 부분공간이고 $[a,b]$는 유클리드공간 $\mathbb{R}$의 부분공간이다.

**문제 8.3.6** 두 점 이상으로 이루어진 연결된 거리공간 $X$는 비가산임을 보이시오.

**문제 8.3.7** $n \geq 2$이라 하자. 다음과 같이 주어진 유클리드공간 $\mathbb{R}^n$의 부분공간 $X$와 $Y$에 대하여 다음을 보이시오.

(1) $X = \{\mathbf{x} \in \mathbb{R}^n \mid \mathbf{x}$의 성분 중 적어도 하나는 무리수이다$\}$는 연결공간이다.

(2) $Y = \{\mathbf{x} \in \mathbb{R}^n \mid \mathbf{x}$의 모든 성분이 무리수이다$\}$는 연결공간이 아니다.

## 8.4 길연결성(path connectedness)

이제 보다 더 직관적인 정의인 길연결성에 대해 알아보자. 이 절에서 $I$는 항상 유클리드공간 $\mathbb{R}$의 부분공간 $[0,1]$이다.

**정의 8.4.1** $X$를 위상공간이라 하자.

(1) 임의의 $x, y \in X$에 대하여 $x$로부터 $y$까지의 $X$상의 **길**(path, 경로)이란 $\alpha(0) = x$, $\alpha(1) = y$인 연속사상 $\alpha : I \to X$를 뜻한다(그림 8.18 참조).

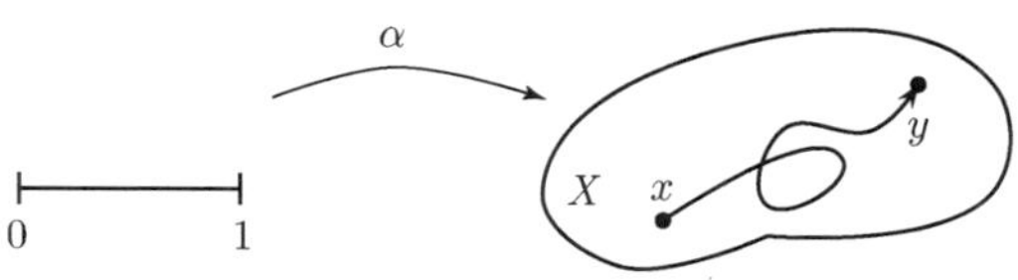


그림 8.18 • $x$로부터 $y$까지의 $X$상의 길(path) $\alpha$

(2) $X$가 **길연결**(path connected)이란 임의의 $x, y \in X$에 대하여 $x$로부터 $y$까지의 $X$상의 길이 존재함을 뜻한다. 이러한 $X$를 간단히 **길연결공간**이라 한다.

**정리 8.4.2** 모든 길연결공간은 연결공간이다.

**증명** $X$를 길연결공간이라 하고 한 점 $x_0 \in X$을 고정하자. 임의의 점 $x \in X$에 대하여 $X$가 길연결이므로 길

$$\alpha_x : I \to X \quad \text{s.t.} \quad \alpha_x(0) = x_0,\ \alpha_x(1) = x$$

가 존재한다. 그러면 $\alpha_x$는 연속이고 $I$가 연결이므로 정리 8.1.11에 의하여 $A_x = \alpha_x(I)$는 연결이다. 그리고

$$x_0 \in \bigcap_{x \in X} A_x \neq \varnothing, \quad \bigcup_{x \in X} A_x = X$$

이므로 정리 8.1.19에 의하여 $X$는 연결공간이다. □

**보기 8.4.3** (1) 유클리드공간 $\mathbb{R}^n$은 길연결이다: 임의의 두 점 $\mathbf{x}, \mathbf{y} \in \mathbb{R}^n$에 대하여 $\mathbf{x}$로부터 $\mathbf{y}$까지의 $\mathbb{R}^n$상의 길

$$\alpha : I \to \mathbb{R}^n, \quad \alpha(t) = (1-t)\mathbf{x} + t\mathbf{y}$$

가 존재한다.

(2) 유클리드공간 $\mathbb{R}$의 부분공간 중 길연결인 것은

$$\mathbb{R},\ (-\infty, b),\ (a, \infty),\ (-\infty, b],\ [a, \infty),\ (a, b),\ (a, b],\ [a, b),\ [a, b],\ \{a\},\ \varnothing$$

꼴 뿐이다. 따름정리 8.1.15 참조.

(3) 열린구 $B(\mathbf{p}, r) \subset \mathbb{R}^n$은 길연결공간이다: 임의의 두 점 $\mathbf{x}, \mathbf{y} \in B(\mathbf{p}, r)$에 대하여 $\mathbf{x}$로부터 $\mathbf{y}$까지의 $B(\mathbf{p}, r)$상의 길

$$\alpha : I \to B(\mathbf{p}, r), \quad \alpha(t) = (1-t)\mathbf{x} + t\mathbf{y}$$

가 존재한다.

**보기 8.4.4** 다음과 같은 유클리드공간 $\mathbb{R}^2$의 부분공간들을 살펴보자.

(1) 보기 8.1.21에서 다루었던 빗공간은 길연결이다.

(2) 보기 8.1.18에서 다루었던 위상수학자의 싸인곡선

$$S = (\{0\} \times [1, 1]) \cup \{(x, y) \in \mathbb{R}^2 \mid x > 0,\ y = \sin\frac{1}{x}\}$$

는 연결공간이다. 하지만 $S$는 길연결공간이 아니다. 구체적으로 $A = \{0\} \times [-1, 1]$, $B = \{(x, y) \in \mathbb{R}^2 \mid x > 0,\ y = \sin\frac{1}{x}\}$이라 하면 임의의 점 $(0, a) \in A$와 $(b, \sin\frac{1}{b}) \in B$ 사이를 연결하는 $S$상의 길이 존재하지 않는다. 그러므로 $S$의 부분집합 $B$는 길연결이지만 $\overline{B} = S$는 길연결이 아니다. 따라서 정리 8.4.2의 역은 성립하지 않는다.

이제 위상수학자의 싸인곡선 $S$가 길연결이 아님을 보이자.

**풀이** (귀류법) 임의의 두 점 $\mathbf{a} = (0, a) \in A$, $\mathbf{b} = (b, \sin\frac{1}{b}) \in B$를 택하자. 우리는 $\mathbf{a}$로부터 $\mathbf{b}$까지의 $S$상의 길 $\alpha : I \to S$가 존재하지 않음을 귀류법을 사용하여 보이면 된다. 이를 위해 $\mathbf{a}$로부터 $\mathbf{b}$까지의 $S$상의 길

$$\alpha : I \to S \quad \text{s.t.} \quad \alpha(0) = \mathbf{a}, \quad \alpha(1) = \mathbf{b}$$

가 존재한다고 가정하자. 그러면 $W = \{x \in I \mid \alpha([0, x]) \subset A\}$는 $\mathbb{R}$의 공집합이 아닌 위로유계인 부분집합이므로 상한 $\omega = \sup W$가 존재하여 $\omega \in \overline{W}$이다. 그리고 $A$는 $S$의 닫힌집합이고 $\alpha$가 연속이므로

$$\alpha(\omega) \in \alpha(\overline{W}) \subset \overline{\alpha(W)} \subset \overline{A} = A$$

이고 $\omega < 1$이다. 또한 $\alpha$가 점 $\omega$에서 연속이므로 $\omega + \delta < 1$이고

$$|x - \omega| < \delta \Rightarrow \|\alpha(x) - \alpha(\omega)\| < \frac{1}{2}$$

을 만족하는 충분히 작은 양의 실수 $\delta$가 존재한다. 그리고 상한의 정의에 의해 $\alpha(r) \in B$인 $\omega < r < \omega + \delta$이 존재하여 $\alpha([\omega, r])$은 $S$의 연결된 부분집합으로서 다음을 만족한다:

$$\text{diam}(\alpha([\omega, r])) \leq \frac{1}{2}, \ \ \alpha(\omega) \in A, \ \ \alpha(r) \in B$$

이제 $0 < c < r$이고 $\mathbf{c} = (c, \sin\frac{1}{c}) \in B$이면 $\mathbf{c} \in \alpha([\omega, r])$임을 보이자: 만약 $\mathbf{c} \notin \alpha([\omega, r])$이라 가정하면 $\mathbb{R}^2$의 서로소인 열린집합 $U = (-\infty, c) \times \mathbb{R}$와 $V = (c, \infty) \times \mathbb{R}$에 대해

$$\alpha(\omega) \in U \cap \alpha([\omega, r]) \neq \varnothing, \ \alpha(r) \in V \cap \alpha([\omega, r]) \neq \varnothing, \ \alpha([\omega, r]) \subset U \cup V$$

이므로 $U \cap \alpha([\omega, r])$과 $V \cap \alpha([\omega, r])$은 $\alpha([\omega, r])$의 분리가 되어 $\alpha([\omega, r])$은 비연결이다. 그런데 $\alpha$는 연속이고 $[\omega, r]$은 연결이므로 $\alpha([\omega, r])$은 연결이 되어 모순이다. 따라서 만약 $0 < c < r$이고 $\mathbf{c} = (c, \sin\frac{1}{c}) \in B$이면 $\mathbf{c} \in \alpha([\omega, r])$이 되어야 한다.

한편 $p = \dfrac{1}{(2m + \frac{1}{2})\pi} < r$, $q = \dfrac{1}{(2n + \frac{3}{2})\pi} < r$을 만족하는 충분히 큰 자연수 $m$, $n$에 대해 $\mathbf{p} = (p, \sin\frac{1}{p}) = (p, 1)$, $\mathbf{q} = (q, \sin\frac{1}{q}) = (q, -1) \in B$이므로 $\mathbf{p}, \mathbf{q} \in \alpha([\omega, r])$이다. 따라서 $\text{diam}(\alpha([\omega, r])) \geq 1$이 되어 모순이다. □

(3) 모든 자연수 $n \in \mathbb{N}$에 대하여

$$C_n = \{(x, y) \in \mathbb{R}^2 \mid y = \frac{1}{n}x, \ 0 \leq x \leq 1\},$$

$$D = [\frac{1}{2}, 1] \times \{0\} \subset \mathbb{R}^2$$

이라 하자.

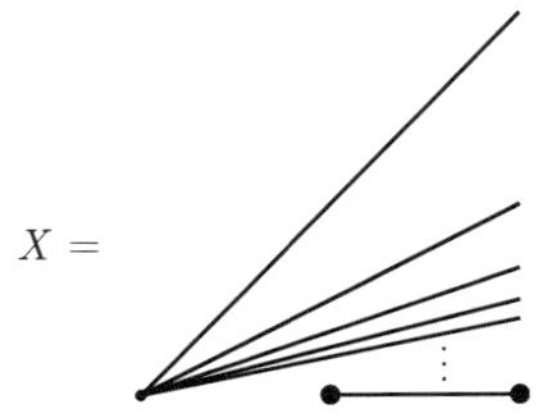

그림 8.19 • $X$는 연결공간이지만 길연결은 아니다.

(i) 그러면

$$X = \Big(\bigcup_{n \in \mathbb{N}} C_n\Big) \cup D$$

는 연결이다(그림 8.19 참조): 왜냐하면 $C_n \cong [0,1]$이므로 $C_n$은 연결이고, $\mathbf{0} \in \bigcap_{n \in \mathbb{N}} C_n \neq \varnothing$이므로 정리 8.1.19에 의하여 $C = \bigcup_{n \in \mathbb{N}} C_n$은 연결이다.

그리고 $C$의 ($\mathbb{R}^2$에서의) 폐포가

$$\overline{C} = \Big(\bigcup_{n \in \mathbb{N}} C_n\Big) \cup ([0,1] \times \{0\})$$

이므로 $C \subset X \subset \overline{C}$이다. 따라서 정리 8.1.13에 의하여 $X$는 연결이다.
(ii) 하지만 $X$는 길연결이 아니다: 구체적으로 임의의 점 $x \in C = \bigcup_{n \in \mathbb{N}} C_n$와 $y \in D = [\frac{1}{2}, 1] \times \{0\}$를 잇는 $X$상의 길이 존재하지 않는다.

**정리 8.4.5** 위상공간 $X$의 부분공간 $A_\alpha (\alpha \in \Lambda)$가 길연결이라 하자. 만약 $\bigcap_{\alpha \in \Lambda} A_\alpha \neq \varnothing$이면 $\bigcup_{\alpha \in \Lambda} A_\alpha$도 길연결이다.

증명 한 점 $x_* \in \bigcap_{\alpha \in \Lambda} A_\alpha$를 선택하자. 임의의 두 점 $x, y \in \bigcup_{\alpha \in \Lambda} A_\alpha$에 대하여 $x \in A_{\alpha_1}$, $y \in A_{\alpha_2}$인 $\alpha_1, \alpha_2 \in \Lambda$가 존재한다. 그리고 $A_{\alpha_1}$과 $A_{\alpha_2}$가 길연결이므로 두 길

$$\beta_1 : I \to A_{\alpha_1} \hookrightarrow \bigcup_{\alpha \in \Lambda} A_\alpha \quad \text{s.t.} \quad \beta_1(0) = x,\ \beta_1(1) = x_*,$$

$$\beta_2 : I \to A_{\alpha_2} \hookrightarrow \bigcup_{\alpha \in \Lambda} A_\alpha \quad \text{s.t.} \quad \beta_2(0) = x_*,\ \beta_2(1) = y$$

가 존재한다(그림 8.20, 그림 8.21 참조). 그러면

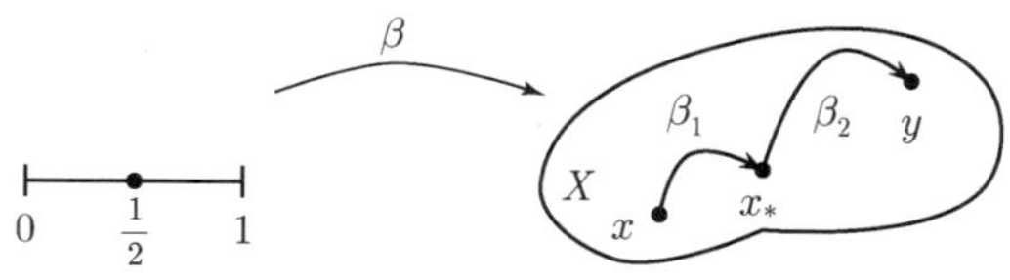


그림 8.20 • $x$로부터 $y$까지의 $X$ 내의 길 $\beta$

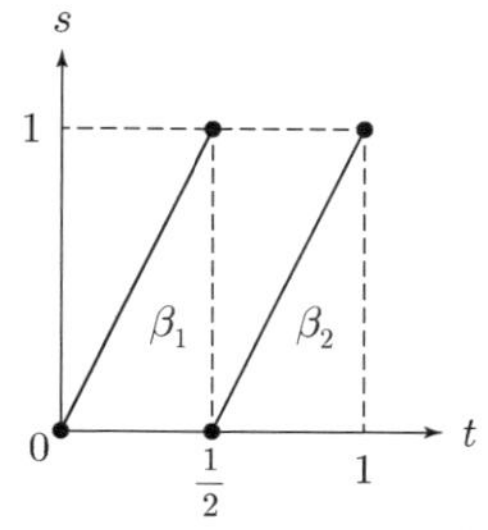


그림 8.21 • 길의 연산

$$\beta = \beta_1 * \beta_2 : I \to \bigcup_{\alpha \in \Lambda} A_\alpha, \ \beta(t) = \begin{cases} \beta_1(2t), & 0 \le t \le \frac{1}{2} \\ \beta_2(2t-1), & \frac{1}{2} \le t \le 1 \end{cases}$$

는 붙임보조정리(기초정리 5.1.14)에 의하여 연속이고 $\beta(0) = x$, $\beta(1) = y$이므로 $\beta$는 $x$와 $y$를 잇는 $\cup_{\alpha \in \Lambda} A_\alpha$상의 길이다. 따라서 $\cup_{\alpha \in \Lambda} A_\alpha$는 길연결이다. □

**따름정리 8.4.6** 위상공간 $X$의 부분공간 $A_n (n \in \mathbb{N})$이 길연결이라 하자. 만약 모든 $n \in \mathbb{N}$에 대하여

$$(\cup_{i=1}^{n} A_i) \cap A_{n+1} \neq \varnothing$$

이면 $\cup_{n=1}^{\infty} A_n$도 길연결이다.

증명 자연수 $n \in \mathbb{N}$에 대하여

$$B_n = A_1 \cup A_2 \cup \cdots \cup A_n$$

이라 하자.

(i) 먼저 수학적 귀납법을 사용하여 $B_n$들이 길연결임을 보이자: $B_1 = A_1$은 가정에 의하여 길연결이다. 이제 $B_n$이 길연결이라고 가정하자. 그러면 $B_n \cap A_{n+1} \neq \varnothing$이고 $A_{n+1}$과 $B_n$이 길연결이므로 정리 8.4.5에 의하여 $B_{n+1} = B_n \cup$

$A_{n+1}$도 길연결이다. 따라서 수학적 귀납법에 의하여 모든 자연수 $n \in \mathbb{N}$에 대하여 $B_n$은 길연결이다.

(ii) 한편 $\cup_{n=1}^{\infty} A_n = \cup_{n=1}^{\infty} B_n$이므로 우리는 $\cup_{n=1}^{\infty} B_n$이 길연결임을 보이면 충분하다. 그런데

$$B_1 \subset B_2 \subset \cdots \subset B_n \subset \cdots$$

이므로 $\cap_{n=1}^{\infty} B_n = B_1 = A_1 \neq \varnothing$이다. ($A_1 \cap A_2 \neq \varnothing$이므로 $A_1$이 공집합이 될 수 없다.) 따라서 정리 8.4.5에 의하여 $\cup_{n=1}^{\infty} B_n$은 길연결이다. □

**정리 8.4.7** $X$는 길연결이고 $f : X \to Y$가 연속이면 $f(X)$도 길연결이다. 단, 여기서 $f(X)$는 $Y$의 부분공간이다.

증명 임의의 두 점 $y_1, y_2 \in f(X)$에 대하여 $f(x_1) = y_1$, $f(x_2) = y_2$인 점 $x_1, x_2 \in X$가 존재한다. 그런데 $X$가 길연결이므로 $x_1$과 $x_2$를 잇는 길

$$\alpha : I \to X \quad \text{s.t.} \quad \alpha(0) = x_1, \ \alpha(1) = x_2$$

가 존재한다.

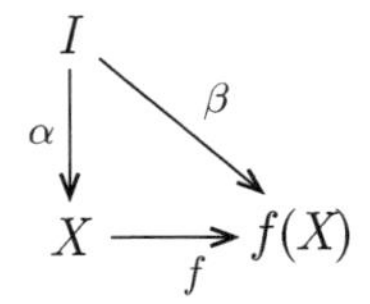


그러면 합성사상 $\beta = f \circ \alpha : I \to f(X)$는 연속이고

$$\beta(0) = f(\alpha(0)) = f(x_1) = y_1, \ \ \beta(1) = f(\alpha(1)) = f(x_2) = y_2$$

이므로 $\beta$는 $y_1$과 $y_2$를 잇는 $f(X)$상의 길이다. 따라서 $f(X)$는 길연결이다. □

길연결성은 위상동형사상에 의해서 보존되는 위상적 성질이다.

**따름정리 8.4.8** 두 위상공간 $X$와 $Y$가 위상동형이면 다음이 성립한다:

$$X\text{는 길연결} \Leftrightarrow Y\text{는 길연결}$$

증명 $X$가 길연결이라고 가정하자. $X$와 $Y$가 위상동형이므로 위상동형사상 $f: X \to Y$가 존재한다. 그러면 정리 8.4.7에 의하여 $Y = f(X)$도 길연결이다. □

**보기 8.4.9** (1) 만약 $n \geq 2$이고 $B \subset \mathbb{R}^n$가 가산집합이면 $\mathbb{R}^n - B$는 길연결이다. 단, 여기서 $\mathbb{R}^n - B$는 유클리드공간 $\mathbb{R}^n$의 부분공간이다. 정리 8.3.5의 증명 과정 참조.

(2) 만약 $n \geq 2$이고 $B \subset S^n$가 가산집합이면 $S^n - B$는 길연결이다. 단, 여기서 $S^n$과 $S^n - B$는 유클리드공간 $\mathbb{R}^{n+1}$의 부분공간이다. 따름정리 8.3.6의 증명 과정 참조.

**성질 8.4.10** 모든 $\alpha \in \Lambda$에 대하여 $X_\alpha$가 길연결공간이면 곱공간 $\Pi_{\alpha \in \Lambda} X_\alpha$도 길연결이다.

증명 임의의 두 점 $(x_\alpha), (y_\alpha) \in \Pi_{\alpha \in \Lambda} X_\alpha$이 주어졌다 하자. 그러면 각각의 $\alpha \in \Lambda$에 대하여 $x_\alpha, y_\alpha \in X_\alpha$이고 $X_\alpha$가 길연결이므로 $x_\alpha$와 $y_\alpha$를 잇는 길

$$\beta_\alpha : I \to X_\alpha \quad \text{s.t.} \quad \beta_\alpha(0) = x_\alpha, \ \beta_\alpha(1) = y_\alpha$$

가 존재한다. 그러면

$$\beta = (\beta_\alpha) : I \to \Pi_{\alpha \in \Lambda} X_\alpha, \quad \beta(t) = (\beta_\alpha(t))$$

는 $(x_\alpha)$와 $(y_\alpha)$를 잇는 길이 된다. 따라서 곱공간 $\Pi_{\alpha \in \Lambda} X_\alpha$는 길연결이다. □

역으로, 모든 $X_\alpha (\alpha \in \Lambda)$가 공집합이 아닌 경우, 곱공간 $\Pi_{\alpha \in \Lambda} X_\alpha$가 길연결이면 모든 $\alpha \in \Lambda$에 대해 사영사상 $\pi_\alpha$가 연속이므로 정리 8.4.7에 의하여 $X_\alpha = \pi_\alpha(\Pi_{\alpha \in \Lambda} X_\alpha)$도 길연결이다.

**참고 8.4.11** 유클리드공간 $\mathbb{R}$이 길연결이므로 곱공간 $(\mathbb{R}^\omega, \mathscr{T}_p)$도 길연결이다. 하지만 상자공간 $(\mathbb{R}^\omega, \mathscr{T}_b)$는 보기 8.1.23에서 보았듯이 연결이 아니므로 정리 8.4.2에 의해 길연결이 아니다.

## 길연결성분(path connected components)

앞에서 다루었던 연결성분과 비슷하게 길연결성분도 정의할 수 있다.

위상공간 $X$상의 점 $x$와 $y$ 사이의 관계 $x \sim_p y$를 $x$로부터 $y$까지의 $X$상의 길이 존재하는 경우로 정의하자. 이러한 $\sim_p$는 $X$상의 동치관계이다(기초정리 8.4.12 참조). 참고로 $x \sim_p y$는 동치적으로 $x$와 $y$를 포함하는 길연결된 부분집합이 존재하는 것과 같다. 그리고 $\sim_p$에 의한 동치류

$$P_x = [x] = \{y \in X \mid y \sim_p x\}$$

들을 $X$의 길연결성분(path connected component)이라 한다.

**기초정리 8.4.12** $\sim_p$는 $X$상의 동치관계이다.

증명 (반사율) 임의의 $x \in X$에 대하여 상수사상 $\alpha : I \to X$, $\alpha(t) = x$가 $x$로부터 $x$까지의 $X$상의 길이므로 $x \sim_p x$이다.

(대칭률) 만약 $x \sim_p y$이면 $\alpha(0) = x$, $\alpha(1) = y$인 길 $\alpha : I \to X$가 존재한다. 그러면 사상 $\overline{\alpha} : I \to X$, $\overline{\alpha}(t) = \alpha(1-t)$는 연속이고 $\overline{\alpha}(0) = y$, $\overline{\alpha}(1) = x$이므로 $y \sim_p x$이다.

(추이율) 만약 $x \sim_p y$이고 $y \sim_p z$이면 두 길

$$\alpha : I \to X \quad \text{s.t.} \quad \alpha(0) = x,\ \alpha(1) = y,$$
$$\beta : I \to X \quad \text{s.t.} \quad \beta(0) = y,\ \beta(1) = z$$

가 존재한다. 그러면 사상

$$\gamma = \alpha * \beta : I \to X,\ \gamma(t) = \begin{cases} \alpha(2t), & 0 \le t \le \frac{1}{2} \\ \beta(2t-1), & \frac{1}{2} \le t \le 1 \end{cases}$$

는 붙임보조정리(기초정리 5.1.14)에 의하여 연속이고 $\gamma(0) = x$, $\gamma(1) = z$이므로 $\gamma$는 $x$와 $z$를 잇는 길이다. 따라서 $x \sim_p z$이다. □

**성질 8.4.13** $X$를 위상공간이라 하자.

(1) 임의의 $x, y \in X$에 대하여 $P_x = P_y$이거나 $P_x \cap P_y = \varnothing$이다.

(2) 위상공간 $X$는 길연결성분들의 합집합이다.

(3) $P_x$는 $x$를 포함하는 가장 큰 길연결된 부분집합이다.

(4) 임의의 길연결된 부분집합은 하나의 길연결성분에 포함된다.

(5) 위상동형인 두 위상공간은 같은 개수의 길연결성분을 갖는다.

증명 기초정리 8.2.3과 성질 8.2.5의 증명과 비슷하게 보일 수 있으므로 연습문제로 남긴다. □

**보기 8.4.14** 보기 8.1.18과 보기 8.4.4에서 보았듯이 위상수학자의 싸인곡선 $S$는 연결공간이지만 길연결공간은 아니다. 이제 $S$의 길연결성분을 구해보자. 이를 위해

$$A = \{0\} \times [-1, 1], \quad B = \{(x, y) \in \mathbb{R}^2 \mid x > 0,\ y = \sin\frac{1}{x}\}$$

이라 하면 $A \cong [-1, 1]$이고 $B \cong (0, \infty)$이므로 $A$와 $B$는 길연결이다. 따라서 $S$의 길연결성분은 $A$와 $B$ 두 개다. 여기서 주의할 점은 길연결성분은 닫힌집합일 필요가 없다는 것이다. 예를 들어 $B$는 길연결성분이지만 $\overline{B} = S \neq B$이므로 $S$의 닫힌집합이 아니다.

일반적으로 위상공간 $X$의 연결성분은 소로소인 적당한 $X$의 길연결성분들의 합집합으로 표현된다. 그리고 $X$의 연결성분 $C$의 길연결성분은 $X$의 길연결성분이다.

**성질 8.4.15** 위상공간 $X$의 연결성분은 적당한 길연결성분들의 합집합이다.

증명 $C_x$를 $X$의 연결성분이라 하자. 임의의 점 $y \in C_x$에 대하여 길연결성분 $P_y$는 길연결이므로 정리 8.4.2에 의해 $P_y$는 연결이다. 그리고 $y \in P_y$이고 $C_x = C_y$이므로 기초정리 8.2.3에 의하여 $P_y \subset C_x$이다. 그래서 $C_x = \cup\{P_y \mid y \in C_x\}$이 된다(그림 8.22 참조). □

그림 8.22 • 연결성분과 길연결성분

## 국소길연결(locally path connected)

그러면 언제 연결공간이 길연결공간이 되는가? 이를 위하여 우리는 다음 정의가 필요하다.

**정의 8.4.16** (1) 위상공간 $X$가 점 $x \in X$에서 **국소길연결되어 있다**란 $x$의 임의의 근방 $N$에 대하여 $x \in V \subset N$를 만족하는 길연결된 열린집합 $V$가 존재하는 경우를 뜻한다.

(2) 위상공간 $X$가 **국소길연결(locally path connected)**이란 $X$의 모든 점에서 국소길연결되어 있는 경우를 뜻한다. 이러한 $X$를 **국소길연결공간**이라 한다.

정의에 의하여 모든 국소길연결공간은 국소연결공간이다. 그러나 국소길연결성과 길연결성 사이에는 아무런 관계가 없다.

**보기 8.4.17** (1) 유클리드공간 $\mathbb{R}$의 부분공간 $[0,1) \cup (2,3]$은 국소길연결이지만 길연결은 아니다.

(2) 모든 자연수 $n \in \mathbb{N}$에 대하여

$$C_n = \{(x,y) \in \mathbb{R}^2 \mid y = \frac{1}{n}x,\ 0 \le x \le 1\},\quad D = \{(x,0) \in \mathbb{R}^2 \mid x \in [0,1]\}$$

이라 하자. 그러면 유클리드공간 $\mathbb{R}^2$의 부분공간 $X = (\cup_{n \in \mathbb{N}} C_n) \cup D$는 길연결이다(그림 8.23 참조): 왜냐하면 $C_n \cong [0,1]$, $D \cong [0,1]$이므로 $C_n$과 $D$는 길연결이고, $\mathbf{0} \in (\cup_{n \in \mathbb{N}} C_n) \cap D \neq \varnothing$이므로 정리 8.4.5에 의하여 $X = (\cup_{n \in \mathbb{N}} C_n) \cup D$는 길연결이다.

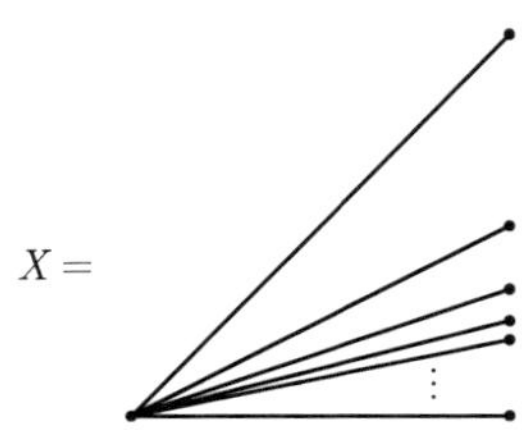


그림 8.23 • $X$는 길연결공간이다.

그러나 $X$는 국소길연결이 아니다. 점 $(1,0)$의 열린근방들을 살펴보면 알 수 있다.

(3) 모든 자연수 $n \in \mathbb{N}$에 대하여

$$C_n = \{(x, y) \in \mathbb{R}^2 \mid y = \frac{1}{n}x,\ 0 \le x \le 1\},\quad D = \{(\frac{1}{n}, 0) \in \mathbb{R}^2 \mid n \in \mathbb{N}\}$$

이라 하자. 그러면 보기 8.1.21에서 보았듯이 유클리드공간 $\mathbb{R}^2$의 부분공간 $Y = (\cup_{n \in \mathbb{N}} C_n) \cup D$는 연결이므로 점 $(0, 0)$에서 국소연결은 되어 있지만, 점 $(0, 0)$에서 국소길연결은 되어 있지 않다(그림 8.24 참조).

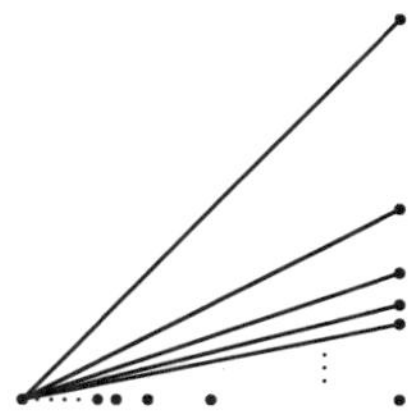


그림 8.24 • $Y$는 $(0, 0)$에서 국소길연결 되어 있지 않다.

(4) $\mathbb{R}^n$과 $S^n$은 국소길연결공간이다. 풀이는 연습문제로 남긴다.

**정리 8.4.18** 위상공간 $X$가 국소길연결일 필요충분조건은 임의의 열린집합 $U$의 모든 길연결성분이 열린집합인 것이다.[10)]

증명 정리 8.2.11의 증명과 같은 방법으로 보일 수 있다. □

**따름정리 8.4.19** 국소길연결공간의 모든 길연결성분은 열린집합이다.

증명 정리 8.4.18에서 $U = X$인 경우를 생각하면 된다. □

**정리 8.4.20** 국소길연결공간 $X$의 길연결성분들은 연결성분들과 같고, 이들은 모두 열린집합인 동시에 닫힌집합이다.

증명 임의의 점 $x \in X$에 대하여 $C$를 $x$를 포함하는 연결성분이라 하고, $P$를 $x$를 포

10) $U$가 $X$의 열린집합이므로 $U$의 부분집합이 $X$에서 열린집합일 필요충분조건은 부분공간 $U$에서 열린집합인 것이다.

함하는 길연결성분이라 하자. 그러면 정리 8.4.2에 의하여 $P \subset C$이다.

이제 $P = C$임을 보이자. 귀류법 가정으로 $P \neq C$이라고 가정하자. 그러면 성질 8.4.15에 의해 $C$는 $C$의 길연결성분들의 합집합이고 $P$는 이러한 $C$의 길연결성분들 중 하나이다. 이제 $Q$를 $P$와 다른 $C$의 길연결성분들의 합집합이라 하면 $C = P \cup Q$, $P \cap Q = \varnothing$이다. 그런데 $X$가 국소길연결이므로 정리 8.4.18에 의하여 모든 길연결성분은 열린집합이다. 그래서 $P$와 $Q$는 $X$의 열린집합이고 $P, Q \subset C$이므로 $P$와 $Q$는 $C$의 열린집합이다. 따라서 $\{P, Q\}$는 $C$의 분리가 되어 $C$가 연결성분이라는 가정에 모순이다. 따라서 $P = C$이다.

한편 따름정리 8.4.19에 의하여 $P = C$는 $X$의 열린집합이다. 그리고 기초정리 8.2.3에 의하여 $C = P$는 $X$의 닫힌집합이다. □

**따름정리 8.4.21** 연결이고 국소길연결인 위상공간은 길연결이다.

증명 위상공간 $X$가 연결이고 국소길연결이라 하자. $X$가 연결이므로 $X$는 $X$의 연결성분이다. 그리고 $X$가 국소길연결이므로 정리 8.4.20에 의하여 $X$는 $X$의 길연결성분이 된다. 따라서 $X$는 길연결공간이다. □

**따름정리 8.4.22** 국소길연결공간 $X$의 열린집합 $U$에 대하여 다음은 동치이다.

(a) $U$는 연결이다.

(b) $U$는 길연결이다.

증명 (b)⇒(a) 정리 8.4.2에 의하여 성립한다.

(a)⇒(b) 따름정리 8.4.21에 의하여 $U$가 국소길연결임을 보이면 충분하다. 임의의 점 $x \in U$와 $x$의 근방 $N \subset U$에 대하여 $N$은 $X$상에서도 $x$의 근방이 된다. 그리고 $X$가 국소길연결이므로 $x \in V \subset N$을 만족하는 $X$의 길연결된 열린집합 $V$가 존재한다. 그런데 $V$는 $U$의 열린집합도 되므로 $U$는 국소길연결이다. □

## 순서공간의 연결성†

$(X, \leq)$를 전순서집합이라 하자. $(X, \leq)$가 **최소상계 성질**(least upper bound property)을 갖는다란 임의의 위로유계인 공집합이 아닌 부분집합 $A \subset X$의 최소상계 $\sup A \in X$가 존재함을 의미한다. 그리고 $(X, \leq)$가 **최대하계 성질**(greatest lower bound property)을 갖

는다란 임의의 아래로유계인 공집합이 아닌 부분집합 $A \subset X$의 최대하계 $\inf A \in X$가 존재함을 의미한다.[11)]

**기초정리 8.4.23** 전순서집합 $(X, \leq)$에 대하여 다음은 동치이다.
(a) $(X, \leq)$가 최소상계 성질을 갖는다.
(b) $(X, \leq)$가 최대하계 성질을 갖는다.

증명 (a)⇒(b) 먼저 $(X, \leq)$가 최소상계 성질을 갖는다고 가정하자. 그리고 공집합이 아닌 부분집합 $A \subset X$가 아래로유계라 하자. 이제 집합 $B = \{y \in X \mid y$는 $A$의 하계$\}$를 생각하자. 그러면 $A$가 아래로유계이므로 $A$의 하계가 존재한다. 따라서 $B$는 공집합이 아니다. 그리고 $A$의 원소가 $B$의 상계이므로 $B$는 위로유계이다. 또한 $(X, \leq)$가 최소상계 성질을 가지므로 $B$의 최소상계 $z = \sup B \in X$가 존재한다. 우리는 $z$가 $A$의 최대하계임을 보이면 된다.

- 먼저 모든 $x \in A$에 대해 $x$는 $B$의 상계이므로 $z \leq x$이다. 따라서 $z$는 $A$의 하계이다.
- 그리고 만약 $y \in X$가 $A$의 하계이면 $y \in B$이므로 $y \leq z$이다.

따라서 $z$는 $A$의 최대하계이다.
(b)⇒(a) 같은 방법으로 보일 수 있다. □

이제 전순서집합 $(X, \leq)$상에 정의된 순서위상(order topology) $\mathscr{T}_o$를 준 순서공간 $(X, \mathscr{T}_o)$를 생각하자. 편의상 순서공간 $(X, \mathscr{T}_o)$를 $(X, \leq)$ 또는 $X$로 표기하자.

**기초정리 8.4.24** $(X, \leq)$는 전순서집합이고 $A$는 $X$의 공집합이 아닌 부분집합이라 하자.
(1) 만약 $A$의 최소상계 $\sup A$가 존재하면 $\sup A \in \overline{A}$이다.
(2) 만약 $A$의 최대하계 $\inf A$가 존재하면 $\inf A \in \overline{A}$이다.

증명 (1) 편의상 $z = \sup A$이라 하자. 그리고 $z$를 포함하는 기저의 원소 $B$는 다음 세 가지 형태 중 하나이다:

11) 정의 1.5.10, 정의 3.5.1 참조.

$$(a,b)=\{x\in X\mid a<x<b\},$$
$$(a,\infty)=\{x\in X\mid a<x\},$$
$$(-\infty,b)=\{x\in X\mid x<b\}.$$

단, 여기서 $a,b\in X$이다.

(i) $B=(a,b)$인 경우: $z\in(a,b)$이므로 $a<z<b$이다. 만약 $A\cap(a,b)=\varnothing$이라고 가정하면 $z$가 $A$의 상계이므로 $A\cap(z,\infty)=\varnothing$이다. 그래서 $A\cap(a,\infty)=\varnothing$이 되어 $a$는 $A$의 상계이다. 이는 $z$가 $A$의 최소상계라는 사실에 모순이다. 따라서 $A\cap(a,b)\neq\varnothing$이다.

(ii) $B=(a,\infty)$인 경우: $z\in(a,\infty)$이므로 $a<z$이다. 만약 $A\cap(a,\infty)=\varnothing$이라고 가정하면 $a$가 $A$의 상계가 되어 $z=\sup A$에 모순이다. 따라서 $A\cap(a,\infty)\neq\varnothing$이다.

(iii) $B=(-\infty,b)$인 경우: $z\in(-\infty,b)$이므로 $z<b$이다. 만약 $A\cap(-\infty,b)=\varnothing$이라고 가정하면 $A$가 공집합이 아니므로 $x\geq b$인 $x\in A$가 존재하여야 한다. 그러면 $z<x$이 되어 $z$가 $A$의 상계라는 사실에 모순이다. 따라서 $A\cap(-\infty,b)\neq\varnothing$이다.

결국 (i), (ii), (iii)에 의해 $z$를 포함하는 기저의 원소 $B$에 대해 $A\cap B\neq\varnothing$이므로 $z\in\overline{A}$이다.

(2) (1)과 같은 방법으로 보일 수 있다. □

**정의 8.4.25** 전순서집합 $(X,\leq)$가 **선형연속체**(linear continuum)란 다음 두 조건을 만족함을 의미한다:

(i) $X$는 최소상계 성질을 갖는다.

(ii) $x<y$인 임의의 두 점 $x,y\in X$에 대하여 $x<z<y$를 만족하는 $z\in X$가 존재한다.

**보기 8.4.26** $\leq$를 집합 $\mathbb{R}$상의 보통순서라 하자.

(1) 전순서집합 $(\mathbb{R},\leq)$은 선형연속체이다.

(2) 전순서집합 $(\mathbb{Q},\leq)$는 선형연속체가 아니다: 부분집합 $A=\{x\in\mathbb{Q}\mid x<\sqrt{2}\}$는 위로유계이지만 이의 최소상계가 ($\mathbb{Q}$에서) 존재하지 않는다.

(3) 전순서집합 $(\mathbb{Z},\leq)$는 선형연속체가 아니다: $5,6\in\mathbb{Z}$이지만 $5<x<6$을 만족하는 $x\in\mathbb{Z}$는 존재하지 않는다.

(4) 전순서집합 $(\mathbb{R}-\{0\},\leq)$는 선형연속체가 아니다: 부분집합 $B=(-\infty,0)$은 위로유

계이지만 최소상계를 갖지 않는다.

(5) $\mathbb{R}$상의 보통순서가 유도하는 사전식 순서집합 $\mathbb{R}\times\mathbb{R}$은 선형연속체가 아니다: $\{0\}\times\mathbb{R}$은 공집합이 아니고 $(1,0)$을 상계로 갖는 위로유계인 공집합이 아닌 부분집합이지만 최소상계를 갖지 않는다.

(6) $I$상의 보통순서가 유도하는 사전식 순서집합 $I\times I$는 선형연속체이다(여기서 $I=[0,1]\subset\mathbb{R}$이다): 자명하게 $X$는 조건 (ii)를 만족한다. 이제 조건 (i)을 만족함을 보이기 위해 사영사상 $\pi_1 : I\times I\to I$, $\pi_1(x,y)=x$를 생각하자. $A$를 $I\times I$의 공집합이 아닌 부분집합이라 하자. 그러면 $A$는 $(1,1)$을 상계로 갖는 위로유계인 집합이다. 그리고 $\pi_1(A)$도 1을 상계로 갖는 $I$의 위로유계인 공집합이 아닌 부분집합이므로 최소상계 $a\in I$가 존재한다. 먼저 $a\in\pi_1(A)$인 경우는 $S=\{y\in I\,|\,(a,y)\in A\}$가 1을 상계로 갖는 $I$의 위로유계인 공집합이 아닌 부분집합이므로 최소상계 $b\in I$가 존재한다. 그리고 $(a,b)$가 $A$의 최소상계가 된다. 한편 $a\not\in\pi_1(A)$인 경우는 $(a,0)$이 $A$의 최소상계이다. 따라서 사전식 순서집합 $I\times I$는 선형연속체이다.

**성질 8.4.27** $(X,\le)$를 전순서집합이라 하자. 만약 $A$가 순서공간 $X$의 연결된 부분공간이면 $A$는 볼록 부분집합이다.[12)]

증명 $A$가 볼록이 아니라고 가정하자. 그러면 $a<c<b$를 만족하는 $a,b\in A$와 $c\in X-A$가 존재한다. 그리고 $X$의 공집합이 아닌 두 열린집합 $U=\{x\in X\,|\,x<c\}$와 $V=\{x\in X\,|\,x>c\}$에 대하여 $\{A\cap U, A\cap V\}$가 부분공간 $A$의 분리가 되어 $A$가 연결이라는 사실에 모순이다. □

**정리 8.4.28** 전순서집합 $(X,\le)$에 대하여 다음은 동치이다.
(a) 순서공간 $X$는 연결이다.
(b) $X$는 선형연속체이다.

증명 (a)⇒(b) 먼저 $X$가 조건 (i)을 만족하지 않는다고 가정하자. 그러면 최소상계를 갖지 않는 공집합이 아니고 위로유계인 부분집합 $A\subset X$가 존재한다. 그리고 $U=\{x\in X\,|\,x$는 $A$의 상계$\}$이라 하자.

• $U$는 열린집합이다: 만약 $x\in U$이면 $x$는 $A$의 최소상계가 아니므로 $z<x$를

12) 정의 3.5.7 참조.

만족하는 $z \in U$가 존재한다. 그러면 $(z, \infty) = \{y \in X \mid z < y\}$는 열린집합이고 $x \in (z, \infty) \subset U$이므로 $x$는 $U$의 내부점이다. 따라서 $U$는 열린집합이다.

- 한편 $A$가 위로유계이므로 $A$의 상계는 적어도 하나 존재한다. 따라서 $U \neq \varnothing$이다.
- $X - U$는 열린집합이다: 만약 $x \in X - U$이면 $x$가 $A$의 상계가 아니므로 $x < a$를 만족하는 $a \in A$가 존재한다. 그러면 $(-\infty, a) = \{y \in X \mid y < a\}$는 열린집합이고 $x \in (-\infty, a) \subset X - U$이므로 $X - U$는 열린집합이다.
- 만약 $a \in A$가 $A$의 상계이면 $a$는 $A$의 최소상계가 되어 모순이다. 그러므로 모든 $a \in A$는 $A$의 상계가 아니다. 따라서 $A \subset X - U$이다. 더구나 $A \neq \varnothing$이므로 $X - U \neq \varnothing$이다.

따라서 $\{U, X - U\}$는 $X$의 분리이므로 $X$는 비연결이다.

이제 $X$가 조건 (ii)를 만족하지 않는다고 가정하자. 그러면 다음 두 조건을 만족하는 $x, y \in X$가 존재한다.

- $x < y$,
- $x < z < y$를 만족하는 $z \in X$는 존재하지 않는다.

그리고 $U = (-\infty, y)$, $V = (x, \infty)$라 하면 $U$와 $V$는 모두 열린집합이다. 또한 $x \in U$, $y \in V$이므로 $U$와 $V$는 모두 공집합이 아니다. 한편 $x$와 $y$ 사이의 $X$의 원소가 존재하지 않으므로 $U \cap V = \varnothing$이다. 더구나 $x < y$이므로 $U \cup V = X$이다. 따라서 $\{U, V\}$는 $X$의 분리이므로 $X$는 비연결이다.

(b)⇒(a) $X$가 비연결이라 가정하자. 그러면 $X$의 분리 $\{U, V\}$가 존재한다. 그러면 $U$, $V$는 모두 열린집합인 동시에 닫힌집합이다. 그리고 $U$, $V$가 모두 공집합이 아니므로 $a \in U$, $b \in V$를 택하자. 우리는 일반성을 잃지 않고 $a < b$라 할 수 있다. 그러면 $W = \{x \in U \mid x < b\} = U \cap (-\infty, b)$는 열린집합이고 $a \in W$이다. 그리고 $W$는 $b$를 상계로 갖는 위로유계인 집합이므로 조건 (i)에 의해 $W$의 최소상계 $c \in X$가 존재하고 $a \leq c \leq b$이다. 한편 기초정리 8.4.24에 의해 $c \in \overline{W} \subset \overline{U}$이다. 그리고 $U$가 닫힌집합이므로 $\overline{U} = U$이 되어 $c \in U$이다. 또한 $U$가 열린집합이므로 $c \in I \subset U$를 만족하는 (기저의 원소인) 구간 $I \subset X$가 존재한다. 단, 여기서 $I$는 $(-\infty, e)$ 또는 $(d, e)$ 형태이다($b \notin U$이므로 $I$는 $(d, \infty)$ 형태가 될 수 없다). 어느 경우든 $(c, e) \subset U$이다. 그리고 $b \notin U$이므로 $e \leq b$이다. $c < e$이므로 조건 (ii)에 의해 $c < x < e$를 만족하는 $x \in X$가 존재한다. 그러면 $x \in U$이고 $x < b$이므로 $x \in W$이다. 그런데 $c$가 $W$의 최소상계이므로 모순이다. □

**보기 8.4.29** $\mathbb{R}$상의 보통순서 $\leq$가 유도하는 $\mathbb{R}\times\mathbb{R}$상의 사전식순서 $\leq'$를 준 순서공간 $X=(\mathbb{R}\times\mathbb{R},\leq')$를 생각하자.

(1) 순서공간 $X$는 비연결이다:

(방법 1) 보기 8.4.26에서 보았듯이 $X$가 선형연속체가 아니므로 정리 8.4.28에 의해 $X$는 비연결이다.

(방법 2) $X$의 부분집합 $E=\{0\}\times\mathbb{R}$을 생각하자. 당연히 $E\neq\varnothing,\mathbb{R}$이다. 그리고 $E$는 $X$의 열린집합인 동시에 닫힌집합이다. 따라서 정리 8.1.4에 의해 $X$는 비연결이다.

(2) $X$의 부분공간 $A=I\times I$는 비연결이다: 먼저 $A$가 $X$의 볼록 부분집합이 아님을 유의하자(성질 3.5.8 참조). $E=\{0\}\times\mathbb{R}$이 $X$의 열린집합인 동시에 닫힌집합이므로 $F=\{0\}\times I=A\cap E$는 부분공간 $A$의 열린집합인 동시에 닫힌집합이다. 따라서 정리 8.1.4에 의해 부분공간 $A$는 비연결이다.

**보기 8.4.30** $I=[0,1]$상의 보통순서 $\leq$가 유도하는 $I\times I$상의 사전식순서 $\leq'$를 준 순서공간 $Y=(I\times I,\leq')$를 생각하자.

(1) 보기 8.4.26(6)에 의해 $Y$가 선형연속체이므로 $Y$는 연결이다.

(2) $Y$는 길연결이 아니다: $Y$가 길연결이라고 가정하자. 그리고 $\mathbf{a}=(0,0)$, $\mathbf{b}=(1,1)\in Y$이라 하자. 그러면 $Y$가 길연결이므로 $\alpha(0)=\mathbf{a}$, $\alpha(1)=\mathbf{b}$를 만족하는 $Y$상의 길 $\alpha:I\to Y$가 존재한다. 단, 여기서 $I$는 유클리드공간 $\mathbb{R}$의 부분공간임을 상기하자. 그리고 $I$는 연결이고 $\alpha$는 연속이므로 $\alpha(I)$도 연결되어 있다. 특별히 $(0,0)$, $(1,1)\in\alpha(I)$이므로 성질 8.4.27에 의해 $\alpha(I)=Y$이다. 이제 각각의 $x\in I$에 대하여 $V_x=\{(x,t)\in Y\mid 0<t<1\}$이라 하면 $V_x$는 $Y$의 열린집합이다. 그리고 $\alpha$가 연속이므로 $U_x=\alpha^{-1}(V_x)$는 $I$의 열린집합이다. 또한 $\alpha(I)=Y$이므로 $U_x$는 공집합이 아니다. 그리고 $\{V_x\mid x\in I\}$가 쌍마다 서로소이므로 $\{U_x\mid x\in I\}$도 쌍마다 서로소이다. 더구나 $I$가 비가산집합이므로 $\{U_x\mid x\in I\}$도 비가산집합이다. 그러므로 $\{U_x\mid x\in I\}$는 쌍마다 서로소인 비가산개의 ($I$의) 열린집합들로 이루어진 모임이다. 이는 모순이다(문제 3.4.9 참조). 따라서 $Y$는 길연결이 아니다.

## 연습문제

**문제 8.4.1** 성질 8.4.13을 증명하시오.

**문제 8.4.2** 보기 8.4.9에 의해 유클리드공간 $\mathbb{R}^2$의 부분공간 $X = \mathbb{R}\times\mathbb{R} - \mathbb{Q}\times\mathbb{Q}$는 길연결이다. 이제 다음과 같이 주어진 두 점을 잇는 $X$상의 길 $\alpha$를 구체적으로 찾으시오.
(1) $(1, \sqrt{2})$, $(\sqrt{5}, 3)$.
(2) $(1, \sqrt{2})$, $(2, \sqrt{5})$.
(3) $(\sqrt{2}, \sqrt{3})$, $(\sqrt{5}, \sqrt{7})$.

**문제 8.4.3** 유클리드공간 $\mathbb{R}^2$의 부분공간

$$X = \{(x,y) \mid x\in\mathbb{Q},\ y\in\mathbb{R}\} \cup \{(x,y) \mid x\in\mathbb{R},\ y\in\mathbb{Q}\} = (\mathbb{Q}\times\mathbb{R}) \cup (\mathbb{R}\times\mathbb{Q})$$

는 길연결인가?

**문제 8.4.4** $X$를 길연결공간이라 하자. 만약 $f: X\to Y$가 연속이면 $f$의 그래프 $\Gamma(f) = \{(x, f(x)) \in X\times Y \mid x\in X\}$가 길연결임을 보이시오. 단, 여기서 $\Gamma(f)$는 곱공간 $X\times Y$의 부분공간이다.

**문제 8.4.5** 다음과 같은 유클리드공간 $\mathbb{R}^2$의 부분공간 $X$와 $Y$는 위상동형이 아님을 보이시오.

$$X = \{(x,y) \mid x^2 + y^2 = 1\},$$
$$Y = \{(x,y) \mid (x-1)^2 + y^2 = 1\} \cup \{(x,y) \mid (x+1)^2 + y^2 = 1\}$$

**문제 8.4.6** 집합 $X$상의 두 위상 $\mathscr{T}_1$과 $\mathscr{T}_2$가 $\mathscr{T}_1 \subset \mathscr{T}_2$이라 하자.
(1) 만약 $(X,\mathscr{T}_2)$가 길연결이면 $(X,\mathscr{T}_1)$도 길연결임을 보이시오.
(2) $(X,\mathscr{T}_1)$은 길연결이지만 $(X,\mathscr{T}_2)$는 길연결이 아닌 보기를 찾으시오.

**문제 8.4.7** 여유한공간 $(\mathbb{R},\mathscr{T}_f)$는 길연결임을 보이시오.

**문제 8.4.8** $T_1$-공간 $X$가 두 점 이상으로 이루어진 가산집합이면 $X$는 길연결이 아님을 보이시오. (힌트: Sierpinski 정리(문제 8.2.13) 사용)

**문제 8.4.9** 집합 $X$상의 여유한위상 $\mathscr{T}_f$에 대하여 다음을 보이시오.
(1) $X$가 두 점 이상으로 이루어진 가산집합이면 $(X,\mathscr{T}_f)$는 길연결이 아니다.
(2) $X$가 비가산이고 연속체 가설이 성립한다고 가정하면 $(X,\mathscr{T}_f)$는 길연결이다.

**문제 8.4.10** 유클리드공간 $\mathbb{R}^n$의 부분집합 $A$가 볼록(convex)이란 임의의 두 점 $\mathbf{x}, \mathbf{y} \in A$에 대하여 선분 $\overline{\mathbf{xy}} = \{(1-t)\mathbf{x}+t\mathbf{y} \mid 0 \le \mathrm{t} \le 1\}$이 $A$에 포함됨을 의미한다.

(1) 열린구 $B(\mathbf{x}, r)$은 $\mathbb{R}^n$상의 볼록집합임을 보이시오.

(2) $D^n = \overline{B(\mathbf{x}, r)} = \{\mathbf{y} \in \mathbb{R}^n \mid \|\mathbf{y}-\mathbf{x}\| \le r\}$은 $\mathbb{R}^n$상의 볼록집합임을 보이시오.

(3) $\mathbb{R}^n$의 모든 볼록집합은 길연결임을 보이시오.

**문제 8.4.11** 보기 8.1.21에서 다루었던 빗공간은 길연결이지만 국소길연결이 아님을 보이시오.

**문제 8.4.12** $\mathbb{R}^n$과 $S^n$이 국소길연결임을 보이시오.

**문제 8.4.13** 국소길연결성은 위상적 성질임을 보이시오.

**문제 8.4.14** 국소길연결공간은 국소연결공간임을 보이시오.

**문제 8.4.15** 자연수 $n \in \mathbb{N}$에 대하여 $C_n = \{(x,y) \in \mathbb{R}^2 \mid (x-\frac{1}{n})^2+y^2=\frac{1}{n^2}\}$이라 하자. 그리고 $X = \cup_{n=1}^{\infty} C_n$을 유클리드공간 $\mathbb{R}^2$의 부분공간이라 하자. 이러한 위상공간 $X$를 하와이언 귀걸이(Hawaiian earring)라 한다(그림 8.25 참조). 그러면 $X$는 길연결이고 국소길연결임을 보이시오.

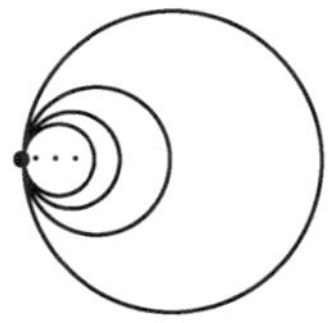

그림 8.25 • 하와이언 귀걸이

**문제 8.4.16** 유클리드공간 $\mathbb{R}^2$의 부분공간

$$X = \{(x, x\sin\frac{1}{x}) \mid 0 < x \le 2\} \cup \{(x, x\sin\frac{1}{x}) \mid -2 \le x < 0\} \cup \{(0,0)\}$$

에 대하여 다음을 답하시오.

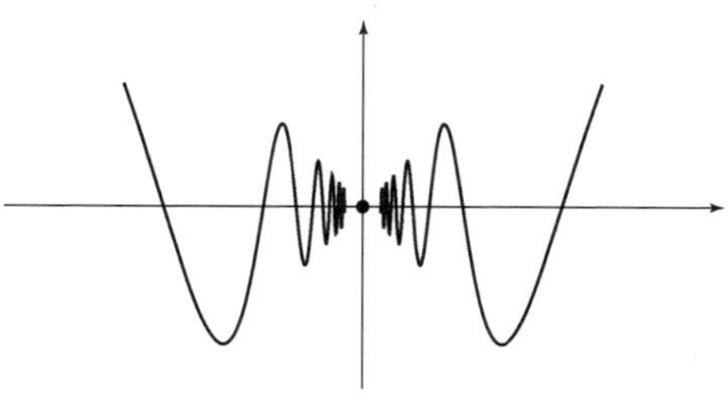

(1) $X$는 연결되어 있는가?

(2) $X$는 국소연결되어 있는가?

(3) $X$는 길연결되어 있는가?

(4) $X$는 유클리드공간 $\mathbb{R}$의 부분공간 $[-2,2]$와 위상동형인가?

**문제 8.4.17** 유클리드공간 $\mathbb{R}^2$의 부분공간

$$X = \{(x, \sin\frac{1}{x}) | 0 < x \leq 4\} \cup \{(x, \sin\frac{1}{x}) | -4 \leq x < 0\} \cup \{(0,0)\}$$

에 대하여 다음을 답하시오.

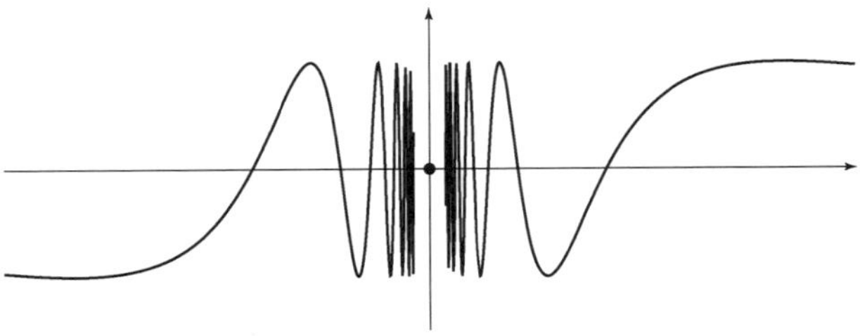

(1) $X$는 연결되어 있는가?

(2) $X$는 국소연결되어 있는가?

(3) $X$는 길연결되어 있는가?

(4) $X$는 유클리드공간 $\mathbb{R}$의 부분공간 $[-4,4]$와 위상동형인가?

**문제 8.4.18** $X = \{(x,0) \mid x \in \mathbb{Q} \cap [0,1]\} \subset \mathbb{R}^2$이라 하자. 그리고 $T$를 $X$의 점과 점 $p(0,1)$을 잇는 모든 선분들의 합집합이라 하자. 이제 $T$에 유클리드공간 $\mathbb{R}^2$의 부분공간위상을 주자.

(1) $T$가 길연결임을 보이시오.

(2) $T$는 점 $p$를 제외한 모든 점에서 국소연결이 아님을 보이시오.

(3) 길연결이지만 모든 점에서 국소연결이 아닌 $\mathbb{R}^2$의 부분공간을 찾으시오.

# 9장

# 컴팩트

CONTENTS

이 장에서는 또 다른 위상적 성질인 컴팩트에 대해 알아 볼 것이다. 이러한 컴팩트 성질은 주어진 두 위상공간이 서로 위상동형인지 아닌지를 판별하는데 아주 유용한 도구로 사용된다. 한편 컴팩트는 연결에 비하여 덜 직관적인 개념이다. 우리는 이미 미적분학에서 유클리드공간 $\mathbb{R}$의 닫힌구간에서 정의된 연속사상 $f:[a,b]\to\mathbb{R}$은 최소값과 최대값을 갖는다는 성질을 알고 있다(정리 9.3.8 참조). $[a,b]$의 어떤 성질이 연속사상에 대한 최대 최소값 정리를 만족하게 하는 것일까? 미적분학에서는 이에 대한 답으로서 $[a,b]$의 무한 부분집합이 극한점(상한, 하한)을 갖는다는 점을 생각하였다. 그러나 이 성질은 일반적인 위상공간상의 연속사상에 대해서는 적용되지 않는다. 따라서 우리는 보다 근본적인 $[a,b]$의 성질을 생각하여야 하는데 이것이 바로 컴팩트이다.

## 9.1 컴팩트공간

**정의 9.1.1** $X$는 위상공간이고 $A \subset X$이라 하자.

(1) $X$의 부분집합들의 모임 $\mathscr{U}$가 $A$의 **덮개**(covering)란 $\mathscr{U}$의 원소들의 합집합이 $A$를 포함하는 경우를 뜻한다. 즉, $\cup_{U\in\mathscr{U}} U \supset A$이다.

(2) 만약 $A$의 덮개 $\mathscr{U}$가 열린집합들의 모임이면 이를 $A$의 **열린덮개**(open covering)라 한다. 즉, $\mathscr{U}$가 $A$의 열린덮개란 다음을 만족하는 것이다:

(i) 모든 $U\in\mathscr{U}$는 $X$의 열린집합이다;

(ii) $\cup_{U\in\mathscr{U}} U \supset A$이다.

(3) $\mathscr{U}'$이 $A$의 덮개 $\mathscr{U}$의 **부분덮개**(subcovering)란 다음을 만족하는 것을 의미한다:

(i) $\mathscr{U}' \subset \mathscr{U}$;

(ii) $\mathscr{U}'$은 $A$의 덮개이다.

(4) $A$가 **컴팩트**(compact, 긴밀, 옹골, 아담)란 모든 $A$의 열린덮개 $\mathscr{U}$가 유한 부분덮개를 가짐을 뜻한다. 즉, $A$의 임의의 열린덮개 $\mathscr{U}$에 대하여 $A$의 덮개가 되는 유한 부분집합 $\{U_1, U_2, \dots, U_n\} \subset \mathscr{U}$이 존재함을 의미한다. 이 경우 $\{U_1, U_2, \dots, U_n\}$이 $\mathscr{U}$의 유한 부분덮개이다. 다시 말해 $A$의 임의의 열린덮개 $\mathscr{U}$에 대하여

$$U_1 \cup U_2 \cup \cdots \cup U_n \supset A$$

를 만족하는 유한개의 $U_1, U_2, \dots, U_n \in \mathscr{U}$이 존재함을 의미한다. 이 경우 $A$를 $X$의 **컴팩트 부분집합** 또는 간단히 $X$의 **컴팩트집합**이라 한다.

(5) 특별히 위상공간 $X$ 자신이 컴팩트하면 우리는 $X$를 **컴팩트공간**(compact space)이라 한다. 즉, $X$가 컴팩트공간이란 $X$의 임의의 열린덮개 $\mathscr{U}$에 대하여

$$U_1 \cup U_2 \cup \cdots \cup U_n = X$$

를 만족하는 유한개의 $U_1, U_2, \ldots, U_n \in \mathscr{U}$이 존재함을 뜻한다.

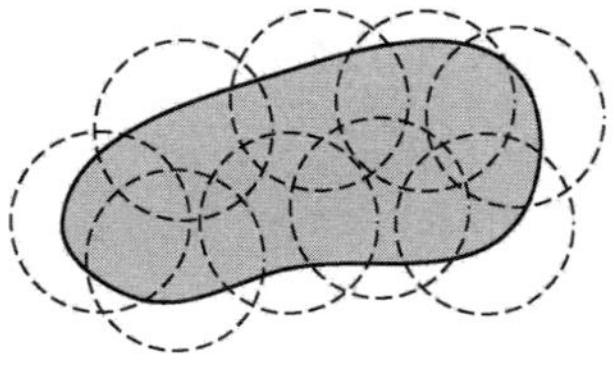

그림 9.1 • 덮개

일반적으로 부분공간의 열린(닫힌) 부분집합이 전체공간의 열린(닫힌) 부분집합이 되지는 않는다. 그러나 컴팩트성은 다음 성질에서 보듯이 잘 보존된다.

**성질 9.1.2** 위상공간 $X$와 $A \subset Y \subset X$에 대하여 다음은 동치이다.
(a) $A$는 $X$의 컴팩트집합이다.
(b) $A$는 부분공간 $Y$의 컴팩트집합이다.

증명 (a)⇒(b) 먼저 $A$가 $X$의 컴팩트집합이라 하자. 그리고 $\{V_\alpha\}_{\alpha \in \Lambda}$를 부분공간 $Y$의 열린집합들로 이루어진 $A$의 덮개라 하자. 그러면 임의의 $\alpha \in \Lambda$에 대하여, $V_\alpha$가 $Y$의 열린집합이므로, $V_\alpha = U_\alpha \cap Y$인 $X$의 열린집합 $U_\alpha$가 존재한다. 그리고

$$A \subset \bigcup_{\alpha \in \Lambda} V_\alpha \subset \bigcup_{\alpha \in \Lambda} U_\alpha$$

이므로 $\{U_\alpha\}_{\alpha \in \Lambda}$는 $X$의 열린집합들로 이루어진 $A$의 덮개이다. 그런데 $A$가 $X$의 컴팩트집합이므로 $A \subset \cup_{i=1}^{n} U_{\alpha_i}$를 만족하는 유한개의 $\alpha_1, \ldots, \alpha_n \in \Lambda$이 존재한다. 그러면

$$\bigcup_{i=1}^{n} V_{\alpha_i} = \bigcup_{i=1}^{n} (U_{\alpha_i} \cap Y) = \left(\bigcup_{i=1}^{n} U_{\alpha_i}\right) \cap Y \supset A$$

이므로 $\{V_{\alpha_1}, \ldots, V_{\alpha_n}\}$이 우리가 원하는 $\{V_\alpha\}_{\alpha \in \Lambda}$의 유한 부분덮개이다. 따라서 $A$는 부분공간 $Y$의 컴팩트집합이다.

(b)⇒(a) 이제 $A$가 부분공간 $Y$의 컴팩트집합이라 하자. 그리고 $\{U_\alpha\}_{\alpha\in\Lambda}$를 $X$의 열린집합들로 이루어진 $A$의 덮개라 하자. 그러면 $\{U_\alpha\cap Y\}_{\alpha\in\Lambda}$는 $Y$의 열린집합들로 이루어진 $A$의 덮개가 된다. 그런데 $A$가 $Y$의 컴팩트집합이므로 $\{U_\alpha\cap Y\}_{\alpha\in\Lambda}$의 유한 부분덮개 $\{U_{\alpha_1}\cap Y,\dots, U_{\alpha_n}\cap Y\}$가 존재하여 $A\subset\cup_{i=1}^n(U_{\alpha_i}\cap Y)$이 된다. 그리고

$$A\subset\bigcup_{i=1}^n(U_{\alpha_i}\cap Y)\subset\bigcup_{i=1}^n U_{\alpha_i}$$

이므로 $\{U_{\alpha_1},\dots,U_{\alpha_n}\}$이 우리가 원하는 $\{U_\alpha\}_{\alpha\in\Lambda}$의 유한 부분덮개이다. 따라서 $A$는 $X$의 컴팩트집합이다. □

우리는 $A$가 부분공간으로서 컴팩트인지 알아보려면 $A$의 열린집합들로 이루어진 덮개를 다루어야 한다. 즉, $A$상의 부분공간위상을 다루어야 한다. 그러나 다음 따름정리는 이러한 번거로움을 없애준다.

**따름정리 9.1.3** 위상공간 $X$와 $A\subset X$에 대하여 다음은 동치이다.

(a) $A$는 $X$의 부분공간으로서 컴팩트하다.

(b) $A$는 $X$의 부분집합으로서 컴팩트하다.

증명 성질 9.1.2에서 $Y=A$인 경우이므로 성립한다. □

우리는 따름정리 9.1.3에 의하여 $A\subset X$가 컴팩트하다는 의미를 $A$를 $X$의 부분집합 또는 부분공간 중 무엇으로 보든 상관없음을 알 수 있다.

**보기 9.1.4** $\mathbb{R}$과 $\mathbb{R}^n$을 유클리드공간이라 하자.

(1) $\mathbb{R}^n$의 모든 유한 부분집합은 컴팩트이다: 먼저 $X=\{x_1,x_2,\dots,x_k\}\subset\mathbb{R}^n$이라 하자. 이제 $\mathscr{U}$를 $\mathbb{R}^n$의 열린집합들로 이루어진 $X$의 덮개라 하면 $X\subset\cup_{U\in\mathscr{U}}U$이므로 각각의 $i$에 대하여 $x_i\in U_i$인 $U_i\in\mathscr{U}$가 존재한다. 따라서 $X\subset\cup_{i=1}^k U_i$이므로 $X$는 컴팩트이다. 여기서 우리는 $X$를 $\mathbb{R}^n$의 부분집합으로 보았다.

(2) $\mathbb{R}^n$은 컴팩트가 아니다: $\{B(\mathbf{0},k)\subset\mathbb{R}^n\mid k\in\mathbb{N}\}$는 $\mathbb{R}^n$의 열린덮개이지만 유한 부분덮개를 갖지 않는다.

(3) $(0,1] \subset \mathbb{R}$은 컴팩트가 아니다: $\{(\frac{1}{n},1] \mid n \in \mathbb{N}\}$은 부분공간 $(0,1]$의 열린덮개이지만 유한 부분덮개를 갖지 않는다. 여기서 우리는 $(0,1]$을 $\mathbb{R}$의 부분공간으로 보았다.

(4) $(2,5) \subset \mathbb{R}$는 컴팩트가 아니다: $\{(2+\frac{1}{n}, 5-\frac{1}{n}) \mid n \in \mathbb{N}\}$은 $(2,5)$의 열린덮개이지만 유한 부분덮개를 갖지 않는다.

(5) $X = \{\frac{1}{n} \mid n \in \mathbb{N}\} \subset \mathbb{R}$은 컴팩트가 아니다: $\{(\frac{1}{n}, 2) \mid n \in \mathbb{N}\}$는 $\mathbb{R}$의 열린집합들로 이루어진 $X$의 덮개이지만 유한 부분덮개를 갖지 않는다.

(6) $Y = \{0\} \cup \{\frac{1}{n} \mid n \in \mathbb{N}\}$은 컴팩트이다: 임의의 $\mathbb{R}$의 열린집합으로 이루어진 $Y$의 덮개 $\mathscr{U}$에 대하여 $0 \in Y \subset \cup_{U \in \mathscr{U}} U$이므로 $0 \in U_0$인 $U_0 \in \mathscr{U}$이 존재한다. 그러면 $0 \in (-r, r) \subset U_0$을 만족하는 양의 실수 $r > 0$이 존재하고, $\frac{1}{n_0} < r$을 만족하는 자연수 $n_0$이 존재한다. 그래서 모든 $n \geq n_0$에 대해 $\frac{1}{n} \in U_0$이다. 이제 각각의 $k=1, \ldots, n_0 - 1$에 대하여 $\frac{1}{k} \in U_k$인 $U_k \in \mathscr{U}$를 택하자. 그러면 $\{U_0, U_1, \ldots, U_{n_0-1}\}$이 우리가 원하는 $\mathscr{U}$의 유한 부분덮개이다.

**보기 9.1.5** (1) 모든 자명한(비이산)공간은 컴팩트이다.

(2) 만약 $X$가 유한집합이면 $X$상의 모든 위상 $\mathscr{T}$에 대하여 $(X, \mathscr{T})$는 컴팩트이다.

(3) 만약 $X$가 무한집합이면 이산공간 $X$는 컴팩트가 아니다: 왜냐하면 $\{\{x\} \mid x \in X\}$는 $X$의 열린덮개이지만 유한 부분덮개를 갖지 않는다.

**보기 9.1.6** 여유한공간 $(X, \mathscr{T}_f)$의 모든 부분집합은 컴팩트이다. 특별히 $(X, \mathscr{T}_f)$도 컴팩트이다.

**풀이** $A$를 $X$의 부분집합이라 하자. 그리고 $\{U_\alpha\}_{\alpha \in \Lambda}$를 $A$의 열린덮개라 하자. 즉, $U_\alpha \in \mathscr{T}_f$이고 $A \subset \cup_{\alpha \in \Lambda} U_\alpha$이다.

먼저 $A = \varnothing$인 경우에는 임의로 택한 $\alpha_0 \in \Lambda$에 대하여 $A = \varnothing \subset U_{\alpha_0}$이므로 $A$는 컴팩트이다.

이제 $A \neq \varnothing$이라 하면 $A \subset \cup_{\alpha \in \Lambda} U_\alpha$이므로 공집합이 아닌 $U_{\alpha_0}$이 존재한다. 그런데 $U_{\alpha_0} \in \mathscr{T}_f$이므로 $U_{\alpha_0}^c$은 유한집합이다. 그래서 $A \cap U_{\alpha_0}^c$도 유한집합이다. 우리는

$$A \cap U_{\alpha_0}^c = \{a_1, a_2, \ldots, a_k\}$$

이라 하자. 각각의 $i = 1, 2, \ldots, k$에 대하여

$$a_i \in A \subset \bigcup_{\alpha \in \Lambda} U_\alpha$$

이므로 $a_i \in U_{\alpha_i}$ 인 $\alpha_i \in \Lambda$가 존재한다. 따라서

$$A \subset U_{\alpha_0} \cup U_{\alpha_1} \cup \cdots \cup U_{\alpha_k}$$

이므로 $A$는 컴팩트이다. □

**보기 9.1.7** 집합 $X = [-1, 1] \subset \mathbb{R}$에 위상

$$\mathscr{T} = \{U \subset X \mid 0 \notin U\} \cup \{U \subset X \mid (-1, 1) \subset U\}$$

를 준 위상공간 $(X, \mathscr{T})$는 컴팩트이다. 그러나 부분공간 $X - \{0\}$은 컴팩트가 아니다.

**풀이** 먼저 $X$가 컴팩트임을 보이자. 이를 위해 $\{U_\alpha\}_{\alpha \in \Lambda}$를 $X$의 열린덮개라 하자. 먼저 $0 \in X = \cup_{\alpha \in \Lambda} U_\alpha$이므로 $0 \in U_{\alpha_0}$인 $\alpha_0 \in \Lambda$이 존재한다. 그리고 $\mathscr{T}$의 정의에 의하여 $(-1, 1) \subset U_{\alpha_0}$이다. 한편 $-1, 1 \in X = \cup_{\alpha \in \Lambda} U_\alpha$이므로 $1 \in U_{\alpha_1}$, $-1 \in U_{\alpha_2}$인 $\alpha_1, \alpha_2 \in \Lambda$가 존재한다. 따라서 $X = U_{\alpha_0} \cup U_{\alpha_1} \cup U_{\alpha_2}$이므로 $(X, \mathscr{T})$는 컴팩트이다.

이제 부분공간 $X - \{0\}$이 컴팩트가 아님을 보이자. 임의의 점 $x \in X - \{0\}$에 대해 $0 \notin \{x\}$이므로 $\{x\} \in \mathscr{T}$이다. 그래서 $\{x\} = \{x\} \cap (X - \{0\})$는 부분공간 $X - \{0\}$의 열린집합이다. 그런데 $\{\{x\} \mid x \in X - \{0\}\}$는 부분공간 $X - \{0\}$의 열린덮개이지만 유한 부분덮개를 갖지 않는다. 따라서 부분공간 $X - \{0\}$은 컴팩트가 아니다. □

**정리 9.1.8** 유클리드공간 $\mathbb{R}$의 모든 닫힌구간 $[a, b]$는 컴팩트이다.

**증명** (방법 1) (귀류법) 닫힌구간 $I = [a, b]$가 컴팩트가 아니라고 가정하자. 그러면 유한 부분덮개를 갖지 않는 $[a, b]$의 열린덮개 $\mathscr{U}$가 존재한다.

이제 닫힌구간 $I$를 이등분한 두 닫힌구간 $[a, \frac{a+b}{2}]$, $[\frac{a+b}{2}, b]$ 중 적어도 하나는 $\mathscr{U}$의 유한개의 원소들로 덮을 수 없다. (왜냐하면 두 닫힌구간이 모두 $\mathscr{U}$의 유한개의 원소들로 덮여지면 $I$도 $\mathscr{U}$의 유한개의 원소들로 덮여진다. 이는 가정에 모순이다.) 우리는 이러한 닫힌구간을 $I_1$이라 하자. 다시 닫힌구간 $I_1$을 이등분한 두 닫힌구간 중 적어도 하나는 $\mathscr{U}$의 유한개의 원소들로 덮을 수 없다. 이러한 닫힌구간을 $I_2$라 하자. 다시 닫힌구간 $I_2$를 이등분한 두 닫힌구간 중 적어도 하나는 $\mathscr{U}$

의 유한개의 원소들로 덮을 수 없다. 이러한 닫힌구간을 $I_3$이라 하자. 우리는 이와 같은 방법을 계속하여 다음을 만족하는 닫힌구간들의 수열 $\{I_n\}$을 얻을 수 있다:

(a) $I \supset I_1 \supset I_2 \supset I_3 \supset \cdots$;

(b) 모든 $I_n$은 $\mathscr{U}$의 유한개의 원소들로 덮을 수 없다;

(c) $\mathrm{diam}(I_n) = \frac{b-a}{2^n}$.

한편 (a)와 성질 2.1.10에 의해 점 $x_* \in \cap_{n=1}^{\infty} I_n \subset I$가 존재한다. 그리고 $x_* \in I \subset \cup_{U \in \mathscr{U}} U$이므로 $x_* \in U_*$인 $U_* \in \mathscr{U}$가 존재한다. 또한 $U_*$가 $\mathbb{R}$의 열린집합이므로 $x_* \in (x_* - r, x_* + r) \subset U_*$인 양의 실수 $r$이 존재한다. 이제 $\frac{b-a}{2^k} < \frac{r}{2}$을 만족하는 자연수 $k$를 택하자. 그러면 $x_* \in I_k$이고 $\mathrm{diam}(I_k) = \frac{b-a}{2^k} < \frac{r}{2}$이므로 $I_k \subset U_*$이다. 이는 (b)에 모순이다.

(방법 2) $\mathscr{U}$를 부분집합 $[a, b]$의 임의의 열린덮개라 하자. 따라서 $[a, b] \subset \cup_{U \in \mathscr{U}} U$이다. 이제

$$S = \{ y \in [a, b] \mid [a, y]\text{는 } \mathscr{U}\text{의 유한개의 원소들로 덮인다}\}$$

이라 하자. 자명하게 $a \le x < y$에 대하여 만약 $y \in S$이면 $x \in S$이고, 만약 $x \notin S$이면 $y \notin S$이다.

(i) 한편 $a \in [a, b] \subset \cup_{U \in \mathscr{U}} U$이므로 $a \in V$인 $V \in \mathscr{U}$가 존재한다. 그래서 $[a, a] = \{a\} \subset V$이므로 $a \in S$이다. 따라서 $S$는 공집합이 아니다. 그리고 $S$는 $b$를 상계로 갖는 위로유계인 집합이므로 상한 $\gamma = \sup(S) \in \overline{[a, b]} = [a, b]$이 존재한다.

(ii) 또한 $V$가 $a$의 열린근방이므로 $a \in (a - r, a + r) \subset V$인 양의 실수 $r$이 존재한다. 그러면 양의 실수 $t = \min\{ \frac{r}{2}, b - a\}$에 대해 $[a, a + t] \subset V \in \mathscr{U}$이므로 $a + t \in S$이다. 따라서 $\gamma = \sup(S) \ge a + t > a$이다.

(iii) 이제 $\gamma = b$임을 보이면 된다. 만약 $\gamma \ne b$이라 가정하면 $a < \gamma < b$이다. 그리고 $\mathscr{U}$가 $[a, b]$의 덮개이므로 $\gamma \in W$인 $W \in \mathscr{U}$가 존재한다. $W$가 $\mathbb{R}$의 열린집합이므로 $\gamma \in (\gamma - \delta, \gamma + \delta) \subset W$를 만족하는 (충분히 작은) $0 < \delta < \min\{\gamma - a, b - \gamma\}$가 존재한다. 그러면 $\gamma - \delta \in S$이므로 $[a, \gamma - \delta] \subset U_1 \cup U_2 \cup \cdots \cup U_k$를 만족하는 유한개의 $U_1, U_2, \ldots, U_k \in \mathscr{U}$가 존재한다. 그래서

$$[a, \gamma + \frac{\delta}{2}] \subset [a, \gamma + \delta) = [a, \gamma - \delta] \cup (\gamma - \delta, \gamma + \delta) \subset (U_1 \cup \cdots \cup U_k) \cup W$$

이므로 $\gamma + \frac{\delta}{2} \in S$이다. 이는 $\gamma$가 $S$의 상한이라는 것에 모순이다. 따라서 $\gamma = b$이다. □

**보기 9.1.9** 전순서집합 $(X, \leq)$상에 순서위상을 준 순서공간 $X$에 대하여 다음은 동치이다.[1)]

(a) $X$는 컴팩트이다.

(b) 모든 공집합이 아닌 $A \subset X$에 대하여 $\mathrm{glb}(A)$, $\mathrm{lub}(A) \in X$가 존재한다.

**풀이** (a)⇒(b) $X$를 컴팩트라 하자. 그리고 $A$를 $X$의 공집합이 아닌 부분집합이라 하자.

(i) 먼저 $A$의 상계가 존재함을 보이자: 각각의 $a \in A$에 대하여

$$S_a = \{x \in X \mid x < a\} = (-\infty, a)$$

이라 하자. 그러면 $\cup_{a \in A} S_a \subset X$이다.

첫 번째, $\cup_{a \in A} S_a \neq X$인 경우에는 $c \in X - \cup_{a \in A} S_a$가 존재하여 모든 $a \in A$에 대하여 $a \leq c$이다. 따라서 $c$는 $A$의 상계이다.

두 번째, $\cup_{a \in A} S_a = X$인 경우에는 $\{S_a\}_{a \in A}$가 컴팩트공간 $X$의 열린덮개이므로

$$X = S_{a_1} \cup S_{a_2} \cup \cdots \cup S_{a_n}$$

을 만족하는 유한개의 $a_1, \ldots, a_n \in A$이 존재한다. 이제 $c = \max\{a_1, \ldots, a_n\} \in A$이라 하면

$$A \subset S_{a_1} \cup S_{a_2} \cup \cdots \cup S_{a_n} = (-\infty, c)$$

이므로 $c$는 $A$의 상계이다.

(ii) 이제 $A$의 최소상계 $\mathrm{lub}(A)$가 존재함을 보이자: $B$를 $A$의 상계들의 모임이라 하자. 그리고 각각의 $b \in B$에 대하여

$$T_b = \{x \in X \mid x > b\} = (b, \infty)$$

이라 하고

$$Y = (\cup_{a \in A} S_a) \cup (\cup_{b \in B} T_b)$$

이라 하자.

---

1) 3.5절 참조.

첫 번째, $Y \neq X$인 경우에는 $\alpha \in X - Y$가 존재하여 모든 $a \in A$와 $b \in B$에 대하여 $a \leq \alpha \leq b$이다. 따라서 $\alpha = \text{lub}(A)$이다.

두 번째, $Y = X$인 경우에는 $\{S_a \mid a \in A\} \cup \{T_b \mid b \in B\}$가 컴팩트공간 $X$의 열린덮개이므로

$$X = (S_{a_1} \cup S_{a_2} \cup \cdots \cup S_{a_n}) \cup (T_{b_1} \cup T_{b_2} \cup \cdots \cup T_{b_m})$$

을 만족하는 유한개의 $a_1, \ldots, a_n \in A$과 $b_1, \ldots, b_m \in B$이 존재한다. 그러면 모든 $a \in A$, $b \in B$에 대하여 $S_a \cap T_b = \varnothing$이므로

$$A \cap (T_{b_1} \cup T_{b_2} \cup \cdots \cup T_{b_m}) = \varnothing, \quad A \subset S_{a_1} \cup S_{a_2} \cup \cdots \cup S_{a_n}$$

이다. 이제 $\alpha = \max\{a_1, a_2, \ldots, a_n\} \in A$이라 하면

$$A \subset S_{a_1} \cup S_{a_2} \cup \cdots \cup S_{a_n} = (-\infty, \alpha)$$

이므로 $\alpha = \text{lub}(A)$이다.

(iii) 최대하계(g.l.b)에 대해서도 같은 방법으로 보일 수 있다.

(b)⇒(a) $\mathscr{U}$를 $X$의 임의의 열린덮개라 하자. 한편 $X$가 조건 (b)를 만족하므로

$$a_0 = \text{glb}(X) \in X, \quad b_0 = \text{lub}(X) \in X$$

가 존재한다. 이제

$$S = \{y \in X \mid [a_0, y)\text{는 } \mathscr{U}\text{의 유한개의 원소들로 덮인다}\}$$

이라 하자. 그러면 자명하게 $a_0 \leq x \leq y$에 대하여 만약 $y \in S$이면 $x \in S$이고, 만약 $x \notin S$이면 $y \notin S$이다.

한편 $[a_0, a_0) = \varnothing$이므로 $a_0 \in S$가 되어 $S$는 공집합이 아니다. 따라서 (b)에 의하여 $\alpha = \text{lub}(S) \in X$가 존재한다.

이제 $\alpha = b_0$임을 보이자. 만약 $\alpha \neq b_0$이라 가정하면 $\alpha < b_0$이다. 그리고 $\mathscr{U}$가 $X$의 덮개이므로 $\alpha \in U$인 $U \in \mathscr{U}$가 존재한다. 또한 순서위상의 기저를 생각하면 $\alpha \in (x, y) \subset U$인 $x, y \in X$가 존재한다. 그러면 $x < \alpha$이므로 $x \in S$가 되어 $[a_0, x) \subset U_1 \cup U_2 \cup \cdots \cup U_k$인 유한개의 $U_1, U_2, \ldots, U_k \in \mathscr{U}$가 존재한다. 그리고 $x \in U' \in \mathscr{U}$을 택하면

$$[a_0, y) = [a_0, x) \cup \{x\} \cup (x, y) \subset (U_1 \cup U_2 \cup \cdots \cup U_k) \cup U' \cup U$$

이므로 $y \in S$이다. 그런데 $\alpha < y$이므로 $\alpha = \text{lub}(S)$에 모순이다. 따라서 $\alpha = b_0$이다.

한편 $b_0 \in W$를 만족하는 $W \in \mathscr{U}$가 존재한다. 그리고 순서위상의 기저를 생각하면 $b_0 \in (x, b_0] \subset W$를 만족하는 점 $x \in X$가 존재한다. 그런데 $x \in S$이므로 $[a_0, x) \subset U_1 \cup U_2 \cup \cdots \cup U_n$을 만족하는 유한개의 $U_1, U_2, \ldots, U_n \in \mathscr{U}$이 존재한다. 또한 $\mathscr{U}$가 $X$의 열린덮개이므로 $x \in V$를 만족하는 $V \in \mathscr{U}$가 존재한다. 따라서

$$X = [a_0, b_0] = [a_0, x) \cup \{x\} \cup (x, b_0] \subset (U_1 \cup U_2 \cup \cdots \cup U_n) \cup V \cup W$$

이므로 $X$는 컴팩트이다. □

**보기 9.1.10** 보기 4.2.48에서 다룬 최소 비가산 정렬집합 $\overline{S}_\Omega = S_\Omega \cup \{\Omega\}$는 보기 9.1.9의 조건을 만족하므로 순서공간 $\overline{S}_\Omega = S_\Omega \cup \{\Omega\}$는 컴팩트이다. 그러나 부분공간 $S_\Omega$의 열린덮개 $\{S_a \mid a \in S_\Omega\}$는 유한 부분덮개를 갖지 않으므로 $S_\Omega$는 컴팩트가 아니다.

**정리 9.1.11** $X$와 $Y$를 위상공간이라 하자. 만약 $X$는 컴팩트이고 $f: X \to Y$가 연속사상이면 $f(X)$도 컴팩트이다. 단, 여기서 $f(X)$는 $Y$의 부분공간이다.

**증명** $\{V_\alpha\}_{\alpha \in \Lambda}$를 부분집합 $f(X)$의 열린덮개라 하자. 즉, 모든 $V_\alpha$는 $Y$의 열린집합이고

$$f(X) \subset \cup_{\alpha \in \Lambda} V_\alpha$$

이다. 먼저 $f$가 연속이므로 $f^{-1}(V_\alpha)$는 $X$의 열린집합이고

$$X \subset f^{-1}(f(X)) \subset f^{-1}(\cup_{\alpha \in \Lambda} V_\alpha) = \cup_{\alpha \in \Lambda} f^{-1}(V_\alpha)$$

이므로 $\{f^{-1}(V_\alpha)\}_{\alpha \in \Lambda}$는 $X$의 열린덮개이다(성질 1.4.4 참조). 그리고 $X$가 컴팩트이므로 유한개의 $f^{-1}(V_{\alpha_1}), \ldots, f^{-1}(V_{\alpha_k})$가 존재하여

$$\bigcup_{i=1}^{k} f^{-1}(V_{\alpha_i}) = X$$

이다. 그래서

$$f(X) = f(\cup_{i=1}^{k} f^{-1}(V_{\alpha_i})) = \cup_{i=1}^{k} f(f^{-1}(V_{\alpha_i})) \subset \cup_{i=1}^{k} V_{\alpha_i}$$

이다. 따라서 $f(X)$는 컴팩트이다. □

컴팩트는 위상동형사상에 의해서 보존되는 위상적 성질이다.

**따름정리 9.1.12** 두 위상공간 $X$와 $Y$가 위상동형이면 다음이 성립한다:

$$X\text{는 컴팩트} \Leftrightarrow Y\text{는 컴팩트}$$

증명 $X$가 컴팩트라고 가정하자. $X$와 $Y$가 위상동형이므로 위상동형사상 $f: X \to Y$가 존재한다. 그러면 정리 9.1.11에 의하여 $Y = f(X)$도 컴팩트이다. □

**보기 9.1.13** 다음은 모두 유클리드공간 $\mathbb{R}$의 부분공간들이다.

(1) $X = \{0\} \cup \mathbb{N}$과 $Y = \{0\} \cup \{\frac{1}{n} \mid n \in \mathbb{N}\}$은 위상동형이 아니다. 왜냐하면 $X$는 컴팩트가 아니고 $Y$는 컴팩트이다.

(2) $[1, 3]$과 $\mathbb{R}$은 위상동형이 아니다. 왜냐하면 $[1, 3]$은 컴팩트이고 $\mathbb{R}$은 컴팩트가 아니다.

**정리 9.1.14** 컴팩트공간의 닫힌집합은 컴팩트이다.

증명 $X$를 컴팩트공간이라 하고 $E$를 $X$의 닫힌집합이라 하자. 그리고 $\mathscr{U}$를 $E$의 열린덮개라 하자. 따라서 $E \subset \cup_{U \in \mathscr{U}} U$이다. 그러면 $E^c$이 열린집합이고

$$X = E \cup E^c \subset \left(\bigcup_{U \in \mathscr{U}} U\right) \cup E^c$$

이므로 $\mathscr{V} = \mathscr{U} \cup \{E^c\}$은 $X$의 열린덮개이다. 그리고 $X$가 컴팩트이므로 유한 부분덮개 $\mathscr{V}'$이 존재한다. 그러면 $\mathscr{V}'$은

$$\{U_i \in \mathscr{U} \mid i = 1, 2, \ldots, k\} \text{ 또는 } \{U_i \in \mathscr{U} \mid i = 1, 2, \ldots, k\} \cup \{E^c\}$$

형태이다. 따라서

$$\bigcup_{i=1}^{k} U_i \supset X \text{ 또는 } \left(\bigcup_{i=1}^{k} U_i\right) \cup E^c \supset X$$

이다. 그런데 $E \cap E^c = \varnothing$이므로 어떤 형태든 상관없이 항상 $\cup_{i=1}^{k} U_i \supset E$이다. 따라서 $E$는 컴팩트이다. □

**기초정리 9.1.15** $X$를 하우스도르프라 하자. 그러면 임의의 컴팩트집합 $A \subset X$와 점 $x \in X - A$에 대하여

$$x \in U_x, \quad A \subset V_x, \quad U_x \cap V_x = \varnothing$$

을 만족하는 열린집합 $U_x$와 $V_x$가 존재한다.

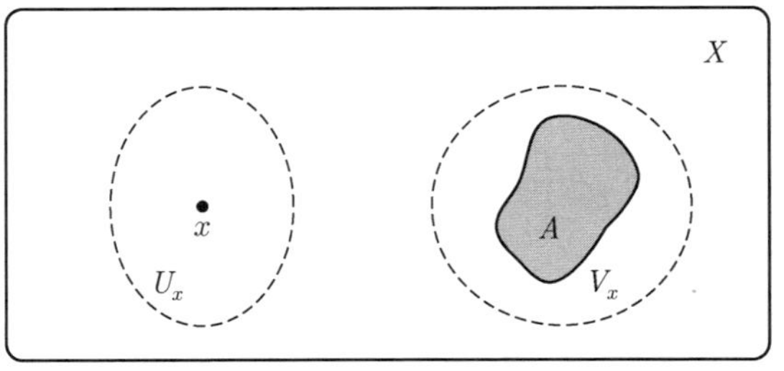


그림 9.2 • 하우스도르프공간의 컴팩트집합

증명 각각의 점 $a \in A$에 대하여, $x \in X - A$이고 $X$가 하우스도르프이므로,

$$x \in U_a, \quad a \in V_a, \quad U_a \cap V_a = \varnothing$$

을 만족하는 열린집합 $U_a$와 $V_a$가 존재한다. 따라서 $A \subset \cup_{a \in A} V_a$이고 $A$가 컴팩트이므로 $A \subset \cup_{i=1}^{n} V_{a_i}$를 만족하는 유한개의 $a_1, a_2, \ldots, a_n \in A$이 존재한다. 그러면

$$U_x = \bigcap_{i=1}^{n} U_{a_i}, \quad V_x = \bigcup_{i=1}^{n} V_{a_i}$$

는 열린집합이고

$$x \in U_x, \quad A \subset V_x, \quad U_x \cap V_x = \varnothing$$

을 만족한다. □

**정리 9.1.16** $X$를 하우스도르프라 하자. 그러면 임의의 서로소인 컴팩트 부분집합 $A$와 $B$에 대하여

$$A \subset U, \quad B \subset V, \quad U \cap V = \varnothing$$

을 만족하는 열린집합 $U$와 $V$가 존재한다.

증명 임의의 점 $a \in A$에 대하여, 기초정리 9.1.15에 의해,

$$a \in U_a, \quad B \subset V_a, \quad U_a \cap V_a = \varnothing$$

을 만족하는 열린집합 $U_a$와 $V_a$가 존재한다. 그러면 $A \subset \cup_{a \in A} U_a$이고 $A$가 컴팩트이므로 $A \subset \cup_{i=1}^{n} U_{a_i}$를 만족하는 유한개의 $a_1, a_2, \ldots, a_n \in A$이 존재하여

$$U = \bigcup_{i=1}^{n} U_{a_i}, \quad V = \bigcap_{i=1}^{n} V_{a_i}$$

는 열린집합이고

$$A \subset U, \quad B \subset V, \quad U \cap V = \varnothing$$

을 만족한다. □

**정리 9.1.17** 하우스도르프공간의 컴팩트집합은 닫힌집합이다.

증명 $A$를 하우스도르프공간 $X$의 컴팩트집합이라 하자. 임의의 점 $x \in X - A$에 대하여, 기초정리 9.1.15에 의해,

$$x \in U_x, \quad A \subset V_x, \quad U_x \cap V_x = \varnothing$$

을 만족하는 열린집합 $U_x$와 $V_x$가 존재한다. 그러면 $\cup_{x \in X-A} U_x$는 $X$의 열린집합이다. 편의상 $U = \cup_{x \in X-A} U_x$이라 하자.

이제 $U = X - A$임을 보이자. 임의의 $x \in X - A$에 대하여 $U_x \cap V_x = \varnothing$이고 $A \subset V_x$이므로 $U_x \cap A = \varnothing$이다. 그래서 $U_x \subset X - A$이다. 그러므로 $U \subset X - A$이다. 역으로 임의의 $x \in X - A$에 대하여 $x \in U_x \subset U$이므로 $X - A \subset U$이다.

따라서 $X - A = U$이므로 $X - A$는 열린집합이고 $A$는 닫힌집합이다. □

**따름정리 9.1.18** $X$를 컴팩트 하우스도르프공간이라 하자. 그러면 $A \subset X$가 컴팩트일 필요충분조건은 $A$가 닫힌집합인 것이다.

증명 정리 9.1.14와 정리 9.1.17에 의해 당연하다. □

**따름정리 9.1.19** 컴팩트 하우스도르프공간은 정규공간이다.

증명 $X$를 컴팩트 하우스도르프공간이라 하자. 그리고 $A$와 $B$를 서로소인 닫힌집합이라 하자. 그러면 $X$가 컴팩트이므로, 정리 9.1.14에 의하여, $A$와 $B$는 컴팩트이다. 그리고 $X$가 하우스도르프이므로, 정리 9.1.16에 의하여,

$$A \subset U, \quad B \subset V, \quad U \cap V = \varnothing$$

을 만족하는 열린집합 $U$와 $V$가 존재한다. 따라서 $X$는 정규공간이다. □

**따름정리 9.1.20** $X$를 하우스도르프라 하자. 만약 모든 $K_\alpha \subset X(\alpha \in \Lambda)$가 컴팩트이면 $\cap_{\alpha \in \Lambda} K_\alpha$도 컴팩트이다.

증명 정리 9.1.17에 의하여 모든 $K_\alpha$가 닫힌집합이므로 $\cap_{\alpha \in \Lambda} K_\alpha$도 닫힌집합이다. 그리고 임의로 택한 $\alpha_0 \in \Lambda$에 대해 $\cap_{\alpha \in \Lambda} K_\alpha$가 컴팩트공간 $K_{\alpha_0}$의 닫힌집합이므로 정리 9.1.14에 의하여 $\cap_{\alpha \in \Lambda} K_\alpha$는 컴팩트이다. □

**보기 9.1.21** 기초정리 9.1.15, 정리 9.1.17과 따름정리 9.1.19는 하우스도르프 조건이 없으면 성립하지 않는다: 보기 3.1.3과 보기 7.1.8에서 보았듯이 여유한공간 $X = (\mathbb{R}, \mathscr{T}_f)$는 $T_1$-공간이지만 하우스도르프는 아니다. 그리고 $C \subset X$가 닫힌집합일 필요충분조건은 $C$가 유한집합이거나 $X$인 것이다. 한편 보기 9.1.6에 의하여 $X$의 모든 부분집합은 컴팩트이다.

(1) $X$의 컴팩트집합 $A = (0, \infty)$와 점 $-1$에 대하여

$$-1 \in U, \quad A \subset V, \quad U \cap V = \varnothing$$

을 만족하는 $X$의 열린집합 $U$, $V$는 존재하지 않는다. 왜냐하면 만약 이러한 $U$, $V$가 존재한다고 가정하면 $A \subset V \subset U^c$이 성립한다. 그런데 $A$는 무한집합이고 $U^c$은 유한집합이므로 모순이다.

(2) $X$의 부분집합 $A = (0, \infty)$는 컴팩트이다. 하지만 $A$가 유한집합이 아니므로 $A$는 $X$의 닫힌집합이 아니다.

(3) $X$는 $T_1$이고 컴팩트이다. 하지만 $X$는 하우스도르프가 아니므로 정규도 아니다.

**보기 9.1.22** **(말기위상)** 따름정리 9.1.20은 하우스도르프 조건이 없으면 성립하지 않는다.

집합 $X$를 유클리드공간 $\mathbb{R}$의 부분집합 $[0,1]$과 또 다른 오른쪽 끝점 $1^*$로 이루어졌다고 하자. 이제 집합 $X=[0,1]\cup\{1^*\}$에 다음과 같이 위상을 주자.

(i) $[0,1]\subset\mathbb{R}$에는 유클리드공간 $\mathbb{R}$의 부분공간위상을 준다.

(ii) 나머지 한 점 $1^*$에서는 모든 $(a,1)\cup\{1^*\}$ 형태를 기저로 갖는다.

즉,

$$\begin{aligned}\mathscr{B}=&\{[0,1]\cap(a,b)\mid a,b\in\mathbb{R},\ a<b\}\\ &\bigcup\{(a,1)\cup\{1^*\}\mid a\in\mathbb{R},\ 0<a<1\}\bigcup\{[0,1)\cup\{1^*\}\}\end{aligned}$$

를 기저로 갖는 위상 $\mathscr{T}$를 주자. 이러한 위상을 말기위상(telophase topology)이라 한다.[2] 그러면 $X$의 부분공간 $[0,1]$은 유클리드공간 $\mathbb{R}$의 부분공간 $[0,1]$과 같다.

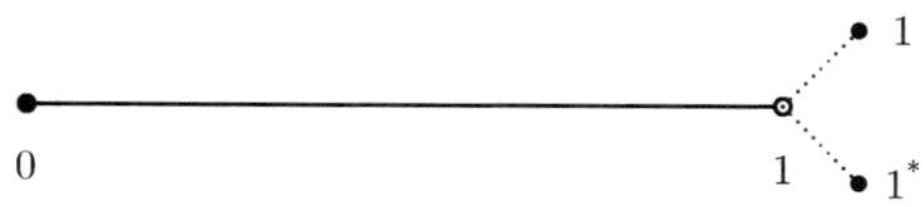


그림 9.3 • 말기위상

그리고 $X$의 부분공간 $[0,1)\cup\{1^*\}$는 $[0,1]$과 위상동형이다. 보다 구체적으로

$$f:[0,1]\to[0,1)\cup\{1^*\},\quad f(t)=\begin{cases}t, & 0\le t<1\\ 1^*, & t=1\end{cases}$$

가 위상동형사상이다. 그리고 $[0,1]$과 $[0,1)\cup\{1^*\}$는 모두 $X$의 열린집합이다.

(1) $(X,\mathscr{T})$는 $T_1$-공간이다: 임의의 서로 다른 두 점 $a,b\in[0,1]$에 대하여 우리는 $a<b$이라 할 수 있다. 그러면 열린집합 $U=[0,b)$와 $V=(a,1]$가

$$a\in U,\quad b\notin U,\quad a\notin V,\quad b\in V$$

를 만족한다. 한편 임의의 점 $a\in[0,1)$와 $1^*$에 대하여 열린집합 $U=[0,1)$과 $V=(a,1)\cup\{1*\}$가

$$a\in U,\quad 1^*\notin U,\quad a\notin V,\quad 1^*\in V$$

를 만족한다. 마지막으로 1과 $1^*$에 대하여 열린집합 $U=(\frac{1}{2},1]$과 $V=(\frac{1}{2},1)\cup\{1^*\}$가

$$1\in U,\quad 1^*\notin U,\quad 1\notin V,\quad 1^*\in V$$

2) telophase=(유사 핵분열의) 말기(末期), 보기 10.2.15 참조.

를 만족한다. 따라서 $(X, \mathscr{T})$는 $T_1$-공간이다.

(2) $X$는 하우스도르프($T_2$)가 아니다: 1과 $1^*$를 각각 포함하는 서로소인 열린집합이 존재하지 않는다. 만약 $U$가 1을 포함하는 $X$의 열린집합이면 $(a, 1] \subset U$를 만족하는 $0 \le a < 1$가 존재한다. 그리고 $V$가 $1^*$를 포함하는 $X$의 열린집합이면 $(b, 1) \cup \{1^*\} \subset V$를 만족하는 $0 \le b < 1$가 존재한다. 이제 $c = \max\{a, b\}$이라 하면 $c < 1$이므로 $(c, 1) \neq \varnothing$이다. 그리고 $U \cap V \supset (c, 1)$이므로 $U \cap V \neq \varnothing$이다. 따라서 $X$는 하우스도르프가 아니다.

(3) 그리고 $[0, 1]$이 컴팩트이고 $[0, 1] \cong [0, 1) \cup \{1^*\}$이므로 $[0, 1) \cup \{1^*\}$도 컴팩트이다. 따라서 이들의 합집합 $X$도 컴팩트이다. 그러나 두 컴팩트집합 $[0, 1]$과 $[0, 1) \cup \{1^*\}$의 교집합 $[0, 1)$은 컴팩트가 아니다.

**보기 9.1.23** $X$를 정칙공간이라 하자. 그러면 임의의 컴팩트집합 $K \subset X$와 $K \subset U$인 열린집합 $U$에 대하여 $K \subset V \subset \overline{V} \subset U$를 만족하는 열린집합 $V$가 존재한다.

**풀이** 임의의 점 $a \in K$에 대하여 $a \in U$이고 $X$가 정칙이므로 정리 7.2.5에 의해 $a \in V_a \subset \overline{V}_a \subset U$를 만족하는 열린집합 $V_a$가 존재한다. 그러면 $\mathscr{U} = \{V_a \mid a \in K\}$는 컴팩트집합 $K$의 열린덮개이므로

$$K \subset V_{a_1} \cup V_{a_2} \cup \cdots \cup V_{a_n}$$

인 유한개의 $V_{a_1}, V_{a_2}, \ldots, V_{a_n} \in \mathscr{U}$이 존재한다. 이제 $V = \cup_{i=1}^{n} V_{a_i}$이라 하면 $V$는 열린집합이고

$$K \subset V = \cup_{i=1}^{n} V_{a_i} \subset \overline{V} = \overline{\cup_{i=1}^{n} V_{a_i}} = \cup_{i=1}^{n} \overline{V}_{a_i} \subset U$$

이다. □

**정리 9.1.24** $X$는 컴팩트이고 $Y$는 하우스도르프라 하자. 만약 $f : X \to Y$가 전단사인 연속사상이면 $f$는 위상동형사상이다.

**증명** $f$가 연속이고 전단사이므로 성질 5.2.8에 의하여 $f$가 닫힌사상임을 보이면 충분하다. 만약 $C$가 $X$의 닫힌집합이면 정리 9.1.14에 의해 $C$는 컴팩트이다. 그러면 정리 9.1.11에 의해 $f(C)$도 컴팩트이다. 그리고 따름정리 9.1.17에 의해 $f(C)$는 $Y$의 닫힌집합이다. 따라서 $f$는 닫힌사상이다. □

**참고 9.1.25** $X$는 컴팩트이고 $Y$는 하우스도르프라 하자. 그리고 $f: X \to Y$가 단사인 연속사상이라 하자. 그러면 정리 9.1.24에 의하여 $f: X \to f(X)$는 위상동형사상이다. 따라서 $f: X \to Y$는 넣기사상이 된다.

이제 유한개의 컴팩트공간들의 곱공간이 컴팩트임을 보이자. 이를 위해 우리는 다음의 관 보조정리가 필요하다.

**기초정리 9.1.26 (관 보조정리[3])** $X$는 임의의 위상공간이고 $Y$는 컴팩트공간이라 하자. 그러면 $\{x_0\} \times Y \subset N \subset X \times Y$를 만족하는 곱공간 $X \times Y$의 열린집합 $N$에 대하여 다음을 만족하는 $X$의 열린집합 $W$가 존재한다:

$$x_0 \in W \subset X, \quad \{x_0\} \times Y \subset W \times Y \subset N$$

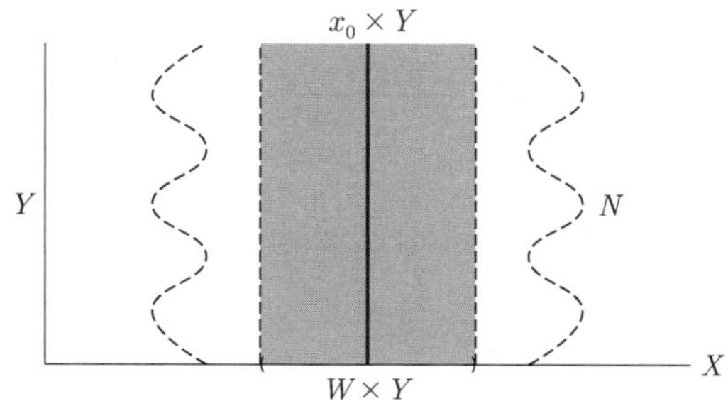


그림 9.4 • 관 보조정리

증명 먼저 $X \times Y$의 부분공간 $\{x_0\} \times Y$는 컴팩트공간 $Y$와 위상동형이므로 컴팩트이다.

임의의 점 $y \in Y$에 대하여 $(x_0, y) \in N$이고 $N$이 $X \times Y$의 열린집합이므로

$$(x_0, y) \in U_y \times V_y \subset N$$

을 만족하는 $X$의 열린집합 $U_y$와 $Y$의 열린집합 $V_y$가 존재한다. 그리고 $U_y \times V_y$는 $X \times Y$의 열린집합이므로

$$\mathscr{U} = \{ U_y \times V_y \subset X \times Y \mid y \in Y \}$$

는 $\{x_0\} \times Y$의 열린덮개이다. 그리고 $\{x_0\} \times Y$가 컴팩트이므로

$$\{x_0\} \times Y \subset U_1 \times V_1 \cup U_2 \times V_2 \cup \cdots \cup U_n \times V_n \subset N$$

3) tube lemma

을 만족하는 유한개의 $U_1 \times V_1, U_2 \times V_2, \ldots, U_n \times V_n \in \mathscr{U}$이 존재한다. 그래서

$$W = U_1 \cap U_2 \cap \cdots \cap U_n$$

이라 하면 $W$는 $x_0 \in W$를 만족하는 $X$의 열린집합이다.

이제 우리는 $W \times Y \subset N$임을 보이면 충분하다. 임의의 점 $(x, y) \in W \times Y$에 대하여 $Y = \cup_{i=1}^{n} V_i$이므로 $y \in V_i$를 만족하는 $i$가 존재한다. 그러면 이러한 $i$에 대하여 $(x, y) \in U_i \times V_i$이므로 $(x, y) \in N$이다. 따라서 $W \times Y \subset N$이다. □

**보기 9.1.27** 만약 $Y$가 컴팩트가 아니면 관 보조정리(기초정리 9.1.26)는 성립하지 않는다. 예를 들어 $X = \mathbb{R}$와 $Y = \mathbb{R}$를 유클리드공간이라 하자. 그러면 $X \times Y = \mathbb{R} \times \mathbb{R} = \mathbb{R}^2$이다. 이제 $x_0 = 0 \in X$이라 하자. 그러면

$$N = \{(x, y) \in X \times Y = \mathbb{R}^2 \mid |x| < \frac{1}{y^2 + 1}\}$$

은 $\{0\} \times Y$를 포함하는 $X \times Y$의 열린집합이다(그림 9.5 참조). 그러나

$$0 \in W \subset X = \mathbb{R}, \quad \{0\} \times Y \subset W \times Y \subset N$$

을 만족하는 $X$의 열린집합 $W$는 존재하지 않는다.

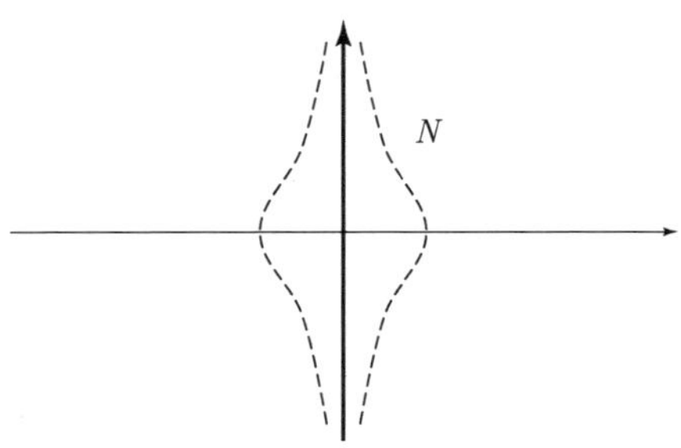


그림 9.5 • $Y$가 컴팩트하지 않으면 관 보조정리는 성립하지 않는다.

**정리 9.1.28** 유한개의 컴팩트공간의 곱공간은 컴팩트이다.[4)]

증명 두 컴팩트공간 $X$와 $Y$에 대하여 곱공간 $X \times Y$가 컴팩트임을 보이면 충분하다. $\mathscr{U}$를 $X \times Y$의 열린덮개라 하자. 임의의 점 $x \in X$에 대하여 $\{x\} \times Y$가 컴팩트이므로 $\{x\} \times Y \subset \cup_{i=1}^{n(x)} U_i^x$를 만족하는 유한개의 $U_1^x, U_2^x, \ldots, U_{n(x)}^x \in \mathscr{U}$가 존재한

4) Tychonoff 정리(정리 9.2.3)에 의하면 임의의 개수의 컴팩트공간들의 곱공간도 컴팩트이다.

다. 그러면 $N_x = \cup_{i=1}^{n(x)} U_i^x$는 $\{x\} \times Y$를 포함하는 $X \times Y$의 열린집합이다. 따라서 관 보조정리(기초정리 9.1.26)에 의해

$$x \in W_x \subset X, \quad \{x\} \times Y \subset W_x \times Y \subset N_x = \cup_{i=1}^{n(x)} U_i^x$$

를 만족하는 $X$의 열린집합 $W_x$가 존재한다.

한편 $\{ W_x \mid x \in X \}$가 컴팩트공간 $X$의 열린덮개이므로 $X = \cup_{j=1}^{m} W_{x_j}$를 만족하는 유한개의 $x_1, \dots, x_m \in X$이 존재한다. 따라서

$$X \times Y = (\cup_{j=1}^{m} W_{x_j}) \times Y = \cup_{j=1}^{m} (W_{x_j} \times Y)$$

이고 각각의 $j$에 대하여 $W_{x_j} \times Y$가 $\mathscr{U}$의 유한개의 원소로 덮이므로 $X \times Y$도 $\mathscr{U}$의 유한개의 원소로 덮인다. 따라서 곱공간 $X \times Y$는 컴팩트이다. □

**정리 9.1.29** 위상공간 $X$에 대하여 다음은 동치이다.

(a) $X$는 컴팩트이다.

(b) 모든 위상공간 $Y$에 대하여 사영사상 $\pi_Y : X \times Y \to Y$, $\pi_Y(x, y) = y$는 닫힌사상이다.[5)]

증명 (a)⇒(b) 먼저 $X$가 컴팩트공간이라 하자. 그리고 $Y$를 임의의 위상공간이라 하자. 이제 $\pi_Y$가 닫힌사상임을 보이자. 우리는 주어진 닫힌집합 $C \subset X \times Y$에 대해 $Y - \pi_Y(C)$가 $Y$의 열린집합임을 보이면 충분하다. 임의의 점 $y \in Y - \pi_Y(C)$에 대하여 $(X \times \{y\}) \cap C = \varnothing$이므로 $X \times \{y\} \subset X \times Y - C$이다. 그런데 $X \times Y - C$가 $X \times Y$의 열린집합이므로 관 보조정리(기초정리 9.1.26)에 의하여

$$y \in W \subset Y, \quad X \times \{y\} \subset X \times W \subset X \times Y - C$$

를 만족하는 $Y$의 열린집합 $W$가 존재한다. 그러면 $y \in W \subset Y - \pi_Y(C)$이므로 $y$는 $Y - \pi_Y(C)$의 내부점이다. 따라서 $Y - \pi_Y(C)$는 $Y$의 열린집합이고 $\pi_Y(C)$는 닫힌집합이다. 그러므로 $\pi_Y$는 닫힌사상이다.

(b)⇒(a) (대우) 위상공간 $X$가 컴팩트가 아니라고 가정하자. 그러면 유한 부분덮개를 갖지않는 $X$의 열린덮개 $\{U_\alpha\}_{\alpha \in \Lambda}$가 존재한다. 이제 $Y$를 $\Lambda$와 $\Lambda$의 공집합이 아닌 유한 부분집합들의 모임이라 하자.

5) 따름정리 11.1.19 참조.

$$Y=\{\Lambda\}\cup\{I \mid I\text{는 } \Lambda\text{의 공집합이 아닌 유한 부분집합}\}$$

그리고 $Y$상의 위상을 다음과 같은 집합들을 기저로 갖는 위상을 주자:

(i) $Y-\{\Lambda\}$의 모든 부분집합들,

(ii) 공집합 $\varnothing$,

(iii) $\Lambda$의 모든 유한 부분집합 $I$에 대한 집합 $U_I=\{J\in Y \mid I\subset J\}$들.

이제 사영사상 $\pi_Y: X\times Y\to Y$, $\pi_Y(x,y)=y$가 닫힌사상이 아님을 보이자. 이를 위해 곱공간 $X\times Y$의 부분집합

$$C=\{(x,I)\in X\times Y \mid x\in \cap_{\alpha\in I}U_\alpha^c\}$$

를 생각하자.

먼저 $C$가 $X\times Y$의 닫힌집합임을 보이자. 만약 $(x,I)\in X\times Y-C$이면 $(x,I)\notin C$이므로 $x\in U_{\alpha_0}$인 $\alpha_0\in I$이 존재한다. 그러면 $U_{\alpha_0}\times U_{\{\alpha_0\}}$은 $X\times Y$의 열린집합이고 $(x,I)\in U_{\alpha_0}\times U_{\{\alpha_0\}}\subset X\times Y-C$이므로 $(x,I)$는 $X\times Y-C$의 내부점이다. 그래서 $X\times Y-C$는 $X\times Y$의 열린집합이다. 따라서 $C$는 $X\times Y$의 닫힌집합이다.

한편 임의의 $I\in Y-\{\Lambda\}$에 대해 $\{U_\alpha\}_{\alpha\in\Lambda}$가 유한 부분덮개를 갖지 않으므로 $x\in\cap_{\alpha\in I}U_\alpha^c$인 $x\in X$가 존재하여 $(x,I)\in C$이고 $I\in\pi_Y(C)$이다. 그리고 $\cap_{\alpha\in\Lambda}U_\alpha^c=\varnothing$이므로 $\Lambda\notin\pi_Y(C)$이다. 결국 $\pi_Y(C)=Y-\{\Lambda\}$이다. 그런데 $\{\Lambda\}$는 $Y$의 열린집합이 아니므로 $Y-\{\Lambda\}$는 $Y$의 닫힌집합이 아니다. 따라서 $\pi_Y$는 닫힌사상이 아니다. □

**참고 9.1.30** $X$는 위상공간이고 $Y$는 컴팩트 Hausdorff 공간이라 하자. 그러면 사상 $f: X\to Y$가 연속이기 위한 필요충분조건은 $f$의 그래프 $\Gamma(f)$가 곱공간 $X\times Y$의 닫힌집합인 것이다.

**풀이** ($\Rightarrow$) 먼저 $f$가 연속이라고 가정하자. 우리는 $X\times Y-\Gamma(f)$가 $X\times Y$의 열린집합임을 보이면 된다. 임의의 점 $(x,y)\in X\times Y-\Gamma(f)$에 대하여 $f(x)\neq y\in Y$이고 $Y$가 Hausdorff이므로 다음을 만족하는 $Y$의 열린집합 $U$, $V$가 존재한다:

$$f(x)\in U,\quad y\in V,\quad U\cap V=\varnothing$$

그러면 $f$가 연속이므로 $f^{-1}(U)$는 $X$의 열린집합이고 $x\in f^{-1}(U)$이다. 한편 $f(f^{-1}(U))\subset U$이고 $U\cap V=\varnothing$이므로

$$(x,y)\in f^{-1}(U)\times V\subset X\times Y-\Gamma(f)$$

이다. 그리고 $f^{-1}(U)\times V$가 $X\times Y$의 열린집합이므로 $(x,y)$는 $X\times Y-\Gamma(f)$의 내부점이 된다. 따라서 $X\times Y-\Gamma(f)$는 $X\times Y$의 열린집합이다.

($\Leftarrow$) $\Gamma(f)$가 $X\times Y$의 닫힌집합이라고 가정하자. 이제 $f$가 임의로 주어진 점 $x_0\in X$에서 연속임을 보이면 된다(정리 5.1.17 참조). 이를 위해 $f(x_0)$의 임의의 열린근방 $V\subset Y$에 대하여 $x_0\in U\subset f^{-1}(V)$를 만족하는 $X$의 열린집합 $U$가 존재함을 보이면 된다. $V$가 $Y$의 열린집합이므로

$$C=\Gamma(f)\cap(X\times(Y-V))$$

는 $X\times Y$의 닫힌집합이다. 그리고 $Y$가 컴팩트하므로 정리 9.1.29에 의해 사영사상 $\pi_X : X\times Y\to X$, $\pi_X(x,y)=x$는 닫힌사상이다. 그래서 $\pi_X(C)$는 $X$의 닫힌집합이다. 따라서 $U=X-\pi_X(C)$는 $X$의 열린집합이고 $x_0\in U\subset f^{-1}(V)$이다.

□

**보기 9.1.31** 여기서 우리는 정규공간의 부분공간과 곱공간이 정규가 되지 않는 보기를 살펴보자.

보기 4.2.48과 보기 9.1.10에서 다룬 순서공간 $\overline{S}_\Omega$와 $S_\Omega$를 생각하자.

(i) $\overline{S}_\Omega$와 $S_\Omega$는 모두 정규공간이다: $\overline{S}_\Omega$와 $S_\Omega$가 정렬집합이므로 보기 7.2.9에 의해 $\overline{S}_\Omega$와 $S_\Omega$는 정규공간이다.

(ii) 곱공간 $\overline{S}_\Omega\times\overline{S}_\Omega$도 정규공간이다: 보기 9.1.10에 의해 $\overline{S}_\Omega$는 컴팩트 하우스도르프이므로 곱공간 $\overline{S}_\Omega\times\overline{S}_\Omega$도 컴팩트 하우스도르프이다. 따라서 따름정리 9.1.19에 의해 $\overline{S}_\Omega\times\overline{S}_\Omega$는 정규이다.

(iii) 곱공간 $S_\Omega\times\overline{S}_\Omega$는 정칙공간이다: 곱공간 $S_\Omega\times\overline{S}_\Omega$는 정칙공간 $\overline{S}_\Omega\times\overline{S}_\Omega$의 부분공간이므로 성질 7.2.7에 의해 $S_\Omega\times\overline{S}_\Omega$도 정칙공간이다.

(iv) 그러나 부분공간(곱공간) $S_\Omega\times\overline{S}_\Omega$는 정규공간이 아니다: $\overline{S}_\Omega$가 하우스도르프이므로 $\Delta=\{(x,x)\mid x\in\overline{S}_\Omega\}$는 $\overline{S}_\Omega\times\overline{S}_\Omega$의 닫힌집합이다(정리 7.1.19). 그러므로

$$A=\Delta\cap(S_\Omega\times\overline{S}_\Omega)=\Delta-\{(\Omega,\Omega)\}$$

는 $S_\Omega\times\overline{S}_\Omega$의 닫힌집합이다. 한편 $\overline{S}_\Omega\times\{\Omega\}$가 $\overline{S}_\Omega\times\overline{S}_\Omega$의 닫힌집합이므로

$$B = S_\Omega \times \{\Omega\} = (\overline{S}_\Omega \times \{\Omega\}) \cap (S_\Omega \times \overline{S}_\Omega)$$

도 $S_\Omega \times \overline{S}_\Omega$의 닫힌집합이다. 그리고 당연히 $A \cap B = \varnothing$ 이다.

이제 우리는 $A$와 $B$를 각각 포함하는 서로소인 열린집합이 존재하지 않음을 보이면 충분하다. 귀류법 가정으로 $A \subset U$, $B \subset V$, $U \cap V = \varnothing$ 을 만족하는 열린집합 $U$와 $V$가 존재한다고 가정하자. 그러면 $U \cap V = \varnothing$ 이므로 $U \subset V^c$이고, $V^c$이 닫힌집합이므로 $\overline{U} \subset V^c$이 되어 $\overline{U} \cap V = \varnothing$ 이다.

먼저 임의의 점 $x \in S_\Omega$에 대하여

$$C_x = \{\beta \in S_\Omega \mid x < \beta < \Omega,\ (x, \beta) \notin U\}$$

가 공집합이 아님을 보이자: 만약 $C_x$가 공집합이라고 가정하면 모든 $x < \beta < \Omega$에 대해 $(x, \beta) \in U$이므로 $(x, \Omega) \in \overline{U}$이다. 그리고 $(x, \Omega) \in V$이므로 $(x, \Omega) \in \overline{U} \cap V$이다. 이는 $\overline{U} \cap V = \varnothing$ 에 모순이다. 따라서 $C_x$는 공집합이 아니다.

한편 $S_\Omega$가 정렬집합이므로 $\beta(x) = \min(C_x) \in C_x$가 존재한다. 그래서 $x < \beta(x) < \Omega$이고 $(x, \beta(x)) \notin U$이다. 이제 임의로 한 점 $x_1 \in S_\Omega$을 택하고

$$x_2 = \beta(x_1),\quad x_3 = \beta(x_2), \ldots,\quad x_{n+1} = \beta(x_n), \ldots$$

이라 하면 우리는 증가수열

$$x_1 < x_2 < x_3 < \cdots < x_n < x_{n+1} < \cdots$$

을 얻는다. 그리고 $\{x_n \mid n \in \mathbb{N}\}$이 가산집합이므로 $x_n \le c\ (\forall n \in \mathbb{N})$를 만족하는 $c \in S_\Omega$가 존재한다. 또한 $S_\Omega$가 정렬집합이므로 이러한 $c$ 중 최소인 $b$가 존재한다. 그러면 $x_n \to b$이다. 그리고 $x_{n+1} = \beta(x_n)$이므로 $\beta(x_n) \to b$이다. 따라서 $(x_n, \beta(x_n)) \to (b, b)$이다. 그런데 $(b, b) \in A \subset U$이고 $(x_n, \beta(x_n)) \notin U\ (\forall n \in \mathbb{N})$이므로 $(x_n, \beta(x_n)) \not\to (b, b)$이다. 이는 모순이다.

따라서 $A$와 $B$를 각각 포함하는 서로소인 열린집합은 존재하지 않는다. 그러므로 $S_\Omega \times \overline{S}_\Omega$는 정규가 아니다.

**정리 9.1.32** 컴팩트공간의 모든 무한 부분집합은 극한점을 갖는다.

증명 귀류법 가정으로 극한점을 갖지 않는 컴팩트공간 $X$의 무한 부분집합 $S$가 존재한

다고 가정하자. 그러면 모든 점 $p \in X$는 $S$의 극한점이 아니므로

$$p \in V_p, \quad V_p \cap S - \{p\} = \varnothing$$

을 만족하는 열린집합 $V_p$가 존재하여 $V_p \cap S \subset \{p\}$이다. 그런데 $p \in V_p$이므로 $\{V_p \mid p \in X\}$는 $X$의 열린덮개이다. 한편 $X$가 컴팩트하므로 $X = V_{p_1} \cup V_{p_2} \cup \cdots \cup V_{p_k}$를 만족하는 유한개의 $p_1, p_2, \dots, p_k \in X$가 존재한다. 그러면

$$S = X \cap S = (V_{p_1} \cup V_{p_2} \cup \cdots \cup V_{p_k}) \cap S \subset \{p_1, p_2, \dots, p_k\}$$

이다. 따라서 $S$는 유한집합이 된다. 이는 모순이다. □

**정리 9.1.33** $X$는 하우스도르프이고 모든 자연수 $n \in \mathbb{N}$에 대하여 $K_n \subset X$이 공집합이 아닌 컴팩트집합이라 하자. 만약

$$K_1 \supset K_2 \supset \cdots \supset K_n \supset K_{n+1} \supset \cdots$$

이면 $\cap_{n=1}^{\infty} K_n \neq \varnothing$이다.

**증명** (귀류법) $\cap_{n=1}^{\infty} K_n = \varnothing$이라고 가정하자. 그러면 $K_1 \cap (\cap_{n=2}^{\infty} K_n) = \varnothing$이므로

$$K_1 \subset (\cap_{n=2}^{\infty} K_n)^c = \cup_{n=2}^{\infty} K_n^c$$

이다. 그런데 모든 $K_n$이 하우스도르프공간 $X$의 컴팩트집합이므로 정리 9.1.17에 의하여 $K_n$은 닫힌집합이고 $K_n^c$은 열린집합이다. 그러므로

$$\mathscr{U} = \{K_n^c \mid n \geq 2\}$$

는 컴팩트집합 $K_1$의 열린덮개이다. 따라서 유한개의 $2 \leq n_1, n_2, \dots, n_k \in \mathbb{N}$가 존재하여

$$K_1 \subset \cup_{i=1}^{k} K_{n_i}^c = (\cap_{i=1}^{k} K_{n_i})^c$$

을 만족하므로 $K_1 \cap (\cap_{i=1}^{k} K_{n_i}) = \varnothing$이 된다. 그런데 $m = \max\{n_1, n_2, \dots, n_k\}$이라 하면

$$K_m = K_1 \cap (\cap_{i=1}^{k} K_{n_i}) = \varnothing$$

이 되어 모순이다. □

**따름정리 9.1.34** $\mathbb{R}$상의 닫힌구간 $[a_n, b_n]$ $(n \in \mathbb{N})$이

$$[a_1, b_1] \supset [a_2, b_2] \supset \cdots \supset [a_n, b_n] \supset [a_{n+1}, b_{n+1}] \supset \cdots$$

을 만족하면 $\cap_{n=1}^{\infty}[a_n, b_n] \neq \varnothing$ 이다.[6)]

증명 $\mathbb{R}$을 유클리드공간이라 하면 모든 $[a_n, b_n]$은 공집합이 아닌 컴팩트집합이다. 따라서 정리 9.1.8과 정리 9.1.33에 의하여 성립한다. □

**보기 9.1.35** 정리 9.1.33은 컴팩트와 Hausdorff 조건 중 하나라도 없으면 성립하지 않는다.

(1) 유클리드공간 $\mathbb{R}$의 부분집합 $A_n = [n, \infty)$은 공집합이 아닌 닫힌집합이지만 컴팩트는 아니다. 그리고

$$A_1 \supset A_2 \supset \cdots \supset A_n \supset A_{n+1} \supset \cdots$$

을 만족한다. 그러나 $\cap_{n=1}^{\infty} A_n = \varnothing$ 이다.

(2) 여유한공간 $(\mathbb{R}, \mathscr{T}_f)$는 보기 7.1.8에서 보았듯이 $T_1$-공간이지만 하우스도르프는 아니다. 보기 9.1.6에 의해 모든 자연수 $n \in \mathbb{N}$에 대하여 $A_n = [n, \infty)$은 $(\mathbb{R}, \mathscr{T}_f)$의 컴팩트집합이다. 그리고

$$A_1 \supset A_2 \supset \cdots \supset A_n \supset A_{n+1} \supset \cdots$$

을 만족한다. 그러나 $\cap_{n=1}^{\infty} A_n = \varnothing$ 이다.

이제 정리 9.1.33을 보다 일반화시켜보자.

**정의 9.1.36** $X$의 부분집합들의 모임 $\mathscr{A}$가 **유한 교집합 조건**(finite intersection property)을 만족한다란 $\mathscr{A}$의 모든 유한 부분집합 $\{A_1, \ldots, A_n\}$에 대하여

$$A_1 \cap A_2 \cap \cdots \cap A_n \neq \varnothing$$

인 경우를 뜻한다.

6) 성질 2.1.10 참조.

**정리 9.1.37** 위상공간 $X$에 대하여 다음은 서로 동치이다.

(a) $X$는 컴팩트이다.

(b) 만약 $\mathscr{A}$가 유한 교집합 조건을 만족하는 $X$의 부분집합들의 모임이면 $\cap_{A\in\mathscr{A}}\overline{A} \neq \varnothing$ 이다.

(c) 만약 $\mathscr{A}$가 유한 교집합 조건을 만족하는 $X$의 닫힌집합들의 모임이면 $\cap_{A\in\mathscr{A}}A \neq \varnothing$ 이다.

증명 (a)⇒(b) $X$를 컴팩트라 하자. 그리고 $\mathscr{A}$를 유한 교집합 조건을 만족하는 $X$의 부분집합들의 모임이라 하자. 이제 귀류법을 사용하여 $\cap_{A\in\mathscr{A}}\overline{A} \neq \varnothing$ 임을 보이자. 만약 $\cap_{A\in\mathscr{A}}\overline{A} = \varnothing$ 이라고 가정하면

$$X = (\cap_{A\in\mathscr{A}}\overline{A})^c = \cup_{A\in\mathscr{A}}\overline{A}^c$$

이다. 그러므로 $\mathscr{U} = \{\overline{A}^c \mid A\in\mathscr{A}\}$는 컴팩트공간 $X$의 열린덮개이므로 유한 부분덮개가 존재한다. 따라서 유한개의 $A_1, A_2, \dots, A_n \in \mathscr{A}$이 존재하여

$$X = \cup_{i=1}^n \overline{A}_i^c = (\cap_{i=1}^n \overline{A}_i)^c$$

을 만족하므로 $\cap_{i=1}^n \overline{A}_i = \varnothing$이 되어 $\cap_{i=1}^n A_i = \varnothing$ 이다. 이는 $\mathscr{A}$가 유한 교집합 조건을 만족한다는 가정에 모순이다. 따라서 $\cap_{A\in\mathscr{A}}\overline{A} \neq \varnothing$이 되어야 한다.

(b)⇒(c) 먼저 $X$의 닫힌집합 $A$에 대하여 $\overline{A} = A$임을 상기하자. 따라서 조건 (b)에 의해, 임의의 유한 교집합 조건을 만족하는 닫힌집합들의 모임 $\mathscr{A}$에 대하여

$$\cap_{A\in\mathscr{A}}A = \cap_{A\in\mathscr{A}}\overline{A} \neq \varnothing$$

이 된다.

(c)⇒(a) (귀류법) 만약 $X$가 컴팩트가 아니라고 가정하자. 그러면 다음을 만족하는 $X$의 열린덮개 $\mathscr{U}$가 존재한다:

(i) $\cup_{U\in\mathscr{A}}U = X$ 이지만;

(ii) $\mathscr{U}$의 모든 유한 부분집합 $\{U_1, U_2, \dots, U_n\}$에 대해 $\cup_{i=1}^n U_i \subsetneq X$ 이다.

그러면 $\mathscr{A} = \{U^c \mid U\in\mathscr{U}\}$는 닫힌집합들의 모임이다. 그리고 조건 (ii)에 의하여 $\mathscr{A}$의 임의의 유한 부분집합 $\{U_1^c, U_2^c, \dots, U_n^c\}$에 대하여

$$\cap_{i=1}^n U_i^c = (\cup_{i=1}^n U_i)^c = X - (\cup_{i=1}^n U_i) \neq \varnothing$$

이다. 따라서 $\mathscr{A}$는 유한 교집합 조건을 만족한다. 그런데

$$\cap_{U^c \in \mathscr{A}} U^c = (\cup_{U \in \mathscr{U}} U)^c = X^c = \varnothing$$

이 되어 (c)에 모순이다. □

**정리 9.1.38** 모든 $\alpha \in \Lambda$에 대해 $K_\alpha$가 Hausdorff 공간 $X$의 컴팩트집합이라 하자. 만약 $\{K_\alpha \mid \alpha \in \Lambda\}$가 유한 교집합 조건을 만족하면 $\cap_{\alpha \in \Lambda} K_\alpha \neq \varnothing$ 이다.

증명 (귀류법) $\cap_{\alpha \in \Lambda} K_\alpha = \varnothing$ 이라고 가정하자. 이제 고정된 $\beta \in \Lambda$에 대하여

$$K_\beta \cap (\cap_{\alpha \neq \beta} K_\alpha) = \cap_{\alpha \in \Lambda} K_\alpha = \varnothing$$

이므로

$$K_\beta \subset (\cap_{\alpha \neq \beta} K_\alpha)^c = \cup_{\alpha \neq \beta} K_\alpha^c$$

이다. 그런데 모든 $K_\alpha$는 하우스도르프공간 $X$의 컴팩트집합이므로 정리 9.1.17에 의하여 $K_\alpha$는 닫힌집합이고 $K_\alpha^c$은 열린집합이다. 그러므로

$$\mathscr{U} = \{K_\alpha^c \mid \alpha \in \Lambda - \{\beta\}\}$$

는 컴팩트집합 $K_\beta$의 열린덮개이다. 따라서 유한개의 $\alpha_1, \alpha_2, \dots, \alpha_n \in \Lambda - \{\beta\}$ 이 존재하여

$$K_\beta \subset \cup_{i=1}^n K_{\alpha_i}^c = (\cap_{i=1}^n K_{\alpha_i})^c$$

을 만족하므로 $K_\beta \cap (\cap_{i=1}^n K_{\alpha_i}) = \varnothing$ 이 된다. 그런데 이는 $\{K_\alpha \mid \alpha \in \Lambda\}$가 유한 교집합 조건을 만족한다는 가정에 모순이다. □

## 연습문제

**문제 9.1.1** 위상공간 $X$의 유한개의 컴팩트집합들의 합집합도 컴팩트임을 보이시오.

**문제 9.1.2** 공집합이 아닌 위상공간 $X_1, \dots, X_n$에 대하여 곱공간 $X_1 \times \cdots \times X_n$이 컴팩트이면 모든 $X_i (i = 1, \dots, n)$는 컴팩트이다.

**문제 9.1.3** 유클리드공간 $\mathbb{R}$의 부분공간 $[0,1]\cap\mathbb{Q}$는 컴팩트가 아님을 보이시오.

**문제 9.1.4** $\mathscr{T}_1\subset\mathscr{T}_2$인 집합 $X$상의 두 위상 $\mathscr{T}_1$과 $\mathscr{T}_2$에 대하여 다음을 보이시오.

(1) 만약 $(X,\mathscr{T}_2)$가 컴팩트이면 $(X,\mathscr{T}_1)$도 컴팩트이다.

(2) (1)의 역이 성립하지 않는 보기를 드시오.

(3) 만약 $A$가 $(X,\mathscr{T}_2)$의 컴팩트집합이면 $A$는 $(X,\mathscr{T}_1)$의 컴팩트집합이다.

(4) 만약 $(X,\mathscr{T}_1)$이 Hausdorff이면 $(X,\mathscr{T}_2)$도 Hausdorff이다.

(5) 만약 $(X,\mathscr{T}_2)$가 컴팩트이고 $(X,\mathscr{T}_1)$이 Hausdorff이면 $\mathscr{T}_1=\mathscr{T}_2$이다.

(6) 만약 $(X,\mathscr{T}_1)$이 Hausdorff이고 $\mathscr{T}_1\subsetneq\mathscr{T}_2$이면 $(X,\mathscr{T}_2)$는 컴팩트가 아니다.

**문제 9.1.5** $Y$는 무한집합이고 $a,b\not\in Y$이라 하자. 집합 $X=Y\cup\{a,b\}$에 위상

$$\mathscr{T}=\{U\mid U\subset Y\}\cup\{Y\cup\{a\},\ Y\cup\{b\},\ X\}$$

를 주고 $A=Y\cup\{a\}$, $B=Y\cup\{b\}$이라 하자.

(1) $X$는 하우스도르프가 아님을 보이시오.

(2) $A$와 $B$는 모두 컴팩트임을 보이시오.

(3) $A\cap B$는 컴팩트가 아님을 보이시오.

**문제 9.1.6** $A$를 집합 $X$의 부분집합이라 하자. 그리고 위상공간 $(A,\mathscr{T}_A)$는 Hausdorff이지만 컴팩트는 아니라고 하자. 이제 집합 $X$에 위상

$$\mathscr{T}=\mathscr{T}_A\cup\{X-F\mid F\text{는 }(A,\mathscr{T}_A)\text{의 컴팩트집합}\}$$

를 주었을 때, 다음을 보이시오.

(1) $\mathscr{T}$는 집합 $X$상의 위상이다.

(2) $A$는 $(X,\mathscr{T})$의 조밀한 부분집합이다.

(3) 연속사상 $f:(X,\mathscr{T})\to Y$의 축소사상 $f|_A:A\to Y$이 상수사상이면 $f$도 상수사상이다. 단, 여기서 $Y$는 하우스도르프이다.

**문제 9.1.7** 다음과 같이 주어진 하극한공간 $\mathbb{R}_l=(\mathbb{R},\mathscr{T}_l)$의 부분집합들이 컴팩트인지 판별하시오.

(1) $[0,1)$.

(2) $[0,1]$.

(3) $\{0\}\cup\{\frac{1}{n}\mid n\in\mathbb{N}\}$.

(4) $\{0\}\cup\{-\frac{1}{n}\mid n\in\mathbb{N}\}$.

**문제 9.1.8** 보기 7.2.4에서 다룬 $K$-위상공간 $\mathbb{R}_K$의 부분공간 $[0,1]$은 컴팩트가 아님을 보이시오.

**문제 9.1.9** 여가산공간 $(X,\mathscr{T}_c)$에 대하여 다음을 보이시오.

(1) $(X,\mathscr{T}_c)$가 컴팩트일 필요충분조건은 $X$가 유한집합인 것이다.

(2) 연속사상 $f:[a,b]\to(X,\mathscr{T}_c)$는 상수함수뿐이다. 단, 여기서 $[a,b]$는 유클리드공간 $\mathbb{R}$의 부분공간이다.

(3) 연속사상 $f:\mathbb{R}\to(X,\mathscr{T}_c)$는 상수함수뿐이다. 단, 여기서 $\mathbb{R}$은 유클리드공간이다.

(4) $(X,\mathscr{T}_c)$가 길연결일 필요충분조건은 $X$가 한 점 집합인 것이다.

**문제 9.1.10** 자연수 집합 $\mathbb{N}$에 위상

$$\mathscr{T}=\{\mathbb{N},\varnothing\}\cup\{U_n=\{1,2,\ldots,n\}\mid n\in\mathbb{N}\}$$

을 준 위상공간 $X=(\mathbb{N},\mathscr{T})$를 생각하자. 이제 한 점 집합 $\{1\}$은 컴팩트이지만, 이의 폐포 $\overline{\{1\}}$는 컴팩트가 아님을 보이시오.

**문제 9.1.11** 실수 집합 $\mathbb{R}$에 위상

$$\mathscr{T}=\{\mathbb{R},\varnothing\}\cup\{U_x=(x,\infty)\mid x\in\mathbb{R}\}$$

를 준 위상공간 $X=(\mathbb{R},\mathscr{T})$에 대하여 다음을 보이시오.

(1) $X$는 컴팩트가 아니다.

(2) 자연수 집합 $\mathbb{N}$은 컴팩트이지만, 이의 폐포 $\overline{\mathbb{N}}$는 컴팩트가 아니다.

(3) $[1,\infty)$는 컴팩트이다.

(4) $(1,\infty)$는 컴팩트가 아니다.

**문제 9.1.12** 유클리드공간 $\mathbb{R}$의 가산개의 곱공간 $\mathbb{R}^\omega=\Pi_{n=1}^{\infty}\mathbb{R}$을 생각하자. 만약 $K$가 $\mathbb{R}^\omega$의 컴팩트 집합이면 $K^\circ=\varnothing$임을 보이시오.

**문제 9.1.13** 컴팩트이지만 무한개의 연결성분을 갖는 위상공간을 찾으시오.

**문제 9.1.14** 국소연결인 컴팩트공간은 유한개의 연결성분을 가짐을 보이시오.

**문제 9.1.15** (Baire 범주 정리). $X$를 공집합이 아닌 컴팩트 Hausdorff 공간이라 하자.[7]

(1) $X$의 모든 점이 $X$의 극한점이면 $X$는 비가산집합임을 보이시오.

(2) $\{A_n\}$이 가산개의 조밀한 열린집합들의 모임이면 $\cap_{n=1}^{\infty}A_n$이 $X$의 조밀한 부분집합임을 보이시오.

(3) $\{A_n\}$이 가산개의 닫힌집합들의 모임이고 모든 $n\in\mathbb{N}$에 대하여 $(A_n)^\circ=\varnothing$이면 $(\cup_{n=1}^{\infty}A_n)^\circ=\varnothing$임을 보이시오.

---

7) Baire category theorem

**문제 9.1.16** Hausdorff 공간 $X$의 컴팩트집합 $K_n$이 다음을 만족한다고 하자.

$$K_1 \supset K_2 \supset \cdots \supset K_n \supset K_{n+1} \supset \cdots$$

(1) 만약 열린집합 $U$가 $\cap_{n=1}^{\infty} K_n \subset U$를 만족하면 $K_n \subset U \ (\forall n \geq n_0)$를 만족하는 자연수 $n_0$이 존재함을 보이시오.

(2) Hausdorff 공간 $Y$와 연속사상 $f: X \to Y$에 대하여 $f(\cap_{n=1}^{\infty} K_n) = \cap_{n=1}^{\infty} f(K_n)$이 성립함을 보이시오.

**문제 9.1.17** 컴팩트 Hausdorff 공간 $X$와 연속사상 $f: X \to X$에 대하여 $f(A) = A$를 만족하는 공집합이 아닌 닫힌집합 $A \subset X$가 존재함을 보이시오.

**문제 9.1.18** 두 위상공간 $X$와 $Y$ 사이에 전사이고 연속인 닫힌사상 $f: X \to X$가 존재한다고 가정하자. 만약 $X$가 컴팩트 Hausdorff이면 $Y$도 컴팩트 Hausdorff임을 보이시오.

**문제 9.1.19** $f: X \to Y$를 전사이고 연속인 닫힌사상이라 하자. 그리고 각각의 점 $y \in Y$에 대하여 $f^{-1}(y)$가 컴팩트집합이 된다고 하자.[8] 이제 $K$가 $Y$의 컴팩트집합이면 $f^{-1}(K)$도 $X$의 컴팩트집합임을 보이시오. 특별히 $Y$가 컴팩트이면 $X$도 컴팩트이다.

**문제 9.1.20** $X$와 $Y$를 위상공간이라 하고 $A \subset X$와 $B \subset Y$를 컴팩트 부분집합들이라 하자. 그러면 $A \times B \subset W \subset X \times Y$인 열린집합 $W$에 대하여

$$A \times B \subset U \times V \subset W$$

를 만족하는 열린집합 $U \subset X$와 $V \subset Y$가 존재함을 보이시오.

**문제 9.1.21** $X$를 컴팩트 하우스도르프공간이라 하자. 그러면 $X$의 유한 열린덮개 $U_1, \ldots, U_n$에 대하여 다음을 만족하는 컴팩트집합 $K_1, \ldots, K_n \subset X$이 존재함을 보이시오:

$$K_i \subset U_i, \ \ K_1 \cup \cdots \cup K_n = X$$

**문제 9.1.22** $(X,d)$를 거리공간이라 하자. 만약 $(X,d)$의 조밀한 유한집합이 존재하면 $(X,d)$는 컴팩트임을 보이시오.

**문제 9.1.23** $X$를 정렬집합 $(X, \leq)$에 순서위상을 준 위상공간이라 하자. 이제 임의의 $a, b \in X$에 대하여 부분공간 $[a, b] = \{x \in X \mid a \leq x \leq b\}$는 컴팩트임을 보이시오. (힌트: 보기 9.1.9)

---

8) 이러한 사상을 **완전사상**(perfect map)이라 한다.

## 9.2 Tychonoff 정리†

이 절에서는 임의의 개수의 컴팩트공간들의 곱공간이 컴팩트가 된다는 Tychonoff 정리를 증명하고자 한다.

우리는 정리 9.1.28에서 유한개의 컴팩트공간들의 곱공간이 컴팩트임을 증명하였는데 이때의 증명 방법은 무한히 많은 공간들의 곱공간으로 확장이 불가능하다. 따라서 우리는 새로운 증명 방법을 시도하여야 하는데 이때 우리가 사용할 컴팩트의 성질은 정리 9.1.37이다. 따라서 우리는 유한 교집합 조건을 만족하는 $\Pi X_\alpha$의 임의의 부분집합들의 모임 $\mathscr{A}$에 대하여 $\cap_{A\in\mathscr{A}}\overline{A}\neq\varnothing$ 임을 보이면 된다. 그런데 우리는 이를 위해 주어진 $\mathscr{A}$에 대하여 이를 포함하는 새로운 모임 $\mathscr{D}$를 만들어야 한다. 따라서 우리는 다음 기초정리가 필요하다.

**기초정리 9.2.1** $\mathscr{A}$를 유한 교집합 조건을 만족하는 집합 $X$의 부분집합들의 모임이라 하자. 그러면 다음 세 조건을 만족하는 집합 $X$의 부분집합들의 모임 $\mathscr{D}$가 존재한다:

(1) $\mathscr{D}\supset\mathscr{A}$;

(2) $\mathscr{D}$는 유한 교집합 조건을 만족한다;

(3) $X$의 부분집합들의 모임 $\mathscr{E}$가 $\mathscr{E}\supsetneq\mathscr{D}$이면 $\mathscr{E}$는 유한 교집합 조건을 만족하지 않는다.

증명 $\Xi$를 $X$의 부분집합들의 모임들 중 유한 교집합 조건을 만족하는 모임들의 집합이라 하자. 그러면 $\mathscr{A}\in\Xi$이다. 이제 포함관계 $\subset$로 $\Xi$에 부분순서를 주자. 그러면 하우스도르프 극대원리(정리 1.5.15)에 의하여 $\mathscr{A}$를 포함하고 전순서집합이 되는 $\Xi$의 부분모임 중 최대인 $\Xi_1$이 존재하여 $\mathscr{A}\in\Xi_1\subset\Xi$이다. 이제

$$\mathscr{D}=\bigcup_{\mathscr{C}\in\Xi_1}\mathscr{C}$$

이라 하자.

(1) $\mathscr{A}\subset\mathscr{D}$는 자명하다.

(2) $\mathscr{D}$는 유한 교집합 조건을 만족한다: $D_1, D_2, \dots, D_n\in\mathscr{D}$이라 하자. 그러면 각각의 $D_i$에 대하여 $D_i\in\mathscr{C}_i$인 $\mathscr{C}_i\in\Xi_1$가 존재한다. 한편 $(\Xi_1, \subset)$이 전순서집합이

므로 우리는 일반성을 잃지 않고

$$\mathscr{C}_1 \subset \mathscr{C}_2 \subset \cdots \subset \mathscr{C}_n$$

이라 할 수 있다. 따라서 $D_1, D_2, \ldots, D_n \in \mathscr{C}_n$이 된다. 그런데 $\mathscr{C}_n$이 유한 교집합 조건을 만족하므로

$$D_1 \cap D_2 \cap \cdots \cap D_n \neq \varnothing$$

이다.

(3) 이제 $\mathscr{E} \supsetneq \mathscr{D}$이라 하자. 만약 $\mathscr{E}$가 유한 교집합 조건을 만족한다고 가정하면 $\Xi_2 = \Xi_1 \cup \{\mathscr{E}\}$를 생각할 수 있다. 그런데 $\Xi_1 \subsetneq \Xi_2 \subset \Xi$이고 $\Xi_2$도 전순서집합이므로 $\Xi_1$의 최대성에 모순이다. 따라서 $\mathscr{E}$는 유한 교집합 조건을 만족하지 않는다. □

**기초정리 9.2.2** 기초정리 9.2.1에서와 같은 $\mathscr{D}$에 대하여 다음이 성립한다.
(1) $\mathscr{D}$의 유한개의 원소들의 교집합은 $\mathscr{D}$의 원소이다.
(2) 만약 $A \subset X$가 $\mathscr{D}$의 모든 원소와 만나면 $A \in \mathscr{D}$이다.

증명 (1) $B$를 $\mathscr{D}$의 유한개의 원소 $D_1', D_2', \ldots, D_k'$의 교집합이라 하자. 즉

$$B = D_1' \cap D_2' \cap \cdots \cap D_k'$$

이라 하자. 만약 $\mathscr{E} = \mathscr{D} \cup \{B\}$가 유한 교집합 조건을 만족함을 보인다면 기초정리 9.2.1(3)의 $\mathscr{D}$의 최대성에 의하여 $\mathscr{E} = \mathscr{D}$이므로 $B \in \mathscr{D}$임을 알 수 있다.

이제 $\mathscr{E}$가 유한 교집합 조건을 만족함을 보이자. 이를 위해 먼저 $\mathscr{E}$의 유한개의 원소 $D_1, \ldots, D_n$을 택하자. 만약 이들이 모두 $B$와 다르다면 이들은 모두 $\mathscr{D}$의 원소들이므로 이들의 교집합은 공집합이 아니다. 한편 만약 이들 중 하나가 $B$와 같다면 우리는 (일반성을 잃지 않고) $D_1 = B$이라 할 수 있다. 그리고 $D_2, \ldots, D_n \in \mathscr{D}$이다. 그러면 이들의 교집합은

$$\begin{aligned} D_1 \cap D_2 \cap \cdots \cap D_n &= B \cap D_2 \cap \cdots \cap D_n \\ &= D_1' \cap D_2' \cap \cdots \cap D_k' \cap D_2 \cap \cdots \cap D_n \end{aligned}$$

이다. 그리고 $\mathscr{D}$가 유한 교집합 조건을 만족하므로

$$D_1 \cap D_2 \cap \cdots \cap D_n = D_1' \cap D_2' \cap \cdots \cap D_k' \cap D_2 \cap \cdots \cap D_n \neq \varnothing$$

이다. 따라서 $\mathscr{E}$는 유한 교집합 조건을 만족한다.

(2) $X$의 부분집합 $A$가 모든 $D\in\mathscr{D}$에 대하여 $A\cap D\neq\varnothing$이라고 하자. (1)과 같은 방법으로 만약 $\mathscr{E}=\mathscr{D}\cup\{A\}$가 유한 교집합 조건을 만족함을 보인다면 기초정리 9.2.1(3)의 $\mathscr{D}$의 최대성에 의해 $\mathscr{E}=\mathscr{D}$이므로 $A\in\mathscr{D}$임을 알 수 있다.

이제 $\mathscr{E}$가 유한 교집합 조건을 만족함을 보이자. 이를 위해 먼저 $\mathscr{E}$의 유한개의 원소 $D_1,\dots,D_n$을 택하자. 만약 이들이 모두 $A$와 다르다면 이들은 모두 $\mathscr{D}$의 원소들이므로 이들의 교집합은 공집합이 아니다. 한편 만약 이들 중 하나가 $A$와 같다면 우리는 $D_1=A$이라 할 수 있다. 그리고 $D_2,\dots,D_n\in\mathscr{D}$이다. 그러면 이들의 교집합은

$$D_1\cap D_2\cap\cdots\cap D_n=A\cap D_2\cap\cdots\cap D_n$$

이다. 더구나 (1)에 의하여 $D_2\cap\cdots\cap D_n\in\mathscr{D}$이다. 그리고 가정에 의하여

$$D_1\cap D_2\cap\cdots\cap D_n=A\cap(D_2\cap\cdots\cap D_n)\neq\varnothing$$

이다. 따라서 $\mathscr{E}$는 유한 교집합 조건을 만족한다. □

**정리 9.2.3 (Tychonoff 정리)** 모든 $\alpha\in\Lambda$에 대하여 $X_\alpha$가 컴팩트공간이면 곱공간 $\Pi_{\alpha\in\Lambda}X_\alpha$도 컴팩트이다.

증명 편의상 $X=\Pi_{\alpha\in\Lambda}X_\alpha$이라 하자. 우리는 정리 9.1.37을 사용하여 $X$가 컴팩트임을 보이자. 이를 위해 $\mathscr{A}$를 유한 교집합 조건을 만족하는 $X$의 부분집합들의 모임이라 하자. 그리고 기초정리 9.2.1에서와 같은 $\mathscr{D}$를 택하자. 만약 우리가

$$\bigcap_{D\in\mathscr{D}}\overline{D}\neq\varnothing$$

임을 보인다면 $\cap_{A\in\mathscr{A}}\overline{A}\supset\cap_{D\in\mathscr{D}}\overline{D}$이므로 $\cap_{A\in\mathscr{A}}\overline{A}\neq\varnothing$이다. 따라서 정리 9.1.37에 의해 $X$는 컴팩트이다.

이제 $\cap_{D\in\mathscr{D}}\overline{D}\neq\varnothing$임을 보이자. 임의의 $\alpha\in\Lambda$에 대하여

$$\pi_\alpha : X\to X_\alpha$$

를 사영사상이라 하자. 그러면 $\mathscr{D}$가 유한 교집합 조건을 만족하므로 유한개의 $D_1,D_2,\dots,D_n\in\mathscr{D}$에 대하여

$$\pi_\alpha(D_1)\cap\pi_\alpha(D_2)\cap\cdots\cap\pi_\alpha(D_n)\supset\pi_\alpha(D_1\cap D_2\cap\cdots\cap D_n)\neq\varnothing$$

이므로 집합

$$\mathscr{C}_\alpha = \{\pi_\alpha(D) \subset X_\alpha \mid D \in \mathscr{D}\}$$

도 유한 교집합 조건을 만족한다. 그런데 $X_\alpha$가 컴팩트하므로 정리 9.1.37에 의하여

$$\bigcap_{D \in \mathscr{D}} \overline{\pi_\alpha(D)} = \bigcap_{\pi_\alpha(D) \in \mathscr{C}_\alpha} \overline{\pi_\alpha(D)} \neq \varnothing$$

이다. 따라서 $X_\alpha$의 원소 $x_\alpha \in \cap_{D \in \mathscr{D}} \overline{\pi_\alpha(D)}$가 존재한다.

이제 $\mathbf{x} = (x_\alpha)_{\alpha \in \Lambda}$이라 하자. 우리는 $\mathbf{x} \in \cap_{D \in \mathscr{D}} \overline{D}$임을 보이면 증명이 끝난다. 이를 위해 다음 주장이 필요하다.

**주장**: 만약 $X$의 부분기저의 원소 $\pi_\beta^{-1}(U_\beta)$가 $\mathbf{x}$를 포함하면 $\pi_\beta^{-1}(U_\beta)$는 $\mathscr{D}$의 모든 원소와 만난다.

(주장의 증명) $\pi_\beta^{-1}(U_\beta)$가 $\mathbf{x}$를 포함하면 $U_\beta$는 $x_\beta \in U_\beta$를 만족하는 $X_\beta$의 열린집합이다. 그리고 $x_\beta \in \cap_{D \in \mathscr{D}} \overline{\pi_\beta(D)}$이므로 모든 $D \in \mathscr{D}$에 대하여 $x_\beta \in \overline{\pi_\beta(D)}$이다. 따라서 $U_\beta \cap \pi_\beta(D) \neq \varnothing$이다. 이제 $z \in U_\beta \cap \pi_\beta(D)$를 택하면 $z \in \pi_\beta(D)$이므로 $\pi_\beta(\mathbf{y}) = z$인 $\mathbf{y} \in D$가 존재한다. 그리고 $\mathbf{y} \in \pi_\beta^{-1}(U_\beta) \cap D$이므로 $\pi_\beta^{-1}(U_\beta) \cap D \neq \varnothing$이다. □

따라서 기초정리 9.2.2(2)에 의하여 $\mathbf{x}$를 포함하는 $X$의 모든 부분기저의 원소는 $\mathscr{D}$의 원소가 된다. 그리고 $X$의 기저는 부분기저의 유한개의 원소들의 교집합으로 만들어지므로 기초정리 9.2.2(1)에 의하여 $\mathbf{x}$를 포함하는 $X$의 모든 기저의 원소도 $\mathscr{D}$의 원소가 된다.

이제 $U \subset X$를 $\mathbf{x}$의 임의의 열린근방이라 하자. 그러면 $\mathbf{x} \in B \subset U$를 만족하는 $X$의 기저의 원소 $B$가 존재한다. 그런데 $B \in \mathscr{D}$이고 $\mathscr{D}$가 유한 교집합 조건을 만족하므로 모든 $D \in \mathscr{D}$에 대하여 $B \cap D \neq \varnothing$이다. 그러므로 $U \cap D \neq \varnothing$이 되어 $\mathbf{x} \in \overline{D}$이다. 따라서 $\mathbf{x} \in \cap_{D \in \mathscr{D}} \overline{D}$이다. □

## 연습문제

**문제 9.2.1** Tychonoff 정리(정리 9.2.3)의 역이 성립함을 보이시오. 즉, 공집합이 아닌 위상공간 $X_\alpha(\alpha \in \Lambda)$의 곱공간 $\Pi_{\alpha \in \Lambda} X_\alpha$가 컴팩트이면 모든 $X_\alpha(\alpha \in \Lambda)$는 컴팩트이다.

**문제 9.2.2** 집합 $X=\{a,b\}$의 가산개의 곱집합 $X^{\omega}=\Pi_{n\in\mathbb{N}}X$를 생각하자. 이제 $X$가 이산공간일 때, 다음을 보이시오.

(1) $X$는 컴팩트이다.

(2) 곱공간 $(X^{\omega},\mathscr{T}_p)$는 이산공간이 아니다.

(3) 곱공간 $(X^{\omega},\mathscr{T}_p)$는 컴팩트이다.

(4) 상자공간 $(X^{\omega},\mathscr{T}_b)$는 이산공간이다.

(5) 상자공간 $(X^{\omega},\mathscr{T}_b)$는 컴팩트가 아니다.

**문제 9.2.3** 집합 $I=[0,1]\subset\mathbb{R}$의 가산개의 곱집합 $I^{\omega}=\Pi_{n\in\mathbb{N}}I$를 생각하자. 이제 $I$가 유클리드공간 $\mathbb{R}$의 부분공간일 때, 다음을 보이시오.

(1) 곱공간 $(I^{\omega},\mathscr{T}_p)$는 컴팩트이다.

(2) 상자공간 $(I^{\omega},\mathscr{T}_b)$는 컴팩트가 아니다.

(3) 고른(거리)공간 $(I^{\omega},\mathscr{T}_{\bar{\rho}})$는 컴팩트가 아니다.

## 9.3 유클리드공간 $\mathbb{R}^n$상의 컴팩트

이제부터 유클리드공간 $\mathbb{R}^n$의 컴팩트집합의 성질들에 대해 알아보자. 이 절에서 $\mathbb{R}$과 $\mathbb{R}^n$은 항상 유클리드공간이다.

**정의 9.3.1** (1) 임의의 $a < b \in \mathbb{R}$에 대하여 $[a, b] = \{x \in \mathbb{R} \mid a \leq x \leq b\}$를 **1-세포**(1-cell)라 한다. 따라서 1-세포는 닫힌구간이다(그림 9.6 참조).

(2) 임의의 $a_1 < b_1$, $a_2 < b_2 \in \mathbb{R}$에 대하여

$$[a_1, b_1] \times [a_2, b_2] = \{(x, y) \in \mathbb{R}^2 \mid a_1 \leq x \leq b_1,\ a_2 \leq y \leq b_2\}$$

를 **2-세포**(2-cell)라 한다.

(3) 임의의 $a_1 < b_1$, $a_2 < b_2$, $a_3 < b_3 \in \mathbb{R}$에 대하여

$$\begin{aligned}&[a_1, b_1] \times [a_2, b_2] \times [a_3, b_3] \\ &= \{(x, y, z) \in \mathbb{R}^3 \mid a_1 \leq x \leq b_1,\ a_2 \leq y \leq b_2,\ a_3 \leq z \leq b_3\}\end{aligned}$$

를 **3-세포**(3-cell)라 한다.

(4) 일반적으로 임의의 $a_i < b_i\,(i = 1, 2, \ldots, k)$에 대하여

$$\begin{aligned}&[a_1, b_1] \times [a_2, b_2] \times \cdots \times [a_k, b_k] \\ &= \{(x_1, x_2, \ldots, x_k) \in \mathbb{R}^k \mid a_i \leq x_i \leq b_i,\ \forall\, i = 1, \ldots, k\}\end{aligned}$$

를 **$k$-세포**($k$-cell)라 한다.

(a) 1-세포 (b) 2-세포 (c) 3-세포

그림 9.6 • $k$-세포

**정리 9.3.2** 모든 $k$-세포는 컴팩트이다.

증명 정리 9.1.8과 정리 9.1.28에 의하여 성립한다. □

**정리 9.3.3** $k$-세포 $I_n \subset \mathbb{R}^k$ $(n \in \mathbb{N})$이 모든 자연수 $n$에 대하여 $I_n \supset I_{n+1}$이면 $\cap_{n=1}^{\infty} I_n \neq \varnothing$이다.

증명 정리 9.3.2와 정리 9.1.33에 의하여 성립한다.[9)] □

**정의 9.3.4** 거리공간 $(X, d)$의 부분집합 $A$가 **유계**(bounded)란 $A \subset B_d(p, r)$인 적당한 점 $p \in X$와 양의 실수 $r$이 존재함을 의미한다. 즉, 집합 $A$가 어떤 열린구에 포함되는 경우이다. 따라서 $A$가 유계일 필요충분조건은 모든 $x, y \in A$에 대해 $d(x, y) < \alpha$를 만족하는 실수 $\alpha$가 존재하는 것이다.

**보기 9.3.5** 다음은 모두 유클리드공간의 부분집합이다.

(1) 집합 $X = \{(x, y) \in \mathbb{R}^2 \mid 1 \leq x < 2,\ 1 \leq y < 3\}$는 유계이다. 왜냐하면 $X \subset B(\mathbf{0}, 4)$이다.

(2) 집합 $Y = \{(x, x) \in \mathbb{R}^2 \mid x \in \mathbb{R}\}$는 유계가 아니다.

(3) 모든 $k$-세포는 유계집합이다.

이제부터 유클리드공간 $\mathbb{R}^n$의 부분집합이 컴팩트인지 아닌지를 비교적 쉽게 판단할 수 있게 하는 Heine-Borel 정리를 알아보자.

**정리 9.3.6 (Heine-Borel 정리)** $K \subset \mathbb{R}^n$에 대하여 다음은 서로 동치이다.

(a) $K$는 유계인 닫힌집합이다.

(b) $K$는 컴팩트이다.

(c) $K$의 모든 무한 부분집합은 극한점을 $K$에서 적어도 하나 갖는다. 즉, 만약 $S$가 $K$의 무한 부분집합이면 $S' \cap K \neq \varnothing$이다.

---

9) 성질 2.1.10 참조.

증명 (a)⇒(b) $K$가 유계이므로 $K \subset I \subset \mathbb{R}^n$인 $n$-세포 $I$가 존재한다. 정리 9.3.2에 의하여 $I$는 컴팩트이고, $K$는 $I$의 닫힌집합이므로 정리 9.1.14에 의해 $K$는 컴팩트이다.

(b)⇒(c) 정리 9.1.32에 의하여 성립한다.

(c)⇒(a) (귀류법) (i) 먼저 $K$가 유계가 아니라고 가정하자. 그러면 임의의 자연수 $n \in \mathbb{N}$에 대하여 $\|x_n\| > n$인 $x_n \in K$이 존재한다. 그런데 $S = \{x_n \mid n \in \mathbb{N}\}$ $(\subset K)$는 무한집합이고 $S$의 극한점이 존재하지 않는다. 따라서 $S$의 극한점이 $K$에 존재하지 않는다. 이는 (c)에 모순이다.

(ii) 이제 $K$가 닫힌집합이 아니라고 가정하자. 그러면 $K' \not\subset K$이므로 $x^*$는 $K$의 극한점이지만 $x^* \notin K$인 점 $x^* \in \mathbb{R}^n$가 존재한다. 그리고 $x^*$가 $K$의 극한점이므로 임의의 자연수 $n \in \mathbb{N}$에 대하여 $0 < \|x_n - x^*\| < \frac{1}{n}$인 $x_n \in K$이 존재한다. 그러면 $S = \{x_n \mid n \in \mathbb{N}\}$ $(\subset K)$는 무한집합이고 $S$의 극한점은 $x^*$ 뿐이다. 즉, $S' = \{x^*\}$이다. 그런데 $x^* \notin K$이므로 (c)에 모순이다.

Heine-Borel 정리에 의해

$$S^n = \{(x_1, \ldots, x_{n+1}) \in \mathbb{R}^{n+1} \mid x_1^2 + \cdots + x_{n+1}^2 = 1\},$$
$$D^n = \{(x_1, \ldots, x_n) \in \mathbb{R}^n \mid x_1^2 + \cdots + x_n^2 \le 1\}$$

은 모두 컴팩트이다.

**따름정리 9.3.7 (Bolzano-Weierstrass 정리)** $\mathbb{R}^n$의 유계인 무한 부분집합은 항상 극한점을 갖는다.

증명 $S(\subset \mathbb{R}^n)$를 유계인 무한집합이라 하자. 먼저 $S$가 유계이므로 $S \subset I \subset \mathbb{R}^n$인 $n$-세포 $I$가 존재한다. 그리고 $I$는 컴팩트이고 $S$가 무한집합이므로 정리 9.3.6에 의해 $S$는 $I$에서 극한점을 갖는다. 따라서 $S' \neq \varnothing$이다. □

## 컴팩트의 응용

이제부터 컴팩트의 응용으로서 최대최소값 정리를 살펴보자.

**정리 9.3.8 (최대최소값 정리[10])** 만약 $X$는 컴팩트공간이고 $f: X \to \mathbb{R}$가 연속사상이면 모든 $x \in X$에 대해 $f(c) \le f(x) \le f(d)$를 만족하는 $c, d \in X$가 존재한다. 이러한 $f(c)$, $f(d)$를 각각 $f$의 최대값, 최소값이라 한다.

증명 $X$는 컴팩트이고 $f$가 연속이므로 정리 9.1.11에 의해 $f(X)$도 컴팩트하다. 그러면 Heine-Borel 정리(정리 9.3.6)에 의해 $f(X)$는 $\mathbb{R}$의 유계인 닫힌집합이다. 그리고 정리 4.2.26과 따름정리 4.2.27에 의하여

$$\inf f(X),\ \sup f(X) \in f(X)$$

이다. 따라서 $f(c) = \inf f(X)$, $f(d) = \sup f(X)$인 $c, d \in X$가 존재한다. 자명하게 모든 $x \in X$에 대해 $f(c) \le f(x) \le f(d)$를 만족한다. □

**따름정리 9.3.9** $[a, b]$를 유클리드공간 $\mathbb{R}$의 부분공간이라 하자. 만약 $f: [a, b] \to \mathbb{R}$가 연속사상이면 모든 $x \in [a, b]$에 대하여 $f(c) \le f(x) \le f(d)$를 만족하는 $c, d \in [a, b]$가 존재한다.

증명 $[a, b]$가 컴팩트하므로 정리 9.3.8에 의하여 성립한다. □

컴팩트의 또 다른 응용으로 실수 집합 $\mathbb{R}$이 비가산임을 보일 수 있다. 이 증명에서 흥미로운 것은 우리가 소수 표현이나 이항전개와 같은 집합론이나 대수적인 방법을 사용하지 않고 단지 실수상의 위상(즉, 순서위상)의 성질만을 사용한다는 점이다. 이를 위해 다음 용어가 필요하다.

**정의 9.3.10** 위상공간 $X$의 점 $p \in X$가 $X$의 **고립점**(isolated point)이란 한 점 집합 $\{p\}$가 $X$의 열린집합인 경우를 뜻한다. 즉, $p \in X$가 고립점일 필요충분조건은 $p$가 $X$의 극한점이 아닌 것이다(그림 9.7 참조). 따라서 $X$가 고립점을 갖지 않을 필요충분조건은 $X' = X$이다.[11]

---

10) maximum-minimum theorem
11) 문제 4.2.22, 문제 7.1.11 참조.

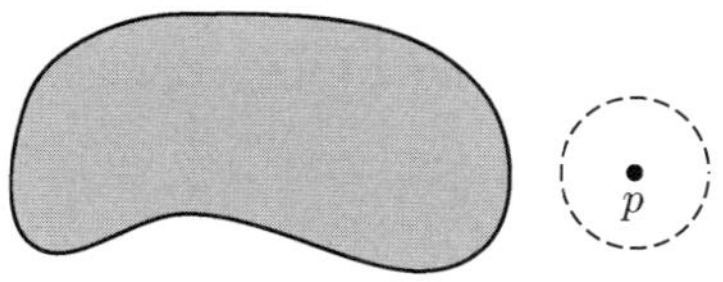

그림 9.7 • 위상공간 $X$의 고립점 $p$

**정리 9.3.11** $X$를 공집합이 아닌 컴팩트 하우스도르프공간이라 하자. 만약 $X$가 고립점을 갖지 않으면 $X$는 비가산집합이다.

증명 (i) 먼저 임의의 공집합이 아닌 열린집합 $U$와 임의의 점 $x \in X$에 대하여 $V \subset U$와 $x \notin \overline{V}$를 만족하는 공집합이 아닌 열린집합 $V$가 존재함을 보이자:

우리는 $x$와 다른 점 $y \in U$를 택할 수 있다. 왜냐하면 $x \notin U$이면 $U$가 공집합이 아니므로 $x$와 다른 점 $y \in U$가 존재한다. 그리고 $x \in U$인 경우에는 $x$가 고립점이 아니므로 $x$와 다른 점 $y \in U$가 존재한다.

한편 $X$가 하우스도르프이므로

$$x \in W_1, \ \ y \in W_2, \ \ W_1 \cap W_2 = \varnothing$$

을 만족하는 열린집합 $W_1$과 $W_2$가 존재한다. 이제 $V = W_2 \cap U$이라 하면 $V \subset W_1^c$이고 $W_1^c$이 닫힌집합이므로 $\overline{V} \subset W_1^c$이다. 따라서 $\overline{V} \cap W_1 = \varnothing$이 되어

$$y \in V \neq \varnothing, \ \ x \notin \overline{V}$$

를 만족한다.

(ii) 이제 $X$가 비가산임을 보이기 위해 우리는 어떤 함수 $f : \mathbb{N} \to X$도 전사가 되지 않음을 보이면 충분하다:

임의로 주어진 함수 $f : \mathbb{N} \to X$에 대하여 $x_n = f(n)$이라 하자. 그러면 열린집합 $X$와 점 $x_1 \in X$에 대해 (i)를 적용하면

$$\varnothing \neq V_1 \subset X, \ \ x_1 \notin \overline{V_1}$$

를 만족하는 열린집합 $V_1$이 존재한다. 이제 $V_1$과 점 $x_2 \in X$에 대해 다시 (i)를 적용하면

$$\varnothing \neq V_2 \subset V_1, \ \ x_2 \notin \overline{V_2}$$

를 만족하는 열린집합 $V_2$가 존재한다. 이와 같은 방법을 계속하면 모든 자연수 $n \in \mathbb{N}$에 대하여

$$\varnothing \neq V_n \subset V_{n-1}, \quad x_n \notin \overline{V_n}$$

를 만족하는 열린집합 $V_n$이 존재한다. 그래서 공집합이 아닌 닫힌집합들의 축소열

$$\overline{V_1} \supset \overline{V_2} \supset \cdots \supset \overline{V_n} \supset \overline{V_{n+1}} \supset \cdots$$

이 존재한다. 그런데 $X$가 컴팩트하므로 정리 9.1.14에 의해 $\overline{V_n}$는 컴팩트집합이다. 그리고 $X$가 Hausdorff이므로 정리 9.1.33에 의해 $\bigcap_{n=1}^{\infty} \overline{V_n} \neq \varnothing$이다. 이제 $x \in \bigcap_{n=1}^{\infty} \overline{V_n}$이라 하자. 그러면 $x_n \notin \overline{V_n}$이므로 모든 자연수 $n$에 대하여 $x \neq x_n$이다. 따라서

$$x \notin \{x_n \mid n \in \mathbb{N}\} = f(\mathbb{N})$$

이므로 $f$는 전사가 아니다. □

**따름정리 9.3.12** 모든 실수 $a < b$에 대하여 유클리드공간 $\mathbb{R}$의 부분공간 $[a, b]$는 비가산집합이다. 따라서 $\mathbb{R}$도 비가산집합이다.

## 거리공간상의 컴팩트

**정리 9.3.13** $(X, d)$를 거리공간이라 하자. 만약 $K \subset X$가 컴팩트이면 $K$는 유계인 닫힌집합이다.

증명 (i) 기초정리 7.1.9에 의하여 거리공간 $(X, d)$는 하우스도르프이다. 따라서 정리 9.1.17에 의해 $K$는 닫힌집합이다.

(ii) 이제 $K$가 유계임을 보이자.

(방법 1) 한 점 $p \in X$를 고정하자. 그러면 $\{B_d(p, n) \mid n \in \mathbb{N}\}$은 $K$의 열린덮개가 된다. 그리고 $K$가 컴팩트이므로 유한개의 $n_1, n_2, \ldots, n_k \in \mathbb{N}$가 존재하여

$$K \subset B_d(p, n_1) \cup B_d(p, n_2) \cup \cdots \cup B_d(p, n_k)$$

이다. 이제 $r = \max\{n_i \mid i = 1, 2, \ldots, k\}$이라 하면 $K \subset B_d(p, r)$이므로 $K$는 유계이다.

(방법 2) $\{B_d(p, 1) \mid p \in K\}$는 $K$의 열린덮개이다. 그리고 $K$가 컴팩트이므로 유한개의 $p_1, p_2, \ldots, p_n \in K$이 존재하여

$$K \subset B_d(p_1, 1) \cup B_d(p_2, 1) \cup \cdots \cup B_d(p_n, 1)$$

이다. 이제 한 점 $q \in K$를 택하여 $r = \max\{d(q, p_i) \mid i = 1, 2, \ldots, n\}$이라 하자. 그러면 임의의 $x \in K$에 대하여 $x \in B_d(p_i, 1)$을 만족하는 $i$가 존재하여

$$d(q, x) \leq d(q, p_i) + d(p_i, x) < r + 1$$

이므로 $x \in B_d(q, r+1)$이다. 따라서 $K \subset B_d(q, r+1)$이 되어 $K$는 유계이다. □

다음은 정리 9.3.13의 역이 성립하지 않는 보기이다.

**보기 9.3.14** 집합 $\mathbb{R}^2$상에 정의된 이산거리

$$d(\mathbf{x}, \mathbf{y}) = \begin{cases} 0, & \mathbf{x} = \mathbf{y} \\ 1, & \mathbf{x} \neq \mathbf{y} \end{cases}$$

를 갖는 이산공간 $X = (\mathbb{R}^2, d)$를 생각하자. 이제 부분집합 $K = \mathbb{R} \times \{0\} \subset X$는 $K \subset B_d(\mathbf{0}, 2)$이므로 $K$는 유계이다. 그리고 이산공간에서는 모든 부분집합이 열린집합인 동시에 닫힌집합이므로 $K$는 $X$의 닫힌집합이다. 하지만 $K$의 열린덮개 $\{\{\mathbf{z}\} \mid \mathbf{z} \in K\}$의 유한 부분덮개가 존재하지 않으므로 $K$는 컴팩트가 아니다.

$A$를 거리공간 $(X, d)$의 공집합이 아닌 부분집합이라 하자.

(1) 주어진 점 $x \in X$와 $A \subset X$ 사이의 거리(distance)란

$$d(x, A) = \inf\{d(x, a) \mid a \in A\} \in \mathbb{R}$$

를 뜻한다.

(2) 집합 $A$의 직경(diameter)이란

$$\operatorname{diam}(A) = \sup\{d(a_1, a_2) \mid a_1, a_2 \in A\} \in \mathbb{R} \cup \{\infty\}$$

를 뜻한다.

**기초정리 9.3.15 (Lebesgue 수 보조정리[12])** $(X, d)$가 컴팩트 거리공간이고 $\mathscr{U}$가 $X$의 열린덮개이면 실수 $\delta > 0$가 존재하여 직경이 $\delta$보다 작은 $X$의 부분집합은 $\mathscr{U}$의 어떤 원소에 포함된다. 이러한 수 $\delta$를 덮개 $\mathscr{U}$에 대한 Lebesgue 수라 한다.

증명 만약 $X \in \mathscr{U}$면 모든 실수 $\delta > 0$는 $\mathscr{U}$에 대한 Lebesgue 수이다.

이제 $X \notin \mathscr{U}$라고 가정하자. $X$가 컴팩트이므로

$$X = U_1 \cup U_2 \cup \cdots \cup U_n$$

을 만족하는 유한개의 $U_1, \ldots, U_n \in \mathscr{U}$이 존재한다. 그리고 각각의 $i$에 대하여 $C_i = U_i^c$이라 하면 $C_i$는 공집합이 아닌 닫힌집합이다. 이제 함수 $f: X \to \mathbb{R}$를 다음과 같이 정의하자:

$$f(x) = \frac{1}{n}\sum_{i=1}^{n} d(x, C_i)$$

(i) 모든 $x \in X$에 대하여 $f(x) > 0$이다: 주어진 $x \in X$에 대하여 $x \in U_i$인 $U_i$가 존재한다. 그런데 $U_i$가 열린집합이므로 $x \in B_d(x, \varepsilon) \subset U$를 만족하는 양수 $\varepsilon > 0$이 존재하여 $B_d(x, \varepsilon) \cap C_i = \varnothing$이 된다. 따라서 $d(x, C_i) \geq \varepsilon$이고 $f(x) \geq \frac{\varepsilon}{n} > 0$이다.

(ii) 보기 5.1.22에 의해 $f: X \to \mathbb{R}$는 연속이고, $X$는 컴팩트이므로 정리 9.1.11에 의해 $f(X) = \{f(x) \in \mathbb{R} \mid x \in X\}$는 컴팩트이다. 이제 $\delta = \inf f(X)$이라 하자. 그러면 정리 9.3.8에 의해 $\delta \in f(X)$이므로 $f(x) = \delta$인 $x \in X$가 존재한다. 따라서 (i)에 의해 $\delta > 0$이다.

(iii) $\delta$가 우리가 원하는 Lebesgue 수이다: $A$를 $\operatorname{diam}(A) < \delta$인 $X$의 부분집합이라 하자. 그리고 임의로 한 점 $x_0 \in A$을 택하자. 그러면 $A \subset B_d(x_0, \delta)$이다. 이제 $d(x_0, C_1), d(x_0, C_2), \ldots, d(x_0, C_n) \in \mathbb{R}$ 중 가장 큰 수가 $d(x_0, C_k)$이라 하자. 그러면

$$\delta \leq f(x_0) = \frac{1}{n}\sum_{i=1}^{n} d(x_0, C_i) = \frac{1}{n}\sum_{i=1}^{n} d(x_0, C_k) \leq d(x_0, C_k)$$

이므로 $B_d(x_0, \delta) \cap C_k = \varnothing$이다. 따라서 $A \subset B_d(x_0, \delta) \subset C_k^c = U_k \in \mathscr{U}$이다. □

12) Lebesgue number lemma

**정의 9.3.16** 두 거리공간 $(X, d_X)$와 $(Y, d_Y)$ 사이의 함수 $f:(X, d_X) \to (Y, d_Y)$가 고른연속(uniformly continuous, 균등연속)이란 임의로 주어진 양의 실수 $\varepsilon$에 대하여 다음을 만족하는 양의 실수 $\delta$가 존재하는 경우를 뜻한다:

$$d_X(x_1, x_2) < \delta \Rightarrow d_Y(f(x_1), f(x_2)) < \varepsilon$$

**정의 9.3.17 (고른연속 정리[13])** $(X, d_X)$, $(Y, d_Y)$를 거리공간이라 하자. 만약 $X$가 컴팩트하면 모든 연속사상 $f:(X, d_X) \to (Y, d_Y)$는 고른연속이다.

증명 (방법 1) 주어진 $\varepsilon > 0$에 대하여

$$\mathscr{V} = \{B_{d_Y}(y, \tfrac{\varepsilon}{2}) \mid y \in Y\}$$

는 $Y$의 열린덮개이다. 그리고 $f$가 연속이므로

$$\mathscr{U} = \{f^{-1}(B_{d_Y}(y, \tfrac{\varepsilon}{2})) \mid y \in Y\}$$

는 $X$의 열린덮개가 된다. 그런데 $X$가 컴팩트이므로, 기초정리 9.3.15에 의하여, $\mathscr{U}$에 대한 Lebesgue 수 $\delta > 0$가 존재한다. 만약 $d_X(x_1, x_2) < \delta$이면 $\{x_1, x_2\} \subset f^{-1}(B_{d_Y}(y_0, \tfrac{\varepsilon}{2}))$를 만족하는 $f^{-1}(B_{d_Y}(y_0, \tfrac{\varepsilon}{2})) \in \mathscr{U}$이 존재한다. 그래서 $f(x_1)$, $f(x_2) \in B_{d_Y}(y_0, \tfrac{\varepsilon}{2})$이므로

$$d_Y(f(x_1), f(x_2)) \le d_Y(f(x_1), y_0) + d_Y(y_0, f(x_2)) < \frac{\varepsilon}{2} + \frac{\varepsilon}{2} = \varepsilon$$

이 된다. 따라서 $f$는 고른연속이다.

(방법 2) 양의 실수 $\varepsilon > 0$이 주어졌다고 하자. 이제 각각의 $x \in X$에 대하여

$$B_{d_Y}(f(x), \tfrac{\varepsilon}{2}) = \{y \in Y \mid d_Y(y, f(x)) < \tfrac{\varepsilon}{2}\}$$

은 $Y$의 열린집합이고 $f$가 연속이므로 $f^{-1}(B_{d_Y}(f(x), \tfrac{\varepsilon}{2}))$은 $X$의 열린집합이다. 그리고 $x \in f^{-1}(B_{d_Y}(f(x), \tfrac{\varepsilon}{2}))$이므로

$$x \in B_{d_X}(x, \delta_x) \subset f^{-1}(B_{d_Y}(f(x), \tfrac{\varepsilon}{2}))$$

13) uniform continuity theorem

인 양의 실수 $\delta_x$가 존재한다.

한편 $\cup_{x\in X} B_{d_X}(x, \frac{\delta_x}{2}) = X$이므로 $\{B_{d_X}(x, \frac{\delta_x}{2}) \mid x \in X\}$는 $X$의 열린덮개이다. 그리고 $X$가 컴팩트이므로 유한개의 $B_{d_X}(x_i, \frac{\delta_{x_i}}{2})(i = 1, \ldots, n)$가 존재하여 $\cup_{i=1}^{n} B_{d_X}(x_i, \frac{\delta_{x_i}}{2}) = X$이다.

이제 $\delta = \min\{\frac{\delta_{x_1}}{2}, \frac{\delta_{x_2}}{2}, \ldots, \frac{\delta_{x_n}}{2}\}$이라 하자. 만약 $d_X(p, q) < \delta$이면 $p \in X = \cup_{i=1}^{n} B_{d_X}(x_i, \frac{\delta_{x_i}}{2})$이므로 $p \in B_{d_X}(x_i, \frac{\delta_{x_i}}{2})$인 $i$가 존재한다. 또한 이러한 $i$에 대하여

$$d_X(q, x_i) \leq d_X(q, p) + d_X(p, x_i) < \delta + \frac{\delta_{x_i}}{2} \leq \delta_{x_i}$$

이므로 $p, q \in B_{d_X}(x_i, \delta_{x_i})$이다. 따라서

$$p, q \in B_{d_X}(x_i, \delta_{x_i}) \subset f^{-1}(B_{d_Y}(f(x_i), \frac{\varepsilon}{2}))$$

이고 $f(p), f(q) \in B_{d_Y}(f(x_i), \frac{\varepsilon}{2})$이다. 즉,

$$d_Y(f(p), f(x_i)) < \frac{\varepsilon}{2},\ \ d_Y(f(q), f(x_i)) < \frac{\varepsilon}{2}$$

이다. 따라서 삼각부등식에 의하여

$$d_Y(f(p), f(q)) \leq d_Y(f(p), f(x_i)) + d_Y(f(x_i), f(q)) < \frac{\varepsilon}{2} + \frac{\varepsilon}{2} = \varepsilon$$

이므로 $f$는 고른연속이다. □

**참고 9.3.18** 거리공간상의 컴팩트에 관한 더 많은 성질들은 11장에서 다룬다.

## 연습문제

**문제 9.3.1** 유클리드공간 $\mathbb{R}$의 부분공간 $\mathbb{Q}$는 컴팩트인가?

**문제 9.3.2** 유클리드공간 $\mathbb{R}^2$의 부분집합 $A = \{(x, \frac{1}{x}) \mid 1 \leq x \leq 2\}$는 컴팩트인가?

**문제 9.3.3** 유클리드공간 $\mathbb{R}^2$의 부분공간 $S^1$에 대하여 다음을 보이시오.

(1) 전사인 연속사상 $f: S^1 \to \mathbb{R}$는 존재하지 않는다.

(2) 단사인 연속사상 $f: S^1 \to \mathbb{R}$는 존재하지 않는다.

**문제 9.3.4** 자연수 $n \geq 2$에 대해 만약 $f: [a,b] \to \mathbb{R}^n$가 단사인 연속사상이면 $f$의 상 $f([a,b])$는 $\mathbb{R}^n$의 열린구 $B(p,r)$을 포함하지 않음을 보이시오.[14] 단, 여기서 $[a,b]$는 유클리드공간 $\mathbb{R}$의 부분공간이다.

**문제 9.3.5** 두 점 이상으로 이루어진 연결된 컴팩트 Hausdorff 공간은 비가산임을 보이시오.

**문제 9.3.6** 거리공간 $(X,d)$에 대하여 다음이 동치임을 보이시오.

(a) 유계인 무한 부분집합은 극한점을 갖는다.

(b) 유계인 무한 수열은 수렴하는 부분수열을 갖는다.

**문제 9.3.7** 다음과 같이 정의된 유클리드공간 $\mathbb{R}^2$의 부분집합 $X$는 컴팩트인가?

$$X = \{(x, \sin\frac{1}{x}) \mid 0 < x \leq 4\} \cup \{(x, \sin\frac{1}{x}) \mid -4 \leq x < 0\} \cup \{0\} \times [-1, 2]$$

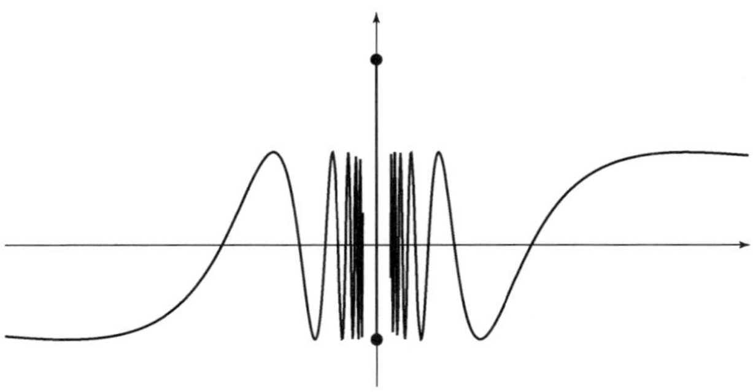

**문제 9.3.8** 다음과 같이 정의된 유클리드공간 $\mathbb{R}^2$의 부분집합 $X$는 컴팩트인가?

$$X = \{(x, \sin\frac{1}{x}) \mid 0 < x \leq 4\} \cup \{(x, \sin\frac{1}{x}) \mid -4 \leq x < 0\} \cup \{(0,0)\}$$

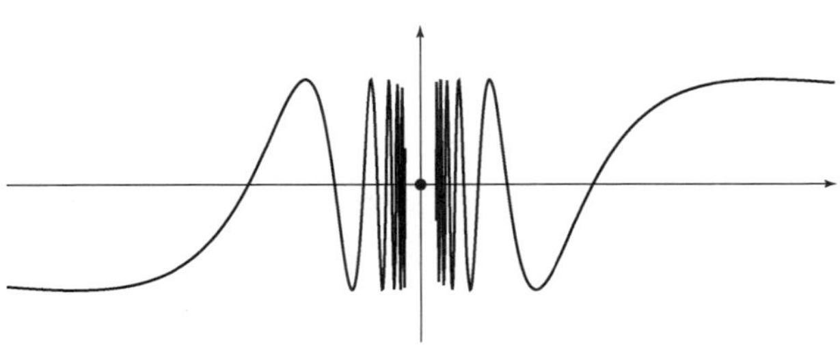

14) 단사라는 조건이 없으면 이 성질은 성립하지 않는다. 16.2절의 공간을 채우는 곡선 참조.

**문제 9.3.9** $\mathscr{U}$를 집합 $\mathbb{R}^2$상의 보통위상이라 하자. 그리고 집합 $\mathbb{R}^2$상의 위상

$$\mathscr{T} = \{ U \subset \mathbb{R}^2 \mid U^c \text{은 } (\mathbb{R}^2, \mathscr{U}) \text{의 컴팩트집합} \} \cup \{ \varnothing \}$$

에 대하여 다음을 보이시오.

(1) $\mathscr{T}$는 집합 $\mathbb{R}^2$상의 위상이다.

(2) $\mathscr{T} \subset \mathscr{U}$이다.

(3) 위상공간 $(\mathbb{R}^2, \mathscr{T})$는 하우스도르프가 아니다.

(4) $(\mathbb{R}^2, \mathscr{T})$는 연결이다.

(5) $(\mathbb{R}^2, \mathscr{T})$는 컴팩트이다.

(6) $A = \{(x, y) \in \mathbb{R}^2 \mid y = x\}$는 $(\mathbb{R}^2, \mathscr{T})$의 닫힌집합은 아니지만, 컴팩트집합이다.

(7) 다음은 서로 동치이다.

  (a) $A$는 $(\mathbb{R}^2, \mathscr{U})$의 닫힌집합이다.

  (b) $A$는 $(\mathbb{R}^2, \mathscr{T})$의 컴팩트집합이다.

(8) 다음은 서로 동치이다.

  (a) $A$는 $(\mathbb{R}^2, \mathscr{T})$의 연결집합이다.

  (b) $A$는 $(\mathbb{R}^2, \mathscr{U})$의 연결집합이거나 유계가 아닌 집합이다.

**문제 9.3.10** 거리공간 $(X, d)$의 컴팩트집합 $A(\neq \varnothing)$에 대하여 다음을 보이시오.

(1) $d(a, b) = \text{diam}(\text{A})$를 만족하는 $a, b \in A$가 존재한다.

(2) 주어진 점 $x \in X$에 대해 $d(x, a) = d(x, A)$를 만족하는 $a \in A$가 존재한다.

(3) $X$의 부분집합 $B(\neq \varnothing)$에 대하여 집합 $A$와 $B$ 사이의 거리란

$$d(A, B) = \inf\{ d(a, b) \in \mathbb{R} \mid a \in A,\ b \in B \}$$

이다. 만약 $B \subset X$가 $A \cap B = \varnothing$인 닫힌집합이면 $d(A, B) > 0$이다.

**문제 9.3.11** 거리공간 $(X, d)$의 공집합이 아닌 부분집합 $A$에 대하여 다음을 보이시오.

(1) $d(x, A) = 0 \Leftrightarrow x \in \overline{A}$.

(2) 부분집합 $A$의 $\varepsilon$-근방

$$U(A, \varepsilon) = \{ x \mid d(x, A) < \varepsilon \}$$

에 대하여 $U(A, \varepsilon) = \cup_{a \in A} B_d(a, \varepsilon)$이다.

(3) 만약 $A$가 컴팩트이고 $V$가 $A$를 포함하는 열린집합이면 $A \subset U(A, \varepsilon) \subset V$를 만족하는 양의 실수 $\varepsilon$이 존재한다.

(4) $A$가 닫힌집합인 경우 (3)이 성립하지 않는 보기를 찾으시오.

**문제 9.3.12** $X$, $Y$, $Z$를 거리공간이라 하자.

(1) 만약 $f : X \to Y$와 $g : Y \to Z$가 고른연속이면 $g \circ f$도 고른연속인가?

(2) 만약 위상동형사상 $f : X \to Y$가 고른연속이면 $f^{-1}$도 고른연속인가?

## 9.4 국소컴팩트와 한 점 컴팩트화

이 절에서는 국소컴팩트에 대해 다룬다. 그리고 기본정리로서 국소컴팩트인 하우스도르프공간은 한 점 컴팩트화라 불리는 적당한 컴팩트 하우스도르프공간에 넣을 수 있음을 보일 것이다.

**정의 9.4.1** $X$를 위상공간이라 하자.

(1) $X$가 점 $x \in X$에서 **국소컴팩트**(locally compact at $x$)란 $x$의 컴팩트근방 $C$가 존재함을 의미한다. 즉, $x$의 열린근방 $U$를 포함하는 컴팩트집합 $C$가 존재하는 경우를 뜻한다. 다시 말해 $x \in U \subset C$를 만족하는 열린집합 $U$와 컴팩트집합 $C$가 존재함을 의미한다.

(2) $X$가 **국소컴팩트**(locally compact)란 $X$의 모든 점에서 국소컴팩트인 경우를 의미한다.

**기초정리 9.4.2** 모든 컴팩트공간은 국소컴팩트하다.

증명 $X$를 컴팩트공간이라 하자. 모든 점에서 $U = C = X$로 택하면 된다. □

**기초정리 9.4.3** Hausdorff 공간 $X$에 대하여 다음은 동치이다.

(a) $X$는 국소컴팩트이다.

(b) 임의의 점 $x \in X$에 대하여 폐포 $\overline{U}$가 컴팩트인 $x$의 열린근방 $U$가 존재한다.

증명 (a)⇒(b) $X$가 국소컴팩트하므로 주어진 점 $x \in X$에 대해 $x \in U \subset C$를 만족하는 컴팩트집합 $C$와 열린집합 $U$가 존재한다. 그리고 $X$가 Hausdorff이므로 정리 9.1.17에 의해 $C$는 닫힌집합이다. 그래서 $\overline{U} \subset C$이고 $C$가 컴팩트하므로 정리 9.1.14에 의해 $\overline{U}$도 컴팩트이다. 따라서 $U$가 우리가 원하는 $x$의 열린근방이다.

(b)⇒(a) 임의의 점 $x \in X$에 대하여 $\overline{U}$가 컴팩트인 $x$의 열린근방 $U$가 존재하므로 우리는 $C = \overline{U}$로 택하면 된다. □

기초정리 9.4.3의 조건 (b)를 국소컴팩트의 정의로 사용하는 책들도 있다. 하지만 하우스도르프가 아니면 기초정리 9.4.3은 성립하지 않는다. 일반적으로 (b)는 (a) 보다 강한 조건이다. 다음은 이러한 위상공간의 보기이다.

**보기 9.4.4** 열린구간 $(0,1) \subset \mathbb{R}$에 위상

$$\mathscr{T} = \{\varnothing, (0,1)\} \cup \{(\frac{1}{n}, 1) \mid 2 \le n \in \mathbb{N}\}$$

를 준 위상공간 $X = ((0,1), \mathscr{T})$를 생각하자.

(i) $X$는 하우스도르프가 아니다: 점 $\frac{2}{3}$와 $\frac{3}{4}$을 각각 포함하는 서로소인 두 열린집합이 존재하지 않으므로 $X$는 하우스도르프가 아니다.

(ii) $X$는 컴팩트가 아니다: $\{(\frac{1}{n}, 1) \mid 2 \le n \in \mathbb{N}\}$은 $X$의 열린덮개이지만 유한 부분덮개를 갖지 않는다.

(iii) $X$는 국소컴팩트이다: 먼저 모든 자연수 $n \ge 2$에 대해 $(\frac{1}{n}, 1)$이 컴팩트임을 보이자. 이를 위해 $\mathscr{U}$를 $(\frac{1}{n}, 1)$의 열린덮개라 하자. 먼저 $X \in \mathscr{U}$인 경우는 유한 부분덮개 $\{X\}$가 존재한다. 그리고 $X \notin \mathscr{U}$인 경우에는 $\mathscr{U}$가 $(\frac{1}{n}, 1)$의 열린덮개이므로 $(\frac{1}{m}, 1) \in \mathscr{U}$인 자연수 $m \ge n$이 존재하여 한다. 따라서 $\{(\frac{1}{m}, 1)\}$이 유한 부분덮개가 되어 $(\frac{1}{n}, 1)$은 컴팩트이다.

이제 $X$가 국소컴팩트임을 보이자. 임의의 점 $x \in X$에 대하여 $\frac{1}{n} < x$인 자연수 $n \ge 2$을 택하자. 그러면 $(\frac{1}{n}, 1)$은 $x$의 열린근방인 동시에 컴팩트이다. 우리는 $U = C = (\frac{1}{n}, 1)$로 택하면 $x$에서 국소컴팩트임을 알 수 있다. 따라서 $X$는 국소컴팩트이다.

(iv) $X$의 공집합이 아닌 모든 열린집합의 폐포는 컴팩트가 아니다. 따라서 $X$는 기초정리 9.4.3의 조건 (b)를 만족하지 않는다: 먼저 주어진 열린집합이 $X$인 경우는 $\overline{X} = X$이므로 (ii)에 의해 $\overline{X}$는 컴팩트가 아니다. 그리고 주어진 열린집합이 $(\frac{1}{n}, 1)(n \ge 2)$인 경우에는 $(\frac{1}{n}, 1)$을 포함하는 닫힌집합은 $X$ 뿐이므로 $\overline{(\frac{1}{n}, 1)} = X$이다. 따라서 (ii)에 의해 $\overline{(\frac{1}{n}, 1)}$는 컴팩트가 아니다.

한편 $U$를 점 $\frac{1}{2} \in X$의 열린근방이라 하자. 그러면 $U$가 공집합이 아닌 열린집합이므로 $\overline{U}$는 컴팩트가 아니다. 따라서 $X$는 기초정리 9.4.3의 조건 (b)를 만족하지 않는다.

**보기 9.4.5** (1) 유클리드공간 $\mathbb{R}^n$은 컴팩트는 아니지만 국소컴팩트하다: 임의의 점 $x \in \mathbb{R}^n$에 대하여 $U = B(x, 1)$, $C = \overline{U} = \overline{B(x, 1)}$로 택하면 된다.

(2) 곱공간 $\mathbb{R}^\omega$는 국소컴팩트가 아니다: 만약 $\mathbb{R}^\omega$가 국소컴팩트라고 가정하면 임의의 점 $\mathbf{x}=(x_n)\in\mathbb{R}^\omega$에 대해 $\mathbf{x}\in U\subset C$를 만족하는 열린집합 $U$와 컴팩트집합 $C$가 존재한다. 그리고 곱공간 $\mathbb{R}^\omega$의 기저를 생각하면 $\mathbf{x}\in B\subset U$를 만족하는 기저의 원소 $B$가 존재한다. 우리는 일반성을 잃지 않고

$$B=(a_1,b_1)\times(a_2,b_2)\times\cdots\times(a_n,b_n)\times\mathbb{R}\times\mathbb{R}\times\mathbb{R}\times\cdots$$

이라 할 수 있다. 그러면 사영사상

$$\pi_{n+1}:\mathbb{R}^\omega\to\mathbb{R},\quad \pi_{n+1}((x_k))=x_{n+1}$$

에 대해 $\mathbb{R}=\pi_{n+1}(B)\subset\pi_{n+1}(C)$이므로 $\pi_{n+1}(C)=\mathbb{R}$이다. 그런데 $C$가 컴팩트이고 $\pi_{n+1}$이 연속이므로 정리 9.1.11에 의해 $\pi_{n+1}(C)=\mathbb{R}$은 컴팩트이다. 이는 $\mathbb{R}$이 컴팩트가 아니라는 사실에 모순이다.

따라서 국소컴팩트공간의 곱공간이 항상 국소컴팩트가 되는 것은 아니다. 그리고 곱공간 $\mathbb{R}^\omega$는 정리 6.1.35에 의해 거리공간이므로 모든 거리공간이 항상 국소컴팩트가 되는 것도 아니다.

(3) 유클리드공간 $\mathbb{R}$의 부분공간 $\mathbb{Q}$는 국소컴팩트가 아니다: 만약 $\mathbb{Q}$가 국소컴팩트라고 가정하면 점 $0\in\mathbb{Q}$에 대하여 $0\in U\subset C\subset\mathbb{Q}$를 만족하는 열린집합 $U$와 컴팩트집합 $C$가 존재한다. 그러면 $0\in B=(-r,r)\cap\mathbb{Q}\subset U$를 만족하는 무리수 $r\in\mathbb{Q}^c$이 존재한다. 그리고 $B=[-r,r]\cap\mathbb{Q}$이므로 $B$는 $\mathbb{Q}$의 닫힌집합이다. 따라서 $B\subset C$이므로 정리 9.1.14에 의해 $B$는 컴팩트이다. 그런데 $\{B\cap(-r,r-\frac{1}{n})\mid n\in\mathbb{N}\}$은 $B$의 열린덮개이지만 유한 부분덮개를 갖지 않으므로 $B$는 컴팩트가 아니다. 따라서 모순이다.

(4) 최소상계 성질을 갖는 전순서집합 $X$에 순서위상을 준 순서공간 $X$는 국소컴팩트이다: 임의의 점 $x$에 대하여 $x\in(a,b)$를 만족하는 기저의 원소 $(a,b)$가 존재한다. 그리고 최소상계 성질에 의하여 $[a,b]$는 컴팩트이다(보기 9.1.9 참조).

**보기 9.4.6** 그림 9.8과 같은 유클리드공간 $\mathbb{R}^2$의 부분공간 $X$는 국소컴팩트가 아니다. 왜냐하면 점 $p$와 $q$에서는 컴팩트근방을 잡을 수 없다. 따라서 점 $p$와 $q$에서는 국소컴팩트가 아니다. 그러나 $Y$는 국소컴팩트이다. 왜냐하면 $Y$의 모든 점에서 충분히 작은 컴팩트근방을 잡을 수 있다.

(a) $X$는 국소컴팩트가 아니다. (b) $Y$는 국소컴팩트이다.

그림 9.8 • 국소컴팩트

보기 9.4.5(2)에서 보았듯이 국소컴팩트공간의 곱공간은 일반적으로 국소컴팩트가 아니다. 그러나 다음의 경우에는 곱공간이 국소컴팩트가 된다.

**성질 9.4.7** (1) 유한개의 국소컴팩트공간의 곱공간은 국소컴팩트이다.
(2) 곱공간 $\Pi_\alpha X_\alpha$가 국소컴팩트일 필요충분조건은 유한개를 제외한 $X_\alpha$는 컴팩트이고 나머지 유한개의 $X_\alpha$는 국소컴팩트인 것이다.

증명 (1)은 (2)에 의해서 성립한다.

(2) 편의상 $X = \Pi_\alpha X_\alpha$이라 하자.

먼저 곱공간 $X$가 국소컴팩트라 가정하자. 그러면 임의로 주어진 점 $\mathbf{x} = (x_\alpha) \in X$에 대하여

$$\mathbf{x} = (x_\alpha) \in V \subset C$$

를 만족하는 $X$의 열린집합 $V$와 컴팩트집합 $C$가 존재한다. 그리고 곱공간의 정의에 의하여

$$\mathbf{x} \in \Pi_\alpha U_\alpha \subset V$$

인 기저의 원소 $\Pi_\alpha U_\alpha$가 존재한다. 여기서 유한개의 $\alpha = \alpha_1, \dots, \alpha_n$을 제외하고 $U_\alpha = X_\alpha$이다. 그러면 각각의 $\alpha \neq \alpha_1, \dots, \alpha_n$에 대하여 사영사상에 의한 상이 $\pi_\alpha(C) = X_\alpha$이고 $C$가 컴팩트하므로 $X_\alpha$도 컴팩트하다.

이제 각각의 $i = 1, \dots, n$에 대하여 $X_{\alpha_i}$가 국소컴팩트임을 보이자. 임의로 주어진 점 $y_{\alpha_i} \in X_{\alpha_i}$에 대해 $z_{\alpha_i} = y_{\alpha_i}$인 점 $\mathbf{z} = (z_\alpha) \in X$를 택하자. 그러면 $X$가 국소컴팩트이므로

$$\mathbf{z} = (z_\alpha) \in W \subset D$$

를 만족하는 $X$의 열린집합 $W$와 컴팩트집합 $D$가 존재한다. 그리고 사영사상 $\pi_{\alpha_i}: X \to X_{\alpha_i}$가 연속인 열린사상이므로 $\pi_{\alpha_i}(W)$와 $\pi_{\alpha_i}(D)$는 각각 $X_{\alpha_i}$의 열린집합과 컴팩트집합이고

$$y_{\alpha_i} = z_{\alpha_i} \in \pi_{\alpha_i}(W) \subset \pi_{\alpha_i}(D)$$

가 된다. 따라서 $X_{\alpha_i}$는 국소컴팩트이다.

역으로 유한개의 $\alpha_1, \dots, \alpha_n$에 대해 $X_{\alpha_i}$는 국소컴팩트이고, 나머지 $\alpha$에 대해 $X_\alpha$는 컴팩트라고 가정하자. 그리고 $\mathbf{x} = (x_\alpha) \in X$를 임의로 주어진 점이라 하자. 먼저 각각의 $\alpha_1, \dots, \alpha_n$에 대해 $X_{\alpha_i}$가 국소컴팩트이므로

$$x_{\alpha_i} \in U_{\alpha_i} \subset C_{\alpha_i}$$

를 만족하는 $X_{\alpha_i}$의 열린집합 $U_{\alpha_i}$와 컴팩트집합 $C_{\alpha_i}$가 존재한다. 이제 나머지 $\alpha \neq \alpha_1, \dots, \alpha_n$에 대하여 $U_\alpha = X_\alpha$, $C_\alpha = X_\alpha$이라 하면

$$\mathbf{x} \in \Pi_\alpha U_\alpha \subset \Pi_\alpha C_\alpha$$

이고 $\Pi_\alpha U_\alpha$는 $X$의 열린집합이고 $\Pi_\alpha C_\alpha$는 Tychonoff 정리(정리 9.2.3)에 의해 컴팩트이다. 따라서 $X$는 국소컴팩트이다. □

국소컴팩트는 위상적 성질이다.

**기초정리 9.4.8** 두 위상공간 $X$와 $Y$가 위상동형이면 다음이 성립한다:

$$X\text{는 국소컴팩트} \Leftrightarrow Y\text{는 국소컴팩트}$$

증명 $X$가 국소컴팩트라 하자. $X$와 $Y$가 위상동형이므로 위상동형사상 $f: X \to Y$가 존재한다. 임의의 점 $y \in Y$에 대하여 $x = f^{-1}(y) \in X$이라 하자. 그러면 $X$가 국소컴팩트이므로

$$x \in U \subset C$$

인 $X$의 열린집합 $U$와 컴팩트집합 $C$가 존재한다. 그리고 $f$가 위상동형사상이므로 $f(U)$와 $f(C)$는 각각 $Y$의 열린집합과 컴팩트집합이고

$$y \in f(U) \subset f(C)$$

를 만족한다. 따라서 $Y$도 국소컴팩트이다. □

이제부터 국소컴팩트 하우스도르프공간의 한 점 컴팩트화에 대해 알아보자.

**정의 9.4.9** $X=(X,\mathscr{T})$를 국소컴팩트 하우스도르프공간이라 하자. $X$ 밖의 한 점 $*$를 택하여 $X^*=X\cup\{*\}$이라 하자. 이제 집합 $X^*$에 다음과 같은 위상 $\mathscr{T}^*$를 주자.

$U\subset X^*$가 $X^*$의 열린집합(즉 $U\in\mathscr{T}^*$)이란

(a) $U\subset X$이고 $U$가 $X$의 열린집합(즉 $U\in\mathscr{T}$)이거나

(b) $*\in U$이고 $X^*-U(=X-U)$가 $X$의 컴팩트집합이다.

이와 같이 얻어진 위상공간 $(X^*,\mathscr{T}^*)$를 $X$의 **한 점 컴팩트화**(one-point compactification)라 하고, 간단히 $X^*$로 표기한다. 특별히 $\mathscr{T}\subset\mathscr{T}^*$임을 주의하자.

**참고 9.4.10** 우리는 기초정리 9.4.11에서 실제로 $X^*$가 컴팩트가 됨을 보일 것이다. 여기에서는 왜 $X^*$의 열린집합을 앞에서와 같이 정의하는가에 대해서 생각해보자. 조건 (a)는 $X$가 $X^*$의 부분공간이 되기 위한 필요조건이다. 그리고 조건 (b)는 $X^*$가 컴팩트공간이 되기 위한 필요조건이다. 왜냐하면 만약 $X^*$가 컴팩트이고, $U$가 $*\in U$인 $X^*$의 열린집합이면 $X^*-U$는 $X^*$의 닫힌집합이다. 그런데 $X^*$가 컴팩트이므로 정리 9.1.14에 의해 $X^*-U$는 컴팩트이어야 한다.

**기초정리 9.4.11** 실제로 $\mathscr{T}^*$는 집합 $X^*$상의 위상이 된다.

증명 (1) $\varnothing$은 $X$의 열린집합이므로 (a)에 의하여 $\varnothing\in\mathscr{T}^*$이다. 그리고 $*\in X^*$이고 $X^*-X^*=\varnothing$이 컴팩트이므로 (b)에 의하여 $X^*\in\mathscr{T}^*$이다.

(2) 이제 $U_\alpha\in\mathscr{T}^*(\alpha\in\Lambda)$이라 하자.

(i) 모든 $U_\alpha$가 (a) 형태의 열린집합인 경우: 모든 $\alpha\in\Lambda$에 대해 $U_\alpha\in\mathscr{T}$이므로 $\cup_{\alpha\in\Lambda}U_\alpha\in\mathscr{T}$이다. 따라서 $\cup_{\alpha\in\Lambda}U_\alpha$는 (a) 형태의 $X^*$의 열린집합이다.

(ii) 모든 $U_\alpha$가 (b) 형태의 열린집합인 경우: 모든 $\alpha\in\Lambda$에 대해 $X^*-U_\alpha$는 $X$의 컴팩트집합이다. 편의상 $C_\alpha=X^*-U_\alpha$라 하자. 그리고 $X$가 하우스도르프이므로 따름정리 9.1.20에 의하여 $C=\cap_{\alpha\in\Lambda}C_\alpha$는 $X$의 컴팩트집합이다. (더 나아가 $X$가 하우스도르프이므로 정리 9.1.17에 의하여 $C$는 $X$의 닫힌집

합이다.) 그리고

$$\bigcup_{\alpha\in\Lambda} U_\alpha = \bigcup_{\alpha\in\Lambda}(X^* - C_\alpha) = \bigcup_{\alpha\in\Lambda} C_\alpha^c = (\bigcap_{\alpha\in\Lambda} C_\alpha)^c$$
$$= X^* - (\bigcap_{\alpha\in\Lambda} C_\alpha) = X^* - C$$

이다. 따라서 $\cup_{\alpha\in\Lambda} U_\alpha$는 (b) 형태의 $X^*$의 열린집합이다.

(iii) (a) 형태와 (b) 형태가 섞여있는 경우: 먼저

$$\Lambda_1 = \{\alpha \in \Lambda \mid U_\alpha \text{는 (a) 형태}\},\quad \Lambda_2 = \{\alpha \in \Lambda \mid U_\alpha \text{는 (b) 형태}\}$$

이라 하면 $\Lambda = \Lambda_1 \cup \Lambda_2$이다. 그러면 (i)에 의해 $U = \cup_{\alpha\in\Lambda_1} U_\alpha$는 (a) 형태의 $X^*$의 열린집합이다. 그리고 (ii)에 의해 $V = \cup_{\alpha\in\Lambda_2} U_\alpha$는 (b) 형태의 $X^*$의 열린집합이므로 $X^* - V$는 $X$의 컴팩트집합이다. 편의상 $C = X^* - V$라 하자. 이제 우리는 $\cup_{\alpha\in\Lambda} U_\alpha$가 $X^*$의 열린집합임을 보이면 된다.

$$\bigcup_{\alpha\in\Lambda} U_\alpha = U \cup V = U \cup (X^* - C) = U \cup (X^* \cap C^c)$$
$$= (U \cup X^*) \cap (U \cup C^c) = X^* \cap (U^c \cap C)^c$$
$$= X^* \cup (C - U)^c = X^* - (C - U)$$

이므로

$$X^* - \bigcup_{\alpha\in\Lambda} U_\alpha = C - U$$

이다. 그런데 $X$는 하우스도르프이고 $C - U$가 컴팩트집합 $C$의 닫힌집합이므로 정리 9.1.14에 의하여 $C - U$도 컴팩트이다. 따라서 $\cup_{\alpha\in\Lambda} U_\alpha$는 (b) 형태의 $X^*$의 열린집합이다.

(3) 이제 $U, V \in \mathscr{T}^*$이라 하자.

(iv) 먼저 $U$와 $V$가 모두 (a) 형태인 경우: $U$, $V$가 $X$의 열린집합이므로 $U \cap V$도 $X$의 열린집합이다. 따라서 $U \cap V$는 (a) 형태의 $X^*$의 열린집합이다.

(v) $U$와 $V$가 모두 (b) 형태인 경우: $C = X^* - U$, $D = X^* - V$는 모두 $X$의 컴팩트집합이므로 $C \cup D$도 $X$의 컴팩트집합이다. 그리고

$$U \cap V = (X^* - C) \cap (X^* - D) = (X^* \cap C^c) \cap (X^* \cap D^c)$$
$$= X^* \cap (C^c \cap D^c) = X^* \cap (C \cup D)^c = X^* - (C \cup D)$$

이므로 $U \cap V$는 (b) 형태의 $X^*$의 열린집합이다.

(vi) $U$는 (a) 형태이고 $V$는 (b) 형태인 경우: $U$는 $X$의 열린집합이고 $C= X^* - V$는 $X$의 컴팩트집합이므로 $C$는 $X$의 닫힌집합이다. 그리고

$$U \cap V = U \cap (X^* - C) = U \cap (X^* \cap C^c) = U \cap C^c = U - C$$

이다. 따라서 $U \cap V$는 $X$의 열린집합이므로 $U \cap V$는 (a) 형태의 $X^*$의 열린집합이다. □

**정리 9.4.12** $X$를 컴팩트하지 않는 국소컴팩트 하우스도르프공간이라 하자. 그러면 $X$의 한 점 컴팩트화 $X^*$에 대하여 다음이 성립한다.

(1) $X^*$는 컴팩트 하우스도르프공간이다.

(2) $X$는 $X^*$의 열린부분공간이며 $X^* - X = \{*\}$이고 $\overline{X} = X^*$이다.

증명 (i) 먼저 $X$가 $X^*$의 부분공간이 됨을 보이자.

주장: 만약 $U$가 $X^*$의 열린집합이면 $X \cap U$는 $X$의 열린집합이다.

(주장의 증명) $U$를 $X^*$의 열린집합이라 하자. 만약 $U$가 (a) 형태이면 $U$는 $X$의 열린집합이므로 $X \cap U = U$는 $X$의 열린집합이다. 한편 $U$가 (b) 형태이면 $C = X^* - U$는 $X$의 컴팩트집합이고 $X$가 하우스도르프이므로 정리 9.1.17에 의해 $C$는 $X$의 닫힌집합이다. 그래서

$$X \cap U = X \cap (X^* - C) = X \cap (X^* \cap C^c) = X \cap C^c = X - C$$

이므로 $X \cap U$는 $X$의 열린집합이다. □

주장: 만약 $V$가 $X$의 열린집합이면 $V = X \cap U$를 만족하는 $X^*$의 열린집합 $U$가 존재한다.

(주장의 증명) 만약 $V$가 $X$의 열린집합이면 $V$는 (a) 형태이므로 $V$는 $X^*$의 열린집합이다. 따라서 $U = V$로 택하면 된다. □

위의 두 주장에 의하여

$$\mathscr{T} = \{X \cap U \mid U \in \mathscr{T}^*\}$$

이다. 따라서 $X$는 $X^*$의 부분공간이다.

특별히 $X \in \mathscr{T}$이고 $\mathscr{T} \subset \mathscr{T}^*$이므로 $X \in \mathscr{T}^*$이다. 따라서 $X$는 $X^*$의 열린부분공간이다.

(ii) 이제 $\overline{X} = X^*$임을 보이자.

$X \subset \overline{X}$이므로 우리는 $* \in \overline{X}$임을 보이면 충분하다. 이를 위해 $U$를 $* \in U$인 $X^*$의 열린집합이라 하자. 그러면 $U$는 (b) 형태이므로 $C = X^* - U$는 $X$의 컴팩트집합이다. 그런데 $X$는 컴팩트가 아니므로 $C \subsetneq X$이다. 그래서

$$X \cap U = X \cap (X^* - C) = X \cap (X^* \cap C^c) = X \cap C^c = X - C \neq \varnothing$$

이다. 따라서 $* \in \overline{X}$이다.

(iii) $X^*$는 컴팩트이다:

$\mathscr{U} = \{ U_\alpha \mid \alpha \in \Lambda \}$를 $X^*$의 열린덮개라 하자. 그러면 $* \in X^* = \cup_{\alpha \in \Lambda} U_\alpha$이므로 $* \in U_{\alpha_0}$인 $\alpha_0 \in \Lambda$이 존재한다. 그리고 $C = X^* - U_{\alpha_0}$은 $X$의 컴팩트집합이다. 더구나 $X$가 $X^*$의 부분공간이므로 $C$는 $X^*$의 컴팩트집합도 된다. 한편 $\mathscr{V} = \mathscr{U} - \{ U_{\alpha_0} \}$은 $X^*$의 열린집합들로 이루어진 $C$의 덮개이므로

$$C \subset U_{\alpha_1} \cup U_{\alpha_2} \cup \cdots \cup U_{\alpha_k}$$

를 만족하는 유한개의 $U_{\alpha_1}, U_{\alpha_2}, \ldots, U_{\alpha_k} \in \mathscr{V}$가 존재한다. 그래서

$$X^* = (X^* - C) \cup C = U_{\alpha_0} \cup U_{\alpha_1} \cup U_{\alpha_2} \cup \cdots \cup U_{\alpha_k}$$

이므로 $\{ U_{\alpha_0}, U_{\alpha_1}, U_{\alpha_2}, \ldots, U_{\alpha_k} \}$가 우리가 원하는 $\mathscr{U}$의 유한 부분덮개이다. 따라서 $X^*$는 컴팩트하다.

(iv) $X^*$는 하우스도르프이다:

$X$가 하우스도르프이고 $X^* - X = \{ * \}$이므로 우리는 임의의 점 $x \in X$와 $*$에 대해서만 생각하면 된다. 그런데 $X$가 국소컴팩트이므로 $x \in U \subset C$를 만족하는 $X$의 열린집합 $U$와 컴팩트집합 $C$가 존재한다. 따라서 $X^*$의 열린집합 $U$와 $X^* - C$가

$$x \in U, \quad * \in X^* - C, \quad U \cap (X^* - C) = \varnothing$$

을 만족하므로 $X^*$도 하우스도르프이다. □

다음 정리에서 알 수 있듯이 국소컴팩트 하우스도르프공간의 한 점 컴팩트화는 유일하다.

**정리 9.4.13** $X$와 $Y$를 국소컴팩트 하우스도르프공간이라 하고 이들의 한 점 컴팩트화를 각각 $X^*$와 $Y^*$이라 하자. 만약 $X \cong Y$이면 $X^* \cong Y^*$이다.

증명 편의상 $X^* = X \cup \{a\}$, $Y^* = Y \cup \{b\}$이라 하고, $X$와 $Y$ 사이의 위상동형사상을 $g: X \to Y$라 하자. 우리는 함수

$$f: X^* \to Y^*,\quad f(x) = \begin{cases} g(x), & x \in X \\ b, & x = a \end{cases}$$

가 위상동형사상임을 보이면 된다.

먼저 $g$가 전단사이므로 $f$도 전단사이다.

이제 $f$가 연속임을 보이자. $U$를 $Y^*$의 임의의 열린집합이라 하면 $U$가 $Y$의 열린집합이거나 $C = Y^* - U$가 $Y$의 컴팩트집합이다. 먼저 $U$가 $Y$의 열린집합인 경우에는 $g$가 연속이므로

$$f^{-1}(U) = g^{-1}(U)$$

이 $X$의 열린집합이므로 $f^{-1}(U)$는 $X^*$의 열린집합이다. 한편 $C = Y^* - U$가 $Y$의 컴팩트집합인 경우에는 $g^{-1}$이 연속이므로

$$f^{-1}(C) = g^{-1}(C)$$

는 $X$의 컴팩트집합이고 $X$가 $X^*$의 부분공간이므로 $f^{-1}(C)$는 $X^*$의 컴팩트집합이다. 한편 $X^*$가 하우스도르프이므로 $f^{-1}(C)$는 $X^*$의 닫힌집합이다. 따라서

$$f^{-1}(U) = f^{-1}(Y^* - C) = f^{-1}(Y^*) - f^{-1}(C) = X^* - f^{-1}(C)$$

는 $X^*$의 열린집합이다. 그러므로 $f$는 연속이다.

한편 $X^*$는 컴팩트이고 $Y^*$는 하우스도르프이므로 정리 9.1.24에 의하여 $f$는 위상동형사상이다. □

위상공간 $X$의 한 점 컴팩트화란 $X$에 한 점을 더 보태어 컴팩트공간을 만드는 것이다. 이러한 한 점 컴팩트화가 중요한 이유는 다루는 공간이 컴팩트하면 유용하게 사용할 수 있는 많은 성질들을 알고 있기 때문이다. 따라서 다루고자 하는 공간 $X$가 컴팩트가 아니더라도 이 공간을 컴팩트공간 $X^*$에 넣어서 생각해 볼 수 있다는 장점을 가진다.

**보기 9.4.14** (1) 유클리드공간 $\mathbb{R}$의 부분공간 $X=[0,2)$의 한 점 컴팩트화는 $[0,2]$이다. 단, 여기서 $[0,2]$는 유클리드공간 $\mathbb{R}$의 부분공간이다.

**풀이** 주어진 공간 $X=[0,2)$의 한 점 컴팩트화를 $X^*=[0,2)\cup\{*\}$이라 하자. 이제 우리는 함수

$$f: X^* = [0,2)\cup\{*\}\to[0,2],\quad f(t)=\begin{cases} t, & 0\le t<2 \\ 2, & t=* \end{cases}$$

가 위상동형사상임을 보이자.

(i) 자명하게 $f$는 전단사이다.

(ii) 자명하게 축소사상 $f| : [0,2)\to[0,2)$는 위상동형사상이다. 한편 $X^*$가 컴팩트이고 $[0,2]$가 하우스도르프이므로 정리 9.1.24에 의하여 $f$가 연속임을 보이면 충분하다. 이제 $U$를 $[0,2]$의 임의의 열린집합이라 하자. 먼저 만약 $2\notin U$이면 $U\subset[0,2)\subset Y=[0,2]$이므로

$$f^{-1}(U)=(f|)^{-1}(U)=U\subset[0,2)=X\subset X^*$$

이다. 따라서 $f^{-1}(U)$는 $X$의 열린집합이므로 $f^{-1}(U)$는 (a) 형태의 $X^*$의 열린집합이다. 그리고 만약 $2\in U$이면 $[0,2]$가 컴팩트 하우스도르프이고 $C=[0,2]-U$가 $[0,2]$의 닫힌집합이므로 $C$는 $[0,2]$의 컴팩트집합이다. 그리고 $2\notin C$이므로 $C\subset X=[0,2)$이다. 또한 $(f|)^{-1}$이 연속이므로

$$f^{-1}(C)=(f|)^{-1}(C)$$

는 $X$의 컴팩트집합이다. 따라서

$$f^{-1}(U)=f^{-1}([0,2]-C)=f^{-1}([0,2])-f^{-1}(C)=X^*-f^{-1}(C)$$

이므로 $f^{-1}(U)$는 (b) 형태의 $X^*$의 열린집합이다. 따라서 $f$는 연속이다. □

(2) 유클리드공간 $\mathbb{R}$의 부분공간 $[a,b)$의 한 점 컴팩트화는 $[a,b]$이다.

(3) 유클리드공간 $\mathbb{R}$의 부분공간 $(a,b]$의 한 점 컴팩트화는 $[a,b]$이다.

(4) $S_\Omega$의 한 점 컴팩트화는 $\overline{S}_\Omega=S_\Omega\cup\{\Omega\}$이다.

**보기 9.4.15** (1) 유클리드공간 $\mathbb{R}$의 부분공간 $(0,2\pi)$의 한 점 컴팩트화는 원 $S^1$이다. 단, 여기서 $S^1$은 유클리드공간 $\mathbb{R}^2$의 부분공간이다.

(2) 유클리드공간 $\mathbb{R}$의 부분공간 $(a, b)$의 한 점 컴팩트화는 $S^1$이다.

(3) 유클리드공간 $\mathbb{R}$의 한 점 컴팩트화는 $S^1$이다.

**풀이** (1) $X^* = (0, 2\pi) \cup \{*\}$를 $X = (0, 2\pi)$의 한 점 컴팩트화라 하자. 우리는

$$f: X^* = (0, 2\pi) \cup \{*\} \to S^1, \quad f(t) = \begin{cases} (\cos t, \sin t), & 0 < t < 2\pi \\ (1, 0), & t = * \end{cases}$$

가 위상동형사상임을 보이면 된다.

(i) 자명하게 $f$는 전단사이다.

(ii) 자명하게 축소사상 $f| : X = (0, 2\pi) \to S^1 - \{(1, 0)\}$는 위상동형사상이다. 한편 $X^*$가 컴팩트이고 $S^1$이 하우스도르프이므로 정리 9.1.24에 의하여 $f$가 연속임을 보이면 충분하다. 이제 $U$를 $S^1$의 임의의 열린집합이라 하자. 먼저 만약 $(1, 0) \notin U$이면 $U \subset S^1 - \{(1, 0)\}$이므로

$$f^{-1}(U) = (f|)^{-1}(U) \subset (0, 2\pi) = X \subset X^*$$

이다. 그리고 $f|$가 위상동형사상이므로 $f^{-1}(U)$는 $X$의 열린집합이다. 따라서 $f^{-1}(U)$는 (a) 형태의 $X^*$의 열린집합이다. 이제 만약 $(1, 0) \in U$이면 $S^1$이 컴팩트 하우스도르프이고 $C = S^1 - U$가 $S^1$의 닫힌집합이므로 $C$는 $S^1$의 컴팩트집합이다. 그리고 축소함수 $f|$가 위상동형사상이므로

$$f^{-1}(C) = (f|)^{-1}(C)$$

는 $X$의 컴팩트집합이다. 따라서

$$f^{-1}(U) = f^{-1}(S^1 - C) = f^{-1}(S^1) - f^{-1}(C) = X^* - f^{-1}(C)$$

이므로 $f^{-1}(U)$는 (b) 형태의 $X^*$의 열린집합이다. 따라서 $f$는 연속이다.

(2) $(a, b) \cong (0, 2\pi)$이므로 정리 9.4.13에 의해 $(a, b)^* \cong (0, 2\pi)^* \cong S^1$이다.

(3) $\mathbb{R} \cong (a, b)$이므로 정리 9.4.13에 의해 $\mathbb{R}^* \cong (a, b)^* \cong S^1$이다. □

**보기 9.4.16** 우리는 보기 9.4.15(3)에서 유클리드공간 $\mathbb{R}$의 한 점 컴팩트화가 $S^1$임을 보였다. 여기서 우리는 $\mathbb{R}^*$와 $S^1$ 사이의 위상동형사상을 구체적으로 만들어 보자.

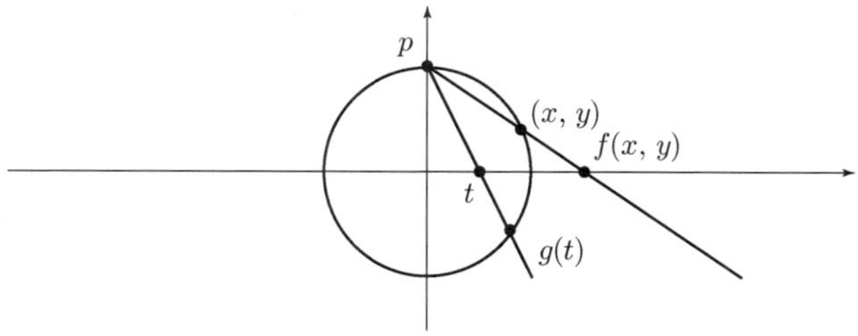


그림 9.9 • $\mathbb{R}$의 한 점 컴팩트화는 $S^1$이다.

**풀이** 단위 원

$$S^1 = \{(x, y) \in \mathbb{R}^2 \mid x^2 + y^2 = 1\}$$

위의 점 $p = (0, 1)$을 택하자. 이제 각각의 점 $(x, y) \in S^1 - \{p\}$에 대하여 점 $p$와 $(x, y)$를 잇는 직선이 $x$-축 $\mathbb{R} \times \{0\}$과 만나는 점의 $x$-좌표를 $f(x, y)$로 정의한 사상

$$f : S^1 - \{p\} \to \mathbb{R}, \quad f(x, y) = \frac{x}{1-y}$$

는 연속이다(그림 9.9 참조). 역으로 각각의 점 $t \in \mathbb{R}$에 대하여 점 $(t, 0) \in \mathbb{R} \times \{0\}$과 $p$를 잇는 직선이 원 $S^1$과 만나는 $p$와 다른 점을 $g(t)$로 정의한 사상

$$g : \mathbb{R} \to S^1 - \{p\}, \quad g(t) = \left(\frac{2t}{1+t^2}, 1 - \frac{2}{1+t^2}\right)$$

도 연속이고 $f$와 $g$는 서로 역함수 관계이므로 $f$는 위상동형사상이다. 이제 $f$를 다음과 같이 확장한 사상

$$\tilde{f} : S^1 \to \mathbb{R}^* = \mathbb{R} \cup \{*\}, \quad \tilde{f}(x, y) = \begin{cases} f(x, y), & (x, y) \in S^1 - \{p\} \\ *, & (x, y) = p = (0, 1) \end{cases}$$

는 정리 9.1.24에 의해 위상동형사상이다. □

**보기 9.4.17** 유클리드공간 $\mathbb{R}^n$의 한 점 컴팩트화는 $S^n$이다. 단, 여기서 $S^n$은 유클리드공간 $\mathbb{R}^{n+1}$의 부분공간이다.

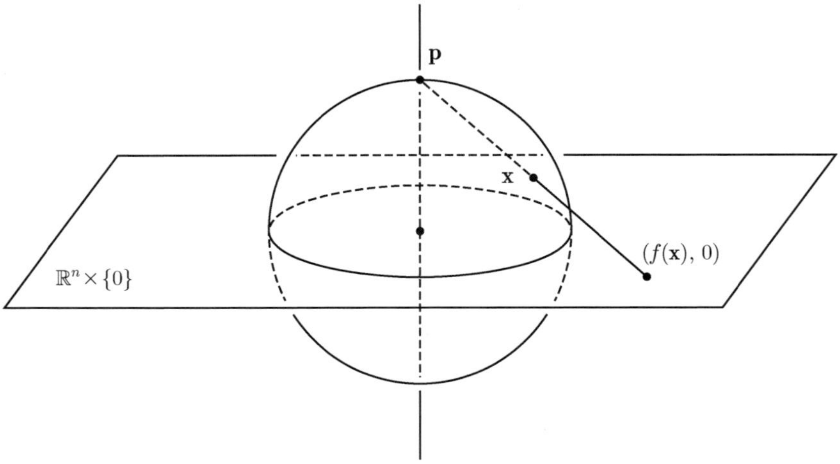


그림 9.10 • 극사영사상(stereographic projection)

**풀이** 단위 구면

$$S^n = \{(x_1, x_2, ..., x_n, x_{n+1}) \in \mathbb{R}^{n+1} \mid x_1^2 + x_2^2 + \cdots + x_n^2 + x_{n+1}^2 = 1\}$$

위의 점 $\mathbf{p} = (0, 0, ..., 0, 1)$을 택하자. 이제 각각의 점 $\mathbf{x} \in S^n - \{\mathbf{p}\}$에 대하여 점 $\mathbf{p}$와 $\mathbf{x}$를 잇는 직선이 $\mathbb{R}^n \times \{0\}$과 만나는 점을 $(f(\mathbf{x}), 0) \in \mathbb{R}^n \times \{0\}$으로 정의한 사상

$$f : S^n - \{\mathbf{p}\} \to \mathbb{R}^n, \quad f(x_1, x_2, ..., x_n, x_{n+1}) = \frac{1}{1 - x_{n+1}}(x_1, x_2, ..., x_n)$$

는 연속이다(그림 9.10 참조). 이러한 사상 $f$를 극사영사상(stereographic projection)이라 한다. 역으로 각각의 점 $\mathbf{t} = (t_1, t_2, ..., t_n) \in \mathbb{R}^n$에 대해 점 $(\mathbf{t}, 0) \in \mathbb{R}^n \times \{0\}$과 $\mathbf{p}$를 잇는 직선이 $S^n$과 만나는 $\mathbf{p}$와 다른 점을 $g(\mathbf{t})$로 정의한 사상

$$g : \mathbb{R}^n \to S^n - \{\mathbf{p}\}, \quad g(\mathbf{t}) = (\frac{2t_1}{1 + \|\mathbf{t}\|^2}, \frac{2t_2}{1 + \|\mathbf{t}\|^2}, ..., \frac{2t_n}{1 + \|\mathbf{t}\|^2}, 1 - \frac{2}{1 + \|\mathbf{t}\|^2})$$

도 연속이고 $f$와 $g$는 서로 역함수 관계이므로 $f$는 위상동형사상이다. 이제 $f$를 다음과 같이 확장한 사상

$$\tilde{f} : S^n \to (\mathbb{R}^n)^* = \mathbb{R}^n \cup \{*\}, \quad \tilde{f}(\mathbf{x}) = \begin{cases} f(\mathbf{x}), & \mathbf{x} \in S^n - \{\mathbf{p}\} \\ *, & \mathbf{x} = \mathbf{p} \end{cases}$$

는 정리 9.1.24에 의해 위상동형사상이다. □

**보기 9.4.18** 유클리드공간 $\mathbb{R}^n$상의 모든 열린구

$$B(\mathbf{x}, r) = \{\mathbf{y} \in \mathbb{R}^n \mid \|\mathbf{x} - \mathbf{y}\| < r\}$$

은 $\mathbb{R}^n$과 위상동형이므로 정리 9.4.13에 의하여 $B(\mathbf{x}, r)$의 한 점 컴팩트화는 $S^n$이다.

**보기 9.4.19** 다음 그림 9.11과 같은 유클리드공간 $\mathbb{R}^2$의 국소컴팩트 부분공간 $X$의 한 점 컴팩트화 $X^*$는 그림 9.11과 같이 얻어진다. 즉, 대부분의 경우 $X$의 경계 $\partial X$에 대하여 $\partial X - X$ $(= \overline{X} - X)$를 한 점으로 만들면 주어진 공간 $X$의 한 점 컴팩트화 $X^*$를 얻을 수 있다. 단, 여기서 $\partial X$와 $\overline{X}$는 $\mathbb{R}^2$에서의 부분집합 $X$의 경계와 폐포이다.

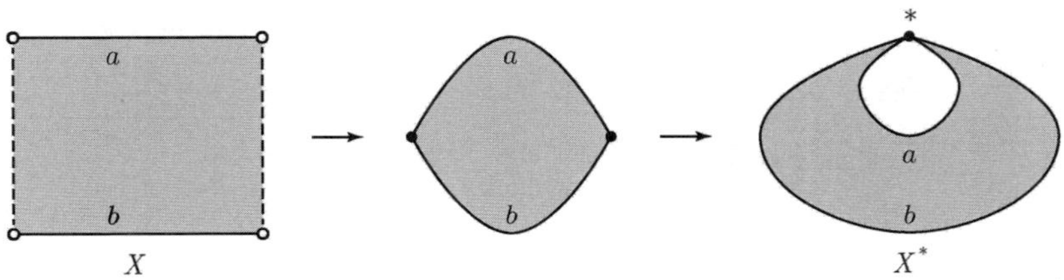


그림 9.11 • 주어진 공간의 한 점 컴팩트화

**정리 9.4.20** 국소컴팩트 하우스도르프공간은 정칙공간이다.

증명 $X$를 국소컴팩트 하우스도르프공간이라 하자. 그러면 $X$의 한 점 컴팩트화 $X^* = X \cup \{*\}$는 컴팩트 하우스도르프공간이다(정리 9.4.12). 그리고 따름정리 9.1.19에 의해 $X^*$는 정규공간이므로 정칙공간이 된다. 따라서 성질 7.2.7에 의해 정칙공간 $X^*$의 부분공간 $X$는 정칙공간이다.[15) ] □

이제 국소컴팩트공간의 기본적인 성질들을 알아보자.

**기초정리 9.4.21** $X$를 국소컴팩트공간이라 하자. 그러면 임의의 컴팩트집합 $K \subset X$에 대하여 $K \subset U \subset C$를 만족하는 $X$의 열린집합 $U$와 컴팩트집합 $C$가 존재한다.

15) 정규공간의 부분공간이 항상 정규가 되는 것은 아니다.

증명 $X$가 국소컴팩트이므로, 임의의 점 $a \in K$에 대해 $a \in U_a \subset C_a$를 만족하는 $X$의 열린집합 $U_a$와 컴팩트집합 $C_a$가 존재한다. 그러면 $\{U_a \mid a \in K\}$는 $K$의 열린덮개이므로 유한개의 $U_{a_1}, \ldots, U_{a_n}$이 존재하여

$$K \subset U_{a_1} \cup \cdots \cup U_{a_n}$$

을 만족한다. 따라서

$$U = U_{a_1} \cup \cdots \cup U_{a_n}, \quad C = C_{a_1} \cup \cdots \cup C_{a_n}$$

가 우리가 원하는 집합이다. □

**기초정리 9.4.22** 하우스도르프공간 $X$에 대하여 다음은 서로 동치이다.

(a) $X$는 국소컴팩트이다.

(b) 임의로 주어진 점 $x \in X$와 $x$의 열린근방 $U$에 대하여 $x \in V \subset \overline{V} \subset U$이고 $\overline{V}$가 컴팩트인 열린집합 $V$가 존재한다.

(c) 임의의 컴팩트집합 $K \subset X$와 $K \subset U$인 열린집합 $U$에 대하여 $K \subset V \subset \overline{V} \subset U$이고 $\overline{V}$가 컴팩트인 열린집합 $V$가 존재한다.

증명 (a)⇒(b) 먼저 $X$가 국소컴팩트라고 가정하자. 그리고 점 $x \in X$와 $x$의 열린근방 $U$가 주어졌다고 하자. 그러면 $X$가 국소컴팩트 Hausdorff이므로, 기초정리 9.4.3에 의해, 주어진 점 $x \in X$에 대하여 $x \in W \subset \overline{W}$이고 $\overline{W}$가 컴팩트인 $X$의 열린집합 $W$가 존재한다. 한편 정리 9.4.20에 의하여 $X$가 정칙이므로 부분공간 $\overline{W}$도 정칙이다. 그리고 $U \cap \overline{W}$는 $\overline{W}$의 열린집합이므로 정리 7.2.5에 의하여 $x \in O \subset \overline{O} \subset U \cap \overline{W}$를 만족하는 $\overline{W}$의 열린집합 $O$가 존재한다. 그러면 $O = G \cap \overline{W}$인 $X$의 열린집합 $G$가 존재한다. 우리는 $V = G \cap W$이라 하면 $V$는 $X$의 열린집합이고, $\overline{V}$는 컴팩트공간 $\overline{W}$의 닫힌집합이므로 $\overline{V}$도 컴팩트이다. 그리고 자명하게 $x \in V \subset \overline{V} \subset U$이다.

(b)⇒(c) $X$의 컴팩트집합 $K$와 열린집합 $U$가 $K \subset U$를 만족한다고 하자. 각각의 점 $a \in K$에 대해 $a \in U$이므로 (b)에 의하여 $a \in V_a \subset \overline{V}_a \subset U$이고 $\overline{V}_a$가 컴팩트인 $X$의 열린집합 $V_a$가 존재한다. 그러면 $\{V_a \mid a \in K\}$는 $K$의 열린덮개이므로 유한개의 $V_{a_1}, V_{a_2}, \ldots, V_{a_n}$이 존재하여

$$K \subset V_{a_1} \cup V_{a_2} \cup \cdots \cup V_{a_n}$$

을 만족한다. 이제 $V = \cup_{i=1}^{n} V_{a_i}$이라 하면 $V$는 열린집합이고 $\overline{V} = \cup_{i=1}^{n} \overline{V}_{a_i}$는 컴팩트이다. 그리고

$$K \subset V = \cup_{i=1}^{n} V_{a_i} \subset \overline{V} = \overline{\cup_{i=1}^{n} V_{a_i}} = \cup_{i=1}^{n} \overline{V}_{a_i} \subset U$$

이다.

(c)⇒(a) 임의의 점 $x \in X$에 대하여 한 점 집합 $\{x\}$는 컴팩트이고 $X$는 열린집합이므로 (c)에 의하여 $\{x\} \subset V \subset \overline{V} \subset X$이고 $\overline{V}$가 컴팩트인 $X$의 열린집합 $V$가 존재한다. 따라서 $X$는 국소컴팩트이다. □

**정리 9.4.23** $X$를 국소컴팩트 하우스도르프공간이라 하자. 만약 $A$가 $X$의 열린집합이거나 닫힌집합이면 부분공간 $A$도 국소컴팩트이다.

증명 먼저 $A$를 $X$의 열린집합이라 하자. 임의의 점 $a \in A$에 대하여 $a \in X$이고 $X$가 국소컴팩트 하우스도르프이므로, 기초정리 9.4.22에 의해, $x \in V \subset \overline{V} \subset A$를 만족하고 $\overline{V}$가 컴팩트인 $X$의 열린집합 $V$가 존재한다. 그리고 $A$가 $X$의 열린집합이므로 $V$는 부분공간 $A$의 열린집합이다. 따라서 부분공간 $A$는 국소컴팩트이다.

이제 $A$를 $X$의 닫힌집합이라 하자. 임의의 점 $a \in A$에 대하여 $a \in X$이고 $X$가 국소컴팩트이므로 $a \in U \subset C$를 만족하는 $X$의 열린집합 $U$와 컴팩트집합 $C$가 존재한다. 그러면 $A \cap C$는 컴팩트공간 $C$의 닫힌집합이므로 정리 9.1.14에 의해 $A \cap C$는 컴팩트이다. 그래서 $A \cap U$는 $A$의 열린집합이고 $A \cap C$는 컴팩트집합으로서

$$a \in A \cap U \subset A \cap C \subset A$$

를 만족한다. 따라서 부분공간 $A$는 국소컴팩트이다. □

**따름정리 9.4.24** 위상공간 $X$에 대하여 다음은 동치이다.

(a) $X$는 국소컴팩트 하우스도르프이다.

(b) $X$는 컴팩트 하우스도르프공간의 열린부분공간과 위상동형이다.

증명 (a)⇒(b) $X$가 컴팩트인 경우는 자명하다. 만약 $X$가 컴팩트하지 않으면 정리 9.4.12에 의해 $X$의 한 점 컴팩트화 $X^* = X \cup \{*\}$는 컴팩트 하우스도르프이다. 그리고 $X$는 $X^*$의 열린부분공간이다.

(b)⇒(a) $X$가 컴팩트 하우스도르프공간 $Z$의 열린부분공간 $V$와 위상동형이라 하자. 그러면 기초정리 9.4.2에 의하여 $Z$는 국소컴팩트이다. 그리고 정리 9.4.23에 의하여 $V$도 국소컴팩트이다. 따라서 $X \cong V$이므로 기초정리 9.4.8에 의하여 $X$도 국소컴팩트이다. 그리고 $X$가 하우스도르프인 것은 자명하다(성질 7.1.11, 기초정리 7.1.13 참조). □

**참고 9.4.25** $X$를 컴팩트 하우스도르프공간이라 하자. 만약 $A$가 $X$의 닫힌집합이면 부분공간 $A$도 컴팩트 하우스도르프이다(정리 9.1.14). 그리고 만약 $A$가 $X$의 열린집합이면 부분공간 $A$는 국소컴팩트 하우스도르프이다(따름정리 9.4.24).

**참고 9.4.26** 이 절에서 위상공간 $X$를 컴팩트하게 만드는 한 방법인 한 점 컴팩트화를 다루었다. 한 점 컴팩트화는 $X$의 가장 작은 컴팩트화로 볼 수 있다. 우리는 12.3절에서 $X$의 가장 큰 컴팩트화로 볼 수 있는 Stone-Čech 컴팩트화를 다룰 것이다.

## 연습문제

**문제 9.4.1** 한 점 컴팩트화 $X^*$와 $Y^*$는 위상동형이지만 $X$와 $Y$는 위상동형이 아닌 보기를 찾으시오.

**문제 9.4.2** (1) 이산공간은 국소컴팩트임을 보이시오.
(2) 이산공간 $X$의 한 점 컴팩트화 $X^*$를 구하시오.

**문제 9.4.3** 실수 집합 $\mathbb{R}$에 대하여 $p \notin \mathbb{R}$일 때, $\mathbb{R}^* = \mathbb{R} \cup \{p\}$를 유클리드공간 $\mathbb{R}$의 한 점 컴팩트화라 하자. 이제 다음과 같이 주어진 $\mathbb{R}^*$의 부분집합이 컴팩트인지 판별하고, 이들의 폐포와 내부를 구하시오.
(1) $A = [1, 2)$.
(2) $B = (1, \infty)$.
(3) $C = (1, \infty) \cup \{p\}$.
(4) $D = [1, \infty)$.
(5) $E = [1, \infty) \cup \{p\}$.

**문제 9.4.4** 유클리드공간 $\mathbb{R}$의 부분공간 $\mathbb{N}$의 한 점 컴팩트화는 $\mathbb{R}$의 부분공간 $Y = \{0\} \cup \{\frac{1}{n} \mid n \in \mathbb{N}\}$와 위상동형임을 보이시오.

**문제 9.4.5** $Y$를 하우스도르프공간이라 하고 $p\in Y$이라 하자. 만약 $X=Y-\{p\}$가 $Y$의 조밀한 부분집합이면 $X$는 컴팩트가 아님을 보이시오.

**문제 9.4.6** 만약 $X$가 컴팩트 하우스도르프공간이면 $A^* \cong X$를 만족하는 $X$의 부분공간 $A$가 존재하는가?

**문제 9.4.7** 다음과 같이 주어진 유클리드공간 $\mathbb{R}$과 $\mathbb{R}^2$의 부분공간들의 한 점 컴팩트화를 그려 보시오.

(1) $A=(0,1)\cup(2,3)\subset\mathbb{R}$.

(2) $B=(0,1)\cup(2,3]\subset\mathbb{R}$.

(3) $C=[0,1)\cup[2,3)\subset\mathbb{R}$.

(4) $X=\{(0,y)\mid y\in\mathbb{R}\}\cup\{(1,y)\mid y\in\mathbb{R}\}\subset\mathbb{R}^2$.

(5) $Y=\{(x,0)\mid x\in\mathbb{R}\}\cup\{(0,y)\mid y\in\mathbb{R}\}\subset\mathbb{R}^2$.

(6) $Z=[0,1)\times[0,1)\subset\mathbb{R}^2$.

(7) $W=\{(x,0)\mid x\le -2\}\cup\{(x,y)\mid x^2+y^2<1\}\cup\{(x,0)\mid x\ge 2\}\subset\mathbb{R}^2$.

**문제 9.4.8** $X$는 국소컴팩트 하우스도르프이고 $Y$는 하우스도르프라 하자.

(1) 만약 $f:X\to Y$가 연속인 열린사상이면 $f(X)$는 국소컴팩트임을 보이시오.

(2) 만약 $f:X\to Y$가 전사이고 연속인 열린사상이면 주어진 컴팩트집합 $K\subset Y$에 대하여 $f(C)=K$를 만족하는 컴팩트집합 $C\subset X$가 존재함을 보이시오.

(3) 만약 $f:X\to Y$가 연속사상이면 $f(X)$도 국소컴팩트가 되는가?

**문제 9.4.9** $A$를 국소컴팩트 하우스도르프공간 $X$의 부분집합이라 하고, $X^*$를 $X$의 한 점 컴팩트화라 하자. 이제 $\mathrm{cl}_X(A)=\mathrm{cl}_{X^*}(A)$일 필요충분조건은 $A\subset K\subset X$를 만족하는 컴팩트집합 $K$가 존재하는 것임을 보이시오.

**문제 9.4.10** 두 국소컴팩트 Hausdorff 공간 $X$, $Y$와 전사인 연속사상 $f:X\to Y$에 대하여 다음이 서로 동치임을 보이시오.

(a) 모든 $x\in X$에 대해 $\tilde{f}(x)=f(x)$를 만족하는 전사인 연속사상 $\tilde{f}:X^*\to Y^*$가 존재한다.

(b) 임의의 컴팩트집합 $K\subset Y$에 대하여 $f^{-1}(K)$는 컴팩트이다.

**문제 9.4.11** 고른공간 $([0,1]^\omega,\bar{\rho})$는 국소컴팩트가 아님을 보이시오.

**문제 9.4.12** 보기 4.2.48에서 다룬 최소 비가산 정렬집합 $S_\Omega$와 $\overline{S}_\Omega=S_\Omega\cup\{\Omega\}$에 대하여 $S_\Omega$의 한 점 컴팩트화는 $\overline{S}_\Omega$와 위상동형임을 보이시오.

**문제 9.4.13** 다음과 같이 정의된 유클리드공간 $\mathbb{R}^2$의 두 부분공간 $X$와 $\mathrm{cl}_{\mathbb{R}^2}(X)$는 국소컴팩트인가?

$$X = \{(x, \sin\frac{1}{x}) \mid 0 < x \le 4\} \cup \{(x, \sin\frac{1}{x}) \mid -4 \le x < 0\} \cup \{(0,0)\}$$

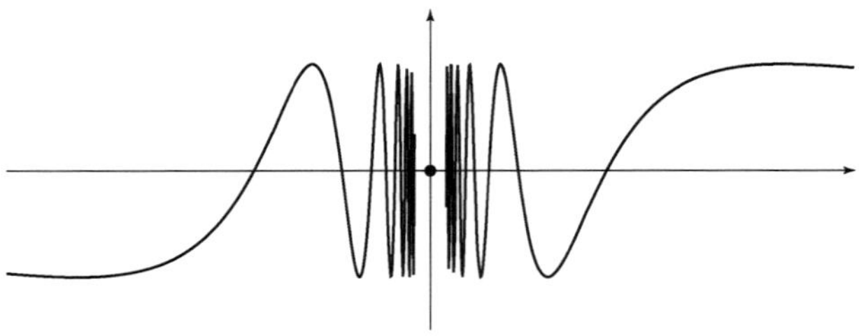

## 9.5 그물(net)†

이 절에서는 수열(sequence)을 보다 일반화한 개념인 그물(net)에 대해 알아보자.

**정의 9.5.1** 집합 $J$상의 관계 $\leq$가 다음 세 조건을 만족하면 $\leq$를 집합 $J$상의 **부분순서**(partial order)라 한다.

(i) 모든 $\alpha \in J$에 대하여 $\alpha \leq \alpha$이다.

(ii) 만약 $\alpha \leq \beta$이고 $\beta \leq \alpha$이면 $\alpha = \beta$이다.

(iii) 만약 $\alpha \leq \beta$이고 $\beta \leq \gamma$이면 $\alpha \leq \gamma$이다.

우리는 집합 $J$와 부분순서 $\leq$의 쌍 $(J, \leq)$을 **부분순서집합**(partially ordered set)이라 한다.

그리고 부분순서집합 $(J, \leq)$이 **유향집합**(directed set)이란 임의의 $\alpha, \beta \in J$에 대하여 $\alpha \leq \gamma$, $\beta \leq \gamma$를 만족하는 $\gamma \in J$가 존재하는 경우를 뜻한다.

**보기 9.5.2** 다음은 모두 유향집합이다.

(1) 전순서집합 $(X, \leq)$은 유향집합이다: 만약 $x, y \in X$이면 $x \leq y$이거나 $y \leq x$이다. 먼저 $x \leq y$인 경우는 $x, y \leq y$이다. 그리고 $y \leq x$인 경우는 $x, y \leq x$이다.

(2) 자연수 집합 $\mathbb{N}$에 보통순서 $\leq$를 준 전순서집합 $(\mathbb{N}, \leq)$은 유향집합이다.

(3) 집합 $S$의 멱집합 $\mathscr{P}(S)$상의 포함관계 $\subset$를 부분순서로 준 $(\mathscr{P}(S), \subset)$는 유향집합이다: 만약 $A, B \in S$이면 $A, B \subset A \cup B \in \mathscr{P}(S)$이다.

(4) $\mathscr{O}$가 위상공간 $X$의 열린집합들의 모임일 때, $(\mathscr{O}, \subset)$는 유향집합이다.

(5) $\mathscr{C}$가 위상공간 $X$의 닫힌집합들의 모임일 때, $(\mathscr{C}, \subset)$는 유향집합이다.

(6) 주어진 집합 $S$의 적당한 부분집합들의 모임 $\mathscr{A}$가 유한 교집합에 닫혀있으면, 즉, $\mathscr{A}$의 유한개 원소들의 교집합이 다시 $\mathscr{A}$의 원소가 되면 $(\mathscr{A}, \supset)$는 유향집합이다: 여기서 $A, B \in \mathscr{A}$에 대해 $A \leq B \Leftrightarrow A \supset B$를 의미한다. 따라서 임의로 주어진 $A, B \in \mathscr{A}$에 대하여 $A, B \supset A \cap B \in \mathscr{A}$이므로 $A, B \leq A \cap B$를 만족하는 $A \cap B \in \mathscr{A}$가 존재한다.

**정의 9.5.3** $K \subset J$가 $J$에서 **같이 끝난다**(cofinal)란 각각의 $\alpha \in J$에 대하여 $\alpha \leq \beta$를 만족하는 $\beta \in K$가 존재함을 의미한다.

**기초정리 9.5.4** $K$가 유향집합 $J$에서 같이 끝나면 $K$도 유향집합이다.

증명 임의로 주어진 $\alpha, \beta \in K$에 대하여 $\alpha, \beta \in J$이고 $J$가 유향이므로 $\alpha, \beta \leq \gamma'$인 $\gamma' \in J$이 존재한다. 그런데 $K$가 $J$에서 같이 끝나므로 $\gamma' \leq \gamma$인 $\gamma \in K$가 존재한다. 따라서 이러한 $\gamma \in K$는 $\alpha, \beta \leq \gamma$를 만족하므로 $K$는 유향집합이다. □

**정의 9.5.5** 위상공간 $X$상의 **그물**(net)이란 유향집합 $J$에서 $X$로의 함수 $f : J \to X$를 의미한다. 이 경우 각각의 $\alpha \in J$에 대해 $f(\alpha) = x_\alpha \in X$로 나타내면 $f$는 $(x_\alpha)_{\alpha \in J}$ 또는 간단히 $(x_\alpha)$로 나타낼 수 있다.

그리고 $X$상의 그물 $(x_\alpha)_{\alpha \in J}$가 점 $x \in X$로 **수렴**(converge)한다란 $x$의 임의의 열린 근방 $U$에 대하여

$$\alpha_0 \leq \alpha \Rightarrow x_\alpha \in U$$

를 만족하는 $\alpha_0 \in J$이 존재함을 의미한다. 이 경우 $x_\alpha \to x$로 표시한다.

**참고 9.5.6** 특별히 $(\mathbb{N}, \leq)$은 유향집합이다. 위상공간 $X$상의 수열은 함수 $f : \mathbb{N} \to X$이고 $f(n) = x_n$이다. 그리고 $x_n \to x$이란 $x$의 임의의 열린근방 $U$에 대하여

$$n_0 \leq n \Rightarrow x_n \in U$$

를 만족하는 $n_0 \in \mathbb{N}$이 존재하는 것이다. 따라서 그물과 이의 수렴은 $\mathbb{N}$상의 개념을 유향집합 $J$상의 개념으로 일반화한 것이다. 그러므로 모든 수열은 그물이고, 수렴하는 수열은 그물로 보았을 때도 수렴한다.

이제 수열의 성질들을 그물로 확장하여 보자.

**성질 9.5.7** $(x_\alpha)_{\alpha \in J}$와 $(y_\alpha)_{\alpha \in J}$를 각각 위상공간 $X$와 $Y$상의 그물이라 하자. 만약

$$x_\alpha \to x \in X, \quad y_\alpha \to y \in Y$$

이면 $(x_\alpha, y_\alpha) \to (x, y) \in X \times Y$이다.

증명 먼저 $(x, y)$의 임의의 열린근방 $W \subset X \times Y$에 대하여 $(x, y) \in U \times V \subset W$를

만족하는 $X$의 열린집합 $U$와 $Y$의 열린집합 $V$를 택하자. 그리고 $x_\alpha \to x$이고 $y_\alpha \to y$이므로

$$\alpha_1 \le \alpha \Rightarrow x_\alpha \in U,$$
$$\alpha_2 \le \alpha \Rightarrow y_\alpha \in V$$

를 만족하는 $\alpha_1, \alpha_2 \in J$가 존재한다. 그리고 $J$가 유향집합이므로 $\alpha_1, \alpha_2 \le \alpha_0$을 만족하는 $\alpha_0 \in J$이 존재하여

$$\alpha_0 \le \alpha \Rightarrow (x_\alpha, y_\alpha) \in U \times V \subset W$$

를 만족한다. 따라서 $(x_\alpha, y_\alpha) \to (x, y)$이다. □

**성질 9.5.8** Hausdorff 공간상의 수렴하는 그물은 유일한 점으로 수렴한다.[16)]

증명 (귀류법) 만약 $X$상의 그물 $(x_\alpha)_{\alpha \in J}$가 서로 다른 두 점 $p, q \in X$로 수렴한다고 가정하자. 그러면 $X$가 Hausdorff이므로

$$p \in U, \quad q \in V, \quad U \cap V = \varnothing$$

을 만족하는 열린집합 $U$, $V$가 존재한다. 그런데 $x_\alpha \to p$, $x_\alpha \to q$이므로

$$\alpha_1 \le \alpha \Rightarrow x_\alpha \in U,$$
$$\alpha_2 \le \alpha \Rightarrow x_\alpha \in V$$

를 만족하는 $\alpha_1, \alpha_2 \in J$가 존재한다. 한편 $J$가 유향집합이므로 $\alpha_1, \alpha_2 \le \alpha_3$인 $\alpha_3 \in J$이 존재하여 $x_{\alpha_3} \in U \cap V$가 된다. 이는 $U \cap V = \varnothing$에 모순이다. □

**정리 9.5.9** 위상공간 $X$의 부분집합 $A$에 대하여 다음은 동치이다.[17)]
(a) $x \in \overline{A}$.
(b) $x$로 수렴하는 $A$의 점들로 이루어진 그물이 존재한다.

증명 (b)⇒(a) $A$의 점들로 이루어진 그물 $(x_\alpha)_{\alpha \in J}$가 $x \in X$로 수렴한다고 가정하자.

---

16) 성질 7.1.21 참조.
17) 성질 4.3.6과 따름정리 4.3.14 참조.

임의의 $x$의 열린근방 $U \subset X$에 대하여 $\alpha_0 \in J$이 존재하여

$$\alpha_0 \le \alpha \Rightarrow x_\alpha \in U$$

를 만족하므로 $x_{\alpha_0} \in U \cap A$이고, $U \cap A \neq \varnothing$이다. 따라서 $x \in \overline{A}$이다.

(a)⇒(b) 역으로 $x \in \overline{A}$라고 하자. 그리고 $J$를 $x$의 열린근방들의 모임이라 하자. 그러면 $(J, \supset)$는 유향집합이다. 단, 여기서 $U, V \in J$에 대하여

$$U \le V \Leftrightarrow U \supset V$$

이다. 이제 각각의 $U \in J$에 대하여 $U \cap A \neq \varnothing$이므로 한 점 $x_U \in U \cap A$를 택하자. 그러면 임의의 $x$의 열린근방 $W$에 대하여

$$W \le U \Rightarrow W \supset U \Rightarrow x_U \in U \subset W$$

이다. 그러므로 주어진 $x$의 열린근방 $W$에 대하여 $W \in J$를 택하면

$$W \le U \Rightarrow x_U \in W$$

가 성립한다. 따라서 $A$의 점들로 이루어진 그물 $(x_U)_{U \in J}$는 $x$로 수렴한다. □

참고 4.3.7에서 보았듯이 정리 9.5.9는 수열에 대해서는 성립하지 않는다.

**정리 9.5.10** 두 위상공간 $X$와 $Y$ 사이의 함수 $f: X \to Y$에 대하여 다음은 동치이다.[18)]

(a) $f: X \to Y$는 연속사상이다.

(b) 만약 $x_\alpha \to x$이면 $f(x_\alpha) \to f(x)$이다.

증명 (a)⇒(b) 먼저 $f$는 연속이고 $X$상의 그물 $(x_\alpha)_{\alpha \in J}$가 $x$로 수렴한다고 가정하자. 그러면 $f(x)$의 임의의 열린근방 $V \subset Y$에 대하여, $f$가 점 $x$에서 연속이므로, $x \in U \subset f^{-1}(V)$를 만족하는 $x$의 열린근방 $U \subset X$가 존재한다. 그런데 그물 $(x_\alpha)$가 $x$로 수렴하므로

$$\alpha_0 \le \alpha \Rightarrow x_\alpha \in U$$

를 만족하는 $\alpha_0 \in J$이 존재한다. 따라서 이러한 $\alpha_0 \in J$에 대하여

18) 기초정리 5.1.28, 보기 5.1.29 참조.

$$\alpha_0 \leq \alpha \Rightarrow f(x_\alpha) \in f(U) \subset f(f^{-1}(V)) \subset V$$

가 성립하므로 $f(x_\alpha) \to f(x)$이다.

(b)⇒(a) (귀류법) 주어진 함수 $f: X \to Y$가 연속이 아니라고 가정하자. 그러면 정리 5.1.17에 의해 $f$가 연속이 아닌 점 $x \in X$가 존재한다. 따라서 $x$의 모든 열린근방 $U \subset X$에 대하여 $U \not\subset f^{-1}(W)$인 $f(x)$의 열린근방 $W \subset Y$가 존재한다.

이제 $J$를 $x$의 열린근방들의 모임이라 하자. 그러면 $(J, \supset)$는 유향집합이 된다. 각각의 $U \in J$에 대하여 $U - f^{-1}(W) \neq \varnothing$이므로 $x_U \in U - f^{-1}(W)$를 택하자. 그러면 $x$의 임의의 열린근방 $V \subset X$에 대하여

$$V \leq U \Rightarrow V \supset U \Rightarrow x_U \in U \subset V$$

이다. 그러므로 주어진 $x$의 열린근방 $V$에 대하여 $V \in J$를 택하면

$$V \leq U \Rightarrow x_U \in V$$

가 성립한다. 따라서 $x_U \to x$이다. 하지만 $f(x)$의 열린근방 $W(\subset Y)$에 대하여 $f(x_U) \not\in W\ (\forall U \in J)$이므로 $f(x_U) \not\to f(x)$이다. 이는 (b)에 모순이다. □

**정의 9.5.11** $f: J \to X$를 그물이라 하자. 유향집합 $K$와 함수 $g: K \to J$가

(i) $\beta \leq' \beta_* \Rightarrow g(\beta) \leq g(\beta_*)$,

(ii) $g(K)$는 $J$에서 같이 끝난다

를 만족할 때 합성함수 $f \circ g: K \to X$를 $f$의 **부분그물**(subnet)이라 한다.

만약 $f(\alpha) = x_\alpha$이라 하고 $f \circ g(\beta) = f(g(\beta)) = y_\beta$이라 하면 집합적으로

$$\{y_\beta \in X \mid \beta \in K\} \subset \{x_\alpha \in X \mid \alpha \in J\}$$

이다. 그리고 $g(\beta) = \alpha \in J$이면 $y_\beta = x_\alpha$이다.

특별히 $K \subset J$가 $J$에서 같이 끝나면 기초정리 9.5.4에 의해 $K$도 유향집합이다. 이 경우 $g: K \hookrightarrow J$를 포함사상으로 택하면 $(f(\beta))_{\beta \in K}$는 $(f(\alpha))_{\alpha \in J}$의 부분그물이다.

**기초정리 9.5.12** 만약 그물 $(x_\alpha)$가 $x$로 수렴하면 모든 부분그물도 $x$로 수렴한다.

증명 $(x_\alpha)_{\alpha \in J}$를 위상공간 $X$상의 그물이라 하고, 이를 나타내는 함수를 $f: J \to X$라 하자. 그리고 유향집합 $K$와 함수 $g: K \to J$에 대해 $f \circ g: K \to X$가 부분그물

$(y_\beta)_{\beta\in K}$를 나타낸다고 하자.

이제 $U$를 $x$의 임의의 열린근방이라 하자. 그러면 $x_\alpha \to x$이므로

$$\alpha_0 \le \alpha \Rightarrow x_\alpha = f(\alpha) \in U$$

를 만족하는 $\alpha_0 \in J$이 존재한다. 그리고 $g(K)$가 $J$에서 같이 끝나므로 $\alpha_0 \le g(\beta_0)$인 $\beta_0 \in K$이 존재한다. 이러한 $\beta_0 \in K$에 대해

$$\beta_0 \le' \beta \;\Rightarrow\; \alpha_0 \le g(\beta_0) \le g(\beta) \;\Rightarrow\; y_\beta = f(g(\beta)) = x_{g(\beta)} \in U$$

이다. 따라서 $y_\beta \to x$이다. □

**정의 9.5.13** $(x_\alpha)_{\alpha\in J}$를 위상공간 $X$상의 그물이라 하자. $x\in X$가 그물 $(x_\alpha)$의 **집적점**(accumulation point, cluster point)이란 $x$의 임의의 열린근방 $U$에 대하여 $\{\alpha\in J \mid x_\alpha \in U\}$가 $J$에서 같이 끝남을 의미한다.

**기초정리 9.5.14** 위상공간 $X$상의 그물 $(x_\alpha)$에 대하여 다음은 동치이다.[19]

(a) $x$는 $(x_\alpha)$의 집적점이다.

(b) $x$로 수렴하는 $(x_\alpha)$의 부분그물이 존재한다.

증명 그물 $(x_\alpha)_{\alpha\in J}$를 나타내는 함수를 $f : J \to X$라 하자. 즉, $f(\alpha) = x_\alpha$이다.

(b)⇒(a) 먼저 $x$로 수렴하는 부분그물 $f\circ g : K \to J \to X$가 존재한다고 하자. 그러면 $x$의 열린근방 $U$에 대하여

$$\beta_0 \le' \beta \Rightarrow f(g(\beta)) \in U \qquad (*)$$

를 만족하는 $\beta_0 \in K$이 존재한다.

이제 $I = \{\alpha\in J \mid x_\alpha = f(\alpha)\in U\}$가 $J$에서 같이 끝남을 보이자. (*)에 의해

$$\{g(\beta)\in J \mid \beta_0 \le' \beta \in K\} \subset I$$

이다. 그리고 $g(K)$가 $J$에서 같이 끝나므로 임의의 $\alpha\in J$에 대하여 $\alpha \le g(\beta_1)$을 만족하는 $\beta_1 \in K$이 존재한다. 한편 $K$가 유향집합이므로 $\beta_0, \beta_1 \le' \beta$인 $\beta\in K$가 존재한다. 그리고 $g(\beta_1) \le g(\beta)$이므로 $\alpha \le g(\beta)$이고 $g(\beta)\in I$이다. 따라서 $I$가

19) 기초정리 11.1.15 참조.

$J$에서 같이 끝나므로 $x$는 $(x_\alpha)$의 집적점이다.

(a)⇒(b) 이제 $x$가 $(x_\alpha)$의 직접점이라 하자. 그리고 $I$를 $x$의 열린근방들의 모임이라 하고

$$K=\{(\alpha, U)\in J\times I \mid x_\alpha=f(\alpha)\in U\}$$

이라 하자. 또한 $K$상의 부분순서 $\preceq'$를 다음과 같이 주자:

$$(\alpha, U)\preceq'(\beta, V) \Leftrightarrow \alpha\leq\beta\text{이고 } U\supset V$$

(1) 그러면 $(K,\preceq')$는 유향집합이다: 왜냐하면 임의의 $(\alpha, U), (\beta, V)\in K$에 대하여 $U\cap V$는 $x$의 열린근방이고 $x$는 $(x_\alpha)$의 집적점이므로 $J'=\{\alpha\in J \mid x_\alpha\in U\cap V\}$은 $J$에서 같이 끝난다. 따라서 $\alpha, \beta\leq\gamma$인 $\gamma\in J'$가 존재하여 $(\gamma, U\cap V)\in K$이고

$$(\alpha, U), (\beta, V)\preceq'(\gamma, U\cap V)$$

이므로 $(K,\preceq')$는 유향집합이다.

(2) 이제 $g: K\to J$를 $g(\alpha, U)=\alpha$이라 하자. 그러면 $f\circ g: K\to X$가 $f$의 부분그물임을 다음과 같이 보일 수 있다.

(i) 당연히

$$(\alpha, U)\preceq'(\beta, V) \Rightarrow g(\alpha, U)=\alpha\leq\beta=g(\beta, V)$$

이다.

(ii) 한편 $x$의 임의의 열린근방 $U\in I$에 대하여 $J_U=\{\alpha\in J \mid x_\alpha\in U\}$이라 하자. 그러면 $\{(\alpha, U) \mid \alpha\in J_U\}\subset K$이므로 $J_U\subset g(K)$이다. 그런데 $x$가 $(x_\alpha)$의 집적점이므로 $J_U$는 $J$에서 같이 끝난다. 따라서 $g(K)$도 $J$에서 같이 끝난다.

(3) 마지막으로 $f=(x_\alpha)$의 부분그물 $f\circ g: K\to J\to X$가 $x$로 수렴함을 보이자. $x$의 임의의 열린근방 $U$에 대하여 임의의 $\alpha_0\in J_U$을 택하자. 그러면

$$(\alpha_0, U)\preceq'(\beta, V) \Rightarrow x_\beta\in V\subset U \Rightarrow f(g(\beta, V))=f(\beta)=x_\beta\in U$$

이므로 $(x_\alpha)$의 부분그물 $(f\circ g(\alpha, U))_{(\alpha, U)\in K}$는 $x$로 수렴한다. □

**정리 9.5.15** 위상공간 $X$에 대하여 다음은 동치이다.[20]

(a) $X$는 컴팩트이다.

(b) $X$상의 모든 그물은 수렴하는 부분그물을 갖는다.

증명 (a)⇒(b) 먼저 $X$가 컴팩트라고 가정하자. 그리고 $X$상의 그물 $(x_\alpha)_{\alpha \in J}$에 대해 $B_\alpha = \{x_\beta \mid \alpha \leq \beta\}$이라 하자. $J$가 유향집합이므로 임의의 $\alpha_1, \dots, \alpha_n \in J$에 대하여 $\alpha_1, \dots, \alpha_n \leq \beta$인 $\beta \in J$가 존재한다. 따라서 $x_\beta \in B_{\alpha_1} \cap \cdots \cap B_{\alpha_n} \neq \varnothing$ 이므로 $\{B_\alpha\}_{\alpha \in J}$는 유한 교집합 조건을 만족한다. 그리고 $X$가 컴팩트이므로 정리 9.1.37에 의하여 $\bigcap_{\alpha \in J} \overline{B}_\alpha \neq \varnothing$ 이다. 따라서 $x \in \bigcap_{\alpha \in J} \overline{B}_\alpha$가 존재한다.

이제 $x$가 그물 $(x_\alpha)$의 집적점임을 보이자. $x$의 임의의 열린근방 $U$와 $\alpha \in J$에 대하여 $x \in \overline{B}_\alpha$이므로 $U \cap B_\alpha \neq \varnothing$ 이다. 따라서 $x_\beta \in U \cap B_\alpha$가 존재하여 $\alpha \leq \beta$이다. 그러므로 $\{\beta \in J \mid x_\beta \in U\}$는 $J$에서 같이 끝난다. 따라서 $x$는 $(x_\alpha)$의 집적점이다.

그리고 기초정리 9.5.14에 의하여 $(x_\alpha)$는 $x$로 수렴하는 부분그물을 갖는다.

(b)⇒(a) $\mathscr{A}$를 유한 교집합 조건을 만족하는 닫힌집합들의 모임이라 하자. 정리 9.1.37에 의하여 $\bigcap_{A \in \mathscr{A}} A \neq \varnothing$ 임을 보이면 된다. 이를 위해 $\mathscr{B}$를 $\mathscr{A}$의 유한개의 원소들의 교집합들의 모임이라 하자. 그리고 집합 $\mathscr{B}$상에 부분순서 $\leq$를 $\supset$로 주자. 그러면 $\mathscr{B}$는 유향집합이다. 이제 각각의 $B \in \mathscr{B}$에 대하여 $x_B \in B$를 택하자. 그러면 $(x_B)_{B \in \mathscr{B}}$는 $X$상의 그물이 된다. 그리고 (b)에 의하여 $(x_B)$는 수렴하는 부분그물을 가지므로 기초정리 9.5.14에 의해 $(x_B)$는 집적점 $x \in X$를 갖는다.

이제 우리는 $x \in \bigcap_{A \in \mathscr{A}} A$임을 보이면 된다. 만약 $x \notin \bigcap_{A \in \mathscr{A}} A$이라고 가정하면 $x \notin A$인 $A \in \mathscr{A}$가 존재한다. 그리고 $A$가 닫힌집합이므로 $A^c$은 $x$의 열린근방이다. 한편 $x$가 $(x_B)$의 집적점이므로 $\mathscr{B}' = \{B \in \mathscr{B} \mid x_B \in A^c\}$은 $\mathscr{B}$에서 같이 끝난다. 그러므로 주어진 $A \in \mathscr{B}$에 대하여 $A \leq B$(즉 $A \supset B$)를 만족하는 $B \in \mathscr{B}'$가 존재한다. 그런데 이러한 $B$는 $x_B \in B \subset A$이므로 $B \notin \mathscr{B}'$이다. 이는 모순이다. □

20) 정리 11.1.18 참조.

# 10장

# 가분공간과 가산성

CONTENTS

이 장에서는 위상공간 자체를 보다 깊이 있게 공부하는데 필요한 개념인 가분성과 가산성을 다룬다. 특히 가산성은 12장의 Urysohn 거리화정리를 증명하는데 필요하다.

## 10.1 가분공간(separable space)

**정의 10.1.1** $X$를 위상공간이라 하자.

(1) $X$의 부분집합 $A$가 $\overline{A} = X$를 만족하면 $A$를 $X$에서 **조밀**(dense)하다고 한다.

(2) $X$가 **가분**(또는 분해가능, separable)이란 $X$가 조밀한 가산부분집합을 가짐을 의미한다. 즉, $\overline{A} = X$인 가산집합 $A \subset X$가 존재함을 의미한다. 그리고 가분인 위상공간을 **가분공간**(separable space)이라 한다.

**보기 10.1.2** (1) $X$가 가산집합이면 $X$상의 모든 위상 $\mathscr{T}$에 대하여 $\overline{X} = X$이므로 위상공간 $(X, \mathscr{T})$는 가분이다.

(2) 유클리드공간 $\mathbb{R}$은 가분이다: 왜냐하면 $\mathbb{R}$의 가산부분집합 $\mathbb{Q}$가 $\overline{\mathbb{Q}} = \mathbb{R}$을 만족하므로 $\mathbb{R}$은 가분이다.

(3) 유클리드공간 $\mathbb{R}^n$은 가분이다: 왜냐하면 $\mathbb{R}^n$의 가산부분집합

$$\mathbb{Q}^n = \mathbb{Q} \times \mathbb{Q} \times \cdots \times \mathbb{Q} = \{(p_1, p_2, \ldots, p_n) \in \mathbb{R}^n \mid p_i \in \mathbb{Q},\ i = 1, 2, \ldots, n\}$$

이 $\overline{\mathbb{Q}^n} = \mathbb{R}^n$을 만족하므로 $\mathbb{R}^n$은 가분이다.

(4) 유클리드공간 $\mathbb{R}$의 부분공간 $X = \{-n \mid n \in \mathbb{N}\} \cup (0, \infty)$도 가분이다: 왜냐하면 $X$의 가산부분집합

$$A = \{-n \mid n \in \mathbb{N}\} \cup [(0, \infty) \cap \mathbb{Q}]$$

가 $\mathrm{cl}_X(A) = X$를 만족하므로 $X$는 가분이다.

(5) 모든 자명한(비이산)공간 $X$는 가분이다: 왜냐하면 임의의 점 $x \in X$에 대하여 $\mathrm{cl}_X(\{x\}) = X$이기 때문이다.

(6) $X$를 이산공간이라 하면 모든 부분집합 $A$가 닫힌집합이므로 $\overline{A} = A$이다. 따라서 조밀한 부분집합은 $X$ 자신뿐이다. 따라서 만약 $X$가 비가산집합이면 이산공간 $X$는 가분이 아니다.

**보기 10.1.3** (1) 임의의 집합 $X$에 대하여 여유한위상

$$\mathscr{T}_f = \{ U \subset X \mid U^c \text{은 유한집합이거나 } X \text{ 전체} \} \\ = \{ U \subset X \mid U^c \text{은 유한집합} \} \cup \{ \varnothing \}$$

를 준 여유한공간 $X = (X, \mathscr{T}_f)$는 가분이다: 왜냐하면 먼저 $X$가 가산집합이면 $\overline{X} = X$이므로 $X$는 가분공간이다. 그리고 $X$가 비가산인 경우는 무한인 가산부분집합(즉, 가부번집합) $A \subset X$를 택할 수 있다. 그런데 위상공간 $X$의 닫힌집합은 유한집합이거나 $X$이므로 $\overline{A} = X$가 되어 $X$는 가분이다(보기 4.2.23 참조).

(2) 임의의 집합 $X$에 대하여 여가산위상

$$\mathscr{T}_c = \{ U \subset X \mid U^c \text{은 가산집합이거나 } X \text{ 전체} \} \\ = \{ U \subset X \mid U^c \text{은 가산집합} \} \cup \{ \varnothing \}$$

를 준 여가산공간 $X = (X, \mathscr{T}_c)$를 생각하자.

(a) 만약 $X$가 가산집합이면 $\overline{X} = X$이므로 $X$는 가분공간이다.

(b) 만약 $X$가 비가산집합이면 $X$는 가분공간이 아니다: 왜냐하면 임의의 가산부분집합 $A \subset X$에 대하여, 여가산공간 $X$의 가산부분집합은 닫힌집합이므로, $\overline{A} = A$가 된다(보기 4.2.24 참조). 그리고 $X$가 비가산이므로 $\overline{A} \neq X$이다. 따라서 $\overline{A} = X$를 만족하는 가산부분집합 $A$는 존재하지 않는다.

이제 가분성이 위상적 성질임을 보이자.

**기초정리 10.1.4** $X$와 $Y$는 위상공간이고 $f : X \to Y$는 연속사상이라 하자. 만약 $X$가 가분이면 $f(X)$도 가분이다. 단, 여기서 $f(X)$는 $Y$의 부분공간이다.

증명 $A$를 $X$의 조밀한 가산부분집합이라 하자. 그러면 $f(A)$는 $f(X)$의 가산부분집합이다. 이제 $\mathrm{cl}_{f(X)}(f(A)) = f(X)$임을 보이면 충분하다. 먼저 $f$가 연속이므로 정리 5.1.4에 의해 $f(\mathrm{cl}_X(A)) \subset \mathrm{cl}_Y(f(A))$이다. 그리고 $\mathrm{cl}_X(A) = X$이므로

$$f(X) = f(\mathrm{cl}_X(A)) \subset \mathrm{cl}_Y(f(A)) \cap f(X) = \mathrm{cl}_{f(X)}(f(A)) \subset f(X)$$

가 되어 $\mathrm{cl}_{f(X)}(f(A)) = f(X)$이다.[1] 따라서 $f(X)$는 가분이다. □

1) 성질 4.2.28(2) 참조.

**정리 10.1.5** 두 위상공간 $X$와 $Y$가 위상동형이면 다음이 성립한다:

$$X\text{는 가분} \Leftrightarrow Y\text{는 가분}$$

증명 기초정리 10.1.4에 의하여 성립한다. □

**성질 10.1.6** 가산개의 가분공간들의 곱공간도 가분이다.

증명 (i) 유한개의 가분공간 $X_i(i=1,2,\ldots,n)$에 대하여 $A_i$를 $X_i$의 조밀한 가산부분집합이라 하자. 그러면 $\Pi_{i=1}^n A_i$는 곱공간 $\Pi_{i=1}^n X_i$의 가산부분집합이다. 그리고 성질 6.1.26에 의해

$$\overline{\Pi_{i=1}^n A_i} = \Pi_{i=1}^n \overline{A_i} = \Pi_{i=1}^n X_i$$

이므로 $\Pi_{i=1}^n X_i$는 가분공간이다.

(ii) 이제 무한인 가산개의 가분공간의 곱공간이 가분임을 보이자. 이를 위해 $X_n(n\in\mathbb{N})$을 가분공간이라 하자. 각각의 $n\in\mathbb{N}$에 대하여 $X_n$이 가분이므로 조밀한 가산부분집합 $A_n\subset X_n$이 존재한다. 그리고 각각의 $n\in\mathbb{N}$에 대하여 한 점 $x_n\in X_n$을 택하자. 이제

$$B_n := A_1\times A_2\times\cdots\times A_n\times\{x_{n+1}\}\times\{x_{n+2}\}\times\{x_{n+3}\}\times\cdots$$

이라 하면 $B_n$은 $\Pi_{n=1}^\infty X_n$의 가산부분집합이다.[2)] 그러므로 $B=\cup_{n=1}^\infty B_n$도 $\Pi_{n=1}^\infty X_n$의 가산부분집합이다. 이제 우리는 $\overline{B}=\Pi_{n=1}^\infty X_n$임을 보이면 된다. 만약 $C$가 $B\subset C$를 만족하는 $\Pi_{n=1}^\infty X_n$의 닫힌집합이면 모든 자연수 $n\in\mathbb{N}$에 대하여 $B_n\subset C$이므로 $\overline{B_n}\subset C$이다. 따라서 성질 6.1.26에 의해 모든 $n\in\mathbb{N}$에 대해

$$\begin{aligned}\overline{B_n} &= \overline{A}_1\times\overline{A}_2\times\cdots\times\overline{A}_n\times\overline{\{x_{n+1}\}}\times\overline{\{x_{n+2}\}}\times\overline{\{x_{n+3}\}}\times\cdots \\ &= X_1\times X_2\times\cdots\times X_n\times\overline{\{x_{n+1}\}}\times\overline{\{x_{n+2}\}}\times\overline{\{x_{n+3}\}}\times\cdots\subset C\end{aligned} \qquad (*)$$

---

2) 모든 $A_n$이 가산집합일지라도 곱집합 $\Pi_{n=1}^\infty A_n$이 항상 가산집합이 되는 것은 아니다. 예를 들어 모든 $n\in\mathbb{N}$에 대해 $A_n=\{a,b\}$이라 하면 $\text{card}(\Pi_{n=1}^\infty A_n)=\text{card}(\{a,b\}^{\mathbb{N}})=2^{\aleph_0}=\mathfrak{c}$이므로 $\Pi_{n=1}^\infty A_n$은 비가산이다.

그리고 $\cup_{n=1}^\infty B_n\subsetneq\Pi_{n=1}^\infty A_n$임을 주의하자. 예를 들어 $A_n=\{a,b\}$에 대하여 $B_n=A_1\times\cdots\times A_n\times\{a\}\times\{a\}\times\cdots$이라 하면 $(b,b,b,\ldots)\in\Pi_{n=1}^\infty A_n$이지만 $(b,b,b,\ldots)\notin\cup_{n=1}^\infty B_n$이다.

이다. 그런데 $C \neq \Pi_{n=1}^{\infty} X_n$이라 가정하면 $C^c$이 공집합이 아닌 열린집합이므로 $\Pi_{n=1}^{\infty} U_n \subset C^c$을 만족하는 $X_n$의 열린집합 $U_n$이 존재한다. 단, 여기서 유한개를 제외한 $n$에 대해 $U_n = X_n$이다. 그리고 $n_0 = \max\{n \in \mathbb{N} \mid U_n \neq X_n\}$에 대해

$$\Pi_{n=1}^{\infty} U_n = U_1 \times \cdots \times U_{n_0} \times X_{n_0+1} \times X_{n_0+2} \times \cdots$$

이므로

$$\overline{B}_{n_0} \bigcap \Pi_{n=1}^{\infty} U_n = U_1 \times \cdots \times U_{n_0} \times \overline{\{x_{n_0}\}} \times \overline{\{x_{n_{0+2}}\}} \times \cdots \neq \varnothing$$

이다. 그래서 $\overline{B}_{n_0} \cap C^c \neq \varnothing$이므로 $\overline{B}_{n_0} \not\subset C$이다. 이는 (*)에 모순이다. 따라서 $C = \Pi_{n=1}^{\infty} X_n$이다.

특별히 $\overline{B}$도 $B$를 포함하는 닫힌집합이므로 $\overline{B} = \Pi_{n=1}^{\infty} X_n$이다. □

다음 보기에서 볼 수 있듯이 일반적으로 가분공간의 부분공간이 가분이 되는 것은 아니다.

**보기 10.1.7** $\mathbb{R}^2$상의 한 점 $\mathbf{a} = (0, 1)$을 택하자. 이제 집합 $X = \{(x, 0) \in \mathbb{R}^2 \mid x \in \mathbb{R}\} \cup \{\mathbf{a}\}$에 위상

$$\mathscr{T} = \{\varnothing\} \cup \{U \subset X \mid \mathbf{a} \in U\}$$

를 주자.

(i) $(X, \mathscr{T})$는 가분공간이다. 왜냐하면 한 점 집합 $\{\mathbf{a}\}$에 대하여 $\overline{\{\mathbf{a}\}} = X$이기 때문이다: 만약 $C$가 $\{\mathbf{a}\} \subset C$인 $X$의 닫힌집합이면 $C^c$은 $\mathbf{a}$를 포함하지 않는 열린집합이다. 따라서 $C^c = \varnothing$이 되어야 하므로 $C = X$가 될 수밖에 없다. 특별히 $\overline{\{\mathbf{a}\}}$도 $\{\mathbf{a}\}$를 포함하는 닫힌집합이므로 $\overline{\{\mathbf{a}\}} = X$이다.

(ii) 그러나 $X$의 부분공간

$$Y = X - \{\mathbf{a}\} = \{(x, 0) \in \mathbb{R}^2 \mid x \in \mathbb{R}\}$$

는 가분공간이 아니다. 이를 보이기 위하여 $Y$가 비가산집합이므로 우리는 부분공간 $Y$가 이산위상을 가짐을 보이면 충분하다. 임의의 점 $(x, 0) \in Y$에 대하여 $U = \{\mathbf{a}, (x, 0)\} \in \mathscr{T}$이므로 $Y \cap U$는 부분공간 $Y$의 열린집합이다. 그런데 $\{(x, 0)\} =$

$Y\cap U$이므로 한 점 집합 $\{(x,0)\}$은 $Y$의 열린집합이다. 따라서 부분공간 $Y$는 이산공간이다.

**보기 10.1.8** (1) 보기 3.2.13에서 보았던 하극한공간 $\mathbb{R}_l$은 가분이다. 왜냐하면 $\mathbb{Q}$가 조밀한 가산부분집합이기 때문이다.

(2) 성질 10.1.6에 의하여 하극한공간 $\mathbb{R}_l$의 곱공간 $\mathbb{R}_l^2=\mathbb{R}_l\times\mathbb{R}_l$은 가분이다. 실제로 $\mathbb{Q}\times\mathbb{Q}$가 $\mathbb{R}_l^2$의 조밀한 가산부분집합이다.

한편 보기 6.1.5에서 보았듯이 $\mathbb{R}_l^2$의 닫힌부분공간 $L=\{(x,-x)\in\mathbb{R}^2\mid x\in\mathbb{R}\}$은 이산위상을 갖는다. 그런데 $L$이 비가산집합이므로 닫힌부분공간 $L$은 가분이 아니다.

보기 10.1.8에서 보았듯이 가분공간의 닫힌부분공간은 가분일 필요가 없다. 그러나 가분공간의 열린부분공간은 항상 가분이 된다.

**성질 10.1.9** 가분공간의 열린부분공간은 가분이다.

증명 $A$를 가분공간 $X$의 열린부분공간이라 하자. $X$가 가분공간이므로 조밀한 가산부분집합 $C\subset X$가 존재한다. 그래서 $C\cap A$는 $A$의 가산부분집합이다. 이제 우리는 $\mathrm{cl}_A(C\cap A)=A$임을 보이면 충분하다. $A$가 $X$의 열린집합이므로 $A^c$은 $X$의 닫힌집합이다. 그리고 $C=(C\cap A)\cup(C\cap A^c)$이므로

$$X=\mathrm{cl}_X(C)=\mathrm{cl}_X(C\cap A)\cup\mathrm{cl}_X(C\cap A^c)$$

이다. 한편 $C\cap A^c\subset A^c$이고 $A^c$이 $X$의 닫힌집합이므로 $\mathrm{cl}_X(C\cap A^c)\subset A^c$이 되어 $\mathrm{cl}_X(C\cap A)\supset A$이다. 따라서 성질 4.2.28에 의하여 $\mathrm{cl}_A(C\cap A)=\mathrm{cl}_X(C\cap A)\cap A=A$이다. □

## 연습문제

**문제 10.1.1** 집합 $X$상의 두 위상 $\mathscr{T}_1$과 $\mathscr{T}_2$가 $\mathscr{T}_1\subset\mathscr{T}_2$를 만족한다고 하자.

(1) 만약 $(X,\mathscr{T}_2)$가 가분공간이면 $(X,\mathscr{T}_1)$도 가분공간이 됨을 보이시오.

(2) (1)의 역이 성립하지 않는 보기를 드시오.

**문제 10.1.2** 유클리드공간 $\mathbb{R}$의 부분공간 $\mathbb{Q}^c$은 가분인가?

**문제 10.1.3** $(X, \mathscr{T}_X)$를 위상공간이라 하자. 이제 집합 $Y = X \cup \{p\}$상의 위상

$$\mathscr{T}_Y = \{\varnothing\} \cup \{U \cup \{p\} \mid U \in \mathscr{T}_X\}$$

를 생각하자.

(1) $\mathscr{T}_Y$는 집합 $Y$상의 위상이 됨을 보이시오.

(2) $(Y, \mathscr{T}_Y)$는 가분공간임을 보이시오.

(3) $(X, \mathscr{T}_X)$는 $(Y, \mathscr{T}_Y)$의 부분공간임을 보이시오.

따라서 모든 위상공간은 가분공간의 부분공간으로 볼 수 있다.

**문제 10.1.4** 닫힌구간 $X = [-1, 1]$에 위상 $\mathscr{T} = \{U \subset X \mid 0 \notin U$ 또는 $(-1, 1) \subset U\}$를 준 위상공간 $(X, \mathscr{T})$는 가분이 아님을 보이시오.

**문제 10.1.5** $X$를 가분공간이라 하자. 만약 $\mathcal{F}$가 쌍마다 서로소인 $X$의 적당한 열린집합들의 모임이면 $\mathcal{F}$는 가산집합임을 보이시오.

**문제 10.1.6** 상자공간 $(\mathbb{R}^\omega, \mathscr{T}_b)$는 가분이 아님을 보이시오.

**문제 10.1.7** 고른공간 $(\mathbb{R}^\omega, \bar{\rho})$는 가분이 아님을 보이시오.

**문제 10.1.8** 4장에서 다룬 $S_\Omega$와 $\overline{S}_\Omega = S_\Omega \cup \{\Omega\}$는 모두 가분공간이 아님을 보이시오.

## 10.2 가산성(countability)

**정의 10.2.1** $(X,\mathscr{T})$는 위상공간이고 $x \in X$이라 하자. 점 $x$에서의 **국소기저(local base)**란 다음 두 조건을 만족하는 $x$의 적당한 열린근방들의 모임 $\mathscr{B}_x \subset \mathscr{T}$를 의미한다:

(i) 모든 $B \in \mathscr{B}_x$에 대해 $x \in B$이다;3)

(ii) $x$의 임의의 열린근방 $U$에 대해 $x \in B \subset U$를 만족하는 $B \in \mathscr{B}_x$가 존재한다.

**보기 10.2.2** (1) 위상공간 $(X,\mathscr{T})$와 점 $x \in X$에 대하여

$$\mathscr{B}_x = \{U \in \mathscr{T} \mid x \in U\}$$

는 $x$에서의 국소기저이다.

(2) 거리공간 $(X,d)$와 점 $x \in X$에 대하여

$$\mathscr{B}_x = \{B_d(x,r) \mid 0 < r \in \mathbb{R}\}$$

는 $x$에서의 국소기저이다.

**성질 10.2.3** $(X,\mathscr{T})$를 위상공간이라 하자. 만약 모든 점 $x \in X$에 대하여 $\mathscr{B}_x$가 $x$에서의 국소기저이면 $\mathscr{B} = \cup_{x \in X}\mathscr{B}_x$는 위상 $\mathscr{T}$의 기저가 된다.

증명 성질 3.2.14에 의하여 $\mathscr{T}_{\mathscr{B}} = \mathscr{T}$이다. □

**정의 10.2.4** 위상공간 $X$가 **제1가산**이란 $X$의 모든 점 $x$에서 가산개로 이루어진 국소기저 $\mathscr{B}_x$가 존재하는 경우를 뜻한다. 그리고 제1가산인 위상공간을 **제1가산공간(first countable space)**이라 한다.4) 또한 가산개로 이루어진 국소기저를 간단히 **가산국소기저**라 한다.

**보기 10.2.5** (1) 유클리드공간 $\mathbb{R}^n$은 제1가산이다: 왜냐하면 임의의 점 $x \in \mathbb{R}^n$에 대하여 $\mathscr{B}_x = \{B(x,\frac{1}{n}) \mid n \in \mathbb{N}\}$로 택하면 된다.

---

3) 따라서 모든 $B \in \mathscr{B}_x$는 공집합이 아니다.

4) 경우에 따라서는 제1가산공간을 1차 가산공간이라고도 부른다.

(2) 모든 이산공간 $(X,\mathscr{D})$는 제1가산이다: 왜냐하면 임의의 점 $x \in X$에 대하여 $\mathscr{B}_x = \{\{x\}\}$로 택하면 된다. 특별히, $X$가 비가산집합이면 이산공간 $X$는 제1가산이지만 가분은 아니다.

**보기 10.2.6** 하극한공간 $\mathbb{R}_l$은 제1가산이다: 왜냐하면 임의의 점 $x \in \mathbb{R}_l$에서 가산국소기저 $\mathscr{B}_x = \{[x, x+\frac{1}{n}) \mid n \in \mathbb{N}\}$을 갖는다.

**보기 10.2.7** 만약 $X$가 비가산집합이면 여유한공간 $(X,\mathscr{T}_f)$는 제1가산이 아니다.

**풀이** (귀류법) $(X,\mathscr{T}_f)$가 제1가산이라고 가정하자. 그리고 한 점 $p \in X$를 고정하자. 그러면 $(X,\mathscr{T}_f)$가 제1가산이므로 점 $p$에서의 가산국소기저 $\mathscr{B}_p = \{B_n \mid n \in J\}$가 존재한다. (단, 여기서 첨자집합 $J$가 가산이므로 $J$는 유한이거나 가부번이다. 즉, $J = \{1, 2, \ldots, k\}$ 또는 $J = \mathbb{N}$이다.) 그러면 모든 $n \in J$에 대해 $p \in B_n$이므로 $B_n$은 공집합이 아닌 열린집합이 되어 $B_n^c$은 유한집합이다. 그리고 집합

$$(\cap_{n \in J} B_n)^c = \cup_{n \in J} B_n^c$$

은 가산개의 유한집합들의 합집합이므로 가산집합이다. 그런데 $X$가 비가산이므로 $\cap_{n \in J} B_n$도 비가산이다. 그러므로 $q \neq p$인 점

$$q \in \cap_{n \in J} B_n \qquad (*)$$

가 존재한다.

한편 한 점 집합 $\{q\}$가 유한집합이므로 $\{q\}^c$은 열린집합이고 $p \in \{q\}^c$이다. 그리고 $\mathscr{B}_p$가 $p$에서의 국소기저이므로 $p \in B_{n_0} \subset \{q\}^c$을 만족하는 $B_{n_0} \in \mathscr{B}_p$이 존재하여 $q \notin B_{n_0}$이 된다. 이는 (*)에 모순이다. □

**정리 10.2.8** 모든 거리공간은 제1가산이다.

**증명** $(X,d)$를 거리공간이라 하자. 그러면 임의의 점 $x \in X$에 대하여 가산국소기저 $\mathscr{B}_x = \{B_d(x, \frac{1}{n}) \mid n \in \mathbb{N}\}$이 존재한다. □

**정리 10.2.9** (1) 제1가산공간의 부분공간은 제1가산이다.
(2) 가산개의 제1가산공간들의 곱공간도 제1가산이다.

증명 (1) 먼저 $(A, \mathscr{T}_A)$를 제1가산공간 $(X, \mathscr{T})$의 부분공간이라 하자. 이제 $(A, \mathscr{T}_A)$가 제1가산임을 보이자. 임의로 주어진 점 $a \in A\,(\subset X)$에 대하여 $X$가 제1가산이므로 점 $a$에서의 가산국소기저 $\mathscr{B}_a\,(\subset \mathscr{T})$가 존재한다. 그러면

$$\{A \cap B \mid B \in \mathscr{B}_a\}$$

가 점 $a$에서의 가산국소기저가 되므로 부분공간 $A$도 제1가산이다.

(2) (i) 유한개의 경우: 위상공간 $X_i\,(i = 1, \dots, n)$를 제1가산이라 하자. 그리고 $(x_1, \dots, x_n)$을 곱공간 $X_1 \times \cdots \times X_n$의 임의의 점이라 하자. 각각의 $i$에 대하여 $X_i$가 제1가산이므로 점 $x_i$에서의 가산국소기저 $\mathscr{B}_{x_i}$가 존재한다. 그러면

$$\mathscr{B}_{(x_1, \dots, x_n)} = \{B_1 \times \cdots \times B_n \mid B_i \in \mathscr{B}_{x_i}\ \forall\, i = 1, \dots, n\}$$

이 점 $(x_1, \dots, x_n)$에서의 가산국소기저가 되므로 곱공간 $X_1 \times \cdots \times X_n$도 제1가산이다.

(ii) 무한인 가산개(즉, 가부번)의 경우: 위상공간 $X_n\,(n \in \mathbb{N})$을 제1가산이라 하자. 그리고 $(x_n)$을 곱공간 $\Pi_{n \in \mathbb{N}} X_n$의 임의의 점이라 하자. 각각의 $n \in \mathbb{N}$에 대하여 $X_n$이 제1가산이므로 점 $x_n$에서의 가산국소기저 $\mathscr{B}_{x_n}$이 존재한다. 그러면

$$\left\{ \Pi_{n \in \mathbb{N}} B_n \;\middle|\; \begin{array}{l} \text{유한개의 } n\text{을 제외하고는 } B_n = X_n \text{이고} \\ \text{나머지 유한개의 } n\text{에 대해서는 } B_n \in \mathscr{B}_{x_n} \end{array} \right\}$$

이 점 $(x_n)$에서의 가산국소기저가 되므로 곱공간 $\Pi_{n \in \mathbb{N}} X_n$은 제1가산이다. □

**정리 10.2.10** 제1가산공간 $X$의 임의의 점 $x \in X$에 대하여 다음을 만족하는 $x$에서의 가산국소기저 $\mathscr{B}_x = \{B_n \mid n \in \mathbb{N}\}$가 존재한다:

$$B_1 \supset B_2 \supset \cdots \supset B_n \supset B_{n+1} \supset \cdots$$

증명 $X$가 제1가산이므로 $x \in X$에서의 가산국소기저 $\mathscr{C}_x = \{C_n \mid n \in J\}$가 존재한다. 여기서 $J = \{1, 2, \dots, k\}$ 또는 $J = \mathbb{N}$이다.

(i) $J=\mathbb{N}$인 경우: 각각의 $n\in\mathbb{N}$에 대해

$$B_n = C_1 \cap C_2 \cap \cdots \cap C_n$$

으로 놓으면 $\mathscr{B}_x = \{B_n \mid n\in\mathbb{N}\}$가 우리가 원하는 $x$에서의 가산국소기저이다. 왜냐하면 $x\in C_n(\forall n)$이므로 $x\in B_n(\forall n)$이다. 그리고 $x$의 임의의 열린근방 $U$에 대하여 $x\in C_n\subset U$를 만족하는 $C_n$이 존재하므로 $B_n$은 $x\in B_n\subset C_n\subset U$를 만족한다.

(ii) $J=\{1,2,\dots,k\}$인 경우: $m>k$인 자연수 $m$에 대해 $C_m=C_k$라 하자. 그러면 집합적으로 $\mathscr{C}_x$와 $\{C_n \mid n\in\mathbb{N}\}$은 같으므로 (i)과 같은 방법으로 우리가 원하는 $B_n(n\in\mathbb{N})$이 존재함을 보일 수 있다. □

**참고 10.2.11** 가산개의 집합들의 모임 $\mathscr{C}$는 가산인 첨자집합 $J$를 사용하여

$$\mathscr{C} = \{A_n \mid n\in J\}$$

와 같이 표현된다. 그리고 $J$가 가산이므로 $J$는 유한이거나 가부번이다. 그러므로 $J=\{1,2,\dots,k\}$ 또는 $J=\mathbb{N}$이다. 따라서 가산개의 집합들의 모임에 관한 어떤 성질을 보이려면 $J$가 유한인 경우와 가부번인 경우로 나누어 보여야 하는 번거러움이 있다. 한편 (정리 10.2.10의 증명 과정에서 보았듯이) 유한개의 집합들의 모임 $\mathscr{C}=\{A_n \mid n\in\{1,2,\dots,k\}\}$가 주어지면 자연수 $m>k$에 대해 $A_m=A_k$라 하면 집합적으로 $\{A_n \mid n\in\{1,2,\dots,k\}\}$와 $\{A_n \mid n\in\mathbb{N}\}$은 같다. 특별히 $\cup_{n=1}^{k}A_n=\cup_{n=1}^{\infty}A_n$이고 $\cap_{n=1}^{k}A_n=\cap_{n=1}^{\infty}A_n$이다. 따라서 우리는 가산개의 집합들의 모임을 (기술적으로) 편의상 $\{A_n \mid n\in\mathbb{N}\}$와 같이 (항상) 표현할 수 있다.

여기서 수열의 극한에 대한 정의를 다시 상기하자.[5] 위상공간 $X$의 점들로 이루어진 수열 $\{x_n\}$이 $x\in X$로 수렴한다란 $x$의 임의의 열린근방 $U$에 대하여

$$n\ge n_0 \;\Rightarrow\; x_n\in U$$

를 만족하는 자연수 $n_0$이 존재함을 의미한다. 이 경우 우리는 $x_n\to x$ 또는 $\lim_{n\to\infty}x_n=x$로 표기한다.

5) 4.3절 참조.

**기초정리 10.2.12** $X$가 제1가산공간이고 $A \subset X$, $x \in X$일 때 다음은 동치이다.
(a) $x \in \overline{A}$.
(b) $\lim\limits_{n\to\infty} a_n = x$를 만족하는 수열 $a_n \in A$이 존재한다.[6)]

증명 (a)⇒(b) $X$가 제1가산이므로, 정리 10.2.10에 의하여, 다음을 만족하는 $x$에서의 가산국소기저 $\mathscr{B}_x = \{B_n \mid n \in \mathbb{N}\}$가 존재한다:

$$B_1 \supset B_2 \supset \cdots \supset B_n \supset B_{n+1} \supset \cdots$$

한편 모든 $n \in \mathbb{N}$에 대하여 $B_n$이 $x$의 열린근방이고 $x \in \overline{A}$이므로 $B_n \cap A \neq \varnothing$이다. 이제 각각의 $n \in \mathbb{N}$에 대해 한 점 $a_n \in B_n \cap A$을 택하자. 우리는 $\lim\limits_{n\to\infty} a_n = x$임을 보이면 된다. 이를 위해 $U$를 $x$의 임의의 열린근방이라 하자. 그러면 $x \in B_{n_0} \subset U$인 $n_0 \in \mathbb{N}$이 존재한다. 이러한 $n_0$에 대해

$$n \geq n_0 \;\Rightarrow\; a_n \in B_n \subset B_{n_0} \subset U$$

이므로 $\lim\limits_{n\to\infty} a_n = x$이다.
(b)⇒(a) 성질 4.3.6에 의하여 성립한다. □

**정리 10.2.13** 제1가산공간 $X$와 위상공간 $Y$에 대하여 다음은 동치이다.
(a) 함수 $f : X \to Y$는 연속이다.
(b) 만약 $\lim\limits_{n\to\infty} x_n = x$이면 $\lim\limits_{n\to\infty} f(x_n) = f(x)$이다.[7)]

증명 (a)⇒(b) 기초정리 5.1.28에 의하여 성립한다.
(b)⇒(a) $f : X \to Y$가 연속임을 보이기 위하여 임의의 부분집합 $A \subset X$에 대하여 $f(\overline{A}) \subset \overline{f(A)}$임을 보이면 된다(정리 5.1.4). 임의의 점 $y \in f(\overline{A})$에 대하여 $f(x) = y$를 만족하는 $x \in \overline{A}$가 존재한다. 그리고 기초정리 10.2.12에 의하여 $\lim\limits_{n\to\infty} a_n = x$인 수열 $a_n \in A$이 존재한다. 그러면 (b)에 의하여 $\lim\limits_{n\to\infty} f(a_n) = f(x) = y$이다. 따라서 $y = f(x)$로 수렴하는 $f(A)$상의 수열 $\{f(a_n)\}$이 존재하므로, 성질 4.3.6에 의해, $y = f(x) \in \overline{f(A)}$이다. 따라서 $f(\overline{A}) \subset \overline{f(A)}$이다. □

6) 성질 4.3.6, 참고 4.3.7, 따름정리 4.3.14 참조.
7) 보기 5.1.29 참조.

**정리 10.2.14** 제1가산공간 $X$에 대하여 다음은 동치이다.

(a) $X$는 Hausdorff이다.

(b) $X$의 모든 수렴하는 수열은 유일한 극한을 갖는다.

증명 (a)⇒(b) 성질 7.1.21에 의하여 성립한다.

(b)⇒(a) (귀류법) $X$가 Hausdorff가 아니라고 가정하자. 그러면 다음 조건 (∗)를 만족하는 서로 다른 두 점 $p, q \in X$가 존재한다.

(∗) 만약 $U$와 $V$가 각각 $p$와 $q$의 열린근방이면 $U \cap V \neq \varnothing$이다.

한편 $X$가 제1가산이므로, 정리 10.2.10에 의하여, 다음을 만족하는 $p$와 $q$ 각각에서의 가산국소기저 $\mathscr{B}_p = \{B_n \mid n \in \mathbb{N}\}$과 $\mathscr{B}_q = \{C_n \mid n \in \mathbb{N}\}$이 존재한다:

$$B_1 \supset B_2 \supset \cdots \supset B_n \supset B_{n+1} \supset \cdots$$
$$C_1 \supset C_2 \supset \cdots \supset C_n \supset C_{n+1} \supset \cdots$$

그러면 모든 $n \in \mathbb{N}$에 대하여 $B_n$과 $C_n$이 각각 $p$와 $q$의 열린근방이므로 (∗)에 의해 $B_n \cap C_n \neq \varnothing$이다. 따라서 $x_n \in B_n \cap C_n$인 점 $x_n \in X$이 존재한다. 그런데 이러한 수열 $\{x_n\}$은

$$\lim_{n\to\infty} x_n = p, \quad \lim_{n\to\infty} x_n = q, \quad p \neq q$$

이므로 (b)에 모순이다. □

**보기 10.2.15** **(말기위상[8])** 집합 $X = [0,1] \cup \{1^*\}$에 보기 9.1.22에서 다룬 말기위상 $\mathscr{T}$를 준 위상공간 $(X, \mathscr{T})$를 생각하자.

(1) 보기 9.1.22에서 보았듯이 $(X, \mathscr{T})$는 $T_1$이지만 Hausdorff는 아니다.

(2) 위상공간 $(X, \mathscr{T})$는 제1가산이다:

(a) 만약 $x \in (0,1)$이면 $\mathscr{B}_x = \{(x - \frac{1}{n}, x + \frac{1}{n}) \cap X \mid n \in \mathbb{N}\}$로 택하면 된다.

(b) 만약 $x = 0$이면 $\mathscr{B}_x = \{[0, \frac{1}{n}) \mid n \in \mathbb{N}\}$로 택하면 된다.

(c) 만약 $x = 1$이면 $\mathscr{B}_x = \{(1 - \frac{1}{n}, 1] \mid n \in \mathbb{N}\}$로 택하면 된다.

(d) 만약 $x = 1^*$이면 $\mathscr{B}_x = \{(1 - \frac{1}{n}, 1) \cup \{1^*\} \mid n \in \mathbb{N}\}$로 택하면 된다.

---

8) telophase topology

(3) $(X,\mathscr{T})$의 점 $x_n = 1 - \frac{1}{n}$들로 이루어진 수열의 극한은 1과 $1^*$이다. 즉,

$$\lim_{n\to\infty} x_n = 1, \quad \lim_{n\to\infty} x_n = 1^*, \quad 1 \neq 1^*$$

이다.

**정의 10.2.16** 위상공간 $X$가 **제2가산**이란 가산개로 이루어진 $X$의 기저가 존재함을 의미한다. 그리고 제2가산인 위상공간을 간단히 **제2가산공간**(second countable space)이라 한다. 또한 가산개로 이루어진 기저를 간단히 **가산기저**라 한다.

**보기 10.2.17** (1) 유클리드공간 $\mathbb{R}^n$은 가산기저

$$\mathscr{B} = \{B(x, \frac{1}{m}) \subset \mathbb{R}^n \mid x \in \mathbb{Q}^n,\ m \in \mathbb{N}\}$$

를 가지므로 제2가산이다.

(2) 유클리드공간 $\mathbb{R}^n$은 가산기저

$$\mathscr{B} = \{(a_1, b_1) \times \cdots \times (a_n, b_n) \subset \mathbb{R}^n \mid a_i,\ b_i \in \mathbb{Q}\}$$

를 가지므로 제2가산이다(보기 3.2.11 참조).

**보기 10.2.18** $X$를 이산공간이라 하자.

(1) 만약 $X$가 가산집합이면 $X$는 제2가산이다.

(2) 만약 $X$가 비가산집합이면 $X$는 제2가산이 아니다.

**보기 10.2.19** 하극한공간 $\mathbb{R}_l$은 제2가산이 아니다: $\mathscr{B}$를 $\mathbb{R}_l$의 임의의 기저라 하자. 이제 각각의 $x \in \mathbb{R}$에 대하여 $x \in [x, x+1)$이고 $[x, x+1)$이 $\mathbb{R}_l$의 열린집합이므로 $x \in B_x \subset [x, x+1)$을 만족하는 기저의 원소 $B_x \in \mathscr{B}$가 존재한다. 만약 $x \neq y$이면 $B_x \neq B_y$이 된다. ($\because$ 우리는 $x < y$이라 할 수 있고, 이 경우 $x \in B_x$이지만 $x \notin B_y$이다.) 그래서 단사함수 $f : \mathbb{R} \to \mathscr{B}$, $f(x) = B_x$가 존재하므로 $\mathscr{B}$의 원소의 개수는 $\mathbb{R}$의 원소의 개수보다 많거나 같다. 그런데 $\mathbb{R}$이 비가산이므로 $\mathscr{B}$도 비가산이다. 따라서 $\mathbb{R}_l$은 제2가산이 아니다.

**정리 10.2.20** (1) 제2가산공간의 부분공간은 제2가산이다.
(2) 가산개의 제2가산공간들의 곱공간도 제2가산이다.

증명 (1) 먼저 $A$를 제2가산공간 $X$의 부분공간이라 하자. 이제 $A$가 제2가산임을 보이자. $X$가 제2가산이므로 가산기저 $\mathscr{B}$가 존재한다. 그러면

$$\{A \cap B \mid B \in \mathscr{B}\}$$

가 부분공간 $A$의 가산기저가 되므로 부분공간 $A$는 제2가산이다(성질 3.4.9 참조).

(2) (i) 유한개의 경우: 위상공간 $X_i (i = 1, \ldots, n)$를 제2가산이라 하자. 각각의 $i$에 대하여 $X_i$가 제2가산이므로 가산기저 $\mathscr{B}_i$가 존재한다. 그러면

$$\{B_1 \times \cdots \times B_n \mid B_i \in \mathscr{B}_i \ \forall\, i = 1, \ldots, n\}$$

이 곱공간 $X_1 \times \cdots \times X_n$의 가산기저가 되므로 곱공간 $X_1 \times \cdots \times X_n$은 제2가산이다.

(ii) 무한인 가산개(즉, 가부번)의 경우: 위상공간 $X_n (n \in \mathbb{N})$을 제2가산이라 하자. 각각의 $n \in \mathbb{N}$에 대하여 $X_n$이 제2가산이므로 가산기저 $\mathscr{B}_n$이 존재한다. 그러면

$$\mathscr{B} = \left\{ \Pi_{n \in \mathbb{N}} B_n \,\middle|\, \begin{array}{l} \text{유한개의 } n\text{을 제외하고는 } B_n = X_n \text{이고} \\ \text{나머지 유한개의 } n\text{에 대해서는 } B_n \in \mathscr{B}_n \end{array} \right\}$$

이 곱공간 $\Pi_{n \in \mathbb{N}} X_n$의 가산기저이므로 $\Pi_{n \in \mathbb{N}} X_n$은 제2가산이다.[9)]

여기서 $\mathscr{B}$가 가산집합임을 구체적으로 보여 보자. 모든 자연수 $n$에 대하여 $\mathscr{B}_n^* = \mathscr{B}_n \cup \{X_n\}$은 가산집합이고,

$$\mathscr{D}_n = \mathscr{B}_1^* \times \mathscr{B}_2^* \times \cdots \times \mathscr{B}_n^* \times \{X_{n+1}\} \times \{X_{n+2}\} \times \cdots$$

이 가산집합 $\mathscr{B}_1^* \times \mathscr{B}_2^* \times \cdots \times \mathscr{B}_n^*$와 대등이므로 $\mathscr{D}_n$도 가산집합이다. 그리고 가산개의 가산집합들의 합집합도 가산이므로 $\mathscr{B} = \cup_{n=1}^{\infty} \mathscr{D}_n$는 가산집합이다. □

특별히 곱공간 $\mathbb{R}^{\omega}$는 제2가산이다.

9) 정리 6.1.20 참조.

가산성은 위상적 성질이다.

**성질 10.2.21** 위상동형인 두 위상공간 $X$와 $Y$에 대하여 다음이 성립한다.
(1) $X$는 제1가산 $\Leftrightarrow$ $Y$는 제1가산.
(2) $X$는 제2가산 $\Leftrightarrow$ $Y$는 제2가산.

증명 $f : X \to Y$를 위상동형사상이라 하자.

(1) $X$를 제1가산이라 하자. 그리고 임의로 주어진 점 $y \in Y$에 대하여 $x = f^{-1}(y) \in X$이라 하자. $X$가 제1가산이므로 $x$에서의 가산국소기저 $\mathscr{B}_x$가 존재한다. 그러면 $\{f(B) \mid B \in \mathscr{B}_x\}$는 점 $y$에서의 가산국소기저이다. 따라서 $Y$는 제1가산이다.

(2) $X$를 제2가산이라 하자. $X$가 제2가산이므로 가산기저 $\mathscr{B}$가 존재한다. 그러면 $\{f(B) \mid B \in \mathscr{B}\}$는 $Y$의 가산기저이다. 따라서 $Y$는 제2가산이다. □

**정리 10.2.22** 제2가산인 정칙공간은 정규공간이다.

증명 $X$를 가산기저 $\mathscr{B}$를 갖는 정칙공간이라 하자. 그리고 $C$와 $D$를 서로소인 닫힌집합이라 하자.

임의의 점 $x \in C$에 대하여 $X$가 정칙이므로

$$x \in W_1, \quad D \subset W_2, \quad W_1 \cap W_2 = \varnothing$$

을 만족하는 열린집합 $W_1$과 $W_2$가 존재한다. 그리고 정리 7.2.5에 의하여

$$x \in O_x \subset \overline{O}_x \subset W_1$$

을 만족하는 열린집합 $O_x$가 존재한다. 또한

$$x \in B_x \subset O_x$$

를 만족하는 기저의 원소 $B_x \in \mathscr{B}$가 존재한다. 그러면

$$\overline{B}_x \subset \overline{O}_x \subset W_1$$

이므로 $\overline{B}_x \cap W_2 = \varnothing$이 되어 $\overline{B}_x \cap D = \varnothing$이 된다. 이제

$$\mathscr{C} = \{B_x \in \mathscr{B} \mid x \in C\} \subset \mathscr{B}$$

이라 하면

$$C \subset \bigcup_{B_x \in \mathscr{C}} B_x = \bigcup_{x \in C} B_x$$

이고 $\mathscr{B}$가 가산집합이므로 $\mathscr{C}$도 가산집합이다. 편의상 우리는 $\mathscr{C} = \{ U_n \in \mathscr{B} \mid n \in \mathbb{N} \}$이라 하자(참고 10.2.11 참조). 따라서

$$C \subset \bigcup_{n=1}^{\infty} U_n, \quad \overline{U}_n \cap D = \varnothing$$

이다.

같은 방법으로 $D$에 대해서도 가산집합 $\{ V_n \in \mathscr{B} \mid n \in \mathbb{N} \}$이 존재하여

$$D \subset \bigcup_{n=1}^{\infty} V_n, \quad \overline{V}_n \cap C = \varnothing$$

을 만족한다.

이제 $U = \cup_{n=1}^{\infty} U_n$, $V = \cup_{n=1}^{\infty} V_n$이라 하면 이들은 각각 $C$와 $D$를 포함하는 열린집합이다. 그러나 $U \cap V = \varnothing$일 필요는 없다. 따라서 모든 $n \in \mathbb{N}$에 대하여

$$U_n' = U_n - \bigcup_{i=1}^{n} \overline{V}_i \subset U_n, \quad V_n' = V_n - \bigcup_{i=1}^{n} \overline{U}_i \subset V_n$$

이라 하자. 그러면 $U' = \cup_{n=1}^{\infty} U_n'$과 $V' = \cup_{n=1}^{\infty} V_n'$은 열린집합으로서

$$C \subset U', \quad D \subset V'$$

을 만족한다. 이제 $U' \cap V' = \varnothing$임을 보이면 된다. 구체적으로 $U' \cap V' \neq \varnothing$이라고 가정하자. 그러면 점 $x \in U' \cap V'$가 존재하여 $x \in U'$, $x \in V'$이므로 $x \in U_i'$, $x \in V_j'$을 만족하는 $i, j \in \mathbb{N}$가 존재한다. 그래서 $x \in U_i' \cap V_j'$이 된다. 편의상 $i \leq j$이라 하자. 그러면 $x \in U_i$이다. 한편 $x \in V_j'$이고 $i \leq j$이므로 $V_j'$의 정의에 의하여 $x \notin \overline{U}_i$이 된다. 이는 $x \in U_i$에 모순이다. 따라서 $U' \cap V' = \varnothing$이다. □

**정리 10.2.23** 제2가산공간은 가분이다.

증명 $X$를 제2가산공간이라 하자. 그러면 $X$는 가산기저 $\mathscr{B}$를 갖는다. 이제 각각의 $B \in \mathscr{B}$에서 한 점 $x_B \in B$를 택하자. 그러면 $A = \{ x_B \mid B \in \mathscr{B} \}$는 가산집합이

다. 한편 임의의 점 $x \in X$와 $x$의 열린근방 $U$에 대하여 $x \in B \subset U$를 만족하는 기저의 원소 $B \in \mathscr{B}$가 존재하여 $x_B \in A \cap B \subset A \cap U$이므로 $A \cap U \neq \varnothing$이다. 그래서 $x \in \overline{A}$이다. 따라서 $\overline{A} = X$이므로 $X$는 가분이다. □

**정리 10.2.24** 제2가산공간은 제1가산이다.

증명 위상공간 $X$가 제2가산이면 가산기저 $\mathscr{B}$를 갖는다. 그리고 임의의 점 $x \in X$에 대하여

$$\mathscr{B}_x = \{B \in \mathscr{B} \mid x \in B\}$$

는 점 $x$에서의 가산국소기저가 된다. 따라서 $X$는 제1가산이다. □

하지만 정리 10.2.24의 역은 성립하지 않는다.

**보기 10.2.25** (1) 비가산집합에 이산위상을 준 이산공간은 제1가산이지만 제2가산은 아니다.

(2) 보기 10.1.8과 보기 10.2.6에서 보았듯이 하극한공간 $\mathbb{R}_l$은 가분이고 제1가산이다. 하지만 보기 10.2.19에 의해 $\mathbb{R}_l$은 제2가산이 아니다. 따라서 가분인 제1가산공간이 항상 제2가산이 되는것은 아니다.

(3) 보기 10.2.7에서 보았듯이 여유한공간 $(\mathbb{R}, \mathscr{T}_f)$는 제1가산이 아니므로 제2가산도 아니다.

**보기 10.2.26** 여가산공간 $(\mathbb{R}, \mathscr{T}_c)$는 제2가산이 아니다.

풀이 (귀류법) $(\mathbb{R}, \mathscr{T}_c)$가 가산기저 $\mathscr{B}'$을 갖는다고 가정하자. 그러면 $\mathscr{B} = \mathscr{B}' - \{\varnothing\}$도 $(\mathbb{R}, \mathscr{T}_c)$의 가산기저이다. 그리고 모든 $B \in \mathscr{B}$가 공집합이 아닌 열린집합이므로 $B^c$은 가산집합이다. 그래서 집합 $\cup_{B \in \mathscr{B}} B^c$은 가산개의 가산집합들의 합집합이므로 가산집합이다. 그런데 $\mathbb{R}$이 비가산이므로

$$\bigcap_{B \in \mathscr{B}} B = \mathbb{R} - \Big(\bigcup_{B \in \mathscr{B}} B^c\Big)$$

는 비가산집합이다. 따라서 서로 다른 두 점 $p, q \in \cap_{B \in \mathscr{B}} B$가 존재한다.

한편 한 점 집합 $\{q\}$가 가산집합이므로 $\{q\}^c$은 열린집합이고 $p \in \{q\}^c$이다.

그리고 $\mathscr{B}$가 기저이므로 $p \in B_* \subset \{q\}^c$을 만족하는 $B_* \in \mathscr{B}$가 존재하여야 한다. 그러면 $q \not\in B_*$이 된다. 이는 $q \in \cap_{B \in \mathscr{B}} B$에 모순이다. □

$$\begin{array}{ccc} \text{제2가산공간} & \Longrightarrow & \text{제1가산공간} \\ \Downarrow & & \Uparrow \\ \text{가분공간} & & \text{거리공간} \end{array}$$

**정리 10.2.27** 가분인 거리공간은 제2가산이다.

증명 $(X,d)$를 가분인 거리공간이라 하자. 그리고 $A$를 $X$의 조밀한 가산부분집합이라 하자. 이제 다음과 같은 가산집합

$$\mathscr{B} = \{B_d(a, \frac{1}{m}) \subset X \mid a \in A, m \in \mathbb{N}\}$$

를 생각하자. 우리는 $\mathscr{B}$가 $X$의 기저임을 보이면 충분하다. 임의의 점 $x \in X$와 $x$의 열린근방 $U$에 대하여 $x \in B_d(x, \varepsilon) \subset U$를 만족하는 양의 실수 $\varepsilon$이 존재한다. 그리고 이러한 $\varepsilon$에 대하여 $\frac{1}{k} < \frac{\varepsilon}{2}$을 만족하는 자연수 $k$를 택하자. 그리고 $\overline{A} = X$이므로 $A \cap B_d(x, \frac{1}{k}) \neq \varnothing$이다. 이제 한 점 $a \in A \cap B_d(x, \frac{1}{k})$를 택하자. 그러면 삼각부등식에 의해 $x \in B_d(a, \frac{1}{k}) \subset B_d(x, \varepsilon) \subset U$이 된다. 따라서 $\mathscr{B}$는 $X$의 기저이다.[10) □

**따름정리 10.2.28** 거리공간 $X$에 대하여 다음이 성립한다:

$$X\text{는 가분} \Leftrightarrow X\text{는 제2가산}$$

증명 정리 10.2.23과 정리 10.2.27에 의하여 성립한다. □

**보기 10.2.29** 하극한공간 $\mathbb{R}_l$은 거리화가능이 아니다. 즉, $\mathscr{T}_d$가 하극한위상 $\mathscr{T}_l$이 되는 집합 $\mathbb{R}$상의 거리 $d$는 존재하지 않는다. 왜냐하면 보기 10.2.25에서 보았듯이 $\mathbb{R}_l$은 가분이지만 제2가산은 아니므로 따름정리 10.2.28에 의해서 $\mathbb{R}_l$은 거리화가능이 아니다.

---

10) 성질 3.2.14 참조.

**보기 10.2.30** 유클리드공간 $\mathbb{R}^n$은 가산집합 $\mathbb{Q}^n$이 조밀하므로 가분이다. 따라서 정리 10.2.27에 의하여 $\mathbb{R}^n$은 제2가산이다. 앞의 보기 10.2.17과 같은 결론임을 상기하자. 여기서 $\mathbb{R}^n$은 컴팩트가 아님을 유의하자.

**성질 10.2.31** 모든 컴팩트 거리공간은 제2가산이다.

증명 $(X,d)$를 컴팩트 거리공간이라 하자. 각각의 자연수 $n\in\mathbb{N}$에 대하여 $\mathscr{U}_n = \{B_d(x, \frac{1}{n}) \mid x\in X\}$은 $X$의 열린덮개이다. 그런데 $X$가 컴팩트하므로 유한 부분덮개 $\mathscr{V}_n \subset \mathscr{U}_n$이 존재한다. 이제 $\mathscr{B} = \cup_{n\in\mathbb{N}} \mathscr{V}_n$이라 하면 $\mathscr{B}$는 가산집합이다. 우리는 $\mathscr{B}$가 $X$의 기저가 됨을 보이면 된다. 임의의 점 $x\in X$와 $x$의 열린근방 $U$에 대하여 $x\in B_d(x,\varepsilon)\subset U$를 만족하는 양의 실수 $\varepsilon$이 존재한다. 그리고 이러한 $\varepsilon$에 대하여 $\frac{1}{k} < \frac{\varepsilon}{2}$을 만족하는 자연수 $k\in\mathbb{N}$를 택하자. 그러면 $\mathscr{V}_k$가 $X$의 열린덮개이므로 $x\in B_d(y,\frac{1}{k})$을 만족하는 $B_d(y,\frac{1}{k})\in\mathscr{V}_k$이 존재한다. 이러한 $B_d(y,\frac{1}{k})\in\mathscr{B}$에 대해

$$x\in B_d(y,\frac{1}{k})\subset B_d(x,\varepsilon)\subset U$$

이 된다. 따라서 $\mathscr{B}$는 $X$의 기저이다. □

따름정리 10.2.28에 의하여 다음이 성립한다.

**따름정리 10.2.32** 모든 컴팩트 거리공간은 가분이다.

성질 10.2.31은 거리공간이라는 조건이 없으면 성립하지 않는다. 다음 보기에서 볼 수 있듯이 컴팩트 정규공간이지만 제1가산이 아닌 위상공간이 존재한다.

**보기 10.2.33** **(Fort 공간)** 다음과 같이 정의된 비가산 Fort 공간은 컴팩트 정규공간이지만 제1가산은 아니다. 따라서 제2가산도 아니다.

$X$를 무한집합이라 하고 한 점 $p\in X$를 고정하자. 이제 집합 $X$상에 다음과 같은 위상 $\mathscr{T}$를 주자:

$$U\in\mathscr{T} \Leftrightarrow U\text{는 열린집합} \Leftrightarrow U^c\text{은 유한집합이거나 } p\in U^c$$

그러면 동치적으로

$$C\text{는 닫힌집합} \Leftrightarrow C\text{는 유한집합이거나 } p \in C$$

이다. 이러한 위상공간 $(X,\mathscr{T})$를 **포트공간**(Fort space)이라 한다. 그리고 특별히 $X$가 가산집합이면 위상공간 $(X,\mathscr{T})$를 **가산 포트공간**(countable Fort space)이라 하고, 만약 $X$가 비가산집합이면 위상공간 $(X,\mathscr{T})$를 **비가산 포트공간**(uncountable Fort space)이라 한다.

(1) $(X,\mathscr{T})$는 하우스도르프이다: $x, y \in X$를 서로 다른 두 점이라 하자.

(i) 먼저 $x \neq p$, $y \neq p$인 경우에는 $p \in \{x\}^c$, $p \in \{y\}^c$이므로 $\{x\}$와 $\{y\}$는 모두 열린집합이고, $x \in \{x\}$, $y \in \{y\}$, $\{x\} \cap \{y\} = \varnothing$이다.

(ii) 만약 $x$와 $y$ 중 하나가 $p$이면 우리는 일반성을 잃지 않고 $x = p$, $y \neq p$이라 할 수 있다. 그러면 $(X - \{y\})^c = \{y\}$가 유한집합이고 $p \in \{y\}^c$이므로 $X - \{y\}$와 $\{y\}$는 모두 열린집합이다. 그리고 $x \in X - \{y\}$, $y \in \{y\}$, $(X - \{y\}) \cap \{y\} = \varnothing$이다.

(2) $(X,\mathscr{T})$는 정규이다: $C$와 $D$를 서로소인 닫힌집합이라 하자.

(i) 먼저 $p \notin C$, $p \notin D$인 경우에는 $p \in C^c$, $p \in D^c$이므로 $C$와 $D$는 열린집합이다. 따라서 $C \subset C$, $D \subset D$, $C \cap D = \varnothing$인 열린집합 $C, D$가 존재한다.

(ii) 만약 $p$가 $C$와 $D$ 중 하나에 포함되는 경우 우리는 일반성을 잃지 않고 $p \in C$이라 할 수 있다. 그러면 $p \notin D$이므로 $p \in D^c$이 되어 $D$는 열린집합이다. 그리고 $D$가 닫힌집합이므로 $D^c$은 열린집합이다. 따라서

$$C \subset D^c, \quad D \subset D, \quad D^c \cap D = \varnothing$$

을 만족하는 열린집합 $D^c, D$가 존재한다.

(3) $(X,\mathscr{T})$는 컴팩트이다: $A \subset X$이라 하자.

(i) $p \in A$이면 $A$는 컴팩트이다: $\{U_\alpha \mid \alpha \in \Lambda\}$를 $A$의 열린덮개라 하자. 먼저 $p \in A \subset \cup_\alpha U_\alpha$이므로 $p \in U_{\alpha_0}$인 $\alpha_0 \in \Lambda$이 존재한다. 그러면 $p \notin U_{\alpha_0}^c$이므로 $U_{\alpha_0}^c$은 유한집합이다. 우리는

$$U_{\alpha_0}^c = \{x_1, x_2, \dots, x_n\}$$

이라 하자. 그리고

$$A - U_{\alpha_0} = A \cap U_{\alpha_0}^c = A \cap \{x_1, x_2, \dots, x_n\} = \{a_1, a_2, \dots, a_k\}$$

이라 하자. 이제 각각의 $i = 1, 2, \dots, k$에 대해 $a_i \in A \subset \cup_\alpha U_\alpha$이므로 $a_i \in U_{\alpha_i}$인

$\alpha_i \in \Lambda$가 존재하여

$$A \subset U_{\alpha_0} \cup U_{\alpha_1} \cup \cdots \cup U_{\alpha_k}$$

를 만족한다. 따라서 $A$는 컴팩트이다.

(ii) 특별히 $p \in X$이므로 $X$도 컴팩트이다.

(iii) $p \not\in A$인 경우에는 $A$가 유한집합이면 컴팩트하고 $A$가 무한집합이면 컴팩트가 아니다: $p \not\in A$이므로 $\{\{a\} \mid a \in A\}$는 $A$의 열린덮개가 된다. 따라서 $A$가 무한집합이면 컴팩트가 아니고, $A$가 유한집합이면 컴팩트이다.

(4) 만약 $X$가 비가산집합이면 $(X, \mathscr{T})$는 제1가산이 아니다: 점 $p$가 가산국소기저를 갖지 않음을 보이자. 만약 $\{U_i\}_{i \in J}$를 가산개로 이루어진 $p$의 열린근방들의 모임이라 하자. 그러면 $U_i^c$은 유한집합이므로 $(\cap_{i \in J} U_i)^c = \cup_{i \in J} U_i^c$은 가산집합이다. 그러므로 $\cap_{i \in J} U_i$는 비가산집합이 되어야 한다. 따라서 $q \neq p$인 점 $q \in \cap_{i \in J} U_i$가 존재한다. 그러면 $X - \{q\}$는 $p$를 포함하는 열린집합이지만 $p \in U_i \subset X - \{q\}$를 만족하는 $U_i$가 존재하지 않는다. 따라서 $\{U_i\}_{i \in J}$는 점 $p$에서의 국소기저가 아니다.

## 연습문제

**문제 10.2.1** 연속인 열린사상 $f: X \to Y$에 대하여 다음을 보이시오.

(1) 만약 $X$가 제1가산이면 $f(X)$도 제1가산이다.

(2) 만약 $X$가 제2가산이면 $f(X)$도 제2가산이다.

**문제 10.2.2** $X \times Y$를 두 위상공간 $X$와 $Y$의 곱공간이라 하자.

(1) $X \times Y$가 제1가산일 필요충분조건은 $X$와 $Y$가 모두 제1가산임을 보이시오.

(2) $X \times Y$가 제2가산일 필요충분조건은 $X$와 $Y$가 모두 제2가산임을 보이시오.

**문제 10.2.3** 여유한공간 $(X, \mathscr{T}_f)$에 대하여 다음이 서로 동치임을 보이시오.

(a) $(X, \mathscr{T}_f)$는 제1가산이다.

(b) $(X, \mathscr{T}_f)$는 제2가산이다.

(c) $X$는 가산집합이다.

**문제 10.2.4** 여가산공간 $(X, \mathscr{T}_c)$에 대하여 다음이 서로 동치임을 보이시오.

(a) $(X, \mathscr{T}_c)$는 제1가산이다.

(b) $(X, \mathscr{T}_c)$는 제2가산이다.

(c) $X$는 가산집합이다.

**문제 10.2.5** 하극한공간 $\mathbb{R}_l = (\mathbb{R}, \mathscr{T}_l)$의 부분공간 $A$가 제2가산일 필요충분조건은 $A$가 가산집합임을 보이시오.

**문제 10.2.6** $\mathbb{R}$을 유클리드공간이라 하자. 이제 상자공간 $(\mathbb{R}^\omega, \mathscr{T}_b)$는 제1가산이 아님을 보이시오.

**문제 10.2.7** 집합 $X$상의 두 위상 $\mathscr{T}_1$과 $\mathscr{T}_2$가 $\mathscr{T}_1 \subset \mathscr{T}_2$를 만족한다고 하자.

(1) $(X, \mathscr{T}_1)$은 제1가산이고, $(X, \mathscr{T}_2)$는 제1가산이 아닌 보기를 드시오.

(2) $(X, \mathscr{T}_2)$는 제1가산이고, $(X, \mathscr{T}_1)$은 제1가산이 아닌 보기를 드시오.

(3) $(X, \mathscr{T}_1)$은 제2가산이고, $(X, \mathscr{T}_2)$는 제2가산이 아닌 보기를 드시오.

(4) $(X, \mathscr{T}_2)$는 제2가산이고, $(X, \mathscr{T}_1)$은 제2가산이 아닌 보기를 드시오.

**문제 10.2.8** $\mathscr{U}$를 $\mathbb{R}^2$상의 보통(유클리드)위상이라 하고, $X = \mathbb{R} \times \{0\} \subset \mathbb{R}^2$이라 하자. 이제 집합 $\mathbb{R}^2$상의 위상

$$\mathscr{T} = \{ U - A \subset \mathbb{R}^2 \mid U \in \mathscr{U},\ A \subset X \}$$

에 대하여 다음을 보이시오.

(1) $(\mathbb{R}^2, \mathscr{T})$는 제1가산이다.

(2) $(\mathbb{R}^2, \mathscr{T})$는 가분이다.

(3) $(\mathbb{R}^2, \mathscr{T})$의 부분공간 $X$는 가분이 아니고 제2가산도 아니다.

(4) $(\mathbb{R}^2, \mathscr{T})$는 제2가산이 아니다.

**문제 10.2.9** 보기 10.2.33에서 다룬 Fort 공간은 비연결임을 보이시오.

**문제 10.2.10** 무한집합 $X$상의 서로 다른 두 점 $p, q \in X$를 고정하자. 그리고 집합 $X$상에 다음과 같은 위상 $\mathscr{T}$를 주자:

$$U \in \mathscr{T} \iff U\text{는 열린집합} \iff U^c\text{이 유한집합이거나 } \{p, q\} \subset U^c$$

이제 위상공간 $X = (X, \mathscr{T})$에 대하여 다음을 보이시오.

(1) $X$는 컴팩트이다.

(2) $X$는 $T_1$이지만, Hausdorff는 아니다.

(3) 만약 $X$가 비가산집합이면 $X$는 제1가산이 아니다.

(4) $X$는 비연결이다.

(5) $X$의 연결성분은 한 점 집합들이다.

(6) 만약 $U$가 $p$의 열린근방이면 $q \in \overline{U}$이다.

(7) $X$상의 모든 수열은 수렴하는 부분수열을 갖는다.

**문제 10.2.11** 제1가산 $T_1$-공간 $X$의 부분집합 $A \subset X$와 점 $x \in X$에 대하여 다음이 동치임을 보이시오.

(a) $x \in A'$

(b) $\lim_{n \to \infty} a_n = x$를 만족하는 서로 다른 원소로 이루어진 수열 $a_n \in A$이 존재한다.

**문제 10.2.12** 국소컴팩트 Hausdorff 공간 $X$의 한 점 컴팩트화 $X^*$에 대하여 다음을 보이시오.

(1) $X$가 가분이면 $X^*$도 가분이다.

(2) $X$가 제2가산이면 $X^*$도 제2가산이다.

**문제 10.2.13** 비가산집합 $X$에 대하여 다음을 보이시오.

(1) 이산공간 $X$는 국소컴팩트 Hausdorff이고 제1가산이다.

(2) 이산공간 $X$의 한 점 컴팩트화 $X^*$는 컴팩트 Hausdorff이지만 제1가산은 아니다.

**문제 10.2.14** (1) $S_\Omega$는 제1가산임을 보이시오.

(2) $\overline{S}_\Omega$는 제1가산이 아님을 보이시오.[11] (힌트: 정리 4.2.47과 기초정리 10.2.12 사용)

(3) $S_\Omega$와 $\overline{S}_\Omega$는 모두 제2가산이 아님을 보이시오.

(4) $\overline{S}_\Omega$는 거리화가능이 아님을 보이시오.[12]

**문제 10.2.15** $X$를 제2가산공간이라 하고 $A \subset X$이라 하자. 만약 $A$가 비가산집합이면 $A'$도 비가산집합임을 보이시오.

**문제 10.2.16** 제2가산공간 $X$의 모든 기저는 가산기저를 포함하고 있음을 보이시오.[13]

**문제 10.2.17** 위상공간 $X$의 부분집합 $A$가 $G_\delta$-집합이란 $A$가 가산개의 열린집합들의 교집합인 경우를 뜻한다. 이제 제1가산인 하우스도르프공간의 모든 한 점 집합이 $G_\delta$-집합임을 보이시오.

---

11) $\overline{S}_\Omega$는 $S_\Omega$의 한 점 컴팩트화임을 유의하자.

12) $S_\Omega$도 거리화가능이 아니다(보기 11.1.20).

13) 정리 15.1.3 참조.

## 10.3 적합사상과 완전사상

컴팩트공간에서 정의된 연속사상은 특별한 성질들을 갖는다. 예를 들어 컴팩트공간 $X$에서 하우스도르프공간 $Y$로의 연속사상 $f: X \to Y$는 항상 닫힌사상이다. 이 절에서 우리는 이와 관련된 함수 중 유용한 성질들을 많이 갖고있는 적합사상(proper map)과 완전사상(perfect map)에 대해 알아보자.

### 적합사상(proper map)†

**정의 10.3.1** $X$와 $Y$를 위상공간이라 하자.

(1) 함수 $f: X \to Y$가 **닫힌사상**(closed map)이란 모든 닫힌집합 $C \subset X$에 대해 $f(C)$가 $Y$의 닫힌집합이 되는 경우를 뜻한다.

(2) 함수 $f: X \to Y$가 **적합사상**(proper map)이란 모든 컴팩트집합 $K \subset Y$에 대해 $f^{-1}(K)$가 $X$의 컴팩트집합이 되는 경우를 뜻한다.

여기서 주의할 점은 $f$가 연속일 필요는 없다는 것이다.

**보기 10.3.2** $X$가 컴팩트이고 $Y$가 Hausdorff이면 모든 연속사상 $f: X \to Y$는 적합사상이다: 만약 $K$가 $Y$의 컴팩트집합이면 $Y$가 Hausdorff이므로 $K$는 $Y$의 닫힌집합이다. 그리고 $f$가 연속이므로 $f^{-1}(K)$는 컴팩트공간 $X$의 닫힌집합이다. 따라서 $f^{-1}(K)$는 컴팩트이다.

**성질 10.3.3** 적합사상 $f: X \to Y$에 대하여 다음이 성립한다.

(1) $X$의 닫힌집합 $A$에 대해 축소사상 $f|_A : A \to f(A)$는 적합사상이다.

(2) $A = f^{-1}(f(A))$인 $X$의 부분집합 $A$에 대해 축소사상 $f|_A : A \to f(A)$는 적합사상이다.

(3) $Y$의 부분집합 $B$에 대해 축소사상 $f|_{f^{-1}(B)} : f^{-1}(B) \to B$는 적합사상이다.

증명 (1) $K$를 $f(A)$의 컴팩트집합이라 하자. 그러면 $A$가 $X$의 닫힌집합이므로 $(f|_A)^{-1}(K) = A \cap f^{-1}(K)$는 $f^{-1}(K)$의 닫힌집합이다. 그리고 $f$가 적합사상이므로 $f^{-1}(K)$

는 컴팩트이다. 따라서 정리 9.1.14에 의해 $(f|_A)^{-1}(K)$는 컴팩트이다.

(2) $K$를 $f(A)$의 컴팩트집합이라 하자. 그러면 $A = f^{-1}(f(A))$이므로 $(f|_A)^{-1}(K)$ $= A \cap f^{-1}(K) = f^{-1}(K)$이다. 그리고 $f$가 적합사상이므로 $f^{-1}(K)$는 컴팩트이다. 따라서 $(f|_A)^{-1}(K)$는 컴팩트이다.

(3) $K$를 $B$의 컴팩트집합이라 하자. 그러면 $f$가 적합사상이므로 $f^{-1}(K)$는 컴팩트이다. 더구나

$$(f|_{f^{-1}(B)})^{-1}(K) = f^{-1}(B) \cap f^{-1}(K) = f^{-1}(K)$$

이므로 $(f|_{f^{-1}(B)})^{-1}(K)$는 컴팩트이다. □

**성질 10.3.4** 두 함수 $f: X \to Y$와 $g: Y \to Z$에 대하여 다음이 성립한다.
(1) 만약 $f$와 $g$가 모두 적합사상이면 $g \circ f$도 적합사상이다.
(2) 만약 $f$와 $g$가 모두 연속이고 $g \circ f$가 적합사상이면 $f$는 적합사상이다.
(3) 만약 $f$가 전사인 연속사상이고 $g \circ f$가 적합사상이면 $g$는 적합사상이다.

증명 (1) $K$를 $Z$의 컴팩트집합이라 하자. 그러면 $g$가 적합사상이므로 $g^{-1}(K)$는 컴팩트이다. 그리고 $f$도 적합사상이므로

$$(g \circ f)^{-1}(K) = f^{-1}(g^{-1}(K))$$

는 컴팩트이다.

(2) $K$를 $Y$의 컴팩트집합이라 하자. 그러면 $g$가 연속이므로 $g(K)$는 컴팩트이다. 그리고 $g \circ f$가 적합사상이므로 $f^{-1}(g^{-1}(g(K)))$는 컴팩트이다. 한편 $K \subset g^{-1}(g(K))$이고 $f$가 연속이므로 $f^{-1}(K)$는 컴팩트집합 $f^{-1}(g^{-1}(g(K)))$의 닫힌집합이다. 따라서 $f^{-1}(K)$는 컴팩트이다.

(3) $K$를 $Z$의 컴팩트집합이라 하자. 그러면 $g \circ f$가 적합사상이므로 $f^{-1}(g^{-1}(K))$는 컴팩트이다. 그리고 $f$가 연속이므로 $f(f^{-1}(g^{-1}(K)))$는 컴팩트이다. 한편 $f$가 전사이므로 $f(f^{-1}(g^{-1}(K))) = g^{-1}(K)$가 되어 $g^{-1}(K)$는 컴팩트이다. □

**성질 10.3.5** $X$와 $Y$를 위상공간이라 하자. 만약 $f: X \to Y$가 닫힌사상이고 모든 $y \in Y$에 대해 $f^{-1}(y)$가 컴팩트이면 $f$는 적합사상이다.

증명 $K$를 $Y$의 컴팩트집합이라 하고 $\{U_\alpha\}_{\alpha\in\Lambda}$를 $X$의 열린집합들로 이루어진 $f^{-1}(K)$의 열린덮개라 하자. 그러면 $f^{-1}(K)\subset\cup_{\alpha\in\Lambda}U_\alpha$이다. 임의로 주어진 $y\in K$에 대해

$$f^{-1}(y)\subset f^{-1}(K)\subset\cup_{\alpha\in\Lambda}U_\alpha$$

이고 $f^{-1}(y)$가 컴팩트이므로 유한집합 $\Lambda_y\subset\Lambda$가 존재하여

$$f^{-1}(y)\subset\cup_{\alpha\in\Lambda_y}U_\alpha$$

를 만족한다. 그리고 $W_y=\cup_{\alpha\in\Lambda_y}U_\alpha$이라 하자. 그러면 $W_y$는 $X$의 열린집합이고 $f$가 닫힌사상이므로 $V_y=Y-f(X-W_y)$는 $Y$의 열린집합이다. 그리고 $f^{-1}(V_y)\subset W_y$이고 $y\in V_y$이다. 따라서 $\{V_y\}_{y\in K}$가 컴팩트집합 $K$의 열린덮개이므로 $y_1, y_2, \dots, y_n\in K$이 존재하여 $K\subset V_{y_1}\cup\cdots\cup V_{y_n}$이다. 그러므로

$$f^{-1}(K)\subset f^{-1}(V_{y_1})\cup\cdots\cup f^{-1}(V_{y_n})\subset W_{y_1}\cup\cdots\cup W_{y_n}=\bigcup_{i=1}^{n}\bigcup_{\alpha\in\Lambda_{y_i}}U_\alpha$$

이고 $\Lambda_{y_i}$가 유한집합이므로 $\cup_{i=1}^{n}\{U_\alpha\mid\alpha\in\Lambda_{y_i}\}$이 우리가 원하는 $\{U_\alpha\}_{\alpha\in\Lambda}$의 유한 부분덮개이다. 따라서 $f^{-1}(K)$는 컴팩트이다. 그러므로 $f$는 적합사상이다. □

**성질 10.3.6** 각각의 $\alpha\in\Lambda$에 대해 $Y_\alpha$는 Hausdorff이고 $f_\alpha : X_\alpha\to Y_\alpha$는 연속사상이면 다음은 동치이다.

(a) 모든 $f_\alpha\ (\alpha\in\Lambda)$는 적합사상이다.

(b) $\Pi f_\alpha : \Pi X_\alpha\to\Pi Y_\alpha$, $\Pi f_\alpha((x_\alpha))=(f_\alpha(x_\alpha))$는 적합사상이다.

증명 편의상 $F=\Pi f_\alpha$이라 하자. 먼저 모든 $f_\alpha$가 적합사상이라고 가정하자. 그리고 $K$를 $\Pi Y_\alpha$의 컴팩트집합이라 하자. 각각의 $\alpha$에 대해 사영사상 $\pi_\alpha : \Pi Y_\alpha\to Y_\alpha$가 연속이므로 $L_\alpha=\pi_\alpha(K)$는 $Y_\alpha$의 컴팩트집합이다. 그리고 $f_\alpha$가 적합사상이므로 $f_\alpha^{-1}(L_\alpha)$는 컴팩트이다. 따라서 Tychonoff 정리에 의해 $\Pi f_\alpha^{-1}(L_\alpha)$도 컴팩트이다. 한편 $\Pi Y_\alpha$가 Hausdorff이고 $F$가 연속이므로 $F^{-1}(K)$는 $\Pi f_\alpha^{-1}(L_\alpha)$의 닫힌집합이다. 그리고 $\Pi f_\alpha^{-1}(L_\alpha)$가 컴팩트이므로 $F^{-1}(K)$는 컴팩트이다.

역으로 $F$가 적합사상이라고 가정하자. 그리고 임의의 $\beta\in\Lambda$를 고정하자. 우리는 $f_\beta$가 적합사상임을 보이면 충분하다. 이를 위해 각각의 $\alpha(\neq\beta)$에 대해 한 점 $x_\alpha\in X_\alpha$를 택하고, $y_\alpha=f_\alpha(x_\alpha)$라 하자. 그리고 $\alpha(\neq\beta)$에 대해 $A_\alpha=\{x_\alpha\}$,

$B_\alpha = \{y_\alpha\}$이라 하고, $A_\beta = X_\beta$, $B_\beta = Y_\beta$이라 하자. 그러면 $\Pi A_\alpha$와 $\Pi B_\alpha$는 각각 $\Pi X_\alpha$와 $\Pi Y_\alpha$의 부분집합이다. 이제 $\beta$-성분함수는 항등함수이고 나머지 성분함수는 상수함수인 두 위상동형사상 $i_\beta : X_\beta \to \Pi A_\alpha$, $j_\beta : Y_\beta \to \Pi B_\alpha$를 생각하자. 그러면 $F \circ i_\beta = j_\beta \circ f_\beta$를 만족한다.

이제 $K$를 $Y_\beta$의 컴팩트집합이라 하자. 그러면 $j_\beta$가 연속이므로 $j_\beta(K)$는 컴팩트이다. 그리고 $F$가 적합사상이므로 $F^{-1}(j_\beta(K))$는 컴팩트이다. 그런데

$$i_\beta(f_\beta^{-1}(K)) = F^{-1}(j_\beta(K))$$

이므로 $i_\beta(f_\beta^{-1}(K))$는 컴팩트이다. 한편 $i_\beta$가 위상동형사상이므로 $f_\beta^{-1}(K)$는 컴팩트이다. 따라서 $f_\beta$는 적합사상이다. □

여기서 우리는 컴팩트의 정의를 약화시킨 다음과 같은 용어가 필요하다.

**정의 10.3.7** 위상공간 $X$가 **컴팩트생성**(compactly generated)이란 다음 조건을 만족함을 의미한다: $X$의 부분집합 $A$가 모든 컴팩트집합 $K \subset X$에 대해 $A \cap K$가 부분공간 $K$의 열린집합이면 $A$는 $X$의 열린집합이다.

위의 조건은 다음과 동치이다: $X$의 부분집합 $A$가 모든 컴팩트집합 $K \subset X$에 대해 $A \cap K$가 부분공간 $K$의 "닫힌집합"이면 $A$는 $X$의 "닫힌집합"이다.

그리고 위의 조건의 역은 당연히 성립한다. 즉, $A$가 $X$의 열린집합이면 임의의 부분집합 $C \subset X$에 대해 $A \cap C$는 부분공간 $C$의 열린집합이다.

**성질 10.3.8** 모든 국소컴팩트공간은 컴팩트생성이다.

증명 $X$를 국소컴팩트공간이라 하자. 그리고 $A$를 모든 컴팩트집합 $K \subset X$에 대해 $A \cap K$가 부분공간 $K$의 열린집합이 되는 $X$의 부분집합이라 하자. 이제 우리는 $A$가 $X$의 열린집합임을 보이면 된다. 임의의 점 $x \in A$에 대해 $X$가 국소컴팩트이므로 $x \in U \subset K$를 만족하는 $X$의 열린집합 $U$와 컴팩트집합 $K$가 존재한다. 가정에 의하여 $A \cap K$가 $K$의 열린집합이므로 $(A \cap K) \cap U$는 $U$의 열린집합이다. 그리고 $U$가 $X$의 열린집합이므로 $(A \cap K) \cap U$는 $X$의 열린집합이다. 더구나 $x \in (A \cap K) \cap U \subset A$이므로 $x$는 $A$의 내부점이다. 따라서 $A$는 $X$의 열린집합이다. □

**성질 10.3.9** 모든 제1가산공간은 컴팩트생성이다.

증명 $X$를 제1가산공간이라 하자. 그리고 $A$를 모든 컴팩트집합 $K \subset X$에 대해 $A \cap K$가 부분공간 $K$의 닫힌집합이 되는 $X$의 부분집합이라 하자. 이제 우리는 $A$가 $X$의 닫힌집합임을 보이면 된다. 이를 위해 $x \in \overline{A}$라 하자. $X$가 제1가산이므로 기초정리 10.2.12에 의해 $x_n \to x$인 수열 $x_n \in A$이 존재한다. 그러면

$$K = \{x\} \cup \{x_n | n \in \mathbb{N}\}$$

은 $X$의 컴팩트집합이다. 그러므로 가정에 의해 $A \cap K$는 $K$의 닫힌집합이다. 그런데 모든 $n \in \mathbb{N}$에 대하여 $x_n \in A \cap K$이므로 $x \in A \cap K$이어야 한다. 따라서 $x \in A$이다. 그러므로 $A$는 $X$의 닫힌집합이다. □

**참고 10.3.10** (1) 모든 컴팩트공간은 국소컴팩트이므로 컴팩트생성이다.

(2) 모든 거리공간은 제1가산이므로 컴팩트생성이다. 그리고 거리공간의 모든 부분공간도 거리공간이므로 컴팩트생성이다. 특별히 유클리드공간 $\mathbb{R}^n$은 컴팩트생성이다. 그리고 유클리드공간의 모든 부분공간도 컴팩트생성이다.

(3) 14장에서 배울 모든 다양체는 컴팩트생성이다.[14)] 그리고 다양체의 모든 부분공간도 컴팩트생성이다.

**기초정리 10.3.11** 만약 $X$가 컴팩트생성이면 함수 $f: X \to Y$에 대하여 다음은 동치이다.

(a) $f$는 연속이다.

(b) 모든 컴팩트집합 $K \subset X$에 대하여 축소사상 $f|_K : K \to Y$는 연속이다.

증명 (a)⇒(b) 기초정리 5.1.11에 의하여 성립한다.

(b)⇒(a) $V$를 $Y$의 열린집합이라 하자. 주어진 컴팩트집합 $K \subset X$에 대하여

$$f^{-1}(V) \cap K = (f|_K)^{-1}(V)$$

이고 (b)에 의해 $f|_K$가 연속이므로 $(f|_K)^{-1}(V)$는 $K$의 열린집합이다. 따라서 모든 컴팩트집합 $K \subset X$에 대해 $f^{-1}(V) \cap K$는 $K$의 열린집합이다. 그리고 $X$가

14) 정의 14.1.1 참조.

컴팩트생성이므로 $f^{-1}(V)$는 $X$의 열린집합이다. 그러므로 $f$는 연속이다. □

**성질 10.3.12** $X$는 위상공간이고 $Y$는 컴팩트생성 Hausdorff 공간이라 하자. 그러면 모든 연속인 적합사상 $f: X \to Y$는 닫힌사상이다.

증명 $C$를 $X$의 닫힌집합이라 하자. 우리는 $Y$가 컴팩트생성이므로 $f(C)$가 $Y$의 닫힌집합임을 보이기 위해 모든 컴팩트집합 $K \subset Y$에 대해 $f(C) \cap K$가 $K$의 닫힌집합임을 보이면 충분하다. 주어진 컴팩트집합 $K \subset Y$에 대하여 $f$가 적합사상이므로 $f^{-1}(K)$는 컴팩트이다. 그리고 $C \cap f^{-1}(K)$가 $f^{-1}(K)$의 닫힌집합이므로 정리 9.1.14에 의해 $C \cap f^{-1}(K)$는 컴팩트이다. 그리고 $f$가 연속이므로 정리 9.1.11에 의해 $f(C \cap f^{-1}(K))$는 컴팩트이다. 더구나 $f(C \cap f^{-1}(K)) = f(C) \cap K$이므로 $f(C) \cap K$는 컴팩트이다. 한편 $K$가 Hausdorff이므로 $f(C) \cap K$는 $K$의 닫힌집합이다. 따라서 $Y$가 컴팩트생성이므로 $f(C)$는 $Y$의 닫힌집합이다. 그러므로 $f$는 닫힌사상이다. □

**따름정리 10.3.13** $X$를 위상공간, $Y$를 컴팩트생성 Hausdorff 공간이라 하자. 그러면 넣기사상 $f: X \to Y$에 대하여 다음은 동치이다.
(a) $f$는 적합사상이다.
(b) $f(X)$는 $Y$의 닫힌집합이다.

증명 (a)⇒(b) 성질 10.3.12에 의하여 성립한다.
(b)⇒(a) 성질 10.3.5에 의하여 성립한다. □

**따름정리 10.3.14** $X$를 위상공간, $Y$를 컴팩트생성 Hausdorff 공간이라 하자. 그리고 $f: X \to Y$를 연속인 적합사상이라 하자.
(1) 만약 $f$가 단사이면 $f$는 넣기사상이다.
(2) 만약 $f$가 전단사이면 $f$는 위상동형사상이다.

증명 성질 10.3.12에 의해 성립한다. □

**보기 10.3.15** $\mathbb{R}$을 유클리드공간이라 하자.
(1) 상수함수가 아닌 모든 다항함수 $f:\mathbb{R}\to\mathbb{R}$는 적합사상이다.
(2) 모든 다항함수 $f:\mathbb{R}\to\mathbb{R}$는 닫힌사상이다.

**풀이** (1) 다항함수 $f(x)=\sum_{k=0}^{m}a_k x^k$가 상수함수가 아니므로 $m\geq 1$이고 $a_m\neq 0$이다. 이제 $K$를 $\mathbb{R}$의 컴팩트집합이라 하자. 그러면 Heine-Borel 정리(정리 9.3.6)에 의해 $K$는 유계인 닫힌집합이다. 그리고 모든 다항함수는 연속이므로 $f^{-1}(K)$는 닫힌집합이다. 따라서 우리는 $f^{-1}(K)$가 유계임을 보이면 된다.

만약 $f^{-1}(K)$가 유계가 아니라고 가정하면 $|x_n|>n$인 $f^{-1}(K)$상의 수열 $\{x_n\}_{n=1}^{\infty}$이 존재하고 $\lim_{n\to\infty}|x_n|=\infty$이다. 그리고 모든 실수 $a$와 $b$에 대해 $|a|+|b|\geq|a+b|\geq|a|-|b|$이므로

$$|f(x)|=|\sum_{k=0}^{m}a_k x^k|\geq|a_m x^m|-|\sum_{k=0}^{m-1}a_k x^k|\geq|a_m|\,|x|^m-\sum_{k=0}^{m-1}|a_k||x|^k$$

이다. 그러면 $g:\mathbb{R}\to\mathbb{R}$, $g(x)=|a_m|x^m-\sum_{k=0}^{m-1}|a_k|x^k$는 최고차항의 계수가 양수인 $m$차 다항함수이므로 $\lim_{x\to\infty}g(x)=\infty$이다. 한편 모든 $n\in\mathbb{N}$에 대해 $|f(x_n)|\geq g(|x_n|)$이고 $\lim_{n\to\infty}g(|x_n|)=\infty$이므로 $\lim_{n\to\infty}|f(x_n)|=\infty$이다. 그런데 $\{f(x_n)\,|\,n\in\mathbb{N}\}\subset K$이므로 $K$는 유계가 아니다. 이는 $K$가 유계라는 사실에 모순이다. 그러므로 $f^{-1}(K)$는 유계이어야 한다. 따라서 Heine-Borel 정리에 의해 $f^{-1}(K)$는 컴팩트이고 $f$는 적합사상이다.

(2) 상수함수는 자명하게 닫힌사상이다. 그리고 상수함수가 아닌 다항함수 $f$는 (1)에 의해 적합사상이다. 그리고 $\mathbb{R}$이 컴팩트생성이므로 성질 10.3.12에 의해 $f$는 닫힌사상이다. □

주어진 세 위상공간 $X, Y, Z$와 두 함수 $f:X\to Y$, $g:Z\to Y$에 대하여 곱공간 $X\times Z$의 부분공간

$$X\times_Y Z=\{(x,z)\in X\times Z\mid f(x)=g(z)\}$$

를 생각하자. 이러한 부분공간 $X\times_Y Z$를 $f$와 $g$의 **당김(pullback)**이라 한다. 그러면 두 사영사상 $p_1:X\times_Y Z\to X$, $p_1(x,z)=x$와 $p_2:X\times_Y Z\to Z$, $p_2(x,z)=z$에 대해 $p_1\circ f=g\circ p_2$가 성립한다. 여기서 $p_1$과 $p_2$는 항상 연속사상이 됨을 유의하자.

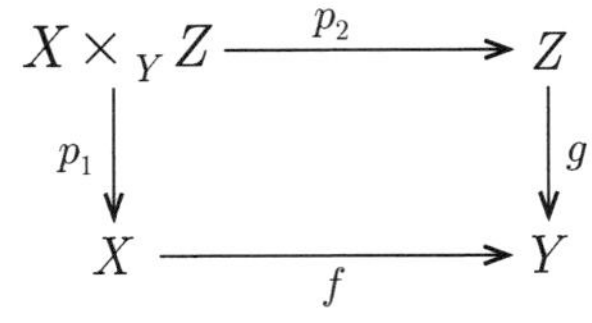

**정리 10.3.16** 위상공간 $X$에 대하여 다음은 서로 동치이다.

(a) $X$는 컴팩트이다.

(b) 모든 위상공간 $Z$에 대하여 사영사상 $p_2 : X \times Z \to Z$, $p_2(x, z) = z$는 닫힌사상이다.

(c) 한 점 집합 $P$와 상수사상 $f : X \to P$에 대하여 다음이 성립한다: 모든 위상공간 $Z$와 상수사상 $g : Z \to P$에 대해 $p_2 : X \times_P Z \to Z$, $p_2(x, z) = z$는 닫힌사상이다.

증명 (a)⇔(b) 정리 9.1.29에 의해 성립한다.

(b)⇔(c) 주어진 상수사상 $f : X \to P$와 $g : Z \to P$에 대해 $X \times_P Z = X \times Z$이므로 성립한다. □

**기초정리 10.3.17** $X$는 위상공간이고 $Y$는 Hausdorff 공간이라 하자. 그러면 함수 $f : X \to Y$에 대하여 다음은 동치이다.

(a) $f$는 적합사상이다.

(b) 임의의 Hausdorff 공간 $Z$와 연속사상 $g : Z \to Y$에 대해 $p_2 : X \times_Y Z \to Z$, $p_2(x, z) = z$는 적합사상이다.

증명 먼저 $f$를 적합사상이라고 가정하자. 그리고 Hausdorff 공간 $Z$와 연속사상 $g : Z \to Y$가 임의로 주어졌다 하자. 이제 $K$를 $Z$의 컴팩트집합이라 하자. 먼저 $g$가 연속이고 $f$가 적합사상이므로 $f^{-1}(g(K)) \times K$는 컴팩트이다. 한편 $Z$가 Hausdorff이므로 $K$는 $Z$의 닫힌집합이다. 그리고 $p_2$가 연속이므로 $p_2^{-1}(K)$는 $f^{-1}(g(K)) \times K$의 닫힌집합이다. 따라서 $p_2^{-1}(K)$는 컴팩트이다. 그러므로 $p_2$는 적합사상이다.

역으로 $f$가 조건 (b)를 만족한다고 가정하자. 우리는 항등사상 $g : Y \to Y$, $g(y) = y$를 생각하자. 그러면 $X \times_Y Y$는 $f$의 그래프이다. 즉, $X \times_Y Y = \{(x, f(x)) \in X \times Y \mid x \in X\}$이다. 이제 $K$를 $Y$의 컴팩트집합이라 하자. 가정에 의해

$p_2 : X \times_Y Y \to Y,\ p_2(x, y) = y$가 적합사상이므로 $p_1(p_2^{-1}(K))$는 컴팩트이다. 그리고 $f^{-1}(K) = p_1(p_2^{-1}(K))$이므로 $f^{-1}(K)$는 컴팩트이다. 따라서 $f$는 적합사상이다. □

**정리 10.3.18** $X$는 위상공간이고 $Y$는 컴팩트생성 Hausdorff 공간이라 하자. 그러면 연속사상 $f : X \to Y$에 대하여 다음은 서로 동치이다.15)

(a) $f$는 적합사상이다.

(b) 임의의 위상공간 $Z$에 대하여 $f \times \mathrm{id}_Z : X \times Z \to Y \times Z,\ f \times \mathrm{id}_Z(x, z) = (f(x), z)$는 닫힌사상이다.

(c) 임의의 위상공간 $Z$와 연속사상 $g : Z \to Y$에 대하여 $p_2 : X \times_Y Z \to Z,\ p_2(x, z) = z$는 닫힌사상이다.

(d) $f$는 닫힌사상이고 모든 $y \in Y$에 대해 $f^{-1}(y)$는 컴팩트이다.

증명 (a)⇒(d) $f$를 적합사상이라고 가정하자. 그러면 성질 10.3.12에 의해 $f$는 닫힌사상이다. 그리고 모든 $y \in Y$에 대해 $\{y\}$는 $Y$의 컴팩트집합이므로 $f^{-1}(y)$는 컴팩트이다.

(d)⇒(c) $f$가 조건 (d)를 만족한다고 가정하자. 임의로 주어진 위상공간 $Z$와 연속사상 $g : Z \to Y$에 대해 우리는 $p_2 : X \times_Y Z \to Z,\ p_2(x, z) = z$가 닫힌사상임을 보여야 한다.

먼저 $f$는 닫힌사상이고 $g$가 연속사상이므로 $g^{-1}(f(X))$는 $Z$의 닫힌집합이다. 그리고 $p_2(X \times_Y Z) = g^{-1}(f(X))$이므로 $p_2(X \times_Y Z)$는 $Z$의 닫힌집합이다. 한편 $f$와 $g$는 연속이고 $Y$가 Hausdorff이므로

$$X \times_Y Z = \{(x, z) \in X \times Z \mid f(x) = g(z)\}$$

는 곱공간 $X \times Y$의 닫힌집합이다.

이제 $C$를 $X \times_Y Z$의 닫힌집합이라 하자. 그러면 $C$는 곱공간 $X \times Y$의 닫힌집합이다. 우리는 $Z - p_2(C)$가 $Z$의 열린집합임을 보이면 된다. 즉, 임의로 주어진 점 $z \in Z - p_2(C)$가 $Z - p_2(C)$의 내부점이 됨을 보이면 된다.

만약 $z \in Z - p_2(X \times_Y Z)$이면 $z \in Z - p_2(X \times_Y Z) \subset Z - p_2(C)$인 $Z$의 열린집

15) 이 정리의 증명 과정을 살펴보면 (d)⇒(c)⇒(b)⇒(a)는 $Y$가 컴팩트생성일 필요없이 Hausdorff만 되어도 성립한다.

합 $Z-p_2(X\times_Y Z)$가 존재하므로 $z$는 $Z-p_2(C)$의 내부점이다.

만약 $z\in p_2(X\times_Y Z)$이면 $f^{-1}(g(z))$는 공집합이 아닌 컴팩트집합이다. 그리고 $z\in Z-p_2(C)$이므로 $p_2^{-1}(z)=f^{-1}(g(z))\times\{z\}\subset X\times Y-C$이다. 그런데 $X\times Y-C$가 곱공간 $X\times Y$의 열린집합이므로 각각의 $x\in f^{-1}(g(z))$에 대해 $(x,z)\in U_x\times V_x\subset X\times Y-C$를 만족하는 $X$의 열린집합 $U_x$와 $Z$의 열린집합 $V_x$가 존재한다. 그리고 $\{U_x \mid x\in f^{-1}(g(z))\}$이 컴팩트집합 $f^{-1}(g(z))$의 열린덮개이므로 $f^{-1}(g(z))\subset U_{x_1}\cup\cdots\cup U_{x_n}$인 $x_1,\ldots,x_n\in f^{-1}(g(z))$이 존재한다. 우리는 $U=\cup_{i=1}^n U_{x_i}$, $V=\cap_{i=1}^n V_{x_i}$이라 하자. 그러면 $U$는 $X$의 열린집합, $V$는 $Z$의 열린집합이고 $f^{-1}(g(z))\times\{z\}\subset U\times V\subset X\times Y-C$를 만족한다. 한편 $f$는 닫힌사상이고 $g$가 연속이므로 $W=Z-g^{-1}(f(X-U))$는 $Z$의 열린집합이고 $z\in W$이다. 그래서 $O=W\cap V$는 $Z$의 열린집합이고 $z\in O$이다. 이제 $O\cap p_2(C)=\varnothing$임을 보이자. 만약 $t\in O\cap p_2(C)$이면 $t\in p_2(C)$이므로 $(s,t)\in C$인 $s\in X$가 존재하여 $f(s)=g(t)$를 만족한다. 한편 $t\in W$이므로 $W$의 정의에 의해 $g(t)\notin f(X-U)$이 되어 $f(s)\notin f(X-U)$이다. 그래서 $s\notin X-U$이므로 $(s,t)\in U\times V$이 되어 $(s,t)\in(U\times V)\cap C$이다. 이는 $U\times V\subset X\times Y-C$에 모순이다. 따라서 $O\cap p_2(C)=\varnothing$이 되어야 한다. 그래서 $z\in O\subset Z-p_2(C)$를 만족하므로 $z$는 $Z-p_2(C)$의 내부점이다.

따라서 $Z-p_2(C)$는 $Z$의 열린집합이므로 $p_2(C)$는 $Z$의 닫힌집합이다. 그러므로 $p_2$는 닫힌사상이다.

(c)⇒(b) $f$가 조건 (c)를 만족한다고 가정하자. 임의로 주어진 위상공간 $Z$에 대해 사영사상 $g: Y\times Z\to Y$, $g(y,z)=y$를 생각하자. 그러면

$$X\times_Y(Y\times Z)=\{(x,f(x),z)\mid x\in X,\ z\in Z\}$$

이다. 그래서 $h: X\times Z\to X\times_Y(Y\times Z)$, $h(x,z)=(x,f(x),z)$는 위상동형사상이고, 특별히 닫힌사상이다. 가정에 의해 $p_2: X\times_Y(Y\times Z)\to Y\times Z$, $p_2(x,y,z)=(y,z)$가 닫힌사상이므로 $f\times\mathrm{id}_Z=p_2\circ h$도 닫힌사상이다.

(b)⇒(a) $f$가 조건 (b)를 만족한다고 가정하자. 그리고 $K$를 $Y$의 컴팩트집합이라 하자. 우리는 $f^{-1}(K)$가 컴팩트임을 정리 10.3.16을 사용하여 보이자. $Z$를 임의로 주어진 위상공간이라 하자. 먼저 $Y$가 Hausdorff이므로 $K$는 $Y$의 닫힌집합이다. 또한 $f$가 연속이므로 $f^{-1}(K)$는 $X$의 닫힌집합이다. 따라서 $f^{-1}(K)\times Z$는 $X\times Z$의 닫힌집합이다. 그리고 가정에 의해 $f\times\mathrm{id}_Z: X\times Z\to Y\times Z$, $f\times\mathrm{id}_Z(x,z)=$

$(f(x), z)$가 닫힌사상이므로 축소사상 $f| \times \mathrm{id}_Z : f^{-1}(K) \times Z \to K \times Z$도 닫힌사상이다. 한편 $K$가 컴팩트이므로 정리 10.3.16에 의해 사영사상 $\pi_2 : K \times Z \to Z$, $\pi_2(x, z) = z$는 닫힌사상이다. 그러므로 합성사상 $\pi_2 \circ (f| \times \mathrm{id}_Z) : f^{-1}(K) \times Z \to Z$, $(x, z) \mapsto z$도 닫힌사상이다. 따라서 정리 10.3.16에 의해 $f^{-1}(K)$는 컴팩트이다. 그러므로 $f$는 적합사상이다. □

## 완전사상(perfect map)

우리는 성질 7.2.21에서 연속인 닫힌사상에 의해 정규성이 보존됨을 배웠다.

**성질 10.3.19 (성질 7.2.21)** 전사이고 연속인 닫힌사상 $p : X \to Y$가 존재하면 다음이 성립한다.
(1) 만약 $X$가 $T_1$-공간이면 $Y$도 $T_1$-공간이다.
(2) 만약 $X$가 정규공간이면 $Y$도 정규이다.

이 절에서는 정의역 공간에서의 위상적 성질들을 그대로 공역 공간으로 보존시키는 사상에 대해 다룬다. 그리고 이러한 결과들은 13장에서 배울 상공간이 어떠한 공간이 되는지 판별하는데 유용한 도구로 사용된다.

**정의 10.3.20** 두 위상공간 사이의 함수 $p : X \to Y$가 **완전사상(perfect map)**이란 다음 두 조건을 만족함을 의미한다:
(i) $p$는 전사이고 연속인 닫힌사상이다;
(ii) 임의의 점 $y \in Y$에 대하여 $p^{-1}(y)$는 컴팩트이다.

**성질 10.3.21** $X$는 위상공간이고 $Y$는 컴팩트공간이라 하자. 그러면 사영사상 $\pi_X : X \times Y \to X$, $\pi_X(x, y) = x$는 완전사상이다.

증명) 정리 9.1.29에 의해 $\pi_X$는 전사이고 연속인 닫힌사상이다. 한편 임의의 점 $x \in X$에 대하여 $\pi_X^{-1}(x) = \{x\} \times Y$는 컴팩트공간 $Y$와 위상동형이므로 컴팩트이다. □

**참고 10.3.22** 완전사상이 열린사상이 될 필요는 없다. 예를 들어 유클리드공간 $\mathbb{R}$의 두 부분공간 $X=[0,1]\cup[2,3]$과 $Y=[0,2]$에 대해

$$f: X\to Y,\ f(x)=\begin{cases} x, & x\in[0,1] \\ x-1, & x\in[2,3] \end{cases}$$

는 완전사상이다. 하지만 $X$의 열린집합 $[0,1]$에 대해 $f([0,1])=[0,1]$이 $Y$의 열린집합이 아니므로 $f$는 열린사상이 아니다.

**성질 10.3.23** 닫힌사상 $p: X\to Y$에 대하여 다음은 동치이다.

(a) 모든 점 $y\in Y$에 대하여 $p^{-1}(y)$는 컴팩트이다.

(b) 모든 컴팩트집합 $K\subset Y$에 대하여 $p^{-1}(K)$는 컴팩트이다.

증명 (a)⇒(b) 성질 10.3.5에 의하여 성립한다.

(b)⇒(a) 임의의 점 $y\in Y$에 대하여 한 점 집합 $\{y\}$가 컴팩트이므로 $p^{-1}(y)=p^{-1}(\{y\})$는 컴팩트이다. □

**따름정리 10.3.24** 모든 완전사상은 적합사상이다.

**성질 10.3.25** $X$와 $Y$는 위상공간이고 $p: X\to Y$는 완전사상이라 하자.

(1) 만약 $C$가 $X$의 닫힌집합이면 축소사상 $p|_C: C\to p(C)$도 완전사상이다.

(2) 만약 $D$가 $Y$의 닫힌집합이면 축소사상 $p|_{p^{-1}(D)}: p^{-1}(D)\to D$도 완전사상이다.

증명 (1) $p$가 닫힌사상이므로 $p(C)$는 $Y$의 닫힌집합이다. 그리고 축소사상 $p|_C: C\to p(C)$는 전사인 연속사상이다.

이제 $p|_C$가 닫힌사상임을 보이자. 만약 $A$가 부분공간 $C$의 닫힌집합이면 $C$가 $X$의 닫힌집합이므로 $A$는 $X$의 닫힌집합도 된다. 그리고 $p$가 닫힌사상이므로 $p(A)$는 $Y$의 닫힌집합이다. 그런데 $p|_C(A)=p(A)=p(A)\cap p(C)$이므로 $p|_C(A)$는 부분공간 $p(C)$의 닫힌집합이다. 따라서 $p|_C$는 닫힌사상이다.

그리고 임의의 점 $y\in p(C)$에 대하여 $(p|_C)^{-1}(y)=p^{-1}(y)\cap C$이므로 $(p|_C)^{-1}(y)$는 $p^{-1}(y)$의 닫힌집합이다. 더구나 $p^{-1}(y)$가 컴팩트이므로 $(p|_C)^{-1}(y)$는 컴팩트이다.

(2) $D$가 $Y$의 닫힌집합이고 $p$가 연속이므로 $p^{-1}(D)$는 $X$의 닫힌집합이다. 따라서 (1)에 의해 축소사상 $p|_{p^{-1}(D)}$는 완전이다. □

**정리 10.3.26** 완전사상 $p: X \to Y$가 존재하면 다음이 성립하다.
(1) 만약 $X$가 Hausdorff이면 $Y$도 Hausdorff이다.
(2) 만약 $X$가 정칙이면 $Y$도 정칙이다.

증명 (1) $y_1, y_2 \in Y$를 서로 다른 두 점이라 하자. 그러면 $p$가 완전사상이므로 $p^{-1}(y_1)$과 $p^{-1}(y_2)$는 Hausdorff 공간 $X$의 서로소인 컴팩트집합이다. 따라서 정리 9.1.16에 의하여

$$p^{-1}(y_1) \subset U_1, \quad p^{-1}(y_2) \subset U_2, \quad U_1 \cap U_2 = \varnothing$$

을 만족하는 $X$의 열린집합 $U_1$과 $U_2$가 존재한다. 그리고 $p$가 닫힌사상이므로 참고 5.2.9에 의하여 각각의 $i = 1, 2$에 대해

$$y_i \in V_i, \quad p^{-1}(y_i) \subset p^{-1}(V_i) \subset U_i$$

를 만족하는 $Y$의 열린집합 $V_i$가 존재한다. 그러면 $U_1 \cap U_2 = \varnothing$이므로 $V_1 \cap V_2 = \varnothing$이 된다. 따라서 $Y$는 Hausdorff이다.

(2) 먼저 성질 10.3.19에 의하여 $X$가 $T_1$-공간이므로 $Y$도 $T_1$-공간이다.

이제 임의의 점 $y \in Y$와 $y$의 열린근방 $U$에 대하여 $p^{-1}(y)$는 컴팩트, $p^{-1}(U)$는 $X$의 열린집합이고 $p^{-1}(y) \subset p^{-1}(U)$이다. 그런데 $X$가 정칙이므로 보기 9.1.23에 의하여

$$p^{-1}(y) \subset W \subset \overline{W} \subset p^{-1}(U)$$

를 만족하는 $X$의 열린집합 $W$가 존재한다. 그리고 $p$가 닫힌사상이므로 참고 5.2.9에 의하여

$$y \in V, \quad p^{-1}(y) \subset p^{-1}(V) \subset W$$

를 만족하는 $Y$의 열린집합 $V$가 존재한다. 한편 $p$가 전사이므로

$$y = p(p^{-1}(y)) \in p(p^{-1}(V)) = V \subset p(\overline{W}) \subset p(p^{-1}(U)) = U$$

이다.[16] 그리고 $p$가 닫힌사상이므로 $p(\overline{W})$는 $Y$의 닫힌집합이 되어 $\overline{V} \subset$

16) 성질 1.4.4(4) 참조.

$p(\overline{W})$이다. 따라서 열린집합 $V$가

$$y \in V \subset \overline{V} \subset U$$

를 만족하므로 정리 7.2.5에 의해 $Y$는 정칙이다. □

**보기 10.3.27** $p: X \to Y$가 완전사상이고 $Y$가 정규공간이라 해도 일반적으로 $X$는 정규공간일 필요는 없다: 보기 7.2.9와 보기 9.1.10에 의해 $S_\Omega$는 정규공간이고 $\overline{S}_\Omega$는 컴팩트공간이다. 그리고 성질 10.3.21에 의해 사영사상

$$\pi : S_\Omega \times \overline{S}_\Omega \to S_\Omega,\ (x, y) \mapsto x$$

는 완전사상이다. 그러나 $S_\Omega \times \overline{S}_\Omega$는 보기 9.1.31에서 보았듯이 정규공간이 아니다.

**성질 10.3.28** 만약 $X$가 제2가산이고 완전사상 $p: X \to Y$가 존재하면 $Y$도 제2가산이다.

**증명** $X$가 제2가산공간이므로 가산기저 $\mathscr{B}$가 존재한다. 그리고 $\mathscr{U}$를 $\mathscr{B}$의 유한개 원소들의 합집합들의 모임이라 하자. 즉,

$$\mathscr{U} = \{ \bigcup_{B \in F} B \mid F\text{는 } \mathscr{B}\text{의 유한 부분집합}\}$$

이다. 그러면 $\mathscr{B}$가 가산이므로 $\mathscr{U}$도 가산집합이다. 이제 가산집합

$$\mathscr{C} = \{ Y - p(X - U) \mid U \in \mathscr{U}\}$$

가 $Y$의 기저가 됨을 보이자. 임의의 점 $y \in Y$와 $y$의 열린근방 $W \subset Y$에 대하여 $p^{-1}(W)$는 $X$의 열린집합이고 $p^{-1}(y) \subset p^{-1}(W)$이다. 따라서 임의의 $x \in p^{-1}(y)$에 대하여 $x \in B_x \subset p^{-1}(W)$를 만족하는 기저의 원소 $B_x \in \mathscr{B}$가 존재한다. 그리고 $p^{-1}(y) \subset \cup_{x \in p^{-1}(y)} B_x$이고 $p^{-1}(y)$가 컴팩트이므로 유한개의 $x_1, \ldots, x_n \in p^{-1}(y)$이 존재하여

$$p^{-1}(y) \subset \cup_{i=1}^{n} B_{x_i} \subset p^{-1}(W)$$

를 만족한다. 그러면 $U = \cup_{i=1}^{n} B_{x_i} \in \mathscr{U}$이므로 $C = Y - p(X - U) \in \mathscr{C}$이다. 그리고 $p(X - U) \supset p(X) - p(U) = Y - p(U)$이므로 $C = Y - p(X - U) \subset p(U)$이

다. 더구나

$$y \in C \subset p(U) \subset p(p^{-1}(W)) = W$$

를 만족한다. 따라서 $\mathscr{C}$는 $Y$의 가산기저이다(성질 3.2.14 참조). □

우리는 정리 9.1.11에서 컴팩트집합의 연속사상에 의한 상이 컴팩트가 됨을 다루었다. 역으로 우리는 다음을 얻을 수 있다.

**정리 10.3.29** 완전사상 $p : X \to Y$가 존재하면 다음이 성립한다:

$$X\text{는 컴팩트} \Leftrightarrow Y\text{는 컴팩트}$$

증명 먼저 $X$가 컴팩트이면 $p$가 전사이고 연속이므로 $Y = p(X)$도 컴팩트이다. 역으로 $Y$가 컴팩트이면 성질 10.3.23에 의해 $X = p^{-1}(Y)$는 컴팩트이다. □

이제 국소컴팩트에 대해 알아보자.

**성질 10.3.30** 만약 $X$가 국소컴팩트이고 전사이고 연속인 열린사상 $f : X \to Y$가 존재하면 $Y$도 국소컴팩트이다.

증명 임의로 주어진 점 $y \in Y$에 대하여 $f(x) = y$인 한 점 $x \in X$를 택하자. $f$가 전사이므로 이러한 점 $x$는 존재한다. 그리고 $X$가 국소컴팩트이므로 $x \in U \subset K$를 만족하는 열린집합 $U$와 컴팩트집합 $K$가 존재한다. 그러면 $f$가 열린사상이므로 $f(U)$는 $Y$의 열린집합이다. 또한 $f$가 연속이므로 $f(K)$는 컴팩트이다. 자명하게 $y \in f(U) \subset f(K)$이므로 $Y$는 국소컴팩트이다. □

**정리 10.3.31** $Y$는 Hausdorff이고 완전사상 $p : X \to Y$가 존재하면 다음이 성립한다:

$$X\text{는 국소컴팩트} \Leftrightarrow Y\text{는 국소컴팩트}$$

증명 먼저 $X$를 국소컴팩트라 하자. 임의로 주어진 점 $y \in Y$에 대하여 $p^{-1}(y)$는 $X$의 컴팩트집합이다. 기초정리 9.4.21에 의하여

$$p^{-1}(y) \subset U \subset K$$

를 만족하는 $X$의 열린집합 $U$와 컴팩트집합 $K$가 존재한다. 그리고 $p$가 닫힌사상이므로 참고 5.2.9에 의하여

$$y \in V, \quad p^{-1}(y) \subset p^{-1}(V) \subset U$$

를 만족하는 $Y$의 열린집합 $V$가 존재한다. 또한 $p$가 전사인 연속사상이므로 $p(p^{-1}(V)) = V$이고, $p(K)$는 컴팩트이다. 자명하게 $y \in V \subset p(K)$이므로 $Y$는 국소컴팩트이다.

역으로 $Y$를 국소컴팩트라 하자. 임의로 주어진 $x \in X$에 대하여 $f(x) \in Y$이므로 $f(x) \in U \subset K$인 $Y$의 열린집합 $U$와 컴팩트집합 $K$가 존재한다. 그리고 $Y$가 하우스도르프이므로 $K$는 $Y$의 닫힌집합이다. 그러면 축소사상 $p| : p^{-1}(K) \to K$도 완전사상이므로 정리 10.3.29에 의해 $p^{-1}(K)$는 $X$의 컴팩트집합이다. 그리고 $p$가 연속이므로 $p^{-1}(U)$는 $X$의 열린집합이다. 자명하게 $x \in p^{-1}(U) \subset p^{-1}(K)$이므로 $X$는 국소컴팩트이다. □

## 연습문제

**문제 10.3.1** 위상공간 $X$에 대하여 다음이 동치임을 보이시오.

(a) $X$의 부분집합 $A$가 모든 컴팩트집합 $K \subset X$에 대해 $A \cap K$가 부분공간 $K$의 열린집합이면 $A$는 $X$의 열린집합이다.

(b) $X$의 부분집합 $A$가 모든 컴팩트집합 $K \subset X$에 대해 $A \cap K$가 부분공간 $K$의 닫힌집합이면 $A$는 $X$의 닫힌집합이다.

**문제 10.3.2** $\mathbb{R}$을 유클리드공간이라 하자. 모든 $x \in \mathbb{R}$에 대해 $f(x) \neq 0$인 다항함수 $f : \mathbb{R} \to \mathbb{R}$에 대하여 연속사상 $g : \mathbb{R} \to \mathbb{R}$, $g(x) = 1/f(x)$은 유계임을 보이시오(힌트: 보기 10.3.15 (2) 사용).

**문제 10.3.3** 유클리드공간 $\mathbb{R}^n$의 부분집합 $X$에 대하여 다음이 동치임을 보이시오.

(a) $X$는 컴팩트이다.

(b) 사영사상 $p : X \times [0,1] \to [0,1]$, $p(x,y) = y$는 닫힌사상이다. 단, 여기서 $[0,1]$은 유클리드공간 $\mathbb{R}$의 부분공간이다(힌트: 정리 9.3.6 사용).

**문제 10.3.4** $X$와 $Y$를 각각 유클리드공간 $\mathbb{R}^m$과 $\mathbb{R}^n$의 부분공간이라 하자. 이제 연속사상

$f: X \to Y$에 대하여 다음이 동치임을 보이시오.

(a) $f$는 적합사상이다.

(b) $f \times \mathrm{id}_{\mathbb{R}} : X \times \mathbb{R} \to Y \times \mathbb{R}$, $f \times \mathrm{id}_{\mathbb{R}}(x,t) = (f(x), t)$는 닫힌사상이다(힌트: 문제 10.3.3 사용).

**문제 10.3.5** 하우스도르프공간 $Y$와 함수 $f: X \to Y$에 대하여 다음을 보이시오.

(1) 만약 $\{U_\alpha\}$가 $Y$의 열린덮개이고 모든 축소사상 $f|_{f^{-1}(U_\alpha)} : f^{-1}(U_\alpha) \to U_\alpha$가 적합사상이면 $f$는 적합사상이다.

(2) $C_1, \dots, C_n$은 $Y$의 닫힌집합들이다. 만약 $Y = C_1 \cup \cdots \cup C_n$이고 모든 축소사상 $f|_{f^{-1}(C_i)} : f^{-1}(C_i) \to C_i$가 적합사상이면 $f$는 적합사상이다.

**문제 10.3.6** 두 연속사상 $f: X \to Y$와 $g: Y \to Z$에 대하여 다음을 보이시오.

(1) 만약 $Y$가 Hausdorff이고, $f$와 $g$가 모두 완전사상이면 $g \circ f$도 완전사상이다.

(2) 만약 $g \circ f$가 완전사상이고 $g$가 단사이면 $f$는 완전사상이다.

**문제 10.3.7** $X$는 Hausdorff이고 $f: X \to Y$와 $g: X \to Z$는 완전사상이라 하자.

(1) $F: X \to Y \times Z$, $F(x) = (f(x), g(x))$가 완전사상이 아닌 보기를 찾으시오.

(2) $Y \times Z$의 부분공간 $F(X)$에 대하여 $F: X \to F(X)$가 완전사상임을 보이시오(힌트: 참고 5.2.9 사용).

**문제 10.3.8** 각각의 $i = 1, 2$에 대해 $f_i : X_i \to Y_i$가 완전사상이면

$$F = f_1 \times f_2 : X_1 \times X_2 \to Y_1 \times Y_2, \quad F(x_1, x_2) = (f_1(x_1), f_2(x_2))$$

도 완전사상임을 보이시오(힌트: 참고 5.2.9와 문제 9.1.20 사용).

**문제 10.3.9** $D$는 하우스도르프공간 $X$의 조밀한 진부분집합이고, $f: X \to Y$는 연속사상이라 하자. 만약 각각의 $y \in Y$에 대하여 $f^{-1}(y) \cap D$가 컴팩트이면 축소사상 $f|: D \to Y$는 닫힌사상이 아님을 보이시오.

**문제 10.3.10** $X$와 $Y$는 모두 국소컴팩트 Hausdorff이다. 그리고 $X^* = X \cup \{p\}$와 $Y^* = Y \cup \{q\}$를 각각 $X$와 $Y$의 한 점 컴팩트화라 하자. 이제 전사인 연속사상 $f: X \to Y$에 대하여 다음이 동치임을 보이시오.

(a) $f$의 확장 $\tilde{f} : X^* \to Y^*$, $\tilde{f}(x) = \begin{cases} f(x), & x \in X \\ q, & x = p \end{cases}$가 연속이다.

(b) $f$는 완전사상이다.

# 10.4 Borel 집합 †

이 절에서 다룰 Borel 집합은 실변수 함수론에서 측도론(measure theory)을 배울 때 유용하게 사용된다.

## $F_\sigma$-집합과 $G_\delta$-집합 †

일반적으로 가산개의 닫힌집합들의 합집합은 닫힌집합이 아니다. 그리고 가산개의 열린집합들의 교집합도 항상 열린집합이 되는 것도 아니다.

**정의 10.4.1** $X$를 위상공간이라 하자. $F \subset X$가 **$F_\sigma$-집합**($F_\sigma$-set)이란 $F$가 가산개의 닫힌집합들의 합집합으로 표현됨을 의미한다. 그리고 $G \subset X$가 **$G_\delta$-집합**($G_\delta$-set)이란 $G$가 가산개의 열린집합들의 교집합으로 표현됨을 의미한다.

**보기 10.4.2** (1) 위상공간 $X$의 모든 닫힌집합은 $F_\sigma$-집합이고 모든 열린집합은 $G_\delta$-집합이다.

(2) 유클리드공간 $\mathbb{R}$의 부분집합 $[a, b]$는 닫힌집합이므로 당연히 $F_\sigma$-집합이다. 그리고

$$[a, b] = \cap_{n=1}^{\infty}(a - \frac{1}{n}, b + \frac{1}{n})$$

이므로 $[a, b]$는 $G_\delta$-집합도 된다.

(3) $X$를 자명한(비이산)공간이라 하자. 그러면 공집합이 아닌 모든 진부분집합은 $F_\sigma$-집합이 아니고 $G_\delta$-집합도 아니다.

(4) 유클리드공간 $\mathbb{R}$의 부분집합 $\mathbb{Q}$는 $F_\sigma$-집합이다. 왜냐하면 한 점 집합은 닫힌집합이고, $\mathbb{Q}$는 가산집합이고 $\mathbb{Q} = \cup_{a \in \mathbb{Q}}\{a\}$이기 때문이다. 그러나 $\mathbb{Q}$는 $G_\delta$-집합이 아니다(보기 11.3.3 참조).

(5) 보기 4.2.48에서 다루었던 순서공간 $\overline{S}_\Omega = S_\Omega \cup \{\Omega\}$를 생각하자. 그러면 $S_\Omega = \{x \in \overline{S}_\Omega \mid x < \Omega\}$가 열린집합이므로 한 점 집합 $\{\Omega\} = \overline{S}_\Omega - S_\Omega$는 닫힌집합이다. 그러므로 $\{\Omega\}$는 $F_\sigma$-집합이다. 그러나 $\{\Omega\}$는 $G_\delta$-집합은 아니다. 만약 $\{\Omega\}$가 $G_\delta$-집합이라 가정하면 가산개의 열린집합 $G_n$이 존재하여 $\{\Omega\} = \cap_{n=1}^{\infty} G_n$이 된다. 그러면 각

각의 자연수 $n\in\mathbb{N}$에 대하여 $\Omega\in G_n\subset\overline{S}_\Omega$이고

$$\mathscr{B}=\{(a,b)\mid a,b\in\overline{S}_\Omega\}\cup\{(a,\Omega]\mid a\in\overline{S}_\Omega\}$$

가 $\overline{S}_\Omega$의 기저이므로 $(a_n,\Omega]\subset G_n$를 만족하는 $a_n\in S_\Omega$이 존재한다. 그리고 집합 $\{a_n\mid n\in\mathbb{N}\}$이 가산이므로 상계 $\beta\in S_\Omega$가 존재한다(정리 4.2.47). 그런데 $\{\Omega\}=\bigcap_{n=1}^{\infty}G_n\supset(\beta,\Omega]\supsetneq\{\Omega\}$이므로 모순이다.

우리는 $F_\sigma$-집합과 $G_\delta$-집합을 다음과 같이 표현할 수 있다.

**성질 10.4.3** $X$는 위상공간이고 $F,G\subset X$이라 하자.

(1) 만약 $F$가 $F_\sigma$-집합이면 다음을 만족하는 닫힌집합들의 수열 $\{F_n\}_{n\in\mathbb{N}}$이 존재한다:

$$F=\bigcup_{n=1}^{\infty}F_n,\quad F_1\subset F_2\subset\cdots\subset F_n\subset F_{n+1}\subset\cdots$$

(2) 만약 $G$가 $G_\delta$-집합이면 다음을 만족하는 열린집합들의 수열 $\{G_n\}_{n\in\mathbb{N}}$이 존재한다:

$$G=\bigcap_{n=1}^{\infty}G_n,\quad G_1\supset G_2\supset\cdots\supset G_n\supset G_{n+1}\supset\cdots$$

증명 (1) $F$가 $F_\sigma$-집합이므로 $F=\bigcup_{n=1}^{\infty}C_n$이 되는 닫힌집합 $C_n$들이 존재한다(참고 10.2.11 참조). 이제 각각의 $n\in\mathbb{N}$에 대하여

$$F_n=C_1\cup C_2\cup\cdots\cup C_n$$

으로 정의하면 $\{F_n\}$이 우리가 원하는 닫힌집합들의 수열이다.

(2) $G$가 $G_\delta$-집합이므로 $G=\bigcap_{n=1}^{\infty}U_n$이 되는 열린집합 $U_n$들이 존재한다. 이제 각각의 $n\in\mathbb{N}$에 대하여

$$G_n=U_1\cap U_2\cap\cdots\cap U_n$$

으로 정의하면 $\{G_n\}$이 우리가 원하는 열린집합들의 수열이다. □

**성질 10.4.4** 주어진 위상공간의 부분집합들에 대하여 다음이 성립한다.

(1) 가산개의 $F_\sigma$-집합의 합집합은 $F_\sigma$-집합이다.

(2) 유한개의 $F_\sigma$-집합의 교집합은 $F_\sigma$-집합이다.

(3) 가산개의 $G_\delta$-집합의 교집합은 $G_\delta$-집합이다.

(4) 유한개의 $G_\delta$-집합의 합집합은 $G_\delta$-집합이다.

(5) $F_\sigma$-집합의 여집합은 $G_\delta$-집합이고, $G_\delta$-집합의 여집합은 $F_\sigma$-집합이다.

증명 (1) $F_n(n\in\mathbb{N})$을 $F_\sigma$-집합이라 하자. 그러면 각각의 자연수 $n\in\mathbb{N}$에 대하여 $F_n = \cup_{j=1}^{\infty} C_{n,j}$ 인 닫힌집합들의 수열 $\{C_{n,j}\}$가 존재한다. 그리고

$$\bigcup_{n=1}^{\infty} F_n = \bigcup_{n=1}^{\infty}(\bigcup_{j=1}^{\infty} C_{n,j}) = \bigcup\{C_{n,j} \mid (n,j)\in\mathbb{N}\times\mathbb{N}\}$$

이고 $\mathbb{N}\times\mathbb{N}$이 가산집합이므로 $\cup_{n=1}^{\infty}F_n$은 $F_\sigma$-집합이다.

(2) $F_1, F_2, \dots, F_m$이 $F_\sigma$-집합이라 하자. 그러면 각각의 $i=1,2,\dots,m$에 대하여 $F_i = \cup_{j=1}^{\infty} C_{i,j}$인 닫힌집합들의 수열 $\{C_{i,j}\}$가 존재한다. 그리고

$$\bigcap_{i=1}^{m} F_i = \bigcap_{i=1}^{m}(\bigcup_{j=1}^{\infty} C_{i,j}) = \bigcup\{C_{1,j_1}\cap\cdots\cap C_{m,j_m} \mid (j_1,\dots,j_m)\in\mathbb{N}\times\cdots\times\mathbb{N}\}$$

이고 $\mathbb{N}\times\cdots\times\mathbb{N}$이 가산집합이므로 $\cap_{i=1}^{m}F_i$는 $F_\sigma$-집합이다.

(3), (4)는 (1), (2)와 같은 방법으로 보일 수 있다.

(5) 만약 $F$가 $F_\sigma$-집합이면 $F=\cup_{n=1}^{\infty}C_n$ 인 닫힌집합들의 수열 $\{C_n\}$이 존재한다. 그러면 $F^c = (\cup_{n=1}^{\infty}C_n)^c = \cap_{n=1}^{\infty}C_n^c$ 이고 $C_n^c$ 이 열린집합이므로 $F^c$는 $G_\delta$-집합이다.

같은 방법으로 $G_\delta$-집합의 여집합이 $F_\sigma$-집합임을 보일 수 있다. □

그러나 일반적으로 가산개의 $F_\sigma$-집합의 교집합은 $F_\sigma$-집합이 아니고, 가산개의 $G_\delta$-집합의 합집합은 $G_\delta$-집합이 되지 않는다.

## Borel 집합†

이제 가산개의 원소들의 합집합과 교집합에 닫혀있고 여집합에도 닫혀있는 적당한 집합들의 모임에 대해 알아보자.

**정의 10.4.5** 집합 $X$의 부분집합들의 모임 $\Sigma \subset \mathscr{P}(X)$가 $\sigma$-환($\sigma$-ring)이란 다음 조건을 만족하는 것을 의미한다.

(a) $\Sigma \neq \varnothing$.

(b) $A \in \Sigma \Rightarrow A^c \in \Sigma$.

(c) $A_n \in \Sigma (n=1,2,\ldots) \Rightarrow \cup_{n=1}^{\infty} A_n \in \Sigma$.

**기초정리 10.4.6** $\Sigma$가 집합 $X$의 $\sigma$-환이면 다음이 성립한다.

(d) $A_n \in \Sigma (n=1,2,\ldots) \Rightarrow \cap_{n=1}^{\infty} A_n \in \Sigma$.

(e) $\varnothing, X \in \Sigma$.

증명 (d) 모든 자연수 $n$에 대하여 $A_n \in \Sigma$이므로 조건 (b)에 의해 $A_n^c \in \Sigma$이다. 그리고 조건 (c)에 의해 $\cup_{n=1}^{\infty} A_n^c \in \Sigma$이다. 다시 조건 (b)에 의해

$$\cap_{n=1}^{\infty} A_n = (\cup_{n=1}^{\infty} A_n^c)^c \in \Sigma$$

이다.

(e) $\Sigma \neq \varnothing$ 이므로 $\Sigma$의 원소 $A$가 존재한다. 그러면 (b)에 의해 $A^c \in \Sigma$이다. 그리고 (c)와 (d)에 의해

$$\varnothing = A \cap A^c \in \Sigma, \quad X = A \cup A^c \in \Sigma$$

이다.[17) ] □

**기초정리 10.4.7** $(X, \mathscr{T})$를 위상공간이라 하자. 그러면 $\mathscr{T}$를 포함하는 가장 작은 $\sigma$-환 $\mathfrak{B}$가 존재한다. 그리고 이러한 $\mathfrak{B}$는 유일하다.

17) 일반적으로 조건 (a), (b), (c), (e)를 만족하는 집합 $X$의 부분집합들의 모임 $\Sigma \subset \mathscr{P}(X)$를 $\sigma$-대수($\sigma$-algebra)라 한다. 따라서 우리의 $\sigma$-환은 $\sigma$-대수가 된다([8] 참조).

증명 당연히 $\mathscr{P}(X)$는 $\mathscr{T}$를 포함하는 $\sigma$-환이다. 이제 $\mathscr{C} = \{\Sigma_\alpha \mid \alpha \in \Lambda\}$를 $\mathscr{T}$를 포함하는 모든 $\sigma$-환들의 모임이라 하자. 그리고

$$\mathfrak{B} = \cap_{\alpha \in \Lambda} \Sigma_\alpha$$

이라 하자. 우리는 $\mathfrak{B}$가 $\sigma$-환임을 보이면 충분하다.

(a) 모든 $\alpha \in \Lambda$에 대하여 $\mathscr{T} \subset \Sigma_\alpha$이므로 $\mathscr{T} \subset \mathfrak{B}$이다. 그러므로 $\mathfrak{B} \neq \varnothing$이다.

(b) 만약 $A \in \mathfrak{B}$이면 $A \in \Sigma_\alpha (\forall \alpha \in \Lambda)$이므로 $A^c \in \Sigma_\alpha (\forall \alpha \in \Lambda)$이다. 따라서 $A^c \in \mathfrak{B}$이다.

(c) 만약 $A_n \in \mathfrak{B} (n = 1, 2, \ldots)$이면 모든 $n$에 대해 $A_n \in \Sigma_\alpha (\forall \alpha \in \Lambda)$이므로 $\cup_{n=1}^\infty A_n \in \Sigma_\alpha (\forall \alpha \in \Lambda)$이다. 따라서 $\cup_{n=1}^\infty A_n \in \mathfrak{B}$이다.

그러므로 $\mathfrak{B}$는 $\sigma$-환이다. □

**성질 10.4.8** $\text{card}(\mathfrak{B}) \leq \text{card}(\mathscr{T})^{\aleph_0}$이다.

증명 먼저 $\mathfrak{B}_0 = \{U, U^c \mid U \in \mathscr{T}\} = \mathscr{T} \cup \{U^c \mid U \in \mathscr{T}\}$이라 하자. 그러면 $\mathscr{T} \subset \mathfrak{B}_0 \subset \mathfrak{B}$이다. 그리고 $\text{card}(\mathscr{T}) \geq 2$이므로

$$\text{card}(\mathfrak{B}_0) \leq 2\,\text{card}(\mathscr{T}) \leq \text{card}(\mathscr{T}) \cdot \text{card}(\mathscr{T}) = \text{card}(\mathscr{T})^2 \leq \text{card}(\mathscr{T})^{\aleph_0}$$

이다. 한편 $\text{card}(\mathscr{T}) \geq 2$이므로 $\text{card}(\mathscr{T})^{\aleph_0} \geq 2^{\aleph_0} = \mathfrak{c}$임을 주의하자. 이제

$$\mathfrak{B}_1 = \{\cup_{i=1}^\infty B_i \mid B_i \in \mathfrak{B}_0\} \cup \{U^c \mid U \in \mathfrak{B}_0\}$$

이라 하자. 그러면

$$\mathscr{T} \subset \mathfrak{B}_0 \subset \mathfrak{B}_1 \subset \mathfrak{B}$$

이다. 그리고 다음과 같은 함수

$$\varphi : \Pi_{j=1}^\infty \mathscr{P}(X) \to \mathscr{P}(X), \ \Pi_{j=1}^\infty U_j \mapsto \cup_{j=1}^\infty U_j$$

에 대하여

$$\varphi(\Pi_{j=1}^\infty \mathfrak{B}_0) = \{\cup_{i=1}^\infty B_i \mid B_i \in \mathfrak{B}_0\} \subset \mathfrak{B}_1$$

이므로

$$\text{card}(\{\cup_{i=1}^\infty B_i \mid B_i \in \mathfrak{B}_0\}) \leq \text{card}(\Pi_{j=1}^\infty \mathfrak{B}_0) = \text{card}(\mathfrak{B}_0)^{\aleph_0}$$

이다. 따라서

$$\begin{aligned}\operatorname{card}(\mathfrak{B}_1) &\le \operatorname{card}(\mathfrak{B}_0)^{\aleph_0} + \operatorname{card}(\mathfrak{B}_0)\\ &\le (\operatorname{card}(\mathscr{T})^{\aleph_0})^{\aleph_0} + \operatorname{card}(\mathscr{T})^{\aleph_0}\\ &= \operatorname{card}(\mathscr{T})^{\aleph_0} + \operatorname{card}(\mathscr{T})^{\aleph_0} && (\because\ \aleph_0\aleph_0 = \aleph_0)\\ &= 2\cdot\operatorname{card}(\mathscr{T})^{\aleph_0}\\ &= \operatorname{card}(\mathscr{T})^{\aleph_0} && (\because\ \operatorname{card}(\mathscr{T})^{\aleph_0} \ge \mathfrak{c})\end{aligned}$$

이다. 이제 자연수 $n\in\mathbb{N}$에 대하여

$$\mathfrak{B}_{n+1} = \{\, \cup_{i=1}^{\infty} B_i \mid B_i \in \mathfrak{B}_n \,\} \cup \{\, U^c \mid U \in \mathfrak{B}_n \,\}$$

이라 하고, 수학적 귀납법 가정으로서 $\operatorname{card}(\mathfrak{B}_n) \le \operatorname{card}(\mathscr{T})^{\aleph_0}$이라 하자. 그러면

$$\mathscr{T} \subset \mathfrak{B}_n \subset \mathfrak{B}_{n+1} \subset \mathfrak{B}$$

이 된다. 그리고

$$\begin{aligned}\operatorname{card}(\mathfrak{B}_{n+1}) &\le \operatorname{card}(\mathfrak{B}_n)^{\aleph_0} + \operatorname{card}(\mathfrak{B}_n)\\ &\le (\operatorname{card}(\mathscr{T})^{\aleph_0})^{\aleph_0} + \operatorname{card}(\mathscr{T})^{\aleph_0}\\ &= \operatorname{card}(\mathscr{T})^{\aleph_0} + \operatorname{card}(\mathscr{T})^{\aleph_0}\\ &= 2\cdot\operatorname{card}(\mathscr{T})^{\aleph_0}\\ &= \operatorname{card}(\mathscr{T})^{\aleph_0}\end{aligned}$$

이다. 따라서 수학적 귀납법에 의하여 모든 $n\in\mathbb{N}$에 대하여 $\operatorname{card}(\mathfrak{B}_n) \le \operatorname{card}(\mathscr{T})^{\aleph_0}$ 이다.

이제 $\mathfrak{D} = \cup_{n=1}^{\infty}\mathfrak{B}_n$이라 하자. 그러면 $\mathfrak{B}_n$의 정의에 의하여 $\mathscr{T} \subset \mathfrak{D} \subset \mathfrak{B}$이다. 만약 $\mathfrak{D}$가 $\sigma$-환이라면 $\mathfrak{B}$의 최소성에 의하여 $\mathfrak{B} = \mathfrak{D}$가 되어야 하므로

$$\begin{aligned}\operatorname{card}(\mathfrak{B}) &= \operatorname{card}(\mathfrak{D})\\ &= \operatorname{card}(\cup_{n=1}^{\infty}\mathfrak{B}_n)\\ &\le \textstyle\sum_{n=1}^{\infty}\operatorname{card}(\mathfrak{B}_n)\\ &\le \textstyle\sum_{n=1}^{\infty}\operatorname{card}(\mathscr{T})^{\aleph_0}\\ &= \aleph_0\cdot\operatorname{card}(\mathscr{T})^{\aleph_0}\\ &= \operatorname{card}(\mathscr{T})^{\aleph_0}\end{aligned}$$

이다.

그러므로 우리는 $\mathfrak{D}$가 $\sigma$-환이 됨을 보이면 충분하다. 당연히 $\mathfrak{D}$는 조건 (a)를 만족한다. 조건 (b)를 보이기 위하여 다음과 같은 함수

$$\psi: \mathscr{P}(X) \to \mathscr{P}(X),\ U \mapsto U^c$$

를 생각하자. 그런데

$$\psi(\mathfrak{D}) = \psi(\cup_{n=1}^{\infty}\mathfrak{B}_n) = \cup_{n=1}^{\infty}\psi(\mathfrak{B}_n) \subset \cup_{n=1}^{\infty}\mathfrak{B}_{n+1} \subset \mathfrak{D}$$

이므로 $\mathfrak{D}$는 조건 (b)를 만족한다. 한편

$$\begin{aligned}\varphi(\Pi_{i=1}^{\infty}\mathfrak{D}) &= \varphi(\Pi_{i=1}^{\infty}(\cup_{n=1}^{\infty}\mathfrak{B}_n)) = \varphi(\cup_{n=1}^{\infty}(\Pi_{i=1}^{\infty}\mathfrak{B}_n)) \\ &= \cup_{n=1}^{\infty}(\varphi(\Pi_{i=1}^{\infty}\mathfrak{B}_n)) \subset \cup_{n=1}^{\infty}\mathfrak{B}_{n+1} \subset \mathfrak{D}\end{aligned}$$

이므로 $\mathfrak{D}$는 조건 (c)를 만족한다. 따라서 $\mathfrak{D}$는 $\sigma$-환이다. □

**정의 10.4.9** $(X, \mathscr{T})$를 위상공간이라 하자. 기초정리 10.4.7과 같은 $\mathscr{T}$를 포함하는 가장 작은 $\sigma$-환 $\mathfrak{B}$를 $X$의 Borel 집합들의 모임이라 한다. 즉, $B \subset X$가 $X$의 **Borel 집합**(Borel set)이란 $B \in \mathfrak{B}$임을 의미한다.

**성질 10.4.10** $X$를 위상공간이라 하자. 그러면 모든 $F_\sigma$-집합과 $G_\delta$-집합은 Borel 집합이다.

증명 $\mathscr{T} \subset \mathfrak{B}$이므로 당연하다. □

**참고 10.4.11** 특별히 유클리드공간 $(\mathbb{R}^n, \mathscr{U})$을 살펴보자.

(1) Borel 집합이 아닌 $\mathbb{R}^n$의 부분집합이 존재한다: 보기 3.2.11(3)에 의하여 $\mathrm{card}(\mathscr{U}) = 2^{\aleph_0}$이므로 $\mathrm{card}(\mathfrak{B}) \le (2^{\aleph_0})^{\aleph_0} = 2^{\aleph_0} = \mathfrak{c}$이다. 그런데 $\mathrm{card}(\mathscr{P}(\mathbb{R}^n)) = 2^{\mathfrak{c}} > \mathfrak{c}$이므로 $\mathscr{P}(\mathbb{R}^n) - \mathfrak{B} \neq \varnothing$ 이다.[18]

(2) $\mathbb{R}^n$의 모든 열린집합과 닫힌집합은 $F_\sigma$-집합인 동시에 $G_\delta$-집합이다: $A$가 $\mathbb{R}^n$의 열린집합이라 하자. 그러면 $A$는 당연히 $G_\delta$-집합이다. 이제 $A$가 $F_\sigma$-집합임을 보이자. 보기 3.2.11(2)에 의해 $A$는 가산개의 열린구 $B(x_n, r_n)$들의 합집합으로 표현된다. 즉,

18) 구체적인 예는 [8, p. 43, Theorem 18]을 참조하기 바란다.

$A = \cup_{n=1}^{\infty} B(x_n, r_n)$이다. 그리고 각각의 열린구는

$$B(x_n, r_n) = \cup_{k=1}^{\infty} \overline{B(x_n, r_n - k^{-1})}$$

이므로

$$A = \cup_{n=1}^{\infty} B(x_n, r_n) = \cup_{n=1}^{\infty} \cup_{k=1}^{\infty} \overline{B(x_n, r_n - k^{-1})}$$

이 되어 $A$는 가산개의 닫힌집합들의 합집합으로 표현된다. 따라서 $A$는 $F_\sigma$-집합이다.

그리고 $A$가 닫힌집합인 경우는 $A^c$이 열린집합이므로 $A^c$은 $F_\sigma$-집합인 동시에 $G_\delta$-집합이다. 따라서 성질 10.4.4에 의하여 $A$도 $F_\sigma$-집합인 동시에 $G_\delta$-집합이다.

(3) 유클리드공간 $\mathbb{R}^n$에서는 Borel 집합들의 모임 $\mathfrak{B}$를 다음과 같이도 정의할 수 있다.

**성질.** $\mathfrak{D} \subset \mathscr{P}(\mathbb{R}^n)$가

$$B_n \in \mathfrak{D} (\forall n \in \mathbb{N}) \Rightarrow \cup_{n=1}^{\infty} B_n \in \mathfrak{D},\ \cap_{n=1}^{\infty} B_n \in \mathfrak{D} \qquad (*)$$

를 만족하고 $\mathscr{U}$를 포함하는 가장 작은 모임이라 하자. 그러면 $\mathfrak{D} = \mathfrak{B}$이다.[19)]

이를 보이기 위하여 우리는 먼저 $\mathfrak{D}$가 $\sigma$-환이 됨을 보이자. $\mathfrak{F} = \{A^c \mid A \in \mathfrak{D}\}$라 하면 $\mathscr{U} \subset \mathfrak{F}$이다. 구체적으로 (2)에 의하여 임의의 $U \in \mathscr{U}$는 $F_\sigma$-집합이므로 가산개의 닫힌집합 $F_i$가 존재하여 $U = \cup_{i=1}^{\infty} F_i$이다. 그리고 각각의 $i \in \mathbb{N}$에 대하여 $G_i = F_i^c$이라 하면

$$U = \cup_{i=1}^{\infty} F_i = \cup_{i=1}^{\infty} G_i^c = (\cap_{i=1}^{\infty} G_i)^c$$

이고 $\cap_{i=1}^{\infty} G_i \in \mathfrak{D}$이므로 $U \in \mathfrak{F}$이다. 따라서 $\mathscr{U} \subset \mathfrak{F}$이다.

그리고 $C_n \in \mathfrak{F} (\forall n \in \mathbb{N})$이면 $C_n^c \in \mathfrak{D} (\forall n \in \mathbb{N})$이므로

$$(\cup_{n=1}^{\infty} C_n)^c = \cap_{n=1}^{\infty} C_n^c \in \mathfrak{D} \Rightarrow \cup_{n=1}^{\infty} C_n \in \mathfrak{F}$$
$$(\cap_{n=1}^{\infty} C_n)^c = \cup_{n=1}^{\infty} C_n^c \in \mathfrak{D} \Rightarrow \cap_{n=1}^{\infty} C_n \in \mathfrak{F}$$

이다. $\mathfrak{D}$의 최소성에 의해 $\mathfrak{D} \subset \mathfrak{F}$가 된다. 그래서

$$A \in \mathfrak{D} \Rightarrow A \in \mathfrak{F} \Rightarrow A^c \in \mathfrak{D}$$

19) 일반적인 위상공간에서는 성립하지 않음을 주의하자.

이므로 $\mathfrak{D}$는 $\sigma$-환이다.

따라서 $\mathfrak{B}$의 최소성에 의해 $\mathfrak{B} \subset \mathfrak{D}$이다. 역으로 기초정리 10.4.6에 의해 $\mathfrak{B}$가 조건 (*)를 만족하므로 $\mathfrak{D}$의 최소성에 의해 $\mathfrak{D} \subset \mathfrak{B}$이다. 그러므로 $\mathfrak{D} = \mathfrak{B}$이다.

Borel 집합에 대해 더 알고 싶으면 참고 문헌 [8]을 참조하기 바란다.

# 참고문헌


[1] 강미현, 고영미, 이상욱: 《하늘책의 증명》, 교우사, 2008.

[2] 곽진호, 이재운: 《조합적 곡면 위상론 I》, 경문사, 2003.

[3] 김재룡: 《위상수학 개론》, 경문사, 2003.

[4] 문영호, 박종일: 《위상수학 입문》, 경문사, 2004.

[5] 안승호, 임평기: 《위상수학》, 교우사, 2002.

[6] 조태근: 《실해석학》, 희중당, 1989.

[7] Armstrong, M. A.: *Basic Topology*, Springer-Verlag, New York, 1983.

[8] Barra, G. de: *Measure theory and integration,* Ellis Horwood Limited, 1981.

[9] Bourbaki, N.: *Elements of Mathematics. General Topology I, II*, Addison-Wesley, 1966.

[10] Bredon, G. E.: *Introduction to Compact Transformation Groups*, Academic Press, New York, 1972.

[11] Bredon, G. E.: *Topology and Geometry*, Springer-Verlag, New York, 1993.

[12] Cain, G. L.: *Introduction to general topology*, Addison-Wesley Publ. co., Massachusetts, 1994.

[13] Doyle, P. H., Moran, D. A.: *A short proof that compact 2-manifolds*, Inventions math. **5**, 160-162 (1968)

[14] Dugundji, J.: *Topology*, Allyn & Bacon, Massachusetts, 1966.

[15] Firby, P. A., Gardiner, C. F.: *Surface topology*, Ellis Horwood Ltd., 1982.

[16] Fraleigh, J. B.: *A first course in abstract algebra*, Addison-Wesley publishing company, 1982.

[17] Gamelin, T. W., Greene, R. E.: *Introduction to topology*, CBS College Publishing, 1983.

[18] Gray, B.: *Homotopy theory: An introduction to algebraic topology*, Academic Press, New York, 1975.

[19] Hirsch, M. W.: *Differential topology*, Springer-Verlag, New York, 1976.

[20] Hocking, J. G., Young, G. S.: *Topology*, Addison-Wesley publishing company, 1961.

[21] Hungerford, T. W.: *Algebra*, Springer-Verlag, New York, 1974.

[22] Lin, Y. F., Lin, S. Y. T.: *Set Theory: An intuitive approach*, Houghton Mifflin Company, 1974.

[23] Lipschutz, S.: *Theory and Problems of Set Theory and Related Topics*; Schaum's outline series, McGraw-Hill, 1964.

[24] Lipschutz, S.: *Theory and Problems of General Topology*; Schaum's outline series, McGraw-Hill, 1965.

[25] Massey, W. S.: *Alegbraic topology: An introduction*, Springer, 1990.

[26] Munkres, J. R.: *Topology*, 2nd ed. Prentice Hall, 2000.

[27] Munkres, J. R.: *Elements of algebraic topology*, Addison-Wesley, 1984.

[28] Mysior, A.: *A regular space which is not completely regular*, Proc. Amer. Math. Soc. **81**, 652-653 (1981)

[29] Oxtoby, J. C.: *Cartesian products of Baire spaces*, Fund. Math. **49**, 157-166 (1961)

[30] Pinter, C. C.: *Set Theory*, Addison-Wesley, 1971.

[31] Radó, T.: *Über den Begriff der Riemannschen Fläche*, Acts. Litt. Sci. Szeged. **2**, 101-121 (1925)

[32] Rourke, C. P., Sanderson, B. J.: *Introduction to Piecewise-Linear Topology*, Springer-Verlag, 1982.

[33] Rudin, W.: *Principles of Mathematical Analysis*, 3rd ed. McGraw-Hill, 1984.

[34] Sims, B. T.: *Fundamentals of topology*, Macmillan Publ. co., 1976.

[35] Steen, L. A., Seebach, J. A.: *Counterexamples in topology*, Springer-Verlag, 1978.

[36] Willard, S.: *General Topology*, Addison-Wesley publishing company, 1970.

## 기호, 약자의 해설

| 기호 | 해설 | 페이지 |
|---|---|---|
| $\mathbb{N}$ | 모든 자연수들의 집합 | 21 |
| $\mathbb{Z}$ | 모든 정수들의 집합 | 21 |
| $\mathbb{Q}$ | 모든 유리수들의 집합 | 21 |
| $\mathbb{Q}^c$ | 모든 무리수들의 집합 | 21 |
| $\mathbb{R}$ | 모든 실수들의 집합 | 21 |
| $\mathbb{C}$ | 모든 복소수들의 집합 | 21 |
| $\exists$ | [특칭기호, 존재기호] ~가 존재하여, 적당한 ~에 대하여, ~가 존재한다(exist(s)) | 16 |
| $\forall$ | [전칭기호] 모든 ~에 대하여, 각각의 ~에 대하여, 임의의 ~에 대하여, 임의로 주어진 ~에 대하여 (every, for each, for all) | 16 |
| s.t. | ~를 만족하는(such that, so that) | 16 |
| $\mathscr{P}(X)$ | $X$의 멱집합 | 16 |
| $X^n$ | $n$개의 $X$의 곱집합 또는 곱공간 | 34 |
| $X^\omega$ | 가부번개의 $X$의 곱집합 또는 곱공간 | 34 |
| $\mathbb{R}^\omega$ | 가부번개의 $\mathbb{R}$의 곱집합 또는 곱공간 | 256, 260 |
| $X^A$ | $A$에서 $X$로의 함수들의 집합 | 36, 210 |
| $X/_\sim$ | 동치관계 ~에 의한 상공간 또는 동치류들의 모임 | 23, 592 |
| $\max A$ | 집합 $A$의 최대원 | 40 |
| $\min A$ | 집합 $A$의 최소원 | 40 |
| $\operatorname{lub} A$ | 집합 $A$의 최소상계 | 39, 66 |
| $\sup A$ | 집합 $A$의 상한 | 39, 66 |
| $\operatorname{glb} A$ | 집합 $A$의 최대하계 | 39, 67 |
| $\inf A$ | 집합 $A$의 하한 | 39, 67 |
| $\operatorname{card}(X)$ | 집합 $X$의 기수 | 60 |
| $\aleph_0$ | 자연수 집합 $\mathbb{N}$의 기수 | 60 |
| $\mathfrak{c}$ | 실수 집합 $\mathbb{R}$의 기수 | 60 |
| $\operatorname{diam}(A)$ | 집합 $A$의 직경 | 127 |
| $A^\circ$ | $A$의 내부 | 150 |

| | | |
|---|---|---|
| $\text{int}(A)$ | $A$의 내부 | 150 |
| $\text{int}_X(B)$ | 위상공간 $X$에서의 B의 내부 | 154 |
| $\overline{A}$ | $A$의 폐포 | 157 |
| $\text{cl}(A)$ | $A$의 폐포 | 157 |
| $\text{cl}_X(B)$ | 위상공간 $X$에서의 B의 폐포 | 168 |
| $A'$ | $A$의 도집합 | 157 |
| $e(A)$ | $A$의 외부 | 169 |
| $\text{ext}(A)$ | $A$의 외부 | 169 |
| $\partial(A)$ | $A$의 경계 | 169 |
| $\text{bdy}(A)$ | $A$의 경계 | 169 |
| $S^n$ | $\mathbb{R}^{n+1}$상의 단위 구면 | 231 |
| $\mathscr{D}$ | 이산위상 | 94 |
| $\mathscr{U}$ | $\mathbb{R}^n$상의 보통위상(유클리드위상) | 96 |
| $\mathscr{T}_{\mathscr{B}}$ | 기저 $\mathscr{B}$가 생성하는 위상 | 102 |
| $\mathscr{T}_d$ | 거리 $d$가 생성하는 거리위상 | 123 |
| $\mathscr{T}_f$ | 여유한위상 | 94 |
| $\mathscr{T}_c$ | 여가산위상 | 95 |
| $\mathscr{T}_p$ | 곱위상 | 242 |
| $\mathscr{T}_b$ | 상자위상 | 272 |
| $\mathscr{T}_{co}$ | compact-open 위상, C-O 위상 | 785 |
| $\mathscr{T}_{pc}$ | 점-수렴 위상 | 803 |
| $\mathscr{T}_{cc}$ | 컴팩트-수렴 위상 | 805 |
| $\mathscr{T}_l$ | 하극한위상 | 109 |
| $\mathbb{R}_l$ | 하극한공간 $(\mathbb{R}, \mathscr{T}_l)$ | 109 |
| $\mathscr{T}_K$ | $K$-위상 | 296 |
| $\mathbb{R}_K$ | $K$-위상공간 $(\mathbb{R}, \mathscr{T}_K)$ | 296 |
| (R) | 정칙 조건 (R) | 295 |
| (N) | 정규 조건 (N) | 300 |
| $S_\Omega$ | 최소 비가산 정렬집합 $[a_0, \Omega)$ | 175, 378 |
| $\overline{S}_\Omega$ | $S_\Omega$의 폐포 $S_\Omega \cup \{\Omega\} = [a_0, \Omega]$ | 175, 378 |
| $\mathcal{C}(X, Y)$ | $X$에서 $Y$로의 연속사상들의 집합 | 522, 755 |
| $\mathcal{B}(X, Y)$ | $X$에서 $Y$로의 유계함수들의 집합 | 522, 756 |
| $\overline{d}$ | 거리 $d$가 유도하는 표준유계거리 | 126 |
| $\overline{\rho}$ | 곱집합상의 고른거리 | 261 |

| | | |
|---|---|---|
| $\rho$ | $\mathcal{B}(X, Y)$상의 상한거리 | 524, 757 |
| $gT$ | g-토러스 | 670 |
| $\mathbb{R}P^n$ | 실사영공간 | 604 |
| $g\mathbb{R}P^2$ | g-사영평면 | 670 |
| $X/A$ | $A$가 한 점이 되는 상공간 | 607 |
| $CX$ | $X$의 뿔 | 608 |
| $C_f$ | $f$의 사상뿔(mapping cone) | 629 |
| $M_f$ | $f$의 사상기둥(mapping cylinder) | 629 |
| $\text{supp}(\phi)$ | $\phi$의 받침(support) | 661 |
| $X \sim Y$ | $X$와 $Y$는 대등(equipotent) | 50 |
| $X \cong Y$ | $X$와 $Y$는 위상동형 | 227 |
| $X \simeq Y$ | $X$와 $Y$는 변이적 | 847 |
| $X \# Y$ | $X$와 $Y$의 연결합 | 666 |
| $X \times Y$ | $X$와 $Y$의 곱집합 또는 곱공간 | 33, 242 |
| $\Pi_{\alpha \in \Lambda} X_\alpha$ | $X_\alpha$들의 곱집합 또는 곱공간 | 35, 254 |
| $X \amalg Y$ | $X$와 $Y$의 떨어진 합집합 | 627, 628 |
| $\amalg_{\alpha \in \Lambda} X_\alpha$ | $X_\alpha$들의 떨어진 합집합 공간 | 627 |
| $\pi_1(X, x_0)$ | 위상공간 $X$의 기본군 | 863 |
| $G_1 * G_2$ | 두 군 $G_1$과 $G_2$의 자유곱 | 921 |
| $G_1 *_H G_2$ | 두 군 $G_1$과 $G_2$의 $H$상에서의 융합곱 | 922 |

## 찾아보기

한글

## 영문

제5판

# 위상수학 상

지은이 박대희 · 안승호
펴낸이 조경희
펴낸곳 경문사
펴낸날 2007년 9월 1일 1판 1쇄
2022년 3월 2일 5판 1쇄
등 록 1979년 11월 9일 제1979-000023호
주 소 04057, 서울특별시 마포구 와우산로 174
전 화 (02)332-2004 팩스 (02)336-5193
이메일 kyungmoon@kyungmoon.com

값 52,000원 (세트)

ISBN 979-11-6073-512-3
ISBN 979-11-6073-511-6 (세트)